Classici Greci e Latini

di Omero

nella collezione Oscar
Odissea

nella collezione Classici
Iliade

Omero

ODISSEA

Traduzione di G. Aurelio Privitera

Introduzione di Alfred Heubeck

Indici a cura di Donato Loscalzo

OSCAR MONDADORI

I edizione Oscar classici greci e latini maggio 1991

ISBN 978-88-04-34740-8

**Questo volume è stato stampato
presso ELCOGRAF S.p.A.
Stabilimento - Cles (TN)
Stampato in Italia. Printed in Italy**

Anno 2014 - Ristampa 23 24 25 26 27 28

INTERPRETAZIONE DELL'ODISSEA

di Alfred Heubeck

I due poemi epici, che gli antichi Greci attribuivano ad un autore di nome Omero, cioè l'*Iliade* e l'*Odissea*, non rappresentano soltanto la più antica testimonianza a noi nota della poesia e del pensiero greco: essi hanno anche condizionato, influenzato e caratterizzato in maniera quasi inconcepibile l'intero sviluppo della vita culturale dei Greci in tutte le sue molteplici manifestazioni. Gli stessi Greci erano consapevoli di questo fatto, quando consideravano ed onoravano Omero come loro « maestro », in tutti i possibili settori della vita: i successivi interpreti e storici della spiritualità greca hanno potuto solo confermare ed approfondire questa concezione, anche se in forma mutata e sotto altri aspetti. Qui noi possiamo accennare solo marginalmente al fatto che la loro interpretazione assegna all'epos omerico una posizione preminente ed un'importanza eccezionale in tutto l'ambito della cultura occidentale.

Le nostre brevi osservazioni, che devono spianare la via alla comprensione del testo dell'*Odissea*, presentato nell'originale e munito di traduzione a fronte nonché di un indice dei nomi e di un indice delle cose notevoli, non diranno molto di tutto questo: altro e diverso sarà il loro nucleo.

A qualsiasi tentativo di dominare concettualmente un fenomeno letterario dell'antichità e di riconoscere, dietro la facciata della parola scritta – la sola a noi visibile e percepibile –, l'autore stesso, la sua individualità spirituale, le sue intenzioni e, insieme, la sua collocazione nel mondo in cui visse, si oppongono precisi ed invalicabili limiti. Essi sono costituiti dai condizionamenti cui soggiace ogni interprete di un'opera letteraria, per quanto possa sforzarsi di eluderli: condizionamenti imposti dalla propria situazione spaziale, temporale e personale. Per esprimerci in forma più concreta: tutti gli sforzi per individuare ed esprimere ciò che è essenziale o addirittura giusto in relazione all'essenza, al valore, allo scopo ed al significato dell'epos omerico, sono condizionati e caratterizzati in maniera decisiva dalla collocazione assunta da ogni interprete a causa della sua appartenenza ad un particolare ambito etnico, del suo essere radicato in una situazione culturale e storico-culturale ineliminabile e, infine, a causa della propria individualità irrepetibile.

Non può quindi meravigliare che quanto è stato detto e pensato durante il millenario confronto col « fenomeno Omero » (un confronto che comincia al più tardi nel VI secolo a.C. e giunge sino ai nostri giorni, in cui la discussione è condotta con particolare vivacità) presenti differenze e divergenze addirittura impressionanti: giacché il solo contributo che l'interprete può davvero concedersi consiste nell'aggiungere delle tangenti ad un cerchio di cui non possiamo valicare la circonferenza.

Su queste considerazioni fondamentali si basa anche il presente tentativo di chiarire il « fenomeno Omero », ed in particolare l'*Odissea*, con alcune osservazioni. E di conseguenza bisognerà pure ricordare opinioni su Omero assai diverse fra di loro: ma nel contempo la consapevolezza della soggettività, ineliminabile, imposta da molteplici fattori, riguardante tutti i giudizi su questo fenomeno in fondo impenetrabile, ci conferisce anche il diritto, anzi il dovere, di tener conto della nostra personale posizione, di ragionare in maniera coscientemente soggettiva e di non celare la nostra interpretazione dietro la molteplicità delle opinioni altrui. Non ci limiteremo dunque a un bilancio, ma prenderemo consapevolmente posizione, né eviteremo la polemica, ove essa appaia inevitabile.

È evidentemente impossibile prendere in considerazione tutto ciò che in epoca recente è stato detto sull'*Odissea*, data la quantità ormai incontrollabile delle opinioni scientifiche su problemi filologici d'importanza capitale; similmente non potremo prendere in considerazione tutti i contributi arrecati ad una migliore comprensione del poema sul piano della linguistica, della comparatistica, della storia delle religioni, della mitologia, della micenologia e della storia. È però anche evidente cosa corrisponde a questa limitazione e scelta consapevole: la stretta interdipendenza dell'*Iliade* e dell'*Odissea* e la somiglianza, che in parte è identità, della problematica scientifica loro dedicata, costringono a tener d'occhio costantemente anche l'epos troiano, a non limitarci soltanto al *nostos* di Odisseo.

In tutti gli sforzi della scienza moderna per comprendere i poemi omerici, fin dall'inizio l'*Odissea* è sempre rimasta all'ombra dell'*Iliade*. Ciò vale per l'ambito complessivo della ricerca, e soprattutto per quella corrente filologica che, definita in modo un po' sbrigativo come « analitica », ha scosso in misura crescente la fede – per millenni incrollabile e quasi indiscussa – in un unico grande poeta. Questa tendenza « analitica » inizia con uno scritto famoso dell'abate François Hédelin d'Aubignac, apparso nel 1715 senza menzione dell'autore, già morto nel 1676, e consacrato esclusivamente all'*Iliade*[1]. Allo stesso modo era dedicata solo all'*Iliade* l'opera di chi, riprendendo parzialmente le osservazioni e le congetture dell'abate, con la forza suggestiva delle sue parole suscitò un movimento critico, le cui conseguenze sono ancor oggi chiaramente visibili: F. A. Wolf, con i suoi *Prolegomena ad Homerum* pubblicati nel 1795. Sarebbe troppo lungo menzionare tutti gli argomenti con cui F. A. Wolf, e chi con maggiore o minore fedeltà ne ha seguito le orme, hanno cercato di invalidare la fede nell'unità dei poemi omerici; e fornire una lista di tutti gli studiosi o un sommario dei risultati spesso divergenti delle loro ricerche, tanto più che le opere di G. Finsler[2] e di J. Myres[3] permettono di orientarsi rapidamente.

L'*Odissea* è entrata con un certo ritardo nella prospettiva della ricerca: per merito del grande filologo G. Hermann[4], che nell'epos odissiaco, trascurato da F. A. Wolf, credette di riconoscere l'unione, operata *a posteriori*, di poemi originariamente autonomi. Subito dopo K. L. Kayser, in parecchi saggi

[1] *Conjectures académiques ou dissertation sur l'Iliade*, Paris 1715.
[2] *Homer* I 1, Leipzig 1924³, pp. 71-225 (« Die Homerkritik »).
[3] *Homer and his Critics*, ed. by Dor. H. F. Gray, London 1958. Ved. ora anche A. Heubeck, *Die homerische Frage*, Darmstadt 1974; G. Broccia, *La questione omerica*, Firenze 1979.
[4] *De interpolationibus Homeri*, 1832 (= *Opuscula* V, Lipsiae 1834, pp. 52-77).

apparsi quasi contemporaneamente al libro di Hermann[1], espresse la convinzione che è possibile enucleare dal poema a noi pervenuto tutta una serie di « strati », da attribuire a diversi e successivi poeti: in lui inoltre affiora per la prima volta la concezione di un « redattore », che alla fine avrebbe combinato *a posteriori* in un complesso unitario – appunto la nostra *Odissea* – questi presunti poemi, accomunati da un'analogia tematica.

A differenza dell'*Iliade* – per la quale nel corso di una mutevole vicenda critica sono state proposte le più varie soluzioni analitiche, fra cui la cosiddetta « ipotesi del redattore » rappresenta solo una possibilità tra molte –, nell'interpretazione dell'*Odissea* la concezione di un redattore finale ha assunto una funzione quasi dominante. La maggioranza degli studiosi, che, dopo l'opera pionieristica di K. L. Kayser, hanno ritenuto giusto interpretare analiticamente l'*Odissea*, pur differenziandosi nella ricostruzione degli antichi poemi riguardanti il *nostos* di Odisseo e nella loro successione temporale, si sono misurati in un modo o nell'altro con la teoria di un redattore finale e così hanno finito col considerare la nostra *Odissea* come il prodotto di una voluta unità. Le differenze sostanziali consistono soprattutto nella valutazione della qualità poetica di questo rielaboratore; e qui si sono tentate tutte le possibilità offerte da un'ampia serie di gradazioni, che vanno dalla riduzione di quest'uomo ad un incapace ed acritico raffazzonatore fino alla sua esaltazione quale raffinato poeta ed artista magistrale nel costruire, dotato di alte qualità creative.

L'ipotesi del redattore è una componente essenziale della concezione di A. Kirchhoff, lo studioso che per primo ha trattato in forma onnicomprensiva il « fenomeno Odissea », valutando criticamente i precedenti contributi ed includendovi acute osservazioni personali. La sua opera è una vera pietra miliare[2]. Alle contraddizioni riscontrate da Kirchhoff nella nostra *Odissea*, che costituiscono il punto di partenza per le sue conclusioni analitiche, ben poche scoperte la ricerca suc-

[1] Essi sono stati raccolti ed editi da H. Usener con il titolo di *Homerische Aufsätze*, Leipzig 1881.

[2] *Die homerische Odyssee und ihre Entstehung*, Berlin 1859; la seconda edizione (Berlin 1879) è stata ampliata con l'aggiunta di importanti *excursus*. Sulle teorie fondamentali di quest'opera e sul suo significato, ved. Finsler. *Homer* I 1, pp. 145-7 (cf. bibl.); Heubeck, *Die homerische Frage*, p. 8 sg. (cf. bibl.).

cessiva ha potuto aggiungere: solo le conseguenze che se ne sono dedotte divergono sotto molteplici aspetti dalle costruzioni di Kirchhoff.

Una « redazione finale » è postulata, anche se in forma assai diversa, dalle stimolanti opere sull'*Odissea* di U. v. Wilamowitz-Moellendorff[1] e di E. Schwartz[2], a cui, dopo il libro di Kirchhoff, l'analisi moderna deve le più essenziali riflessioni e suggestioni[3]. Tale analisi si apre con il prezioso articolo « Odyssee » di P. von der Mühll nella *Realencyclopädie der classischen Altertumswissenschaft* (*RE*)[4], ed ha i suoi ulteriori rappresentanti in F. Focke[5], E. Howald[6], W. Schadewaldt[7], W. Theiler[8], R. Merkelbach[9], D. L. Page[10], per ricordare soltanto i più importanti ed influenti. Nella molteplicità di concezioni rappresentate da questi studiosi è caratteristico il tentativo di ridurre a pochi, semplici elementi e tratti la complessità della genesi di canti epici preodissiaci postulata in parecchie opere precedenti. Così, ad esempio, P. von der Mühll e F. Focke ipotizzano soltanto tre poeti. Secondo von der Mühll all'inizio dello sviluppo si trova il poeta di una *Odissea* originaria o « Urodyssee » (A); un secondo poeta (T) avrebbe collocato accanto a questo epos (A) un poema più breve, il cui oggetto sarebbero stati i destini di Telemaco, e alla fine un rielaboratore (B) avrebbe fuso in unità i poemi (A e T) a sua disposizione. In forma leggermente diversa, F. Focke ritiene di poter postulare all'inizio un originario, antico poema sulle peregrinazioni (A), che in seguito sarebbe stato trasformato da un poeta (O) nel più vasto complesso di un comprensivo *nostos* di Odisseo, mentre alla fine un altro poeta (T) avrebbe ampliato la reda-

[1] *Homerische Untersuchungen*, Berlin 1884; *Die Heimkehr des Odysseus*, Berlin 1927.
[2] *Die Odyssee*, München 1924.
[3] Un giudizio in Heubeck, *Die homerische Frage*, pp. 10-3.
[4] *RE*, Suppl. 7 (1940), coll. 696-768.
[5] *Die Odyssee*, Stuttgart 1943.
[6] *Der Dichter der Ilias*, Zürich 1946, pp. 166-81.
[7] *Die Heimkehr des Odysseus* (1946), ora in *Von Homers Welt und Werk*, Stuttgart 1965[4], pp. 375-412; inoltre in parecchi saggi: ved. la bibliografia presso Heubeck, *Frage*, p. 289 sg.; D. W. Packard-T. Meyers, *A Bibliography of Homeric Scholarship*. Preliminary Edition 1930-1970, Malibu 1974, p. 120 sg.
[8] In parecchi saggi, che ora si trovano raccolti in *Untersuchungen zur antiken Literatur*, Berlin 1970.
[9] *Untersuchungen zur Odyssee*, « Zetemata » 2, München 1951, 1969[2].
[10] *The Homeric Odyssey*, Oxford 1955.

zione di cui disponeva, sino a formare la « nostra » *Odissea*, con l'inclusione delle imprese di Telemaco e l'aggiunta della sezione finale.

Un ulteriore passo verso la semplificazione è rappresentato dall'analisi dell'*Odissea* di W. Schadewaldt. Egli presuppone un poeta A, che corrisponde in certo modo al poeta A di P. von der Mühll e che potrebbe identificarsi con il poeta dell'*Iliade*, ed un redattore finale B, che avrebbe soprattutto ampliato il poema primitivo con la « Telemachia », che dunque sarebbe interamente opera sua, con tutte le conseguenze che necessariamente ne derivano.

Di fronte a queste numerose ricerche analitiche sono per lungo tempo passati in seconda linea gli sforzi degli studiosi « unitari » per intendere l'*Odissea* come il risultato dell'intenzione poetica di un unico autore. Come esempi di questo orientamento basterà menzionare i libri di C. Rothe, il cui fine traspare già dal titolo (*Die Odyssee als Dichtung*, Paderborn 1914), e di W. J. Woodhouse, che malgrado alcuni arbitrî merita ancora attenzione[1]. Ma solo negli ultimi decenni la tendenza unitaria si è fatta decisamente sentire con gli accordi possenti delle *Untersuchungen zur Form der Odyssee* (Berlin 1939) di U. Hölscher, e ha trovato poi espressione in parecchi contributi, anche di breve estensione, tra i quali sono i libri di G. Germain[2], Lydia Allione[3], G. Bona[4], S. Besslich[5], K. Rüter[6], Agathe Thornton[7], H. Erbse[8], H. Eisenberger[9]. Dei risultati di questi e di altri lavori unitari si terrà conto in seguito, anche se non sempre con le opportune precisazioni bibliografiche, tanto più che l'autore di queste pagine si sente ampiamente debitore e legato a questa tendenza[10].

Mentre per la ricerca analitica, data la sua peculiarità, la

[1] *The Composition of Homer's Odyssey*, Oxford 1930 (rist. 1969).
[2] *Genèse de l'Odyssée*, Paris 1954.
[3] *Telemaco e Penelope nell'Odissea*, Torino 1963.
[4] *Studi sull'Odissea*, Torino 1966.
[5] *Schweigen-Verschweigen-Übergehen. Die Darstellung des Unausgesprochenen in der Odyssee*, Heidelberg 1966.
[6] *Odysseeinterpretationen. Untersuchungen zum ersten Buch und zur Phaiakis*, « Hypomnemata » 19, Göttingen 1969.
[7] *People and Themes in Homer's Odyssey*, London 1970.
[8] *Beiträge zum Verständnis der Odyssee*, Berlin 1972.
[9] *Studien zur Odyssee*, Wiesbaden 1973.
[10] *Der Odyssee-Dichter und die Ilias*, Erlangen 1954.

questione della « persona » di Omero, in cui si era visto fino in epoca moderna l'autore dell'*Iliade* e dell'*Odissea*, era slittata su un piano diverso o era stata respinta in secondo piano, come irrilevante o irrisolvibile, per l'unitarismo consapevole essa invece si pose in una forma interamente nuova. In considerazione delle difformità non soltanto tematiche dei due poemi, delle innegabili differenze del disegno esterno ed interno, dell'aspetto linguistico e stilistico, dell'intenzione e del comportamento umano, chi riteneva di poter interpretare l'*Iliade* e l'*Odissea* come unità poetiche non poteva sottrarsi all'incalzante domanda se al poeta dell'*Iliade*, che per antica tradizione chiamiamo Omero, sia da attribuire anche la redazione dell'epos odissiaco, che è senza dubbio più recente. Come è noto, la questione fu posta già nell'antichità, ma ai pochi filologi che la risolsero negativamente, meritandosi la qualifica di *chorizontes* (= « separatori »)[1], non riuscì di imporsi contro i loro colleghi unitari: così l'anonimo autore dello scritto *Sul Sublime* (Περὶ ὕψους 9, 13) ha solo espresso l'opinione di molti suoi connazionali, quando ha tentato di risolverla affermando che Omero avrebbe scritto l'*Iliade* in gioventù, l'*Odissea* in vecchiaia.

La corrente neo-unitaria è in prevalenza più radicale: postula due distinte individualità poetiche e, quando vuole precisare e distinguere, usa il nome di Omero soltanto per il poeta dell'*Iliade*. Per il secondo poeta, in mancanza di qualsiasi tradizione, bisogna accontentarsi di un espediente e chiamarlo « il poeta dell'*Odissea* », o anche « Deuteromero »[2].

La concezione dell'unità poetica di ciascuna composizione, fondata su osservazioni di lingua, stile, struttura e finalità, conduce ineluttabilmente – come per primo ha mostrato F. Jacoby[3] in uno studio ancora utile, e come altri hanno visto in seguito sempre più chiaramente[4] – nella direzione degli antichi *chorizontes*: ed è per essa che noi ci dichiariamo.

Ma con queste osservazioni sull'indagine odissiaca più

[1] Cfr. J. W. Kohl, *De Chorizontibus*, Diss. Giessen 1917.
[2] G. Nebel, *Homer*, Stuttgart 1959, *passim*.
[3] *Die geistige Physiognomie der Odyssee*, « Die Antike » IX 1933, pp. 159-94; *Kleine philologische Schriften* I, Berlin 1961, pp. 107-38.
[4] Si rimanda soprattutto a Rüter, *Odysseeinterpretationen*, pp. 13-25, e a R. Friedrich, *Stilwandel im homerischen Epos. Studien zur Poetik und Theorie der epischen Gattung*, Heidelberg 1975.

recente siamo andati avanti un po' troppo: infatti è rimasta fuori della nostra prospettiva un'interpretazione che dagli anni Trenta ha irresistibilmente guadagnato terreno soprattutto nell'area anglo-americana, dove domina quasi incontrastata, mentre altrove attira un'attenzione sempre maggiore. Intendiamo riferirci alle ricerche sulla *oral poetry*, che riconoscono Milman Parry come archegeta e si sforzano di procedere nella direzione da lui indicata.

Basterà accennare in breve ai caratteri essenziali di questa metodologia. Nei suoi due primi lavori[1] M. Parry prende le mosse dall'osservazione, spontanea per qualsiasi lettore non prevenuto, che la lingua dell'epica greca arcaica è caratterizzata in misura assai rilevante dalla « formularità » dei propri moduli espressivi. Quando il senso lo consente, situazioni ed eventi simili vengono espressi con gli stessi complessi verbali; oggetti e persone simili ricevono gli stessi aggettivi esornativi, persino quando per il senso non ce lo aspetteremmo. Inoltre, è possibile notare che i nessi nome + aggettivo e le loro varianti (è a queste che M. Parry da principio ha dedicato particolare attenzione) si uniformano a regole palesemente predeterminate e fisse, condizionate e caratterizzate in maniera decisiva dalla struttura metrica del verso eroico. Quando il poeta parla di Odisseo, lo chiama, al nominativo, δῖος 'Ο., διογενὴς 'Ο., ἐσθλὸς 'Ο., πολύμητις 'Ο., πτολίπορθος 'Ο., πολύτλας δῖος 'Ο.; al genitivo, 'Οδυσσῆος θείοιο, Λαερτιάδεω 'Οδυσῆος, 'Οδυσσῆος ταλασίφρονος, 'Οδυσῆος ἀμύμονος ecc., secondo la necessità imposta dalla forma e dall'estensione della singola espressione nell'esametro. Queste e simili considerazioni conducono M. Parry a distinguere, in linea di principio, fra una poesia « individuale » e una poesia « tradizionale », ed a collocare i poemi omerici nell'ambito della poesia tradizionale; una poesia in cui lo spazio per l'espressione individuale non è tolto affatto al poeta, ma è limitato considerevolmente da un articolato sistema di possibilità espressive, o meglio di « costrizioni » espressive (« formulaic patterns »).

A segnare in modo diverso questa linea di demarcazione,

[1] *L'épithète traditionelle dans Homère. Essai sur un problème de style homérique*, Paris 1928; *Les formules et la métrique d'Homère*, Paris 1928. Entrambi i lavori (in traduzione inglese) assieme ad altri saggi di M. Parry ora anche in *The Making of Homeric Verse. The Collected Papers of Milman Parry*, ed. by Adam Parry, Oxford 1971.

nell'ambito della poesia eroica non solo greca, e a spostare di poco gli accenti, M. Parry fu indotto dalle sue osservazioni sulla poesia eroica jugoslava, di cui sopravvivevano ancora relitti prima della seconda guerra mondiale. Ad una poesia « scritta », che ha la sua legittima collocazione in un mondo ormai dominato dalla civiltà della scrittura, egli contrappone una poesia eroica « orale », in cui esprimono i loro impulsi poetici popoli e civiltà del tutto o quasi analfabeti, e senza esitazione include i poemi omerici nella poesia eroica interamente orale e dunque « tradizionale ». Che tutta la questione omerica acquisti così nuove dimensioni è fuori discussione. Inutile sottolineare che le argomentazioni letterarie, comparatistiche, stilistiche e linguistiche, addotte da M. Parry non sono tutte nuove, e che per tutti gli aspetti essenziali egli può basarsi sulle molte congetture e nozioni della precedente ricerca[1]: decisivo è, comunque, che M. Parry abbia saputo unificare osservazioni di natura diversa e di diversa provenienza in un quadro straordinariamente persuasivo, la cui coerenza e il cui equilibrio non hanno mancato il loro scopo, soprattutto in un momento in cui la ricerca si era palesemente impantanata su strade ormai consunte ed in parte sterili.

Su punti essenziali M. Parry ha visto giusto: le immagini dell'epica orale e dei suoi rappresentanti, tracciate da lui e dai seguaci, anzitutto dal suo allievo A. B. Lord[2] e da G. S. Kirk[3], mantengono intatta la loro validità. La ricerca ha potuto ora dimostrare che presso numerose civiltà « analfabete », dei luoghi e dei tempi più diversi, è esistita una poesia eroica, creata recitata e tramandata oralmente, e che, al di là dei limiti spazio-temporali, essa rivela analogie formali e contenutistiche addirittura sorprendenti[4]. Spesso essa è coltivata dai membri di una corporazione, in cui il canto è praticato come un

[1] Può bastare il rinvio, per le ricerche sulla poesia eroica jugoslava, ai lavori di M. Murko; e, per le questioni metriche e linguistiche, ai fondamentali lavori di K. Witte (1909-14; ora raccolti in K. Witte, *Zur homerischen Sprache*, Darmstadt 1972.

[2] *The Singer of Tales*, Cambridge Mass. 1960; « Homer and Other Epic Poetry », in *A Companion to Homer*, London 1962, pp. 179-214. Altri lavori segnalano D.W. Packard-T. Meyers, *A Bibliography of Homeric Scholarship*. Preliminary Edition 1930-1970, Malibu 1974, p. 81; Heubeck, *Die homerische Frage*, p. 274 sg. (cit.). Ved. ora anche *Homer. Tradition und Neuerung*, hg. v. J. Latacz, 1979.

[3] *The Songs of Homer*, Cambridge 1962, pp. 55-101.

[4] C.M. Bowra, *Heroic Poetry*, London 1952 (1961²).

mestiere e tramandato dai maestri ai discepoli di generazione in generazione attraverso l'insegnamento, i modelli e la pratica. Oltreché della lingua quotidiana e usuale, gli adepti imparano a servirsi di una lingua particolare, con la quale il cantore deve formulare la materia tradizionale della saga, una lingua adeguata per lessico e forme ai contenuti elevati del canto, rispondente a leggi ritmiche e metriche ben precise e fondata su certi principî di « economicità ». Per la definizione di persone e cose, di eventi e situazioni, che nella poesia epica ricorrono necessariamente in forma identica o analoga, tale lingua dispone di formule e di modelli formulari che occorre solo collocare e usare, combinare e variare correttamente. Chi possiede quest'arte è in grado in qualsiasi momento di narrare improvvisando, nella lingua d'arte per lui usuale, un soggetto tratto dal mondo degli eroi e del mito, così come l'uomo della strada è in grado di riferire nel proprio linguaggio un avvenimento attuale.

Quest'immagine della poesia orale, ricostruita attraverso molteplici osservazioni, sembra adattarsi perfettamente al mondo dell'epica greca arcaica. Quando il poeta dell'*Odissea* ci presenta dei cantori (ἀοιδοί) alle corti di Itaca e di Scheria, i quali allietano l'uditorio con canti intorno al mondo degli dei e degli eroi, egli inserisce nel tempo in cui si svolgono gli eventi narrati immagini del suo proprio tempo. Cantori come Femio e Demodoco, in grado di tradurre subito in canto un tema loro assegnato (anche se non ancora inserito nel repertorio degli aedi, come indica il caso particolarmente significativo di VIII 487 sgg.), li avrà visti ed uditi lo stesso poeta dell'*Odissea*, uscito forse anch'egli dalla scuola in cui si erano formati quei cantori orali dell'ottavo secolo. La forma stessa in cui questo poeta, proprio come il poeta dell'*Iliade*, sa atteggiare la materia narrata, non conferma forse questa ipotesi? Entrambi usano una lingua, mai parlata in una casa o in un mercato greco, una lingua che, dietro la facciata omogenea ed in apparenza conclusa, cela una moltitudine di elementi della più varia provenienza. In questa lingua, simile nelle strutture al dialetto della Ionia del tempo, si trovano incastonati imprestiti dal dialetto dell'Eolide settentrionale[1], fossili

[1] Sugli eolismi informa da ultimo in modo esauriente P. Wathelet, *Les traits éoliens dans la langue de l'épopée grecque*, Roma 1970.

dell'antico patrimonio ionico, artificiose formulazioni dal suono arcaizzante, autoschediasmi e neologismi più o meno arditi[1]. Come si è accennato, l'elemento essenziale di questa dizione epica è costituito da espressioni, locuzioni e versi di struttura palesemente formulare: la straordinaria diffusione di queste formule e di questi modelli formulari e la loro veste linguistica fanno supporre che, almeno in parte, i poeti che li usano non li abbiano creati, ma ad essi siano pervenuti attraverso la tradizione del loro artigianato, insieme alla mescolanza dei diversi elementi linguistici. La lingua d'arte[2] dell'epica è il risultato di uno sviluppo continuo, durato alcuni secoli, che ha avuto luogo nell'ambiente degli aedi, i quali in epoca postmicenea coltivarono e trasmisero oralmente l'eredità del mito e della saga[3]. Nessuno insomma vorrà dubitare che i poeti dell'*Iliade* e dell'*Odissea* affondino le loro radici in questa artigianale tradizione di canto, e che la loro attività creativa sia concepibile solo nell'ambito e sullo sfondo di un canto eroico fiorente da molto tempo. Ma si rende davvero giustizia alla natura e peculiarità di questi poeti, quando si cerca di considerarli e capirli solo come tipici rappresentanti di una antica e nobile arte, sia pure molto superiori per qualità ai loro predecessori e colleghi? Coglie davvero l'essenziale chi sostiene la teoria dell'*oral poetry*, quando colloca l'epica omerica nell'ambito di una poesia eroica esclusivamente orale? Qui le opinioni divergono, e, poiché ora e in futuro non si potrà provare la giustezza dell'una o dell'altra teoria, al singolo non resta che professare la propria convinzione, comunque raggiunta. Esporrò dunque brevemente anche gli elementi fondamentali della mia posizione[4].

[1] M. Leumann, *Homerische Wörter*, Basel 1950

[2] Ved. su tali questioni – oltre ai lavori già menzionati di K. Witte e di M. Leumann - soprattutto K. Meister, *Die homerische Kunstsprache*, Leipzig 1921 (rist. 1966), e P. Chantraine, *Grammaire homérique* I, Paris 1958[3], II, Paris 1963[2].

[3] Sull'origine postmicenea della poesia esametrica eroica persuasiva è la posizione di C. Gallavotti, « Tradizione micenea e poesia greca arcaica », in *Atti e memorie del 1° Congresso Internazionale di Micenologia (Roma 27.9-3.10.1967)*, Roma 1968, II, pp. 831-61. A lui peraltro si oppone l'interpretazione che fa risalire la tradizione della poesia epica all'età micenea o addirittura più indietro: ved. da ultimo M. Durante, *Sulla preistoria della tradizione poetica greca* I, Roma 1971, II, Roma 1976.

[4] Tra gli studiosi ai cui lavori l'autore si sente particolarmente obbligato si menzionano specialmente: A. Parry, *Have we Homer's Iliad?*, « Yale Classical Studies » XX 1966, pp. 177-216; A. Lesky, in *RE*, Suppl. 11 (1967), coll. 12-23, s. v. « Homeros »;

Secondo me, la constatazione – ormai indiscutibile – che i poeti dell'*Iliade* e dell'*Odissea* hanno desunto dalla tradizione aedica orale elementi essenziali del loro operare coglie certamente un aspetto importante, ma non l'aspetto decisivo della loro volontà e capacità poetica. Mi sembra che, rispetto ad altre osservazioni che si impongono all'interprete, perda valore la constatazione che essi hanno trattato gli stessi materiali dell'epica orale precedente, e che li hanno rielaborati con mezzi linguistici identici o simili a quelli dei predecessori e dei colleghi. Certo, non avendo una precisa conoscenza dell'epica preomerica, noi non possiamo fare affermazioni dimostrabili: possiamo tuttavia immaginare quanto sia stato grande il passo compiuto da Omero rispetto ai suoi predecessori.

In base a quanto sappiamo, l'arte dei cantori orali consisteva nel rivestire lì per lì di un abito epico un qualsiasi tema assegnato dall'uditorio. Possiamo ragionevolmente supporre, dunque, che il plauso maggiore se lo aspettasse con certezza chi era in grado di adempiere ogni volta a questo compito in modo originale, suggestivo e corrispondente alle aspettative di quel particolare uditorio: insomma, un cantore capace di improvvisare in modo particolarmente abile ed efficace per il pubblico. Basta invece uno sguardo superficiale ai poemi omerici (e quanto più attentamente li si considera, tanto più chiaramente lo si nota) per accorgersi che nella loro formazione il libero, momentaneo improvvisare ha svolto un ruolo ridottissimo. In essi ciò che importa è la strutturazione interna ed esterna, l'organizzazione del materiale da plasmare, progettata dall'inizio fin nei dettagli. Gli eventi eroici non sono accumulati, ma sono aggregati in modi molteplici e ricevono precise funzioni secondo un piano complessivo: una rete di annunzi e rimandi, di lontane anticipazioni, di attese e realizzazioni, di parallelismi, gradazioni e capovolgimenti, avvolge e collega ciascun poema in un tutto armonico e proporzionato, in cui ogni episodio e ogni scena stanno al loro posto, e in cui nulla può essere scambiato, aggiunto o tolto. La bra-

H. Patzer, *Dichterische Kunst und poetisches Handwerk im homerischen Epos*, Wiesbaden 1972, su cui ved. A. Heubeck, in «Gnomon» XLVI 1974, pp. 529-34. - Lo stato attuale della ricerca viene assai opportunamente delineato da B. Fenik, *Studies in the Odyssey*, «Hermes Einzelschriften» 30, Wiesbaden 1974, pp. 133-42.

vura dei poeti omerici consiste nella loro attitudine a comporre, così come la bravura dei poeti orali era consistita precedentemente nell'improvvisazione. Gli aedi creano di volta in volta, e sempre di nuovo, sulla scia e sull'impulso della situazione del momento, e con lo sguardo rivolto alle sue esigenze: le loro recite hanno una destinazione momentanea ed effimera. Diversamente le poesie omeriche: esse non hanno assolutamente nulla di effimero, poggiano sulla durata e sulla validità, e non possono esser nate da un'occasione momentanea. Esse tradiscono la mano dei loro poeti, che pianifica e dispone con cura; si riconosce quale impegno spirituale, quale cesello col bulino vi si nasconda, e quali riflessioni, tentativi e abbozzi devono aver preceduto l'opera finale.

Pensiamo di poter fare ancora un passo avanti e affermare che l'*Iliade* e l'*Odissea* non solo rappresentano i risultati di un prolungato ed impegnativo lavoro di pianificazione e di lima, ma poterono essere concepite ed attuate dai loro autori soltanto con l'aiuto della scrittura. La maniera nuova di far poesia epica, che, con i mezzi e le possibilità forniti dalla tradizione era atta e destinata a creare qualcosa che continuasse e insieme superasse l'antica, era realizzabile soltanto se ci si serviva di quell'arte della scrittura[1] che i Greci avevano appreso all'inizio dell'ottavo secolo, nel Medio Oriente, dai loro *partners* commerciali, i Fenici, e avevano adattato in maniera autonoma alle loro esigenze. Per usare una formulazione ad effetto sono convinto che il poeta dell'*Iliade* abbia compiuto nella sua opera il passo decisivo dall'*oral poetry* alla *written composition*, un passo di importanza veramente storica e i cui effetti non saranno mai valutati abbastanza.

Quest'interpretazione ci consente di compiere un considerevole passo avanti anche nella comprensione dell'*Odissea*, che è l'oggetto del nostro primario interesse. Se realmente possiamo vedere in Omero colui che superò le antiche tradizioni aediche

[1] Quest'interpretazione viene adottata, fra gli altri, da A. Lesky, «Mündlichkeit und Schriftlichkeit im homerischen Epos», in *Festschrift für D. Kralik*, Wien 1954, pp. 1-9 (= *Gesammelte Schriften*, Bern 1966, pp. 63-71); «Homeros», coll. 12-23 (cf. bibl.); F Dirlmeier, *Das serbokroatische Heldenlied und Homer*, «Sitzungsberichte der Heidelberger Akademie der Wissenschaften, Phil.-hist. Klasse» 1971, 1; Erbse, *Beiträge...*, pp. 177-88 (cf. bibl.); Eisenberger, *Studien zur Odyssee*, p. 327 (cf. bibl.); Heubeck, in *Archaeologia* X, pp. 126-64.

e creò una forma nuova di poesia eroica, e se l'*Odissea*, come è quasi indubitabile, è stata composta da un secondo poeta che conosceva l'*Iliade*, e dunque qualche tempo dopo l'*Iliade*, la situazione poetica di questo secondo poeta esige una spiegazione, che si riferisca unicamente a lui. Naturalmente anch'egli è all'interno dell'antica tradizione epica, e ne desume elementi essenziali della sua arte: ma accanto a questa tradizione in certo modo esemplare si erge l'opera con cui questa tradizione viene superata, l'*Iliade*, e sarebbe quasi assurdo supporre che essa non abbia esercitato la sua influenza sul poeta dell'*Odissea*, in misura almeno uguale. In effetti appare evidente che l'*Iliade* ha avuto per il poeta del *nostos* odissiaco un'importanza sotto molti aspetti paradigmatica; e che egli nell'essenziale si è orientato sull'*Iliade* ed ha poetato secondo il suo modello, in un modo che a suo tempo F. Jacoby[1] espresse felicemente con le pregnanti definizioni di « rivalità cosciente » e di « mimesi creativa ». Queste parole sottolineano che i due poemi sono sì paragonabili, ma anche differenti: esse lasciano all'*Iliade* il ruolo del modello paradigmatico, a cui l'« imitatore » si è sentito legato, ma nel contempo valorizzano l'opera del « rivale », sottolineandone l'individualità creativa, ben oltre il ruolo dell'epigono. Ciò che egli ha creato, si può misurare col modello sotto ogni rispetto, per livello, importanza ed autonomo valore.

Il confronto fra i due poemi omerici (in base alla loro struttura esterna ed interna, alla lingua e allo stile, al modo in cui i due poeti vedono il mondo, gli uomini e gli dei) e le conseguenze che derivano dalla valutazione del poeta recenziore come imitatore « creativo » e rivale di Omero, dischiudono alla comprensione dell'*Odissea* aspetti del tutto essenziali: basti accennarne alcuni.

Il poeta dell'*Iliade* aveva collocato al centro dell'opera un eroe eccezionale: tutta l'azione epica è sorretta e determinata dall'azione e passione di Achille; tutto ciò che il poeta ha da dire è riferito e rapportato a lui. Achille è presente in un suo modo particolare, anche quando rimane sullo sfondo: l'eroe temporaneamente assente e passivo influenza con la sua pas-

[1] Ved. p. XIII, nota 3.

sività gli eventi in modo non meno durevole e decisivo dell'eroe che agiva attivamente. Con questa concezione Omero resta, possiamo dire, nell'ambito di quanto era offerto tradizionalmente dai cantori orali, i quali avrebbero assunto spesso a tema dei loro canti le gesta o la carriera eroica di una figura eccezionale dell'antichità.

Nuova sembra, invece, la limitazione che il poeta dell'*Iliade* si è imposta trascegliendo dalla vita del suo eroe un episodio relativamente breve e facendone il centro della sua narrazione epica: l'ira di Achille con le sue conseguenze. Le considerazioni che possono averlo condotto a questa concezione, così ardita e chiaramente innovatrice, si possono solo indovinare. In ogni modo, essa gli ha offerto la possibilità di rappresentare quel « tutto » che sta dietro la parte, in modo molto più comprensivo, vivace ed incisivo di quanto sarebbe stato possibile in un epos che organizza i fatti cronologicamente, li dispone l'uno dopo l'altro e abbraccia un più vasto ambito temporale: in un epos quale noi riteniamo di poter postulare per l'epoca « orale » della poesia eroica. Così, grazie a questo accorto disegno, l'*Achilleide* diventa l'*Iliade*, l'imponente affresco della memorabile guerra che i Greci affrontarono per dieci anni davanti alle mura nemiche.

Che il poeta dell'*Odissea* abbia fatto propria quest'ardita concezione, si può toccare con mano. Come Omero, anch'egli non informa in successione narrativa sui casi occorsi al suo eroe nei dieci lunghi anni dalla sua partenza da Troia al ritorno in patria; anch'egli si limita a srotolare sotto i nostri occhi gli eventi di un breve lasso di tempo. Dall'intervento degli dei, che avvia l'azione da narrare, all'uccisione dei Proci trascorrono appena sei settimane, se si calcolano i giorni con cura. E come il poeta dell'*Iliade*, così anche il nostro riesce ad abbracciare il « tutto » perché si limita ad un ritaglio di tempo: davanti all'ascoltatore rivive l'immagine complessa di un'epoca mitica, che rientra nel tema generale del « ritorno in patria dei vittoriosi combattenti della guerra troiana ». Figura dominante e insieme singolare di questo ritorno è il signore di Itaca, Odisseo.

Così, i molteplici eventi accaduti negli anni precedenti quelle sei settimane decisive vengono inclusi in varia maniera – e in parte in forma analoga all'*Iliade* – nella rappresentazione.

Questa inclusione avviene per lo più attraverso la narrazione indiretta: i personaggi raccontano ciò che essi stessi hanno visto e vissuto o udito da altri. Dai familiari di Odisseo, ma anche dai Proci, apprendiamo – da diversi punti di vista e sotto una luce diversa – gli sviluppi della situazione ad Itaca sin dalla fine della guerra. Ciò che Nestore e Menelao riferiscono a Telemaco (III-IV), e l'anima del defunto Agamennone ad Odisseo (XI), fornisce un quadro completo dei destini degli altri grandi eroi che affrontarono il ritorno con Odisseo.

E soprattutto c'è poi l'ampio e articolato racconto delle sue lunghe peregrinazioni, che Odisseo fa ai Feaci che ascoltano assorti: dall'avventura dei Ciconi fino al suo fortunato salvataggio sulla spiaggia di Scheria. In questo modo il poeta getta una fitta rete di informazioni retrospettive specialmente sulla prima metà dell'epos, ma anche sulla seconda: il modo in cui i singoli elementi di queste informazioni si raccordano l'uno all'altro e di volta in volta si completano, anche a grande distanza, producendo un quadro complesso in cui nulla manca di quanto possiamo aspettarci, mostra passo per passo l'accurata e consapevole programmazione del poeta.

Ora però, proprio la limitazione del tema entro ristretti confini temporali – un espediente artistico che può essere stato suggerito solo dall'*Iliade* – manifesta la libertà creativa e l'autonomia della mimesi artistica. L'episodio che il poeta dell'*Iliade* ha isolato e con cui riesce a dare un'immagine complessiva della guerra di Troia, è soltanto uno tra i molti, e soprattutto è quasi insignificante rispetto al *telos* della guerra. Il solo effetto che produce nel corso degli eventi è un breve rallentamento, in fondo inefficace.

Quanto diversa la situazione nell'*Odissea*! Come oggetto del racconto il suo poeta ha scelto la fase estrema e insieme decisiva del ritorno. E certo la diversità della materia ha dato l'impulso decisivo a questa scelta, e forse ha addirittura spinto il poeta su questa via. Il modo, tuttavia, in cui egli ha utilizzato le possibilità offerte da questa scelta, la maniera in cui ha tracciato le linee per dispiegare davanti ai nostri occhi un evento di inaudita drammaticità, merita l'ammirazione più alta.

Dal momento in cui Zeus sottopone al consiglio e alla

decisione degli altri dei il destino di Odisseo, lontano ormai da troppo tempo dalla patria (è da qui che il poeta comincia), gli avvenimenti, che fino allora correvano su linee separate, cominciano a convergere – in un modo che non è possibile capire razionalmente, ma solo giustificare poeticamente – verso una « crisi » inevitabile[1].

Non è solo giunto il giorno, infatti, in cui l'eroe si affranca dall'infausta paralisi nella quale era caduto presso Calipso; ora si mettono in moto anche gli eventi ad Itaca. Proprio simultaneamente, cioè, il figlio dell'eroe, anch'egli fino allora immobile nella sua impotente rassegnazione e passività, acquista coscienza di sé e della sua vera identità e si accinge a troncare una situazione ormai intollerabile, sia parlando in maniera responsabile e consapevole, sia agendo in modo autonomo, sia, infine, battendosi valorosamente. Ma c'è di più: proprio ora, così continua il poeta, giunge anche il momento in cui Penelope non può più opporsi alla pressione dei Proci e alla fine – disperata e pur tuttavia non senza speranza, per autonoma decisione e seguendo nel contempo la necessità – indice la gara con l'arco, che deve decidere – e deciderà – sia del suo destino, sia di quello dei suoi, del trono e di tutto il paese.

L'epos è costruito, dunque, fin dall'inizio, su questo acuirsi altamente drammatico degli eventi, cioè sul *kairos*, verso il quale convergono tutte le linee ed in cui ogni cosa sta in bilico. Sarebbe mancato poco, e Penelope avrebbe dovuto mantenere la promessa fatta ai Proci nella maniera temuta; e le iniziative di Telemaco avrebbero subìto una fine repentina e crudele nell'imboscata dei Proci, e Odisseo non sarebbe ritornato affatto o sarebbe giunto un giorno troppo tardi. Ma gli dei – e il poeta – hanno disposto tutto nel modo migliore. Quel « poco mancò » teoricamente possibile non si verifica: nella crisi e con la crisi si scioglie una tensione che non sarebbe stata più sopportabile, se l'ascoltatore non avesse avuto fin dal principio la salda speranza che gli dei alla fine avrebbero fatto trionfare la giustizia e avrebbero riportato ogni cosa ad un lieto fine. Alla fine il mondo è di nuovo in ordine.

[1] O. Seel, « Variante und Konvergenz in der Odyssee », in *Studi in onore di U. E. Paoli*, Firenze 1955, pp. 643-57.

A questo proposito bisogna anche pensare ad un'altra peculiarità non meno notevole. L'ardito progetto del poeta di contenere gli eventi entro un breve lasso di tempo e di dare però contemporaneamente, entro la stretta cornice temporale, un vivo quadro d'insieme del *nostos* di Odisseo, comporta per l'autore anche l'obbligo – vi abbiamo già accennato – di riferire, facendo un passo indietro, ciò che aveva impedito all'eroe di ritornare in patria per tempo e di rientrare nei propri diritti. Quando, dunque, il poeta adempie a quest'obbligo facendo narrare all'eroe le sue avventurose peregrinazioni, l'obbligo poetico si trasforma per lui nell'occasione poetica di esprimere ciò che nell'esemplare « omerico » non era esprimibile. Gli eroi dell'*Iliade* agiscono in uno spazio geografico che l'uditorio conosceva per diretta esperienza; essi vivono in un mondo che ha caratteristiche umane, nel bene come nel male. Ma Odisseo dopo la tempesta a capo Malea ha valicato i confini di questo mondo reale, e, dopo il superamento di questa barriera, viene a trovarsi in un mondo in cui le coordinate dell'eroico e dell'umano non sono più valide. È vero che anche al di là di questo confine, che per fortuna resta per i più invalicabile, esistono mari, terre e isole, e che anche lì valgono gli stessi punti cardinali, ma in questo mondo diverso vivono esseri e figure che la ragione umana non può concepire e che si sottraggono ad ogni esperienza. È il mondo del fantastico e dell'immaginario, dell'irrazionale e dell'irreale, della magia e dell'incantesimo, che non è in alcun rapporto commensurabile con il mondo dell'esperienza ed i cui elementi – e ciò pare nel nostro caso di particolare importanza – sono stati esclusi dall'epica arcaica, al più tardi dal poeta dell'*Iliade*, restando percepibili solo in pochi oscuri relitti. Gli eventi misteriosi e fantastici del mondo della favola il poeta non avrebbe potuto raccontarli a nome proprio, se voleva restare entro i limiti espressivi dell'epica: se invece li faceva raccontare da chi li aveva vissuti direttamente, poteva recuperarli in un certo senso al mondo dell'esperienza e della comunicazione, e poteva integrarli in forma adeguata nei moduli espressivi dell'epica. È significativo che il poeta faccia raccontare all'eroe le sue peregrinazioni proprio davanti ai Feaci, cioè davanti al popolo che per sua natura ed origine rappresenta l'esile ponte fra il mondo dell'uomo ed il mondo della favola, il popolo che aiutando Odisseo svolge per l'ultima volta la sua funzione di tramite fra i due mondi[1].

Abbiamo più volte sottolineato come il poeta sia riuscito a fondere in un tutto omogeneo la variopinta molteplicità di una storia mitica che si estende per un intero decennio, è rappresentata da numerose figure e si svolge sulle scene più varie, e come abbia saputo evidenziare nella molteplicità degli elementi centrifughi l'unità. Uno dei mezzi artistici, che lo aiutano in questo scopo, consiste – come abbiamo visto – nell'aver impiegato il racconto diretto solo per rappresentare una crisi temporalmente circoscritta. A questo si accompagna un altro mezzo, che di nuovo consiste in una limitazione cosciente e finalizzata: la concentrazione su Odisseo, sulla figura portante dell'epos. In tutto ciò che il poeta racconta a proprio nome e in quello che egli fa raccontare ai suoi personaggi, il re di Itaca occupa costantemente il centro, anche quando non si tratti di lui *expressis verbis*: non v'è nulla che da lui prescinda, in senso stretto o lato.

Nel destino degli altri eroi reduci da Troia, di cui abbiamo notizia, appaiono tutte le varianti possibili e immaginabili del ritorno, ma tutte fanno solo da sfondo al *nostos* di colui che per l'intensità delle sue sofferenze supera gli altri, e al quale, però, tocca infine l'esaudimento più luminoso. Per tutto l'epos è tenuto vivo nella coscienza dell'ascoltatore il senso della fatalità che incombe sul pastore di genti Agamennone, nel suo fosco parallelismo e nella sua antitesi: da un lato Agamennone-Clitemestra-Egisto-Oreste, dall'altro Odisseo-Penelope-i Proci-Telemaco. Quale somiglianza nelle situazioni e combinazioni, e quale contrasto nella soluzione conclusiva! Solo sullo sfondo dell'ignominiosa e tragica fine subita da Agamennone al suo rapido ritorno, per gli intrighi di una moglie infedele e di un rivale malvagio, acquista pieni contorni il felice successo di colui che arriva in patria tardissimo: la fedele perseveranza di sua moglie – anche in una situazione apparentemente disperata –, la sua opposizione ai Proci ed

[1] Sulle peregrinazioni di Odisseo (IX-XII) ved. Germain, *Genèse*; K. Reinhardt, « Die Abenteuer des Odysseus », in *Von Werken und Formen*, Godesberg 1948, pp. 52-162 (= *Tradition und Geist*, hg. v. C. Becker, Göttingen 1960, pp. 47-124); W. Suerbaum, *Die Ich-Erzählungen des Odysseus*, « Poetica » II 1968, pp. 150-77.

il suo retto sentire hanno risparmiato a Odisseo il destino di Agamennone e determinato la realizzazione del suo struggente desiderio[1].

Connessi strettamente col destino e la figura di Odisseo sono anche i canti che i critici analitici hanno spesso voluto sottrarre all'« autentico », al « genuino », all'« originario » *nostos* di Odisseo per attribuirli ad un ampliamento secondario: i canti cui si dà, in breve, il nome di *Telemachia* e che comprendono tutto ciò che il poeta ha da raccontare su Telemaco, il figlio, sulle sue imprese e sulle sue esperienze. Diversamente dagli studiosi analitici[2], noi vediamo realizzato, nell'attuale redazione dell'epos, da parte di un unico poeta, il geniale progetto[3] di mettere in moto gli eventi contemporaneamente in diversi luoghi, e così tracciare fin dal principio due linee parallele che alla fine sfoceranno in un unico intreccio. Con saggia preveggenza gli dei, ed il poeta, hanno disposto che nell'istante in cui il padre, in quell'isola lontana, sale sulla zattera da lui costruita, per iniziare dall'estrema periferia del mondo il viaggio fatale verso la patria, il figlio si metta in viaggio da questa stessa patria per raccogliere nel mondo esterno notizie sul padre. Due imprese parallele, dunque, destinate a convergere in un'azione ed in un esito comuni. Ovvero: due aspetti dello stesso ed unico evento, il ritorno dell'eroe in patria.

Il poeta deve esser stato affascinato da questa nuova concezione, che va attribuita unicamente alla sua forza inventiva, benché – o proprio perché –, per padroneggiarla strutturalmente, né l'*Iliade* né l'antica epica orale potessero fornirgli un aiuto ed un modello. In effetti l'epos preodissiaco, possiamo supporlo, era caratterizzato dalla sua unità di azione, dalla sua linearità, orientata rigorosamente sulla successione cronologica

[1] Sulla funzione del « paradigma degli Atridi » ved. E. F. D'Arms-K. K. Hulley, *The Oresteia Story in the Odyssey*, « Transactions and Proceedings of the American Philological Association » LXXVII 1946, pp. 207-13; H. Hommel, *Aigisthos und die Freier*, « Studium Generale » VIII 1955, pp. 237-45; U. Hölscher, « Die Atridensage in der Odyssee », in *Festschrift für R. Alewyn*, 1967, pp. 1-16.

[2] Cfr. ciò che si è detto prima sulle opere di P. von der Mühll, F. Focke, W. Schadewaldt.

[3] Particolarmente importanti F. Klingner, *Über die ersten vier Bücher der Odyssee*, « Sitzungsberichte der Sächsischen Akademie der Wissenschaften in Leipzig, Phil.-hist. Klasse » 96.1, Leipzig 1944 (= *Studien zur griechischen und römischen Literatur*, Zürich 1964, pp. 39-79); K. Reinhardt, « Homer und die Telemachie », in *Von Werken und Formen*, cit., pp. 37-51 (= *Tradition und Geist*, cit., pp. 37-46).

degli avvenimenti: e ciò, in un certo senso, vale ancora per l'*Iliade*, sebbene il suo poeta occasionalmente diriga lo sguardo su eventi che si compiono contemporaneamente in luoghi diversi, ora qua ora là.

Il nostro poeta si sa legato alle regole della narrazione epica che proibiscono di evadere dalla cronologia, cioè per esempio di arrestarsi in un punto e tornare indietro ad un momento che sia già stato superato. Ma egli vede, con sguardo sicuro, come adattare ai propri fini i moduli rappresentativi dell'*Iliade*, come rappresentare, cioè, svolgimenti paralleli senza abbandonare la tradizione formale. Il susseguirsi epico di eventi che si svolgono su scene diverse deve, cioè riprodurre una successione effettiva di questi eventi. Con quale rigore il poeta si attenga a questa regola risulta evidente dalla sua rappresentazione. Non meno chiaro risulta però come egli, con la sua regia, lasci intravedere la contemporaneità di fatti che si svolgono su linee d'azione separate. Attraverso l'assemblea degli dei, al principio dell'opera, siamo preparati anche agli eventi di Ogigia, e quest'attesa resta in noi viva mentre apprendiamo gli avvenimenti di Itaca ed accompagniamo Telemaco nel suo viaggio a Pilo e a Sparta. Attesa che non viene delusa: perché proprio nel momento in cui il figlio, avvinto dal fascino di una splendida ospitalità regale, si fa convincere ad un lungo ed inattivo indugio, ecco che gli dei intervengono di nuovo e realizzano ciò che avevano già progettato. Odisseo si mette in viaggio, e noi lo seguiamo in questo viaggio, che si prolunga più del previsto, finché finalmente può trascorrere la prima notte nella patria riconquistata. Ed ora, alfine, è giunto il momento – di nuovo vi eravamo preparati, lo aspettavamo anzi da tempo – in cui al figlio si risveglia la coscienza, e nei giorni che Odisseo trascorre presso Eumeo – cosa faccia, non ci serve saperlo – Telemaco parte da Sparta e dopo un felice viaggio ritorna ad Itaca. Alla fattoria di Eumeo padre e figlio si incontrano: entrambi i viaggi sono finiti, i due che si cercavano si sono trovati, e dal parallelismo a volte contrapposto degli intenti risulta, da quel giorno in poi, una convergenza di azione[1].

[1] Su questi problemi strutturali ved. G.M. Calhoun, *Télémaque et le plan de l'Odyssée*, «Revue des Études Grecques» XLVII 1934, pp. 153-63; Heubeck, *Der*

Vogliamo ora concludere questi accenni sulla tecnica epica del poeta. Speriamo di non esserci allontanati troppo dal giusto, considerando questa tecnica in costante rapporto con i modelli già a disposizione del poeta, e cercando di comprenderla e di chiarirla sullo sfondo, appunto, della poesia precedente, l'epica orale e l'epos omerico. Tradizione e progresso, conservazione ed innovazione, dipendenza e libertà: comunque si vogliano chiamare questi poli, è tra di essi che si muove e sviluppa, in tutta la sua ricchezza e originalità, la tecnica epica del poeta dell'*Odissea*.

Ciò che si può dire della tecnica vale anche, *mutatis mutandis*, per tutti gli altri aspetti sotto cui l'*Odissea* andrebbe ancora considerata. Dietro quello che il poeta racconta e nel modo in cui lo rappresenta, in cui fa parlare ed agire i suoi eroi e i suoi dei, nel modo in cui inserisce nel poema il mondo dove si compie il destino di Odisseo: in tutto ciò si nasconde un particolare abito spirituale, una coscienza dei problemi con una impronta individuale, una visione ed una spiegazione delle cose del tutto personale. Non è facile definire questa « fisionomia spirituale » (Jacoby) del poeta, ma si può mostrare con alcuni esempi come in essa il vecchio sia congiunto al nuovo, il tradizionale sia adattato alla propria concezione, e come da elementi contrastanti si formi così un tutto, nuovo e coerente.

A questo proposito noi volgiamo lo sguardo anzitutto sulla figura dell'eroe che il poeta ha collocato al centro del suo epos. Che uomo è Odisseo, che – come i compagni d'armi e i suoi pari – dopo la vittoriosa conquista di Troia si mette in viaggio verso la patria con la sua flotta, ma poi, separato dagli altri, deve affrontare più avventure di ogni altro reduce e più a lungo resta diviso dai cari, e alla fine solo impiegando tutte le sue forze, fisiche psichiche e intellettuali, può riconquistare ciò che gli appartiene? Ovvero: come ha voluto il poeta che quest'uomo, l'eroe del suo epos, venisse considerato?

Odyssee-Dichter..., pp. 40-63 (cf. bibl.); E. Delebecque, *Télémaque et la structure de l'Odyssée*, «Annales de la Faculté des Lettres d'Aix-en-Provence» N.S. XXI 1958; H.W. Clarke, *Telemachus and the Telemacheia*, «American Journal of Philology» LXXXIV 1963, pp. 129-45; L. Allione, *Telemaco e Penelope nell'Odissea*, Torino 1963, pp. 7-59; G. Bona, *Studi sull'Odissea*, Torino 1966, pp. 189-226; Lesky, «Homeros», coll. 123-5 (cit.); Friedrich, *Stilwandel...*, pp. 27-47 (cf. bibl.).

Di risposte a questa domanda ce ne sono molte, e noi non siamo tenuti a discuterle nei particolari. La maggior parte delle interpretazioni – è una loro caratteristica comune – tentano di spiegare l'eroe con le sue origini: e noi non neghiamo che così si ottiene un punto di partenza essenziale[1]. Molti elementi indicano che Odisseo rappresenta un'antichissima figura della saga greca. Anzitutto il suo nome, che, come quello di Achille, non si può spiegare con etimologie greche e rinvia a strati più antichi. Poi anche le molteplici esperienze e situazioni con le quali l'eroe appare strettamente collegato sin dall'inizio della tradizione scritta: i suoi incontri con streghe e giganti, con mostri e mangiatori d'uomini, il suo viaggio agli Inferi, i suoi contatti con esseri demoniaci, tutto ciò giustifica la supposizione che le sue radici vadano cercate nel mondo dell'antica favola, e addirittura nel mondo di primitive concezioni magiche e sciamaniche[2] Sono considerazioni in cui si celano senz'altro elementi di verità: ma ciò malgrado andranno trattate con prudenza, alla luce di ciò che sappiamo certamente e di ciò che siamo in grado di inferire con un certo grado di sicurezza.

Certo è che la figura dell'eroe, quale appare nell'*Odissea*, è ampiamente caratterizzata da tratti che il nostro poeta ha mutuato dall'*Iliade*, dove già si trovavano. Lì Odisseo è uno dei re che con i loro uomini prendono parte alla spedizione punitiva degli Atridi: come gli altri, egli dispone di un considerevole regno, che gli consente di unirsi all'armata degli Achei con una flotta di dodici navi. Il poeta colloca il nostro eroe tra i più grandi. Quanto a coraggio e a forza in battaglia, non lo supera quasi nessuno, se prescindiamo da Achille e da Aiace; per astuzia politica e intelligenza strategica egli supera i più: è l'immagine ideale di un uomo in cui sono unite in splendida armonia tutte le virtù dell'eroismo aristocratico.

Possiamo spingerci ancora più in là ed affermare che questa

[1] F. Focke, *Odysseus. Wandlungen eines Heldenideals*, «Antike, Alte Sprachen und deutsche Bildung» II 1944, pp. 41-52; Paula Philippson, *Die vorhomerische und die homerische Gestalt des Odysseus*, «Museum Helveticum» IV 1947, pp. 8-22; E. Wüst, in *RE* XVII (1957), coll. 1905-66, s.v. «Odysseus».

[2] K. Meuli, *Scythica*, «Hermes» LXX 1935, pp. 121-76 (particolarmente p. 164 sgg.); R. Carpenter, *Folk Tale, Fiction and Saga in the Homeric Epics*, Berkeley 1946, 1958², *passim*; Merkelbach, *Untersuchungen...*, p. 224 (cf. bibl.).

immagine dell'eroe, nei suoi tratti essenziali, reca l'impronta dell'epica preomerica. Esiste una serie di indizi che fanno capire come Odisseo avesse un posto fisso nell'epos troiano già da tempo: il suo stesso soprannome, già iliadico, di « distruttore di città » trova una sensata spiegazione solo se presupponiamo che già nell'epos preomerico Odisseo fosse colui che con l'astuzia del cavallo di legno aveva reso possibile e realizzato la conquista di Troia.

Questa situazione ci pone un problema. Come si spiega che quest'eroe regale, al quale l'epos omerico e perfino quello preomerico avevano assegnato un posto fisso nel mondo degli eroi, agisca poi nell'*Odissea*, per larghi tratti della storia, in un mondo che è separato da quello degli eroi da un profondo e autentico abisso, e sembri possedere lineamenti che lo accostano più a Sindbad il marinaio che non ai suoi nobili compagni di casta e d'armi? Forse il poeta conosceva ed utilizzava una tradizione, parallela alla tradizione epica e indipendente da essa, che aveva preservato un'immagine più antica ed originaria? Ma forse è più plausibile un'altra ipotesi.

Noi riteniamo possibile che sia stato per primo il poeta dell'*Odissea* a spedire l'eroe dell'epos troiano, con il suo avventuroso viaggio, nel regno delle favole; ad attribuirgli esperienze che originariamente erano legate ad altre figure, sia a figure anonime della fiaba popolare e di antiche storie marinare, sia a figure della poesia preomerica. Che alcune figure e alcuni eventi, ora connessi con Odisseo, originariamente fossero propri della saga e della poesia argonautica, è un'ipotesi che la ricerca ha reso quanto mai plausibile[1].

In tal caso, l'arricchimento della tradizionale immagine di Odisseo con elementi nuovi, che originariamente non gli appartenevano, sarebbe opera del nostro poeta, e ciò che può averlo indotto a questo passo ardito, forse si potrebbe persino indovinare. A fondamento del poema sta il fatto che ad Odisseo sia consentito di rivedere la patria molto tardi, anzi quasi troppo tardi: ma solo se Odisseo durante il viaggio verso casa si smarrisce in un mondo dal quale non esiste ritorno tra gli uomini senza l'aiuto degli dei, diventa comprensibile come la navigazione da Troia ad Itaca – un'impresa certo non

[1] Ved. soprattutto K. Meuli, *Odyssee und Argonautika*, Berlin 1921.

priva di pericoli, ma comunque per nulla fuori dell'ordinario – si dovesse trasformare in una decennale peregrinazione in terre remotissime.

Ma le dimensioni in cui con questa navigazione si colloca l'eroe non si estendono soltanto nello spazio e nel tempo. Egli deve affrontare pericoli che prima nessuno aveva dovuto superare. In questo viaggio di ritorno gli viene sottratto, a poco a poco, tutto ciò che una volta gli apparteneva e gli era caro: così, un lungo cammino lo conduce dalla lotta contro i Ciconi, dov'egli è ancora interamente l'eroe dell'*Iliade*, per una via dolorosa fin dove anche l'ultimo relitto dell'antico splendore è scomparso, nell'umiliazione e nello scoramento più profondi, fino al punto in cui nemmeno uno dei suoi amici e commilitoni è sopravvissuto, e della flotta una volta così superba non è rimasta che una trave della chiglia della nave ammiraglia.

Ma forse la perdita dello splendore e della forza, del potere e della ricchezza, non è ancora l'esperienza più amara. Un destino inesorabile lo trascina in un mondo in cui le virtù dell'eroismo aristocratico rivelano la loro fragilità, e dove hanno perduto la loro dignità e il loro valore, dove la volontà nobile ed eroica si riduce a vuoto atteggiamento e a ridicolo gesto: il mondo in cui egli si sente protetto è scivolato in una lontananza irraggiungibile ed esiste soltanto nel suo ricordo nostalgico.

Attraverso la rappresentazione epica scorgiamo la spiritualità del poeta « recente », che è divenuto cosciente della problematicità, della validità limitata, del valore relativo delle norme di vita aristocratiche, che erano state per la precedente poesia eroica l'impalcatura di una concezione ideale del mondo, i pilastri di un mondo sacro. È lo spirito di un uomo che alle ardue questioni della vita e dell'esistenza umana ha da dare una risposta diversa da quella dei suoi predecessori. Mentre questi nella loro poesia avevano contrapposto alla realtà di una vita spesso amara, faticosa e colma di dolore, l'immagine ideale di un mondo fittizio, nel quale valeva la pena di vivere, di combattere ed anche di morire; e mentre essi trasportavano gli ascoltatori, per mezzo della parola poetica, dalle difficoltà quotidiane in un irreale mondo di splendore, il nostro poeta smaschera quest'immagine ideale in tutta la sua limitatezza, unilateralità e relatività. Certo anch'egli trascina il suo pubblico in un mitico mondo di sogno, ma questo mondo di sogno diviene contemporaneamente l'immagine speculare del mondo reale dove viviamo, nel quale dominano bisogno ed angoscia, terrore e dolore, e nel quale l'uomo è immerso senza scampo. Tuttavia il poeta non si arresta a questo amaro riconoscimento e al suo messaggio: vale la pena di vivere in questo mondo reale e di dominare la vita, rispondendo alle sue sfide e costrizioni con l'atteggiamento e il contegno giusti.

Non che le virtù aristocratiche del coraggio, del valore, del senso dell'onore, della saggezza, della prudenza, in una mutata visione dell'uomo e della sua esistenza, abbiano perduto la loro validità: al contrario. Hanno però bisogno di una integrazione: la saggezza da sola può poco, quando non le si unisca un'intelligenza astuta e calcolatrice, e vi sono nella vita minacce e pericoli da cui non ci si può salvare soltanto con il coraggio e il valore, situazioni in cui una rigida adesione alle ideali norme aristocratiche sarebbe stolida e folle, avvenimenti che si possono e si debbono soltanto sopportare con pazienza se non ci si vuole arrendere. Se è tanto bello e attraente indugiare con lo sguardo su una splendida immagine ideale, altrettanto necessario è vedere le cose come sono. Odisseo è l'« eroe » che ha imparato – forse contro voglia, stringendo i denti – a far sua questa nuova concezione e ad affrontare tutto il dolore e la miseria che la vita riserva all'uomo. A ciò lo abilitano virtù che, avendo ancora le radici nel modello aristocratico ma insieme superandolo, includono nuove attitudini, e cioè appunto questa capacità di progettare e di calcolare astutamente, di mascherarsi e di nascondersi, ma anche una capacità, ammirevole e inimmaginabile, di sopportare pazientemente. L'idea così spesso ribadita di Odisseo come modello del navigatore ardito e temerario, dell'avventuriero senza pace che sfida i pericoli, dello scopritore curioso per il quale il proprio mondo è diventato troppo piccolo ed al quale non bastano mai le esperienze di cose nuove e sconosciute, trova ben poco spazio nell'immagine dell'eroe quale crediamo di dover delineare, né coglie in ogni modo l'essenziale.

Non è certo un caso se accanto alla visione davvero fosca, priva di illusioni, e anzi pessimistica dell'uomo e della sua condizione – primo accordo di una *Stimmung* che in seguito guadagnerà peso e significato nella lirica greca arcaica –, non manca neppure un elemento di conciliazione e di consolazione. Tutte le fatiche, i dolori e le sventure giungono nel nostro epos ad un lieto fine: reduce dal più profondo avvilimento, Odisseo ritrova presso i Feaci sé stesso; chi ha minacciato e distrutto un antico e venerabile ordine riceve in patria la meritata punizione, chi è fedele e timorato di dio ha il premio che gli spetta. L'*eunomia*, lo stato in cui ciascuno ha il posto dovuto e può perseguire la propria attività quotidiana in pace e senza pericoli, sparge tutto il suo splendore sopra una terra benedetta.

In questa prospettiva conciliatrice, con cui il poeta ci lascia, appare sotto una nuova luce anche la movimentata successione di eventi, con tutti i suoi pericoli e le sue umiliazioni, le paure e le atrocità: tale prospettiva, a nostro avviso, è basata sulla fede del poeta, il quale – anche se ha visto con più chiarezza e meno illusioni di altri a quale minaccia l'uomo è esposto in un mondo crudele – è in grado di inquadrare questa constatazione in una visione più profonda e più comprensiva, fondata su concezioni tradizionali non meno che su uno spirito autonomo e indipendente.

In modo affascinante, il poeta dell'*Iliade* aveva lasciato scorrere dinanzi ai nostri occhi gli eventi bellici troiani su un palcoscenico a due piani. L'aspra lotta per la città viene affrontata a un tempo da uomini e dei, le situazioni e gli eventi terreni si rispecchiano nel regno degli Olimpî, e spesso questo parallelismo si trasforma in connessione inestricabile, quando gli dei scendono sulla terra e fra gli uomini per salvarli e aiutarli, per trattenerli, esortarli e combattere con loro, animati dagli stessi sentimenti e dalle stesse emozioni elementari e avviluppati nelle stesse situazioni degli esseri umani, che essi favoriscono e danneggiano, amano e odiano. E su entrambi i mondi si inarca l'ampia volta del destino, potenza incomprensibile e inesorabile, che impone saldi limiti a quanti vivono sotto di essa: limiti di vita ai mortali e limiti di potenza agli dei sempiterni, quando agiscono tra i loro nipoti e pronipoti. Neanche loro possono spostare i termini della morte.

Non si può disconoscere che questa concezione ha avuto ampia e paradigmatica influenza anche sul poeta dell'*Odissea*, e non può sfuggire che certe differenze sono state determinate dalla diversità del materiale epico. Non sono in gioco destini di popoli, ma quello di un unico uomo, ed in certo senso è sufficiente che a frapporgli enormi ostacoli sulla via del ritorno sia un unico dio che lo odia e lo avversa, Poseidone[1]; che a collocarsi al suo fianco con consigli ed aiuti e a facilitarne il ritorno sia un'unica ausiliatrice divina, Atena[2]. Ma è ancora più importante che gli dei, nell'epos più recente, intervengano di rado in forma attiva: diversamente dall'*Iliade*, in cui l'azione divina e quella umana addirittura si intrecciano[3], nell'*Odissea* i singoli dei si contentano di singole azioni puntuali, ma di efficacia tanto più durevole. Ad osservare bene, l'azione divina autonoma, alla fine, è solo compiuta nel nome e sotto la guida dell'unico sommo dio, che è in grado di disporre ogni cosa nel modo più opportuno. Nella concezione del poeta anche Zeus è mutato: alla sua azione mancano ora impulsi ed emozioni irrazionali, ed egli non ha più bisogno di far valere la sua forza superiore. La sua distanza dal mondo abitato dagli uomini e dominato dagli dei si è accresciuta, e non solo sotto l'aspetto spaziale. Con superiore prudenza e saggezza egli guida i destini del mondo secondo princìpi morali, i soli che creino l'ordine e preservino l'ordine. La via che il padre degli dei deve ancora percorrere per divenire il signore del mondo secondo giustizia non è più così lunga.

Con questa eticizzazione degli dei è connessa la convinzione, espressa dal poeta per bocca del sommo dio, che gli uomini possano mutare col loro comportamento il destino loro imposto. Certo questa libertà umana viene formulata *expressis verbis* in maniera soltanto negativa, in un primo tempo: chi pecca, deve attendersi la punizione, che gli procura una fine obbrobriosa anche « prima del tempo » (I 34 sg.)[4]. Che però non manchi una contropartita positiva di questa convinzione, il poeta lo rivela con tutta la sua opera: chi

[1] Ved. J. Irmscher, *Götterzorn bei Homer*, Leipzig 1950, particolarmente pp. 52-77.
[2] Ved. Marion Müller, *Athene als göttliche Helferin in der Odyssee*, Heidelberg 1966.
[3] Ved. A. Lesky, *Göttliche und menschliche Motivation im homerischen Epos*, « Sitzungsberichte der Heidelberger Akademie der Wissenschaften, Phil.-hist. Klasse » 1961.4.
[4] Su questo passo molto discusso ved. W. Jaeger, *Solons Eunomie*, « Sitzungsberichte der Preussichen Akademie der Wissenschaften zu Berlin, Phil.-hist.. Klasse » 1926.11, pp. 69-85 (= *Scripta minora* I, Roma 1960, pp. 315-37); Focke, *Die Odyssee*, pp. 25-31 (cf. bibl.); Rüter, *Odysseeinterpretationen...*, pp. 64-82 (cf. bibl.).

osserva la giustizia e l'ordine e venera gli dei può sperare in una ricompensa per le sue azioni ed i suoi sforzi. A noi sembra che anche da questo punto di vista la via che conduce dall'*Iliade* all'*Odissea* sia più lunga di quella che porta dall'*Odissea* a Solone e ad Eschilo[1].

Abbiamo percorso molte e differenti vie attraverso un vasto campo, guardandolo da angolazioni diverse. Abbiamo coscienza di aver potuto prendere in considerazione solo delle parti, mai il tutto, e solo in una prospettiva soggettiva. Ma ogni sforzo che si rivolga alla poesia è sottoposto a queste costrizioni e a questi limiti: nessuno può sfuggirvi. E ogni discorso sulla poesia, per quanto intelligente ed esperto, può fornire soltanto un aiuto: nel migliore dei casi può mostrare la via che conduce alla poesia. Importante è solo lei.

(*Traduzione di Enrico Livrea*)

[1] Sulla teologia dell'*Odissea* in generale, fra gli altri: Lesky, *Göttliche und menschliche Motivation im homerischen Epos*, cit., p. 35 sgg.; W. Burkert, *Das Lied von Ares und Aphrodite*, « Rheinisches Museum » CIII 1960, pp. 130-44.

BIBLIOGRAFIA

*Edizioni dell'*Odissea

Le più antiche edizioni dell'*Odissea* sono ricordate in:

W. Schmid, *Geschichte der griechischen Literatur* I 1, München 1929, p. 193.

Principali edizioni moderne:

A. Ludwich, I, II, Leipzig 1889, 1891.

T.W. Allen, *Homeri Opera* III, IV, Oxford 1917², 1919².

K.F. Ameis, C. Hentze, P. Cauer, I 1, I 2, II 1, II 2, Leipzig 1920¹⁴, 1940¹³, 1928⁹, 1925¹⁰ (con commento).

P. von der Mühll, Basel 1946.

W.B. Stanford, I, II, London 1959² (con commento).

Studi critici

Archaeologia Homerica. Die Denkmäler und das frühgriechische Epos, hg. v. F. Matz und H.G. Buchholz, Göttingen 1967.

W. Arend, *Die typischen Szenen bei Homer*, Berlin 1933.

F. Bechtel, *Lexilogus zu Homer*, Halle 1914.

E. Bethe, *Homer, Dichtung und Sage*, II: *Odyssee, Kyklos, Zeitbestimmung*, Leipzig 1929².

P. Cauer, *Grundfragen der Homerkritik*, Leipzig 1921-23³.

P. Chantraine, *Dictionnaire étymologique de la langue grecque*, Paris 1968.

P. Chantraine, *Grammaire homérique*, I, II, Paris 1958³, 1963².

A Companion to Homer, ed. by A.J.B. Wace and F.H. Stubbings, London 1962.

E. Delebecque, *Télémaque et la structure de l'Odyssée*, «Annales de la Faculté des Lettres d'Aix-en-Provence» N.S. XXI 1958.

J.D. Denniston, *The Greek Particles*, Oxford 1954².

G. Dindorf, *Scholia Graeca in Homeri Odysseam* I-II, Oxford 1855.

H. Ebeling, *Lexicon Homericum*, Leipzig 1880-85.

H. Eisenberger, *Studien zur Odyssee*, Wiesbaden 1973.

H. Erbse, *Beiträge zur Verständnis der Odyssee*, Berlin 1972.

B. Fenik, *Studies in the Odyssey*, «Hermes Einzelschriften» 30, Wiesbaden 1974.

M.I. Finley, *The World of Odysseus*, New York 1965² (trad. it. *Il mondo di Odisseo*, Bari 1978).

G. Finsler, *Homer* I 1-2, II, Leipzig 1924³, 1918².

F. Focke, *Die Odyssee*, Stuttgart-Berlin 1943.

H. Fränkel, *Die homerischen Gleichnisse*, Göttingen 1921.

R. Friedrich, *Stilwandel im homerischen Epos*, Heidelberg 1975.

H. Frisk, *Griechisches Etymologisches Wörterbuch*, Heidelberg 1954-73.

G. Germain, *Genèse de l'Odyssée*, Paris 1954.

J.B. Hainsworth, *The Flexibility of the Homeric Formula*, Oxford 1968.

A. Heubeck, *Der Odyssee-Dichter und die Ilias*, Erlangen 1954.

A. Heubeck, *Die homerische Frage*, Darmstadt 1974.

A. Hoekstra, *Homeric Modifications of Formulaic Prototypes*, Amsterdam 1965.

U. Hölscher, *Untersuchungen zur Form der Odyssee*, Leipzig 1939.

G.S. Kirk, *The Songs of Homer*, Cambridge 1962.

R. Kühner-F. Blass, *Ausführliche Grammatik der griechischen Sprache* I 1-2, Hannover 1890-92.

R. Kühner-B. Gerth, *Ausführliche Grammatik der griechischen Sprache* II 1-2, Hannover 1898-1904.

W. Leaf, *The Iliad* I-II, London 1900-1902².

A. Lesky, «Homeros», *RE*, Supplementband 11, Stuttgart 1967 (edizione separata).

M. Leumann, *Homerische Wörter*, Basel 1950.

Lexicon des frühgriechischen Epos, hg. v. B. Snell und H. Erbse, Göttingen 1955-.

A.B. Lord, *The Singer of Tales*, Cambridge Mass. 1960.

Hilda L. Lorimer, *Homer and the Monuments*, London 1950.

A Greek-English Lexicon, compiled by H. Liddell, R. Scott, H. Jones, Oxford 1940[9] (Supplement 1968).

K. Meister, *Die homerische Kunstsprache*, Leipzig 1921 (rist. 1966).

R. Merkelbach, *Untersuchungen zur Odyssee*, «Zetemata» 2, München 1969[2].

D.B. Monro, *A Grammar of the Homeric Dialect*, Oxford 1891[2].

M.P. Nilsson, *Geschichte der griechischen Religion* I, München 1967[3].

R.B. Onians, *The Origin of European Thought*, Cambridge 1951.

D.L. Page, *The Homeric Odyssey*, Oxford 1955.

A Parry, *The Making of Homeric Verse. The Collected Papers of Milman Parry*, Oxford 1971.

Paulys Realencyclopädie der classischen Altertumswissenschaft, hg. v. G. Wissowa, W. Kroll, K. Mittelhaus, K. Ziegler, Stuttgart 1893-.

E. Risch, *Wortbildung der homerischen Sprache*, Berlin 1937, 1973[2].

W.H. Roscher-K. Ziegler, *Ausführliches Lexicon der griechischen und römischen Mythologie*, Leipzig 1884-1937.

K. Rüter, *Odysseeinterpretationen. Untersuchungen zum ersten Buch und zur Phaiakis*, «Hypomnemata» 19, Göttingen 1969.

C.J. Ruijgh, *L'élément achéen dans la langue épique*, Assen 1957.

W. Schadewaldt, *Von Homers Welt und Werk*, Stuttgart 1965[4].

W. Schulze, *Quaestiones epicae*, Gütersloh 1892.

E. Schwartz, *Die Odyssee*, München 1924.

E. Schwyzer, *Griechische Grammatik* I-III, München 1939-53.

A. Severyns, *Homère* I, II, III, Bruxelles 1944[2], 1946[2], 1948.

G.P. Schipp, *Studies in the Language of Homer*, Cambridge 1972[2].

Luigia A. Stella, *Il poema di Ulisse*, Firenze 1955.

Stith Thompson, *Motif Index of Folk Literature*, Copenhagen 1955-58.

Agathe Thornton, *People and Themes in Homer's Odyssey*, London 1970.

M. van der Valk, *Textual Criticism of the Odyssey*, Leiden 1949.

J. van Leeuwen, *Enchiridium dictionis epicae*, Leiden 1918.

M. Ventris-J. Chadwick, *Documents in Mycenaean Greek*, Cambridge 1973[2].

P. von der Mühll, «Odyssee», *RE*, Supplementband 7 (coll. 696-768), Stuttgart 1940.
J. Wackernagel, *Sprachliche Untersuchungen zu Homer*, Göttingen 1916.
P. Wathelet, *Les traits éoliens dans la langue de l'épopée grecque*, Roma 1970.
T.B.L. Webster, *From Mycenae to Homer*, London 1958.
U. von Wilamowitz-Moellendorff, *Die Heimkehr des Odysseus*, Berlin 1927.
U. von Wilamowitz-Moellendorff, *Homerische Untersuchungen*, Berlin 1884.
W.J. Woodhouse, *The Composition of Homer's Odyssey*, Oxford 1930 (rist. 1969).
W.F. Wyatt jr., *Metrical Lengthening in Homer*, Roma 1969.

ΟΜΗΡΟΥ

ΟΔΥΣΣΕΙΑ

OMERO

ODISSEA

Α

Ἄνδρα μοι ἔννεπε, Μοῦσα, πολύτροπον, ὃς μάλα πολλὰ
πλάγχθη, ἐπεὶ Τροίης ἱερὸν πτολίεθρον ἔπερσε·
πολλῶν δ' ἀνθρώπων ἴδεν ἄστεα καὶ νόον ἔγνω,
πολλὰ δ' ὅ γ' ἐν πόντῳ πάθεν ἄλγεα ὃν κατὰ θυμόν
5 ἀρνύμενος ἥν τε ψυχὴν καὶ νόστον ἑταίρων.
ἀλλ' οὐδ' ὣς ἑτάρους ἐρρύσατο, ἱέμενός περ
αὐτῶν γὰρ σφετέρῃσιν ἀτασθαλίῃσιν ὄλοντο,
νηπιοι, οἳ κατὰ βοῦς Ὑπερίονος Ἠελίοιο
ἤσθιον· αὐτὰρ ὁ τοῖσιν ἀφείλετο νόστιμον ἦμαρ.
10 τῶν ἁμόθεν γε, θεά, θύγατερ Διός, εἰπὲ καὶ ἡμῖν.
ἔνθ' ἄλλοι μὲν πάντες, ὅσοι φύγον αἰπὺν ὄλεθρον,
οἴκοι ἔσαν, πόλεμόν τε πεφευγότες ἠδὲ θάλασσαν·
τὸν δ' οἶον, νόστου κεχρημένον ἠδὲ γυναικός,
νύμφη πότνι' ἔρυκε Καλυψώ, δῖα θεάων,
εν σπέεσι γλαφυροῖσι, λιλαιομένη πόσιν εἶναι.
ἀλλ' ὅτε δὴ ἔτος ἦλθε περιπλομένων ἐνιαυτῶν,
τῷ οἱ ἐπεκλώσαντο θεοὶ οἶκόνδε νέεσθαι
εἰς Ἰθάκην, οὐδ' ἔνθα πεφυγμένος ἦεν ἀέθλων
καὶ μετὰ οἷσι φίλοισι· θεοὶ δ' ἐλέαιρον ἅπαντες
20 νόσφι Ποσειδάωνος· ὁ δ' ἀσπερχὲς μενέαινεν
ἀντιθέῳ Ὀδυσῆϊ πάρος ἣν γαῖαν ἱκέσθαι.
ἀλλ' ὁ μὲν Αἰθίοπας μετεκίαθε τηλόθ' ἐόντας,
Αἰθίοπας, τοὶ διχθὰ δεδαίαται, ἔσχατοι ἀνδρῶν,
οἱ μὲν δυσομένου Ὑπεριονος, οἱ δ' ἀνιόντος,
25 ἀντιόων γαύρων τε καὶ ἀρνειῶν ἑκατόμβης.
ἔνθ' ὅ γε τέρπετο δαιτὶ παρήμενος· οἱ δὲ δὴ ἄλλοι

LIBRO PRIMO

Narrami, o Musa, dell'eroe multiforme, che tanto
vagò, dopo che distrusse la rocca sacra di Troia:
di molti uomini vide le città e conobbe i pensieri,
molti dolori patì sul mare nell'animo suo,
5 per acquistare a sé la vita e il ritorno ai compagni.
Ma i compagni neanche così li salvò, pur volendo:
con la loro empietà si perdettero,
stolti, che mangiarono i buoi del Sole
Iperione: ad essi egli tolse il dì del ritorno.
10 Racconta qualcosa anche a noi, o dea figlia di Zeus.
Tutti gli altri, che scamparono la ripida morte,
erano a casa, sfuggiti alla guerra ed al mare:
solo lui, che bramava il ritorno e la moglie,
lo tratteneva una ninfa possente, Calipso, chiara tra le dee,
15 nelle cave spelonche, vogliosa d'averlo marito.
E quando il tempo arrivò, col volger degli anni,
nel quale gli dei stabilirono che a casa tornasse,
ad Itaca, neanche allora fu salvo da lotte
persino tra i suoi. Gli dei ne avevano tutti pietà,
20 ma non Posidone: furiosamente egli fu in collera
con Odisseo pari a un dio, finché non giunse nella sua terra.
Ma Posidone era andato a trovare gli Etiopi, che stanno lontano,
gli Etiopi divisi in due parti, i più remoti tra gli uomini,
gli uni a Iperione calante, gli altri a Iperione levante,
25 per ricevere un'ecatombe di tori e di agnelli.
E lì seduto, si godeva il banchetto: gli altri invece

Ζηνὸς ἐνὶ μεγάροισιν Ὀλυμπίου ἀθρόοι ἦσαν.
τοῖσι δὲ μύθων ἦρχε πατὴρ ἀνδρῶν τε θεῶν τε·
μνήσατο γὰρ κατὰ θυμὸν ἀμύμονος Αἰγίσθοιο,
30 τόν ῥ' Ἀγαμεμνονίδης τηλεκλυτὸς ἔκταν' Ὀρέστης·
τοῦ ὅ γ' ἐπιμνησθεὶς ἔπε' ἀθανάτοισι μετηύδα·
« ὢ πόποι, οἷον δή νυ θεοὺς βροτοὶ αἰτιόωνται.
ἐξ ἡμέων γάρ φασι κάκ' ἔμμεναι· οἱ δὲ καὶ αὐτοὶ
σφῇσιν ἀτασθαλίῃσιν ὑπὲρ μόρον ἄλγε' ἔχουσιν,
35 ὡς καὶ νῦν Αἴγισθος ὑπὲρ μόρον Ἀτρεΐδαο
γῆμ' ἄλοχον μνηστήν, τὸν δ' ἔκτανε νοστήσαντα,
εἰδὼς αἰπὺν ὄλεθρον, ἐπεὶ πρό οἱ εἴπομεν ἡμεῖς,
Ἑρμείαν πέμψαντες, ἐΰσκοπον Ἀργεϊφόντην,
μήτ' αὐτὸν κτείνειν μήτε μνάασθαι ἄκοιτιν·
40 ἐκ γὰρ Ὀρέσταο τίσις ἔσσεται Ἀτρεΐδαο,
ὁππότ' ἂν ἡβήσῃ τε καὶ ἧς ἱμείρεται αἴης.
ὣς ἔφαθ' Ἑρμείας, ἀλλ' οὐ φρένας Αἰγίσθοιο
πεῖθ' ἀγαθὰ φρονέων· νῦν δ' ἀθρόα πάντ' ἀπέτεισε ».
τὸν δ' ἠμείβετ' ἔπειτα θεὰ γλαυκῶπις Ἀθήνη·
45 « ὢ πάτερ ἡμέτερε Κρονίδη, ὕπατε κρειόντων,
καὶ λίην κεῖνός γε ἐοικότι κεῖται ὀλέθρῳ,
ὡς ἀπόλοιτο καὶ ἄλλος ὅτις τοιαῦτά γε ῥέζοι.
ἀλλά μοι ἀμφ' Ὀδυσῆϊ δαΐφρονι δαίεται ἦτορ,
δυσμόρῳ, ὃς δὴ δηθὰ φίλων ἄπο πήματα πάσχει
50 νήσῳ ἐν ἀμφιρύτῃ, ὅθι τ' ὀμφαλός ἐστι θαλάσσης,
νῆσος δενδρήεσσα, θεὰ δ' ἐν δώματα ναίει,
Ἄτλαντος θυγάτηρ ὀλοόφρονος, ὅς τε θαλάσσης
πάσης βένθεα οἶδεν, ἔχει δέ τε κίονας αὐτὸς
μακράς, αἳ γαῖάν τε καὶ οὐρανὸν ἀμφὶς ἔχουσι
55 τοῦ θυγάτηρ δύστηνον ὀδυρόμενον κατερύκει,
αἰεὶ δὲ μαλακοῖσι καὶ αἱμυλίοισι λόγοισι
θέλγει, ὅπως Ἰθάκης ἐπιλήσεται· αὐτὰρ Ὀδυσσεύς,
ἱέμενος καὶ καπνὸν ἀποθρῴσκοντα νοῆσαι
ἧς γαίης, θανέειν ἱμείρεται. οὐδέ νυ σοί περ
60 ἐντρέπεται φίλον ἦτορ, Ὀλύμπιε; οὔ νύ τ' Ὀδυσσεύς

stavano insieme nelle sale di Zeus Olimpio.
E fra essi iniziò a parlare il padre di uomini e dei:
in mente gli era venuto il nobile Egisto,
30 colui che il figlio d'Agamennone, il famoso Oreste, uccise.
Di lui ricordandosi, disse agli immortali così:
«Ah! quante colpe danno i mortali agli dei!
Ci dicono causa delle loro disgrazie: ma anche da sé,
con le loro empietà, si procurano dolori oltre il segno.
35 Come ad esempio ora Egisto: sposò la legittima moglie
di Atride, oltre il giusto, e lui, appena tornato, l'uccise,
pur sapendo della ripida morte. Perché l'avevamo avvertito,
mandandogli Ermete, l'Arghifonte di ottima vista,
di non ucciderlo, di non volerne la sposa:
40 "Dell'Atride sarà fatta vendetta da Oreste,
quando, cresciuto, desidererà la sua terra".
Così Ermete gli disse, ma non piegò la mente di Egisto,
pur pensando al suo bene: e ora, tutt'insieme, ha pagato».
Gli rispose allora la dea glaucopide Atena:
45 «Padre nostro Cronide, sommo tra i potenti,
in una morte fin troppo meritata egli giace:
muoia così chiunque altro faccia lo stesso.
Ma il mio cuore si spezza per il valente Odisseo,
infelice, che da tempo patisce dolori, lontano dai suoi,
50 in una terra circondata dall'acqua, dov'è l'ombelico del mare,
un'isola fitta di alberi, vi abita e dimora una dea,
la figlia di Atlante, pericoloso, che del mare
intero conosce gli abissi ed ha le grandi
colonne che tengono la terra e il cielo divisi.
55 La figlia di costui trattiene l'infelice, che piange,
e sempre l'incanta con tenere e maliose
parole, perché si dimentichi d'Itaca: ma Odisseo,
che brama vedere almeno il fumo levarsi
dalla sua terra, vorrebbe morire. E il tuo cuore,
60 Olimpio, non si commuove? Odisseo non t'era gradito

Ἀργείων παρὰ νηυσὶ χαρίζετο ἱερὰ ῥέζων
Τροίῃ ἐν εὐρείῃ; τί νύ οἱ τόσον ὠδύσαο, Ζεῦ; ».
τὴν δ' ἀπαμειβόμενος προσέφη νεφεληγερέτα Ζεύς·
« τέκνον ἐμόν, ποῖόν σε ἔπος φύγεν ἕρκος ὀδόντων.
65 πῶς ἂν ἔπειτ' Ὀδυσῆος ἐγὼ θείοιο λαθοίμην,
ὃς περὶ μὲν νόον ἐστὶ βροτῶν, περὶ δ' ἱρὰ θεοῖσιν
ἀθανάτοισιν ἔδωκε, τοὶ οὐρανὸν εὐρὺν ἔχουσιν;
ἀλλὰ Ποσειδάων γαιήοχος ἀσκελὲς αἰὲν
Κύκλωπος κεχόλωται, ὃν ὀφθαλμοῦ ἀλάωσεν,
70 ἀντίθεον Πολύφημον, ὅου κράτος ἐστὶ μέγιστον
πᾶσιν Κυκλώπεσσι· Θόωσα δέ μιν τέκε νύμφη,
Φόρκυνος θυγάτηρ, ἁλὸς ἀτρυγέτοιο μέδοντος,
ἐν σπέεσι γλαφυροῖσι Ποσειδάωνι μιγεῖσα.
ἐκ τοῦ δὴ Ὀδυσῆα Ποσειδάων ἐνοσίχθων
75 οὔ τι κατακτείνει, πλάζει δ' ἀπὸ πατρίδος αἴης.
ἀλλ' ἄγεθ' ἡμεῖς οἵδε περιφραζώμεθα πάντες
νόστον, ὅπως ἔλθησι· Ποσειδάων δὲ μεθήσει
ὃν χόλον· οὐ μὲν γάρ τι δυνήσεται ἀντία πάντων
ἀθανάτων ἀέκητι θεῶν ἐριδαινέμεν οἶος ».
80 τὸν δ' ἠμείβετ' ἔπειτα θεὰ γλαυκῶπις Ἀθήνη·
« ὦ πάτερ ἡμέτερε Κρονίδη, ὕπατε κρειόντων,
εἰ μὲν δὴ νῦν τοῦτο φίλον μακάρεσσι θεοῖσι,
νοστῆσαι Ὀδυσῆα πολύφρονα ὅνδε δόμονδε,
Ἑρμείαν μὲν ἔπειτα, διάκτορον Ἀργεϊφόντην,
85 νῆσον ἐς Ὠγυγίην ὀτρύνομεν, ὄφρα τάχιστα
νύμφῃ ἐϋπλοκάμῳ εἴπῃ νημερτέα βουλήν,
νόστον Ὀδυσσῆος ταλασίφρονος, ὥς κε νέηται.
αὐτὰρ ἐγὼν Ἰθάκηνδε ἐλεύσομαι, ὄφρα οἱ υἱὸν
μᾶλλον ἐποτρύνω καί οἱ μένος ἐν φρεσὶ θείω,
90 εἰς ἀγορὴν καλέσαντα κάρη κομόωντας Ἀχαιοὺς
πᾶσι μνηστήρεσσιν ἀπειπέμεν, οἵ τέ οἱ αἰεὶ
μῆλ' ἁδινὰ σφάζουσι καὶ εἰλίποδας ἕλικας βοῦς.
πέμψω δ' ἐς Σπάρτην τε καὶ ἐς Πύλον ἠμαθόεντα
νόστον πευσόμενον πατρὸς φίλου, ἤν που ἀκούσῃ,

quando presso le navi argive sacrificava,
nella vasta terra di Troia? perché, Zeus, gli sei così ostile? ».
E a sua volta Zeus che addensa le nubi le disse:
« Figlia mia, che parola ti sfuggì dal recinto dei denti.
65 E come potrei dimenticare il divino Odisseo,
che supera per senno i mortali e offrì più vittime
agli dei immortali che hanno il vasto cielo?
Ma Posidone che percorre la terra è sempre ardentemente
adirato per il Ciclope che egli accecò del suo occhio,
70 per Polifemo pari a un dio, la cui forza è grandissima
fra tutti i Ciclopi: lo generò la ninfa Toòsa,
la figlia di Forco che si cura del mare infecondo,
congiuntasi con Posidone in grotte profonde.
Da allora Posidone che scuote la terra, Odisseo, no,
75 non l'uccide, ma lo respinge dalla terra dei padri.
Ma orsù, pensiamo noi tutti al ritorno,
noi qui, come può ritornare. Posidone deporrà
la sua collera: contro il volere di tutti gli dei
immortali non potrà lottare da solo ».
80 Gli rispose allora la dea glaucopide Atena:
« Padre nostro Cronide, sommo tra i potenti,
se ora agli dei beati questo è caro davvero,
che il saggio Odisseo ritorni nella sua casa,
allora mandiamo Ermete, il messaggero Arghifonte,
85 nell'isola Ogigia, perché dica al più presto
il volere infallibile alla ninfa dai riccioli belli,
il ritorno dell'intrepido Odisseo, perché possa tornare.
Io intanto andrò a Itaca, per incitare suo figlio
di più, e mettergli in petto il coraggio,
90 chiamati in consiglio gli Achei dai lunghi capelli,
di mandar via tutti i pretendenti, che sempre gli sgozzano
pecore fitte e buoi dal passo e dalle corna ricurve.
E lo manderò a Sparta e a Pilo sabbiosa,
a indagare sul ritorno del padre, se mai senta qualcosa,

95 ἠδ' ἵνα μιν κλέος ἐσθλὸν ἐν ἀνθρώποισιν ἔχῃσιν ».
ὣς εἰποῦσ' ὑπὸ ποσσὶν ἐδήσατο καλὰ πέδιλα,
ἀμβρόσια χρύσεια, τά μιν φέρον ἠμὲν ἐφ' ὑγρὴν
ἠδ' ἐπ' ἀπείρονα γαῖαν ἅμα πνοιῇσ' ἀνέμοιο.
εἵλετο δ' ἄλκιμον ἔγχος, ἀκαχμένον ὀξέϊ χαλκῷ,
100 βριθὺ μέγα στιβαρόν, τῷ δάμνησι στίχας ἀνδρῶν
ἡρώων, τοῖσίν τε κοτέσσεται ὀβριμοπάτρη.
βῆ δὲ κατ' Οὐλύμποιο καρήνων ἀΐξασα,
στῆ δ' Ἰθάκης ἐνὶ δήμῳ ἐπὶ προθύροισ' Ὀδυσῆος,
οὐδοῦ ἐπ' αὐλείου· παλάμῃ δ' ἔχε χάλκεον ἔγχος,
105 εἰδομένη ξείνῳ, Ταφίων ἡγήτορι, Μέντῃ.
εὗρε δ' ἄρα μνηστῆρας ἀγήνορας· οἱ μὲν ἔπειτα
πεσσοῖσι προπάροιθε θυράων θυμὸν ἔτερπον,
ἥμενοι ἐν ῥινοῖσι βοῶν, οὓς ἔκτανον αὐτοί.
κήρυκες δ' αὐτοῖσι καὶ ὀτρηροὶ θεράποντες
110 οἱ μὲν ἄρ' οἶνον ἔμισγον ἐνὶ κρητῆρσι καὶ ὕδωρ,
οἱ δ' αὖτε σπόγγοισι πολυτρήτοισι τραπέζας
νίζον καὶ πρότιθεν, τοὶ δὲ κρέα πολλὰ δατεῦντο.
τὴν δὲ πολὺ πρῶτος ἴδε Τηλέμαχος θεοειδής·
ἧστο γὰρ ἐν μνηστῆρσι φίλον τετιημένος ἦτορ,
115 ὀσσόμενος πατέρ' ἐσθλὸν ἐνὶ φρεσίν, εἴ ποθεν ἐλθὼν
μνηστήρων τῶν μὲν σκέδασιν κατὰ δώματα θείη,
τιμὴν δ' αὐτὸς ἔχοι καὶ κτήμασιν οἷσιν ἀνάσσοι.
τὰ φρονέων μνηστῆρσι μεθήμενος εἴσιδ' Ἀθήνην,
βῆ δ' ἰθὺς προθύροιο, νεμεσσήθη δ' ἐνὶ θυμῷ
120 ξεῖνον δηθὰ θύρῃσιν ἐφεστάμεν· ἐγγύθι δὲ στὰς
χεῖρ' ἕλε δεξιτερὴν καὶ ἐδέξατο χάλκεον ἔγχος,
καί μιν φωνήσας ἔπεα πτερόεντα προσηύδα·
« χαῖρε, ξεῖνε, παρ' ἄμμι φιλήσεαι· αὐτὰρ ἔπειτα
δείπνου πασσάμενος μυθήσεαι ὅττεό σε χρή ».
125 ὣς εἰπὼν ἡγεῖθ', ἡ δ' ἕσπετο Παλλὰς Ἀθήνη.
οἱ δ' ὅτε δή ῥ' ἔντοσθεν ἔσαν δόμου ὑψηλοῖο,
ἔγχος μέν ῥ' ἔστησε φέρων πρὸς κίονα μακρὴν
δουροδόκης ἔντοσθεν ἐϋξόου, ἔνθα περ ἄλλα

95 e perché abbia nobile fama tra gli uomini ».

Detto così, legò ai piedi i bei sandali,
immortali, d'oro, che sia sul mare la portavano
sia sulla terra infinita, coi soffi del vento.
Prese l'asta guerriera, acuminata d'aguzzo bronzo,
100 pesante, grande, massiccia: doma con essa le schiere
dei forti, coi quali sia in collera, figlia di padre possente.
Scese dai picchi d'Olimpo d'un balzo,
e fu nella terra di Itaca, al portico di Odisseo
sulla soglia dell'atrio: in mano aveva l'asta di bronzo,
105 l'aspetto era d'uno straniero, del capo dei Tafî, di Mente.
E trovò i pretendenti superbi: con le pedine,
davanti alle porte, rallegravano il cuore,
seduti su pelli di buoi scannati da loro stessi.
Ad essi, araldi e pronti scudieri
110 alcuni mescevano vino e acqua dentro i crateri,
altri tergevano con spugne porose le mense,
e gliene ponevano innanzi, altri spartivano carni abbondanti.

Per primo la scorse Telemaco simile a un dio:
sedeva tra i pretendenti, col cuore turbato,
115 la visione del padre valoroso nell'animo, se mai arrivato
suscitasse per casa scompiglio tra i pretendenti,
avesse lui la sua dignità e fosse signore dei propri beni.
Pensava questo, seduto tra i pretendenti, e vide Atena:
svelto andò verso il portico. In cuore era indignato
120 che lo straniero stesse sulla porta da tempo. Accostatosi,
le prese la destra, si fece dare l'asta di bronzo
e parlando le rivolse alate parole:

« Salute, straniero! da noi sarai benvenuto: poi,
consumato il pasto, dirai che cosa ti occorre ».

125 Detto così la guidava, Pallade Atena seguiva.
Quando furono dentro la sala dall'alto soffitto,
portò e poggiò la lancia ritta a una grande colonna
dentro un'astiera ben fatta: numerose vi stavano

ἔγχε' Ὀδυσσῆος ταλασίφρονος ἵστατο πολλά,
130 αὐτὴν δ' ἐς θρόνον εἷσεν ἄγων, ὑπὸ λῖτα πετάσσας,
καλὸν δαιδάλεον· ὑπὸ δὲ θρῆνυς ποσὶν ἦεν.
πὰρ δ' αὐτὸς κλισμὸν θέτο ποικίλον, ἔκτοθεν ἄλλων
μνηστήρων, μὴ ξεῖνος ἀνιηθεὶς ὀρυμαγδῷ
δείπνῳ ἀδήσειεν, ὑπερφιάλοισι μετελθών,
135 ἠδ' ἵνα μιν περὶ πατρὸς ἀποιχομένοιο ἔροιτο.
χέρνιβα δ' ἀμφίπολος προχόῳ ἐπέχευε φέρουσα
καλῇ χρυσείῃ, ὑπὲρ ἀργυρέοιο λέβητος,
νίψασθαι· παρὰ δὲ ξεστὴν ἐτάνυσσε τράπεζαν.
σῖτον δ' αἰδοίη ταμίη παρέθηκε φέρουσα,
140 εἴδατα πόλλ' ἐπιθεῖσα, χαριζομένη παρεόντων·
δαιτρὸς δὲ κρειῶν πίνακας παρέθηκεν ἀείρας
παντοίων, παρὰ δέ σφι τίθει χρύσεια κύπελλα,
κῆρυξ δ' αὐτοῖσιν θάμ' ἐπῴχετο οἰνοχοεύων.
ἐς δ' ἦλθον μνηστῆρες ἀγήνορες· οἱ μὲν ἔπειτα
145 ἑξείης ἕζοντο κατὰ κλισμούς τε θρόνους τε.
τοῖσι δὲ κήρυκες μὲν ὕδωρ ἐπὶ χεῖρας ἔχευαν,
147 σῖτον δὲ δμῳαὶ παρενήνεον ἐν κανέοισι,
149 οἱ δ' ἐπ' ὀνείαθ' ἑτοῖμα προκείμενα χεῖρας ἴαλλον.
150 αὐτὰρ ἐπεὶ πόσιος καὶ ἐδητύος ἐξ ἔρον ἕντο
μνηστῆρες, τοῖσιν μὲν ἐνὶ φρεσὶν ἄλλα μεμήλει,
μολπή τ' ὀρχηστύς τε· τὰ γάρ τ' ἀναθήματα δαιτός.
κῆρυξ δ' ἐν χερσὶν κίθαριν περικαλλέα θῆκε
Φημίῳ, ὅς ῥ' ἤειδε παρὰ μνηστῆρσιν ἀνάγκῃ.
155 ἤτοι ὁ φορμίζων ἀνεβάλλετο καλὸν ἀείδειν,
αὐτὰρ Τηλέμαχος προσέφη γλαυκῶπιν Ἀθήνην,
ἄγχι σχὼν κεφαλήν, ἵνα μὴ πευθοίαθ' οἱ ἄλλοι·
« ξεῖνε φίλ', ἦ καί μοι νεμεσήσεαι ὅττι κεν εἴπω;
τούτοισιν μὲν ταῦτα μέλει, κίθαρις καὶ ἀοιδή,
160 ῥεῖ', ἐπεὶ ἀλλότριον βίοτον νήποινον ἔδουσιν,
ἀνέρος, οὗ δή που λεύκ' ὀστέα πύθεται ὄμβρῳ
κείμεν' ἐπ' ἠπείρου, ἢ εἰν ἁλὶ κῦμα κυλίνδει.
εἰ κεῖνόν γ' Ἰθάκηνδε ἰδοίατο νοστήσαντα,

anche altre aste dell'intrepido Odisseo.
130 La guidò ad un trono, bello, lavorato, e stesovi un panno
la fece sedere: c'era sotto uno sgabello pei piedi.
Accanto pose una sedia adorna, in disparte dagli altri,
dai pretendenti: che l'ospite, disturbato dal chiasso,
non avesse disgusto del pasto, capitato tra prepotenti,
135 ed egli potesse chiedergli del padre lontano.
Un'ancella venne a versare dell'acqua, da una brocca
bella, d'oro, in un bacile d'argento,
perché si lavassero: vicino stese una tavola liscia.
La riverita dispensiera recò e pose il cibo,
140 imbandendo molte vivande, generosa di quello che c'era;
lo scalco servì scegliendoli piatti diversi
di carni e pose ad essi dinanzi le coppe d'oro;
l'araldo veniva spesso a versare loro del vino.
Entrarono i pretendenti superbi: in ordine
145 sedettero, poi, sulle sedie e sui troni.
Gli araldi gli versarono sulle mani dell'acqua,
147 le serve portarono il pane in cesti ricolmi.
149 Ed essi sui cibi pronti, imbanditi, le mani tendevano.
150 Poi, quand'ebbero scacciata la voglia di bere e di cibo,
ai pretendenti sorse un altro desiderio nell'animo:
il canto e la danza. Essi sono ornamento al banchetto.
Un araldo mise una cetra bellissima in mano
a Femio, che soleva cantare per i pretendenti, costretto.
155 Ed egli suonando cominciò bellamente a cantare:
ma Telemaco si rivolse alla glaucopide Atena
accostando la testa, perché non lo capissero gli altri:
« Ospite caro, ti adirerai se ti dico una cosa?
è questo che piace a costoro, la cetra e il canto:
160 facile, perché mangiano senza compenso la roba d'un altro,
di un uomo, le cui bianche ossa certo alla pioggia marciscono,
stese per terra, oppure nel mare le voltola l'onda.
Ma se lui ritornasse e lo vedessero ad Itaca,

πάντες κ' ἀρησαίατ' ἐλαφρότεροι πόδας εἶναι
165 ἢ ἀφνειότεροι χρυσοῖό τε ἐσθῆτός τε.
νῦν δ' ὁ μὲν ὣς ἀπόλωλε κακὸν μόρον, οὐδέ τις ἧμιν
θαλπωρή, εἴ πέρ τις ἐπιχθονίων ἀνθρώπων
φῇσιν ἐλεύσεσθαι· τοῦ δ' ὤλετο νόστιμον ἦμαρ.
ἀλλ' ἄγε μοι τόδε εἰπὲ καὶ ἀτρεκέως κατάλεξον·
170 τίς πόθεν εἰς ἀνδρῶν; πόθι τοι πόλις ἠδὲ τοκῆες;
ὁπποίης τ' ἐπὶ νηὸς ἀφίκεο; πῶς δέ σε ναῦται
ἤγαγον εἰς Ἰθάκην; τίνες ἔμμεναι εὐχετόωντο;
οὐ μὲν γάρ τί σε πεζὸν ὀΐομαι ἐνθάδ' ἱκέσθαι.
καί μοι τοῦτ' ἀγόρευσον ἐτήτυμον, ὄφρ' ἐῢ εἰδῶ,
175 ἠὲ νέον μεθέπεις, ἦ καὶ πατρώϊός ἐσσι
ξεῖνος, ἐπεὶ πολλοὶ ἴσαν ἀνέρες ἡμέτερον δῶ
ἄλλοι, ἐπεὶ καὶ κεῖνος ἐπίστροφος ἦν ἀνθρώπων ».
τὸν δ' αὖτε προσέειπε θεὰ γλαυκῶπις Ἀθήνη·
« τοιγὰρ ἐγώ τοι ταῦτα μάλ' ἀτρεκέως ἀγορεύσω.
180 Μέντης Ἀγχιάλοιο δαΐφρονος εὔχομαι εἶναι
υἱός, ἀτὰρ Ταφίοισι φιληρέτμοισιν ἀνάσσω.
νῦν δ' ὧδε ξὺν νηῒ κατήλυθον ἠδ' ἑτάροισι,
πλέων ἐπὶ οἴνοπα πόντον ἐπ' ἀλλοθρόους ἀνθρώπους,
ἐς Τεμέσην μετὰ χαλκόν, ἄγω δ' αἴθωνα σίδηρον.
185 νηῦς δέ μοι ἥδ' ἕστηκεν ἐπ' ἀγροῦ νόσφι πόληος,
ἐν λιμένι Ῥείθρῳ, ὑπὸ Νηΐῳ ὑλήεντι.
ξεῖνοι δ' ἀλλήλων πατρώϊοι εὐχόμεθ' εἶναι
ἐξ ἀρχῆς, εἴ πέρ τε γέροντ' εἴρηαι ἐπελθὼν
Λαέρτην ἥρωα, τὸν οὐκέτι φασὶ πόλινδε
190 ἔρχεσθ', ἀλλ' ἀπάνευθεν ἐπ' ἀγροῦ πήματα πάσχειν
γρηῒ σὺν ἀμφιπόλῳ, ἥ οἱ βρῶσίν τε πόσιν τε
παρτιθεῖ, εὖτ' ἄν μιν κάματος κατὰ γυῖα λάβῃσιν
ἑρπύζοντ' ἀνὰ γουνὸν ἀλωῆς οἰνοπέδοιο.
νῦν δ' ἦλθον· δὴ γάρ μιν ἔφαντ' ἐπιδήμιον εἶναι,
195 σὸν πατέρ'· ἀλλά νυ τόν γε θεοὶ βλάπτουσι κελεύθου.
οὐ γάρ πω τέθνηκεν ἐπὶ χθονὶ δῖος Ὀδυσσεύς,
ἀλλ' ἔτι που ζωὸς κατερύκεται εὐρέϊ πόντῳ,

tutti pregherebbero d'essere svelti di piedi
165 piuttosto che ricchi di oro e di vesti.
Ma ormai egli è morto, di misera morte: non v'è più confor
per noi, neppure se uno degli uomini in terra
dicesse che lui tornerà. Il suo dì del ritorno è perduto.
Ma dimmi una cosa, e dilla con tutta franchezza:
170 chi sei, di che stirpe? dove hai città e genitori?
su che nave sei giunto? perché i marinai
ti portarono a Itaca? chi dicevano d'essere?
Perché certo non credo sei giunto qui a piedi!
E dimmi sinceramente anche questo, che io sappia bene,
175 se è la prima volta che vieni, o se un ospite sei
di mio padre: a casa nostra son venuti altri uomini,
molti, perché anche lui soleva girare tra gli uomini».
Gli rispose allora la dea glaucopide Atena:
«Ma certo, te lo dirò con tutta franchezza.
180 Mente, figlio del savio Anchialo, mi vanto
di essere e regno sui Tafî che amano i remi.
Adesso sono approdato, così, con la nave e i compagni,
navigando sul mare scuro come vino verso genti straniere,
verso Temesa, in cerca di rame, e porto ferro fiammante.
185 La mia nave è questa alla fonda fuori città, verso i campi,
nel porto di Reitro, sotto il Neio selvoso.
Ci vantiamo ospiti l'uno dell'altro per parte di padre
da antico tempo, se vai dal vecchio e lo chiedi,
dall'eroe Laerte, che si dice mai venga
190 in città, ma soffra dolori lontano, in campagna,
insieme a una vecchia serva, che gli porta cibo
e bevanda, quando la stanchezza lo prende agli arti
mentre si trascina sull'altura del podere a vigneti.
Sono arrivato adesso: dicevano infatti che lui era in patria,
195 tuo padre. Ma certo gli impediscono il viaggio gli dei.
Perché non è morto in terra il chiaro Odisseo,
ma ancora vivo, chissà dove, è trattenuto sul vasto mare,

νήσῳ ἐν ἀμφιρύτῃ, χαλεποὶ δέ μιν ἄνδρες ἔχουσιν,
ἄγριοι, οἵ που κεῖνον ἐρυκανόωσ' ἀέκοντα.
200 αὐτὰρ νῦν τοι ἐγὼ μαντεύσομαι, ὡς ἐνὶ θυμῷ
ἀθάνατοι βάλλουσι καὶ ὡς τελέεσθαι ὀΐω,
οὔτε τι μάντις ἐὼν οὔτ' οἰωνῶν σάφα εἰδώς.
οὔ τοι ἔτι δηρόν γε φίλης ἀπὸ πατρίδος αἴης
ἔσσεται, οὐδ' εἴ πέρ τε σιδήρεα δέσματ' ἔχῃσι·
205 φράσσεται ὥς κε νέηται, ἐπεὶ πολυμήχανός ἐστιν.
ἀλλ' ἄγε μοι τόδε εἰπὲ καὶ ἀτρεκέως κατάλεξον,
εἰ δὴ ἐξ αὐτοῖο τόσος πάϊς εἰς Ὀδυσῆος.
αἰνῶς μὲν κεφαλήν τε καὶ ὄμματα καλὰ ἔοικας
κείνῳ, ἐπεὶ θαμὰ τοῖον ἐμισγόμεθ' ἀλλήλοισι,
210 πρίν γε τὸν ἐς Τροίην ἀναβήμεναι, ἔνθα περ ἄλλοι
Ἀργείων οἱ ἄριστοι ἔβαν κοίλῃσ' ἐνὶ νηυσίν·
ἐκ τοῦ δ' οὔτ' Ὀδυσῆα ἐγὼν ἴδον οὔτ' ἐμὲ κεῖνος».
τὴν δ' αὖ Τηλέμαχος πεπνυμένος ἀντίον ηὔδα·
«τοιγὰρ ἐγώ τοι, ξεῖνε, μάλ' ἀτρεκέως ἀγορεύσω.
215 μήτηρ μέν τέ μέ φησι τοῦ ἔμμεναι, αὐτὰρ ἐγώ γε
οὐκ οἶδ'· οὐ γάρ πώ τις ἑὸν γόνον αὐτὸς ἀνέγνω.
ὡς δὴ ἐγώ γ' ὄφελον μάκαρός νύ τευ ἔμμεναι υἱὸς
ἀνέρος, ὃν κτεάτεσσιν ἑοῖσ' ἔπι γῆρας ἔτετμε.
νῦν δ' ὃς ἀποτμότατος γένετο θνητῶν ἀνθρώπων,
220 τοῦ μ' ἔκ φασι γενέσθαι, ἐπεὶ σύ με τοῦτ' ἐρεείνεις».
τὸν δ' αὖτε προσέειπε θεὰ γλαυκῶπις Ἀθήνη·
«οὐ μέν τοι γενεήν γε θεοὶ νώνυμνον ὀπίσσω
θῆκαν, ἐπεὶ σέ γε τοῖον ἐγείνατο Πηνελόπεια.
ἀλλ' ἄγε μοι τόδε εἰπὲ καὶ ἀτρεκέως κατάλεξον·
225 τίς δαίς, τίς δαὶ ὅμιλος ὅδ' ἔπλετο, τίπτε δέ σε χρεώ,
εἰλαπίνη ἦε γάμος; ἐπεὶ οὐκ ἔρανος τάδε γ' ἐστίν.
ὥς τέ μοι ὑβρίζοντες ὑπερφιάλως δοκέουσι
δαίνυσθαι κατὰ δῶμα. νεμεσσήσαιτό κεν ἀνὴρ
αἴσχεα πόλλ' ὁρόων, ὅς τις πινυτός γε μετέλθοι»
230 τὴν δ' αὖ Τηλέμαχος πεπνυμένος ἀντίον ηὔδα·
«ξεῖν', ἐπεὶ ἆρ δὴ ταῦτά μ' ἀνείρεαι ἠδὲ μεταλλᾷς,

in una terra circondata dall'acqua, e lo hanno uomini duri,
selvaggi, che certo lo tengono contro sua voglia.
200 E una predizione ora farò, come gli immortali
me la gettano in animo e come penso che si avvererà,
anche se non sono indovino né esperto di uccelli.
Dalla sua patria terra non starà lontano
ancora per molto, neppure se lo legano catene di ferro:
205 saprà in che modo tornare, perché è uomo di molte risorse.
Ma dimmi una cosa, e dilla con tutta franchezza:
se veramente sei, così grande, suo figlio, di Odisseo.
Straordinariamente gli somigli nel capo e negli occhi
belli: perché così spesso ci incontravamo noi due,
210 prima che si imbarcasse per Troia, dove anche altri,
gli Argivi migliori, andarono sulle navi incavate.
Da allora né io ho più visto Odisseo, né lui me».
Le rispose allora giudiziosamente Telemaco:
«Ospite, te lo dirò con tutta franchezza.
215 Mia madre dice che sono suo figlio, ma io
non lo so: perché il proprio ceppo nessuno lo sa.
Oh, fossi stato figlio di un uomo
felice, che la vecchiaia coglie tra i propri averi!
Ora, di colui che fu il più sfortunato degli uomini,
220 di costui mi dicono figlio, poiché me lo chiedi».
Gli rispose allora la dea glaucopide Atena:
«Davvero gli dei non hanno voluto ingloriosa la stirpe
per l'avvenire, se Penelope ha generato un figlio così.
Ma dimmi una cosa, e dilla con tutta franchezza:
225 che banchetto e che gente è codesta? tu cosa c'entri?
festino o pranzo nuziale? certo non è un pranzo in comune.
Come dei prepotenti, selvaggiamente, mi paiono
banchettare dentro la sala. Un uomo si sdegnerebbe
vedendo tanta vergogna, uno savio che entrasse».
230 Le rispose allora giudiziosamente Telemaco:
«Ospite, poiché proprio questo mi chiedi e domandi,

μέλλεν μέν ποτε οἶκος ὅδ' ἀφνειὸς καὶ ἀμύμων
ἔμμεναι, ὄφρ' ἔτι κεῖνος ἀνὴρ ἐπιδήμιος ἦεν·
νῦν δ' ἑτέρως ἐβόλοντο θεοὶ κακὰ μητιόωντες,
235 οἳ κεῖνον μὲν ἄϊστον ἐποίησαν περὶ πάντων
ἀνθρώπων, ἐπεὶ οὔ κε θανόντι περ ὧδ' ἀκαχοίμην,
εἰ μετὰ οἷσ' ἑτάροισι δάμη Τρώων ἐνὶ δήμῳ,
ἠὲ φίλων ἐν χερσίν, ἐπεὶ πόλεμον τολύπευσε.
τῶ κέν οἱ τύμβον μὲν ἐποίησαν Παναχαιοί,
240 ἠδέ κε καὶ ᾧ παιδὶ μέγα κλέος ἤρατ' ὀπίσσω.
νῦν δέ μιν ἀκλειῶς Ἅρπυιαι ἀνηρείψαντο·
οἴχετ' ἄϊστος ἄπυστος, ἐμοὶ δ' ὀδύνας τε γόους τε
κάλλιπεν· οὐδέ τι κεῖνον ὀδυρόμενος στεναχίζω
οἶον, ἐπεί νύ μοι ἄλλα θεοὶ κακὰ κήδε' ἔτευξαν.
245 ὅσσοι γὰρ νήσοισιν ἐπικρατέουσιν ἄριστοι,
Δουλιχίῳ τε Σάμῃ τε καὶ ὑλήεντι Ζακύνθῳ,
ἠδ' ὅσσοι κραναὴν Ἰθάκην κάτα κοιρανέουσι,
τόσσοι μητέρ' ἐμὴν μνῶνται, τρύχουσι δὲ οἶκον.
ἡ δ' οὔτ' ἀρνεῖται στυγερὸν γάμον οὔτε τελευτὴν
250 ποιῆσαι δύναται· τοὶ δὲ φθινύθουσιν ἔδοντες
οἶκον ἐμόν· τάχα δή με διαρραίσουσι καὶ αὐτόν ».
τὸν δ' ἐπαλαστήσασα προσηύδα Παλλὰς Ἀθήνη·
« ὢ πόποι, ἦ δὴ πολλὸν ἀποιχομένου Ὀδυσῆος
δεύῃ, ὅ κε μνηστῆρσιν ἀναιδέσι χεῖρας ἐφείη.
255 εἰ γὰρ νῦν ἐλθὼν δόμου ἐν πρώτῃσι θύρῃσι
σταίη, ἔχων πήληκα καὶ ἀσπίδα καὶ δύο δοῦρε,
τοῖος ἐὼν οἷόν μιν ἐγὼ τὰ πρῶτ' ἐνόησα
οἴκῳ ἐν ἡμετέρῳ πίνοντά τε τερπόμενόν τε,
ἐξ Ἐφύρης ἀνιόντα παρ' Ἴλου Μερμερίδαο·
260 ᾤχετο γὰρ καὶ κεῖσε θοῆς ἐπὶ νηὸς Ὀδυσσεὺς
φάρμακον ἀνδροφόνον διζήμενος, ὄφρα οἱ εἴη
ἰοὺς χρίεσθαι χαλκήρεας· ἀλλ' ὁ μὲν οὔ οἱ
δῶκεν, ἐπεί ῥα θεοὺς νεμεσίζετο αἰὲν ἐόντας,
ἀλλὰ πατήρ οἱ δῶκεν ἐμός· φιλέεσκε γὰρ αἰνῶς·
265 τοῖος ἐὼν μνηστῆρσιν ὁμιλήσειεν Ὀδυσσεύς·

questa casa doveva essere ricca e nobile
un tempo, finché quell'uomo fu in patria.
Ma vollero ora altrimenti gli dei, meditando sciagure,
235 essi che lo hanno reso il più oscuro di tutti
gli uomini: e non avrei tanta pena per lui, benché morto,
se fosse caduto in terra troiana, tra i suoi compagni,
o nelle braccia dei suoi, dopo aver dipanato la guerra.
Allora tutti gli Achei gli avrebbero fatto una tomba
240 e anche a suo figlio avrebbe acquistato gran gloria per dopo.
Ma ora se lo portarono ingloriosamente le Arpie:
se n'è andato oscuro, ignorato, e a me ha lasciato pene
e lamenti: e gemendo non piango lui
solo, perché altre disgrazie m'hanno dato gli dei.
245 Tutti i nobili che hanno potere sulle isole,
su Dulichio e su Same e sulla selvosa Zacinto,
e che governano ad Itaca irta di rocce,
tutti fanno la corte a mia madre e la casa distruggono.
Lei né rifiuta le nozze aborrite né è capace
250 di farle: e quelli mi consumano banchettando
la casa; e presto distruggeranno anche me».
Sdegnata gli disse Pallade Atena:
«Ah, infelice! ti manca molto, davvero, l'assente
Odisseo, che getti le mani addosso ai pretendenti sfrontati.
255 Perché se ora, tornato, stesse sulla soglia,
con una scure, lo scudo e due lance,
così come io la prima volta lo vidi
in casa nostra, che beveva e godeva,
di ritorno da Efira, da Ilo di Mermero
260 (andò anche lì Odisseo con la nave veloce,
in cerca del veleno omicida, per averne
da ungere le frecce di bronzo: ma quello non glielo
diede, perché temeva gli dei che vivono eterni;
glielo diede invece mio padre, perché l'amava moltissimo);
265 se stesse Odisseo tra i pretendenti così,

πάντες κ' ὠκύμοροί τε γενοίατο πικρόγαμοί τε
ἀλλ' ἤ τοι μὲν ταῦτα θεῶν ἐν γούνασι κεῖται,
ἤ κεν νοστήσας ἀποτείσεται, ἦε καὶ οὐκί,
οἷσιν ἐνὶ μεγάροισι· σὲ δὲ φράζεσθαι ἄνωγα,
270 ὅππως κε μνηστῆρας ἀπώσεαι ἐκ μεγάροιο.
εἰ δ' ἄγε νῦν ξυνίει καὶ ἐμῶν ἐμπάζεο μύθων·
αὔριον εἰς ἀγορὴν καλέσας ἥρωας Ἀχαιοὺς
μῦθον πέφραδε πᾶσι, θεοὶ δ' ἐπὶ μάρτυροι ἔστων.
μνηστῆρας μὲν ἐπὶ σφέτερα σκίδνασθαι ἄνωχθι,
275 μητέρα δ', εἴ οἱ θυμὸς ἐφορμᾶται γαμέεσθαι,
ἂψ ἴτω ἐς μέγαρον πατρὸς μέγα δυναμένοιο·
οἱ δὲ γάμον τεύξουσι καὶ ἀρτυνέουσιν ἔεδνα
πολλὰ μάλ', ὅσσα ἔοικε φίλης ἐπὶ παιδὸς ἕπεσθαι.
σοὶ δ' αὐτῷ πυκινῶς ὑποθήσομαι, αἴ κε πίθηαι
280 νῆ' ἄρσας ἐρέτῃσιν ἐείκοσιν, ἥ τις ἀρίστη,
ἔρχεο πευσόμενος πατρὸς δὴν οἰχομένοιο,
ἤν τίς τοι εἴπῃσι βροτῶν, ἢ ὄσσαν ἀκούσῃς
ἐκ Διός, ἥ τε μάλιστα φέρει κλέος ἀνθρώποισι.
πρῶτα μὲν ἐς Πύλον ἐλθὲ καὶ εἴρεο Νέστορα δῖον,
285 κεῖθεν δὲ Σπάρτηνδε παρὰ ξανθὸν Μενέλαον·
ὃς γὰρ δεύτατος ἦλθεν Ἀχαιῶν χαλκοχιτώνων.
εἰ μέν κεν πατρὸς βίοτον καὶ νόστον ἀκούσῃς,
ἦ τ' ἂν τρυχόμενός περ ἔτι τλαίης ἐνιαυτόν·
εἰ δέ κε τεθνηῶτος ἀκούσῃς μηδ' ἔτ' ἐόντος,
290 νοστήσας δὴ ἔπειτα φίλην ἐς πατρίδα γαῖαν
σῆμά τέ οἱ χεῦαι καὶ ἐπὶ κτέρεα κτερεΐξαι
πολλὰ μάλ', ὅσσα ἔοικε, καὶ ἀνέρι μητέρα δοῦναι.
αὐτὰρ ἐπὴν δὴ ταῦτα τελευτήσῃς τε καὶ ἔρξῃς,
φράζεσθαι δὴ ἔπειτα κατὰ φρένα καὶ κατὰ θυμόν,
295 ὅππως κε μνηστῆρας ἐνὶ μεγάροισι τεοῖσι
κτείνῃς ἠὲ δόλῳ ἢ ἀμφαδόν· οὐδέ τί σε χρὴ
νηπιάας ὀχέειν, ἐπεὶ οὐκέτι τηλίκος ἐσσί.
ἢ οὐκ ἀΐεις οἷον κλέος ἔλλαβε δῖος Ὀρέστης
πάντας ἐπ' ἀνθρώπους, ἐπεὶ ἔκτανε πατροφονῆα,

essi avrebbero tutti rapida morte e nozze amare
Ma sulle ginocchia degli dei questo giace
se, una volta tornato, farà o no vendetta
nella sua casa: te invece io esorto a riflettere
270 come cacciare i pretendenti da casa.
Ebbene ora ascolta e alle mie parole da' retta.
Domattina, chiamati gli eroi Achei a consiglio,
rivolgi a tutti un discorso, e siano testimoni gli dei.
Ai pretendenti comanda d'andarsene per i fatti loro,
275 e tua madre, se l'animo la spinge alle nozze,
ritorni a casa del padre molto potente.
Prepareranno essi le nozze e disporranno i doni nuziali,
moltissimi, quanti gli pare che debbano andare alla figlia.
A te darò un saggio consiglio, se vuoi ascoltarlo:
280 armata una nave con venti remi, la migliore che c'è,
va' a domandare del padre partito da tempo,
se mai te ne parli un mortale o sentissi da Zeus
la voce che divulga la fama tra gli uomini.
Anzitutto va' a Pilo e interroga il chiaro Nestore,
285 di lì poi va' a Sparta dal biondo Menelao:
degli Achei vestiti di bronzo egli è tornato per ultimo.
Se senti dire qualcosa sulla vita e il ritorno del padre,
per quanto stremato, potresti sopportare un altro anno;
se invece senti dire che è morto e non vive,
290 allora, tornato nella cara terra patria,
ergigli un tumulo e offrigli funebri offerte,
moltissime, quanto conviene, e da' tua madre a un marito.
E poi, dopo aver compiuto e fatto ogni cosa,
allora medita nella mente e nell'animo
295 come tu possa uccidere nelle tue case
i pretendenti, con l'inganno o affrontandoli: non devi più
avere i modi di un bimbo, perché ormai non sei tale.
Non senti l'illustre Oreste quale gloria ha acquistato
fra tutti gli uomini, poiché uccise l'assassino del padre,

300 Αἴγισθον δολόμητιν, ὅ οἱ πατέρα κλυτὸν ἔκτα,
καὶ σύ, φίλος, μάλα γάρ σ' ὁρόω καλόν τε μέγαν τε,
ἄλκιμος ἔσσ', ἵνα τίς σε καὶ ὀψιγόνων ἐῢ εἴπῃ.
αὐτὰρ ἐγὼν ἐπὶ νῆα θοὴν κατελεύσομαι ἤδη
ἠδ' ἑτάρους, οἵ πού με μάλ' ἀσχαλόωσι μένοντες·
305 σοὶ δ' αὐτῷ μελέτω, καὶ ἐμῶν ἐμπάζεο μύθων »
τὴν δ' αὖ Τηλέμαχος πεπνυμένος ἀντίον ηὔδα·
« ξεῖν', ἦ τοι μὲν ταῦτα φίλα φρονέων ἀγορεύεις,
ὥς τε πατὴρ ᾧ παιδί, καὶ οὔ ποτε λήσομαι αὐτῶν.
ἀλλ' ἄγε νῦν ἐπίμεινον, ἐπειγόμενός περ ὁδοῖο,
310 ὄφρα λοεσσάμενός τε τεταρπόμενός τε φίλον κῆρ
δῶρον ἔχων ἐπὶ νῆα κίῃς, χαίρων ἐνὶ θυμῷ,
τιμῆεν, μάλα καλόν, ὅ τοι κειμήλιον ἔσται
ἐξ ἐμεῦ, οἷα φίλοι ξεῖνοι ξείνοισι διδοῦσι ».
τὸν δ' ἠμείβετ' ἔπειτα θεὰ γλαυκῶπις Ἀθήνη·
315 « μή μ' ἔτι νῦν κατέρυκε, λιλαιόμενόν περ ὁδοῖο·
δῶρον δ' ὅττι κέ μοι δοῦναι φίλον ἦτορ ἀνώγῃ,
αὖτις ἀνερχομένῳ δόμεναι οἶκόνδε φέρεσθαι,
καὶ μάλα καλὸν ἑλών· σοὶ δ' ἄξιον ἔσται ἀμοιβῆς »
ἡ μὲν ἄρ' ὣς εἰποῦσ' ἀπέβη γλαυκῶπις Ἀθήνη,
320 ὄρνις δ' ὣς ἀνόπαια διέπτατο· τῷ δ' ἐνὶ θυμῷ
θῆκε μένος καὶ θάρσος, ὑπέμνησέν τέ ἑ πατρὸς
μᾶλλον ἔτ' ἢ τὸ πάροιθεν. ὁ δὲ φρεσὶν ᾗσι νοήσας
θάμβησεν κατὰ θυμόν· ὀΐσατο γὰρ θεὸν εἶναι.
αὐτίκα δὲ μνηστῆρας ἐπῴχετο ἰσόθεος φώς.
325 τοῖσι δ' ἀοιδὸς ἄειδε περικλυτός, οἱ δὲ σιωπῇ
εἵατ' ἀκούοντες· ὁ δ' Ἀχαιῶν νόστον ἄειδε
λυγρόν, ὃν ἐκ Τροίης ἐπετείλατο Παλλὰς Ἀθήνη.
τοῦ δ' ὑπερωϊόθεν φρεσὶ σύνθετο θέσπιν ἀοιδὴν
κούρη Ἰκαρίοιο, περίφρων Πηνελόπεια·
330 κλίμακα δ' ὑψηλὴν κατεβήσετο οἷο δόμοιο,
οὐκ οἴη, ἅμα τῇ γε καὶ ἀμφίπολοι δύ' ἕποντο.
ἡ δ' ὅτε δὴ μνηστῆρας ἀφίκετο δῖα γυναικῶν,
στῆ ῥα παρὰ σταθμὸν τέγεος πύκα ποιητοῖο,

300 Egisto esperto di inganni, che gli uccise il nobile padre?
Anche tu, caro, infatti molto bello e grande ti vedo,
sii valoroso, perché ti lodi anche qualcuno dei posteri.
Ma io tornerò adesso alla nave veloce,
dai compagni, che forse impazienti mi aspettano.
305 Tu devi pensarci da te: dammi retta ».
Le rispose allora giudiziosamente Telemaco:
« Ospite, veramente queste parole le dici con animo amico,
come un padre a suo figlio; e mai le dimenticherò.
Ma orsù, resta ora, benché ti prema il viaggio;
310 perché, fatto un bagno e ristorato nel cuore,
tu vada alla nave con animo lieto, portandoti un dono,
pregiato, bellissimo, che sarà per te un ricordo
di me, quali ne fanno agli ospiti gli ospiti amati ».
Gli rispose allora la dea glaucopide Atena:
315 « Non trattenermi di più, perché davvero desidero andare:
il dono che il cuore ti impone di darmi,
dammelo quando ritorno, per portarmelo a casa,
e avendolo scelto bellissimo: ti varrà un contraccambio ».
Detto così, la glaucopide Atena andò via,
320 rapida come un uccello si mosse; e a lui pose
forza e coraggio nell'animo, e suscitò un ricordo del padre
più vivo di prima. Nel suo animo egli stupì
dopo aver pensato tra sé: perché immaginò che era un dio.
Andò subito tra i pretendenti, il giovane simile a un dio.
325 Il cantore famoso cantava tra loro, ed essi sedevano
ascoltando in silenzio: cantava degli Achei il ritorno
luttuoso, che gli inflisse da Troia Pallade Atena.
Dalle stanze di sopra ne intese il canto ispirato
la figlia di Icario, la saggia Penelope:
330 l'alta scala discese della sua camera,
non sola, con lei andavano anche due ancelle.
E quando giunse dai pretendenti, chiara fra le donne,
si fermò vicino a un pilastro del solido tetto,

ἄντα παρειάων σχομένη λιπαρὰ κρήδεμνα·
335 ἀμφίπολος δ' ἄρα οἱ κεδνὴ ἑκάτερθε παρέστη.
δακρύσασα δ' ἔπειτα προσηύδα θεῖον ἀοιδόν·
« Φήμιε, πολλὰ γὰρ ἄλλα βροτῶν θελκτήρια οἶδας
ἔργ' ἀνδρῶν τε θεῶν τε, τά τε κλείουσιν ἀοιδοί·
τῶν ἕν γέ σφιν ἄειδε παρήμενος, οἱ δὲ σιωπῇ
340 οἶνον πινόντων· ταύτης δ' ἀποπαύε' ἀοιδῆς
λυγρῆς, ἥ τέ μοι αἰὲν ἐνὶ στήθεσσι φίλον κῆρ
τείρει, ἐπεί με μάλιστα καθίκετο πένθος ἄλαστον.
τοίην γὰρ κεφαλὴν ποθέω μεμνημένη αἰεὶ
ἀνδρός, τοῦ κλέος εὐρὺ καθ' Ἑλλάδα καὶ μέσον Ἄργος ».
345 τὴν δ' αὖ Τηλέμαχος πεπνυμένος ἀντίον ηὔδα·
« μῆτερ ἐμή, τί τ' ἄρα φθονέεις ἐρίηρον ἀοιδὸν
τέρπειν ὅππῃ οἱ νόος ὄρνυται; οὔ νύ τ' ἀοιδοὶ
αἴτιοι, ἀλλά ποθι Ζεὺς αἴτιος, ὅς τε δίδωσιν
ἀνδράσιν ἀλφηστῇσιν ὅπως ἐθέλῃσιν ἑκάστῳ.
350 τούτῳ δ' οὐ νέμεσις Δαναῶν κακὸν οἶτον ἀείδειν·
τὴν γὰρ ἀοιδὴν μᾶλλον ἐπικλείουσ' ἄνθρωποι,
ἥ τις ἀκουόντεσσι νεωτάτη ἀμφιπέληται.
σοὶ δ' ἐπιτολμάτω κραδίη καὶ θυμὸς ἀκούειν·
οὐ γὰρ Ὀδυσσεὺς οἶος ἀπώλεσε νόστιμον ἦμαρ
355 ἐν Τροίῃ, πολλοὶ δὲ καὶ ἄλλοι φῶτες ὄλοντο.
ἀλλ' εἰς οἶκον ἰοῦσα τὰ σ' αὐτῆς ἔργα κόμιζε,
ἱστόν τ' ἠλακάτην τε, καὶ ἀμφιπόλοισι κέλευε
ἔργον ἐποίχεσθαι· μῦθος δ' ἄνδρεσσι μελήσει
πᾶσι, μάλιστα δ' ἐμοί· τοῦ γὰρ κράτος ἔστ' ἐνὶ οἴκῳ ».
360 ἡ μὲν θαμβήσασα πάλιν οἶκόνδε βεβήκει·
παιδὸς γὰρ μῦθον πεπνυμένον ἔνθετο θυμῷ.
ἐς δ' ὑπερῷ' ἀναβᾶσα σὺν ἀμφιπόλοισι γυναιξὶ
κλαῖεν ἔπειτ' Ὀδυσῆα, φίλον πόσιν, ὄφρα οἱ ὕπνον
ἡδὺν ἐπὶ βλεφάροισι βάλε γλαυκῶπις Ἀθήνη.
365 μνηστῆρες δ' ὁμάδησαν ἀνὰ μέγαρα σκιόεντα·
πάντες δ' ἠρήσαντο παραὶ λεχέεσσι κλιθῆναι.
τοῖσι δὲ Τηλέμαχος πεπνυμένος ἤρχετο μύθων·

tenendo davanti alle guance il lucido scialle:
335 da ciascun lato le era accanto un'ancella fedele.
Piangendo si rivolse poi al divino cantore:
« Femio, molte altre imprese di uomini e dei tu conosci,
che incantano gli uomini, e i cantori le celebrano:
cantane una, seduto tra loro; ed essi in silenzio
340 bevano il vino; smetti però questo canto
luttuoso, che sempre in petto mi logora
il cuore, dopoché tanto mi colpì il crudele dolore.
Tale persona infatti desidero, ricordandola sempre,
di un uomo, di cui è vasta la gloria per l'Ellade ed Argo ».
345 Le rispose allora giudiziosamente Telemaco:
« Madre mia, perché vieti che il fedele cantore
ci allieti come la mente l'ispira? colpevoli non sono
i cantori, responsabile è Zeus, che assegna a ciascuno,
agli uomini che mangiano pane, la sorte che vuole.
350 Costui non va biasimato se canta la mala sorte dei Danai:
gli uomini lodano di più quel canto
che suona più nuovo a chi ascolta.
Il tuo cuore e il tuo animo sopporti di udire:
perché a Troia il dì del ritorno non lo perse il solo
355 Odisseo, ma lo persero anche molti altri.
Ma va' nella stanza tua, accudisci ai lavori tuoi,
il telaio, la conocchia, e comanda alle ancelle
di badare al lavoro: la parola spetterà qui agli uomini,
a tutti e a me soprattutto, che ho il potere qui in casa ».
360 Lei era tornata, stupita, nella sua stanza:
s'era messa nell'animo l'assennata parola del figlio.
E salita di sopra con le donne sue ancelle
piangeva Odisseo, il marito, finché la glaucopide Atena
le gettò un dolce sonno sugli occhi.
365 Nella sala ombrosa i pretendenti vociavano:
tutti si augurarono di giacere a letto con lei.
E tra essi Telemaco cominciò giudiziosamente a parlare:

« μητρὸς ἐμῆς μνηστῆρες, ὑπέρβιον ὕβριν ἔχοντες,
νῦν μὲν δαινύμενοι τερπώμεθα, μηδὲ βοητὺς
370 ἔστω, ἐπεὶ τό γε καλὸν ἀκουέμεν ἐστὶν ἀοιδοῦ
τοιοῦδ' οἷος ὅδ' ἐστί, θεοῖσ' ἐναλίγκιος αὐδήν.
ἠῶθεν δ' ἀγορήνδε καθεζώμεσθα κιόντες
πάντες, ἵν' ὕμιν μῦθον ἀπηλεγέως ἀποείπω,
ἐξιέναι μεγάρων· ἄλλας δ' ἀλεγύνετε δαῖτας,
375 ὑμὰ κτήματ' ἔδοντες, ἀμειβόμενοι κατὰ οἴκους.
εἰ δ' ὕμιν δοκέει τόδε λωΐτερον καὶ ἄμεινον
ἔμμεναι, ἀνδρὸς ἑνὸς βίοτον νήποινον ὀλέσθαι,
κείρετ'· ἐγὼ δὲ θεοὺς ἐπιβώσομαι αἰὲν ἐόντας,
αἴ κέ ποθι Ζεὺς δῷσι παλίντιτα ἔργα γενέσθαι·
380 νήποινοί κεν ἔπειτα δόμων ἔντοσθεν ὄλοισθε ».
383 τὸν δ' αὖτ' Ἀντίνοος προσέφη, Εὐπείθεος υἱός·
« Τηλέμαχ', ἦ μάλα δή σε διδάσκουσιν θεοὶ αὐτοὶ
385 ὑψαγόρην τ' ἔμεναι καὶ θαρσαλέως ἀγορεύειν.
μὴ σέ γ' ἐν ἀμφιάλῳ Ἰθάκῃ βασιλῆα Κρονίων
ποιήσειεν, ὅ τοι γενεῇ πατρώϊόν ἐστιν ».
τὸν δ' αὖ Τηλέμαχος πεπνυμένος ἀντίον ηὔδα·
« Ἀντίνο', εἴ πέρ μοι καὶ ἀγάσσεαι ὅττι κεν εἴπω,
390 καί κεν τοῦτ' ἐθέλοιμι Διός γε διδόντος ἀρέσθαι.
ἦ φῂς τοῦτο κάκιστον ἐν ἀνθρώποισι τετύχθαι;
οὐ μὲν γάρ τι κακὸν βασιλευέμεν· αἶψά τέ οἱ δῶ
ἀφνειὸν πέλεται καὶ τιμηέστερος αὐτός.
ἀλλ' ἦ τοι βασιλῆες Ἀχαιῶν εἰσὶ καὶ ἄλλοι
395 πολλοὶ ἐν ἀμφιάλῳ Ἰθάκῃ, νέοι ἠδὲ παλαιοί,
τῶν κέν τις τόδ' ἔχῃσιν, ἐπεὶ θάνε δῖος Ὀδυσσεύς·
αὐτὰρ ἐγὼ οἴκοιο ἄναξ ἔσομ' ἡμετέροιο
καὶ δμώων, οὕς μοι ληΐσσατο δῖος Ὀδυσσεύς ».
τὸν δ' αὖτ' Εὐρύμαχος, Πολύβου πάϊς, ἀντίον ηὔδα·
400 « Τηλέμαχ', ἦ τοι ταῦτα θεῶν ἐν γούνασι κεῖται,
ὅς τις ἐν ἀμφιάλῳ Ἰθάκῃ βασιλεύσει Ἀχαιῶν.
κτήματα δ' αὐτὸς ἔχοις καὶ δώμασι οἷσιν ἀνάσσοις.
μὴ γὰρ ὅ γ' ἔλθοι ἀνήρ, ὅς τίς σ' ἀέκοντα βίηφι

« Pretendenti di mia madre, che avete smisurata arroganza,
ora stiamo allegri a convito, e non vi siano
370 schiamazzi, perché è bello ascoltare un cantore
così, come è questo, simile per la voce agli dei.
Domattina andiamo e sediamo in consiglio,
tutti, perché voglio dirvi apertamente una cosa,
d'andarvene via dalla casa: preparatevi altri banchetti
375 mangiando le vostre sostanze, d'una casa passando in un'altra.
Se poi vi sembra più facile,
e meglio, consumare la roba di un solo senza compenso,
ebbene mangiate: io invocherò gli dei che vivono eterni,
se mai Zeus conceda che vi sia una rivalsa:
380 invendicati allora morireste dentro la casa ».
383 Gli disse allora Antinoo, figlio di Eupìte:
« Telemaco, ma davvero gli dei stessi ti insegnano
385 a fare il grande oratore e a parlare con audacia.
Che il Cronide non faccia *te* re di Itaca
cinta dal mare, com'è tuo diritto d'erede per nascita ».
Gli replicò allora giudiziosamente Telemaco:
« Antinoo, se anche ti adirerai con me per quello che dico,
390 questo onore lo vorrei ottenere lo stesso, a Zeus piacendo.
Pensi davvero che questo sia il male peggiore tra gli uomini?
Non è affatto un male essere re: la sua casa si fa
subito ricca ed egli ha onore più grande.
Ma principi tra gli Achei ve ne sono anche altri,
395 molti, ad Itaca cinta dal mare, giovani e vecchi:
abbia l'onore uno di essi, poiché è morto il chiaro Odisseo,
ed io sarò allora signore della mia casa
e dei servi, che il chiaro Odisseo razziò per me ».
Gli replicò allora Eurimaco, figlio di Polibo:
400 « Telemaco, sulle ginocchia degli dei questo giace,
chi degli Achei regnerà ad Itaca cinta dal mare:
e tu possa avere i tuoi beni ed essere signore della tua casa.
Non venga nessuno con la forza a strapparti contro tua voglia

κτήματ' ἀπορραίσει', Ἰθάκης ἔτι ναιεταούσης.
405 ἀλλ' ἐθέλω σε, φέριστε, περὶ ξείνοιο ἐρέσθαι,
ὁππόθεν οὗτος ἀνήρ· ποίης δ' ἐξ εὔχεται εἶναι
γαίης; ποῦ δέ νύ οἱ γενεὴ καὶ πατρὶς ἄρουρα;
ἠέ τιν' ἀγγελίην πατρὸς φέρει ἐρχομένοιο,
ἦ ἑὸν αὐτοῦ χρεῖος ἐελδόμενος τόδ' ἱκάνει;
10 οἷον ἀναΐξας ἄφαρ οἴχεται, οὐδ' ὑπέμεινε
γνώμεναι· οὐ μὲν γάρ τι κακῷ εἰς ὦπα ἐῴκει ».
τὸν δ' αὖ Τηλέμαχος πεπνυμένος ἀντίον ηὔδα·
« Εὐρύμαχ', ἦ τοι νόστος ἀπώλετο πατρὸς ἐμοῖο·
οὔτ' οὖν ἀγγελίῃ ἔτι πείθομαι, εἴ ποθεν ἔλθοι,
415 οὔτε θεοπροπίης ἐμπάζομαι, ἥν τινα μήτηρ
ἐς μέγαρον καλέσασα θεοπρόπον ἐξερέηται.
ξεῖνος δ' οὗτος ἐμὸς πατρώϊος ἐκ Τάφου ἐστί,
Μέντης δ' Ἀγχιάλοιο δαΐφρονος εὔχεται εἶναι
υἱός, ἀτὰρ Ταφίοισι φιληρέτμοισιν ἀνάσσει ».
420 ὣς φάτο Τηλέμαχος, φρεσὶ δ' ἀθανάτην θεὸν ἔγνω.
οἱ δ' εἰς ὀρχηστύν τε καὶ ἱμερόεσσαν ἀοιδὴν
τρεψάμενοι τέρποντο, μένον δ' ἐπὶ ἕσπερον ἐλθεῖν.
τοῖσι δὲ τερπομένοισι μέλας ἐπὶ ἕσπερος ἦλθε·
δὴ τότε κακκείοντες ἔβαν οἶκόνδε ἕκαστος.
425 Τηλέμαχος δ', ὅθι οἱ θάλαμος περικαλλέος αὐλῆς
ὑψηλὸς δέδμητο, περισκέπτῳ ἐνὶ χώρῳ,
ἔνθ' ἔβη εἰς εὐνὴν πολλὰ φρεσὶ μερμηρίζων.
τῷ δ' ἄρ' ἅμ' αἰθομένας δαΐδας φέρε κέδν' εἰδυῖα
Εὐρύκλει', Ὦπος θυγάτηρ Πεισηνορίδαο,
430 τήν ποτε Λαέρτης πρίατο κτεάτεσσιν ἑοῖσι,
πρωθήβην ἔτ' ἐοῦσαν, ἐεικοσάβοια δ' ἔδωκεν,
ἶσα δέ μιν κεδνῇ ἀλόχῳ τίεν ἐν μεγάροισιν,
εὐνῇ δ' οὔ ποτ' ἔμικτο, χόλον δ' ἀλέεινε γυναικός·
ἥ οἱ ἅμ' αἰθομένας δαΐδας φέρε καί ἑ μάλιστα
435 δμῳάων φιλέεσκε καὶ ἔτρεφε τυτθὸν ἐόντα.
ὤϊξεν δὲ θύρας θαλάμο πύκα ποιητοῖο,
ἕζετο δ' ἐν λέκτρῳ, μαλακὸν δ' ἔκδυνε χιτῶνα·

gli averi, finché Itaca è ancora abitata.
405 Ma voglio chiederti dello straniero, o egregio,
donde viene quest'uomo: di quale terra dice
di essere? dove ha la famiglia e la terra degli avi?
porta qualche notizia di tuo padre che torna,
o viene bramando il proprio guadagno?
410 Come è partito subito, in fretta, e non ha aspettato di farsi
conoscere: perché in viso non somigliava a un plebeo».
Gli replicò allora giudiziosamente Telemaco:
«Eurimaco, il ritorno di mio padre è perduto:
non credo dunque a notizie, se mai ne arrivano,
415 e non curo le predizioni, che mia madre
può chiedere a un indovino chiamato a palazzo.
Costui è un ospite mio ereditario, di Tafo.
Mente, figlio del savio Anchialo, si vanta
di essere, e regna sui Tafî che amano i remi».
420 Telemaco disse così, e nella mente riconobbe la dea immortale.
Essi, voltisi alla danza ed al canto
leggiadro, si divertivano e aspettavano che venisse la sera;
e mentre si divertivano, sopraggiunse la buia sera:
andarono allora ciascuno a casa a dormire.
425 Telemaco, dove gli era stata approntata la stanza alta
nella bellissima corte, in un luogo protetto,
lì andò a letto, meditando nella mente molti pensieri.
Al suo fianco portava le fiaccole accese la fidata e buona
Euriclea, figlia di Ope Pisenoride,
430 che Laerte un giorno comprò coi suoi averi,
giovanissima ancora, la pagò venti buoi,
e l'onorava in casa quanto la sposa diletta,
mai però si unì a letto con lei: evitava la gelosia della moglie.
Al suo fianco portava le fiaccole accese: di tutte
435 le serve lo amava di più, e l'aveva nutrito da piccolo
Aprì la porta del talamo costruito solidamente,
sedette sul letto, si tolse la morbida tunica,

καὶ τὸν μὲν γραίης πυκιμηδέος ἔμβαλε χερσίν.
ἡ μὲν τὸν πτύξασα καὶ ἀσκήσασα χιτῶνα,
440 πασσάλῳ ἀγκρεμάσασα παρὰ τρητοῖσι λέχεσσι,
βῆ ῥ' ἴμεν ἐκ θαλάμοιο, θύρην δ' ἐπέρυσσε κορώνη
ἀργυρέη, ἐπὶ δὲ κληῗδ' ἐτάνυσσεν ἱμάντι.
ἔνθ' ὅ γε παννύχιος, κεκαλυμμένος οἰὸς ἀώτῳ,
βούλευε φρεσὶν ἧσιν ὁδὸν τὴν πέφραδ' Ἀθήνη.

e la gettò in mano alla vecchia assennata.
Lei, piegata e disposta con cura la tunica,
440 appesala a un piolo vicino alla spalliera coi fori,
s'avviò per uscire dal talamo, tirò per l'anello d'argento
la porta, trasse con la correggia il paletto.
Lì egli tutta la notte, coperto da un vello di pecora,
progettava nella mente il viaggio che Atena aveva ispirato.

B

Ἦμος δ' ἠριγένεια φάνη ῥοδοδάκτυλος Ἠώς,
ὤρνυτ' ἄρ' ἐξ εὐνῆφιν Ὀδυσσῆος φίλος υἱός,
εἵματα ἑσσάμενος, περὶ δὲ ξίφος ὀξὺ θέτ' ὤμῳ,
ποσσὶ δ' ὑπὸ λιπαροῖσιν ἐδήσατο καλὰ πέδιλα,
5 βῆ δ' ἴμεν ἐκ θαλάμοιο θεῷ ἐναλίγκιος ἄντην.
αἶψα δὲ κηρύκεσσι λιγυφθόγγοισι κέλευσε
κηρύσσειν ἀγορήνδε κάρη κομόωντας Ἀχαιούς.
οἱ μὲν ἐκήρυσσον, τοὶ δ' ἠγείροντο μάλ' ὦκα.
αὐτὰρ ἐπεί ῥ' ἤγερθεν ὁμηγερέες τ' ἐγένοντο,
10 βῆ ῥ' ἴμεν εἰς ἀγορήν, παλάμῃ δ' ἔχε χάλκεον ἔγχος,
οὐκ οἶος, ἅμα τῷ γε δύω κύνες ἀργοὶ ἕποντο.
θεσπεσίην δ' ἄρα τῷ γε χάριν κατέχευεν Ἀθήνη·
τὸν δ' ἄρα πάντες λαοὶ ἐπερχόμενον θηεῦντο.
ἕζετο δ' ἐν πατρὸς θώκῳ, εἶξαν δὲ γέροντες.
15 τοῖσι δ' ἔπειθ' ἥρως Αἰγύπτιος ἦρχ' ἀγορεύειν,
ὃς δὴ γήραϊ κυφὸς ἔην καὶ μυρία ᾔδη.
καὶ γὰρ τοῦ φίλος υἱὸς ἅμ' ἀντιθέῳ Ὀδυσῆϊ
Ἴλιον εἰς εὔπωλον ἔβη κοίλῃσ' ἐνὶ νηυσίν,
Ἄντιφος αἰχμητής· τὸν δ' ἄγριος ἔκτανε Κύκλωψ
20 ἐν σπῆϊ γλαφυρῷ, πύματον δ' ὁπλίσσατο δόρπον.
τρεῖς δέ οἱ ἄλλοι ἔσαν, καὶ ὁ μὲν μνηστῆρσιν ὁμίλει,
Εὐρύνομος, δύο δ' αἰὲν ἔχον πατρώϊα ἔργα·
ἀλλ' οὐδ' ὣς τοῦ λήθετ' ὀδυρόμενος καὶ ἀχεύων.
τοῦ ὅ γε δάκρυ χέων ἀγορήσατο καὶ μετέειπε·
25 «κέκλυτε δὴ νῦν μευ, Ἰθακήσιοι, ὅττι κεν εἴπω.
οὔτε ποθ' ἡμετέρη ἀγορὴ γένετ' οὔτε θόωκος

LIBRO SECONDO

Quando mattutina apparve Aurora dalle rosee dita,
il caro figlio di Odisseo sorse dal letto:
indossate le vesti, pose la spada aguzza a tracolla,
legò ai lucidi piedi i bei sandali,
5 e s'avviò dal talamo, simile a un dio nell'aspetto.
Subito agli araldi dalla voce squillante ordinò
di chiamare in consiglio gli Achei dai lunghi capelli.
Quelli chiamarono, ed essi si radunarono presto.
E dopoché si adunarono e furono uniti,
10 s'avviò al consiglio, con in mano una lancia di bronzo:
non solo, lo seguivano insieme due cani veloci.
Atena versò su di lui una grazia divina:
tutto il popolo lo guardava venire ammirato.
Sedette sul seggio del padre, gli anziani gli fecero posto.
15 E allora tra essi iniziò a parlare il nobile Egizio,
che per vecchiezza era curvo e sapeva mille cose.
Perché anche suo figlio, insieme a Odisseo pari a un dio,
era andato ad Ilio dai molti puledri sulle navi incavate,
Àntifo, armato di lancia: ma il selvaggio Ciclope l'uccise
20 nella profonda spelonca, se ne imbandì l'ultimo pasto.
Ne aveva altri tre, ed uno era coi pretendenti,
Eurinomo, due badavano sempre ai poderi paterni.
Ma neanche così dimenticò il primo, tra pianti e lamenti.
Piangendo per lui prese la parola e parlò:
25 «Itacesi, udite me ora, quel che dirò.
Non v'è stata mai assemblea né consiglio da noi,

ἐξ οὗ Ὀδυσσεὺς δῖος ἔβη κοίλῃσ' ἐνὶ νηυσί.
νῦν δὲ τίς ὧδ' ἤγειρε, τίνα χρειὼ τόσον ἵκει
ἠὲ νέων ἀνδρῶν ἢ οἳ προγενέστεροί εἰσιν;
30 ἠέ τιν' ἀγγελίην στρατοῦ ἔκλυεν ἐρχομένοιο,
ἥν χ' ἡμιν σάφα εἴποι, ὅτε πρότερός γε πύθοιτο;
ἦέ τι δήμιον ἄλλο πιφαύσκεται ἠδ' ἀγορεύει;
ἐσθλός μοι δοκεῖ εἶναι, ὀνήμενος· εἴθε οἱ αὐτῷ
Ζεὺς ἀγαθὸν τελέσειεν, ὅ τι φρεσὶν ᾗσι μενοινᾷ ».
35 ὣς φάτο, χαῖρε δὲ φήμῃ Ὀδυσσῆος φίλος υἱός,
οὐδ' ἄρ' ἔτι δὴν ἧστο, μενοίνησεν δ' ἀγορεύειν,
στῆ δὲ μέσῃ ἀγορῇ· σκῆπτρον δέ οἱ ἔμβαλε χειρὶ
κῆρυξ Πεισήνωρ, πεπνυμένα μήδεα εἰδώς.
πρῶτον ἔπειτα γέροντα καθαπτόμενος προσέειπεν·
40 « ὦ γέρον, οὐχ ἑκὰς οὗτος ἀνήρ, τάχα δ' εἴσεαι
ὃς λαὸν ἤγειρα· μάλιστα δέ μ' ἄλγος ἱκάνει.
οὔτε τιν' ἀγγελίην στρατοῦ ἔκλυον ἐρχομένοιο,
ἥν χ' ὕμιν σάφα εἴπω, ὅτε πρότερός γε πυθοίμην,
οὔτε τι δήμιον ἄλλο πιφαύσκομαι οὐδ' ἀγορεύω,
45 ἀλλ' ἐμὸν αὐτοῦ χρεῖος, ὅ μοι κακὸν ἔμπεσεν οἴκι
δοιά· τὸ μὲν πατέρ' ἐσθλὸν ἀπώλεσα, ὅς ποτ' ἐν ι
τοίσδεσσιν βασίλευε, πατὴρ δ' ὣς ἤπιος ἦεν·
νῦν δ' αὖ καὶ πολὺ μεῖζον, ὃ δὴ τάχα οἶκον ἅπαι
πάγχυ διαρραίσει, βίοτον δ' ἀπὸ πάμπαν ὀλέσσει.
50 μητέρι μοι μνηστῆρες ἐπέχραον οὐκ ἐθελούσῃ,
τῶν ἀνδρῶν φίλοι υἷες οἳ ἐνθάδε γ' εἰσὶν ἄριστοι,
οἳ πατρὸς μὲν ἐς οἶκον ἀπερρίγασι νέεσθαι
Ἰκαρίου, ὅς κ' αὐτὸς ἐεδνώσαιτο θύγατρα,
δοίη δ' ᾧ κ' ἐθέλοι καί οἱ κεχαρισμένος ἔλθοι·
55 οἱ δ' εἰς ἡμετέρου πωλεύμενοι ἤματα πάντα,
βοῦς ἱερεύοντες καὶ ὄϊς καὶ πίονας αἶγας,
εἰλαπινάζουσιν πίνουσί τε αἴθοπα οἶνον
μαψιδίως· τὰ δὲ πολλὰ κατάνεται. οὐ γὰρ ἔπ' ἀνή
οἷος Ὀδυσσεὺς ἔσκεν, ἀρὴν ἀπὸ οἴκου ἀμῦναι.
60 ἡμεῖς δ' οὔ νύ τι τοῖοι ἀμυνέμεν· ἦ καὶ ἔπειτα

da quando il chiaro Odisseo partì sulle navi incavate.
Ora chi l'ha radunata? chi ha un tale bisogno
tra i giovani o tra quelli che sono più anziani?
O ha sentito qualche notizia di un'armata che viene,
da dire a noi con certezza, dopo averla saputa per primo?
o vuole esporre e discutere qualche altro pubblico affare?
Valoroso mi pare che sia, benedetto! Possa compiergli
Zeus felicemente ciò che medita in animo».

Disse così e il figlio caro d'Odisseo gioì del discorso,
né stette più oltre seduto, ma desiderò di parlare,
e si alzò in mezzo al consesso: a lui l'araldo Pisenore,
saggio di saggi pensieri, mise in mano lo scettro.
Poi, rivolgendosi anzitutto al vegliardo, parlò:

«O vecchio! non è lontano quell'uomo, presto tu lo saprai:
l'ho radunato io il popolo, il dolore coglie me soprattutto.
Non ho sentito nessuna notizia di un'armata che viene,
da dire a voi con certezza, dopo averla saputa per primo,
né voglio esporre e discutere qualche altro pubblico affare,
45 ma un mio bisogno, perché in casa m'è capitato un malanno,
doppio: uno, ho perduto il padre valoroso, che una volta regnava
tra voi qui presenti, e come un padre era mite;
l'altro, ora, anche maggiore, che presto distruggerà del tutto
tutta la casa e annienterà tutti i miei averi.
50 Su mia madre, contro sua voglia, premono dei pretendenti,
figli cari di uomini che qui sono i nobili,
i quali paventano di rivolgersi alla casa del padre
Icario, proprio quegli che dovrebbe dotare la figlia
e darla a chi vuole e gli riesce gradito.
55 Costoro ci càpitano in casa ogni giorno:
immolando buoi e pecore e grasse capre,
banchettano e bevono scuro vino,
stupidamente. Roba ne consumano tanta. Perché non c'è un uomo,
come era Odisseo, per allontanare la sciagura da casa.
60 Noi non siamo capaci di tenerla lontana: anche in futuro

λευγαλέοι τ' ἐσόμεσθα καὶ οὐ δεδαηκότες ἀλκήν.
ἦ τ' ἂν ἀμυναίμην, εἴ μοι δύναμίς γε παρείη·
οὐ γὰρ ἔτ' ἀνσχετὰ ἔργα τετεύχαται, οὐδ' ἔτι καλῶς
οἶκος ἐμὸς διόλωλε· νεμεσσήθητε καὶ αὐτοί,
65 ἄλλους τ' αἰδέσθητε περικτίονας ἀνθρώπους,
οἳ περιναιετάουσι· θεῶν δ' ὑποδείσατε μῆνιν,
μή τι μεταστρέψωσιν ἀγασσάμενοι κακὰ ἔργα.
λίσσομαι ἠμὲν Ζηνὸς Ὀλυμπίου ἠδὲ Θέμιστος,
ἥ τ' ἀνδρῶν ἀγορὰς ἠμὲν λύει ἠδὲ καθίζει·
70 σχέσθε, φίλοι, καί μ' οἶον ἐάσατε πένθεϊ λυγρῷ
τείρεσθ', εἰ μή πού τι πατὴρ ἐμὸς ἐσθλὸς Ὀδυσσεὺς
δυσμενέων κάκ' ἔρεξεν ἐϋκνήμιδας Ἀχαιούς,
τῶν μ' ἀποτεινύμενοι κακὰ ῥέζετε δυσμενέοντες,
τούτους ὀτρύνοντες. ἐμοὶ δέ κε κέρδιον εἴη
75 ὑμέας ἐσθέμεναι κειμήλιά τε πρόβασίν τε·
εἴ χ' ὑμεῖς γε φάγοιτε, τάχ' ἄν ποτε καὶ τίσις εἴη·
τόφρα γὰρ ἂν κατὰ ἄστυ ποτιπτυσσοίμεθα μύθῳ
χρήματ' ἀπαιτίζοντες, ἕως κ' ἀπὸ πάντα δοθείη·
νῦν δέ μοι ἀπρήκτους ὀδύνας ἐμβάλλετε θυμῷ».
80 ὣς φάτο χωόμενος, ποτὶ δὲ σκῆπτρον βάλε γαίῃ,
δάκρυ' ἀναπρήσας· οἶκτος δ' ἕλε λαὸν ἅπαντα.
ἔνθ' ἄλλοι μὲν πάντες ἀκὴν ἔσαν, οὐδέ τις ἔτλη
Τηλέμαχον μύθοισιν ἀμείψασθαι χαλεποῖσιν·
Ἀντίνοος δέ μιν οἶος ἀμειβόμενος προσέειπε·
85 «Τηλέμαχ' ὑψαγόρη, μένος ἄσχετε, ποῖον ἔειπες
ἡμέας αἰσχύνων, ἐθέλοις δέ κε μῶμον ἀνάψαι.
σοὶ δ' οὔ τι μνηστῆρες Ἀχαιῶν αἴτιοί εἰσιν,
ἀλλὰ φίλη μήτηρ, ἥ τοι περὶ κέρδεα οἶδεν.
ἤδη γὰρ τρίτον ἐστὶν ἔτος, τάχα δ' εἶσι τέταρτον,
90 ἐξ οὗ ἀτέμβει θυμὸν ἐνὶ στήθεσσιν Ἀχαιῶν.
πάντας μὲν ἔλπει, καὶ ὑπίσχεται ἀνδρὶ ἑκάστῳ,
ἀγγελίας προϊεῖσα· νόος δέ οἱ ἄλλα μενοινᾷ.
ἡ δὲ δόλον τόνδ' ἄλλον ἐνὶ φρεσὶ μερμήριξε·
στησαμένη μέγαν ἱστὸν ἐνὶ μεγάροισιν ὕφαινε,

saremo infelici e inesperti d'una ardita difesa.
La terrei certo lontana, se ne avessi la forza:
azioni non più tollerabili sono state compiute, e la mia casa
non è andata in malora in bel modo. Abbiate sdegno anche voi,
65 abbiate vergogna degli altri, dei vicini
che abitano intorno: l'ira degli dei temete,
che non la volgano contro di voi, irati per le azioni malvage.
Io invoco sia Zeus Olimpio sia Temi,
che le assemblee degli uomini scioglie ed insedia:
70 cessate, amici, e lasciatemi solo a struggermi nella mia dolorosa
sventura, se davvero mio padre, il valoroso Odisseo,
non fece del male per odio agli Achei dai saldi schinieri
e voi, vendicandovi, mi fate del male per odio,
suscitando costoro. Per me sarebbe più utile
75 che divoraste voi i tesori e il bestiame.
Se li mangiaste voi, ben presto ne avrei un compenso:
perché ci daremmo d'attorno a parlarne in città
reclamando la roba, finché tutto fosse ridato.
Ora però mi gettate nel cuore irrimediabili pene ».
80 Disse così, sdegnato, e gettò a terra lo scettro,
rompendo in lacrime: ne ebbe pietà tutto il popolo.
Tutti gli altri stavano immobili: non uno osò
replicare a Telemaco con parole pesanti.
Antinoo soltanto rispondendo gli disse:
85 « Telemaco, grande oratore, impetuoso, cosa hai detto
infamandoci, una malignità vorresti attaccarci.
Non sono i pretendenti achei colpevoli verso di te,
ma tua madre, che conosce ogni astuzia.
Perché è già il terzo anno, e sarà presto il quarto,
90 che illude l'animo nel petto agli Achei.
Dà a tutti speranze, promette a ciascuno
mandando messaggi: ma la sua mente medita altro.
Quest'altro inganno ha escogitato nell'animo:
in una stanza aveva impostato e tesseva un gran telo,

95 λεπτὸν καὶ περίμετρον· ἄφαρ δ' ἡμῖν μετέειπε·
"κοῦροι, ἐμοὶ μνηστῆρες, ἐπεὶ θάνε δῖος Ὀδυσσεύς,
μίμνετ' ἐπειγόμενοι τὸν ἐμὸν γάμον, εἰς ὅ κε φᾶρος
ἐκτελέσω, μή μοι μεταμώνια νήματ' ὄληται,
Λαέρτῃ ἥρωϊ ταφήϊον, εἰς ὅτε κέν μιν
100 μοῖρ' ὀλοὴ καθέλῃσι τανηλεγέος θανάτοιο,
μή τίς μοι κατὰ δῆμον Ἀχαιϊάδων νεμεσήσῃ,
αἴ κεν ἄτερ σπείρου κεῖται πολλὰ κτεατίσσας".
ὣς ἔφαθ', ἡμῖν δ' αὖτ' ἐπεπείθετο θυμὸς ἀγήνωρ.
ἔνθα καὶ ἠματίη μὲν ὑφαίνεσκεν μέγαν ἱστόν,
105 νύκτας δ' ἀλλύεσκεν, ἐπὴν δαΐδας παραθεῖτο.
ὣς τρίετες μὲν ἔληθε δόλῳ καὶ ἔπειθεν Ἀχαιούς·
ἀλλ' ὅτε τέτρατον ἦλθεν ἔτος καὶ ἐπήλυθον ὧραι,
καὶ τότε δή τις ἔειπε γυναικῶν, ἣ σάφα ᾔδη,
καὶ τήν γ' ἀλλύουσαν ἐφεύρομεν ἀγλαὸν ἱστόν.
110 ὣς τὸ μὲν ἐξετέλεσσε καὶ οὐκ ἐθέλουσ', ὑπ' ἀνάγκης·
σοὶ δ' ὧδε μνηστῆρες ὑποκρίνονται, ἵν' εἰδῇς
αὐτὸς σῷ θυμῷ, εἰδῶσι δὲ πάντες Ἀχαιοί·
μητέρα σὴν ἀπόπεμψον, ἄνωχθι δέ μιν γαμέεσθαι
τῷ ὅτεῴ τε πατὴρ κέλεται καὶ ἁνδάνει αὐτῇ.
115 εἰ δ' ἔτ' ἀνιήσει γε πολὺν χρόνον υἷας Ἀχαιῶν,
τὰ φρονέουσ' ἀνὰ θυμόν, ἅ οἱ περὶ δῶκεν Ἀθήνη,
ἔργα τ' ἐπίστασθαι περικαλλέα καὶ φρένας ἐσθλὰς
κέρδεά θ', οἷ' οὔ πώ τιν' ἀκούομεν οὐδὲ παλαιῶν,
τάων αἳ πάρος ἦσαν ἐϋπλοκαμῖδες Ἀχαιαί,
120 Τυρώ τ' Ἀλκμήνη τε ἐϋστέφανός τε Μυκήνη·
τάων οὔ τις ὁμοῖα νοήματα Πηνελοπείῃ
ᾔδη· ἀτὰρ μὲν τοῦτό γ' ἐναίσιμον οὐκ ἐνόησε.
τόφρα γὰρ οὖν βίοτόν τε τεὸν καὶ κτήματ' ἔδονται,
ὄφρα κε κείνη τοῦτον ἔχῃ νόον, ὅν τινά οἱ νῦν
125 ἐν στήθεσσι τιθεῖσι θεοί· μέγα μὲν κλέος αὐτῇ
ποιεῖτ', αὐτὰρ σοί γε ποθὴν πολέος βιότοιο.
ἡμεῖς δ' οὔτ' ἐπὶ ἔργα πάρος γ' ἴμεν οὔτε πῃ ἄλλῃ,
πρίν γ' αὐτὴν γήμασθαι Ἀχαιῶν ᾧ κ' ἐθέλῃσι ».

95 sottile e assai ampio, e ci diceva senza esitare:
"Giovani, miei pretendenti, poiché è morto il chiaro Odisseo,
aspettate, pur bramando le nozze, che finisca
il lenzuolo – che i fili non mi si sperdano al vento –,
il sudario per l'eroe Laerte, per quando
100 lo coglie il funesto destino della morte spietata,
perché nessuna delle Achee tra la gente mi biasimi
se giace senza un lenzuolo uno che tanto possiede".
Disse così, e fu convinto il nostro animo altero.
Ma lei di giorno tesseva il gran telo
105 e di notte, con le fiaccole a lato, lo disfaceva.
Così per tre anni eluse, con l'astuzia, e convinse gli Achei:
ma quando giunse il quarto anno e tornò primavera,
allora una delle donne, che ben lo sapeva, parlò
e la cogliemmo a disfare lo splendido ordito.
110 Così lo ha finito, benché contro voglia, per forza.
Ti rispondono questo i pretendenti, perché tu
nel tuo animo sappia e lo sappiano tutti gli Achei:
rimanda tua madre, imponi che sposi
chi il padre le assegna e a lei piace.
115 E se a lungo farà ancora penare i figli degli Achei,
pensando nell'animo quello che Atena largamente le ha dato,
opere belle a sapersi e valida mente
ed astuzie, quali non udiamo nemmeno delle donne antiche,
delle Achee dai riccioli belli che vissero prima,
120 Tiro e Alcmena e Micene dalle belle corone
– nessuna di esse seppe pensieri come Penelope –,
ebbene, questo non l'ha pensato in modo giusto.
Perché la tua roba e gli averi li mangeranno,
finché lei ha questo pensiero, quello che ora
125 gli dei le pongono in petto: grande gloria a sé stessa
procura, ma a te il rimpianto di molta ricchezza.
Noi non andremo al nostro lavoro né altrove,
se lei tra gli Achei non sposa, prima, chi vuole».

τὸν δ' αὖ Τηλέμαχος πεπνυμένος ἀντίον ηὔδα·
130 « Ἀντίνο', οὔ πως ἔστι δόμων ἀέκουσαν ἀπῶσαι
ἥ μ' ἔτεχ', ἥ μ' ἔθρεψε, πατὴρ δ' ἐμὸς ἄλλοθι γαίης,
ζώει ὅ γ' ἦ τέθνηκε· κακὸν δέ με πόλλ' ἀποτίνειν
Ἰκαρίῳ, αἴ κ' αὐτὸς ἑκὼν ἀπὸ μητέρα πέμψω.
ἐκ γὰρ τοῦ πατρὸς κακὰ πείσομαι, ἄλλα δὲ δαίμων
135 δώσει, ἐπεὶ μήτηρ στυγερὰς ἀρήσετ' ἐρινῦς
οἴκου ἀπερχομένη· νέμεσις δέ μοι ἐξ ἀνθρώπων
ἔσσεται· ὣς οὐ τοῦτον ἐγώ ποτε μῦθον ἐνίψω.
ὑμέτερος δ' εἰ μὲν θυμὸς νεμεσίζεται αὐτῶν,
ἔξιτέ μοι μεγάρων, ἄλλας δ' ἀλεγύνετε δαῖτας
140 ὑμὰ κτήματ' ἔδοντες ἀμειβόμενοι κατὰ οἴκους.
εἰ δ' ὔμιν δοκέει τόδε λωΐτερον καὶ ἄμεινον
ἔμμεναι, ἀνδρὸς ἑνὸς βίοτον νήποινον ὀλέσθαι,
κείρετ'· ἐγὼ δὲ θεοὺς ἐπιβώσομαι αἰὲν ἐόντας,
αἴ κέ ποθι Ζεὺς δῷσι παλίντιτα ἔργα γενέσθαι·
145 νήποινοί κεν ἔπειτα δόμων ἔντοσθεν ὄλοισθε ».
ὣς φάτο Τηλέμαχος, τῷ δ' αἰετὼ εὐρύοπα Ζεὺς
ὑψόθεν ἐκ κορυφῆς ὄρεος προέηκε πέτεσθαι.
τὼ δ' ἕως μέν ῥ' ἐπέτοντο μετὰ πνοιῇσ' ἀνέμοιο,
πλησίω ἀλλήλοισι τιταινομένω πτερύγεσσιν·
150 ἀλλ' ὅτε δὴ μέσσην ἀγορὴν πολύφημον ἱκέσθην,
ἔνθ' ἐπιδινηθέντε τιναξάσθην πτερὰ πυκνά,
ἐς δ' ἰδέτην πάντων κεφαλάς, ὄσσοντο δ' ὄλεθρον·
δρυψαμένω δ' ὀνύχεσσι παρειὰς ἀμφί τε δειρὰς
δεξιὼ ἤϊξαν διά τ' οἰκία καὶ πόλιν αὐτῶν.
155 θάμβησαν δ' ὄρνιθας, ἐπεὶ ἴδον ὀφθαλμοῖσιν·
ὥρμηναν δ' ἀνὰ θυμὸν ἅ περ τελέεσθαι ἔμελλον.
τοῖσι δὲ καὶ μετέειπε γέρων ἥρως Ἁλιθέρσης
Μαστορίδης· ὁ γὰρ οἶος ὁμηλικίην ἐκέκαστο
ὄρνιθας γνῶναι καὶ ἐναίσιμα μυθήσασθαι·
160 ὅ σφιν ἐῢ φρονέων ἀγορήσατο καὶ μετέειπε·
« κέκλυτε δὴ νῦν μευ, Ἰθακήσιοι, ὅττι κεν εἴπω·
μνηστῆρσιν δὲ μάλιστα πιφαυσκόμενος τάδε εἴρω.

Gli rispose allora giudiziosamente Telemaco:
130 « Antinoo, non posso scacciare di casa, contro la sua volontà,
chi m'ha generato, chi m'ha nutrito, mentre è altrove mio padre,
ch'egli viva o sia morto: è un danno per me ripagare una dote
ad Icario, se gli rimando mia madre di mia volontà.
Sciagure patirò da suo padre, e il demone me ne darà
135 delle altre, perché mia madre invocherà le abominevoli Erinni
partendo da casa, e dagli uomini a me verrà
biasimo: non dirò mai, perciò, questo ordine.
Ma se il vostro cuore sa provare rimorso,
uscite da casa mia, preparatevi altri banchetti
140 mangiando le vostre sostanze, d'una casa passando in un'altra.
Se poi vi sembra più facile
e meglio consumare la roba d'un solo senza compenso,
ebbene mangiate: io invocherò gli dei che vivono eterni
se mai Zeus conceda che vi sia una rivalsa:
145 invendicati allora morireste dentro la casa ».
Telemaco disse così, e Zeus dalla voce possente gli mandò
dall'alto due aquile in volo dalla cima del monte.
Per un tratto esse volarono con i soffi del vento,
l'una all'altra accostata, con le ali distese:
150 ma appena raggiunsero l'assemblea risonante di voci,
allora, volteggiando, agitarono fitte le ali,
fissando le teste di tutti, con sguardo di morte,
e lacerate con gli artigli le guance e il collo
si diressero a destra, sulle case e la loro città.
155 Guardarono stupiti gli uccelli, appena con gli occhi li scorsero:
nell'animo loro sentirono quel che doveva avvenire.
Allora tra essi parlò il vecchio eroe Aliterse,
figlio di Mastore: egli solo tra i coetanei eccelleva
nell'osservare gli uccelli e rivelare il destino.
160 Tra essi con mente saggia prese la parola e parlò.
« Itacesi, udite me, ora, quel che dirò.
Rivolto anzitutto ai pretendenti dirò queste cose,

τοῖσιν γὰρ μέγα πῆμα κυλίνδεται· οὐ γὰρ Ὀδυσσεὺς
δὴν ἀπάνευθε φίλων ὢν ἔσσεται, ἀλλά που ἤδη
165 ἐγγὺς ἐὼν τοῖσδεσσι φόνον καὶ κῆρα φυτεύει,
πάντεσσιν· πολέσιν δὲ καὶ ἄλλοισιν κακὸν ἔσται,
οἳ νεμόμεσθ' Ἰθάκην εὐδείελον. ἀλλὰ πολὺ πρὶν
φραζώμεσθ' ὥς κεν καταπαύσομεν· οἱ δὲ καὶ αὐτοὶ
παυέσθων· καὶ γάρ σφιν ἄφαρ τόδε λώϊόν ἐστιν.
170 οὐ γὰρ ἀπείρητος μαντεύομαι, ἀλλ' ἐῢ εἰδώς·
καὶ γὰρ κείνῳ φημὶ τελευτηθῆναι ἅπαντα,
ὥς οἱ ἐμυθεόμην, ὅτε Ἴλιον εἰσανέβαινον
Ἀργεῖοι, μετὰ δέ σφιν ἔβη πολύμητις Ὀδυσσεύς.
φῆν κακὰ πολλὰ παθόντ', ὀλέσαντ' ἄπο πάντας ἑταίρους,
175 ἄγνωστον πάντεσσιν ἐεικοστῷ ἐνιαυτῷ
οἴκαδ' ἐλεύσεσθαι· τὰ δὲ δὴ νῦν πάντα τελεῖται».

τὸν δ' αὖτ' Εὐρύμαχος, Πολύβου πάϊς, ἀντίον ηὔδα·
«ὦ γέρον, εἰ δ' ἄγε δὴ μαντεύεο σοῖσι τέκεσσιν
οἴκαδ' ἰών, μή πού τι κακὸν πάσχωσιν ὀπίσσω·
180 ταῦτα δ' ἐγὼ σέο πολλὸν ἀμείνων μαντεύεσθαι.
ὄρνιθες δέ τε πολλοὶ ὑπ' αὐγὰς ἠελίοιο
φοιτῶσ', οὐδέ τε πάντες ἐναίσιμοι· αὐτὰρ Ὀδυσσεὺς
ὤλετο τῆλ', ὡς καὶ σὺ καταφθίσθαι σὺν ἐκείνῳ
ὤφελες· οὐκ ἂν τόσσα θεοπροπέων ἀγόρευες,
185 οὐδέ κε Τηλέμαχον κεχολωμένον ὧδ' ἀνιείης,
σῷ οἴκῳ δῶρον ποτιδέγμενος, αἴ κε πόρῃσιν.
ἀλλ' ἔκ τοι ἐρέω, τὸ δὲ καὶ τετελεσμένον ἔσται·
αἴ κε νεώτερον ἄνδρα παλαιά τε πολλά τε εἰδὼς
παρφάμενος ἐπέεσσιν ἐποτρύνῃς χαλεπαίνειν,
190 αὐτῷ μέν οἱ πρῶτον ἀνιηρέστερον ἔσται,
192 σοὶ δέ, γέρον, θωὴν ἐπιθήσομεν, ἥν κ' ἐνὶ θυμῷ
τίνων ἀσχάλλῃς· χαλεπὸν δέ τοι ἔσσεται ἄλγος.
Τηλεμάχῳ δ' ἐν πᾶσιν ἐγὼν ὑποθήσομαι αὐτός·
195 μητέρα ἣν ἐς πατρὸς ἀνωγέτω ἀπονέεσθαι·
οἱ δὲ γάμον τεύξουσι καὶ ἀρτυνέουσιν ἔεδνα
πολλὰ μάλ', ὅσσα ἔοικε φίλης ἐπὶ παιδὸς ἕπεσθαι.

perché su di essi si rovescia una grande sciagura: Odisseo
non starà a lungo lontano dai suoi, ma già in qualche luogo
165 è vicino e pianta per costoro strage e rovina,
per tutti: per molti sarà una sventura, anche per altri
di noi che abitiamo Itaca chiara nel sole. Ma pensiamo
per tempo come farli cessare: e anche da sé, essi
smettano, perché anche per essi è meglio così.
170 Non vaticino senza esperienza, ma ben sapendo,
e perciò affermo che tutto s'è compiuto per lui,
come a lui predicevo quando ad Ilio gli Argivi
salivano e insieme ad essi partì l'astuto Odisseo.
Dissi che, sofferte molte sventure, perduti tutti i compagni,
175 ignoto a tutti, al ventesimo anno,
a casa sarebbe arrivato: e ora tutto si compie».
Gli rispose allora Eurimaco, figlio di Polibo:
«Vecchio, piuttosto fa' predizioni ai tuoi figli,
a casa tua, che non soffrano nessun male in futuro:
180 queste cose io so spiegarle molto meglio di te.
Uccelli ne girano molti sotto i raggi
del sole, e non tutti fatidici; e quanto ad Odisseo
è morto lontano, e così fossi morto tu pure
con lui: non parleresti tanto coi tuoi vaticini
185 e Telemaco, che è corrucciato, non l'istigheresti così,
dopo avere accettato un dono per la tua casa, se te l'ha dato.
Ma io ti dico una cosa e così di sicuro sarà:
se tu, che sai molte cose ed antiche,
traviando con vaticini il ragazzo lo spingi ad essere aspro,
190 anzitutto sarà peggio per lui,
192 e a te, o vecchio, daremo un castigo, che sconterai
nel tuo cuore con rabbia: e per te sarà un grave dolore.
A Telemaco lo darò, fra tutti, io stesso un consiglio:
195 imponga a sua madre di tornare dal padre!
prepareranno essi le nozze e disporranno i doni nuziali,
moltissimi, quanti gli pare che debbano andare alla figlia.

οὐ γὰρ πρὶν παύσεσθαι ὀΐομαι υἷας Ἀχαιῶν
μνηστύος ἀργαλέης, ἐπεὶ οὔ τινα δείδιμεν ἔμπης,
200 οὔτ' οὖν Τηλέμαχον, μάλα περ πολύμυθον ἐόντα,
οὔτε θεοπροπίης ἐμπαζόμεθ', ἣν σύ, γεραιέ,
μυθέαι ἀκράαντον, ἀπεχθάνεαι δ' ἔτι μᾶλλον.
χρήματα δ' αὖτε κακῶς βεβρώσεται, οὐδέ ποτ' ἶσα
ἔσσεται, ὄφρα κεν ἥ γε διατρίβῃσιν Ἀχαιοὺς
205 ὃν γάμον· ἡμεῖς δ' αὖ ποτιδέγμενοι ἤματα πάντα
εἵνεκα τῆς ἀρετῆς ἐριδαίνομεν, οὐδὲ μετ' ἄλλας
ἐρχόμεθ', ἃς ἐπιεικὲς ὀπυιέμεν ἐστὶν ἑκάστῳ ».
τὸν δ' αὖ Τηλέμαχος πεπνυμένος ἀντίον ηὔδα·
« Εὐρύμαχ' ἠδὲ καὶ ἄλλοι, ὅσοι μνηστῆρες ἀγαυοί,
210 ταῦτα μὲν οὐχ ὑμέας ἔτι λίσσομαι οὐδ' ἀγορεύω·
ἤδη γὰρ τὰ ἴσασι θεοὶ καὶ πάντες Ἀχαιοί.
ἀλλ' ἄγε μοι δότε νῆα θοὴν καὶ εἴκοσ' ἑταίρους,
οἵ κέ μοι ἔνθα καὶ ἔνθα διαπρήσσωσι κέλευθον.
εἶμι γὰρ ἐς Σπάρτην τε καὶ ἐς Πύλον ἠμαθόεντα,
215 νόστον πευσόμενος πατρὸς δὴν οἰχομένοιο,
ἤν τίς μοι εἴπῃσι βροτῶν, ἢ ὄσσαν ἀκούσω
ἐκ Διός, ἥ τε μάλιστα φέρει κλέος ἀνθρώποισιν.
εἰ μέν κεν πατρὸς βίοτον καὶ νόστον ἀκούσω,
ἦ τ' ἂν τρυχόμενός περ ἔτι τλαίην ἐνιαυτόν·
220 εἰ δέ κε τεθνηῶτος ἀκούσω μηδ' ἔτ' ἐόντος,
νοστήσας δὴ ἔπειτα φίλην ἐς πατρίδα γαῖαν
σῆμά τέ οἱ χεύω καὶ ἐπὶ κτέρεα κτερεΐξω
πολλὰ μάλ', ὅσσα ἔοικε, καὶ ἀνέρι μητέρα δώσω ».
ἦ τοι ὅ γ' ὣς εἰπὼν κατ' ἄρ' ἕζετο, τοῖσι δ' ἀνέστη
225 Μέντωρ, ὅς ῥ' Ὀδυσῆος ἀμύμονος ἦεν ἑταῖρος,
καί οἱ ἰὼν ἐν νηυσὶν ἐπέτρεπεν οἶκον ἅπαντα,
πείθεσθαί τε γέροντι καὶ ἔμπεδα πάντα φυλάσσειν·
ὅ σφιν ἐῢ φρονέων ἀγορήσατο καὶ μετέειπε·
« κέκλυτε δὴ νῦν μευ, Ἰθακήσιοι, ὅττι κεν εἴπω·
230 μή τις ἔτι πρόφρων ἀγανὸς καὶ ἤπιος ἔστω
σκηπτοῦχος βασιλεύς, μηδὲ φρεσὶν αἴσιμα εἰδώς,

Penso che prima i figli degli Achei non smetteranno
questa corte molesta: perché non temiamo comunque nessuno,
200 neppure Telemaco, con tutti i suoi lunghi discorsi,
né ci curiamo del vaticinio, che tu, vecchio,
invano pronunci e ti rendi ancora più odioso.
I beni poi malamente saranno mangiati, e non saranno
gli stessi, finché ella stanca gli Achei,
205 differendo le nozze: noi restando ogni giorno in attesa
contenderemo per i suoi pregi e non andremo
da altre, che ciascuno potrebbe pur prendere in moglie».
Gli rispose allora giudiziosamente Telemaco:
«Eurimaco e voi altri tutti, pretendenti egregi,
210 di questo più non vi prego e non parlo:
lo sanno ormai gli dei e tutti gli Achei.
Ma via, datemi una nave veloce e venti compagni
che mi portino in viaggio andata e ritorno.
Perché voglio andare a Sparta e a Pilo sabbiosa
215 per sapere il ritorno del padre partito da tempo,
se mai me ne parli un mortale o sentissi da Zeus
la voce che divulga la fama tra gli uomini.
Se sento qualcosa sulla vita e il ritorno del padre,
per quanto stremato potrei sopportare un altro anno;
220 se invece sento che è morto e non vive,
allora, tornato nella cara terra patria,
gli ergerò un tumulo e offrirò funebri offerte,
moltissime, quante conviene, e darò mia madre a un marito».
Ed egli, detto così, si sedette. Tra loro s'alzò
225 Mentore, che era compagno del nobile Odisseo,
e al quale Odisseo, partendo sulle navi, affidò tutta la casa,
di ubbidire al vecchio e di custodire tutto com'era.
Tra essi con mente saggia prese la parola e parlò:
«Itacesi, udite me, ora, quel che dirò.
230 Mai più sia davvero amabile e mite
un sovrano scettrato, non abbia rettitudine in petto,

ἀλλ' αἰεὶ χαλεπός τ' εἴη καὶ αἴσυλα ῥέζοι,
ὡς οὔ τις μέμνηται Ὀδυσσῆος θείοιο
λαῶν, οἷσιν ἄνασσε, πατὴρ δ' ὣς ἤπιος ἦεν
235 ἀλλ' ἤτοι μνηστῆρας ἀγήνορας οὔ τι μεγαίρω
ἔρδειν ἔργα βίαια κακορραφίῃσι νόοιο·
σφὰς γὰρ παρθέμενοι κεφαλὰς κατέδουσι βιαίως
οἶκον Ὀδυσσῆος, τὸν δ' οὐκέτι φασὶ νέεσθαι.
νῦν δ' ἄλλῳ δήμῳ νεμεσίζομαι, οἷον ἅπαντες
240 ἧσθ' ἄνεω, ἀτὰρ οὔ τι καθαπτόμενοι ἐπέεσσι
παύρους μνηστῆρας κατερύκετε πολλοὶ ἐόντες ».
τὸν δ' Εὐηνορίδης Λειώκριτος ἀντίον ηὔδα·
« Μέντορ ἀταρτηρέ, φρένας ἠλεέ, ποῖον ἔειπες
ἡμέας ὀτρύνων καταπαυέμεν. ἀργαλέον δὲ
245 ἀνδράσι καὶ πλεόνεσσι μαχέσσασθαι περὶ δαιτί.
εἴ περ γάρ κ' Ὀδυσεὺς Ἰθακήσιος αὐτὸς ἐπελθὼν
δαινυμένους κατὰ δῶμα ἐὸν μνηστῆρας ἀγαυοὺς
ἐξελάσαι μεγάροιο μενοινήσει' ἐνὶ θυμῷ,
οὔ κέν οἱ κεχάροιτο γυνή, μάλα περ χατέουσα,
250 ἐλθόντ', ἀλλά κεν αὐτοῦ ἀεικέα πότμον ἐπίσποι,
εἰ πλεόνεσσι μάχοιτο· σὺ δ' οὐ κατὰ μοῖραν ἔειπες.
ἀλλ' ἄγε, λαοὶ μὲν σκίδνασθ' ἐπὶ ἔργα ἕκαστος,
τούτῳ δ' ὀτρυνέει Μέντωρ ὁδὸν ἠδ' Ἁλιθέρσης,
οἵ τέ οἱ ἐξ ἀρχῆς πατρώϊοί εἰσιν ἑταῖροι.
255 ἀλλ', ὀΐω, καὶ δηθὰ καθήμενος ἀγγελιάων
πεύσεται εἰν Ἰθάκῃ, τελέει δ' ὁδὸν οὔ ποτε ταύτην ».
ὣς ἄρ' ἐφώνησεν, λῦσεν δ' ἀγορὴν αἰψηρήν.
οἱ μὲν ἄρ' ἐσκίδναντο ἑὰ πρὸς δώμαθ' ἕκαστος,
μνηστῆρες δ' ἐς δώματ' ἴσαν θείου Ὀδυσῆος.
260 Τηλέμαχος δ' ἀπάνευθε κιὼν ἐπὶ θῖνα θαλάσσης,
χεῖρας νιψάμενος πολιῆς ἁλός, εὔχετ' Ἀθήνῃ·
« κλῦθί μευ, ὁ χθιζὸς θεὸς ἤλυθες ἡμέτερον δῶ
καί μ' ἐν νηῒ κέλευσας ἐπ' ἠεροειδέα πόντον,
νόστον πευσόμενον πατρὸς δὴν οἰχομένοιο,
265 ἔρχεσθαι· τὰ δὲ πάντα διατρίβουσιν Ἀχαιοί,

ma sempre sia duro e compia empietà,
poiché non uno ricorda il divino Odisseo
del popolo sul quale regnò: eppure come un padre era mite!
235 Ma io non ho sdegno, che i pretendenti superbi
compiano azioni violente con trame malvage:
rischiando la loro testa divorano con prepotenza
la casa di Odisseo, che dicono mai tornerà.
Ho rabbia ora, invece, contro il resto del popolo, vedendo
240 che tutti ve ne state in silenzio, e senza attaccare a parole
i pochi pretendenti non li fermate pur essendo voi molti».
Gli rispose allora Leiocrito figlio d'Evenore:
« Malefico Mentore, pazzo furioso, cosa hai detto
incitandoli a farci cessare. È difficile
245 opporsi per il pasto a degli uomini e a molti.
Se infatti Odisseo Itacese, venuto in persona,
gli egregi pretendenti a banchetto nella sua casa
meditasse nell'animo di cacciarli via dalla sala,
neanche la moglie, che tanto lo sogna, gioirebbe
250 di questo ritorno, ma un indegno destino qui subirebbe,
se contendesse con molti: tu non parlasti in modo giusto.
Ma su, voi, gente! disperdetevi ognuno al lavoro!
Mentore affretterà il viaggio a costui, e Aliterse,
che sono per lui compagni del padre da tempo antico.
255 Ma ancora a lungo, credo, starà a sentire
notizie, qui ad Itaca, e mai compirà questo viaggio»
Disse così, e sciolse l'assemblea frettolosa.
Essi si dispersero, dunque, ognuno nella sua casa,
e i pretendenti si recarono a casa del divino Odisseo.
260 Telemaco andando in disparte sulla riva del mare,
dopo aver lavato le mani nel mare canuto, invocò Atena:
« Odimi, dio che ieri venisti da noi
e mi dicesti di andare sul fosco mare,
per sapere il ritorno del padre partito da tempo,
265 su una nave: ma gli Achei ritardano tutto,

μνηστῆρες δὲ μάλιστα, κακῶς ὑπερηνορέοντες ».
ὣς ἔφατ' εὐχόμενος, σχεδόθεν δέ οἱ ἦλθεν Ἀθήνη,
Μέντορι εἰδομένη ἠμὲν δέμας ἠδὲ καὶ αὐδήν,
καί μιν φωνήσασ' ἔπεα πτερόεντα προσηύδα·
270 « Τηλέμαχ', οὐδ' ὄπιθεν κακὸς ἔσσεαι οὐδ' ἀνοήμων,
εἰ δή τοι σοῦ πατρὸς ἐνέστακται μένος ἠΰ,
οἷος κεῖνος ἔην τελέσαι ἔργον τε ἔπος τε·
οὔ τοι ἔπειθ' ἁλίη ὁδὸς ἔσσεται οὐδ' ἀτέλεστος.
εἰ δ' οὐ κείνου γ' ἐσσὶ γόνος καὶ Πηνελοπείης,
275 οὔ σε ἔπειτα ἔολπα τελευτήσειν ἃ μενοινᾷς.
παῦροι γάρ τοι παῖδες ὁμοῖοι πατρὶ πέλονται,
οἱ πλέονες κακίους, παῦροι δέ τε πατρὸς ἀρείους.
ἀλλ' ἐπεὶ οὐδ' ὄπιθεν κακὸς ἔσσεαι οὐδ' ἀνοήμων,
οὐδέ σε πάγχυ γε μῆτις Ὀδυσσῆος προλέλοιπεν,
280 ἐλπωρή τοι ἔπειτα τελευτῆσαι τάδε ἔργα.
τῶ νῦν μνηστήρων μὲν ἔα βουλήν τε νόον τε
ἀφραδέων, ἐπεὶ οὔ τι νοήμονες οὐδὲ δίκαιοι·
οὐδέ τι ἴσασιν θάνατον καὶ κῆρα μέλαιναν,
ὃς δή σφιν σχεδόν ἐστιν ἐπ' ἤματι πάντας ὀλέσθαι.
285 σοὶ δ' ὁδὸς οὐκέτι δηρὸν ἀπέσσεται ἣν σὺ μενοινᾷς·
τοῖος γάρ τοι ἑταῖρος ἐγὼ πατρώϊός εἰμι,
ὅς τοι νῆα θοὴν στελέω καὶ ἅμ' ἕψομαι αὐτός.
ἀλλὰ σὺ μὲν πρὸς δώματ' ἰὼν μνηστῆρσιν ὁμίλει,
ὅπλισσόν τ' ἤϊα καὶ ἄγγεσιν ἄρσον ἅπαντα,
290 οἶνον ἐν ἀμφιφορεῦσι καὶ ἄλφιτα, μυελὸν ἀνδρῶν,
δέρμασιν ἐν πυκινοῖσιν· ἐγὼ δ' ἀνὰ δῆμον ἑταίρους
αἶψ' ἐθελοντῆρας συλλέξομαι. εἰσὶ δὲ νῆες
πολλαὶ ἐν ἀμφιάλῳ Ἰθάκῃ, νέαι ἠδὲ παλαιαί·
τάων μέν τοι ἐγὼν ἐπιόψομαι ἥ τις ἀρίστη,
295 ὦκα δ' ἐφοπλίσσαντες ἐνήσομεν εὐρέϊ πόντῳ ».
ὣς φάτ' Ἀθηναίη, κούρη Διός· οὐδ' ἄρ' ἔτι δὴν
Τηλέμαχος παρέμιμνεν, ἐπεὶ θεοῦ ἔκλυεν αὐδήν.
βῆ δ' ἴμεναι πρὸς δῶμα, φίλον τετιημένος ἦτορ,
εὗρε δ' ἄρα μνηστῆρας ἐνὶ μεγάροισιν ἑοῖσιν

e più degli altri i pretendenti, vilmente arroganti ».
Disse così, pregando, e Atena gli venne vicina,
simile a Mentore, sia per l'aspetto e sia per la voce,
e parlando gli rivolse alate parole:
270 « Telemaco, anche in futuro, non sarai né vile né stolto,
se di tuo padre ti è stato istillato il forte valore
(egli era capace di fare un'azione o un discorso!):
allora il viaggio per te non sarà inutile e vano.
Ma se tu non sei figlio di lui e di Penelope,
275 allora non credo che farai ciò che dici.
Perché sono pochi i figli simili al padre,
molti i peggiori, pochi migliori del padre.
Ma poiché anche in futuro non sarai né vile né stolto
e di Odisseo non ti manca affatto l'ingegno,
280 v'è speranza che poi compirai queste azioni.
Perciò le idee e i pensieri dei pretendenti insensati
ora ignorali, perché non sono né saggi né giusti:
non sanno nulla della morte e del nero destino,
che ad essi è vicino, di morire tutti in un giorno.
285 Non è lontano il viaggio a cui pensi:
io sono infatti per te tale amico del padre,
che ti armerò una nave veloce e io pure verrò.
Ma tu va' a casa e stattene tra i pretendenti,
prepara i viveri e serrali tutti entro vasi,
290 in anfore il vino, e la farina midollo degli uomini
in sacchi di pelle ben chiusi: subito io tra la gente
radunerò i compagni disposti a venire. Molte navi
vi sono ad Itaca cinta dal mare, nuove e vecchie:
sceglierò io qual è la migliore tra esse
295 e armatala rapidamente la spingeremo nel vasto mare ».
Così disse Atena, la figlia di Zeus, e Telemaco
non indugiò, poiché udì la voce del dio.
Si avviò verso casa, col cuore turbato,
e dentro casa trovò i pretendenti

300 αἶγας ἀνιεμένους σιάλους θ' εὕοντας ἐν αὐλῇ.
Ἀντίνοος δ' ἰθὺς γελάσας κίε Τηλεμάχοιο·
ἔν τ' ἄρα οἱ φῦ χειρὶ ἔπος τ' ἔφατ' ἔκ τ' ὀνόμαζε·
« Τηλέμαχ' ὑψαγόρη, μένος ἄσχετε, μή τί τοι ἄλλο
ἐν στήθεσσι κακὸν μελέτω ἔργον τε ἔπος τε,
305 ἀλλά μοι ἐσθιέμεν καὶ πινέμεν, ὡς τὸ πάρος περ.
ταῦτα δέ τοι μάλα πάντα τελευτήσουσιν Ἀχαιοί,
νῆα καὶ ἐξαίτους ἐρέτας, ἵνα θᾶσσον ἵκηαι
ἐς Πύλον ἠγαθέην μετ' ἀγαυοῦ πατρὸς ἀκουήν ».
τὸν δ' αὖ Τηλέμαχος πεπνυμένος ἀντίον ηὔδα·
310 « Ἀντίνο', οὔ πως ἔστιν ὑπερφιάλοισι μεθ' ὑμῖν
δαίνυσθαί τ' ἀκέοντα καὶ εὐφραίνεσθαι ἕκηλον.
ἦ οὐχ ἅλις ὡς τὸ πάροιθεν ἐκείρετε πολλὰ καὶ ἐσθλὰ
κτήματ' ἐμά, μνηστῆρες, ἐγὼ δ' ἔτι νήπιος ἦα;
νῦν δ' ὅτε δὴ μέγας εἰμί, καὶ ἄλλων μῦθον ἀκούων
315 πυνθάνομαι, καὶ δή μοι ἀέξεται ἔνδοθι θυμός,
πειρήσω, ὥς κ' ὔμμι κακὰς ἐπὶ κῆρας ἰήλω,
ἠὲ Πύλονδ' ἐλθὼν ἢ αὐτοῦ τῷδ' ἐνὶ δήμῳ.
εἶμι μέν, οὐδ' ἁλίη ὁδὸς ἔσσεται ἣν ἀγορεύω,
ἔμπορος· οὐ γὰρ νηὸς ἐπήβολος οὐδ' ἐρετάων
320 γίνομαι· ὥς νύ που ὔμμιν ἐείσατο κέρδιον εἶναι ».
ἦ ῥα, καὶ ἐκ χειρὸς χεῖρα σπάσατ' Ἀντινόοιο
ῥεῖα· μνηστῆρες δὲ δόμον κάτα δαῖτα πένοντο.
οἱ δ' ἐπελώβευον καὶ ἐκερτόμεον ἐπέεσσιν·
ὧδε δέ τις εἴπεσκε νέων ὑπερηνορεόντων·
325 « ἦ μάλα Τηλέμαχος φόνον ἧμιν μερμηρίζει.
ἤ τινας ἐκ Πύλου ἄξει ἀμύντορας ἠμαθόεντος,
ἦ ὅ γε καὶ Σπάρτηθεν, ἐπεί νύ περ ἵεται αἰνῶς·
ἠὲ καὶ εἰς Ἐφύρην ἐθέλει, πίειραν ἄρουραν,
ἐλθεῖν, ὄφρ' ἔνθεν θυμοφθόρα φάρμακ' ἐνείκῃ,
330 ἐν δὲ βάλῃ κρητῆρι καὶ ἡμέας πάντας ὀλέσσῃ ».
ἄλλος δ' αὖτ' εἴπεσκε νέων ὑπερηνορεόντων·
« τίς δ' οἶδ', εἴ κε καὶ αὐτὸς ἰὼν κοίλης ἐπὶ νηὸς
τῆλε φίλων ἀπόληται ἀλώμενος ὥς περ Ὀδυσσεύς;

300 che scuoiavano capre e arrostivano porci in cortile.
Antinoo si diresse ridendo verso Telemaco,
gli strinse la mano, gli rivolse la parola, gli disse:
« Telemaco, grande oratore, impetuoso, non avere
più in animo un'altra azione o parola cattiva,
305 ma piuttosto mangiamo e beviamo, come in passato.
Queste cose te le daranno tutte gli Achei,
la nave e i rematori ben scelti, perché presto tu giunga
a Pilo divina per avere notizie del nobile padre ».
Gli rispose allora giudiziosamente Telemaco:
310 « Antinoo, non c'è modo di banchettare quietamente
tra voi prepotenti ed essere lieto e sereno.
Non basta che mangiavate in passato i miei beni,
molti e preziosi, o pretendenti, e io ero ancora un ragazzo?
Ora che però sono grande, e udendo le parole di altri
315 capisco e il coraggio mi cresce dentro,
proverò a gettare la mala sorte su voi,
o recandomi a Pilo oppure qui, in questa terra.
Vado, e il viaggio che dico non sarà invano,
da passeggero, perché non posseggo una nave
320 e dei rematori: a voi è parso meglio così ».
Disse, e tolse la mano dalla mano di Antinoo,
con noncuranza: i pretendenti preparavano il pranzo per casa.
Essi gli lanciavano insulti e parole taglienti.
Qualcuno dei giovani arroganti diceva così:
325 « Ma veramente Telemaco medita la nostra uccisione·
o porterà dei vendicatori da Pilo sabbiosa
o anche da Sparta, perché ha una terribile smania·
oppure vuol giungere ad Efira, terra
ubertosa, per portare da lì dei veleni mortali,
330 gettarli dentro un cratere e distruggerci tutti ».
Un altro dei giovani arroganti invece diceva:
« Chi sa che anche lui, andando su una nave incavata,
non muoia lontano dai suoi, sperdendosi come Odisseo?

ουτω κεν καὶ μᾶλλον ὀφέλλειεν πόνον ἄμμιν·
335 κτήματα γάρ κεν πάντα δασαίμεθα, οἰκία δ' αὖτε
τούτου μητέρι δοῖμεν ἔχειν ἠδ' ὅς τις ὀπυίοι ».
ὣς φάν· ὁ δ' ὑψόροφον θάλαμον κατεβήσετο πατρός,
εὐρύν, ὅθι νητὸς χρυσὸς καὶ χαλκὸς ἔκειτο
ἐσθής τ' ἐν χηλοῖσιν ἅλις τ' εὐῶδες ἔλαιον.
340 ἐν δὲ πίθοι οἴνοιο παλαιοῦ ἡδυπότοιο
ἕστασαν, ἄκρητον θεῖον ποτὸν ἐντὸς ἔχοντες,
ἑξείης ποτὶ τοῖχον ἀρηρότες, εἴ ποτ' Ὀδυσσεὺς
οἴκαδε νοστήσειε καὶ ἄλγεα πολλὰ μογήσας.
κληϊσταὶ δ' ἔπεσαν σανίδες πυκινῶς ἀραρυῖαι,
345 δικλίδες· ἐν δὲ γυνὴ ταμίη νύκτας τε καὶ ἦμαρ
ἔσχ', ἣ πάντ' ἐφύλασσε νόου πολυϊδρείῃσιν,
Εὐρύκλει', Ὦπος θυγάτηρ Πεισηνορίδαο.
τὴν τότε Τηλέμαχος προσέφη θάλαμόνδε καλέσσας·
« μαῖ', ἄγε δή μοι οἶνον ἐν ἀμφιφορεῦσιν ἄφυσσον
350 ἡδύν, ὅτις μετὰ τὸν λαρώτατος ὃν σὺ φυλάσσεις,
κεῖνον ὀϊομένη τὸν κάμμορον, εἴ ποθεν ἔλθοι
διογενὴς Ὀδυσεὺς θάνατον καὶ κῆρας ἀλύξας.
δώδεκα δ' ἔμπλησον καὶ πώμασιν ἄρσον ἅπαντας.
ἐν δέ μοι ἄλφιτα χεῦον ἐϋρραφέεσσι δοροῖσιν·
355 εἴκοσι δ' ἔστω μέτρα μυληφάτου ἀλφίτου ἀκτῆς.
αὐτὴ δ' οἴη ἴσθι· τὰ δ' ἀθρόα πάντα τετύχθω·
ἑσπέριος γὰρ ἐγὼν αἱρήσομαι, ὁππότε κεν δὴ
μήτηρ εἰς ὑπερῷ' ἀναβῇ κοίτου τε μέδηται·
εἶμι γὰρ ἐς Σπάρτην τε καὶ ἐς Πύλον ἠμαθόεντα,
360 νόστον πευσόμενος πατρὸς φίλου, ἤν που ἀκούσω ».
ὣς φάτο, κώκυσεν δὲ φίλη τροφὸς Εὐρύκλεια.
καί ῥ' ὀλοφυρομένη ἔπεα πτερόεντα προσηύδα·
« τίπτε δέ τοι, φίλε τέκνον, ἐνὶ φρεσὶ τοῦτο νόημα
ἔπλετο; πῇ δ' ἐθέλεις ἰέναι πολλὴν ἐπὶ γαῖαν
365 μοῦνος ἐὼν ἀγαπητός; ὁ δ' ὤλετο τηλόθι πάτρης
διογενὴς Ὀδυσεὺς ἀλλογνώτῳ ἐνὶ δήμῳ.
οἱ δέ τοι αὐτίκ' ἰόντι κακὰ φράσσονται ὀπίσσω,

È così ci darebbe un lavoro persino maggiore:
335 perché dovremmo spartire tutti i suoi beni, e le case poi
darle a sua madre e a chi la avrà in moglie».

Così dicevano· ma lui scese nell'alta dispensa del padre,
ampia, dove giaceva ammucchiato l'oro e il bronzo,
e vesti dentro le casse e in abbondanza olio odoroso.
340 Dentro vi stavano giare di vino vecchio,
dolcissimo, piene di pura bevanda, divina,
appoggiate in bell'ordine al muro, nel caso Odisseo
tornasse, anche avendo sofferto molti dolori.
V'erano porte chiuse, saldamente serrate,
345 a doppio battente: notte e giorno una dispensiera
vi stava, che custodiva tutto con molta accortezza,
Euriclea, figlia di Opi Pisenoride.
E Telemaco, chiamatala nella dispensa, le disse:

«Orsù, nonna, versami nelle anfore vino
350 dolce, il più gustoso dopo quello che serbi
pensando a lui, a quel misero, se mai arrivasse
il divino Odisseo sfuggendo alla morte e al destino.
Empine dodici, e serrale tutte con tappi.
Versami, in otri perfettamente cuciti, farina:
355 e siano venti le misure di farina macinata di grano.
Devi saperlo tu sola. Sia messo tutto in un mucchio·
lo verrò a prendere a sera, non appena
mia madre va sopra e pensa a dormire.
Perché vado a Sparta e a Pilo sabbiosa
360 per sapere il ritorno del padre, se mai ne sentissi»

Disse così, gemette la cara nutrice Euriclea,
e piangendo gli rivolse alate parole:

«Perché mai, figlio caro, hai in mente
questo progetto? come mai vuoi andare su tanta terra,
365 tu che sei un caro figlio unico? Egli è morto lontano da casa,
il divino Odisseo, tra gente a noi sconosciuta.
Questi, appena partito, ti trameranno rovina alle spalle,

ὥς κε δόλῳ φθίῃς, τάδε δ' αὐτοὶ πάντα δάσωνται.
ἀλλὰ μέν' αὖθ' ἐπὶ σοῖσι καθήμενος· οὐδέ τί σε χρὴ
370 πόντον ἐπ' ἀτρύγετον κακὰ πάσχειν οὐδ' ἀλάλησθαι ».

τὴν δ' αὖ Τηλέμαχος πεπνυμένος ἀντίον ηὔδα·
« θάρσει, μαῖ', ἐπεὶ οὔ τοι ἄνευ θεοῦ ἥδε γε βουλή.
ἀλλ' ὄμοσον μὴ μητρὶ φίλῃ τάδε μυθήσασθαι,
πρίν γ' ὅτ' ἂν ἑνδεκάτη τε δυωδεκάτη τε γένηται,
375 ἢ αὐτὴν ποθέσαι καὶ ἀφορμηθέντος ἀκοῦσαι,
ὡς ἂν μὴ κλαίουσα κατὰ χρόα καλὸν ἰάπτῃ ».

ὣς ἄρ' ἔφη, γρηῢς δὲ θεῶν μέγαν ὅρκον ἀπώμνυ.
αὐτὰρ ἐπεί ῥ' ὄμοσέν τε τελεύτησέν τε τὸν ὅρκον,
αὐτίκ' ἔπειτά οἱ οἶνον ἐν ἀμφιφορεῦσιν ἄφυσσεν,
380 ἐν δέ οἱ ἄλφιτα χεῦεν ἐϋρραφέεσσι δοροῖσι·
Τηλέμαχος δ' ἐς δώματ' ἰὼν μνηστῆρσιν ὁμίλει.

ἔνθ' αὖτ' ἄλλ' ἐνόησε θεὰ γλαυκῶπις Ἀθήνη·
Τηλεμάχῳ εἰκυῖα κατὰ πτόλιν ᾤχετο πάντῃ,
καί ῥα ἑκάστῳ φωτὶ παρισταμένη φάτο μῦθον,
385 ἑσπερίους δ' ἐπὶ νῆα θοὴν ἀγέρεσθαι ἀνώγει.
ἡ δ' αὖτε Φρονίοιο Νοήμονα φαίδιμον υἱὸν
ᾔτεε νῆα θοήν· ὁ δέ οἱ πρόφρων ὑπέδεκτο.

δύσετό τ' ἠέλιος σκιόωντό τε πᾶσαι ἀγυιαί·
καὶ τότε νῆα θοὴν ἅλαδ' εἴρυσε, πάντα δ' ἐν αὐτῇ
390 ὅπλ' ἐτίθει, τά τε νῆες ἐΰσσελμοι φορέουσι.
στῆσε δ' ἐπ' ἐσχατιῇ λιμένος, περὶ δ' ἐσθλοὶ ἑταῖροι
392 ἁθρόοι ἠγερέθοντο· θεὰ δ' ὤτρυνεν ἕκαστον.
394 βῆ δ' ἴμεναι πρὸς δώματ' Ὀδυσσῆος θείοιο·
395 ἔνθα μνηστήρεσσιν ἐπὶ γλυκὺν ὕπνον ἔχευε,
πλάζε δὲ πίνοντας, χειρῶν δ' ἔκβαλλε κύπελλα.
οἱ δ' εὕδειν ὤρνυντο κατὰ πτόλιν, οὐδ' ἄρ' ἔτι δὴν
εἵατ', ἐπεί σφισιν ὕπνος ἐπὶ βλεφάροισιν ἔπιπτεν.
αὐτὰρ Τηλέμαχον προσέφη γλαυκῶπις Ἀθήνη
400 ἐκπροκαλεσσαμένη μεγάρων ἐῢ ναιεταόντων,
Μέντορι εἰδομένη ἠμὲν δέμας ἠδὲ καὶ αὐδήν·

« Τηλέμαχ', ἤδη μέν τοι ἐϋκνήμιδες ἑταῖροι

perche in una insidia tu muoia, ed essi si spartiscano tutto.
Ma resta qui tra i tuoi beni: non c'è proprio bisogno
370 di patire sventure e di errare sul mare infecondo ».

Le rispose allora giudiziosamente Telemaco:
« Coraggio, nonna! non è senza un dio questo piano.
Ma giurami di non dirlo a mia madre
prima che sia l'undicesimo o dodicesimo giorno,
375 o che lei stessa mi cerchi e oda che sono partito,
perché non sciupi il bel viso piangendo ».

Disse così, e la vecchia giurò sugli dei un gran giuramento.
Poi, dopo che ebbe giurato e finito quel giuramento,
subito versò per lui nelle anfore il vino
380 e versò la farina negli otri perfettamente cuciti:
Telemaco avviandosi a casa si mischiò ai pretendenti.

Ed ecco la dea pensò un'altra cosa, la glaucopide Atena:
corse in città dappertutto, somigliante a Telemaco,
e stando a fianco d'ogni uomo gli fece un discorso,
385 li incitò a radunarsi la sera sulla nave veloce.
Poi lei chiese a Noemone, l'illustre figlio
di Fronio, una nave veloce: ed egli l'accordò volentieri.

Il sole calò e tutte le strade s'ombravano:
e allora trasse nel mare la nave veloce e vi pose
390 tutti gli attrezzi che le navi ben costruite portano a bordo.
La ormeggiò al limitare del porto, valorosi compagni
392 si adunarono insieme: la dea incitava ciascuno.
394 Si avviò al palazzo del divino Odisseo:
395 e lì sui pretendenti versò dolce sonno,
li urtava mentre bevevano, strappava le coppe di mano.
Essi mossero per la città, a dormire, e non rimasero
a lungo, poiché gli cadeva sulle palpebre il sonno.
Allora la glaucopide Atena, dopo averlo chiamato
400 dalle sale assai frequentate, si rivolse a Telemaco,
simile a Mentore sia per l'aspetto e sia per la voce:

« Telemaco, già i compagni dai saldi schinieri

εἴατ' ἐπήρετμοι τὴν σὴν ποτιδέγμενοι ὁρμήν·
ἀλλ' ἴομεν, μὴ δηθὰ διατρίβωμεν ὁδοῖο ».
405 ὣς ἄρα φωνήσασ' ἡγήσατο Παλλὰς Ἀθήνη
406 καρπαλίμως· ὁ δ' ἔπειτα μετ' ἴχνια βαῖνε θεοῖο
408 εὗρον ἔπειτ' ἐπὶ θινὶ κάρη κομόωντας ἑταίρους·
τοῖσι δὲ καὶ μετέειφ' ἱερὴ ἲς Τηλεμάχοιο·
410 « δεῦτε, φίλοι, ἤϊα φερώμεθα· πάντα γὰρ ἤδη
ἀθρό' ἐνὶ μεγάρῳ· μήτηρ δ' ἐμὴ οὔ τι πέπυσται,
οὐδ' ἄλλαι δμῳαί, μία δ' οἴη μῦθον ἄκουσεν ».
ὣς ἄρα φωνήσας ἡγήσατο, τοὶ δ' ἅμ' ἕποντο.
οἱ δ' ἄρα πάντα φέροντες ἐϋσσέλμῳ ἐνὶ νηῒ
415 κάτθεσαν, ὡς ἐκέλευσεν Ὀδυσσῆος φίλος υἱός.
ἂν δ' ἄρα Τηλέμαχος νηὸς βαῖν', ἦρχε δ' Ἀθήνη,
νηῒ δ' ἐνὶ πρυμνῇ κατ' ἄρ' ἕζετο· ἄγχι δ' ἄρ' αὐτῆς
ἕζετο Τηλέμαχος. τοὶ δὲ πρυμνήσι' ἔλυσαν,
ἂν δὲ καὶ αὐτοὶ βάντες ἐπὶ κληῖσι καθῖζον.
420 τοῖσιν δ' ἴκμενον οὖρον ἵει γλαυκῶπις Ἀθήνη,
ἀκραῆ ζέφυρον, κελάδοντ' ἐπὶ οἴνοπα πόντον.
Τηλέμαχος δ' ἑτάροισιν ἐποτρύνων ἐκέλευσεν
ὅπλων ἅπτεσθαι· τοὶ δ' ὀτρύνοντος ἄκουσαν.
ἱστὸν δ' εἰλάτινον κοίλης ἔντοσθε μεσόδμης
425 στῆσαν ἀείραντες, κατὰ δὲ προτόνοισιν ἔδησαν,
ἕλκον δ' ἱστία λευκὰ ἐϋστρέπτοισι βοεῦσιν.
ἔμπρησεν δ' ἄνεμος μέσον ἱστίον, ἀμφὶ δὲ κῦμα
428 στείρῃ πορφύρεον μεγάλ' ἴαχε νηὸς ἰούσης·
430 δησάμενοι δ' ἄρα ὅπλα θοὴν ἀνὰ νῆα μέλαιναν
στήσαντο κρητῆρας ἐπιστεφέας οἴνοιο,
λεῖβον δ' ἀθανάτοισι θεοῖσ' αἰειγενέτῃσιν,
ἐκ πάντων δὲ μάλιστα Διὸς γλαυκώπιδι κούρῃ.
παννυχίη μέν ῥ' ἥ γε καὶ ἠῶ πεῖρε κέλευθον.

siedono ai remi, aspettando il tuo cenno.
Su, andiamo, non perdiamo tempo per strada».

405 Detto così, Pallade Atena si mosse per prima
406 sveltamente: sulle orme della dea andava, poi, lui.
408 Ed ecco trovarono sulla spiaggia i compagni dai lunghi capelli.
Ad essi il sacro vigore di Telemaco disse:
410 «Amici, portiamo qui le provviste: sono già tutte
in casa ammucchiate. La madre mia non sa nulla
e neppure le altre, le schiave: una sola udì il mio comando».

Detto così li guidò, e quelli lo seguivano insieme.
Essi dunque portarono e misero sulla nave ben costruita
415 ogni cosa, come ordinò il figlio caro d'Odisseo.
Telemaco salì sulla nave: Atena lo precedeva
e sedette sulla nave, a poppa: accanto a lei
sedeva Telemaco. Gli altri sciolsero a poppa le gomene,
e imbarcatisi anch'essi presero posto agli scalmi.
420 La glaucopide Atena inviò un vento propizio,
uno zeffiro fresco, urlante sul mare scuro come vino.
Telemaco incitando i compagni ordinò
di applicarsi agli attrezzi: essi ubbidirono all'ordine.
Sollevatolo, rizzarono l'albero di abete
425 dentro la mastra incavata, con stralli lo strinsero;
issarono le bianche vele con ritorte drizze di cuoio.
Il vento gonfiò nel mezzo la vela, l'onda schiumante
428 urlò forte attorno alla chiglia della nave che andava.
430 Fissate le scotte alla nera nave veloce,
alzarono crateri ricolmi di vino,
libarono agli immortali dei sempiterni,
e tra tutti di più alla glaucopide figlia di Zeus.
Per tutta la notte e l'aurora la nave percorreva il cammino.

Ἠέλιος δ' ἀνόρουσε, λιπὼν περικαλλέα λίμνην,
οὐρανὸν ἐς πολύχαλκον, ἵν' ἀθανάτοισι φαείνοι
καὶ θνητοῖσι βροτοῖσιν ἐπὶ ζείδωρον ἄρουραν·
οἱ δὲ Πύλον, Νηλῆος ἐϋκτίμενον πτολίεθρον,
5 ἷξον· τοὶ δ' ἐπὶ θινὶ θαλάσσης ἱερὰ ῥέζον,
ταύρους παμμέλανας, ἐνοσίχθονι κυανοχαίτῃ.
ἐννέα δ' ἕδραι ἔσαν, πεντηκόσιοι δ' ἐν ἑκάστῃ
εἵατο, καὶ προὔχοντο ἑκάστοθι ἐννέα ταύρους.
εὖθ' οἱ σπλάγχνα πάσαντο, θεῷ δ' ἐπὶ μηρί' ἔκηαν,
10 οἱ δ' ἰθὺς καταγοντο ἰδ' ἱστία νηὸς ἐΐσης
στεῖλαν ἀείραντες, τὴν δ' ὥρμισαν, ἐκ δ' ἔβαν αὐτοί·
ἐκ δ' ἄρα Τηλέμαχος νηὸς βαῖν', ἦρχε δ' Ἀθήνη.
τὸν προτέρη προσέειπε θεὰ γλαυκῶπις Ἀθήνη·
« Τηλέμαχ', οὐ μέν σε χρὴ ἔτ' αἰδοῦς οὐδ' ἠβαιόν·
15 τοὔνεκα γὰρ καὶ πόντον ἐπέπλως, ὄφρα πύθηαι
πατρός, ὅπου κύθε γαῖα καὶ ὅν τινα πότμον ἐπέσπεν.
αλλ' ἄγε νῦν ἰθὺς κίε Νέστορος ἱπποδάμοιο·
18 εἴδομεν ἥν τινα μῆτιν ἐνὶ στήθεσσι κέκευθε.
20 ψεῦδος δ' οὐκ ἐρέει· μάλα γὰρ πεπνυμένος ἐστί ».
τὴν δ' αὖ Τηλέμαχος πεπνυμένος ἀντίον ηὔδα·
« Μέντορ, πῶς τ' ἄρ' ἴω, πῶς τ' ἂρ προσπτύξομαι αὐτόν;
οὐδέ τί πω μύθοισι πεπείρημαι πυκινοῖσιν·
αἰδὼς δ' αὖ νέον ἄνδρα γεραίτερον ἐξερέεσθαι ».
25 τὸν δ' αὖτε προσέειπε θεὰ γλαυκῶπις Ἀθήνη·
« Τηλέμαχ', ἄλλα μὲν αὐτὸς ἐνὶ φρεσὶ σῇσι νοήσεις,
ἄλλα δὲ καὶ δαίμων ὑποθήσεται· οὐ γὰρ ὀΐω

LIBRO TERZO

Il Sole sorse, lasciando il mare bellissimo,
nel cielo di bronzo, per dare agli immortali la luce
e darla ai mortali sulla terra che dona le biade:
ed essi giunsero a Pilo, la città ben fondata
5 di Neleo. Sulla riva del mare i Pilî immolavano vittime,
tori nerissimi, allo Scuotiterra dai capelli turchini:
i posti erano nove, ve ne erano cinquecento
in ciascuno, e in ognuno avevano nove tori davanti.
Avevano assaggiato i visceri e arrostito i cosci al dio,
10 quando essi approdarono e, imbrogliatele, raccolsero
le vele della nave librata, l'ormeggiarono e scesero.
Scese dalla nave Telemaco, Atena lo precedeva.
Gli disse per prima la dea glaucopide Atena:
« Telemaco, non devi più avere nessuna vergogna
15 per questo hai solcato anche il mare, per sapere
del padre, dove lo nascose la terra e quale destino incontrò
Ma su, ora va' dritto da Nestore che doma cavalli:
18 vediamo che pensiero egli chiude nel petto.
20 Non ti dirà una menzogna, perché ha molto giudizio ».
Le rispose allora giudiziosamente Telemaco:
« Mentore, come andrò, come debbo rivolgermi a lui?
neanche un po' sono esperto di fitti discorsi:
ed è anche vergogna che un giovane interroghi un vecchio ».
25 Gli disse allora la dea glaucopide Atena:
« Telemaco, qualcosa la penserai tu, nella mente,
altre te le ispirerà ancne un dio: perché non credo

οὔ σε θεῶν ἀέκητι γενέσθαι τε τραφέμεν τε ».
ὣς ἄρα φωνήσασ' ἡγήσατο Παλλὰς Ἀθήνη
30 καρπαλίμως· ὁ δ' ἔπειτα μετ' ἴχνια βαῖνε θεοῖο.
ἶξον δ' ἐς Πυλίων ἀνδρῶν ἄγυρίν τε καὶ ἕδρας,
ἔνθ' ἄρα Νέστωρ ἧστο σὺν υἱάσιν, ἀμφὶ δ' ἑταῖροι
δαῖτ' ἐντυνόμενοι κρέα τ' ὤπτων ἄλλα τ' ἔπειρον.
οἱ δ' ὡς οὖν ξείνους ἴδον, ἀθρόοι ἦλθον ἅπαντες,
35 χερσίν τ' ἠσπάζοντο καὶ ἑδριάασθαι ἄνωγον.
πρῶτος Νεστορίδης Πεισίστρατος ἐγγύθεν ἐλθὼν
ἀμφοτέρων ἕλε χεῖρα καὶ ἵδρυσεν παρὰ δαιτὶ
κώεσιν ἐν μαλακοῖσιν, ἐπὶ ψαμάθοισ' ἁλίῃσι,
πάρ τε κασιγνήτῳ Θρασυμήδεϊ καὶ πατέρι ᾧ.
40 δῶκε δ' ἄρα σπλάγχνων μοίρας, ἐν δ' οἶνον ἔχευε
χρυσείῳ δέπαϊ· δειδισκόμενος δὲ προσηύδα
Παλλάδ' Ἀθηναίην, κούρην Διὸς αἰγιόχοιο·
« εὔχεο νῦν, ὦ ξεῖνε, Ποσειδάωνι ἄνακτι·
τοῦ γὰρ καὶ δαίτης ἠντήσατε δεῦρο μολόντες.
45 αὐτὰρ ἐπὴν σπείσῃς τε καὶ εὔξεαι, ἣ θέμις ἐστί,
δὸς καὶ τούτῳ ἔπειτα δέπας μελιηδέος οἴνου
σπεῖσαι, ἐπεὶ καὶ τοῦτον ὀΐομαι ἀθανάτοισιν
εὔχεσθαι· πάντες δὲ θεῶν χατέουσ' ἄνθρωποι.
ἀλλὰ νεώτερός ἐστιν, ὁμηλικίη δ' ἐμοὶ αὐτῷ·
50 τοὔνεκα σοὶ προτέρῳ δώσω χρύσειον ἄλεισον ».
ὣς εἰπὼν ἐν χερσὶ τίθει δέπας ἡδέος οἴνου·
χαῖρε δ' Ἀθηναίη πεπνυμένῳ ἀνδρὶ δικαίῳ,
οὕνεκα οἷ προτέρῃ δῶκε χρύσειον ἄλεισον·
αὐτίκα δ' εὔχετο πολλὰ Ποσειδάωνι ἄνακτι·
55 « κλῦθι, Ποσείδαον γαιήοχε, μηδὲ μεγήρῃς
ἡμῖν εὐχομένοισι τελευτῆσαι τάδε ἔργα.
Νέστορι μὲν πρώτιστα καὶ υἱάσι κῦδος ὄπαζε,
αὐτὰρ ἔπειτ' ἄλλοισι δίδου χαρίεσσαν ἀμοιβὴν
σύμπασιν Πυλίοισιν ἀγακλειτῆς ἑκατόμβης.
60 δὸς δ' ἔτι Τηλέμαχον καὶ ἐμὲ πρήξαντα νέεσθαι,
οὕνεκα δεῦρ' ἱκόμεσθα θοῇ σὺν νηῒ μελαίνῃ ».

che contro la volontà degli dei tu sia nato e cresciuto ».
Detto così, Pallade Atena si mosse per prima
30 sveltamente; sulle orme della dea andava, poi, lui.
Arrivarono all'adunanza e ai posti dei Pilî,
dove Nestore sedeva coi figli, e intorno i compagni
preparavano il pasto, cuocevano carni e ne infilzavano altre.
Come videro gli ospiti, tutti corsero in folla,
35 tesero la mano e li invitarono a prendere posto.
Per primo Pisistrato, figlio di Nestore, accostatosi,
prese la mano di entrambi e li fece sedere a convito,
su morbide pelli di pecora, sulla sabbia del mare,
accanto al fratello Trasimède e al padre.
40 Diede ad essi poi parti di visceri, versò loro del vino
in una coppa d'oro, e disse rivolto
a Pallade Atena, la figlia di Zeus egìoco:
« Ora prega, o straniero, Posidone signore:
perché a un convito per lui partecipate, qui giunti.
45 E quando avrai libato e pregato, come è regola,
da' anche a costui la coppa di vino dolcissimo
per libare, perché credo vorrà pregare anche lui
gli immortali: degli dei, tutti gli uomini hanno bisogno.
Ma egli è più giovane, la sua età è la mia:
50 perciò darò prima a te la coppa d'oro ».
Detto così, gli pose in mano la coppa di vino soave:
si compiacque Atena dell'uomo assennato, giusto,
perché diede a lei per prima la coppa d'oro;
subito pregò con fervore Posidone signore:
55 « Ascolta, Posidone che percorri la terra, e non impedire
a noi che preghiamo di portare a buon fine queste opere.
Anzitutto da' a Nestore gloria, e ai suoi figli,
e poi dona agli altri, a tutti i Pilî,
un gradito compenso dell'ecatombe magnifica.
60 E concedi che Telemaco ed io ritorniamo, appena compiuto
ciò per cui qui venimmo con la nera nave veloce ».

ὣς ἄρ' ἔπειτ' ἠρᾶτο καὶ αὐτὴ πάντα τελεύτα.
δῶκε δὲ Τηλεμάχῳ καλὸν δέπας ἀμφικύπελλον·
ὣς δ' αὔτως ἠρᾶτο Ὀδυσσῆος φίλος υἱός.
65 οἱ δ' ἐπεὶ ὤπτησαν κρέ' ὑπέρτερα καὶ ἐρύσαντο,
μοίρας δασσάμενοι δαίνυντ' ἐρικυδέα δαῖτα.
αὐτὰρ ἐπεὶ πόσιος καὶ ἐδητύος ἐξ ἔρον ἕντο,
τοῖσ' ἄρα μύθων ἦρχε Γερήνιος ἱππότα Νέστωρ·
« νῦν δὴ κάλλιόν ἐστι μεταλλῆσαι καὶ ἐρέσθαι
70 ξείνους, οἵ τινές εἰσιν, ἐπεὶ τάρπησαν ἐδωδῆς
ὦ ξεῖνοι, τίνες ἐστέ; πόθεν πλεῖθ' ὑγρὰ κέλευθα;
ἤ τι κατὰ πρῆξιν ἦ μαψιδίως ἀλάλησθε
οἷά τε ληϊστῆρες ὑπεὶρ ἅλα, τοί τ' ἀλόωνται
ψυχὰς παρθέμενοι, κακὸν ἀλλοδαποῖσι φέροντες; ».
75 τὸν δ' αὖ Τηλέμαχος πεπνυμένος ἀντίον ηὔδα,
θαρσήσας· αὐτὴ γὰρ ἐνὶ φρεσὶ θάρσος Ἀθήνη
77 θῆχ', ἵνα μιν περὶ πατρὸς ἀποιχομένοιο ἔροιτο·
79 « ὦ Νέστορ Νηληϊάδη, μέγα κῦδος Ἀχαιῶν.
80 εἴρεαι ὁππόθεν εἰμέν· ἐγὼ δέ κέ τοι καταλέξω.
ἡμεῖς ἐξ Ἰθάκης ὑπονηΐου εἰλήλουθμεν·
πρῆξις δ' ἥδ' ἰδίη, οὐ δήμιος, ἣν ἀγορευω.
πατρὸς ἐμοῦ κλέος εὐρὺ μετέρχομαι, ἤν που ἀκούσω,
δίου Ὀδυσσῆος ταλασίφρονος, ὅν ποτέ φασι
85 σὺν σοὶ μαρνάμενον Τρώων πόλιν ἐξαλαπάξαι
ἄλλους μὲν γὰρ πάντας, ὅσοι Τρωσὶν πολέμιζον,
πευθόμεθ', ἧχι ἕκαστος ἀπώλετο λυγρῷ ὀλέθρῳ·
κείνου δ' αὖ καὶ ὄλεθρον ἀπευθέα θῆκε Κρονίων.
οὐ γάρ τις δύναται σάφα εἰπέμεν ὁππόθ' ὄλωλεν,
90 εἴ θ' ὅ γ' ἐπ' ἠπείρου δάμη ἀνδράσι δυσμενέεσσιν,
εἴ τε καὶ ἐν πελάγει μετὰ κύμασιν Ἀμφιτρίτης.
τοὔνεκα νῦν τὰ σὰ γούναθ' ἱκάνομαι, αἴ κ' ἐθέλησθα
κείνου λυγρὸν ὄλεθρον ἐνισπεῖν, εἴ που ὄπωπας
ὀφθαλμοῖσι τεοῖσιν, ἢ ἄλλου μῦθον ἄκουσας
95 πλαζομένου· περὶ γάρ μιν ὀϊζυρὸν τέκε μήτηρ.
μηδέ τί μ' αἰδόμενος μειλίσσεο μηδ' ἐλεαίρων

Così dunque pregò e compì intanto ogni cosa.
Diede a Telemaco la bella coppa a due anse:
e il figlio caro d'Odisseo pregò anche a quel modo.
65 Quando ebbero cotte e sfilate le terga,
divise le parti, consumarono lo splendido pasto.
Poi, quando ebbero scacciato la voglia di bere e di cibo,
il cavaliere Gerenio, Nestore, tra essi iniziò a parlare:
« Ora certo è più bello domandare e chiedere
70 agli ospiti, ora che si sono ristorati di cibo, chi sono mai.
O stranieri, chi siete? da dove venite per le liquide vie?
Per un affare, o alla ventura vagate
sul mare, come i predoni, che vagano
rischiando la vita, portando danno agli estranei? ».
75 Gli rispose allora giudiziosamente Telemaco,
preso coraggio: glielo mise lei il coraggio nell'animo,
77 Atena, perché gli chiedesse del padre lontano:
79 « O Nestore, figlio di Neleo, grande gloria degli Achei!
80 chiedi di dove noi siamo, ed io voglio dirtelo.
Siamo giunti da Itaca, ai piedi del Neio.
È affare privato, non pubblico, questo che dico:
cerco notizie diffuse sul padre mio, se mai ne sento
sul chiaro intrepido Odisseo, che dicono un giorno
85 distrusse la città dei Troiani, lottando al tuo fianco.
Perché tutti gli altri, che combatterono contro i Troiani,
sappiamo dove ognuno morì di morte luttuosa:
ma di lui persino la morte rese ignota il Cronide.
Di sicuro, infatti, nessuno sa dire quando è perito,
90 se in terra fu vinto, da gente nemica,
o tra le onde d'Anfitrite, nel mare.
Per questo ora vengo da te, come supplice, se mai volessi
narrarmi la sua morte luttuosa, qualora coi tuoi occhi
l'hai vista o da un altro hai sentito notizie
95 dell'errante. Lo generò davvero infelice la madre!
Non devi blandirmi per ritegno o pietà,

ἀλλ' εὖ μοι κατάλεξον ὅπως ἤντησας ὀπωπῆς.
λίσσομαι, εἴ ποτέ τοί τι πατὴρ ἐμός, ἐσθλὸς Ὀδυσσεύς,
ἢ ἔπος ἠέ τι ἔργον ὑποστὰς ἐξετέλεσσε
100 δήμῳ ἔνι Τρώων, ὅθι πάσχετε πήματ' Ἀχαιοί·
τῶν νῦν μοι μνῆσαι, καί μοι νημερτὲς ἐνίσπες ».
τὸν δ' ἠμείβετ' ἔπειτα Γερήνιος ἱππότα Νέστωρ·
« ὦ φίλ', ἐπεί μ' ἔμνησας ὀϊζύος, ἣν ἐν ἐκείνῳ
δήμῳ ἀνέτλημεν μένος ἄσχετοι υἷες Ἀχαιῶν,
105 ἠμὲν ὅσα ξὺν νηυσὶν ἐπ' ἠεροειδέα πόντον
πλαζόμενοι κατὰ ληΐδ', ὅπῃ ἄρξειεν Ἀχιλλεύς,
ἠδ' ὅσα καὶ περὶ ἄστυ μέγα Πριάμοιο ἄνακτος
μαρνάμεθ'· ἔνθα δ' ἔπειτα κατέκταθεν ὅσσοι ἄριστοι·
ἔνθα μὲν Αἴας κεῖται ἀρήϊος, ἔνθα δ' Ἀχιλλεύς,
110 ἔνθα δὲ Πάτροκλος, θεόφιν μήστωρ ἀτάλαντος,
ἔνθα δ' ἐμὸς φίλος υἱός, ἅμα κρατερὸς καὶ ἀταρβής,
Ἀντίλοχος, περὶ μὲν θείειν ταχὺς ἠδὲ μαχητής·
ἄλλα τε πόλλ' ἐπὶ τοῖς πάθομεν κακά· τίς κεν ἐκεῖνα
πάντα γε μυθήσαιτο καταθνητῶν ἀνθρώπων;
115 οὐδ' εἰ πεντάετές γε καὶ ἑξάετες παραμίμνων
ἐξερέοις, ὅσα κεῖθι πάθον κακὰ δῖοι Ἀχαιοί·
πρίν κεν ἀνιηθεὶς σὴν πατρίδα γαῖαν ἵκοιο.
εἰνάετες γάρ σφιν κακὰ ῥάπτομεν ἀμφιέποντες
παντοίοισι δόλοισι, μόγις δ' ἐτέλεσσε Κρονίων.
120 ἔνθ' οὔ τίς ποτε μῆτιν ὁμοιωθήμεναι ἄντην
ἤθελ', ἐπεὶ μάλα πολλὸν ἐνίκα δῖος Ὀδυσσεὺς
παντοίοισι δόλοισι, πατὴρ τεός, εἰ ἐτεόν γε
κείνου ἔκγονός ἐσσι· σέβας μ' ἔχει εἰσορόωντα.
ἦ τοι γὰρ μῦθοί γε ἐοικότες, οὐδέ κε φαίης
125 ἄνδρα νεώτερον ὧδε ἐοικότα μυθήσασθαι.
ἔνθ' ἦ τοι εἵως μὲν ἐγὼ καὶ δῖος Ὀδυσσεὺς
οὔτε ποτ' εἰν ἀγορῇ δίχ' ἐβάζομεν οὔτ' ἐνὶ βουλῇ,
ἀλλ' ἕνα θυμὸν ἔχοντε νόῳ καὶ ἐπίφρονι βουλῇ
φραζόμεθ' Ἀργείοισιν ὅπως ὄχ' ἄριστα γένοιτο.
130 αὐτὰρ ἐπεὶ Πριάμοιο πόλιν διεπέρσαμεν αἰπήν,

ma raccontami bene, come ti capitò di vedere.
Te ne supplico, se mai mio padre, il valoroso Odisseo,
parlò o agì per te come aveva promesso
100 nella terra di Troia, dove patiste pene voi Achei.
Ricordami ora quei fatti e parlami sinceramente ».

Allora gli rispose il cavaliere Gerenio, Nestore:
« O caro, poiché m'hai ricordato il dolore, che in quel
paese patimmo noi figli degli Achei impetuosi,
105 sia quanto lottammo con le navi sul fosco mare,
vagando a depredare dove Achille guidava,
sia quanto per la grande rocca di Priamo signore
lottammo; e infine lì furono uccisi tutti i migliori:
lì giace Aiace bellicoso, e lì Achille,
110 e lì Patroclo, pari per consiglio agli dei,
e lì il figlio mio caro, forte e impavido a un tempo,
Antiloco, velocissimo nella corsa e guerriero.
E molti altri mali patimmo oltre questi: tutti, chi
degli uomini mortali potrebbe narrarli?
115 Neanche se tu, restando cinque o sei anni,
chiedessi quanti mali gli illustri Achei patirono lì:
te ne torneresti prima nella tua patria, annoiato.
Nove anni ordimmo ai Troiani sventure, ostinati,
con ogni sorta di inganni, e il Cronide le compì finalmente.
120 Non uno volle misurarsi con lui in astuzia
laggiù, perché li vinceva di gran lunga il chiaro Odisseo,
con ogni sorta di inganni, il padre tuo, se sei davvero
suo figlio. Stupore mi prende guardandoti:
perché simili sono i discorsi. Non diresti mai
125 che un giovane possa parlare con tanto giudizio.
Laggiù, per tutto quel tempo, io e il chiaro Odisseo
non parlammo mai discordi all'assemblea o in consiglio,
ma unanimi, con senno e accorto consiglio
pensavamo quale fosse per gli Achei il partito migliore.
130 Ma quando distruggemmo la città scoscesa di Priamo,

βῆμεν δ' ἐν νήεσσι, θεὸς δ' ἐκέδασσεν Ἀχαιούς,
καὶ τότε δὴ Ζεὺς λυγρὸν ἐνὶ φρεσὶ μήδετο νόστον
Ἀργείοισ', ἐπεὶ οὔ τι νοήμονες οὐδὲ δίκαιοι
πάντες ἔσαν· τῶ σφεων πολέες κακὸν οἶτον ἐπέσπον
135 μήνιος ἐξ ὀλοῆς γλαυκώπιδος ὀβριμοπάτρης,
ἥ τ' ἔριν Ἀτρεΐδῃσι μετ' ἀμφοτέροισιν ἔθηκε.
τὼ δὲ καλεσσαμένω ἀγορὴν ἐς πάντας Ἀχαιούς,
μάψ, ἀτὰρ οὐ κατὰ κόσμον, ἐς ἠέλιον καταδύντα,
οἱ δ' ἦλθον οἴνῳ βεβαρηότες υἷες Ἀχαιῶν,
140 μῦθον μυθείσθην, τοῦ εἵνεκα λαὸν ἄγειραν.
ἔνθ' ἢ τοι Μενέλαος ἀνώγει πάντας Ἀχαιοὺς
νόστου μιμνήσκεσθαι ἐπ' εὐρέα νῶτα θαλάσσης·
οὐδ' Ἀγαμέμνονι πάμπαν ἑήνδανε· βούλετο γάρ ῥα
λαὸν ἐρυκακέειν ῥέξαι θ' ἱερὰς ἑκατόμβας,
145 ὡς τὸν Ἀθηναίης δεινὸν χόλον ἐξακέσαιτο,
νήπιος, οὐδὲ τὸ ᾔδη, ὃ οὐ πείσεσθαι ἔμελλεν·
οὐ γάρ τ' αἶψα θεῶν τρέπεται νόος αἰὲν ἐόντων.
ὣς τὼ μὲν χαλεποῖσιν ἀμειβομένω ἐπέεσσιν
ἔστασαν· οἱ δ' ἀνόρουσαν ἐϋκνήμιδες Ἀχαιοὶ
150 ἠχῇ θεσπεσίῃ, δίχα δέ σφισιν ἥνδανε βουλή.
νύκτα μὲν ἀέσαμεν χαλεπὰ φρεσὶν ὁρμαίνοντες
ἀλλήλοισ'· ἐπὶ γὰρ Ζεὺς ἤρτυε πῆμα κακοῖο·
ἠῶθεν δ' οἱ μὲν νέας ἕλκομεν εἰς ἅλα δῖαν
κτήματά τ' ἐντιθέμεσθα βαθυζώνους τε γυναῖκας.
155 ἡμίσεες δ' ἄρα λαοὶ ἐρητύοντο μένοντες
αὖθι παρ' Ἀτρεΐδῃ Ἀγαμέμνονι, ποιμένι λαῶν·
ἡμίσεες δ' ἀναβάντες ἐλαύνομεν· αἱ δὲ μάλ' ὦκα
ἔπλεον, ἐστόρεσεν δὲ θεὸς μεγακήτεα πόντον.
ἐς Τένεδον δ' ἐλθόντες ἐρέξαμεν ἱρὰ θεοῖσιν,
160 οἴκαδε ἱέμενοι· Ζεὺς δ' οὔ πω μήδετο νόστον,
σχέτλιος, ὅς ῥ' ἔριν ὦρσε κακὴν ἔπι δεύτερον αὖτις.
οἱ μὲν ἀποστρέψαντες ἔβαν νέας ἀμφιελίσσας
ἀμφ' Ὀδυσῆα ἄνακτα δαΐφρονα ποικιλομήτην,
αὖτις ἐπ' Ἀτρεΐδῃ Ἀγαμέμνονι ἦρα φέροντες·

e sulle navi partimmo, e un dio disperse gli Achei,
allora Zeus meditò nella mente un luttuoso ritorno
agli Argivi, perché né saggi né giusti
furono tutti: perciò molti di essi incorsero nella sventura,
135 per l'ira funesta della glaucopide figlia di padre possente,
che mise discordia in mezzo ai due Atridi
Essi, chiamati in assemblea tutti gli Achei,
stoltamente e senza regola alcuna, al calare del sole
(e i figli degli Achei arrivarono appesantiti dal vino),
140 dissero per quale ragione avevano radunato l'esercito.
Lì Menelao esortava tutti gli Achei
a pensare al ritorno sul dorso vasto dei mare.
E ad Agamennone per nulla piaceva: infatti voleva
trattenere l'esercito a fare sacre ecatombi
45 per placare il terribile sdegno di Atena.
Sventurato! non sapeva che non l'avrebbe convinta:
la mente degli dei che vivono eterni non muta d'un tratto!
Quei due stavano ritti così, scambiandosi gravi
parole: balzarono in piedi gli Achei dai saldi schinieri
150 con grida terribili. Due opposti pareri ad essi piacevano.
Passammo la notte meditando, gli uni agli altri,
violenze: perché Zeus preparava rovina e sventura.
Noi, all'alba, tirammo le navi nel mare lucente,
imbarcammo gli averi e le donne dall'alta cintura.
155 Metà dell'esercito, invece, rimase ad attendere
là con l'Atride Agamennone pastore di genti:
metà, imbarcatici, andammo. Le navi correvano
molto veloci: un dio spianò il mare dai grandi abissi.
Arrivati a Tenedo facemmo sacrifici agli dei,
160 bramosi di giungere a casa: ma Zeus non pensava il ritorno,
spietato! che di nuovo suscitò una maligna contesa.
Alcuni, voltate le navi veloci a virare, tornarono
col valente astuto Odisseo signore
dall'Atride Agamennone, per fargli piacere;

165 αὐτὰρ ἐγὼ σὺν νηυσὶν ἀολλέσιν, αἵ μοι ἕποντο,
φεῦγον, ἐπεὶ γίνωσκον, ὃ δὴ κακὰ μήδετο δαίμων.
φεῦγε δὲ Τυδέος υἱὸς ἀρήϊος, ὦρσε δ' ἑταίρους.
ὀψὲ δὲ δὴ μετὰ νῶϊ κίε ξανθὸς Μενέλαος,
ἐν Λέσβῳ δ' ἔκιχεν δολιχὸν πλόον ὁρμαίνοντας,
170 ἢ καθύπερθε Χίοιο νεοίμεθα παιπαλοέσσης,
νήσου ἔπι Ψυρίης, αὐτὴν ἐπ' ἀριστέρ' ἔχοντες,
ἢ ὑπένερθε Χίοιο παρ' ἠνεμόεντα Μίμαντα.
ᾐτέομεν δὲ θεὸν φῆναι τέρας· αὐτὰρ ὅ γ' ἧμιν
δεῖξε, καὶ ἠνώγει πέλαγος μέσον εἰς Εὔβοιαν
175 τέμνειν, ὄφρα τάχιστα ὑπὲκ κακότητα φύγοιμεν.
ὦρτο δ' ἐπὶ λιγὺς οὖρος ἀήμεναι· αἱ δὲ μάλ' ὦκα
ἰχθυόεντα κέλευθα διέδραμον, ἐς δὲ Γεραιστὸν
ἐννύχιαι κατάγοντο· Ποσειδάωνι δὲ ταύρων
πόλλ' ἐπὶ μῆρ' ἔθεμεν, πέλαγος μέγα μετρήσαντες.
180 τέτρατον ἦμαρ ἔην, ὅτ' ἐν Ἄργεϊ νῆας ἐΐσας
Τυδεΐδεω ἕταροι Διομήδεος ἱπποδάμοιο
ἔστασαν· αὐτὰρ ἐγώ γε Πύλονδ' ἔχον, οὐδέ ποτ' ἔσβη
οὖρος, ἐπεὶ δὴ πρῶτα θεὸς προέηκεν ἀῆναι.
ὣς ἦλθον, φίλε τέκνον, ἀπευθής, οὐδέ τι οἶδα
185 κείνων, οἵ τ' ἐσάωθεν Ἀχαιῶν οἵ τ' ἀπόλοντο.
ὅσσα δ' ἐνὶ μεγάροισι καθήμενος ἡμετέροισι
πεύθομαι, ἣ θέμις ἐστί, δαήσεαι, οὐδέ σε κεύσω.
εὖ μὲν Μυρμιδόνας φάσ' ἐλθέμεν ἐγχεσιμώρους,
οὓς ἄγ' Ἀχιλλῆος μεγαθύμου φαίδιμος υἱός,
190 εὖ δὲ Φιλοκτήτην, Ποιάντιον ἀγλαὸν υἱόν.
πάντας δ' Ἰδομενεὺς Κρήτην εἰσήγαγ' ἑταίρους,
οἳ φύγον ἐκ πολέμου, πόντος δέ οἱ οὔ τιν' ἀπηύρα.
Ἀτρεΐδην δὲ καὶ αὐτοὶ ἀκούετε νόσφιν ἐόντες,
ὥς τ' ἦλθ' ὥς τ' Αἴγισθος ἐμήσατο λυγρὸν ὄλεθρον.
195 ἀλλ' ἦ τοι κεῖνος μὲν ἐπισμυγερῶς ἀπέτεισεν,
ὡς ἀγαθὸν καὶ παῖδα καταφθιμένοιο λιπέσθαι
ἀνδρός, ἐπεὶ καὶ κεῖνος ἐτείσατο πατροφονῆα,
Αἴγισθον δολόμητιν, ὅ οἱ πατέρα κλυτὸν ἔκτα.

165 invece io, con le navi che mi seguivano in frotta,
fuggii, perché comprendevo che il dio pensava sventure.
Fuggì il figlio bellicoso di Tideo, e incitava i compagni.
Tardi, dopo di noi, si mosse il biondo Menelao,
e ci trovò a Lesbo, che studiavamo il lungo viaggio,
170 se far rotta sopra Chio dirupata
verso l'isola Psiria, avendola a manca,
o sotto Chio vicino al Mimante ventoso.
Chiedemmo che il dio ci mostrasse un prodigio: e lui
lo mostrò, e ci spinse a tagliare la distesa a metà
175 per l'Eubea, per sfuggire il più presto al pericolo.
Si mise a soffiare uno stridulo vento: le navi correvano
molto veloci sulle rotte pescose, e approdammo
di notte a Geresto. Offrimmo a Posidone
molti cosci di tori, per aver superato il gran mare.
180 Era il quarto giorno, quando i compagni del Tidide Diomede
che doma cavalli arrestarono le navi librate
ad Argo: invece io le tenni su Pilo, né mai si spense
il vento, dopoché il dio lo spinse a soffiare.
Così arrivai, figlio caro, senza notizie: non so nulla
185 degli altri, quali Achei si salvarono e quali perirono.
Ma quello che ho appreso stando qui
a casa, lo saprai, come è giusto, né al buio ti terrò.
Bene, si dice, arrivarono i Mirmidoni di lancia gloriosa,
che l'illustre figlio del magnanimo Achille guidava;
190 bene, Filottete, il figlio famoso di Peante.
A Creta, Idomeneo ricondusse tutti i compagni
sfuggiti alla guerra: il mare non gliene tolse nessuno.
L'Atride, l'avete sentito anche voi, che state lontano,
come giunse ed Egisto gli ordì una fine luttuosa.
195 Ma costui espiò davvero miseramente.
Quanto fu bene che del morto restasse anche un figlio,
perché proprio lui punì l'assassino del padre,
Egisto esperto d'inganni, che gli uccise il nobile padre.

καὶ σύ, φίλος, μάλα γάρ σ' ὁρόω καλόν τε μέγαν τε
200 ἄλκιμος ἔσσ', ἵνα τίς σε καὶ ὀψιγόνων εὖ εἴπῃ ».
τὸν δ' αὖ Τηλέμαχος πεπνυμένος ἀντίον ηὔδα·
« ὦ Νέστορ Νηληϊάδη, μέγα κῦδος Ἀχαιῶν,
καὶ λίην κεῖνος μὲν ἐτείσατο, καί οἱ Ἀχαιοὶ
οἴσουσι κλέος εὐρὺ καὶ ἐσσομένοισιν ἀοιδήν.
205 αἲ γὰρ ἐμοὶ τοσσήνδε θεοὶ δύναμιν περιθεῖεν,
τείσασθαι μνηστῆρας ὑπερβασίης ἀλεγεινῆς,
οἵ τέ μοι ὑβρίζοντες ἀτάσθαλα μηχανόωνται.
ἀλλ' οὔ μοι τοιοῦτον ἐπέκλωσαν θεοὶ ὄλβον,
πατρί τ' ἐμῷ καὶ ἐμοί· νῦν δὲ χρὴ τετλάμεν ἔμπης ».
210 τὸν δ' ἠμείβετ' ἔπειτα Γερήνιος ἱππότα Νέστωρ·
« ὦ φίλ', ἐπεὶ δὴ ταῦτά μ' ἀνέμνησας καὶ ἔειπες,
φασὶ μνηστῆρας σῆς μητέρος εἵνεκα πολλοὺς
ἐν μεγάροισ' ἀέκητι σέθεν κακὰ μηχανάασθαι.
εἰπέ μοι, ἠὲ ἑκὼν ὑποδάμνασαι, ἦ σέ γε λαοὶ
215 ἐχθαίρουσ' ἀνὰ δῆμον, ἐπισπόμενοι θεοῦ ὀμφῇ.
τίς δ' οἶδ' εἴ κέ ποτέ σφι βίας ἀποτείσεαι ἐλθών,
ἢ σύ γε μοῦνος ἐὼν ἢ καὶ σύμπαντες Ἀχαιοί;
εἰ γάρ σ' ὣς ἐθέλοι φιλέειν γλαυκῶπις Ἀθήνη,
ὡς τότ' Ὀδυσσῆος περικήδετο κυδαλίμοιο
220 δήμῳ ἔνι Τρώων, ὅθι πάσχομεν ἄλγε' Ἀχαιοί·
οὐ γάρ πω ἴδον ὧδε θεοὺς ἀναφανδὰ φιλεῦντας,
ὡς κείνῳ ἀναφανδὰ παρίστατο Παλλὰς Ἀθήνη·
εἴ σ' οὕτως ἐθέλοι φιλέειν κήδοιτό τε θυμῷ,
τῶ κέν τις κείνων γε καὶ ἐκλελάθοιτο γάμοιο ».
225 τὸν δ' αὖ Τηλέμαχος πεπνυμένος ἀντίον ηὔδα·
« ὦ γέρον, οὔ πω τοῦτο ἔπος τελέεσθαι ὀΐω·
λίην γὰρ μέγα εἶπες· ἄγη μ' ἔχει. οὐκ ἂν ἐμοί γε
ἐλπομένῳ τὰ γένοιτ', οὐδ' εἰ θεοὶ ὣς ἐθέλοιεν ».
τὸν δ' αὖτε προσέειπε θεὰ γλαυκῶπις Ἀθήνη·
230 « Τηλέμαχε, ποῖόν σε ἔπος φύγεν ἕρκος ὀδόντων.
ῥεῖα θεός γ' ἐθέλων καὶ τηλόθεν ἄνδρα σαώσαι.
βουλοίμην δ' ἂν ἐγώ γε καὶ ἄλγεα πολλὰ μογήσας

Anche tu, caro, poiché così bello e grande ti vedo,
200 sii coraggioso, perché anche tra i posteri qualcuno ti lodi ».
Gli rispose allora giudiziosamente Telemaco:
« O Nestore, figlio di Neleo, grande gloria degli Achei!
quello l'ha fatto espiare davvero, e gli Achei
gli daranno ampia fama e tra i posteri il canto.
205 Magari gli dei mi vestissero d'altrettanto potere,
da punire i pretendenti della loro tracotanza molesta,
essi che, prepotenti, preparano scelleratezze a mio danno.
Ma gli dei non filarono tanta fortuna per me,
per mio padre e per me: ora occorre comunque subire ».
210 Allora gli rispose il cavaliere Gerenio, Nestore:
« O caro, poiché m'hai ricordato e parlato di questo,
si dice che i molti pretendenti di tua madre
ti procurano danni in casa, contro la tua volontà.
Ma dimmi se ti sei spontaneamente piegato o se il popolo
215 ti è ostile in paese, seguendo la voce di un dio.
Chi sa che tu, tornato, non li punisca di queste violenze,
o agendo da solo o con tutti gli Achei?
Perché se volesse amarti così la glaucopide Atena,
come allora si dava pensiero del glorioso Odisseo
220 nel paese di Troia, dove noi Achei patimmo dolori
(davvero non vidi mai dei amare così apertamente,
come apertamente gli era a fianco Pallade Atena),
se volesse amarti così e darsi cura nell'animo,
allora qualcuno di essi se le scorderebbe, le nozze ».
225 Gli rispose allora giudiziosamente Telemaco:
« O vecchio, non credo che si compirà tale voto:
troppo gran cosa dicesti, mi prende stupore! Non può
capitarmi, benché lo speri, neppure se gli dei lo volessero ».
Gli disse allora la dea glaucopide Atena:
230 « Telemaco, che parola ti sfuggì dal recinto dei denti.
Anche da lontano un dio può salvare un uomo facilmente, volendo.
Vorrei ben io, anche avendo sofferto molti dolori,

οἴκαδέ τ' ἐλθέμεναι καὶ νόστιμον ἦμαρ ἰδέσθαι,
ἢ ἐλθὼν ἀπολέσθαι ἐφέστιος, ὡς Ἀγαμέμνων
235 ὤλεθ' ὑπ' Αἰγίσθοιο δόλῳ καὶ ἧς ἀλόχοιο.
ἀλλ' ἦ τοι θάνατον μὲν ὁμοίϊον οὐδὲ θεοί περ
καὶ φίλῳ ἀνδρὶ δύνανται ἀλαλκέμεν, ὁππότε κεν δὴ
μοῖρ' ὀλοὴ καθέλῃσι τανηλεγέος θανάτοιο ».
τὴν δ' αὖ Τηλέμαχος πεπνυμένος ἀντίον ηὔδα·
240 « Μέντορ, μηκέτι ταῦτα λεγώμεθα κηδόμενοί περ·
κείνῳ δ' οὐκέτι νόστος ἐτήτυμος, ἀλλά οἱ ἤδη
φράσσαντ' ἀθάνατοι θάνατον καὶ κῆρα μέλαιναν.
νῦν δ' ἐθέλω ἔπος ἄλλο μεταλλῆσαι καὶ ἐρέσθαι
Νέστορ', ἐπεὶ περίοιδε δίκας ἠδὲ φρόνιν ἄλλων·
245 τρὶς γὰρ δή μίν φασιν ἀνάξασθαι γένε' ἀνδρῶν,
ὥς τέ μοι ἀθάνατος ἰνδάλλεται εἰσοράασθαι.
ὦ Νέστορ Νηληϊάδη, σὺ δ' ἀληθὲς ἐνίσπες·
πῶς ἔθαν' Ἀτρεΐδης εὐρὺ κρείων Ἀγαμέμνων;
ποῦ Μενέλαος ἔην; τίνα δ' αὐτῷ μήσατ' ὄλεθρον
250 Αἴγισθος δολόμητις, ἐπεὶ κτάνε πολλὸν ἀρείω;
ἦ οὐκ Ἄργεος ἦεν Ἀχαιϊκοῦ, ἀλλά πῃ ἄλλῃ
πλάζετ' ἐπ' ἀνθρώπους, ὁ δὲ θαρσήσας κατέπεφνε; ».
τὸν δ' ἠμείβετ' ἔπειτα Γερήνιος ἱππότα Νέστωρ·
« τοιγὰρ ἐγώ τοι, τέκνον, ἀληθέα πάντ' ἀγορεύσω.
255 ἦ τοι μὲν τόδε καὐτὸς ὀΐεαι, ὥς κεν ἐτύχθη,
εἰ ζώοντ' Αἴγισθον ἐνὶ μεγάροισιν ἔτετμεν
Ἀτρεΐδης Τροίηθεν ἰών, ξανθὸς Μενέλαος·
τῷ κέ οἱ οὐδὲ θανόντι χυτὴν ἐπὶ γαῖαν ἔχευαν,
ἀλλ' ἄρα τόν γε κύνες τε καὶ οἰωνοὶ κατέδαψαν
260 κείμενον ἐν πεδίῳ ἑκὰς ἄστεος, οὐδέ κέ τίς μιν
κλαῦσεν Ἀχαιϊάδων· μάλα γὰρ μέγα μήσατο ἔργον.
ἡμεῖς μὲν γὰρ κεῖθι πολέας τελέοντες ἀέθλους
ἥμεθ'· ὁ δ' εὔκηλος μυχῷ Ἄργεος ἱπποβότοιο
πόλλ' Ἀγαμεμνονέην ἄλοχον θέλγεσκεν ἔπεσσιν.
265 ἡ δ' ἦ τοι τὸ πρὶν μὲν ἀναίνετο ἔργον ἀεικές,
δῖα Κλυταιμήστρη· φρεσὶ γὰρ κέχρητ' ἀγαθῇσι·

giungere a casa e vedere il dì del ritorno,
piuttosto che, giunto, morire al mio focolare, come morì
235 Agamennone sotto la rete d'Egisto e di sua moglie.
Ma la morte a tutti comune neppure gli dei
possono stornarla da un uomo anche caro, quando
lo coglie il funesto destino della morte spietata ».
Le rispose allora giudiziosamente Telemaco:
240 « Mentore, non parliamone più, per quanto ci affligga.
Per lui non è vero il ritorno: per lui gli immortali
decisero ormai la morte e la nera rovina.
Un'altra cosa ora voglio sapere e chiedere
a Nestore, perché sa, più di altri, giusti pareri e sapienza:
245 infatti da tre generazioni si dice che regni,
sicché a me sembra un immortale a guardarlo.
O Nestore figlio di Neleo, raccontami il vero:
come morì l'Atride Agamennone vastamente potente?
dove era Menelao? quale morte Egisto esperto d'inganni
250 gli ordì, poiché uccise uno molto più forte?
Forse non era nell'Argolide Achea, ma altrove
errava tra gli uomini e lui imbaldanzito l'uccise? ».
Allora gli rispose il cavaliere Gerenio, Nestore:
« Certo, figliuolo, sinceramente ti dirò ogni cosa.
255 Questo l'hai capito anche tu, cosa sarebbe successo
se l'Atride tornando da Troia, il biondo Menelao,
avesse trovato Egisto vivo a palazzo.
Su di lui morto non avrebbero versato la terra del tumulo,
ma lo avrebbero dilaniato i cani e gli uccelli,
260 gettato nella pianura, fuori città, e delle Achee
non l'avrebbe pianto nessuna: perché gran misfatto tramò.
Noi, infatti, stavamo laggiù, a compiere molte imprese,
e lui, tranquillo, in un angolo d'Argo che pasce cavalli,
con lusinghe incantava la moglie di Agamennone.
265 Dapprima lei rifiutava la disdicevole azione,
la chiara Clitemestra: era d'animo nobile

πὰρ δ' ἄρ' ἔην καὶ ἀοιδὸς ἀνήρ, ᾧ πόλλ' ἐπέτελλεν
'Ατρεΐδης Τροίηνδε κιὼν εἴρυσθαι ἄκοιτιν.
ἀλλ' ὅτε δή μιν μοῖρα θεῶν ἐπέδησε δαμῆναι,
270 δὴ τότε τὸν μὲν ἀοιδὸν ἄγων ἐς νῆσον ἐρήμην
κάλλιπεν οἰωνοῖσιν ἕλωρ καὶ κύρμα γενέσθαι,
τὴν δ' ἐθέλων ἐθέλουσαν ἀνήγαγεν ὅνδε δόμονδε.
πολλὰ δὲ μηρί' ἔκηε θεῶν ἱεροῖσ' ἐπὶ βωμοῖς,
πολλὰ δ' ἀγάλματ' ἀνῆψεν, ὑφάσματά τε χρυσόν τε,
275 ἐκτελέσας μέγα ἔργον, ὃ οὔ ποτε ἔλπετο θυμῷ.
ἡμεῖς μὲν γὰρ ἅμα πλέομεν Τροίηθεν ἰόντες,
'Ατρεΐδης καὶ ἐγώ, φίλα εἰδότες ἀλλήλοισιν·
ἀλλ' ὅτε Σούνιον ἱρὸν ἀφικόμεθ', ἄκρον 'Αθηνέων,
ἔνθα κυβερνήτην Μενελάου Φοῖβος 'Απόλλων
280 οἷσ' ἀγανοῖσι βέλεσσιν ἐποιχόμενος κατέπεφνε,
πηδάλιον μετὰ χερσὶ θεούσης νηὸς ἔχοντα,
Φρόντιν 'Ονητορίδην, ὃς ἐκαίνυτο φῦλ' ἀνθρώπων
νῆα κυβερνῆσαι, ὁπότε σπέρχοιεν ἄελλαι.
ὣς ὁ μὲν ἔνθα κατέσχετ', ἐπειγόμενός περ ὁδοῖο
285 ὄφρ' ἕταρον θάπτοι καὶ ἐπὶ κτέρεα κτερίσειεν.
ἀλλ' ὅτε δὴ καὶ κεῖνος ἰὼν ἐπὶ οἴνοπα πόντον
ἐν νηυσὶ γλαφυρῇσι Μαλειάων ὄρος αἰπὺ
ἷξε θέων, τότε δὴ στυγερὴν ὁδὸν εὐρύοπα Ζεὺς
ἐφράσατο, λιγέων δ' ἀνέμων ἐπ' ἀϋτμένα χεῦε
290 κύματά τε τροφόεντα πελώρια, ἶσα ὄρεσσιν.
ἔνθα διατμήξας τὰς μὲν Κρήτῃ ἐπέλασσεν,
ἧχι Κύδωνες ἔναιον 'Ιαρδάνου ἀμφὶ ῥέεθρα.
ἔστι δέ τις λισσὴ αἰπεῖά τε εἰς ἅλα πέτρη
ἐσχατιῇ Γόρτυνος ἐν ἠεροειδέϊ πόντῳ·
295 ἔνθα νότος μέγα κῦμα ποτὶ σκαιὸν ῥίον ὠθεῖ,
ἐς Φαιστόν, μικρὸς δὲ λίθος μέγα κῦμ' ἀποέργει.
αἱ μὲν ἄρ' ἔνθ' ἦλθον, σπουδῇ δ' ἤλυξαν ὄλεθρον
ἄνδρες, ἀτὰρ νῆάς γε ποτὶ σπιλάδεσσιν ἔαξαν
κύματ'· ἀτὰρ τὰς πέντε νέας κυανοπρῳρείους
300 Αἰγύπτῳ ἐπέλασσε φέρων ἄνεμός τε καὶ ὕδωρ.

ed era con lei il cantore al quale l'Atride
partendo per Troia ordinò di provvedere alla moglie.
Ma quando il destino l'avvinse, fino ad esser domata,
270 allora, condotto su un'isola deserta il cantore,
lo abbandonò in preda e bottino agli uccelli,
e, voglioso, la portò consenziente nella propria dimora.
Molti cosci bruciò sugli altari sacri agli dei,
molti voti appese, sia tessuti sia oro,
275 avendo compiuto il gran fatto, che mai sperava nell'animo.
Noi venivamo insieme per mare, di ritorno da Troia,
l'Atride ed io, sapendo l'affetto tra noi.
Arrivati però al sacro Sunio, promontorio d'Atene,
ecco che Febo Apollo uccise il nocchiero
280 di Menelao, colpendolo con i suoi miti dardi,
mentre con le mani reggeva il timone della nave in corsa,
Fronti figlio di Onetore, che superava stirpi di uomini
nel governare una nave, quando le procelle imperversano.
E così egli, benché gli premesse il viaggio, sostò là
285 finché seppellì il compagno e l'onorò di funebri onori.
Ma quando anch'egli, andando sul mare scuro come vino,
nelle navi ben cave, giunse correndo al ripido monte
Malea, allora Zeus dalla voce possente gli ordì un orribile
viaggio: rovesciò su di lui il soffio di striduli venti
290 e marosi rigonfi ed enormi, come montagne.
E lì, separatele, alcune le spinse su Creta,
dove i Cidonî abitavano sulle rive del Iardano.
Vi è a picco nell'acqua uno scoglio liscio
all'estremità di Gortina, nel fosco mare.
295 Il libeccio spinge gran flutto lì, sulla punta a sinistra
dalla parte di Festo, e la piccola roccia rigetta gran flutto.
Lì esse corsero: gli uomini evitarono a stento
la fine, ma le onde fracassarono contro gli scogli
le navi. Le cinque altre navi dalla prora turchina
300 le trasse e spinse in Egitto il vento e l'onda.

ὣς ὁ μὲν ἔνθα πολὺν βίοτον καὶ χρυσὸν ἀγείρων
ἠλᾶτο ξὺν νηυσὶ κατ' ἀλλοθρόους ἀνθρώπους·
τόφρα δὲ ταῦτ' Αἴγισθος ἐμήσατο οἴκοθι λυγρά,
κτείνας Ἀτρεΐδην, δέδμητο δὲ λαὸς ὑπ' αὐτῷ.
305 ἑπτάετες δ' ἤνασσε πολυχρύσοιο Μυκήνης,
τῷ δέ οἱ ὀγδοάτῳ κακὸν ἤλυθε δῖος Ὀρέστης
307 ἂψ ἀπ' Ἀθηνάων, κατὰ δ' ἔκτανε πατροφονῆα.
309 ἦ τοι ὁ τὸν κτείνας δαίνυ τάφον Ἀργείοισι
310 μητρός τε στυγερῆς καὶ ἀνάλκιδος Αἰγίσθοιο·
αὐτῆμαρ δέ οἱ ἦλθε βοὴν ἀγαθὸς Μενέλαος,
πολλὰ κτήματ' ἄγων, ὅσα οἱ νέες ἄχθος ἄειραν.
καὶ σύ, φίλος, μὴ δηθὰ δόμων ἄπο τῆλ' ἀλάλησο,
κτήματά τε προλιπὼν ἄνδρας τ' ἐν σοῖσι δόμοισιν
315 οὕτω ὑπερφιάλους, μή τοι κατὰ πάντα φάγωσι
κτήματα δασσάμενοι, σὺ δὲ τηϋσίην ὁδὸν ἔλθῃς.
ἀλλ' ἐς μὲν Μενέλαον ἐγὼ κέλομαι καὶ ἄνωγα
ἐλθεῖν· κεῖνος γὰρ νέον ἄλλοθεν εἰλήλουθεν,
ἐκ τῶν ἀνθρώπων, ὅθεν οὐκ ἔλποιτό γε θυμῷ
320 ἐλθέμεν, ὅν τινα πρῶτον ἀποσφήλωσιν ἄελλαι
ἐς πέλαγος μέγα τοῖον, ὅθεν τέ περ οὐδ' οἰωνοὶ
αὐτόετες οἰχνεῦσιν, ἐπεὶ μέγα τε δεινόν τε.
ἀλλ' ἴθι νῦν σὺν νηΐ τε σῇ καὶ σοῖσ' ἑτάροισιν·
εἰ δ' ἐθέλεις πεζός, πάρα τοι δίφρος τε καὶ ἵπποι,
325 πὰρ δέ τοι υἷες ἐμοί, οἵ τοι πομπῆες ἔσονται
ἐς Λακεδαίμονα δῖαν, ὅθι ξανθὸς Μενέλαος.
λίσσεσθαι δέ μιν αὐτός, ἵνα νημερτὲς ἐνίσπῃ·
ψεῦδος δ' οὐκ ἐρέει· μάλα γὰρ πεπνυμένος ἐστίν ».
ὣς ἔφατ', ἠέλιος δ' ἄρ' ἔδυ καὶ ἐπὶ κνέφας ἦλθε.
330 τοῖσι δὲ καὶ μετέειπε θεὰ γλαυκῶπις Ἀθήνη·
« ὦ γέρον, ἦ τοι ταῦτα κατὰ μοῖραν κατέλεξας·
ἀλλ' ἄγε τάμνετε μὲν γλώσσας, κεράασθε δὲ οἶνον,
ὄφρα Ποσειδάωνι καὶ ἄλλοισ' ἀθανάτοισι
σπείσαντες κοίτοιο μεδώμεθα· τοῖο γὰρ ὥρη.
335 ἤδη γὰρ φάος οἴχεθ' ὑπὸ ζόφον, οὐδὲ ἔοικε

Così egli laggiù, ammassando molta ricchezza ed oro,
errava con le navi tra genti straniere;
e intanto Egisto tramò in casa quei piani funesti:
ucciso l'Atride, il popolo fu da lui sottomesso.
305 Per sette anni regnò su Micene ricca di oro,
ma nell'ottavo tornò il chiaro Oreste da Atene,
307 sciagura per lui, e uccise l'assassino del padre.
309 E uccisolo, offrì agli Argivi un pasto funebre
310 per la madre odiosa e per Egisto vigliacco.
Lo stesso giorno gli tornò Menelao dal grido possente,
con molte ricchezze, quante le navi gliene presero in carico.
Ma tu, caro, non vagare a lungo lontano da casa,
se hai lasciato gli averi e uomini così prepotenti
315 nella tua casa: che, divisi i tuoi beni,
non divorino tutto e tu compia invano il viaggio.
Ma da Menelao ti consiglio ed esorto
ad andare: perché è tornato che è poco da fuori,
da paesi, da cui in cuore non spererebbe
320 di tornare nessuno, che le procelle avessero dirottato
su così grande distesa, da dove neppure gli uccelli
ripassano nel medesimo anno, perché è grande e terribile.
Ma va', ora, con la tua nave e i compagni:
e se vuoi andarci per terra, ci sono carro e cavalli
325 e i miei figli, che ti faranno da guida
verso Lacedemone illustre, dal biondo Menelao.
Supplicalo tu, che ti parli sinceramente:
non ti dirà una menzogna, perché ha molto giudizio».

Disse così. Il sole calò e sopraggiunse la tenebra.
330 Tra essi allora parlò la dea glaucopide Atena:
«O vecchio, davvero a proposito questo l'hai detto:
ma orsù, tagliate le lingue, mescete il vino,
sicché, avendo libato a Posidone e agli altri immortali,
pensiamo al riposo: ché è tempo.
335 La luce è andata già sotto la tenebra, e non è bene

δηθὰ θεῶν ἐν δαιτὶ θαασσέμεν, ἀλλὰ νέεσθαι ».

ἦ ῥα Διὸς θυγάτηρ, οἱ δ' ἔκλυον αὐδησάσης·
τοῖσι δὲ κήρυκες μὲν ὕδωρ ἐπὶ χεῖρας ἔχευαν,
κοῦροι δὲ κρητῆρας ἐπεστέψαντο ποτοῖο,
340 νώμησαν δ' ἄρα πᾶσιν ἐπαρξάμενοι δεπάεσσι·
γλώσσας δ' ἐν πυρὶ βάλλον, ἀνιστάμενοι δ' ἐπέλειβον.
αὐτὰρ ἐπεὶ σπεῖσάν τε πίον θ' ὅσον ἤθελε θυμός,
δὴ τότ' Ἀθηναίη καὶ Τηλέμαχος θεοειδὴς
ἄμφω ἱέσθην κοίλην ἐπὶ νῆα νέεσθαι·
345 Νέστωρ αὖ κατέρυκε καθαπτόμενος ἐπέεσσι·

« Ζεὺς τό γ' ἀλεξήσειε καὶ ἀθάνατοι θεοὶ ἄλλοι,
ὡς ὑμεῖς παρ' ἐμεῖο θοὴν ἐπὶ νῆα κίοιτε
ὥς τέ τευ ἢ παρὰ πάμπαν ἀνείμονος ἠὲ πενιχροῦ,
ᾧ οὔ τι χλαῖναι καὶ ῥήγεα πόλλ' ἐνὶ οἴκῳ,
350 οὔτ' αὐτῷ μαλακῶς οὔτε ξείνοισιν ἐνεύδειν.
αὐτὰρ ἐμοὶ πάρα μὲν χλαῖναι καὶ ῥήγεα καλά.
οὔ θην δὴ τοῦδ' ἀνδρὸς Ὀδυσσῆος φίλος υἱὸς
νηὸς ἐπ' ἰκριόφιν καταλέξεται, ὄφρ' ἂν ἐγώ γε
ζώω, ἔπειτα δὲ παῖδες ἐνὶ μεγάροισι λίπωνται
355 ξείνους ξεινίζειν, ὅς τίς κ' ἐμὰ δώμαθ' ἵκηται ».

τὸν δ' αὖτε προσέειπε θεὰ γλαυκῶπις Ἀθήνη·
« εὖ δὴ ταῦτά γ' ἔφησθα, γέρον φίλε· σοὶ δὲ ἔοικε
Τηλέμαχον πείθεσθαι, ἐπεὶ πολὺ κάλλιον οὕτως.
ἀλλ' οὗτος μὲν νῦν σοι ἅμ' ἕψεται, ὄφρα κεν εὕδῃ
360 σοῖσιν ἐνὶ μεγάροισιν· ἐγὼ δ' ἐπὶ νῆα μέλαιναν
εἶμ', ἵνα θαρσύνω θ' ἑτάρους εἴπω τε ἕκαστα.
οἶος γὰρ μετὰ τοῖσι γεραίτερος εὔχομαι εἶναι·
οἱ δ' ἄλλοι φιλότητι νεώτεροι ἄνδρες ἕπονται,
πάντες ὁμηλικίη μεγαθύμου Τηλεμάχοιο.
365 ἔνθα κε λεξαίμην κοίλῃ παρὰ νηῒ μελαίνῃ,
νῦν· ἀτὰρ ἠῶθεν μετὰ Καύκωνας μεγαθύμους
εἶμ', ἔνθα χρεῖός μοι ὀφέλλεται, οὔ τι νέον γε
οὐδ' ὀλίγον· σὺ δὲ τοῦτον, ἐπεὶ τεὸν ἵκετο δῶμα,
πέμψον σὺν δίφρῳ τε καὶ υἱέϊ· δὸς δέ οἱ ἵππους,

sedere a lungo a un convito di dei, ma tornare ».

Disse così la figlia di Zeus ed essi le diedero ascolto.
Gli araldi gli versarono sulle mani dell'acqua,
i ragazzi empirono di bevanda fino all'orlo i crateri,
340 e a tutti distribuirono nelle coppe la parte iniziale;
gettarono le lingue sul fuoco, levatisi in piedi libarono.
Poi, dopo aver libato e bevuto quanto l'animo volle,
Atena e Telemaco simile a un dio
si accinsero entrambi a tornare sulla nave incavata.
345 Ma Nestore li trattenne rivolgendosi ad essi:

« Zeus non voglia, né gli altri dei immortali,
che voi vi partiate da me sulla nave veloce
come da uno senza vesti o indigente,
che in casa non abbia coltri e molte coperte
350 o da dormire morbidamente per sé e per gli ospiti.
Ci sono coltri, da me, e belle coperte.
Mai il caro figlio di un uomo così, di Odisseo,
dormirà su un ponte di nave, finché sono vivo
io, e vivano miei discendenti a palazzo,
355 per ospitare ospiti, chiunque verrà in casa mia ».

Gli disse allora la dea glaucopide Atena:
« Bene questo lo hai detto, o caro vecchio! e fa bene
a ubbidirti Telemaco, perché è molto meglio così.
Egli dunque andrà ora con te, a dormire
360 nel tuo palazzo. Io invece torno alla nave nera,
per dar coraggio ai compagni e dire ogni cosa.
Io solo ho il vanto di essere tra essi il più anziano:
gli altri, più giovani, per amicizia ci seguono,
tutti in età del coraggioso Telemaco.
365 Là mi vorrei sdraiare, presso la nera nave incavata,
per ora: ma andrò dai coraggiosi Cauconi,
all'alba, dove mi devono un debito, non nuovo
né piccolo. Costui, poiché è venuto da te,
invialo con un carro e un tuo figlio: dàgli i cavalli

370 οἵ τοι ἐλαφρότατοι θείειν καὶ κάρτος ἄριστοι ».
ὣς ἄρα φωνήσασ' ἀπέβη γλαυκῶπις Ἀθήνη
φήνῃ εἰδομένη· θάμβος δ' ἕλε πάντας Ἀχαιούς.
θαύμαζεν δ' ὁ γεραιός, ὅπως ἴδεν ὀφθαλμοῖσι·
Τηλεμάχου δ' ἕλε χεῖρα, ἔπος τ' ἔφατ' ἔκ τ' ὀνόμαζεν·
375 « ὦ φίλος, οὔ σε ἔολπα κακὸν καὶ ἄναλκιν ἔσεσθαι,
εἰ δή τοι νέῳ ὧδε θεοὶ πομπῆες ἕπονται.
οὐ μὲν γάρ τις ὅδ' ἄλλος Ὀλύμπια δώματ' ἐχόντων,
ἀλλὰ Διὸς θυγάτηρ, ἀγελείη Τριτογένεια,
ἥ τοι καὶ πατέρ' ἐσθλὸν ἐν Ἀργείοισιν ἐτίμα.
380 ἀλλά, ἄνασσ', ἵληθι, δίδωθι δέ μοι κλέος ἐσθλόν,
αὐτῷ καὶ παίδεσσι καὶ αἰδοίῃ παρακοίτι·
σοὶ δ' αὖ ἐγὼ ῥέξω βοῦν ἦνιν εὐρυμέτωπον,
ἀδμήτην, ἣν οὔ πω ὑπὸ ζυγὸν ἤγαγεν ἀνήρ·
τήν τοι ἐγὼ ῥέξω χρυσὸν κέρασιν περιχεύας ».
385 ὣς ἔφατ' εὐχόμενος, τοῦ δ' ἔκλυε Παλλὰς Ἀθήνη.
τοῖσιν δ' ἡγεμόνευε Γερήνιος ἱππότα Νέστωρ,
υἱάσι καὶ γαμβροῖσιν, ἑὰ πρὸς δώματα καλά.
ἀλλ' ὅτε δώμαθ' ἵκοντο ἀγακλυτὰ τοῖο ἄνακτος,
ἑξείης ἕζοντο κατὰ κλισμούς τε θρόνους τε·
390 τοῖς δ' ὁ γέρων ἐλθοῦσιν ἀνὰ κρητῆρα κέρασσεν
οἴνου ἡδυπότοιο, τὸν ἑνδεκάτῳ ἐνιαυτῷ
ὤϊξεν ταμίη καὶ ἀπὸ κρήδεμνον ἔλυσε·
τοῦ ὁ γέρων κρητῆρα κεράσσατο, πολλὰ δ' Ἀθήνῃ
εὔχετ' ἀποσπένδων, κούρῃ Διὸς αἰγιόχοιο.
395 αὐτὰρ ἐπεὶ σπεῖσάν τε πίον θ' ὅσον ἤθελε θυμός,
οἱ μὲν κακκείοντες ἔβαν οἶκόνδε ἕκαστος,
τὸν δ' αὐτοῦ κοίμησε Γερήνιος ἱππότα Νέστωρ,
Τηλέμαχον, φίλον υἱὸν Ὀδυσσῆος θείοιο,
τρητοῖσ' ἐν λεχέεσσιν, ὑπ' αἰθούσῃ ἐριδούπῳ,
400 πὰρ δ' ἄρ' ἐϋμμελίην Πεισίστρατον, ὄρχαμον ἀνδρῶν,
ὅς οἱ ἔτ' ἠΐθεος παίδων ἦν ἐν μεγάροισιν.
αὐτὸς δ' αὖτε καθεῦδε μυχῷ δόμου ὑψηλοῖο·
τῷ δ' ἄλοχος δέσποινα λέχος πόρσυνε καὶ εὐνήν.

370 che tu hai più veloci e, per vigore, migliori ».

Detto così, la glaucopide Atena andò via
come un vulture: meraviglia colse tutti gli Achei.
Stupì il vecchio, appena la vide con gli occhi,
prese la mano a Telemaco, gli rivolse la parola, gli disse:

375 « O caro, non m'aspetto che tu sarai vile o vigliacco,
se gli dei, così giovane, ti sono compagni.
Costui non è altri, di coloro che hanno l'Olimpo,
se non la figlia di Zeus, la Tritogenìa predatrice.
Anche il tuo valoroso padre essa, tra gli Argivi, onorava.
380 Ma tu sii propizia, o possente! concedici nobile gloria,
a me e ai miei figli e alla sposa onorata!
A te immolerò una giovenca d'un anno, dall'ampia fronte,
non doma, che l'uomo non ha sottomessa ad un giogo:
questa t'immolerò, dopo averle dorate le corna ».

385 Così disse, pregando, e l'ascoltò Pallade Atena.
Il cavaliere Gerenio, Nestore, li guidava,
figli e generi, verso la sua bella dimora.
E quando giunsero nell'insigne dimora di questo signore,
sedettero in ordine sulle sedie e sui troni.
390 Appena arrivati, il vecchio mescé ad essi un cratere
di vino dolcissimo: dopo dieci anni la dispensiera
ne aveva aperto la giara e sciolto la fascia.
Ne mescé, il vecchio, un cratere e libando pregò
con fervore Atena, la figlia di Zeus egìoco.

395 Poi, dopo aver libato e bevuto quanto l'animo volle,
quelli andarono ciascuno a casa, a dormire;
lui il cavaliere Gerenio, Nestore, lo fece dormire lì
Telemaco, il figlio caro del divino Odisseo,
nel letto coi fori, sotto il rumoroso loggiato,
400 con accanto Pisistrato, ottima lancia, capo di forti,
quello tra i figli che era, ancor giovane, in casa.
Egli invece dormì nell'interno dell'alta dimora:
la regina, sua moglie, gli preparò letto e giaciglio.

ἦμος δ' ἠριγένεια φάνη ῥοδοδάκτυλος Ἠώς,
405 ὤρνυτ' ἄρ' ἐξ εὐνῆφι Γερήνιος ἱππότα Νέστωρ,
ἐκ δ' ἐλθὼν κατ' ἄρ' ἕζετ' ἐπὶ ξεστοῖσι λίθοισιν,
οἵ οἱ ἔσαν προπάροιθε θυράων ὑψηλάων
λευκοί, ἀποστίλβοντες ἀλείφατος· οἷσ' ἔπι μὲν πρὶν
Νηλεὺς ἵζεσκεν, θεόφιν μήστωρ ἀτάλαντος·
410 ἀλλ' ὁ μὲν ἤδη κηρὶ δαμεὶς Ἄϊδόσδε βεβήκει,
Νέστωρ αὖ τότ' ἐφῖζε Γερήνιος, οὖρος Ἀχαιῶν,
σκῆπτρον ἔχων. περὶ δ' υἷες ἀολλέες ἠγερέθοντο
ἐκ θαλάμων ἐλθόντες, Ἐχέφρων τε Στρατίος τε
Περσεύς τ' Ἄρητός τε καὶ ἀντίθεος Θρασυμήδης.
415 τοῖσι δ' ἔπειθ' ἕκτος Πεισίστρατος ἤλυθεν ἥρως,
πὰρ δ' ἄρα Τηλέμαχον θεοείκελον εἷσαν ἄγοντες.
τοῖσι δὲ μύθων ἦρχε Γερήνιος ἱππότα Νέστωρ·
« καρπαλίμως μοι, τέκνα φίλα, κρηήνατ' ἐέλδωρ,
ὄφρ' ἤ τοι πρώτιστα θεῶν ἱλάσσομ' Ἀθήνην,
420 ἥ μοι ἐναργὴς ἦλθε θεοῦ ἐς δαῖτα θάλειαν.
ἀλλ' ἄγ' ὁ μὲν πεδίονδ' ἐπὶ βοῦν ἴτω, ὄφρα τάχιστα
ἔλθησιν, ἐλάσῃ δὲ βοῶν ἐπιβουκόλος ἀνήρ·
εἷς δ' ἐπὶ Τηλεμάχου μεγαθύμου νῆα μέλαιναν
πάντας ἰὼν ἑτάρους ἀγέτω, λιπέτω δὲ δύ' οἴους·
425 εἷς δ' αὖ χρυσοχόον Λαέρκεα δεῦρο κελέσθω
ἐλθεῖν, ὄφρα βοὸς χρυσὸν κέρασιν περιχεύῃ.
οἱ δ' ἄλλοι μένετ' αὐτοῦ ἀολλέες, εἴπατε δ' εἴσω
δμῳῇσιν κατὰ δώματ' ἀγακλυτὰ δαῖτα πένεσθαι,
ἕδρας τε ξύλα τ' ἀμφὶ καὶ ἀγλαὸν οἰσέμεν ὕδωρ ».
430 ὣς ἔφαθ', οἱ δ' ἄρα πάντες ἐποίπνυον· ἦλθε μὲν ἂρ βοῦς
ἐκ πεδίου, ἦλθον δὲ θοῆς παρὰ νηὸς ἐΐσης
Τηλεμάχου ἕταροι μεγαλήτορος, ἦλθε δὲ χαλκεὺς
ὅπλ' ἐν χερσὶν ἔχων χαλκήϊα, πείρατα τέχνης,
ἄκμονά τε σφῦράν τ' εὐποίητόν τε πυράγρην,
435 οἷσίν τε χρυσὸν εἰργάζετο· ἦλθε δ' Ἀθήνη
ἱρῶν ἀντιόωσα. γέρων δ' ἱππηλάτα Νέστωρ
χρυσὸν ἔδωχ'· ὁ δ' ἔπειτα βοὸς κέρασιν περίχευεν

Quando mattutina apparve Aurora dalle rosee dita
405 il cavaliere Gerenio, Nestore, sorse dal letto
e, uscito, sedette sui levigati sedili di pietra,
che bianchi e lucidi di grasso erano davanti
alle sue alte porte; prima su di essi
sedeva Neleo, pari per consiglio agli dei:
410 ma egli, vinto dal fato, era andato nell'Ade,
e vi sedeva ora Nestore Gerenio, baluardo di Achei,
con lo scettro. I suoi figli si adunarono in folla,
usciti dai talami, Echefrone e Stratio
e Perseo e Areto, e Trasimede pari a un dio.
415 Sesto giunse tra essi l'eroe Pisistrato
e, accanto a lui, fecero sedere Telemaco simile a un dio.
Il cavaliere Gerenio, Nestore, tra essi iniziò a parlare:
« Figli miei, compite il mio voto, rapidamente,
perché tra gli dei io propizi anzitutto Atena,
420 che venne, visibile a me, al ricco convito del dio.
Orsù, uno vada in campagna, per la giovenca, che arrivi
al più presto e la guidi il bovaro guardiano dei buoi;
un altro vada alla nave nera del coraggioso Telemaco
e conduca tutti i compagni, ne lasci lì solo due;
425 un altro poi dica a Laerce, all'orefice, di venire
qui a coprire con l'oro le corna della giovenca.
Gli altri restate qui, tutti, e dite là dentro
alle serve di apprestare nell'insigne palazzo un convito,
di porre intorno le sedie e la legna e limpida acqua ».
430 Disse così, ed essi corsero tutti: dalla piana arrivò
la giovenca; dalla rapida nave librata vennero
i compagni del coraggioso Telemaco; arrivò il fabbro,
con in mano gli arnesi di bronzo, strumenti dell'arte,
incudine e mazza e tenaglia da fuoco, ben fatta,
435 con cui lavorava l'oro; e venne Atena
per assistere al rito. Nestore, il vecchio auriga,
diede l'oro, ed egli ne avvolse le corna della giovenca

ἀσκήσας, ἵν' ἄγαλμα θεὰ κεχάροιτο ἰδοῦσα.
βοῦν δ' ἀγέτην κεράων Στρατίος καὶ δῖος Ἐχέφρων
440 χέρνιβα δέ σφ' Ἄρητος ἐν ἀνθεμόεντι λέβητι
ἤλυθεν ἐκ θαλάμοιο φέρων, ἑτέρῃ δ' ἔχεν οὐλὰς
ἐν κανέῳ· πέλεκυν δὲ μενεπτόλεμος Θρασυμήδης
ὀξὺν ἔχων ἐν χειρὶ παρίστατο, βοῦν ἐπικόψων.
Περσεὺς δ' ἀμνίον εἶχε. γέρων δ' ἱππηλάτα Νέστωρ
445 χέρνιβά τ' οὐλοχύτας τε κατήρχετο, πολλὰ δ' Ἀθήνῃ
εὔχετ' ἀπαρχόμενος, κεφαλῆς τρίχας ἐν πυρὶ βάλλων.
αὐτὰρ ἐπεί ῥ' εὔξαντο καὶ οὐλοχύτας προβάλοντο,
αὐτίκα Νέστορος υἱός, ὑπέρθυμος Θρασυμήδης,
ἤλασεν ἄγχι στάς· πέλεκυς δ' ἀπέκοψε τένοντας
450 αὐχενίους, λῦσεν δὲ βοὸς μένος· αἱ δ' ὀλόλυξαν
θυγατέρες τε νυοί τε καὶ αἰδοίη παράκοιτις
Νέστορος, Εὐρυδίκη, πρέσβα Κλυμένοιο θυγατρῶν.
οἱ μὲν ἔπειτ' ἀνελόντες ἀπὸ χθονὸς εὐρυοδείης
ἔσχον· ἀτὰρ σφάξεν Πεισίστρατος, ὄρχαμος ἀνδρῶν.
455 τῆς δ' ἐπεὶ ἐκ μέλαν αἷμα ῥύη, λίπε δ' ὀστέα θυμός,
αἶψ' ἄρα μιν διέχευαν, ἄφαρ δ' ἐκ μηρία τάμνον
πάντα κατὰ μοῖραν, κατά τε κνίσῃ ἐκάλυψαν,
δίπτυχα ποιήσαντες, ἐπ' αὐτῶν δ' ὠμοθέτησαν.
καῖε δ' ἐπὶ σχίζῃσ' ὁ γέρων, ἐπὶ δ' αἴθοπα οἶνον
460 λεῖβε· νέοι δὲ παρ' αὐτὸν ἔχον πεμπώβολα χερσίν.
αὐτὰρ ἐπεὶ κατὰ μῆρ' ἐκάη καὶ σπλάγχνα πάσαντο,
μίστυλλόν τ' ἄρα τἆλλα καὶ ἀμφ' ὀβελοῖσιν ἔπειρον,
ὤπτων δ' ἀκροπόρους ὀβελοὺς ἐν χερσὶν ἔχοντες.
τόφρα δὲ Τηλέμαχον λοῦσεν καλὴ Πολυκάστη,
465 Νέστορος ὁπλοτάτη θυγάτηρ Νηληϊάδαο.
αὐτὰρ ἐπεὶ λοῦσέν τε καὶ ἔχρισεν λίπ' ἐλαίῳ,
ἀμφὶ δέ μιν φᾶρος καλὸν βάλεν ἠδὲ χιτῶνα,
ἔκ ῥ' ἀσαμίνθου βῆ δέμας ἀθανάτοισιν ὁμοῖος·
πὰρ δ' ὅ γε Νέστορ' ἰὼν κατ' ἄρ' ἕζετο, ποιμένα λαῶν.
470 οἱ δ' ἐπεὶ ὤπτησαν κρέ' ὑπέρτερα καὶ ἐρύσαντο,
δαίνυνθ' ἑζόμενοι· ἐπὶ δ' ἀνέρες ἐσθλοὶ ὄροντο

con arte, perché la dea godesse vedendo l'offerta.
La traevano Stratio e l'illustre Echefrone, per le corna.
440 Areto venne recando ad essi l'acqua lustrale
da dentro, in un lebete fiorato: aveva l'orzo nell'altra,
dentro un canestro. Trasimede, furia di guerra, era accanto
con in mano l'ascia affilata, per colpire la bestia.
Perseo teneva il bacile. Il vecchio auriga, Nestore,
445 cominciò con l'acqua e con l'orzo, e iniziando pregava
con fervore Atena, gettando peli della testa nel fuoco.
E poi che pregarono e gettarono i chicchi rituali,
subito il figlio di Nestore, l'ardito Trasimede,
ritto lì accanto, colpì: l'ascia recise i tendini
450 della cervice, sciolse alla giovenca il vigore. Gridarono
le figlie e le nuore e la sposa onorata
di Nestore, Euridice, la figlia maggiore di Climeno.
Allora essi, rizzatala dalla terra spaziosa,
la ressero: e la sgozzò Pisistrato, capo di forti.
455 Quando defluì il nero sangue e la vita abbandonò le ossa,
la squartarono rapidamente, fecero a pezzi i cosci,
tutti regolarmente, li coprirono intorno di grasso,
piegato in due strati, vi posero sopra la carne cruda.
Il vecchio li arrostì sulla legna: scuro vino
460 vi sparse. Accanto, i giovani avevano in mano i forconi.
E quando i cosci furono arsi e mangiarono i visceri,
spezzettarono il resto e l'infilzarono in spiedi;
li arrostirono reggendo con le mani gli spiedi puntuti.
Intanto la bella Policasta fece il bagno a Telemaco,
465 la figlia minore di Nestore figlio di Neleo.
E quando l'ebbe lavato e unto con olio, copiosamente,
gli gettò un bel manto e una tunica indosso:
egli uscì dalla vasca simile agli immortali nel corpo,
e andò a sedere a fianco di Nestore, pastore di genti.
470 Quando ebbero cotto e sfilato le terga,
seduti, mangiarono: uomini nobili avevano cura

οἶνον οἰνοχοεῦντες ἐνὶ χρυσέοις δεπάεσσιν.
αὐτὰρ ἐπεὶ πόσιος καὶ ἐδητύος ἐξ ἔρον ἕντο,
τοῖσι δὲ μύθων ἦρχε Γερήνιος ἱππότα Νέστωρ·
475 «παῖδες ἐμοί, ἄγε Τηλεμάχῳ καλλίτριχας ἵππους
ζεύξαθ' ὑφ' ἅρματ' ἄγοντες, ἵνα πρήσσῃσιν ὁδοῖο».
ὣς ἔφαθ', οἱ δ' ἄρα τοῦ μάλα μὲν κλύον ἠδ' ἐπίθοντο,
καρπαλίμως δ' ἔζευξαν ὑφ' ἅρμασιν ὠκέας ἵππους.
ἐν δὲ γυνὴ ταμίη σῖτον καὶ οἶνον ἔθηκεν
480 ὄψα τε, οἷα ἔδουσι διοτρεφέες βασιλῆες.
ἂν δ' ἄρα Τηλέμαχος περικαλλέα βήσετο δίφρον·
πὰρ δ' ἄρα Νεστορίδης Πεισίστρατος, ὄρχαμος ἀνδρῶν,
ἐς δίφρον τ' ἀνέβαινε καὶ ἡνία λάζετο χερσί,
μάστιξεν δ' ἐλάαν, τὼ δ' οὐκ ἀέκοντε πετέσθην
485 ἐς πεδίον, λιπέτην δὲ Πύλου αἰπὺ πτολίεθρον.
οἱ δὲ πανημέριοι σεῖον ζυγὸν ἀμφὶς ἔχοντες.
δύσετό τ' ἠέλιος σκιόωντό τε πᾶσαι ἀγυιαί·
ἐς Φηρὰς δ' ἵκοντο Διοκλῆος ποτὶ δῶμα,
υἱέος Ὀρτιλόχοιο, τὸν Ἀλφειὸς τέκε παῖδα.
490 ἔνθα δὲ νύκτ' ἄεσαν, ὁ δ' ἄρα ξεινήϊα δῶκεν.
ἦμος δ' ἠριγένεια φάνη ῥοδοδάκτυλος Ἠώς,
492 ἵππους τ' ἐζεύγνυντ' ἀνά θ' ἅρματα ποικίλ' ἔβαινον·
494 μάστιξεν δ' ἐλάαν, τὼ δ' οὐκ ἀέκοντε πετέσθην.
495 ἷξον δ' ἐς πεδίον πυρηφόρον, ἔνθα δ' ἔπειτα
ἦνον ὁδόν· τοῖον γὰρ ὑπέκφερον ὠκέες ἵπποι.
δύσετό τ' ἠέλιος σκιόωντό τε πᾶσαι ἀγυιαί.

di mescere il vino nelle coppe d'oro.
Poi, quando ebbero scacciata la voglia di bere e di cibo,
il cavaliere Gerenio, Nestore, tra essi iniziò a parlare:
475 « Orsù, figli miei, aggiogate i cavalli dalla bella criniera
sotto il carro a Telemaco, perché compia il viaggio ».
Disse così, ed essi gli diedero ascolto e ubbidirono.
Aggiogarono al carro i veloci cavalli, rapidamente.
Dentro, la dispensiera pose del pane e del vino
480 ed i cibi, che mangiano i re allevati da Zeus.
Telemaco, dunque, salì sul bellissimo carro:
salì Pisistrato figlio di Nestore, capo di forti,
accanto, sul carro, e prese in mano le redini.
Li frustò che partissero ed essi con foga volarono
485 per la campagna, e lasciarono la rocca scoscesa di Pilo.
Tutto il giorno scossero il giogo che avevano addosso.
Il sole calò e tutte le strade s'ombravano:
e giunsero a Fere, nella casa di Diocle,
dal figlio di Ortiloco generato da Alfeo.
490 La notte la trascorsero lì: gli diede lui ospitalità.
Quando mattutina apparve Aurora dalle rosee dita,
492 aggiogarono i cavalli e salirono sul carro di vari colori:
494 li frustò che partissero ed essi con foga volarono.
495 Giunsero nella campagna ferace di grano, dove poi
compivano il viaggio: così lontano li portarono i veloci cavalli.
Il sole calò e tutte le strade s'ombravano.

Δ

Οἱ δ' ἷξον κοίλην Λακεδαίμονα κητώεσσαν,
πρὸς δ' ἄρα δώματ' ἔλων Μενελάου κυδαλίμοιο.
τὸν δ' εὗρον δαινύντα γάμον πολλοῖσιν ἔτησιν
υἱέος ἠδὲ θυγατρὸς ἀμύμονος ᾧ ἐνὶ οἴκῳ.
5 τὴν μὲν Ἀχιλλῆος ῥηξήνορος υἱέϊ πέμπεν·
ἐν Τροίῃ γὰρ πρῶτον ὑπέσχετο καὶ κατένευσε
δωσέμεναι, τοῖσιν δὲ θεοὶ γάμον ἐξετέλειον·
τὴν ἄρ' ὅ γ' ἔνθ' ἵπποισι καὶ ἅρμασι πέμπε νέεσθαι
Μυρμιδόνων προτὶ ἄστυ περικλυτόν, οἷσιν ἄνασσεν.
10 υἱέϊ δὲ Σπάρτηθεν Ἀλέκτορος ἤγετο κούρην,
ὅς οἱ τηλύγετος γένετο κρατερὸς Μεγαπένθης
ἐκ δούλης· Ἑλένῃ δὲ θεοὶ γόνον οὐκέτ' ἔφαινον,
ἐπεὶ δὴ τὸ πρῶτον ἐγείνατο παῖδ' ἐρατεινήν,
Ἑρμιόνην, ἣ εἶδος ἔχε χρυσῆς Ἀφροδίτης.
15 ὣς οἱ μὲν δαίνυντο καθ' ὑψερεφὲς μέγα δῶμα
γείτονες ἠδὲ ἔται Μενελάου κυδαλίμοιο,
τερπόμενοι· μετὰ δέ σφιν ἐμέλπετο θεῖος ἀοιδὸς
φορμίζων· δοιὼ δὲ κυβιστητῆρε κατ' αὐτοὺς
μολπῆς ἐξάρχοντες ἐδίνευον κατὰ μέσσους.
20 τὼ δ' αὖτ' ἐν προθύροισι δόμων αὐτώ τε καὶ ἵππω,
Τηλέμαχός θ' ἥρως καὶ Νέστορος ἀγλαὸς υἱός,
στῆσαν· ὁ δὲ προμολὼν ἴδετο κρείων Ἐτεωνεύς,
ὀτρηρὸς θεράπων Μενελάου κυδαλίμοιο,
βῆ δ' ἴμεν ἀγγελέων διὰ δώματα ποιμένι λαῶν,
25 ἀγχοῦ δ' ἱστάμενος ἔπεα πτερόεντα προσηύδα·
« ξείνω δή τινε τώδε, διοτρεφὲς ὦ Μενέλαε,

LIBRO QUARTO

Arrivarono a Lacedemone, avvallata tra molte gole
e si diressero alle case di Menelao glorioso.
Lo trovarono che dava un banchetto ai molti parenti, per le nozze
del figlio e della nobile figlia, nella sua casa.
Mandava la figlia al figlio di Achille, distruttore di schiere:
gliela aveva accordata già a Troia e promesso
di dargliela: e gli dei compivano ad essi le nozze.
La mandava allora, con cavalli e con carri, alla volta
dell'illustre città dei Mirmidoni, su cui egli regnava.
10 Al figlio aveva dato, da Sparta, la figlia di Alettore,
al forte Megapente, che gli era nato, amatissimo,
da una sua schiava: ad Elena non concessero altra prole gli dei
dopoché partorì una volta l'amabile figlia.
Ermione, che aveva l'aspetto dell'aurea Afrodite.
15 Essi così banchettavano nella gran sala dall'alto soffitto,
i vicini e i parenti di Menelao glorioso,
lietamente: tra loro cantava l'aedo divino
suonando la cetra; in mezzo ad essi due acrobati
volteggiavano dando inizio alla danza.
20 I due si fermarono al portico, loro e i cavalli,
l'eroe Telemaco e il figlio illustre di Nestore,
davanti alla casa: e il possente Eteòneo uscendo li vide
il solerte scudiero di Menelao glorioso.
Andò in casa per annunziarli al pastore di popoli
25 e standogli accanto gli rivolse alate parole:
«Ci sono là due stranieri o Menelao allevato da Zeus

ἄνδρε δύω, γενεῇ δὲ Διὸς μεγάλοιο ἔϊκτον.
ἀλλ' εἴπ', ἢ σφωϊν καταλύσομεν ὠκέας ἵππους,
ἦ ἄλλον πέμπωμεν ἱκανέμεν, ὅς κε φιλήσῃ ».
30 τὸν δὲ μέγ' ὀχθήσας προσέφη ξανθὸς Μενέλαος·
« οὐ μὲν νήπιος ἦσθα, Βοηθοΐδη Ἐτεωνεῦ,
τὸ πρίν· ἀτὰρ μὲν νῦν γε πάϊς ὣς νήπια βάζεις.
ἦ μὲν δὴ νῶϊ ξεινήϊα πολλὰ φαγόντε
ἄλλων ἀνθρώπων δεῦρ' ἱκόμεθ', αἴ κέ ποθι Ζεὺς
35 ἐξοπίσω περ παύσῃ ὀϊζύος. ἀλλὰ λύ' ἵππους
ξείνων, ἐς δ' αὐτοὺς προτέρω ἄγε θοινηθῆναι ».
ὣς φάθ', ὁ δὲ μεγάροιο διέσσυτο, κέκλετο δ' ἄλλους
ὀτρηροὺς θεράποντας ἅμα σπέσθαι ἑοῖ αὐτῷ.
οἱ δ' ἵππους μὲν λῦσαν ὑπὸ ζυγοῦ ἱδρώοντας·
40 καὶ τοὺς μὲν κατέδησαν ἐφ' ἱππείῃσι κάπῃσι,
πὰρ δ' ἔβαλον ζειάς, ἀνὰ δὲ κρῖ λευκὸν ἔμειξαν,
ἅρματα δ' ἔκλιναν πρὸς ἐνώπια παμφανόωντα,
αὐτοὺς δ' εἰσῆγον θεῖον δόμον. οἱ δὲ ἰδόντες
θαύμαζον κατὰ δῶμα διοτρεφέος βασιλῆος·
45 ὥς τε γὰρ ἠελίου αἴγλη πέλεν ἠὲ σελήνης
δῶμα καθ' ὑψερεφὲς Μενελάου κυδαλίμοιο.
αὐτὰρ ἐπεὶ τάρπησαν ὁρώμενοι ὀφθαλμοῖσιν,
ἔς ῥ' ἀσαμίνθους βάντες ἐϋξέστας λούσαντο.
τοὺς δ' ἐπεὶ οὖν δμῳαὶ λοῦσαν καὶ χρῖσαν ἐλαίῳ,
50 ἀμφὶ δ' ἄρα χλαίνας οὔλας βάλον ἠδὲ χιτῶνας,
ἔς ῥα θρόνους ἕζοντο παρ' Ἀτρεΐδην Μενέλαον.
χέρνιβα δ' ἀμφίπολος προχόῳ ἐπέχευε φέρουσα
καλῇ χρυσείῃ, ὑπὲρ ἀργυρέοιο λέβητος,
νίψασθαι· παρὰ δὲ ξεστὴν ἐτάνυσσε τράπεζαν.
55 σῖτον δ' αἰδοίη ταμίη παρέθηκε φέρουσα,
56 εἴδατα πόλλ' ἐπιθεῖσα, χαριζομένη παρεόντων.
59 τὼ καὶ δεικνύμενος προσέφη ξανθὸς Μενέλαος·
60 « σίτου θ' ἅπτεσθον καὶ χαίρετον· αὐτὰρ ἔπειτα
δείπνου πασσαμένω εἰρησόμεθ' οἵ τινές ἐστον
ἀνδρῶν· οὐ γὰρ σφῶν γε γένος ἀπόλωλε τοκήων,

due uomini che della stirpe del grande Zeus sembrano.
Ma dimmi se dobbiamo slegargli i veloci cavalli
o mandarli da un altro, che li accolga da amico ».

30 Pieno di sdegno il biondo Menelao gli disse:
« Eteòneo, figlio di Boètoo, non eri uno sciocco
in passato: ma ora dici sciocchezze come un bambino.
Certo noi due arrivammo fin qui dopo aver mangiato
spesso alla mensa ospitale di altri uomini, sperando che Zeus
35 ponesse poi fine alla nostra miseria. Ma sciogli i cavalli
degli ospiti e guidali dentro, che siano accolti alla mensa ».

Disse così, e lui s'affrettò per la sala, esortò a seguirlo
altri scudieri solerti, insieme a lui.
Sciolsero i cavalli sudati dal giogo:
40 li legarono alle mangiatoie dei cavalli,
gettarono ad essi la biada, bianco orzo vi mescolarono,
appoggiarono il carro contro il muro lucente,
introdussero gli ospiti nella casa divina. Quelli, guardando
ammirati, entrarono nella casa del re allevato da Zeus.
45 Perché v'era uno splendore come di sole o di luna
nella casa dall'alto soffitto di Menelao glorioso.
Poi, quando furono sazi di guardare cogli occhi,
entrarono nelle vasche ben levigate e fecero il bagno.
Dopoché, dunque, le serve li lavarono e unsero d'olio,
50 gli gettarono un morbido manto e una tunica indosso,
andarono a sedersi sui troni accanto all'Atride Menelao.
Un'ancella venne a versare dell'acqua, da una brocca
bella, d'oro, in un bacile d'argento,
perché si lavassero; vicino stese una tavola liscia;
55 la riverita dispensiera recò e pose il cibo
56 imbandendo molte vivande, generosa di quello che c'era.
59 Il biondo Menelao, accennando un saluto, gli disse:
60 « Dedicatevi al cibo e godetene: dopo,
quando avrete pranzato, chiederemo chi siete
tra gli uomini. Certo non è finita la stirpe dei vostri padri,

ἀλλ' ἀνδρῶν γένος ἐστὲ διοτρεφέων βασιλήων
σκηπτούχων, ἐπεὶ οὔ κε κακοὶ τοιούσδε τέκοιεν ».
65 ὣς φάτο, καί σφιν νῶτα βοὸς παρὰ πίονα θῆκεν
ὄπτ' ἐν χερσὶν ἑλών, τά ῥά οἱ γέρα πάρθεσαν αὐτῷ.
οἱ δ' ἐπ' ὀνείαθ' ἑτοῖμα προκείμενα χεῖρας ἴαλλον.
αὐτὰρ ἐπεὶ πόσιος καὶ ἐδητύος ἐξ ἔρον ἕντο,
δὴ τότε Τηλέμαχος προσεφώνεε Νέστορος υἱόν,
70 ἄγχι σχὼν κεφαλήν, ἵνα μὴ πευθοίαθ' οἱ ἄλλοι·
« φράζεο, Νεστορίδη, τῷ ἐμῷ κεχαρισμένε θυμῷ,
χαλκοῦ τε στεροπὴν κὰδ δώματα ἠχήεντα
χρυσοῦ τ' ἠλέκτρου τε καὶ ἀργύρου ἠδ' ἐλέφαντος.
Ζηνός που τοιήδε γ' Ὀλυμπίου ἔνδοθεν αὐλή,
75 ὅσσα τάδ' ἄσπετα πολλά· σέβας μ' ἔχει εἰσορόωντα ».
τοῦ δ' ἀγορεύοντος ξύνετο ξανθὸς Μενέλαος,
καί σφεας φωνήσας ἔπεα πτερόεντα προσηύδα·
« τέκνα φίλ', ἦ τοι Ζηνὶ βροτῶν οὐκ ἄν τις ἐρίζοι·
ἀθάνατοι γὰρ τοῦ γε δόμοι καὶ κτήματ' ἔασιν·
80 ἀνδρῶν δ' ἤ κέν τίς μοι ἐρίσσεται, ἠὲ καὶ οὐκί,
κτήμασιν. ἦ γὰρ πολλὰ παθὼν καὶ πόλλ' ἐπαληθεὶς
ἠγαγόμην ἐν νηυσὶ καὶ ὀγδοάτῳ ἔτει ἦλθον,
Κύπρον Φοινίκην τε καὶ Αἰγυπτίους ἐπαληθείς,
Αἰθίοπάς θ' ἱκόμην καὶ Σιδονίους καὶ Ἐρεμβοὺς
85 καὶ Λιβύην, ἵνα τ' ἄρνες ἄφαρ κεραοὶ τελέθουσι.
τρὶς γὰρ τίκτει μῆλα τελεσφόρον εἰς ἐνιαυτόν·
ἔνθα μὲν οὔτε ἄναξ ἐπιδευὴς οὔτε τι ποιμὴν
τυροῦ καὶ κρειῶν οὐδὲ γλυκεροῖο γάλακτος,
ἀλλ' αἰεὶ παρέχουσιν ἐπηετανὸν γάλα θῆσθαι.
90 ἕως ἐγὼ περὶ κεῖνα πολὺν βίοτον ξυναγείρων
ἠλώμην, τείως μοι ἀδελφεὸν ἄλλος ἔπεφνε
λάθρῃ, ἀνωϊστί, δόλῳ οὐλομένης ἀλόχοιο.
ὣς οὔ τοι χαίρων τοῖσδε κτεάτεσσιν ἀνάσσω·
καὶ πατέρων τάδε μέλλετ' ἀκουέμεν, οἵ τινες ὔμιν
95 εἰσίν· ἐπεὶ μάλα πολλὰ πάθον καὶ ἀπώλεσα οἶκον
εὖ μάλα ναιετάοντα, κεχανδότα πολλὰ καὶ ἐσθλά.

ma voi siete stirpe di re allevati da Zeus,
scettrati: dei plebei non avrebbero figli così ».
65 Disse così, e presele in mano gli offrì le terga di un bue,
grasse arrostite, che avevano servito a lui come parte d'onore.
Ed essi sui cibi pronti, imbanditi, le mani tendevano.
Poi, quand'ebbero scacciato la voglia di bere e di cibo,
allora Telemaco si rivolse al figlio di Nestore,
70 accostando la testa, perché non lo capissero gli altri:
« Guarda, figlio di Nestore caro al mio animo,
il lampo del bronzo nell'echeggiante palazzo,
e dell'oro ed elettro ed argento ed avorio.
Così sarà, dentro, la sala di Zeus Olimpio,
75 come queste immense ricchezze: stupore mi prende guardando ».
Mentre diceva, il biondo Menelao comprese
e parlando gli rivolse alate parole:
« Figli cari, nessuno può misurarsi con Zeus:
le sue case sono immortali e così le ricchezze.
80 In ricchezze può o no gareggiare con me qualcuno
degli uomini: dopo tanto soffrire e tanto vagare,
le portai con le navi e all'ottavo anno arrivai,
dopo avere errato fino a Cipro, la Fenicia e gli Egizî;
arrivai tra gli Etiopi e i Sidonî e gli Erembi
85 ed in Libia, dove gli agnelli mettono presto le corna.
Tre volte le greggi figliano nel giro di un anno:
mai padrone o pastore è privo là
di formaggio e di carni, o di dolce latte,
ma sempre danno da mungere latte, l'intero anno.
90 Mentre vagavo per quelle contrade, ammassando molta
ricchezza, un altro mi uccise intanto il fratello,
di nascosto, inatteso, con l'inganno della moglie funesta.
Così, senza gioia io regno su queste ricchezze.
E questo l'avrete sentito dai vostri padri, chiunque essi
95 siano: poiché tanto ho sofferto e ho perduto una casa
molto ben situata, con dentro molte cose e di pregio.

ὧν ὄφελον τριτάτην περ ἔχων ἐν δώμασι μοῖραν
ναίειν, οἱ δ' ἄνδρες σόοι ἔμμεναι, οἳ τότ' ὄλοντο
Τροίῃ ἐν εὐρείῃ, ἑκὰς Ἄργεος ἱπποβότοιο.
100 ἀλλ' ἔμπης, πάντας μὲν ὀδυρόμενος καὶ ἀχεύων,
πολλάκις ἐν μεγάροισι καθήμενος ἡμετέροισιν
ἄλλοτε μέν τε γόῳ φρένα τέρπομαι, ἄλλοτε δ' αὖτε
παύομαι· αἰψηρὸς δὲ κόρος κρυεροῖο γόοιο·
τῶν πάντων οὐ τόσσον ὀδύρομαι, ἀχνύμενός περ,
105 ὡς ἑνός, ὅς τέ μοι ὕπνον ἀπεχθαίρει καὶ ἐδωδὴν
μνωομένῳ, ἐπεὶ οὔ τις Ἀχαιῶν τόσσ' ἐμόγησεν,
ὅσσ' Ὀδυσεὺς ἐμόγησε καὶ ἤρατο. τῷ δ' ἄρ' ἔμελλεν
αὐτῷ κήδε' ἔσεσθαι, ἐμοὶ δ' ἄχος αἰὲν ἄλαστον
κείνου, ὅπως δὴ δηρὸν ἀποίχεται, οὐδέ τι ἴδμεν,
110 ζώει ὅ γ' ἦ τέθνηκεν. ὀδύρονται νύ που αὐτὸν
Λαέρτης θ' ὁ γέρων καὶ ἐχέφρων Πηνελόπεια
Τηλέμαχός θ', ὃν ἔλειπε νέον γεγαῶτ' ἐνὶ οἴκῳ ».
Ὣς φάτο, τῷ δ' ἄρα πατρὸς ὑφ' ἵμερον ὦρσε γόοιο·
δάκρυ δ' ἀπὸ βλεφάρων χαμάδις βάλε πατρὸς ἀκούσας,
115 χλαῖναν πορφυρέην ἄντ' ὀφθαλμοῖϊν ἀνασχὼν
ἀμφοτέρῃσιν χερσί. νόησε δέ μιν Μενέλαος,
μερμήριξε δ' ἔπειτα κατὰ φρένα καὶ κατὰ θυμόν,
ἠέ μιν αὐτὸν πατρὸς ἐάσειε μνησθῆναι,
ἦ πρῶτ' ἐξερέοιτο ἕκαστά τε πειρήσαιτο.
120 Ἕως ὁ ταῦθ' ὥρμαινε κατὰ φρένα καὶ κατὰ θυμόν,
ἐκ δ' Ἑλένη θαλάμοιο θυώδεος ὑψορόφοιο
ἤλυθεν Ἀρτέμιδι χρυσηλακάτῳ ἐϊκυῖα
τῇ δ' ἄρ' ἅμ' Ἀδρήστη κλισίην εὔτυκτον ἔθηκεν
Ἀλκίππη δὲ τάπητα φέρεν μαλακοῦ ἐρίοιο
125 Φυλὼ δ' ἀργύρεον τάλαρον φέρε, τόν οἱ ἔδωκεν
Ἀλκάνδρη, Πολύβοιο δάμαρ, ὃς ἔναι' ἐνὶ Θήβῃς
Αἰγυπτίῃσ', ὅθι πλεῖστα δόμοισ' ἐν κτήματα κεῖται·
ὃς Μενελάῳ δῶκε δύ' ἀργυρέας ἀσαμίνθους,
δοιοὺς δὲ τρίποδας, δέκα δὲ χρυσοῖο τάλαντα.
130 χωρὶς δ' αὖθ' Ἑλένῃ ἄλοχος πόρε κάλλιμα δῶρα

Potessi abitare in casa, possedendo solo un terzo
di esse, ma fossero salvi gli uomini, che allora perirono
nella vasta terra di Troia, lontano da Argo che pasce cavalli!
100 Ma comunque, pur commiserandoli e piangendoli tutti
(spesso, seduto nelle nostre dimore,
sazio talora di lamenti il mio animo, talaltra poi
smetto: viene presto sazietà del gelido pianto),
non mi cruccio tanto per tutti, benché addolorato,
105 come per uno, che mi rende odiosi il sonno e il cibo
quando lo penso, perché nessuno degli Achei faticò
quanto faticò e fece Odisseo. Proprio a lui dovevano
capitare dolori, e a me una pena continua, incessante,
per lui: da tanto è lontano e nulla sappiamo,
110 se vive o è morto. Ora certo lo piangono
il vecchio Laerte e la saggia Penelope
e Telemaco, che in casa lasciò appena nato ».

Disse così, e in lui suscitò desiderio di piangere il padre:
dalle ciglia gli caddero lacrime a terra a sentire del padre,
115 dopo aver sollevato sugli occhi il mantello purpureo
con entrambe le mani. Lo notò Menelao
e allora fu incerto nella mente e nell'animo
se lasciare che fosse lui stesso a parlare del padre
o subito fargli domande e in ogni argomento provarlo.

120 Mentre rifletteva così nella mente e nell'animo,
Elena venne dal talamo, odoroso d'incenso,
dall'alto soffitto, somigliante ad Artemide dall'aurea conocchia.
Adreste, venuta con lei, le pose un seggio ben fatto,
Alcippe portò dei tappeti di morbida lana,
125 Filò portò un cesto d'argento, che a lei diede
Alcandre, la moglie di Polibo, il quale abitava a Tebe
d'Egitto, dove in casa vi sono infinite ricchezze:
a Menelao egli diede due vasche d'argento,
due tripodi e dieci talenti di oro.
130 A parte, sua moglie offrì ad Elena bellissimi doni.

χρυσῆν τ' ἠλακάτην τάλαρόν θ' ὑπόκυκλον ὄπασσεν
ἀργύρεον, χρυσῷ δ' ἐπὶ χείλεα κεκράαντο.
τόν ῥά οἱ ἀμφίπολος Φυλὼ παρέθηκε φέρουσα
νήματος ἀσκητοῖο βεβυσμένον· αὐτὰρ ἐπ' αὐτῷ
135 ἠλακάτη τετάνυστο ἰοδνεφὲς εἶρος ἔχουσα.
ἕζετο δ' ἐν κλισμῷ, ὑπὸ δὲ θρῆνυς ποσὶν ἦεν.
αὐτίκα δ' ἥ γ' ἐπέεσσι πόσιν ἐρέεινεν ἕκαστα·
«ἴδμεν δή, Μενέλαε διοτρεφές, οἵ τινες οἵδε
ἀνδρῶν εὐχετόωνται ἱκανέμεν ἡμέτερον δῶ;
140 ψεύσομαι ἦ ἔτυμον ἐρέω; κέλεται δέ με θυμός.
οὐ γάρ πώ τινά φημι ἐοικότα ὧδε ἰδέσθαι
οὔτ' ἄνδρ' οὔτε γυναῖκα, σέβας μ' ἔχει εἰσορόωσαν,
ὡς ὅδ' Ὀδυσσῆος μεγαλήτορος υἷϊ ἔοικε,
Τηλεμάχῳ, τὸν ἔλειπε νέον γεγαῶτ' ἐνὶ οἴκῳ
145 κεῖνος ἀνήρ, ὅτ' ἐμεῖο κυνώπιδος εἵνεκ' Ἀχαιοὶ
ἤλθεθ' ὑπὸ Τροίην, πόλεμον θρασὺν ὁρμαίνοντες».
τὴν δ' ἀπαμειβόμενος προσέφη ξανθὸς Μενέλαος·
«οὕτω νῦν καὶ ἐγὼ νοέω, γύναι, ὡς σὺ ἐΐσκεις·
κείνου γὰρ τοιοίδε πόδες τοιαίδε τε χεῖρες
150 ὀφθαλμῶν τε βολαὶ κεφαλή τ' ἐφύπερθέ τε χαῖται.
καὶ νῦν ἦ τοι ἐγὼ μεμνημένος ἀμφ' Ὀδυσῆϊ
μυθεόμην, ὅσα κεῖνος ὀϊζύσας ἐμόγησεν
ἀμφ' ἐμοί, αὐτὰρ ὁ πυκνὸν ὑπ' ὀφρύσι δάκρυον εἶβε,
χλαῖναν πορφυρέην ἄντ' ὀφθαλμοῖϊν ἀνασχών».
155 τὸν δ' αὖ Νεστορίδης Πεισίστρατος ἀντίον ηὔδα·
«Ἀτρεΐδη Μενέλαε διοτρεφές, ὄρχαμε λαῶν,
κείνου μέν τοι ὅδ' υἱὸς ἐτήτυμον, ὡς ἀγορεύεις·
ἀλλὰ σαόφρων ἐστί, νεμεσσᾶται δ' ἐνὶ θυμῷ
ὧδ' ἐλθὼν τὸ πρῶτον ἐπεσβολίας ἀναφαίνειν
160 ἄντα σέθεν, τοῦ νῶϊ θεοῦ ὣς τερπόμεθ' αὐδῇ.
αὐτὰρ ἐμὲ προέηκε Γερήνιος ἱππότα Νέστωρ
τῷ ἅμα πομπὸν ἕπεσθαι· ἐέλδετο γάρ σε ἰδέσθαι,
ὄφρα οἱ ἤ τι ἔπος ὑποθήσεαι ἠέ τι ἔργον.
πολλὰ γὰρ ἄλγε' ἔχει πατρὸς πάϊς οἰχομένοιο

le donò una conocchia d'oro, un cesto a rotelle
d'argento, erano rifiniti in oro i suoi bordi.
Questo cesto le portò e pose accanto l'ancella Filò,
ricolmo di filo ben torto: e sopra di esso
135 la conocchia era stesa, con la lana violetta.
Sedette sul seggio: c'era sotto uno sgabello pei piedi.
Subito ella chiese al marito, con domande, ogni cosa:
« Sappiamo, Menelao allevato da Zeus, chi dicono
d'essere questi venuti a palazzo tra gli uomini?
140 Mentirò o dirò cosa vera? Ma il cuore mi spinge.
Io dico che nessuno a vedersi è così somigliante,
né uomo né donna (stupore mi prende guardandolo),
com'è somigliante costui al figlio dell'intrepido Odisseo,
a Telemaco, che nato da poco quell'uomo lasciò
145 nella casa, quando veniste per me, faccia di cagna,
sotto Troia voi Achei, suscitando una guerra audace ».
E il biondo Menelao rispondendo le disse:
« Anch'io, donna, credo ora così, come tu immagini:
erano i suoi piedi così e così le sue mani,
150 e gli sguardi degli occhi e la testa e, sopra, i capelli.
E proprio ora, ricordando Odisseo, io
raccontavo quanto egli soffrì e per me
faticò, e questi sotto le ciglia spargeva pianto copioso,
dopo aver sollevato sugli occhi il mantello purpureo ».
155 Allora Pisistrato figlio di Nestore di rimando gli disse:
« Figlio di Atreo, Menelao allevato da Zeus, capo di popoli,
questi è davvero, come dici, il figlio di Odisseo:
ma ha ritegno e prova imbarazzo nell'animo,
la prima volta che è qui, a dire cose avventate
160 davanti a te, della cui voce noi due gioiamo come di un dio.
Il cavaliere Gerenio, Nestore, mi ha mandato
con lui, per seguirlo come sua scorta: voleva vederti
perché una parola o un'azione gli suggerissi.
Infatti quando il padre è partito, il figlio ha molti dolori

165 ἐν μεγάροισ', ᾧ μὴ ἄλλοι ἀοσσητῆρες ἔωσιν,
ὡς νῦν Τηλεμάχῳ ὁ μὲν οἴχεται, οὐδέ οἱ ἄλλοι
εἴσ', οἵ κεν κατὰ δῆμον ἀλάλκοιεν κακότητα ».
τὸν δ' ἀπαμειβόμενος προσέφη ξανθὸς Μενέλαος·
« ὢ πόποι, ἦ μάλα δὴ φίλου ἀνέρος υἱὸς ἐμὸν δῶ
170 ἵκεθ', ὃς εἵνεκ' ἐμεῖο πολέας ἐμόγησεν ἀέθλους·
καί μιν ἔφην ἐλθόντα φιλησέμεν ἔξοχα πάντων
Ἀργείων, εἰ νῶϊν ὑπεὶρ ἅλα νόστον ἔδωκε
νηυσὶ θοῇσι γενέσθαι Ὀλύμπιος εὐρύοπα Ζεύς.
καί κέ οἱ Ἄργεϊ νάσσα πόλιν καὶ δώματ' ἔτευξα,
175 ἐξ Ἰθάκης ἀγαγὼν σὺν κτήμασι καὶ τέκεϊ ᾧ
καὶ πᾶσιν λαοῖσι, μίαν πόλιν ἐξαλαπάξας,
αἳ περιναιετάουσιν, ἀνάσσονται δ' ἐμοὶ αὐτῷ.
καί κε θάμ' ἐνθάδ' ἐόντες ἐμισγόμεθ'· οὐδέ κεν ἥμεας
ἄλλο διέκρινεν φιλέοντέ τε τερπομένω τε,
180 πρίν γ' ὅτε δὴ θανάτοιο μέλαν νέφος ἀμφεκάλυψεν.
ἀλλὰ τὰ μέν που μέλλεν ἀγάσσασθαι θεὸς αὐτός,
ὃς κεῖνον δύστηνον ἀνόστιμον οἶον ἔθηκεν ».
ὣς φάτο, τοῖσι δὲ πᾶσιν ὑφ' ἵμερον ὦρσε γόοιο.
κλαῖε μὲν Ἀργείη Ἑλένη, Διὸς ἐκγεγαυῖα,
185 κλαῖε δὲ Τηλέμαχός τε καὶ Ἀτρεΐδης Μενέλαος,
οὐδ' ἄρα Νέστορος υἱὸς ἀδακρύτω ἔχεν ὄσσε·
μνήσατο γὰρ κατὰ θυμὸν ἀμύμονος Ἀντιλόχοιο,
τόν ῥ' Ἠοῦς ἔκτεινε φαεινῆς ἀγλαὸς υἱός.
τοῦ ὅ γ' ἐπιμνησθεὶς ἔπεα πτερόεντ' ἀγόρευεν·
190 « Ἀτρεΐδη, περὶ μέν σε βροτῶν πεπνυμένον εἶναι
Νέστωρ φάσχ' ὁ γέρων, ὅτ' ἐπιμνησαίμεθα σεῖο
οἷσιν ἐνὶ μεγάροισι καὶ ἀλλήλους ἐρέοιμεν·
καὶ νῦν, εἴ τί που ἔστι, πίθοιό μοι· οὐ γὰρ ἐγώ γε
τέρπομ' ὀδυρόμενος μεταδόρπιος, ἀλλὰ καὶ Ἠὼς
195 ἔσσεται ἠριγένεια· νεμεσσῶμαί γε μὲν οὐδὲν
κλαίειν, ὅς κε θάνῃσι βροτῶν καὶ πότμον ἐπίσπῃ.
τοῦτό νυ καὶ γέρας οἶον ὀϊζυροῖσι βροτοῖσι,
κείρασθαί τε κόμην βαλέειν τ' ἀπὸ δάκρυ παρειῶν.

165 in casa, se altri non gli sono d'aiuto,
come egli a Telemaco ora è partito e non ci sono
altri che nel paese tengano la sventura lontana».

E il biondo Menelao rispondendo gli disse:
«Evviva! il figlio d'un amico assai caro nella mia casa
170 è arrivato, di uno che sostenne per me molte lotte:
ed io pensavo che l'avrei favorito più di tutti gli Argivi,
quando fosse tornato, se Zeus Olimpio dalla voce possente
ci avesse concesso il ritorno sul mare con le navi veloci.
E una città gli avrei dato, in Argolide, e costruito un palazzo,
175 dopo averlo condotto da Itaca con gli averi e col figlio
e con tutte le genti, e sgombrata un'intera città,
di quelle che sono qui intorno e mi sono soggette.
E stando qui, ci saremmo spesso riuniti, e nient'altro
ci avrebbe divisi, pieni di affetto e di gioia,
180 fin quando la nera nube di morte ci avesse ravvolto.
Ma di questo doveva aver invidia il dio stesso,
che solo lui rese infelice senza ritorno!».

Disse così, e in tutti suscitò desiderio di pianto.
Piangeva Elena Argiva, nata da Zeus;
185 piangeva Telemaco e il figlio di Atreo, Menelao;
e anche il figlio di Nestore non aveva senza lacrime gli occhi,
ché s'era ricordato nell'animo del nobile Antiloco
lo uccise lo splendido figlio della lucente Aurora.
E di lui ricordatosi, egli disse alate parole:
190 «Che tu, Atride, sia saggio più degli altri mortali,
lo diceva Nestore, il vecchio, quando di te parlavamo
nel suo palazzo e chiedevamo l'un l'altro.
Dunque ora da' retta, se possibile, a me: perché davvero
non godo dopo cena di piangere, ma ci sarà
195 la mattutina Aurora per questo. Certo non disdegno
di piangere, chi dei mortali muoia e subisca il destino.
È pur questo il solo privilegio per i miserandi mortali,
tagliarsi la chioma e dalle guance lasciar scorrere lacrime.

καὶ γὰρ ἐμὸς τέθνηκεν ἀδελφεός, οὔ τι κάκιστος
200 Ἀργείων· μέλλεις δὲ σὺ ἴδμεναι· οὐ γὰρ ἐγώ γε
ἤντησ' οὐδὲ ἴδον· περὶ δ' ἄλλων φασὶ γενέσθαι
Ἀντίλοχον, περὶ μὲν θείειν ταχὺν ἠδὲ μαχητήν ».
τὸν δ' ἀπαμειβόμενος προσέφη ξανθὸς Μενέλαος·
« ὦ φίλ', ἐπεὶ τόσα εἶπες, ὅσ' ἂν πεπνυμένος ἀνὴρ
205 εἴποι καὶ ῥέξειε, καὶ ὃς προγενέστερος εἴη·
τοίου γὰρ καὶ πατρός, ὃ καὶ πεπνυμένα βάζεις.
ῥεῖα δ' ἀρίγνωτος γόνος ἀνέρος, ᾧ τε Κρονίων
ὄλβον ἐπικλώσῃ γαμέοντί τε γεινομένῳ τε,
ὡς νῦν Νέστορι δῶκε διαμπερὲς ἤματα πάντα,
210 αὐτὸν μὲν λιπαρῶς γηρασκέμεν ἐν μεγάροισιν,
υἱέας αὖ πινυτούς τε καὶ ἔγχεσιν εἶναι ἀρίστους.
ἡμεῖς δὲ κλαυθμὸν μὲν ἐάσομεν, ὃς πρὶν ἐτύχθη,
δόρπου δ' ἐξαῦτις μνησώμεθα, χερσὶ δ' ἐφ' ὕδωρ
χευάντων· μῦθοι δὲ καὶ ἠῶθέν περ ἔσονται
215 Τηλεμάχῳ καὶ ἐμοὶ διαειπέμεν ἀλλήλοισιν ».
ὣς ἔφατ', Ἀσφαλίων δ' ἄρ' ὕδωρ ἐπὶ χεῖρας ἔχευεν,
ὀτρηρὸς θεράπων Μενελάου κυδαλίμοιο.
οἱ δ' ἐπ' ὀνείαθ' ἑτοῖμα προκείμενα χεῖρας ἴαλλον.
ἔνθ' αὖτ' ἄλλ' ἐνόησ' Ἑλένη Διὸς ἐκγεγαυῖα·
220 αὐτίκ' ἄρ' εἰς οἶνον βάλε φάρμακον, ἔνθεν ἔπινον,
νηπενθές τ' ἄχολόν τε, κακῶν ἐπίληθον ἁπάντων.
ὃς τὸ καταβρόξειεν, ἐπὴν κρητῆρι μιγείη,
οὔ κεν ἐφημέριός γε βάλοι κατὰ δάκρυ παρειῶν,
οὐδ' εἴ οἱ κατατεθναίη μήτηρ τε πατήρ τε,
225 οὐδ' εἴ οἱ προπάροιθεν ἀδελφεὸν ἢ φίλον υἱὸν
χαλκῷ δηϊόῳεν, ὁ δ' ὀφθαλμοῖσιν ὁρῷτο.
τοῖα Διὸς θυγάτηρ ἔχε φάρμακα μητιόεντα,
ἐσθλά, τά οἱ Πολύδαμνα πόρεν, Θῶνος παράκοιτις,
Αἰγυπτίη, τῇ πλεῖστα φέρει ζείδωρος ἄρουρα
230 φάρμακα, πολλὰ μὲν ἐσθλὰ μεμιγμένα, πολλὰ δὲ λυγρά·
ἰητρὸς δὲ ἕκαστος ἐπιστάμενος περὶ πάντων
ἀνθρώπων· ἦ γὰρ Παιήονός εἰσι γενέθλης.

Perché anche mio fratello è morto e non era degli Argivi
200 il peggiore. Tu lo devi sapere: io infatti non l'ho
né incontrato né visto. E dicono che Antiloco fosse migliore
di altri, velocissimo nella corsa e guerriero ».
E il biondo Menelao rispondendo gli disse:
« O caro, poiché hai parlato, come potrebbe parlare ed agire
205 un uomo assennato e che fosse più anziano:
e infatti sei di tal padre, perché parli anche tu saggiamente.
Ben riconoscibile è il figlio di un uomo, al quale il Cronide
abbia dato fortuna nel prendere moglie e avere dei figli,
come concesse ora a Nestore, sempre e ogni giorno,
210 che egli agiatamente invecchiasse nelle sue case
e i figli fossero assennati e valorosi con l'asta.
Lasciamo ora il pianto, che prima fu fatto,
e pensiamo di nuovo alla cena: sulle mani versino
l'acqua. Dopo l'aurora avremo discorsi
215 Telemaco ed io da dirci l'un l'altro ».
Disse così, e Asfalione versò sulle mani dell'acqua,
il solerte scudiero di Menelao glorioso.
Ed essi sui cibi pronti, imbanditi, le mani tendevano.
Allora pensò un'altra cosa Elena, nata da Zeus:
220 nel vino di cui essi bevevano gettò rapida un farmaco,
che fuga il dolore e l'ira, il ricordo di tutti i malanni.
Chi l'ingoiava, una volta mischiato dentro il cratere,
non avrebbe versato lacrime dalle guance, quel giorno,
neanche se gli fosse morta la madre e il padre,
225 neanche se gli avessero ucciso davanti, col bronzo,
il fratello o suo figlio, e lui avesse visto cogli occhi.
Tali rimedi efficaci possedeva la figlia di Zeus,
benigni, che a lei Polidamna diede, la sposa di Tone,
l'Egizia. La terra che dona le biade produce moltissimi
230 farmaci, lì: molti, mischiati, benigni; molti, funesti.
Ciascuno è medico esperto più d'ogni
uomo: sono infatti della stirpe di Peone.

αὐτὰρ ἐπεί ῥ' ἐνέηκε κέλευσέ τε οἰνοχοῆσαι,
ἐξαῦτις μύθοισιν ἀμειβομένη προσέειπεν·
235 « Ἀτρεΐδη Μενέλαε διοτρεφὲς ἠδὲ καὶ οἵδε
ἀνδρῶν ἐσθλῶν παῖδες, ἀτὰρ θεὸς ἄλλοτε ἄλλῳ
Ζεὺς ἀγαθόν τε κακόν τε διδοῖ· δύναται γὰρ ἅπαντα·
ἦ τοι νῦν δαίνυσθε καθήμενοι ἐν μεγάροισι
καὶ μύθοις τέρπεσθε· ἐοικότα γὰρ καταλέξω.
240 πάντα μὲν οὐκ ἂν ἐγὼ μυθήσομαι οὐδ' ὀνομήνω,
ὅσσοι Ὀδυσσῆος ταλασίφρονός εἰσιν ἄεθλοι·
ἀλλ' οἷον τόδ' ἔρεξε καὶ ἔτλη καρτερὸς ἀνὴρ
δήμῳ ἔνι Τρώων, ὅθι πάσχετε πήματ' Ἀχαιοί.
αὐτόν μιν πληγῇσιν ἀεικελίῃσι δαμάσσας,
245 σπεῖρα κάκ' ἀμφ' ὤμοισι βαλών, οἰκῆϊ ἐοικώς,
ἀνδρῶν δυσμενέων κατέδυ πόλιν εὐρυάγυιαν.
ἄλλῳ δ' αὐτὸν φωτὶ κατακρύπτων ἤϊσκε
Δέκτῃ, ὃς οὐδὲν τοῖος ἔην ἐπὶ νηυσὶν Ἀχαιῶν·
τῷ ἴκελος κατέδυ Τρώων πόλιν, οἱ δ' ἀβάκησαν
250 πάντες· ἐγὼ δέ μιν οἴη ἀνέγνων τοῖον ἐόντα,
καί μιν ἀνειρώτευν· ὁ δὲ κερδοσύνῃ ἀλέεινεν.
ἀλλ' ὅτε δή μιν ἐγὼ λόεον καὶ χρῖον ἐλαίῳ,
ἀμφὶ δὲ εἵματα ἕσσα καὶ ὤμοσα καρτερὸν ὅρκον,
μὴ μὲν πρὶν Ὀδυσῆα μετὰ Τρώεσσ' ἀναφῆναι,
255 πρίν γε τὸν ἐς νῆάς τε θοὰς κλισίας τ' ἀφικέσθαι,
καὶ τότε δή μοι πάντα νόον κατέλεξεν Ἀχαιῶν.
πολλοὺς δὲ Τρώων κτείνας ταναήκεϊ χαλκῷ
ἦλθε μετ' Ἀργείους, κατὰ δὲ φρόνιν ἤγαγε πολλήν.
ἔνθ' ἄλλαι Τρῳαὶ λίγ' ἐκώκυον· αὐτὰρ ἐμὸν κῆρ
260 χαῖρ', ἐπεὶ ἤδη μοι κραδίη τέτραπτο νέεσθαι
ἂψ οἶκόνδ', ἄτην δὲ μετέστενον, ἣν Ἀφροδίτη
δῶχ', ὅτε μ' ἤγαγε κεῖσε φίλης ἀπὸ πατρίδος αἴης,
παῖδά τ' ἐμὴν νοσφισσαμένην θάλαμόν τε πόσιν τε
οὔ τευ δευόμενον, οὔτ' ἂρ φρένας οὔτε τι εἶδος ».
265 τὴν δ' ἀπαμειβόμενος προσέφη ξανθὸς Μενέλαος·
« ναὶ δὴ ταῦτά γε πάντα, γύναι, κατὰ μοῖραν ἔειπες.

E dopo averlo gettato nel vino e ordinato che lo versassero,
rispondendo di nuovo ella disse:

235 «Figlio di Atreo, Menelao allevato da Zeus, e voi pure,
figli di eroi valorosi, il dio ora a uno ora a un altro
dà il bene e il male, Zeus: egli infatti può tutto.
Banchettate ora, dunque, seduti nella gran sala
e gioite ai discorsi: racconterò infatti a proposito.
240 Tutto io non posso narrare né posso elencare
quante sono le imprese dell'intrepido Odisseo,
ma dirò questa (e quale!) che l'eroe risoluto compì e ardì
nella terra di Troia, dove patiste pene voi Achei.
Dopo aver fiaccato se stesso con colpi oltraggiosi
245 e gettato sulle spalle un vile mantello, simile a un servo,
penetrò nella città dei nemici, dalle vie larghe.
Occultando se stesso, s'era fatto simile a un altro,
a Dette, che presso le navi degli Achei non era così.
Simile a lui, penetrò nella città dei Troiani: lo ignorarono
250 tutti! Io sola lo riconobbi, pur conciato a quel modo,
e gli feci domande: egli le schivò con astuzia.
Ma quando lo lavai e lo unsi con olio,
lo avvolsi di vesti e pronunziai un giuramento potente,
che non avrei rivelato Odisseo tra i Troiani
255 prima che arrivasse alle navi veloci e alle tende,
allora mi espose il piano degli Achei per intero.
Dopoché uccise molti Troiani col bronzo affilato,
tornò tra gli Argivi: riportava molte notizie.
Gemevano stridulamente le altre Troiane, ma il mio cuore
260 gioiva, perché ormai mi s'era rivolto a tornare
a casa; e lamentavo la follia che Afrodite
mi inflisse, quando dalla patria mi condusse laggiù,
dopo aver lasciato mia figlia, la casa nuziale e uno sposo
a nessuno inferiore, per il senno e l'aspetto».

265 E il biondo Menelao rispondendo le disse:
«Sì, donna, tutto questo l'hai detto in modo giusto.

ἤδη μὲν πολέων ἐδάην βουλήν τε νόον τε
ἀνδρῶν ἡρώων, πολλὴν δ' ἐπελήλυθα γαῖαν·
ἀλλ' οὔ πω τοιοῦτον ἐγὼ ἴδον ὀφθαλμοῖσιν
270 οἷον Ὀδυσσῆος ταλασίφρονος ἔσκε φίλον κῆρ.
οἷον καὶ τόδ' ἔρεξε καὶ ἔτλη καρτερὸς ἀνὴρ
ἵππῳ ἔνι ξεστῷ, ἵν' ἐνήμεθα πάντες ἄριστοι
Ἀργείων, Τρώεσσι φόνον καὶ κῆρα φέροντες.
ἦλθες ἔπειτα σὺ κεῖσε· κελευσέμεναι δέ σ' ἔμελλε
275 δαίμων, ὃς Τρώεσσιν ἐβούλετο κῦδος ὀρέξαι·
καί τοι Δηΐφοβος θεοείκελος ἕσπετ' ἰούσῃ.
τρὶς δὲ περίστειξας κοῖλον λόχον ἀμφαφόωσα,
ἐκ δ' ὀνομακλήδην Δαναῶν ὀνόμαζες ἀρίστους,
πάντων Ἀργείων φωνὴν ἴσκουσ' ἀλόχοισιν·
280 αὐτὰρ ἐγὼ καὶ Τυδεΐδης καὶ δῖος Ὀδυσσεὺς
ἥμενοι ἐν μέσσοισιν ἀκούσαμεν, ὡς ἐβόησας.
νῶϊ μὲν ἀμφοτέρω μενεήναμεν ὁρμηθέντες
ἢ ἐξελθέμεναι ἢ ἔνδοθεν αἶψ' ὑπακοῦσαι·
ἀλλ' Ὀδυσεὺς κατέρυκε καὶ ἔσχεθεν ἱεμένω περ.
285 ἔνθ' ἄλλοι μὲν πάντες ἀκὴν ἔσαν υἷες Ἀχαιῶν,
Ἄντικλος δὲ σέ γ' οἶος ἀμείψασθαι ἐπέεσσιν
ἤθελεν· ἀλλ' Ὀδυσεὺς ἐπὶ μάστακα χερσὶ πίεζε
νωλεμέως κρατερῇσι, σάωσε δὲ πάντας Ἀχαιούς·
τόφρα δ' ἔχ', ὄφρα σε νόσφιν ἀπήγαγε Παλλὰς Ἀθήνη».
290 τὸν δ' αὖ Τηλέμαχος πεπνυμένος ἀντίον ηὔδα·
«Ἀτρεΐδη Μενέλαε διοτρεφές, ὄρχαμε λαῶν,
ἄλγιον· οὐ γάρ οἵ τι τό γ' ἤρκεσε λυγρὸν ὄλεθρον,
οὐδ' εἴ οἱ κραδίη γε σιδηρέη ἔνδοθεν ἦεν.
ἀλλ' ἄγετ' εἰς εὐνὴν τράπεθ' ἡμέας, ὄφρα καὶ ἤδη
295 ὕπνῳ ὕπο γλυκερῷ ταρπώμεθα κοιμηθέντες».
ὣς ἔφατ', Ἀργείη δ' Ἑλένη δμῳῇσι κέλευσε
δέμνι' ὑπ' αἰθούσῃ θέμεναι καὶ ῥήγεα καλὰ
πορφύρε' ἐμβαλέειν, στορέσαι τ' ἐφύπερθε τάπητας
χλαίνας τ' ἐνθέμεναι οὔλας καθύπερθεν ἕσασθαι.
300 αἱ δ' ἴσαν ἐκ μεγάροιο δάος μετὰ χερσὶν ἔχουσαι,

Di molti eroi ho ormai conosciuto
il consiglio e il pensiero, e molta terra ho percorso:
ma non vidi mai, coi miei occhi, un cuore,
270 come era il cuore dell'intrepido Odisseo.
Così, anche questo l'eroe risoluto compì e ardì
nel ben piallato cavallo, dove tutti noi Argivi migliori
stavamo per recare strage e morte ai Troiani.
Tu allora venisti là: deve averti incitata
275 un dio, che voleva dare gloria ai Troiani;
e venendo ti seguiva Deìfobo simile a un dio.
Tre volte girasti, tastandolo, intorno al cavo agguato
e chiamavi per nome i migliori dei Danai
imitando la voce delle mogli di tutti gli Argivi:
280 ed io e il Tidide e il chiaro Odisseo
seduti tra essi sentimmo come gridavi.
Noi dunque balzammo smaniosi entrambi
di uscire o rispondere senza indugio da dentro:
ma Odisseo l'impedì e ci trattenne, per quanto bramosi.
285 Tutti gli altri ora stavano immobili, i figli degli Achei:
solo Anticlo voleva scambiare parole
con te. Ma Odisseo, con le sue forti mani, gli premette
senza posa la bocca, e così salvò tutti gli Achei:
e tanto lo tenne finché ti condusse lontano Pallade Atena».
290 Gli rispose allora giudiziosamente Telemaco:
«Figlio di Atreo, Menelao allevato da Zeus, capo di popoli,
tanto più è doloroso: perché ciò non gli evitò la morte luttuosa
neanche se dentro aveva un cuore di ferro.
Ma ora mandateci a letto, perché assopiti
295 da un dolce sonno, ci si possa ormai ristorare».
Disse così, ed Elena Argiva ordinò alle serve
di porre sotto il portico i letti e di mettervi
bei tappeti purpurei, di stendervi sopra coperte
e di aggiungervi coltri villose, per potersi coprire.
300 Esse andarono via dalla sala, tenendo in mano una fiaccola,

δέμνια δ' ἐστόρεσαν· ἐκ δὲ ξείνους ἄγε κῆρυξ.
302 οἱ μὲν ἄρ' ἐν προδόμῳ δόμου αὐτόθι κοιμήσαντο,
304 Ἀτρεΐδης δὲ καθεῦδε μυχῷ δόμου ὑψηλοῖο,
305 πὰρ δ' Ἑλένη τανύπεπλος ἐλέξατο, δῖα γυναικῶν.
ἦμος δ' ἠριγένεια φάνη ῥοδοδάκτυλος Ἠώς,
ὤρνυτ' ἄρ' ἐξ εὐνῆφι βοὴν ἀγαθὸς Μενέλαος
εἵματα ἑσσάμενος, περὶ δὲ ξίφος ὀξὺ θέτ' ὤμῳ,
ποσσὶ δ' ὑπὸ λιπαροῖσιν ἐδήσατο καλὰ πέδιλα,
310 βῆ δ' ἴμεν ἐκ θαλάμοιο θεῷ ἐναλίγκιος ἄντην,
Τηλεμάχῳ δὲ παρῖζεν, ἔπος τ' ἔφατ' ἔκ τ' ὀνόμαζε·
« τίπτε δέ σε χρειὼ δεῦρ' ἤγαγε, Τηλέμαχ' ἥρως,
ἐς Λακεδαίμονα δῖαν ἐπ' εὐρέα νῶτα θαλάσσης;
δήμιον ἦ ἴδιον; τόδε μοι νημερτὲς ἐνίσπες ».
315 τὸν δ' αὖ Τηλέμαχος πεπνυμένος ἀντίον ηὔδα·
« Ἀτρεΐδη Μενέλαε διοτρεφές, ὄρχαμε λαῶν,
ἤλυθον εἴ τινά μοι κληηδόνα πατρὸς ἐνίσποις.
ἐσθίεταί μοι οἶκος, ὄλωλε δὲ πίονα ἔργα,
δυσμενέων δ' ἀνδρῶν πλεῖος δόμος, οἵ τέ μοι αἰεὶ
320 μῆλ' ἀδινὰ σφάζουσι καὶ εἰλίποδας ἕλικας βοῦς,
μητρὸς ἐμῆς μνηστῆρες ὑπέρβιον ὕβριν ἔχοντες.
τοὔνεκα νῦν τὰ σὰ γούναθ' ἱκάνομαι, αἴ κ' ἐθέλησθα
κείνου λυγρὸν ὄλεθρον ἐνισπεῖν, εἴ που ὄπωπας
ὀφθαλμοῖσι τεοῖσιν ἢ ἄλλου μῦθον ἄκουσας
325 πλαζομένου· περὶ γάρ μιν ὀϊζυρὸν τέκε μήτηρ.
μηδέ τί μ' αἰδόμενος μειλίσσεο μηδ' ἐλεαίρων,
ἀλλ' εὖ μοι κατάλεξον, ὅπως ἤντησας ὀπωπῆς.
λίσσομαι, εἴ ποτέ τοί τι πατὴρ ἐμός, ἐσθλὸς Ὀδυσσεύς,
ἢ ἔπος ἠέ τι ἔργον ὑποστὰς ἐξετέλεσσε
330 δήμῳ ἔνι Τρώων, ὅθι πάσχετε πήματ' Ἀχαιοί·
τῶν νῦν μοι μνῆσαι, καί μοι νημερτὲς ἐνίσπες ».
τὸν δὲ μέγ' ὀχθήσας προσέφη ξανθὸς Μενέλαος·
« ὢ πόποι, ἦ μάλα δὴ κρατερόφρονος ἀνδρὸς ἐν εὐνῇ
ἤθελον εὐνηθῆναι ἀνάλκιδες αὐτοὶ ἐόντες.
335 ὡς δ' ὁπότ' ἐν ξυλόχῳ ἔλαφος κρατεροῖο λέοντος

e stesero i letti: un araldo condusse via gli ospiti.
302 Si coricarono là, nell'atrio di casa;
304 invece l'Atride dormì nell'interno dell'alta dimora,
305 accanto si giacque Elena dal peplo fluente, chiara fra le donne.
Quando mattutina apparve Aurora dalle rosee dita,
Menelao dal grido possente sorse dal letto:
indossate le vesti, pose la spada aguzza a tracolla,
legò ai lucidi piedi i bei sandali,
310 e s'avviò dal talamo simile a un dio nell'aspetto,
sedette accanto a Telemaco, gli rivolse la parola, gli disse:
« Eroe Telemaco, che bisogno ti condusse fin qui,
a Lacedemone illustre, sul dorso vasto del mare?
del popolo oppure privato? dimmelo sinceramente ».
315 Gli rispose allora giudiziosamente Telemaco:
« Figlio di Atreo, Menelao allevato da Zeus, capo di popoli,
venni, se mai tu mi dica notizie del padre.
Mi stanno divorando la casa, son distrutti i fertili campi,
casa mia è piena di uomini ostili: ed essi sempre mi sgozzano
320 pecore fitte e buoi dal passo e dalle corna ricurve,
i pretendenti di mia madre che hanno smisurata arroganza.
Per questo ora vengo da te come supplice, se mai tu volessi
narrarmi la sua morte luttuosa, qualora coi tuoi occhi
l'hai vista o da un altro hai sentito notizie
325 dell'errante. Lo generò davvero infelice la madre!
Non devi blandirmi per ritegno o pietà,
ma raccontami bene come ti capitò di vedere.
Te ne supplico, se mai mio padre, il valoroso Odisseo,
parlò o agì per te come aveva promesso
330 nella terra di Troia, dove patiste pene voi Achei.
Ricordami ora quei fatti e parlami sinceramente ».
Pieno di sdegno il biondo Menelao gli disse:
« Ma no! e dunque volevano giacere nel letto
di un uomo intrepido, essi che sono vigliacchi!
335 Come quando una cerva, messi a cuccia nella tana

νεβροὺς κοιμήσασα νεηγενέας γαλαθηνοὺς
κνημοὺς ἐξερέησι καὶ ἄγκεα ποιήεντα
βοσκομένη, ὁ δ' ἔπειτα ἑὴν εἰσήλυθεν εὐνήν,
ἀμφοτέροισι δὲ τοῖσιν ἀεικέα πότμον ἐφῆκεν,
340 ὣς Ὀδυσεὺς κείνοισιν ἀεικέα πότμον ἐφήσει.
αἲ γάρ, Ζεῦ τε πάτερ καὶ Ἀθηναίη καὶ Ἄπολλον,
τοῖος ἐὼν οἷός ποτ' ἐϋκτιμένῃ ἐνὶ Λέσβῳ
ἐξ ἔριδος Φιλομηλεΐδῃ ἐπάλαισεν ἀναστάς,
κὰδ δ' ἔβαλε κρατερῶς, κεχάροντο δὲ πάντες Ἀχαιοί
345 τοῖος ἐὼν μνηστῆρσιν ὁμιλήσειεν Ὀδυσσεύς·
πάντες κ' ὠκύμοροί τε γενοίατο πικρόγαμοί τε.
ταῦτα δ', ἅ μ' εἰρωτᾷς καὶ λίσσεαι, οὐκ ἂν ἐγώ γε
ἄλλα παρὲξ εἴποιμι παρακλιδὸν οὐδ' ἀπατήσω·
ἀλλὰ τὰ μέν μοι ἔειπε γέρων ἅλιος νημερτής,
350 τῶν οὐδέν τοι ἐγὼ κρύψω ἔπος οὐδ' ἐπικεύσω.

Αἰγύπτῳ μ' ἔτι δεῦρο θεοὶ μεμαῶτα νέεσθαι
ἔσχον, ἐπεὶ οὔ σφιν ἔρεξα τεληέσσας ἑκατόμβας·
οἱ δ' αἰεὶ βούλοντο θεοὶ μεμνῆσθαι ἐφετμέων.
νῆσος ἔπειτά τις ἔστι πολυκλύστῳ ἐνὶ πόντῳ
355 Αἰγύπτου προπάροιθε, Φάρον δέ ἑ κικλήσκουσι,
τόσσον ἄνευθ', ὅσσον τε πανημερίη γλαφυρὴ νηῦς
ἤνυσεν, ᾗ λιγὺς οὖρος ἐπιπνείῃσιν ὄπισθεν.
ἐν δὲ λιμὴν εὔορμος, ὅθεν τ' ἀπὸ νῆας ἐΐσας
ἐς πόντον βάλλουσιν, ἀφυσσάμενοι μέλαν ὕδωρ.
360 ἔνθα μ' ἐείκοσιν ἤματ' ἔχον θεοί, οὐδέ ποτ' οὖροι
πνείοντες φαίνονθ' ἁλιαέες, οἵ ῥά τε νηῶν
πομπῆες γίνονται ἐπ' εὐρέα νῶτα θαλάσσης.
καί νύ κεν ἤϊα πάντα κατέφθιτο καὶ μένε' ἀνδρῶν,
εἰ μή τίς με θεῶν ὀλοφύρατο καί μ' ἐλέησε,
365 Πρωτέος ἰφθίμου θυγάτηρ ἁλίοιο γέροντος,
Εἰδοθέη· τῇ γάρ ῥα μάλιστά γε θυμὸν ὄρινα·
ἥ μ' οἴῳ ἔρροντι συνήντετο νόσφιν ἑταίρων·
αἰεὶ γὰρ περὶ νῆσον ἀλώμενοι ἰχθυάασκον
γναμπτοῖσ' ἀγκίστροισιν, ἔτειρε δὲ γαστέρα λιμός.

di un forte leone i cerbiatti nati da poco, lattanti,
cerca le balze e le valli erbose
pascendo, ed egli entra poi nel suo covo
e dà a quei due un'orribile morte,
340 così Odisseo darà loro un'orribile morte.
O padre Zeus e Atena e Apollo, magari
essendo così come quando alzatosi a Lesbo
ben costruita lottò per sfida con Filomelide,
lo atterrò con la forza, e tutti gli Achei esultarono;
345 magari, essendo così, Odisseo arrivasse tra i pretendenti:
essi avrebbero tutti rapida morte e nozze amare.
Questo di cui mi chiedi e scongiuri non voglio
dirtelo diversamente, per sotterfugi: non ti ingannerò.
Ma di quello che il veridico vecchio del mare mi disse
350 non nasconderò né celerò a te una parola.
Pur desiderando io tornare, gli dei mi trattennero ancora
in Egitto, perché non gli feci ecatombi perfette:
vogliono sempre, gli dei, che si ricordino i loro precetti.
Dunque, vi è un'isola nel mare molto ondoso
355 davanti all'Egitto, la chiamano Faro,
così distante che una nave ben cava vi giunge
in un giorno, se le soffi dietro uno stridulo vento.
In essa v'è un porto, con ottimi approdi, donde spingono in mare
le navi librate, dopoché hanno attinto acqua scura.
360 Gli dei mi trattennero lì venti giorni, e non apparvero mai
a soffiare i venti marini, che delle navi
sono la scorta sul dorso vasto del mare.
Le provviste e le forze degli uomini sarebbero tutte finite,
se, tra gli dei, una non avesse provato dolore e pietà,
365 la figlia del valido Proteo, il vecchio del mare,
Eidotea: proprio a lei commossi moltissimo il cuore.
Mi incontrò che solo vagavo, senza i compagni:
sempre infatti pescavano errando intorno per l'isola
con gli ami ricurvi: la fame rodeva lo stomaco.

370 ἡ δέ μευ ἄγχι στᾶσα ἔπος φάτο φώνησέν τε·
"νήπιός εἰς, ὦ ξεῖνε, λίην τόσον ἠδὲ χαλίφρων,
ἦε ἑκὼν μεθιεῖς καὶ τέρπεαι ἄλγεα πάσχων;
ὡς δὴ δήθ' ἐνὶ νήσῳ ἐρύκεαι, οὐδέ τι τέκμωρ
εὑρέμεναι δύνασαι, μινύθει δέ τοι ἦτορ ἑταίρων".
375 ὣς ἔφατ', αὐτὰρ ἐγώ μιν ἀμειβόμενος προσέειπον·
"ἐκ μέν τοι ἐρέω, ἥ τις σύ πέρ ἐσσι θεάων,
ὡς ἐγὼ οὔ τι ἑκὼν κατερύκομαι, ἀλλά νυ μέλλω
ἀθανάτους ἀλιτέσθαι, οἳ οὐρανὸν εὐρὺν ἔχουσιν.
ἀλλὰ σύ πέρ μοι εἰπέ, θεοὶ δέ τε πάντα ἴσασιν,
380 ὅς τίς μ' ἀθανάτων πεδάᾳ καὶ ἔδησε κελεύθου,
νόστον θ', ὡς ἐπὶ πόντον ἐλεύσομαι ἰχθυόεντα".
ὣς ἐφάμην, ἡ δ' αὐτίκ' ἀμείβετο δῖα θεάων·
"τοιγὰρ ἐγώ τοι, ξεῖνε, μάλ' ἀτρεκέως ἀγορεύσω.
πωλεῖταί τις δεῦρο γέρων ἅλιος νημερτής,
385 ἀθάνατος, Πρωτεὺς Αἰγύπτιος, ὅς τε θαλάσσης
πάσης βένθεα οἶδε, Ποσειδάωνος ὑποδμώς·
τὸν δέ τ' ἐμόν φασιν πατέρ' ἔμμεναι ἠδὲ τεκέσθαι.
τόν γ' εἴ πως σὺ δύναιο λοχησάμενος λελαβέσθαι,
ὅς κέν τοι εἴπῃσιν ὁδὸν καὶ μέτρα κελεύθου
390 νόστον θ', ὡς ἐπὶ πόντον ἐλεύσεαι ἰχθυόεντα.
καὶ δέ κέ τοι εἴπῃσι, διοτρεφές, αἴ κ' ἐθέλῃσθα,
ὅττι τοι ἐν μεγάροισι κακόν τ' ἀγαθόν τε τέτυκται
οἰχομένοιο σέθεν δολιχὴν ὁδὸν ἀργαλέην τε".
ὣς ἔφατ', αὐτὰρ ἐγώ μιν ἀμειβόμενος προσέειπον·
395 "αὐτὴ νῦν φράζευ σὺ λόχον θείοιο γέροντος,
μή πώς με προϊδὼν ἠὲ προδαεὶς ἀλέηται·
ἀργαλέος γάρ τ' ἐστὶ θεὸς βροτῷ ἀνδρὶ δαμῆναι".
398 ὣς ἐφάμην, ἡ δ' αὐτίκ' ἀμείβετο δῖα θεάων·
400 "ἦμος δ' ἠέλιος μέσον οὐρανὸν ἀμφιβεβήκει,
τῆμος ἄρ' ἐξ ἁλὸς εἶσι γέρων ἅλιος νημερτὴς
πνοιῇ ὕπο ζεφύροιο, μελαίνῃ φρικὶ καλυφθείς,
ἐκ δ' ἐλθὼν κοιμᾶται ὑπὸ σπέεσι γλαφυροῖσιν·
ἀμφὶ δέ μιν φῶκαι νέποδες καλῆς ἁλοσύδνης

370 Standomi accanto, essa mi rivolse la parola e mi disse:
"Sei sciocco a tal punto, o straniero, e sventato,
o cedi spontaneamente e ti piace soffrire dolori?
Da tanto tempo sei impedito nell'isola e non sai
trovare una fine, mentre il cuore dei compagni si strugge"
375 Disse così, ed io rispondendole dissi:
"Ti dirò apertamente, chiunque tu sia tra le dee,
che non sono impedito di mia volontà: ma devo
avere offeso gli dei, che hanno il vasto cielo.
Ma tu dimmi (gli dei sanno tutto)
380 quale immortale mi inceppa e mi ha impedito il cammino,
e dimmi il ritorno, come andrò sul mare pescoso".
Dissi così, e subito essa rispose, chiara fra le dee:
"Te lo dirò, o straniero, con tutta franchezza.
Si aggira qui intorno un veridico vecchio del mare,
385 immortale: Proteo egizio, che di tutto
il mare conosce gli abissi, suddito di Posidone.
Dicono che lui sia mio padre e che m'ha generata.
Se riesci con un agguato a sorprenderlo,
egli può dirti la via e la lunghezza del viaggio
390 e il ritorno, come andrai sul mare pescoso.
E può dirti, se vuoi, o allevato da Zeus,
che male e che bene ti è stato fatto in casa,
mentre andavi per lunga e difficile via".
Disse così, ed io rispondendole dissi:
395 "Indica dunque tu stessa l'agguato al vecchio divino,
che non sfugga vedendomi o accorgendosi prima:
perché un dio è difficile a vincere per un uomo mortale".
398 Dissi così, e subito essa rispose, chiara fra le dee:
400 "Quando il sole ha girato il cielo a metà,
ecco che il veridico vecchio del mare esce dall'acqua
al soffio di Zefiro, avvolto da un brivido nero di onde,
e uscito si corica nelle cave spelonche.
Intorno gli dormono fitte le foche, progenie

405 ἀθρόαι εὕδουσιν, πολιῆς ἁλὸς ἐξαναδῦσαι,
πικρὸν ἀποπνείουσαι ἁλὸς πολυβενθέος ὀδμήν.
ἔνθα σ' ἐγὼν ἀγαγοῦσα ἅμ' ἠοῖ φαινομένηφιν
εὐνάσω ἑξείης· σὺ δ' ἐῢ κρίνασθαι ἑταίρους
τρεῖς, οἵ τοι παρὰ νηυσὶν ἐϋσσέλμοισιν ἄριστοι.
410 πάντα δέ τοι ἐρέω ὀλοφώϊα τοῖο γέροντος.
φώκας μέν τοι πρῶτον ἀριθμήσει καὶ ἔπεισιν·
αὐτὰρ ἐπὴν πάσας πεμπάσσεται ἠδὲ ἴδηται,
λέξεται ἐν μέσσῃσι, νομεὺς ὣς πώεσι μήλων.
τὸν μὲν ἐπὴν δὴ πρῶτα κατευνηθέντα ἴδησθε,
415 καὶ τότ' ἔπειθ' ὑμῖν μελέτω κάρτος τε βίη τε,
αὖθι δ' ἔχειν μεμαῶτα, καὶ ἐσσύμενόν περ ἀλύξαι.
πάντα δὲ γινόμενος πειρήσεται, ὅσσ' ἐπὶ γαῖαν
ἑρπετὰ γίνονται καὶ ὕδωρ καὶ θεσπιδαὲς πῦρ·
ὑμεῖς δ' ἀστεμφέως ἐχέμεν μᾶλλόν τε πιέζειν.
420 ἀλλ' ὅτε κεν δή σ' αὐτὸς ἀνείρηται ἐπέεσσι,
τοῖος ἐών, οἷόν κε κατευνηθέντα ἴδηαι,
καὶ τότε δὴ σχέσθαι τε βίης λῦσαί τε γέροντα,
ἥρως, εἴρεσθαι δέ, θεῶν ὅς τίς σε χαλέπτει,
νόστον θ', ὡς ἐπὶ πόντον ἐλεύσεαι ἰχθυόεντα".
425 ὣς εἰποῦσ' ὑπὸ πόντον ἐδύσετο κυμαίνοντα·
αὐτὰρ ἐγὼν ἐπὶ νῆας, ὅθ' ἕστασαν ἐν ψαμάθοισιν,
ἤϊα· πολλὰ δέ μοι κραδίη πόρφυρε κιόντι.
αὐτὰρ ἐπεί ῥ' ἐπὶ νῆα κατήλυθον ἠδὲ θάλασσαν,
δόρπον θ' ὁπλισάμεσθ' ἐπί τ' ἤλυθεν ἀμβροσίη νύξ,
430 δὴ τότε κοιμήθημεν ἐπὶ ῥηγμῖνι θαλάσσης.
431 ἦμος δ' ἠριγένεια φάνη ῥοδοδάκτυλος Ἠώς,
433 ἤϊα, πολλὰ θεοὺς γουνούμενος· αὐτὰρ ἑταίρους
τρεῖς ἄγον, οἷσι μάλιστα πεποίθεα πᾶσαν ἐπ' ἰθύν.
435 τόφρα δ' ἄρ' ἥ γ' ὑποδῦσα θαλάσσης εὐρέα κόλπον
τέσσαρα φωκάων ἐκ πόντου δέρματ' ἔνεικε·
πάντα δ' ἔσαν νεόδαρτα· δόλον δ' ἐπεμήδετο πατρί.
εὐνὰς δ' ἐν ψαμάθοισι διαγλάψασ' ἁλίῃσιν
ἧστο μένουσ'· ἡμεῖς δὲ μάλα σχεδὸν ἤλθομεν αὐτῆς·

405 della figlia bella del mare, emerse dall'acqua canuta,
spiranti l'odore pungente del mare profondo.
Dopo averti condotto con la prima aurora sul luogo,
ti farò accovacciare lì accanto: tu scegli tre compagni
con cura, i migliori per te sulle navi ben costruite.
410 Tutte le astuzie ti dirò di quel vecchio.
Anzitutto conterà e passerà in rassegna le foche,
poi, dopo averle tutte contate e vedute,
si sdraierà tra di esse, come un pastore tra greggi di pecore.
Appena vedete che s'è coricato,
415 allora vi siano care forza e violenza:
tenetelo lì, benché smanii e agogni scappare.
Tenterà di mutarsi in tutti gli animali che esistono
in terra, in acqua e in fuoco prodigiosamente ardente.
Voi tenetelo forte e stringetelo ancora di più.
420 Ma appena ti chiederà con parole, essendo se stesso,
essendo così come tu lo vedesti sdraiato,
allora smetti la forza e libera il vecchio,
o eroe: chiedi quale dio ti perseguita,
e del ritorno, come andrai sul mare pescoso".
425 Detto così, si immerse nel mare ondeggiante,
ed io m'avviai alle navi, lì dove stavano,
sull'arenile: andavo e il mio cuore era molto agitato.
Quando poi giunsi alla nave e al mare
e apprestammo la cena e venne la notte divina,
430 allora ci sdraiammo sulla riva del mare.
431 Ma quando mattutina apparve Aurora dalle rosee dita,
433 mi avviai supplicando con fervore gli dei: avevo con me
i tre compagni di cui mi fidavo di più in ogni impresa.
435 Lei intanto, dopo essersi immersa nell'ampio seno del mare,
portò fuori dall'acqua quattro pelli di foca:
erano tutte appena scuoiate. Preparava la trappola al padre.
Scavati i giacigli nell'arenile marino,
sedette aspettando. Noi le andammo molto vicino:

440 ἑξείης δ' εὔνησε, βάλεν δ' ἐπὶ δέρμα ἑκάστῳ.
ἔνθα κεν αἰνότατος λόχος ἔπλετο· τεῖρε γὰρ αἰνῶς
φωκάων ἁλιοτρεφέων ὀλοώτατος ὀδμή·
τίς γάρ κ' εἰναλίῳ παρὰ κήτεϊ κοιμηθείη;
ἀλλ' αὐτὴ ἐσάωσε καὶ ἐφράσατο μέγ' ὄνειαρ·
445 ἀμβροσίην ὑπὸ ῥῖνα ἑκάστῳ θῆκε φέρουσα
ἡδὺ μάλα πνείουσαν, ὄλεσσε δὲ κήτεος ὀδμήν.
πᾶσαν δ' ἠοίην μένομεν τετληότι θυμῷ·
φῶκαι δ' ἐξ ἁλὸς ἦλθον αολλέες. αἱ μὲν ἔπειτα
ἑξῆς εὐνάζοντο παρὰ ῥηγμῖνι θαλάσσης·
450 ἔνδιος δ' ὁ γέρων ἦλθ' ἐξ ἁλός, εὗρε δὲ φώκας
ζατρεφέας, πάσας δ' ἄρ' ἐπῴχετο, λέκτο δ' ἀριθμόν.
ἐν δ' ἡμέας πρώτους λέγε κήτεσιν, οὐδέ τι θυμῷ
ὠΐσθη δόλον εἶναι· ἔπειτα δὲ λέκτο καὶ αὐτός.
ἡμεῖς δὲ ἰάχοντες ἐπεσσύμεθ', ἀμφὶ δὲ χεῖρας
455 βάλλομεν· οὐδ' ὁ γέρων δολίης ἐπελήθετο τέχνης,
ἀλλ' ἦ τοι πρώτιστα λέων γένετ' ἠϋγένειος,
αὐτὰρ ἔπειτα δράκων καὶ πάρδαλις ἠδὲ μέγας σῦς·
γίνετο δ' ὑγρὸν ὕδωρ καὶ δένδρεον ὑψιπέτηλον.
ἡμεῖς δ' ἀστεμφέως ἔχομεν τετληότι θυμῷ.
460 ἀλλ' ὅτε δή ῥ' ἀνίαζ' ὁ γέρων ὀλοφώϊα εἰδώς,
καὶ τότε δή μ' ἐπέεσσιν ἀνειρόμενος προσέειπε·
"τίς νύ τοι, Ἀτρέος υἱέ, θεῶν συμφράσσατο βουλάς,
ὄφρα μ' ἕλοις ἀέκοντα λοχησάμενος; τέο σε χρή;".
ὣς ἔφατ', αὐτὰρ ἐγώ μιν ἀμειβόμενος προσέειπον·
465 "οἶσθα, γέρον· τί με ταῦτα παρατροπέων ἐρεείνεις;
ὡς δὴ δήθ' ἐνὶ νήσῳ ἐρύκομαι, οὐδέ τι τέκμωρ
εὑρέμεναι δύναμαι, μινύθει δέ μοι ἔνδοθεν ἦτορ.
ἀλλὰ σύ πέρ μοι εἰπέ, θεοὶ δέ τε πάντα ἴσασιν,
ὅς τίς μ' ἀθανάτων πεδάᾳ καὶ ἔδησε κελεύθου,
470 νόστον θ', ὡς ἐπὶ πόντον ἐλεύσομαι ἰχθυόεντα".
ὣς ἐφάμην, ὁ δέ μ' αὐτίκ' ἀμειβόμενος προσέειπεν·
"ἀλλὰ μάλ' ὤφελλες Διί τ' ἄλλοισίν τε θεοῖσι
ῥέξας ἱερὰ κάλ' ἀναβαινέμεν, ὄφρα τάχιστα

440 ci fece sdraiare in fila e gettò su ciascuno una pelle.
E poteva diventare l'agguato più atroce: perché ci opprimeva
atrocemente l'odore micidiale delle foche allevate dal mare.
Chi potrebbe giacere vicino ad un mostro marino?
Ma lei ci salvò, e pensò un gran rimedio:
445 portò e mise sotto le nari a ciascuno un'ambrosia
che olezzava dolcissimamente, e cancellò l'odore di foca.
Per tutto il mattino aspettammo, pazientemente:
poi le foche uscirono in frotta dall'acqua. Esse dunque
si giacquero in fila vicino alla riva del mare:
450 a mezzogiorno uscì il vecchio dall'acqua, trovò le foche
ben grasse, le passò tutte in rassegna, ne contò il numero.
Ci contò per primi, tra i mostri, senza affatto pensare
nell'animo che era un inganno: poi si sdraiò anche lui.
Noi ci lanciammo, gridando, gli gettammo addosso
455 le mani: il vecchio non dimenticò la sua arte di inganni,
e prima diventò leone dalla folta criniera
e dopo serpente e pantera e grosso cinghiale,
diventò liquida acqua e albero dall'alto fogliame.
Noi forte lo tenevamo, pazientemente.
460 Quando il vecchio conoscitore di astuzie fu stanco,
allora interrogandomi con parole mi disse:
"Quale dio, o figlio di Atreo, ha pensato il piano con te,
per prendermi contro voglia in agguato? di cosa hai bisogno?".
Disse così, ed io rispondendogli dissi:
465 "Lo sai, vecchio: perché me lo chiedi, sviandomi?
Da tanto tempo sono impedito nell'isola, e non so
trovare una fine, e il mio cuore dentro si strugge.
Ma tu dimmi (gli dei sanno tutto)
quale immortale mi inceppa e mi ha impedito il cammino,
470 e dimmi il ritorno, come andrò sul mare pescoso".
Dissi così, e subito rispondendomi disse:
"Ma dopo aver fatto a Zeus e agli altri dei
belle ecatombi dovevi imbarcarti, per arrivare

σὴν ἐς πατρίδ' ἵκοιο πλέων ἐπὶ οἴνοπα πόντον.
475 οὐ γάρ τοι πρὶν μοῖρα φίλους τ' ἰδέειν καὶ ἱκέσθαι
οἶκον ἐϋκτίμενον καὶ σὴν ἐς πατρίδα γαῖαν,
πρίν γ' ὅτ' ἂν Αἰγύπτοιο, διιπετέος ποταμοῖο,
αὖτις ὕδωρ ἔλθῃς ῥέξῃς θ' ἱερὰς ἑκατόμβας
ἀθανάτοισι θεοῖσι, τοὶ οὐρανὸν εὐρὺν ἔχουσι·
480 καὶ τότε τοι δώσουσιν ὁδὸν θεοί, ἣν σὺ μενοινᾷς".
ὣς ἔφατ', αὐτὰρ ἐμοί γε κατεκλάσθη φίλον ἦτορ,
οὕνεκά μ' αὖτις ἄνωγεν ἐπ' ἠεροειδέα πόντον
Αἴγυπτόνδ' ἰέναι, δολιχὴν ὁδὸν ἀργαλέην τε.
ἀλλὰ καὶ ὣς μύθοισιν ἀμειβόμενος προσέειπον·
485 "ταῦτα μὲν οὕτω δὴ τελέω, γέρον, ὡς σὺ κελεύεις.
ἀλλ' ἄγε μοι τόδε εἰπὲ καὶ ἀτρεκέως κατάλεξον,
ἦ πάντες σὺν νηυσὶν ἀπήμονες ἦλθον Ἀχαιοί,
οὓς Νέστωρ καὶ ἐγὼ λίπομεν Τροίηθεν ἰόντες,
ἦέ τις ὤλετ' ὀλέθρῳ ἀδευκέϊ ἧς ἐπὶ νηὸς
490 ἠὲ φίλων ἐν χερσίν, ἐπεὶ πόλεμον τολύπευσεν".
ὣς ἐφάμην, ὁ δέ μ' αὐτίκ' ἀμειβόμενος προσέειπεν·
"Ἀτρεΐδη, τί με ταῦτα διείρεαι; οὐδέ τί σε χρὴ
ἴδμεναι, οὐδὲ δαῆναι ἐμὸν νόον· οὐδέ σέ φημι
δὴν ἄκλαυτον ἔσεσθαι, ἐπεί κ' εὖ πάντα πύθηαι.
495 πολλοὶ μὲν γὰρ τῶν γε δάμεν, πολλοὶ δὲ λίποντο·
ἀρχοὶ δ' αὖ δύο μοῦνοι Ἀχαιῶν χαλκοχιτώνων
ἐν νόστῳ ἀπόλοντο· μάχῃ δέ τε καὶ σὺ παρῆσθα.
εἷς δ' ἔτι που ζωὸς κατερύκεται εὐρέϊ πόντῳ.
Αἴας μὲν μετὰ νηυσὶ δάμη δολιχηρέτμοισι·
500 Γυρῇσίν μιν πρῶτα Ποσειδάων ἐπέλασσε
πέτρῃσιν μεγάλῃσι καὶ ἐξεσάωσε θαλάσσης·
καί νύ κεν ἔκφυγε κῆρα, καὶ ἐχθόμενός περ Ἀθήνῃ,
εἰ μὴ ὑπερφίαλον ἔπος ἔκβαλε καὶ μέγ' ἀάσθη·
φῆ ῥ' ἀέκητι θεῶν φυγέειν μέγα λαῖτμα θαλάσσης.
505 τοῦ δὲ Ποσειδάων μεγάλ' ἔκλυεν αὐδήσαντος·
αὐτίκ' ἔπειτα τρίαιναν ἑλὼν χερσὶ στιβαρῇσιν
ἤλασε Γυραίην πέτρην, ἀπὸ δ' ἔσχισεν αὐτήν·

al più presto in patria, navigando sul mare scuro come vino.
475 Non è destino per te vedere i tuoi cari e arrivare
nella casa ben costruita e nella terra dei padri,
prima d'esser tornato alle acque di Egitto,
il fiume disceso da Zeus, e d'aver fatte sacre ecatombi
agli dei immortali, che hanno il vasto cielo.
480 Solo allora gli dei ti daranno la via che tu brami".
Disse così, e a me si spezzò il caro cuore,
perché mi spingeva ad andare sul fosco mare
di nuovo all'Egitto, via lunga e penosa.
Ma anche così, rispondendo con parole gli dissi:
485 "Questo, o vecchio, lo farò come ordini tu.
Ma dimmi una cosa e dilla con tutta franchezza:
se con le navi arrivarono incolumi tutti gli Achei,
che Nestore ed io lasciammo partendo da Troia,
o se qualcuno è morto di morte amara sulla sua nave
490 o nelle mani di amici, dopo aver dipanato la guerra".
Dissi così, e subito rispondendomi disse:
"Atride, perché me lo chiedi? non ti serve
saperlo e indagarmi la mente: ti dico che non sarai
senza pianto per molto, quando saprai bene tutto.
495 Perché molti furono vinti, tra essi, e molti rimasero vivi:
solo due capi, tra gli Achei dal chitone di bronzo,
perirono durante il ritorno: in battaglia c'eri anche tu.
Uno, ancor vivo, chissà dove, è trattenuto sul vasto mare.
Aiace, con le navi dai lunghi remi, fu vinto:
500 prima, Posidone lo accostò alle Rupi Giree,
le grandi scogliere, e lo trasse salvo dal mare;
e sarebbe sfuggito al destino, benché odioso ad Atena,
se non diceva parole superbe e non era grandemente accecato:
disse ch'era scampato al gran gorgo del mare, malgrado gli dei.
505 Posidone l'udì che diceva questa gran vanteria:
subito, preso con le mani vigorose il tridente,
colpì la Rupe Girea e la spaccò in due.

καὶ τὸ μὲν αὐτόθι μεῖνε, τὸ δὲ τρύφος ἔμπεσε πόντῳ,
τῷ ῥ' Αἴας τὸ πρῶτον ἐφεζόμενος μέγ' ἀάσθη·
510 τὸν δ' ἐφόρει κατὰ πόντον ἀπείρονα κυμαίνοντα.
ὣς ὁ μὲν ἔνθ' ἀπόλωλεν, ἐπεὶ πίεν ἁλμυρὸν ὕδωρ.
σὸς δέ που ἔκφυγε κῆρας ἀδελφεὸς ἠδ' ὑπάλυξεν
ἐν νηυσὶ γλαφυρῇσι· σάωσε δὲ πότνια Ἥρη.
ἀλλ' ὅτε δὴ τάχ' ἔμελλε Μαλειάων ὄρος αἰπὺ
515 ἵξεσθαι, τότε δή μιν ἀναρπάξασα θύελλα
πόντον ἐπ' ἰχθυόεντα φέρεν βαρέα στενάχοντα,
ἀγροῦ ἐπ' ἐσχατιήν, ὅθι δώματα ναῖε Θυέστης
τὸ πρίν, ἀτὰρ τότ' ἔναιε Θυεστιάδης Αἴγισθος.
ἀλλ' ὅτε δὴ καὶ κεῖθεν ἐφαίνετο νόστος ἀπήμων,
520 ἂψ δὲ θεοὶ οὖρον στρέψαν, καὶ οἴκαδ' ἵκοντο,
ἦ τοι ὁ μὲν χαίρων ἐπεβήσετο πατρίδος αἴης,
καὶ κύνει ἁπτόμενος ἣν πατρίδα· πολλὰ δ' ἀπ' αὐτοῦ
δάκρυα θερμὰ χέοντ', ἐπεὶ ἀσπασίως ἴδε γαῖαν.
τὸν δ' ἄρ' ἀπὸ σκοπιῆς εἶδε σκοπός, ὅν ῥα καθεῖσεν
525 Αἴγισθος δολόμητις ἄγων, ὑπὸ δ' ἔσχετο μισθὸν
χρυσοῦ δοιὰ τάλαντα· φύλασσε δ' ὅ γ' εἰς ἐνιαυτόν,
μή ἑ λάθοι παριών, μνήσαιτο δὲ θούριδος ἀλκῆς.
βῆ δ' ἴμεν ἀγγελέων πρὸς δώματα ποιμένι λαῶν.
αὐτίκα δ' Αἴγισθος δολίην ἐφράσσατο τέχνην.
530 κρινάμενος κατὰ δῆμον ἐείκοσι φῶτας ἀρίστους
εἷσε λόχον, ἑτέρωθι δ' ἀνώγει δαῖτα πένεσθαι·
αὐτὰρ ὁ βῆ καλέων Ἀγαμέμνονα, ποιμένα λαῶν,
ἵπποισιν καὶ ὄχεσφιν, ἀεικέα μερμηρίζων.
τὸν δ' οὐκ εἰδότ' ὄλεθρον ἀνήγαγε καὶ κατέπεφνε
535 δειπνίσσας, ὥς τίς τε κατέκτανε βοῦν ἐπὶ φάτνῃ.
οὐδέ τις Ἀτρεΐδεω ἑτάρων λίπεθ', οἵ οἱ ἕποντο,
οὐδέ τις Αἰγίσθου, ἀλλ' ἔκταθεν ἐν μεγάροισιν''
ὣς ἔφατ', αὐτὰρ ἐμοί γε κατεκλάσθη φίλον ἦτορ,
κλαῖον δ' ἐν ψαμάθοισι καθήμενος, οὐδέ νύ μοι κῆρ
540 ἤθελ' ἔτι ζώειν καὶ ὁρᾶν φάος ἠελίοιο.
αὐτὰρ ἐπεὶ κλαίων τε κυλινδόμενός τε κορέσθην,

E una parte rimase dov'era; lo spezzone su cui
era Aiace grandemente accecato cadde in mare
510 e lo trasse nel mare infinito, ondeggiante.
Così egli morì, laggiù, dopo aver ingoiato acqua salsa.
Tuo fratello sfuggì alle dee della morte e scampò
con le navi ben cave: a salvarlo fu Era possente.
E stava per giungere al ripido Monte
515 Malea, quando la tempesta, rapitolo,
lo trascinò tra gravi gemiti nel mare pescoso
all'estremità di quel campo in cui prima abitava
Tieste, e allora Egisto abitava, figlio di Tieste.
Quando anche lì il ritorno parve sicuro,
520 e gli dei invertirono il vento ed essi arrivarono a casa,
allora, felice, sbarcò sulla terra dei padri
e toccatala baciò la sua patria: molte lacrime
egli versò, caldamente, quando vide finalmente la terra.
Ma dalla vedetta lo scorse la guardia che Egisto,
525 esperto di inganni, vi collocò, e a compenso gli offrì
due talenti di oro: stava a guardia da un anno,
che non gli sfuggisse passando e ricordasse il valore guerriero.
Costui s'avviò al palazzo per dirlo al pastore di popoli.
Subito Egisto pensò un espediente insidioso:
530 scelti venti uomini, i più valorosi della contrada,
tese un agguato e ordinò d'apprestare altrove un banchetto.
Poi, andò a chiamare Agamennone, pastore di popoli,
con cavalli e con carri, meditando infami pensieri.
Lo condusse, che non sospettava la fine, e l'uccise
535 dopo averlo invitato, come chi ammazza un bue alla greppia.
Dei compagni che avevano seguito l'Atride non rimase nessuno,
e nessuno dei compagni d'Egisto, ma in casa furono uccisi".

Disse così, e a me si spezzò il caro cuore:
piangevo, seduto sulla sabbia, e il mio cuore
540 non voleva più vivere e vedere la luce del sole.
Poi, quando fui sazio di piangere e di voltolarmi,

δὴ τότε με προσέειπε γέρων ἅλιος νημερτής·
"μηκέτι, Ἀτρέος υἱέ, πολὺν χρόνον ἀσκελὲς οὕτω
κλαῖ', ἐπεὶ οὐκ ἄνυσίν τινα δήομεν· ἀλλὰ τάχιστα
545 πείρα, ὅπως κεν δὴ σὴν πατρίδα γαῖαν ἵκηαι.
ἢ γάρ μιν ζωόν γε κιχήσεαι, ἤ κεν Ὀρέστης
κτεῖνεν ὑποφθάμενος· σὺ δέ κεν τάφου ἀντιβολήσαις".
ὣς ἔφατ', αὐτὰρ ἐμοὶ κραδίη καὶ θυμὸς ἀγήνωρ
αὖτις ἐνὶ στήθεσσι καὶ ἀχνυμένῳ περ ἰάνθη,
550 καί μιν φωνήσας ἔπεα πτερόεντα προσηύδων·
"τούτους μὲν δὴ οἶδα· σὺ δὲ τρίτον ἄνδρ' ὀνόμαζε,
ὅς τις ἔτι ζωὸς κατερύκεται εὐρέϊ πόντῳ
ἠὲ θανών· ἐθέλω δὲ καὶ ἀχνύμενός περ ἀκοῦσαι".
ὣς ἐφάμην, ὁ δέ μ' αὐτίκ' ἀμειβόμενος προσέειπεν·
555 "υἱὸς Λαέρτεω, Ἰθάκῃ ἔνι οἰκία ναίων·
τὸν δ' ἴδον ἐν νήσῳ θαλερὸν κατὰ δάκρυ χέοντα,
νύμφης ἐν μεγάροισι Καλυψοῦς, ἥ μιν ἀνάγκῃ
ἴσχει· ὁ δ' οὐ δύναται ἣν πατρίδα γαῖαν ἱκέσθαι·
οὐ γάρ οἱ πάρα νῆες ἐπήρετμοι καὶ ἑταῖροι,
560 οἵ κέν μιν πέμποιεν ἐπ' εὐρέα νῶτα θαλάσσης.
σοὶ δ' οὐ θέσφατόν ἐστι, διοτρεφὲς ὦ Μενέλαε,
Ἄργει ἐν ἱπποβότῳ θανέειν καὶ πότμον ἐπισπεῖν,
ἀλλά σ' ἐς Ἠλύσιον πεδίον καὶ πείρατα γαίης
ἀθάνατοι πέμψουσιν, ὅθι ξανθὸς Ῥαδάμανθυς,
565 τῇ περ ῥηΐστη βιοτὴ πέλει ἀνθρώποισιν·
οὐ νιφετός, οὔτ' ἂρ χειμὼν πολὺς οὔτε ποτ' ὄμβρος,
ἀλλ' αἰεὶ ζεφύροιο λιγὺ πνείοντος ἀήτας
Ὠκεανὸς ἀνίησιν ἀναψύχειν ἀνθρώπους,
οὕνεκ' ἔχεις Ἑλένην καί σφιν γαμβρὸς Διός ἐσσι"
570 ὣς εἰπὼν ὑπὸ πόντον ἐδύσετο κυμαίνοντα,
αὐτὰρ ἐγὼν ἐπὶ νῆας ἅμ' ἀντιθέοισ' ἑτάροισιν
ἤϊα, πολλὰ δέ μοι κραδίη πόρφυρε κιόντι.
αὐτὰρ ἐπεί ῥ' ἐπὶ νῆα κατήλθομεν ἠδὲ θάλασσαν,
δόρπον θ' ὁπλισάμεσθ' ἐπί τ' ἤλυθεν ἀμβροσίη νύξ,
575 δὴ τότε κοιμήθημεν ἐπὶ ῥηγμῖνι θαλάσσης.

allora il veridico vecchio del mare mi disse:
"Figlio d'Atreo, non piangere a lungo, così,
senza posa, perché non ne avremo vantaggio: ma vedi
545 al più presto come arrivare nella terra dei padri.
Perché, o tu Egisto lo coglierai vivo, oppure l'avrà ucciso,
precedendoti, Oreste, e tu puoi trovarti alle esequie".
Disse così, e il cuore e l'animo altero a me
si scaldò nuovamente nel petto, benché fossi triste,
550 e rivoltomi a lui gli dissi alate parole:
"Ora so di questi uomini: tu dimmi del terzo,
che è trattenuto sul vasto mare, ancora vivo
o già morto: benché addolorato lo voglio sentire".
Dissi così, ed egli rispondendomi subito disse:
555 "Il figlio di Laerte, che abita ad Itaca!
L'ho visto versare pianto copioso, su un'isola,
nelle dimore della ninfa Calipso, che lo trattiene
per forza: costui non può giungere nella sua patria.
Non ha navi coi remi e compagni
560 che possano portarlo sul dorso vasto del mare.
Quanto a te, o Menelao allevato da Zeus, non è stabilito
tu muoia e subisca il destino ad Argo che pasce cavalli,
ma al Campo Elisio e all'estremità della terra,
dove è il biondo Radamanto, gli immortali ti manderanno.
565 Là è facilissima la vita per gli uomini,
non c'è tempesta di neve né rigido inverno né pioggia,
ma sempre l'Oceano manda soffi di Zefiro
che spira sonoro e rianima gli uomini:
questo, perché hai Elena e sei genero, per essi, di Zeus".
570 Detto così si immerse nel mare ondeggiante
ed io mi avviai coi compagni pari agli dei
alle navi: andavo e il mio cuore era molto agitato.
Quando giungemmo alla nave ed al mare
e apprestammo la cena e venne la notte divina,
575 allora ci sdraiammo sulla riva del mare.

ἦμος δ' ἠριγένεια φάνη ῥοδοδάκτυλος Ἠώς,
νῆας μὲν πάμπρωτον ἐρύσσαμεν εἰς ἅλα δῖαν,
ἐν δ' ἱστοὺς τιθέμεσθα καὶ ἱστία νηυσὶν ἐΐσης·
ἂν δὲ καὶ αὐτοὶ βάντες ἐπὶ κληῗσι καθῖζον,
580 ἑξῆς δ' ἑζόμενοι πολιὴν ἅλα τύπτον ἐρετμοῖς.
ἂψ δ' εἰς Αἰγύπτοιο, διιπετέος ποταμοῖο,
στῆσα νέας καὶ ἔρεξα τεληέσσας ἑκατόμβας.
αὐτὰρ ἐπεὶ κατέπαυσα θεῶν χόλον αἰὲν ἐόντων,
χεῦ' Ἀγαμέμνονι τύμβον, ἵν' ἄσβεστον κλέος εἴη.
585 ταῦτα τελευτήσας νεόμην, ἔδοσαν δέ μοι οὖρον
ἀθάνατοι, τοί μ' ὦκα φίλην ἐς πατρίδ' ἔπεμψαν.
ἀλλ' ἄγε νῦν ἐπίμεινον ἐνὶ μεγάροισιν ἐμοῖσιν,
ὄφρα κεν ἑνδεκάτη τε δυωδεκάτη τε γένηται·
καὶ τότε σ' εὖ πέμψω, δώσω δέ τοι ἀγλαὰ δῶρα,
590 τρεῖς ἵππους καὶ δίφρον ἐΰξοον· αὐτὰρ ἔπειτα
δώσω καλὸν ἄλεισον, ἵνα σπένδησθα θεοῖσιν
ἀθανάτοισ' ἐμέθεν μεμνημένος ἤματα πάντα ».
τὸν δ' αὖ Τηλέμαχος πεπνυμένος ἀντίον ηὔδα·
« Ἀτρεΐδη, μὴ δή με πολὺν χρόνον ἐνθάδ' ἔρυκε.
595 καὶ γάρ κ' εἰς ἐνιαυτὸν ἐγὼ παρὰ σοί γ' ἀνεχοίμην
ἥμενος, οὐδέ κέ μ' οἴκου ἕλοι πόθος οὐδὲ τοκήων·
αἰνῶς γὰρ μύθοισιν ἔπεσσί τε σοῖσιν ἀκούων
τέρπομαι· ἀλλ' ἤδη μοι ἀνιάζουσιν ἑταῖροι
ἐν Πύλῳ ἠγαθέῃ· σὺ δέ με χρόνον ἐνθάδ' ἐρύκεις.
600 δῶρον δ', ὅττι κέ μοι δοίης, κειμήλιον ἔστω·
ἵππους δ' εἰς Ἰθάκην οὐκ ἄξομαι, ἀλλὰ σοὶ αὐτῷ
ἐνθάδε λείψω ἄγαλμα· σὺ γὰρ πεδίοιο ἀνάσσεις
εὐρέος, ᾧ ἔνι μὲν λωτὸς πολύς, ἐν δὲ κύπειρον
πυροί τε ζειαί τε ἰδ' εὐρυφυὲς κρῖ λευκόν.
605 ἐν δ' Ἰθάκῃ οὔτ' ἂρ δρόμοι εὐρέες οὔτε τι λειμών·
αἰγίβοτος, καὶ μᾶλλον ἐπήρατος ἱπποβότοιο.
οὐ γάρ τις νήσων ἱππήλατος οὐδ' εὐλείμων,
αἵ θ' ἁλὶ κεκλίαται· Ἰθάκη δέ τε καὶ περὶ πασέων ».
ὣς φάτο, μείδησεν δὲ βοὴν ἀγαθὸς Μενέλαος,

Ma quando mattutina apparve Aurora dalle rosee dita,
anzitutto traemmo le navi nel mare lucente,
mettemmo nelle navi librate alberi e vele:
i compagni, anch'essi imbarcatisi, presero posto agli scalmi
580 e sedendo in fila battevano l'acqua canuta coi remi.
Indietro, alla foce d'Egitto, il fiume disceso da Zeus,
fermai le navi e feci ecatombi perfette.
Quando l'ira placai degli dei che vivono eterni,
eressi ad Agamennone un tumulo, a inestinguibile gloria.
585 Compiuti questi atti, tornai: gli immortali mi concessero
il vento e celermente mi scortarono in patria.
Ma orsù, trattieniti nelle mie case,
finché sia l'undicesimo o dodicesimo giorno:
allora ti lascerò andare, ti darò doni splendidi,
590 tre cavalli ed un carro, ben fatto; inoltre
ti darò una bella coppa, perché libi agli dei
immortali ricordandoti ogni giorno di me ».
Gli rispose allora giudiziosamente Telemaco:
« Atride, non trattenermi qui a lungo.
595 Certo, soggiornando, io starei tutto un anno
da te, e non avrei nostalgia della casa e dei genitori:
perché godo terribilmente a sentire i racconti
e le tue parole. Ma già i compagni sono in ansia per me
a Pilo divina: tu qui mi trattieni da tempo.
600 Il dono che mi vuoi dare, sia un oggetto prezioso;
cavalli ad Itaca non voglio portarne, ma li lascio
qui a te, come ornamento: tu infatti possiedi una vasta
pianura, nella quale v'è molto trifoglio e cipero
e biada e spelta e rigoglioso orzo bianco.
605 Ad Itaca non esistono né larghe piste né prato:
pasce le capre, ed è più amabile che se pascesse cavalli.
Nessuna delle isole che giacciono in mare
è adatta ai carri o ricca di prati: Itaca meno di tutte ».
Disse così, e Menelao dal grido possente sorrise;

610 χειρί τέ μιν κατέρεξεν ἔπος τ' ἔφατ' ἔκ τ' ὀνόμαζεν·
« αἵματός εἰς ἀγαθοῖο, φίλον τέκος, οἷ' ἀγορεύεις·
τοιγὰρ ἐγώ τοι ταῦτα μεταστήσω· δύναμαι γάρ.
δώρων δ', ὅσσ' ἐν ἐμῷ οἴκῳ κειμήλια κεῖται,
δώσω, ὃ κάλλιστον καὶ τιμηέστατόν ἐστι.
615 δώσω τοι κρητῆρα τετυγμένον· ἀργύρεος δὲ
ἔστιν ἅπας, χρυσῷ δ' ἐπὶ χείλεα κεκράανται,
ἔργον δ' Ἡφαίστοιο· πόρεν δέ ἑ Φαίδιμος ἥρως,
Σιδονίων βασιλεύς, ὅθ' ἑὸς δόμος ἀμφεκάλυψε
κεῖσέ με νοστήσαντα· τεῒν δ' ἐθέλω τόδ' ὀπάσσαι ».
620 ὣς οἱ μὲν τοιαῦτα πρὸς ἀλλήλους ἀγόρευον,
δαιτυμόνες δ' ἐς δώματ' ἴσαν θείου βασιλῆος.
οἱ δ' ἦγον μὲν μῆλα, φέρον δ' εὐήνορα οἶνον·
σῖτον δέ σφ' ἄλοχοι καλλικρήδεμνοι ἔπεμπον.
ὣς οἱ μὲν περὶ δεῖπνον ἐνὶ μεγάροισι πένοντο,
625 μνηστῆρες δὲ πάροιθεν Ὀδυσσῆος μεγάροιο
δίσκοισιν τέρποντο καὶ αἰγανέῃσιν ἱέντες,
ἐν τυκτῷ δαπέδῳ, ὅθι περ πάρος, ὕβριν ἔχοντες.
Ἀντίνοος δὲ καθῆστο καὶ Εὐρύμαχος θεοειδής,
ἀρχοὶ μνηστήρων, ἀρετῇ δ' ἔσαν ἔξοχ' ἄριστοι.
630 τοῖς δ' υἱὸς Φρονίοιο Νοήμων ἐγγύθεν ἐλθὼν
Ἀντίνοον μύθοισιν ἀνειρόμενος προσέειπεν·
« Ἀντίνο', ἦ ῥά τι ἴδμεν ἐνὶ φρεσὶν ἦε καὶ οὐκί,
ὁππότε Τηλέμαχος νεῖτ' ἐκ Πύλου ἠμαθόεντος;
νῆά μοι οἴχετ' ἄγων· ἐμὲ δὲ χρεὼ γίνεται αὐτῆς
635 Ἤλιδ' ἐς εὐρύχορον διαβήμεναι, ἔνθα μοι ἵπποι
δώδεκα θήλειαι, ὑπὸ δ' ἡμίονοι ταλαεργοὶ
ἀδμῆτες· τῶν κέν τιν' ἐλασσάμενος δαμασαίμην ».
ὣς ἔφαθ', οἱ δ' ἀνὰ θυμὸν ἐθάμβεον· οὐ γὰρ ἔφαντο
ἐς Πύλον οἴχεσθαι Νηλήϊον, ἀλλά που αὐτοῦ
640 ἀγρῶν ἢ μήλοισι παρέμμεναι ἠὲ συβώτῃ.
τὸν δ' αὖτ' Ἀντίνοος προσέφη, Εὐπείθεος υἱός·
« νημερτές μοι ἔνισπε· πότ' ᾤχετο καὶ τίνες αὐτῷ
κοῦροι ἕποντ'; Ἰθάκης ἐξαίρετοι, ἦ ἑοὶ αὐτοῦ

610 lo carezzò con la mano, gli rivolse la parola, gli disse:
«Figliuolo caro, sei di buon sangue, da come parli!
E dunque ti cambierò questi doni: infatti lo posso.
Dei doni che ho in casa e sono oggetti preziosi
ti darò quello che è il più bello e pregiato:
615 ti darò un cratere sbalzato. È tutto
d'argento e sono rifiniti in oro i suoi bordi.
Un lavoro di Efesto! l'eroe Fédimo me lo donò,
il re dei Sidonî, quando la sua casa mi accolse
lì nel ritorno: questo ti voglio donare».
620 Essi dunque facevano questi discorsi tra loro,
e i convitati arrivarono nelle sale del re divino.
Portavano pecore, recavano il vino che gli uomini esalta:
le spose dai bei veli mandavano loro del pane.
Essi così si occupavano, nelle sale, del pranzo:
625 e intanto, davanti alla casa di Odisseo, i pretendenti
si divertivano a tirare coi dischi e coi giavellotti
sullo spiazzo ben fatto, come in passato, con prepotenza.
Seduto era Antinoo, ed Eurimaco simile a un dio,
capi dei pretendenti: per valore erano di gran lunga i migliori.
630 E accostatosi ad essi, Noemone figlio di Fronio
chiedendo con parole disse ad Antinoo:
«Antinoo, ne sappiamo qualcosa, o no,
quando torna Telemaco da Pilo sabbiosa?
È partito portandomi via una nave. Io ne ho bisogno
635 per andare nell'Elide vasta, dove ho dei cavalli,
dodici femmine, e sotto ad esse dei muli robusti,
non domi: ne vorrei domare qualcuno, guidandolo».
Disse così, e nell'animo essi stupirono: non pensavano
che fosse andato a Pilo Neleio, ma che là fosse,
640 tra i campi, insieme alle greggi o al porcaro.
Allora Antinoo, il figlio di Eupito, gli disse:
«Dimmi sinceramente: quando è partito e quali giovani
l'hanno seguito? Nobili di Itaca o suoi

θῆτές τε δμῶές τε; δύναιτό κε καὶ τὸ τελέσσαι.
645 καί μοι τοῦτ' ἀγόρευσον ἐτήτυμον, ὄφρ' ἐῢ εἰδῶ,
ἤ σε βίῃ ἀέκοντος ἀπηύρα νῆα μέλαιναν,
ἦε ἑκών οἱ δῶκας, ἐπεὶ προσπτύξατο μύθῳ ».
τὸν δ' υἱὸς Φρονίοιο Νοήμων ἀντίον ηὔδα·
« αὐτὸς ἑκών οἱ δῶκα· τί κεν ῥέξειε καὶ ἄλλος,
650 ὁππότ' ἀνὴρ τοιοῦτος, ἔχων μελεδήματα θυμῷ,
αἰτίζῃ; χαλεπόν κεν ἀνήνασθαι δόσιν εἴη.
κοῦροι δ', οἳ κατὰ δῆμον ἀριστεύουσι μεθ' ἡμέας,
οἵ οἱ ἕποντ'· ἐν δ' ἀρχὸν ἐγὼ βαίνοντ' ἐνόησα
Μέντορα ἠὲ θεόν, τῷ δ' αὐτῷ πάντα ἐῴκει.
655 ἀλλὰ τὸ θαυμάζω· ἴδον ἐνθάδε Μέντορα δῖον
χθιζὸν ὑπηοῖον. τότε δ' ἔμβη νηῒ Πύλονδε ».
ὣς ἄρα φωνήσας ἀπέβη πρὸς δώματα πατρός,
τοῖσιν δ' ἀμφοτέροισιν ἀγάσσατο θυμὸς ἀγήνωρ.
μνηστῆρας δ' ἄμυδις κάθισαν καὶ παῦσαν ἀέθλων.
660 τοῖσιν δ' Ἀντίνοος μετέφη, Εὐπείθεος υἱός,
ἀχνύμενος· μένεος δὲ μέγα φρένες ἀμφιμέλαιναι
πίμπλαντ', ὄσσε δέ οἱ πυρὶ λαμπετόωντι ἐΐκτην·
« ὢ πόποι, ἦ μέγα ἔργον ὑπερφιάλως ἐτελέσθη
Τηλεμάχῳ ὁδὸς ἥδε· φάμεν δέ οἱ οὐ τελέεσθαι.
665 ἐκ τοσσῶνδ' ἀέκητι νέος πάϊς οἴχεται αὔτως,
νῆα ἐρυσσάμενος κρίνας τ' ἀνὰ δῆμον ἀρίστους.
ἄρξει καὶ προτέρω κακὸν ἔμμεναι· ἀλλά οἱ αὐτῷ
Ζεὺς ὀλέσειε βίην, πρὶν ἥβης μέτρον ἱκέσθαι.
ἀλλ' ἄγε μοι δότε νῆα θοὴν καὶ εἴκοσ' ἑταίρους,
670 ὄφρα μιν αὖτις ἰόντα λοχήσομαι ἠδὲ φυλάξω
ἐν πορθμῷ Ἰθάκης τε Σάμοιό τε παιπαλοέσσης,
ὡς ἂν ἐπισμυγερῶς ναυτίλλεται εἵνεκα πατρός ».
ὣς ἔφαθ', οἱ δ' ἄρα πάντες ἐπῄνεον ἠδ' ἐκέλευον·
αὐτίκ' ἔπειτ' ἀνστάντες ἔβαν δόμον εἰς Ὀδυσῆος.
675 οὐδ' ἄρα Πηνελόπεια πολὺν χρόνον ἦεν ἄπυστος
μύθων, οὓς μνηστῆρες ἐνὶ φρεσὶ βυσσοδόμευον.
κῆρυξ γάρ οἱ ἔειπε Μέδων, ὃς ἐπεύθετο βουλὰς

salariati e soggetti? Anche questo potrebbe aver fatto.
645 E dimmi veracemente anche questo, che io sappia bene,
se a forza, contro la tua volontà, ti prese la nave nera,
o se gliela desti di tua volontà, dopoché ti convinse ».

Gli rispose il figlio di Fronio, Noemone:
« Gliela diedi di mia volontà: anche un altro cosa farebbe
650 quando un uomo così, pieno di pensieri nell'animo,
chiede? Sarebbe stato difficile rifiutare il favore!
Quelli che l'hanno seguito sono giovani che nel paese
eccellono, dopo di noi: come capo vidi imbarcarsi
Mentore, o un dio che in tutto era simile a lui.
655 Ma di questo stupisco! L'illustre Mentore l'ho visto ieri,
qui, all'alba: s'imbarcò allora sulla nave per Pilo! ».

Dopo aver detto così, se n'andò a casa del padre,
e a quei due restò attonito l'animo altero.
Fecero sedere i pretendenti in un luogo e cessare le gare.
660 Parlò Antinoo ad essi, il figlio di Eupito,
addolorato; di furore erano colmi i suoi neri precordi,
molto; a fuoco lampeggiante gli somigliavano gli occhi:

« Ahimè! un gran fatto ha compiuto Telemaco, audacemente,
con questo viaggio: e pensavamo non gli sarebbe riuscito!
665 Un ragazzo, giovane, se ne parte così, a dispetto di tanti,
tratta in mare una nave e scelti nel paese i migliori:
comincerà ad essere un malanno anche dopo; possa Zeus
annientargli il vigore, prima che termini la giovinezza.
Ma su, datemi una nave veloce e venti compagni,
670 perché gli tenda un agguato al ritorno e faccia la guardia
nello stretto tra Itaca e Same rocciosa,
perché vada per nave in malora, per colpa del padre ».

Disse così, ed essi assentivano e l'incitavano tutti;
e subito alzatisi andarono in casa di Odisseo.
675 Non fu ignara per molto tempo Penelope
dei piani che i pretendenti covavano in animo.
Glieli disse l'araldo Medonte, che apprese i loro disegni

αὐλῆς ἐκτὸς ἐών· οἱ δ' ἔνδοθι μῆτιν ὕφαινον.
βῆ δ' ἴμεν ἀγγελέων διὰ δώματα Πηνελοπείῃ·
680 τὸν δὲ κατ' οὐδοῦ βάντα προσηύδα Πηνελόπεια·
« κῆρυξ, τίπτε δέ σε πρόεσαν μνηστῆρες ἀγαυοί;
ἦ εἰπέμεναι δμῳῇσιν Ὀδυσσῆος θείοιο
ἔργων παύσασθαι, σφίσι δ' αὐτοῖς δαῖτα πένεσθαι;
μὴ μνηστεύσαντες μηδ' ἄλλοθ' ὁμιλήσαντες
685 ὕστατα καὶ πύματα νῦν ἐνθάδε δειπνήσειαν·
οἳ θάμ' ἀγειρόμενοι βίοτον κατακείρετε πολλόν,
κτῆσιν Τηλεμάχοιο δαΐφρονος. οὐδέ τι πατρῶν
ὑμετέρων τὸ πρόσθεν ἀκούετε, παῖδες ἐόντες,
οἷος Ὀδυσσεὺς ἔσκε μεθ' ὑμετέροισι τοκεῦσιν,
690 οὔτε τινὰ ῥέξας ἐξαίσιον οὔτε τι εἰπὼν
ἐν δήμῳ; ἥ τ' ἐστὶ δίκη θείων βασιλήων·
ἄλλον κ' ἐχθαίρῃσι βροτῶν, ἄλλον κε φιλοίη.
κεῖνος δ' οὔ ποτε πάμπαν ἀτάσθαλον ἄνδρα ἐώργει·
ἀλλ' ὁ μὲν ὑμέτερος θυμὸς καὶ ἀεικέα ἔργα
695 φαίνεται, οὐδέ τίς ἐστι χάρις μετόπισθ' εὐεργέων ».
τὴν δ' αὖτε προσέειπε Μέδων, πεπνυμένα εἰδώς·
« εἰ γὰρ δή, βασίλεια, τόδε πλεῖστον κακὸν εἴη.
ἀλλὰ πολὺ μεῖζόν τε καὶ ἀργαλεώτερον ἄλλο
μνηστῆρες φράζονται, ὃ μὴ τελέσειε Κρονίων·
700 Τηλέμαχον μεμάασι κατακτάμεν ὀξέϊ χαλκῷ
οἴκαδε νισόμενον· ὁ δ' ἔβη μετὰ πατρὸς ἀκουὴν
ἐς Πύλον ἠγαθέην ἠδ' ἐς Λακεδαίμονα δῖαν ».
ὣς φάτο, τῆς δ' αὐτοῦ λύτο γούνατα καὶ φίλον ἦτορ·
δὴν δέ μιν ἀφασίη ἐπέων λάβε, τὼ δέ οἱ ὄσσε
705 δακρυόφιν πλῆσθεν, θαλερὴ δέ οἱ ἔσχετο φωνή.
ὀψὲ δὲ δή μιν ἔπεσσιν ἀμειβομένη προσέειπε·
« κῆρυξ, τίπτε δέ μοι πάϊς οἴχεται; οὐδέ τί μιν χρεὼ
νηῶν ὠκυπόρων ἐπιβαινέμεν, αἵ θ' ἁλὸς ἵπποι
ἀνδράσι γίνονται, περόωσι δὲ πουλὺν ἐφ' ὑγρήν.
710 ἦ ἵνα μηδ' ὄνομ' αὐτοῦ ἐν ἀνθρώποισι λίπηται; ».
τὴν δ' ἠμείβετ' ἔπειτα Μέδων πεπνυμένα εἰδώς·

stando fuori dell'atrio: essi, dentro, ordivano il piano.
Mosse attraverso le sale per riferirlo a Penelope.
680 A lui, che aveva varcato la soglia, Penelope disse:
« Araldo, perché t'hanno mandato gli egregi pretendenti?
Forse per dire alle serve del divino Odisseo
di smettere i loro lavori e occuparsi del pasto per essi?
Senza più chiedermi in moglie, senza riunirsi di nuovo,
685 potessero ora pranzare qui per l'estrema ed ultima volta!
voi, che riunendovi spesso, consumate molta ricchezza,
patrimonio del valente Telemaco! Non sentiste mai
in passato dai vostri padri, quando eravate ragazzi,
cosa fu tra i vostri genitori Odisseo,
690 che non fece e non disse cosa ingiusta a nessuno
in questo paese? eppure è la regola, questa, dei re divini:
uno dei mortali di odiarlo e un altro di amarlo.
Lui non aveva mai fatto male ad un uomo.
Ma l'animo vostro e le vostre ignobili azioni
695 sono evidenti: per le opere buone non c'è gratitudine, dopo ».
Le rispose Medonte, che aveva saggi pensieri:
« Magari, regina, fosse questo il male maggiore!
Ma i pretendenti ne meditano un altro più grande
e terribile: voglia il Cronide non compierlo!
700 Meditano di uccidere col bronzo aguzzo Telemaco,
mentre a casa ritorna: è andato per sentire del padre
a Pilo divina e a Lacedemone illustre ».
Disse così, e lì le si sciolsero ginocchia e cuore,
a lungo non riuscì a dire parola, le si empirono
705 gli occhi di lacrime, le si arrestò la voce fiorente.
Dopo molto, rispondendo con parole gli disse:
« Araldo, perché m'è partito il ragazzo? non c'era bisogno
che salisse su navi veloci, che per gli uomini sono
i cavalli del mare e passano su molta acqua.
710 Forse perché non resti tra gli uomini neanche il suo nome? ».
Le rispose allora Medonte, che aveva saggi pensieri:

« οὐκ οἶδ', ἤ τίς μιν θεὸς ὤρορεν, ἦε καὶ αὐτοῦ
θυμὸς ἐφωρμήθη ἴμεν ἐς Πύλον, ὄφρα πύθηται
πατρὸς ἑοῦ ἢ νόστον ἢ ὅν τινα πότμον ἐπέσπεν ».

715 ὣς ἄρα φωνήσας ἀπέβη κατὰ δῶμ' Ὀδυσῆος.
τὴν δ' ἄχος ἀμφεχύθη θυμοφθόρον, οὐδ' ἄρ' ἔτ' ἔτλη
δίφρῳ ἐφέζεσθαι πολλῶν κατὰ οἶκον ἐόντων,
ἀλλ' ἄρ' ἐπ' οὐδοῦ ἷζε πολυκμήτου θαλάμοιο
οἴκτρ' ὀλοφυρομένη· περὶ δὲ δμῳαὶ μινύριζον
720 πᾶσαι, ὅσαι κατὰ δώματ' ἔσαν νέαι ἠδὲ παλαιαί.
τῇς δ' ἀδινὸν γοόωσα μετηύδα Πηνελόπεια·

« κλῦτε, φίλαι· περὶ γάρ μοι Ὀλύμπιος ἄλγε' ἔδωκεν
ἐκ πασέων, ὅσσαι μοι ὁμοῦ τράφεν ἠδ' ἐγένοντο,
ἣ πρὶν μὲν πόσιν ἐσθλὸν ἀπώλεσα θυμολέοντα,
725 παντοίῃσ' ἀρετῇσι κεκασμένον ἐν Δαναοῖσιν,
ἐσθλόν, τοῦ κλέος εὐρὺ καθ' Ἑλλάδα καὶ μέσον Ἄργος.
νῦν αὖ παῖδ' ἀγαπητὸν ἀνηρείψαντο θύελλαι
ἀκλέα ἐκ μεγάρων, οὐδ' ὁρμηθέντος ἄκουσα.
σχέτλιαι, οὐδ' ὑμεῖς περ ἐνὶ φρεσὶ θέσθε ἑκάστη
730 ἐκ λεχέων μ' ἀνεγεῖραι, ἐπιστάμεναι σάφα θυμῷ,
ὁππότε κεῖνος ἔβη κοίλην ἐπὶ νῆα μέλαιναν.
εἰ γὰρ ἐγὼ πυθόμην ταύτην ὁδὸν ὁρμαίνοντα,
τῶ κε μάλ' ἤ κεν ἔμεινε, καὶ ἐσσύμενός περ ὁδοῖο,
ἤ κέ με τεθνηυῖαν ἐνὶ μεγάροισιν ἔλειπεν.
735 ἀλλά τις ὀτρηρῶς Δολίον καλέσειε γέροντα,
δμῶ' ἐμόν, ὅν μοι δῶκε πατὴρ ἔτι δεῦρο κιούσῃ,
καί μοι κῆπον ἔχει πολυδένδρεον, ὄφρα τάχιστα
Λαέρτῃ τάδε πάντα παρεζόμενος καταλέξῃ,
εἰ δή πού τινα κεῖνος ἐνὶ φρεσὶ μῆτιν ὑφήνας
740 ἐξελθὼν λαοῖσιν ὀδύρεται, οἳ μεμάασιν
ὃν καὶ Ὀδυσσῆος φθεῖσαι γόνον ἀντιθέοιο ».

τὴν δ' αὖτε προσέειπε φίλη τροφὸς Εὐρύκλεια·
« νύμφα φίλη, σὺ μὲν ἄρ με κατάκτανε νηλέϊ χαλκῷ,
ἢ ἔα ἐν μεγάρῳ· μῦθον δέ τοι οὐκ ἐπικεύσω.
745 ᾔδε' ἐγὼ τάδε πάντα, πόρον δέ οἱ, ὅσσ' ἐκέλευσε,

« Non so se un dio l'ha incitato o se anche l'ha spinto
il suo animo a recarsi a Pilo, ad apprendere,
del padre suo, o il ritorno o quale destino ha subìto ».
715 Detto così se ne andò nella casa di Odisseo.
Lei, un'angoscia struggente l'avvolse, e non riuscì più
a sedere su alcuna sedia delle molte che erano in casa,
ma s'accasciò sulla soglia del talamo costruito con cura,
gemendo pietosamente: intorno piangevano sommessamente
720 tutte le serve che erano in casa, giovani e vecchie.
Ad esse, tra acuti lamenti, Penelope disse:
« Sentitemi, care: a me l'Olimpio ha dato più dolori
di tutte quelle che crebbero e nacquero insieme a me,
perché prima ho perduto il valoroso marito cuor di leone,
725 insigne tra i Danai per virtù d'ogni sorta,
valoroso, di cui è vasta la gloria per l'Ellade ed Argo.
E ora le tempeste da casa rapirono senza notizie
il figlio diletto, e non seppi che era partito.
Disgraziate, neanche voi vi deste pensiero, nessuna,
730 di destarmi dal letto, pur sapendo con certezza nell'animo,
quando egli salì sulla nera nave incavata!
Perché, se io avessi saputo che meditava questo viaggio,
allora o restava, benché bramoso del viaggio,
o doveva lasciarmi in casa, morta.
735 Ma qualcuna chiami presto il vecchio Dolio,
il servo che il padre mi diede quando qui venni,
e mi tiene il giardino folto di piante, perché subito
racconti tutto questo a Laerte, sedendogli accanto,
se mai lui, ordito un piano nell'animo,
740 voglia lagnarsi al cospetto del popolo, che macchina
di annientare la stirpe sua e di Odisseo pari a un dio ».
Le disse allora la cara nutrice Euriclea:
« Sposa cara, uccidimi pure col bronzo spietato
o lasciami in casa: non ti celerò una parola.
745 Tutto questo io lo sapevo e gli diedi quel che ordinò,

σῖτον καὶ μέθυ ἡδύ· ἐμεῦ δ' ἕλετο μέγαν ὅρκον
μὴ πρὶν σοὶ ἐρέειν, πρὶν δωδεκάτην γε γενέσθαι
ἢ σ' αὐτὴν ποθέσαι καὶ ἀφορμηθέντος ἀκοῦσαι,
ὡς ἂν μὴ κλαίουσα κατὰ χρόα καλὸν ἰάπτῃς.
750 ἀλλ' ὑδρηναμένη, καθαρὰ χροῒ εἵμαθ' ἑλοῦσα,
εἰς ὑπερῷ' ἀναβᾶσα σὺν ἀμφιπόλοισι γυναιξὶν
εὔχε' Ἀθηναίῃ κούρῃ Διὸς αἰγιόχοιο·
ἡ γάρ κέν μιν ἔπειτα καὶ ἐκ θανάτοιο σαώσαι.
μηδὲ γέροντα κάκου κεκακωμένον· οὐ γὰρ ὀΐω
755 πάγχυ θεοῖς μακάρεσσι γονὴν Ἀρκεισιάδαο
ἔχθεσθ', ἀλλ' ἔτι πού τις ἐπέσσεται, ὅς κεν ἔχῃσι
δώματά θ' ὑψερεφέα καὶ ἀπόπροθι πίονας ἀγρούς ».
ὣς φάτο, τῆς δ' εὔνησε γόον, σχέθε δ' ὄσσε γόοιο.
ἡ δ' ὑδρηναμένη, καθαρὰ χροῒ εἵμαθ' ἑλοῦσα,
760 εἰς ὑπερῷ' ἀνέβαινε σὺν ἀμφιπόλοισι γυναιξίν,
ἐν δ' ἔθετ' οὐλοχύτας κανέῳ, ἠρᾶτο δ' Ἀθήνῃ·
« κλῦθί μευ, αἰγιόχοιο Διὸς τέκος, Ἀτρυτώνη,
εἴ ποτέ τοι πολύμητις ἐνὶ μεγάροισιν Ὀδυσσεὺς
ἢ βοὸς ἢ ὄϊος κατὰ πίονα μηρία κῆε,
765 τῶν νῦν μοι μνῆσαι καί μοι φίλον υἷα σάωσον,
μνηστῆρας δ' ἀπάλαλκε κακῶς ὑπερηνορέοντας ».
ὣς εἰποῦσ' ὀλόλυξε, θεὰ δέ οἱ ἔκλυεν ἀρῆς.
μνηστῆρες δ' ὁμάδησαν ἀνὰ μέγαρα σκιόεντα·
ὧδε δέ τις εἴπεσκε νέων ὑπερηνορεόντων·
770 « ἦ μάλα δὴ γάμον ἄμμι πολυμνήστη βασίλεια
ἀρτύει, οὐδέ τι οἶδεν, ὅ οἱ φόνος υἷϊ τέτυκται ».
ὣς ἄρα τις εἴπεσκε, τὰ δ' οὐκ ἴσαν, ὡς ἐτέτυκτο.
τοῖσιν δ' Ἀντίνοος ἀγορήσατο καὶ μετέειπε·
« δαιμόνιοι, μύθους μὲν ὑπερφιάλους ἀλέασθε
775 πάντας ὁμῶς, μή πού τις ἀπαγγείλῃσι καὶ εἴσω.
ἀλλ' ἄγε σιγῇ τοῖον ἀναστάντες τελέωμεν
μῦθον, ὃ δὴ καὶ πᾶσιν ἐνὶ φρεσὶν ἤραρεν ἥμιν ».
ὣς εἰπὼν ἐκρίνατ' ἐείκοσι φῶτας ἀρίστους,
βὰν δ' ἰέναι ἐπὶ νῆα θοὴν καὶ θῖνα θαλάσσης.

del pane e dolce vino. M'aveva strappato un gran giuramento,
di non dirtelo prima che fosse il dodicesimo giorno
o che lo cercassi tu stessa e udissi che era partito,
perché piangendo non sciupassi il bel viso.
750 Ma dopo aver fatto un bagno, indossate vesti pulite
ed essere andata di sopra con le donne tue ancelle,
supplica Atena, la figlia di Zeus egioco:
perché essa lo può salvare anche da morte.
Non angustiare il vecchio angustiato: penso, infatti,
755 che agli dei beati non sia affatto in odio la stirpe
dell'Archisiade; ma sopravvivrà ancora, chi erediti
le case dall'alto soffitto e, lontano, i fertili campi».

Disse così, le assopì il pianto e asciugò gli occhi.
Dopo aver fatto un bagno, ella indossò vesti pulite,
760 salì di sopra con le donne sue ancelle,
pose orzo dentro un canestro e pregò Atena:

«Ascoltami, figlia di Zeus egìoco, Atritona,
se mai l'astuto Odisseo ti bruciò
nelle case grassi cosci di bue o di pecora,
765 ricòrdati ora di essi e salvami il figlio caro:
respingi i pretendenti malvagi e superbi».

Detto così lanciò un grido, la dea ne ascoltò la preghiera.
Nell'ombrosa sala i pretendenti vociavano
e qualcuno dei giovani superbi diceva così:
770 «La regina tanto ambita ci prepara di sicuro
le nozze, e non sa che al figlio è stata preparata la morte».

Qualcuno diceva così, ma ignorava com'era stata tramata.
Tra loro Antinoo prese la parola e parlò:

«Disgraziati, evitate ugualmente tutti i discorsi
775 arroganti, che qualcuno non li riferisca anche dentro.
Ma via, alziamoci in silenzio e compiamo quel certo
piano, che anche a noi tutti piacque nell'animo».

Detto così, scelse gli uomini, i venti migliori:
e si avviarono alla nave veloce e alla riva del mare.

780 νῆα μὲν οὖν πάμπρωτον ἁλὸς βένθοσδε ἔρυσσαν,
ἐν δ' ἱστόν τε τίθεντο καὶ ἱστία νηΐ μελαίνῃ,
782 ἠρτύναντο δ' ἐρετμὰ τροποῖσ' ἐν δερματίνοισι·
784 τεύχεα δέ σφ' ἤνεικαν ὑπέρθυμοι θεράποντες.
785 ὑψοῦ δ' ἐν νοτίῳ τήν γ' ὥρμισαν, ἐκ δ' ἔβαν αὐτοί·
ἔνθα δὲ δόρπον ἕλοντο, μένον δ' ἐπὶ ἕσπερον ἐλθεῖν.
ἡ δ' ὑπερωΐῳ αὖθι περίφρων Πηνελόπεια
κεῖτ' ἄρ' ἄσιτος, ἄπαστος ἐδητύος ἠδὲ ποτῆτος,
ὁρμαίνουσ', ἤ οἱ θάνατον φύγοι υἱὸς ἀμύμων,
790 ἦ ὅ γ' ὑπὸ μνηστῆρσιν ὑπερφιάλοισι δαμείη.
ὅσσα δὲ μερμήριξε λέων ἀνδρῶν ἐν ὁμίλῳ
δείσας, ὁππότε μιν δόλιον περὶ κύκλον ἄγωσι,
τόσσα μιν ὁρμαίνουσαν ἐπήλυθε νήδυμος ὕπνος·
εὗδε δ' ἀνακλινθεῖσα, λύθεν δέ οἱ ἅψεα πάντα.
795 ἔνθ' αὖτ' ἄλλ' ἐνόησε θεὰ γλαυκῶπις Ἀθήνη·
εἴδωλον ποίησε, δέμας δ' ἤϊκτο γυναικί,
Ἰφθίμῃ, κούρῃ μεγαλήτορος Ἰκαρίοιο,
τὴν Εὔμηλος ὄπυιε, Φερῇσ' ἔνι οἰκία ναίων.
πέμπε δέ μιν πρὸς δώματ' Ὀδυσσῆος θείοιο,
800 εἵως Πηνελόπειαν ὀδυρομένην γοόωσαν
παύσειε κλαυθμοῖο γόοιό τε δακρυόεντος.
ἐς θάλαμον δ' εἰσῆλθε παρὰ κληῖδος ἱμάντα,
στῆ δ' ἄρ' ὑπὲρ κεφαλῆς καί μιν πρὸς μῦθον ἔειπεν·
« εὕδεις, Πηνελόπεια, φίλον τετιημένη ἦτορ;
805 οὐ μέν σ' οὐδὲ ἐῶσι θεοὶ ῥεῖα ζώοντες
κλαίειν οὐδ' ἀκάχησθαι, ἐπεί ῥ' ἔτι νόστιμός ἐστι
σὸς πάϊς· οὐ μὲν γάρ τι θεοῖσ' ἀλιτήμενός ἐστι ».
τὴν δ' ἠμείβετ' ἔπειτα περίφρων Πηνελόπεια,
ἡδὺ μάλα κνώσσουσ' ἐν ὀνειρείῃσι πύλῃσιν·
810 « τίπτε, κασιγνήτη, δεῦρ' ἤλυθες; οὔ τι πάρος γε
πωλέαι, ἐπεὶ μάλα πολλὸν ἀπόπροθι δώματα ναίεις·
καί με κέλεαι παύσασθαι ὀϊζύος ἠδ' ὀδυνάων
πολλέων, αἵ μ' ἐρέθουσι κατὰ φρένα καὶ κατὰ θυμόν·
ἣ πρὶν μὲν πόσιν ἐσθλὸν ἀπώλεσα θυμολέοντα,

780 E anzitutto trassero la nave dove l'acqua era fonda,
nella nera nave misero albero e vela,
782 aggiustarono i remi negli stroppi di cuoio:
784 gli arditi scudieri portarono loro le armi.
785 L'ormeggiarono che galleggiasse e sbarcarono.
Presero la cena lì, e attesero che venisse la sera.

Lei intanto, al piano di sopra, la saggia Penelope,
senza mangiare giaceva digiuna di cibo e bevanda,
chiedendosi se avrebbe evitato la morte il nobile figlio,
790 o se i pretendenti oltraggiosi l'avrebbero ucciso.
Quanti dubbi ha un leone, atterrito tra una turba
di uomini, quando lo stringono in un cerchio di trappole,
altrettanti ne aveva, quando un sonno profondo la colse.
Dormì reclinata, le giunture le si sciolsero tutte.

795 Ed ecco la dea glaucopide Atena pensò un'altra cosa:
fece un fantasma, somigliava per figura a una donna,
a Iftima, la figlia del magnanimo Icario,
l'aveva sposata Eumelo, che aveva dimora a Fere.
Lo mandò al palazzo del divino Odisseo,
800 perché facesse cessare Penelope, che gemeva
e piangeva, dai gemiti e dal lacrimoso lamento.
Entrò sfiorando la cinghia del paletto nel talamo,
si fermò sul suo capo e le disse:

«Dormi, Penelope, affranta nel caro cuore?
805 Gli dei, che hanno facile vita, non ti lasciano
piangere ed essere afflitta, perché è già di ritorno
tuo figlio: egli per gli dei non è un empio».

Le rispose allora la saggia Penelope
dormendo dolcissimamente sulle porte dei sogni:
810 «Perché sei venuta, sorella? non vieni di solito,
perché hai dimora molto lontano;
e mi esorti a cessare dalla pena e dai molti
dolori, che mi affliggono nella mente e nell'animo:
io che prima ho perduto il valoroso marito cuor di leone,

815 παντοίῃσ' ἀρετῇσι κεκασμένον ἐν Δαναοῖσιν,
ἐσθλόν, τοῦ κλέος εὐρὺ καθ' Ἑλλάδα καὶ μέσον Ἄργος.
νῦν αὖ παῖς ἀγαπητὸς ἔβη κοίλης ἐπὶ νηός,
νήπιος, οὔτε πόνων εὖ εἰδὼς οὔτ' ἀγοράων.
τοῦ δὴ ἐγὼ καὶ μᾶλλον ὀδύρομαι ἤ περ ἐκείνου.
820 τοῦ δ' ἀμφιτρομέω καὶ δείδια μή τι πάθῃσιν,
ἢ ὅ γε τῶν ἐνὶ δήμῳ, ἵν' οἴχεται, ἢ ἐνὶ πόντῳ·
δυσμενέες γὰρ πολλοὶ ἐπ' αὐτῷ μηχανόωνται,
ἱέμενοι κτεῖναι, πρὶν πατρίδα γαῖαν ἱκέσθαι ».
τὴν δ' ἀπαμειβόμενον προσέφη εἴδωλον ἀμαυρόν
825 « θάρσει, μηδέ τι πάγχυ μετὰ φρεσὶ δείδιθι λίην·
τοίη γάρ οἱ πομπὸς ἅμ' ἔρχεται, ἥν τε καὶ ἄλλοι
ἀνέρες ἠρήσαντο παρεστάμεναι, δύναται γάρ,
Παλλὰς Ἀθηναίη· σὲ δ' ὀδυρομένην ἐλεαίρει·
ἣ νῦν με προέηκε τεῒν τάδε μυθήσασθαι ».
830 τὴν δ' αὖτε προσέειπε περίφρων Πηνελόπεια·
« εἰ μὲν δὴ θεός ἐσσι, θεοῖό τε ἔκλυες αὐδῆν,
εἰ δ' ἄγε μοι καὶ κεῖνον ὀϊζυρὸν κατάλεξον,
ἤ που ἔτι ζώει καὶ ὁρᾷ φάος ἠελίοιο,
ἦ ἤδη τέθνηκε καὶ εἰν Ἀΐδαο δόμοισι ».
835 τὴν δ' ἀπαμειβόμενον προσέφη εἴδωλον ἀμαυρόν·
« οὐ μέν τοι κεῖνόν γε διηνεκέως ἀγορεύσω,
ζώει ὅ γ' ἢ τέθνηκε· κακὸν δ' ἀνεμώλια βάζειν ».
ὣς εἰπὸν σταθμοῖο παρὰ κληῖδα λιάσθη
ἐς πνοιὰς ἀνέμων· ἡ δ' ἐξ ὕπνου ἀνόρουσε
840 κούρη Ἰκαρίοιο· φίλον δέ οἱ ἦτορ ἰάνθη,
ὥς οἱ ἐναργὲς ὄνειρον ἐπέσσυτο νυκτὸς ἀμολγῷ.
μνηστῆρες δ' ἀναβάντες ἐπέπλεον ὑγρὰ κέλευθα,
Τηλεμάχῳ φόνον αἰπὺν ἐνὶ φρεσὶν ὁρμαίνοντες.
ἔστι δέ τις νῆσος μέσσῃ ἁλὶ πετρήεσσα,
845 μεσσηγὺς Ἰθάκης τε Σάμοιό τε παιπαλοέσσης,
Ἀστερίς, οὐ μεγάλη, λιμένες δ' ἔνι ναύλοχοι αὐτῇ
ἀμφίδυμοι· τῇ τόν γε μένον λοχόωντες Ἀχαιοί.

815 insigne tra i Danai per virtù d'ogni sorta,
valoroso, di cui è vasta la gloria per l'Ellade ed Argo.
Ed ora il figlio diletto è partito su una nave incavata,
un ragazzo, che non sa bene le fatiche e i discorsi.
Piango per lui, ancor più che per quello.
820 Tremo per lui, e ho paura che gli accada qualcosa,
o da parte di quelli del paese ove è andato o sul mare.
Perché molti nemici tramano contro di lui,
bramosi di ucciderlo, prima che in patria ritorni ».
Rispondendo il pallido fantasma le disse:
825 « Abbi coraggio, non avere troppa paura.
Tale scorta va insieme a lui, quale altri uomini
anche invocarono che gli stesse vicina, perché è possente:
Pallade Atena! Essa ha pietà di te che ti angusti:
a parlarti così mi ha mandato, ora, lei ».
830 Le rispose allora la saggia Penelope:
« Se sei un dio e ascoltasti la voce di un dio,
raccontami anche di quell'infelice,
se vive ancora e vede la luce del sole,
o è già morto ed è nelle case di Ade ».
835 Rispondendo il pallido fantasma le disse:
« Di quello non ti dirò chiaramente,
se vive o è morto: è male dir parole di vento ».
Detto così dileguò, lungo il paletto dello stipite
nel soffio dei venti. Essa balzò su dal sonno,
840 la figlia di Icario: a lei si scaldò il caro cuore
perché un sogno evidente le occorse nel cuor della notte.
I pretendenti, imbarcatisi, navigavano per le liquide vie
meditando nella mente a Telemaco una ripida morte.
In mezzo al mare v'è un'isola, pietrosa,
845 tra Itaca e Same irta di rocce:
Asteride. Non grande, ma vi sono porti gemelli
per navi: gli Achei l'aspettavano là, in agguato.

Ε

Ἠὼς δ' ἐκ λεχέων παρ' ἀγαυοῦ Τιθωνοῖο
ὤρνυθ', ἵν' ἀθανάτοισι φόως φέροι ἠδὲ βροτοῖσιν·
οἱ δὲ θεοὶ θῶκόνδε καθίζανον, ἐν δ' ἄρα τοῖσι
Ζεὺς ὑψιβρεμέτης, οὗ τε κράτος ἐστὶ μέγιστον.
5 τοῖσι δ' Ἀθηναίη λέγε κήδεα πόλλ' Ὀδυσῆος
μνησαμένη· μέλε γάρ οἱ ἐὼν ἐν δώμασι νύμφης·
« Ζεῦ πάτερ ἠδ' ἄλλοι μάκαρες θεοὶ αἰὲν ἐόντες,
μή τις ἔτι πρόφρων ἀγανὸς καὶ ἤπιος ἔστω
σκηπτοῦχος βασιλεύς, μηδὲ φρεσὶν αἴσιμα εἰδώς,
10 ἀλλ' αἰεὶ χαλεπός τ' εἴη καὶ αἴσυλα ῥέζοι·
ὡς οὔ τις μέμνηται Ὀδυσσῆος θείοιο
λαῶν οἷσιν ἄνασσε, πατὴρ δ' ὣς ἤπιος ἦεν.
ἀλλ' ὁ μὲν ἐν νήσῳ κεῖται κρατέρ' ἄλγεα πάσχων,
νύμφης ἐν μεγάροισι Καλυψοῦς, ἥ μιν ἀνάγκῃ
15 ἴσχει· ὁ δ' οὐ δύναται ἣν πατρίδα γαῖαν ἱκέσθαι·
οὐ γάρ οἱ πάρα νῆες ἐπήρετμοι καὶ ἑταῖροι,
οἵ κέν μιν πέμποιεν ἐπ' εὐρέα νῶτα θαλάσσης.
νῦν αὖ παῖδ' ἀγαπητὸν ἀποκτεῖναι μεμάασιν
οἴκαδε νισσόμενον· ὁ δ' ἔβη μετὰ πατρὸς ἀκουὴν
20 ἐς Πύλον ἠγαθέην ἠδ' ἐς Λακεδαίμονα δῖαν ».
τὴν δ' ἀπαμειβόμενος προσέφη νεφεληγερέτα Ζεύς·
« τέκνον ἐμόν, ποῖόν σε ἔπος φύγεν ἕρκος ὀδόντων·
οὐ γὰρ δὴ τοῦτον μὲν ἐβούλευσας νόον αὐτή,
ὡς ἦ τοι κείνους Ὀδυσεὺς ἀποτείσεται ἐλθών;
25 Τηλέμαχον δὲ σὺ πέμψον ἐπισταμένως, δύνασαι γάρ,
ὥς κε μάλ' ἀσκηθὴς ἣν πατρίδα γαῖαν ἵκηται,

LIBRO QUINTO

Aurora accanto al nobile Titono sorgeva
dal letto, per recare la luce a immortali e mortali,
e gli dei andarono a sedere in consiglio: con essi era
Zeus tonante, il cui potere è grandissimo.
5 E Atena diceva loro i molti dolori di Odisseo,
ricordandoli: si impensieriva perché era presso la ninfa:
« Padre Zeus e voi altri beati dei eterni,
mai più sia davvero amabile e mite
un sovrano scettrato, non abbia rettitudine in animo,
10 ma sempre sia duro e compia empietà,
poiché non uno ricorda il divino Odisseo
del popolo sul quale regnò: eppure come un padre era mite.
Giace egli in un'isola, e soffre aspri tormenti,
in casa della ninfa Calipso, che lo forza
15 a restare: e non può arrivare in patria.
Non ha navi coi remi e compagni
che lo scortino sul dorso vasto del mare.
E ora tramano anche di uccidergli il figlio carissimo
mentre a casa ritorna: è andato per sentire del padre
20 a Pilo divina e a Lacedemone illustre ».
E a sua volta Zeus che addensa le nubi le disse:
« Figlia mia, che parola ti sfuggì dal recinto dei denti.
Questo piano non l'hai progettato tu stessa,
che appena tornato Odisseo dovesse punirli?
25 Telemaco accompagnalo tu accortamente, lo puoi,
perché arrivi incolume nella sua terra,

μνηστῆρες δ' ἐν νηῒ παλιμπετὲς ἀπονέωνται ».
ἦ ῥα, καὶ Ἑρμείαν, υἱὸν φίλον, ἀντίον ηὔδα·
« Ἑρμεία· σὺ γὰρ αὖτε τά τ' ἄλλα περ ἄγγελός ἐσσι·
30 νύμφῃ ἐϋπλοκάμῳ εἰπεῖν νημερτέα βουλήν,
νόστον Ὀδυσσῆος ταλασίφρονος, ὥς κε νέηται
οὔτε θεῶν πομπῇ οὔτε θνητῶν ἀνθρώπων·
ἀλλ' ὅ γ' ἐπὶ σχεδίης πολυδέσμου πήματα πάσχων
ἤματί κ' εἰκοστῷ Σχερίην ἐρίβωλον ἵκοιτο,
35 Φαιήκων ἐς γαῖαν, οἳ ἀγχίθεοι γεγάασιν,
οἵ κέν μιν πέρι κῆρι θεὸν ὣς τιμήσουσι,
πέμψουσιν δ' ἐν νηῒ φίλην ἐς πατρίδα γαῖαν,
χαλκόν τε χρυσόν τε ἅλις ἐσθῆτά τε δόντες,
πόλλ', ὅσ' ἂν οὐδέ ποτε Τροίης ἐξήρατ' Ὀδυσσεύς,
40 εἴ περ ἀπήμων ἦλθε, λαχὼν ἀπὸ ληΐδος αἶσαν.
ὣς γάρ οἱ μοῖρ' ἐστὶ φίλους τ' ἰδέειν καὶ ἱκέσθαι
οἶκον ἐς ὑψόροφον καὶ ἑὴν ἐς πατρίδα γαῖαν ».
ὣς ἔφατ', οὐδ' ἀπίθησε διάκτορος Ἀργεϊφόντης.
αὐτίκ' ἔπειθ' ὑπὸ ποσσὶν ἐδήσατο καλὰ πέδιλα,
45 ἀμβρόσια χρύσεια, τά μιν φέρον ἠμὲν ἐφ' ὑγρὴν
ἠδ' ἐπ' ἀπείρονα γαῖαν ἅμα πνοιῇς ἀνέμοιο.
εἵλετο δὲ ῥάβδον, τῇ τ' ἀνδρῶν ὄμματα θέλγει
ὧν ἐθέλῃ, τοὺς δ' αὖτε καὶ ὑπνώοντας ἐγείρει.
τὴν μετὰ χερσὶν ἔχων πέτετο κρατὺς Ἀργεϊφόντης.
50 Πιερίην δ' ἐπιβὰς ἐξ αἰθέρος ἔμπεσε πόντῳ·
σεύατ' ἔπειτ' ἐπὶ κῦμα λάρῳ ὄρνιθι ἐοικώς,
ὅς τε κατὰ δεινοὺς κόλπους ἁλὸς ἀτρυγέτοιο
ἰχθῦς ἀγρώσσων πυκινὰ πτερὰ δεύεται ἅλμῃ·
τῷ ἴκελος πολέεσσιν ὀχήσατο κύμασιν Ἑρμῆς,
55 ἀλλ' ὅτε δὴ τὴν νῆσον ἀφίκετο τηλόθ' ἐοῦσαν,
ἔνθ' ἐκ πόντου βὰς ἰοειδέος ἤπειρόνδε
ἤϊεν, ὄφρα μέγα σπέος ἵκετο, τῷ ἔνι νύμφη
ναῖεν ἐϋπλόκαμος· τὴν δ' ἔνδοθι τέτμεν ἐοῦσαν.
πῦρ μὲν ἐπ' ἐσχαρόφιν μέγα καίετο, τηλόσε δ' ὀδμὴ
60 κέδρου τ' εὐκεάτοιο θύου τ' ἀνὰ νῆσον ὀδώδει

e i pretendenti sulla nave tornino indietro ».
Disse, e si volse ad Ermete, suo figlio:
« Ermete, tu che sei messaggero anche in altre occasioni,
30 di' alla ninfa dai riccioli belli il volere infallibile,
il ritorno dell'intrepido Odisseo, perché possa tornare
senza scorta di dei o di uomini;
ma su una zattera dai molti legami, soffrendo dolori,
arrivi al ventesimo giorno a Scheria dalle fertili zolle,
35 presso i Feaci, che sono vicini agli dei.
Essi di cuore gli renderanno gli onori di un dio,
su una nave lo scorteranno alla terra dei padri,
dopo avergli a sufficienza donato bronzo, oro e vestiti,
molti doni, quanti da Troia non ne avrebbe portati Odisseo
40 se fosse arrivato indenne, con la parte sua di bottino.
Perché è suo destino vedere i suoi cari e tornare
nella casa dall'alto soffitto e nella terra dei padri ».
Disse così e ubbidì il messaggero Arghifonte.
Subito legò ai piedi i bei sandali,
45 immortali, d'oro, che sia sul mare lo portavano,
sia sulla terra infinita, coi soffi del vento.
Prese la verga: incanta con essa gli occhi degli uomini
che vuole, e altri, dormienti, invece li sveglia.
Con essa in mano, il forte Arghifonte volò.
50 Disceso sulla Pieria calò dall'etere in mare:
poi si slanciò come uccello sull'onda, come gabbiano
che nei seni paurosi del mare infecondo
bagna d'acqua salata le salde ali in caccia di pesci:
simile a questo, Ermete avanzò su molte onde.
55 Ma quando all'isola giunse, che era lontana,
lasciato il mare viola andò sulla terra,
finché arrivò alla grande spelonca, nella quale abitava
la ninfa dai riccioli belli: la trovò che era in casa.
Sul focolare ardeva un gran fuoco, si sentiva lontano
60 per l'isola l'odore di tenero cedro e di tuia

δαιομένων· ἡ δ' ἔνδον ἀοιδιάουσ' ὀπὶ καλῇ
ἱστὸν ἐποιχομένη χρυσείῃ κερκίδ' ὕφαινεν.
ὕλη δὲ σπέος ἀμφὶ πεφύκει τηλεθόωσα,
κλήθρη τ' αἴγειρός τε καὶ εὐώδης κυπάρισσος.
65 ἔνθα δέ τ' ὄρνιθες τανυσίπτεροι εὐνάζοντο,
σκῶπές τ' ἴρηκές τε τανύγλωσσοί τε κορῶναι
εἰνάλιαι, τῇσίν τε θαλάσσια ἔργα μέμηλεν.
ἡ δ' αὐτοῦ τετάνυστο περὶ σπείους γλαφυροῖο
ἡμερὶς ἡβώωσα, τεθήλει δὲ σταφυλῇσι·
70 κρῆναι δ' ἑξείης πίσυρες ῥέον ὕδατι λευκῷ,
πλησίαι ἀλλήλων τετραμμέναι ἄλλυδις ἄλλη.
ἀμφὶ δὲ λειμῶνες μαλακοὶ ἴου ἠδὲ σελίνου
θήλεον· ἔνθα κ' ἔπειτα καὶ ἀθάνατός περ ἐπελθὼν
θηήσαιτο ἰδὼν καὶ τερφθείη φρεσὶν ᾗσιν.
75 ἔνθα στὰς θηεῖτο διάκτορος Ἀργεϊφόντης.
αὐτὰρ ἐπεὶ δὴ πάντα ἑῷ θηήσατο θυμῷ,
αὐτίκ' ἄρ' εἰς εὐρὺ σπέος ἤλυθεν· οὐδέ μιν ἄντην
ἠγνοίησεν ἰδοῦσα Καλυψώ, δῖα θεάων,
οὐ γάρ τ' ἀγνῶτες θεοὶ ἀλλήλοισι πέλονται
80 ἀθάνατοι, οὐδ' εἴ τις ἀπόπροθι δώματα ναίει.
οὐδ' ἄρ' Ὀδυσσῆα μεγαλήτορα ἔνδον ἔτετμεν,
ἀλλ' ὅ γ' ἐπ' ἀκτῆς κλαῖε καθήμενος, ἔνθα πάρος περ,
δάκρυσι καὶ στοναχῇσι καὶ ἄλγεσι θυμὸν ἐρέχθων.
πόντον ἐπ' ἀτρύγετον δερκέσκετο δάκρυα λείβων.
85 Ἑρμείαν δ' ἐρέεινε Καλυψώ, δῖα θεάων,
ἐν θρόνῳ ἱδρύσασα φαεινῷ σιγαλόεντι·
«τίπτε μοι, Ἑρμεία χρυσόρραπι, εἰλήλουθας
αἰδοῖός τε φίλος τε; πάρος γε μὲν οὔ τι θαμίζεις.
αὔδα ὅ τι φρονέεις· τελέσαι δέ με θυμὸς ἄνωγεν,
90 εἰ δύναμαι τελέσαι γε καὶ εἰ τετελεσμένον ἐστίν.
ἀλλ' ἕπεο προτέρω, ἵνα τοι πὰρ ξείνια θείω».
ὣς ἄρα φωνήσασα θεὰ παρέθηκε τράπεζαν
ἀμβροσίης πλήσασα, κέρασσε δὲ νέκταρ ἐρυθρόν.
αὐτὰρ ὁ πῖνε καὶ ἦσθε διάκτορος Ἀργεϊφόντης.

che bruciavano: lei dentro, con voce bella cantando,
movendosi davanti al telaio, tesseva con l'aurea spola.
Un bosco rigoglioso cresceva intorno alla grotta:
l'ontano, il pioppo e il cipresso odoroso.
65 Uccelli con grandi ali vi avevano il nido:
gufi, sparvieri e corvi di mare
ciarlieri, che amano le cacce marine.
Attorno alla grotta profonda, s'allungava
vigorosa una vite, ed era fiorita di grappoli.
70 Quattro fonti sgorgavano in fila con limpida acqua,
vicine tra loro e rivolte in parti diverse.
V'erano intorno morbidi prati fioriti di viole
e di sedano. Arrivato in quel luogo, anche un dio
avrebbe guardato stupito, e gioito nell'animo suo.
75 Si fermò ammirato il messaggero Arghifonte.
E, quando nella sua mente ebbe tutto ammirato,
subito entrò nella vasta spelonca: di fronte
vedendolo non ebbe dubbi Calipso, chiara fra le dee,
perché gli uni agli altri non sono ignoti gli dei
80 immortali, neanche se abitano case lontane.
Non vi trovò il magnanimo Odisseo:
seduto sulla riva, gemeva come sempre
lacerandosi l'animo con lacrime, lamenti e dolori,
guardava piangendo il mare infecondo.
85 Chiese Calipso, chiara tra le dee, ad Ermete,
fattolo sedere sullo splendido trono lucente:
« Perché sei venuto, Ermete dall'aurea verga,
onorato e caro? non sei venuto spesso in passato.
Di' quel che pensi: l'animo mi dice di farlo,
90 se posso farlo e se deve farsi.
Ma seguimi oltre, perché ti offra cose ospitali ».
Detto così, la dea gli pose dinanzi una tavola
colma di ambrosia e gli mescé rosso nettare.
Ed egli beveva e mangiava, il messaggero Arghifonte.

95 αὐτὰρ ἐπεὶ δείπνησε καὶ ἤραρε θυμὸν ἐδωδῇ,
καὶ τότε δή μιν ἔπεσσιν ἀμειβόμενος προσέειπεν·
« εἰρωτᾷς μ' ἐλθόντα θεὰ θεόν· αὐτὰρ ἐγώ τοι
νημερτέως τὸν μῦθον ἐνισπήσω· κέλεαι γάρ.
Ζεὺς ἐμέ γ' ἠνώγει δεῦρ' ἐλθέμεν οὐκ ἐθέλοντα·
100 τίς δ' ἂν ἑκὼν τοσσόνδε διαδράμοι ἁλμυρὸν ὕδωρ
ἄσπετον; οὐδέ τις ἄγχι βροτῶν πόλις, οἵ τε θεοῖσιν
ἱερά τε ῥέζουσι καὶ ἐξαίτους ἑκατόμβας.
ἀλλὰ μάλ' οὔ πως ἔστι Διὸς νόον αἰγιόχοιο
οὔτε παρεξελθεῖν ἄλλον θεὸν οὔθ' ἁλιῶσαι.
105 φησί τοι ἄνδρα παρεῖναι ὀϊζυρώτατον ἄλλων,
τῶν ἀνδρῶν οἳ ἄστυ πέρι Πριάμοιο μάχοντο
εἰνάετες, δεκάτῳ δὲ πόλιν πέρσαντες ἔβησαν
οἴκαδ'· ἀτὰρ ἐν νόστῳ Ἀθηναίην ἀλίτοντο,
ἥ σφιν ἐπῶρσ' ἄνεμόν τε κακὸν καὶ κύματα μακρά.
110 ἔνθ' ἄλλοι μὲν πάντες ἀπέφθιθεν ἐσθλοὶ ἑταῖροι,
τὸν δ' ἄρα δεῦρ' ἄνεμός τε φέρων καὶ κῦμα πέλασσε.
τὸν νῦν σ' ἠνώγει ἀποπεμπέμεν ὅττι τάχιστα·
οὐ γάρ οἱ τῇδ' αἶσα φίλων ἀπονόσφιν ὀλέσθαι,
ἀλλ' ἔτι οἱ μοῖρ' ἐστὶ φίλους τ' ἰδέειν καὶ ἱκέσθαι
115 οἶκον ἐς ὑψόροφον καὶ ἑὴν ἐς πατρίδα γαῖαν ».
ὣς φάτο, ῥίγησεν δὲ Καλυψώ, δῖα θεάων,
καί μιν φωνήσασ' ἔπεα πτερόεντα προσηύδα·
« σχέτλιοί ἐστε, θεοί, ζηλήμονες ἔξοχον ἄλλων,
οἵ τε θεαῖς ἀγάασθε παρ' ἀνδράσιν εὐνάζεσθαι
120 ἀμφαδίην, ἤν τίς τε φίλον ποιήσετ' ἀκοίτην.
ὣς μὲν ὅτ' Ὠρίων' ἕλετο ῥοδοδάκτυλος Ἠώς,
τόφρα οἱ ἠγάασθε θεοὶ ῥεῖα ζώοντες,
ἕως μιν ἐν Ὀρτυγίῃ χρυσόθρονος Ἄρτεμις ἁγνὴ
οἷς ἀγανοῖς βελέεσσιν ἐποιχομένη κατέπεφνεν.
125 ὣς δ' ὁπότ' Ἰασίωνι ἐϋπλόκαμος Δημήτηρ,
ᾧ θυμῷ εἴξασα, μίγη φιλότητι καὶ εὐνῇ
νειῷ ἔνι τριπόλῳ· οὐδὲ δὴν ἦεν ἄπυστος
Ζεύς, ὅς μιν κατέπεφνε βαλὼν ἀργῆτι κεραυνῷ.

95 E quando ebbe mangiato e appagato col cibo il suo animo,
allora rispondendo le disse:
« Chiedi perché son venuto, dea a un dio, ed io
ti dirò senza inganno: tu lo vuoi.
Zeus mi ordinò di venire, contro la mia volontà:
100 e chi vorrebbe traversare tanta acqua salata,
infinita? Vicina non c'è una città di mortali
che fanno agli dei sacrifici e scelte ecatombi.
Ma un dio non può trasgredire
o rendere vano un pensiero di Zeus egìoco.
105 Dice che un uomo è con te, più infelice degli altri,
uno degli uomini che sotto la rocca di Priamo combatterono
per nove anni e, distrutta la città, tornarono al decimo
a casa: ma durante il ritorno offesero Atena,
che contro gli suscitò un vento maligno e grossi marosi.
110 Allora tutti gli altri compagni valorosi perirono,
e il vento e l'onda lo portarono e spinsero qui.
Costui ora Zeus ti ordina di rimandarlo al più presto:
la sua sorte non è di morire qui, lontano dai suoi,
ma è suo destino vedere ancora i suoi cari e tornare
115 nella casa dall'alto soffitto e nella terra dei padri ».
Disse così. Rabbrividì Calipso, chiara fra le dee,
e parlando gli disse alate parole:
« Siete crudeli, voi dei, gelosi più di ogni altro,
che invidiate alle dee di giacersi con uomini
120 apertamente, se si procurano un caro marito.
Così, quando Aurora dalle rosee dita scelse Orione:
glielo invidiaste voi dei che lietamente vivete,
finché ad Ortigia la casta Artemide dall'aureo trono
colpendolo con i suoi miti dardi l'uccise.
125 Così, quando Demetra dai riccioli belli, cedendo
al suo animo, si unì con Iasione in amore e nel letto
in un maggese arato tre volte: non ne fu ignaro Zeus
a lungo, e l'uccise colpendolo col vivido fulmine.

ὥς δ' αὖ νῦν μοι ἄγασθε, θεοί, βροτὸν ἄνδρα παρεῖναι.
130 τὸν μὲν ἐγὼν ἐσάωσα περὶ τρόπιος βεβαῶτα
οἶον, ἐπεί οἱ νῆα θοὴν ἀργῆτι κεραυνῷ
Ζεὺς ἐλάσας ἐκέασσε μέσῳ ἐνὶ οἴνοπι πόντῳ.
ἔνθ' ἄλλοι μὲν πάντες ἀπέφθιθεν ἐσθλοὶ ἑταῖροι,
τὸν δ' ἄρα δεῦρ' ἄνεμός τε φέρων καὶ κῦμα πέλασσε.
135 τὸν μὲν ἐγὼ φίλεόν τε καὶ ἔτρεφον, ἠδὲ ἔφασκον
θήσειν ἀθάνατον καὶ ἀγήραον ἤματα πάντα.
ἀλλ' ἐπεὶ οὔ πως ἔστι Διὸς νόον αἰγιόχοιο
οὔτε παρεξελθεῖν ἄλλον θεὸν οὔθ' ἁλιῶσαι,
ἐρρέτω, εἴ μιν κεῖνος ἐποτρύνει καὶ ἀνώγει,
140 πόντον ἐπ' ἀτρύγετον. πέμψω δέ μιν οὔ πῃ ἐγώ γε·
οὐ γάρ μοι πάρα νῆες ἐπήρετμοι καὶ ἑταῖροι,
οἵ κέν μιν πέμποιεν ἐπ' εὐρέα νῶτα θαλάσσης.
αὐτάρ οἱ πρόφρων ὑποθήσομαι, οὐδ' ἐπικεύσω,
ὥς κε μάλ' ἀσκηθὴς ἣν πατρίδα γαῖαν ἵκηται ».
145 τὴν δ' αὖτε προσέειπε διάκτορος Ἀργεϊφόντης·
« οὕτω νῦν ἀπόπεμπε, Διὸς δ' ἐποπίζεο μῆνιν,
μή πώς τοι μετόπισθε κοτεσσάμενος χαλεπήνῃ ».
ὣς ἄρα φωνήσας ἀπέβη κρατὺς Ἀργεϊφόντης·
ἡ δ' ἐπ' Ὀδυσσῆα μεγαλήτορα πότνια νύμφη
150 ἤϊ', ἐπεὶ δὴ Ζηνὸς ἐπέκλυεν ἀγγελιάων.
τὸν δ' ἄρ' ἐπ' ἀκτῆς εὗρε καθήμενον· οὐδέ ποτ' ὄσσε
δακρυόφιν τέρσοντο, κατείβετο δὲ γλυκὺς αἰὼν
νόστον ὀδυρομένῳ, ἐπεὶ οὐκέτι ἥνδανε νύμφη.
ἀλλ' ἦ τοι νύκτας μὲν ἰαύεσκεν καὶ ἀνάγκῃ
155 ἐν σπέσσι γλαφυροῖσι παρ' οὐκ ἐθέλων ἐθελούσῃ·
ἤματα δ' ἐν πέτρῃσι καὶ ἠϊόνεσσι καθίζων
δάκρυσι καὶ στοναχῇσι καὶ ἄλγεσι θυμὸν ἐρέχθων
πόντον ἐπ' ἀτρύγετον δερκέσκετο δάκρυα λείβων.
ἀγχοῦ δ' ἱσταμένη προσεφώνεε δῖα θεάων·
160 « κάμμορε, μή μοι ἔτ' ἐνθάδ' ὀδύρεο, μηδέ τοι αἰὼν
φθινέτω· ἤδη γάρ σε μάλα πρόφρασσ' ἀποπέμψω.
ἀλλ' ἄγε δούρατα μακρὰ ταμὼν ἁρμόζεο χαλκῷ

Così anche ora, o dei, invidiate che da me stia un uomo.
130 Ma fui io a salvarlo, aggrappato alla chiglia,
solo, quando Zeus percossagli col vivido fulmine
la nave veloce la spezzò in mezzo al mare scuro come vino.
Allora tutti gli altri compagni valorosi perirono,
e il vento e l'onda lo portarono e spinsero qui.
135 Costui io l'ho accolto e nutrito, e pensavo
di farlo immortale e per sempre senza vecchiaia.
Ma poiché un altro dio non può trasgredire
o rendere vano un pensiero di Zeus egìoco,
vada pure in malora, se egli lo spinge e comanda,
140 sul mare infecondo. Io certo non posso aiutarlo:
non ho navi coi remi, e compagni
che lo scortino sul dorso vasto del mare.
Invece gli darò volentieri consigli, senza celarli,
perché arrivi salvo nella sua terra ».
145 Allora il messaggero Arghifonte le disse:
« Mandalo, dunque, così; e paventa l'ira di Zeus,
che poi, sdegnato, con te non sia aspro ».
Detto così il forte Arghifonte partì:
lei si recò dal magnanimo Odisseo, la ninfa possente,
150 quando ebbe udito il messaggio di Zeus.
Lo trovò seduto sul lido: i suoi occhi
non erano mai asciutti di lacrime, passava la dolce vita
piangendo il ritorno, perché ormai non gli piaceva la ninfa.
Certo la notte dormiva, anche per forza,
155 nelle cave spelonche, senza voglia, con lei che voleva;
ma il giorno, seduto sugli scogli e sul lido,
lacerandosi l'animo con lacrime, lamenti e dolori,
guardava piangendo il mare infecondo.
Ritta al suo fianco gli parlò, chiara fra le dee:
160 « Infelice, non starmi qui a piangere ancora, non rovinarti
la vita: ti lascerò andare ormai volentieri.
Ma su, taglia dei grossi tronchi con l'ascia di bronzo

εὐρεῖαν σχεδίην· ἀτὰρ ἴκρια πῆξαι ἐπ' αὐτῆς
ὑψοῦ, ὥς σε φέρῃσιν ἐπ' ἠεροειδέα πόντον.
165 αὐτὰρ ἐγὼ σῖτον καὶ ὕδωρ καὶ οἶνον ἐρυθρὸν
ἐνθήσω μενοεικέ', ἅ κέν τοι λιμὸν ἐρύκοι,
εἵματά τ' ἀμφιέσω, πέμψω δέ τοι οὖρον ὄπισθεν,
ὥς κε μάλ' ἀσκηθὴς σὴν πατρίδα γαῖαν ἵκηαι,
αἴ κε θεοί γ' ἐθέλωσι, τοὶ οὐρανὸν εὐρὺν ἔχουσιν,
170 οἵ μευ φέρτεροί εἰσι νοῆσαί τε κρῆναί τε ».
Ὣς φάτο, ῥίγησεν δὲ πολύτλας δῖος Ὀδυσσεύς,
καί μιν φωνήσας ἔπεα πτερόεντα προσηύδα·
« ἄλλο τι δὴ σύ, θεά, τόδε μήδεαι οὐδέ τι πομπήν,
ἥ με κέλεαι σχεδίῃ περάαν μέγα λαῖτμα θαλάσσης,
175 δεινόν τ' ἀργαλέον τε· τὸ δ' οὐδ' ἐπὶ νῆες ἐῗσαι
ὠκύποροι περόωσιν, ἀγαλλόμεναι Διὸς οὔρῳ.
οὐδ' ἂν ἐγὼν ἀέκητι σέθεν σχεδίης ἐπιβαίην,
εἰ μή μοι τλαίης γε, θεά, μέγαν ὅρκον ὀμόσσαι
μή τί μοι αὐτῷ πῆμα κακὸν βουλευσέμεν ἄλλο »
180 Ὣς φάτο, μείδησεν δὲ Καλυψώ, δῖα θεάων,
χειρί τέ μιν κατέρεξεν ἔπος τ' ἔφατ' ἔκ τ' ὀνόμαζεν·
« ἦ δὴ ἀλιτρός γ' ἐσσὶ καὶ οὐκ ἀποφώλια εἰδώς,
οἷον δὴ τὸν μῦθον ἐπεφράσθης ἀγορεῦσαι.
ἴστω νῦν τόδε γαῖα καὶ οὐρανὸς εὐρὺς ὕπερθε
185 καὶ τὸ κατειβόμενον Στυγὸς ὕδωρ, ὅς τε μέγιστος
ὅρκος δεινότατός τε πέλει μακάρεσσι θεοῖσι,
μή τί σοι αὐτῷ πῆμα κακὸν βουλευσέμεν ἄλλο.
ἀλλὰ τὰ μὲν νοέω καὶ φράσσομαι, ἅσσ' ἂν ἐμοί περ
αὐτῇ μηδοίμην, ὅτε με χρειὼ τόσον ἵκοι·
190 καὶ γὰρ ἐμοὶ νόος ἐστὶν ἐναίσιμος, οὐδέ μοι αὐτῇ
θυμὸς ἐνὶ στήθεσσι σιδήρεος, ἀλλ' ἐλεήμων ».
Ὣς ἄρα φωνήσασ' ἡγήσατο δῖα θεάων
καρπαλίμως· ὁ δ' ἔπειτα μετ' ἴχνια βαῖνε θεοῖο.
ἷξον δὲ σπεῖος γλαφυρὸν θεὸς ἠδὲ καὶ ἀνήρ,
195 καί ῥ' ὁ μὲν ἔνθα καθέζετ' ἐπὶ θρόνου ἔνθεν ἀνέστη
Ἑρμείας, νύμφη δ' ἐτίθει πάρα πᾶσαν ἐδωδήν,

e costruisci una zattera larga: sopra conficca dei fianchi,
perché ti porti sul fosco mare.
165 Io vi porrò in abbondanza del cibo, acqua
e rosso vino, che ti tengano lontana la fame;
ti coprirò di panni; ti invierò dietro un vento,
perché possa giungere incolume nella tua terra,
se gli dei che hanno il vasto cielo lo vogliono,
170 che quando pensano e agiscono sono più potenti di me ».
Disse così: rabbrividì il paziente chiaro Odisseo
e parlando le rivolse alate parole:
« Un'altra cosa, non di mandarmi, tu mediti, o dea,
che mi esorti a varcare il grande abisso del mare,
175 terribile e duro, con una zattera: ma neanche navi librate,
veloci, che godono del vento di Zeus, lo varcano.
Né io monterò su una zattera contro la tua volontà,
se non acconsenti a giurarmi, o dea, il giuramento solenne
che non mediti un'altra azione cattiva a mio danno ».
180 Disse così; sorrise Calipso, chiara fra le dee,
lo carezzò con la mano, gli rivolse la parola, gli disse:
« Sei davvero un furfante e non pensi da sciocco:
che discorso hai pensato di farmi!
Sia ora testimone la terra e in alto il vasto cielo
185 e l'acqua dello Stige che scorre (che è il giuramento
più grande e terribile per gli dei beati)
che non medito un'altra azione cattiva a tuo danno.
Ma penso e mediterò quello che per me
io vorrei, se fossi in tale bisogno:
190 perché anche io ho giusti pensieri, e nel petto
non ho un cuore di ferro, ma compassione ».
Detto così lo guidò, chiara fra le dee,
sveltamente: dietro la dea andò lui.
Arrivarono, la dea e l'uomo, nella cava spelonca.
195 Lì egli sedette sul trono da cui s'era alzato
Ermete, e la ninfa gli offrì ogni cibo

ἔσθειν καὶ πίνειν, οἷα βροτοὶ ἄνδρες ἔδουσιν·
αὐτὴ δ' ἀντίον ἷζεν Ὀδυσσῆος θείοιο,
τῇ δὲ παρ' ἀμβροσίην δμῳαὶ καὶ νέκταρ ἔθηκαν.
200 οἱ δ' ἐπ' ὀνείαθ' ἑτοῖμα προκείμενα χεῖρας ἴαλλον.
αὐτὰρ ἐπεὶ τάρπησαν ἐδητύος ἠδὲ ποτῆτος,
τοῖς ἄρα μύθων ἦρχε Καλυψώ, δῖα θεάων·
« διογενὲς Λαερτιάδη, πολυμήχαν' Ὀδυσσεῦ,
οὕτω δὴ οἶκόνδε φίλην ἐς πατρίδα γαῖαν
205 αὐτίκα νῦν ἐθέλεις ἰέναι; σὺ δὲ χαῖρε καὶ ἔμπης.
εἴ γε μὲν εἰδείης σῇσι φρεσὶν ὅσσα τοι αἶσα
κήδε' ἀναπλῆσαι, πρὶν πατρίδα γαῖαν ἱκέσθαι,
ἐνθάδε κ' αὖθι μένων σὺν ἐμοὶ τόδε δῶμα φυλάσσοις
ἀθάνατός τ' εἴης, ἱμειρόμενός περ ἰδέσθαι
210 σὴν ἄλοχον, τῆς τ' αἰὲν ἐέλδεαι ἤματα πάντα.
οὐ μέν θην κείνης γε χερείων εὔχομαι εἶναι,
οὐ δέμας οὐδὲ φυήν, ἐπεὶ οὔ πως οὐδὲ ἔοικε
θνητὰς ἀθανάτῃσι δέμας καὶ εἶδος ἐρίζειν ».
τὴν δ' ἀπαμειβόμενος προσέφη πολύμητις Ὀδυσσεύς·
215 « πότνα θεά, μή μοι τόδε χώεο· οἶδα καὶ αὐτὸς
πάντα μάλ', οὕνεκα σεῖο περίφρων Πηνελόπεια
εἶδος ἀκιδνοτέρη μέγεθός τ' εἰσάντα ἰδέσθαι·
ἡ μὲν γὰρ βροτός ἐστι, σὺ δ' ἀθάνατος καὶ ἀγήρως.
ἀλλὰ καὶ ὣς ἐθέλω καὶ ἐέλδομαι ἤματα πάντα
220 οἴκαδέ τ' ἐλθέμεναι καὶ νόστιμον ἦμαρ ἰδέσθαι.
εἰ δ' αὖ τις ῥαίῃσι θεῶν ἐνὶ οἴνοπι πόντῳ,
τλήσομαι ἐν στήθεσσιν ἔχων ταλαπενθέα θυμόν·
ἤδη γὰρ μάλα πόλλ' ἔπαθον καὶ πόλλ' ἐμόγησα
κύμασι καὶ πολέμῳ· μετὰ καὶ τόδε τοῖσι γενέσθω ».
225 ὣς ἔφατ', ἠέλιος δ' ἄρ' ἔδυ καὶ ἐπὶ κνέφας ἦλθεν·
ἐλθόντες δ' ἄρα τώ γε μυχῷ σπείους γλαφυροῖο
τερπέσθην φιλότητι, παρ' ἀλλήλοισι μένοντες.
ἦμος δ' ἠριγένεια φάνη ῥοδοδάκτυλος Ἠώς,
αὐτίχ' ὁ μὲν χλαῖνάν τε χιτῶνά τε ἕννυτ' Ὀδυσσεύς,
230 αὐτὴ δ' ἀργύφεον φᾶρος μέγα ἕννυτο νύμφη,

da mangiare e da bere, di cui i mortali si cibano.
Lei stessa sedette di fronte al divino Odisseo
e le ancelle le misero innanzi ambrosia e nettare.
200 Ed essi sui cibi pronti, imbanditi, le mani tendevano.
Poi, quando furono sazi di cibo e bevanda,
tra essi cominciò a parlare Calipso, chiara fra le dee:
« Divino figlio di Laerte, Odisseo pieno di astuzie,
e così vuoi ora andartene a casa, subito,
205 nella cara terra dei padri? e tu sii felice, comunque.
Ma se tu nella mente sapessi quante pene
ti è destino patire prima di giungere in patria,
qui resteresti con me a custodire questa dimora,
e saresti immortale, benché voglioso di vedere
210 tua moglie, che tu ogni giorno desideri.
Eppure mi vanto di non essere inferiore a lei
per aspetto o figura, perché non è giusto
che le mortali gareggino con le immortali per aspetto e beltà ».
Rispondendo le disse l'astuto Odisseo:
215 « Dea possente, non ti adirare per questo con me: lo so
bene anche io, che la saggia Penelope
a vederla è inferiore a te per beltà e statura:
lei infatti è mortale, e tu immortale e senza vecchiaia.
Ma anche così desidero e voglio ogni giorno
220 giungere a casa e vedere il dì del ritorno.
E se un dio mi fa naufragare sul mare scuro come vino,
saprò sopportare, perché ho un animo paziente nel petto:
sventure ne ho tante patite e tante sofferte
tra le onde ed in guerra: sia con esse anche questa ».
225 Disse così, il sole calò e sopraggiunse la tenebra:
ed essi, andati nella cava spelonca,
goderono l'amore giacendosi insieme.
Quando mattutina apparve Aurora dalle rosee dita,
subito Odisseo mise un mantello e una tunica;
230 invece la ninfa s'avvolse un gran drappo lucente,

λεπτὸν καὶ χαρίεν, περὶ δὲ ζώνην βάλετ' ἰξυῖ
καλὴν χρυσείην, κεφαλῇ δ' ἐπέθηκε καλύπτρην·
καὶ τότ' Ὀδυσσῆϊ μεγαλήτορι μήδετο πομπήν.
δῶκέν οἱ πέλεκυν μέγαν, ἄρμενον ἐν παλάμῃσι,
235 χάλκεον, ἀμφοτέρωθεν ἀκαχμένον· αὐτὰρ ἐν αὐτῷ
στειλειὸν περικαλλὲς ἐλάϊνον, εὖ ἐναρηρός·
δῶκε δ' ἔπειτα σκέπαρνον ἐΰξοον· ἦρχε δ' ὁδοῖο
νήσου ἐπ' ἐσχατιῆς, ὅθι δένδρεα μακρὰ πεφύκει,
κλήθρη τ' αἴγειρός τ', ἐλάτη τ' ἦν οὐρανομήκης,
240 αὖα πάλαι, περίκηλα, τά οἱ πλώοιεν ἐλαφρῶς.
αὐτὰρ ἐπεὶ δὴ δεῖξ' ὅθι δένδρεα μακρὰ πεφύκει,
ἡ μὲν ἔβη πρὸς δῶμα Καλυψώ, δῖα θεάων,
αὐτὰρ ὁ τάμνετο δοῦρα· θοῶς δέ οἱ ἤνυτο ἔργον.
εἴκοσι δ' ἔκβαλε πάντα, πελέκκησεν δ' ἄρα χαλκῷ,
245 ξέσσε δ' ἐπισταμένως καὶ ἐπὶ στάθμην ἴθυνεν.
τόφρα δ' ἔνεικε τέρετρα Καλυψώ, δῖα θεάων·
τέτρηνεν δ' ἄρα πάντα καὶ ἥρμοσεν ἀλλήλοισι,
γόμφοισιν δ' ἄρα τήν γε καὶ ἁρμονίῃσιν ἄρασσεν.
ὅσσον τίς τ' ἔδαφος νηὸς τορνώσεται ἀνὴρ
250 φορτίδος εὐρείης, εὖ εἰδὼς τεκτοσυνάων,
τόσσον ἔπ' εὐρεῖαν σχεδίην ποιήσατ' Ὀδυσσεύς.
ἴκρια δὲ στήσας, ἀραρὼν θαμέσι σταμίνεσσι,
ποίει· ἀτὰρ μακρῇσιν ἐπηγκενίδεσσι τελεύτα.
ἐν δ' ἱστὸν ποίει καὶ ἐπίκριον ἄρμενον αὐτῷ·
255 πρὸς δ' ἄρα πηδάλιον ποιήσατο, ὄφρ' ἰθύνοι.
φράξε δέ μιν ῥίπεσσι διαμπερὲς οἰσυΐνῃσι
κύματος εἶλαρ ἔμεν· πολλὴν δ' ἐπεχεύατο ὕλην.
τόφρα δὲ φάρε' ἔνεικε Καλυψώ, δῖα θεάων,
ἱστία ποιήσασθαι· ὁ δ' εὖ τεχνήσατο καὶ τά.
260 ἐν δ' ὑπέρας τε κάλους τε πόδας τ' ἐνέδησεν ἐν αὐτῇ,
μοχλοῖσιν δ' ἄρα τήν γε κατείρυσεν εἰς ἅλα δῖαν.
τέτρατον ἦμαρ ἔην, καὶ τῷ τετέλεστο ἅπαντα·
τῷ δ' ἄρα πέμπτῳ πέμπ' ἀπὸ νήσου δῖα Καλυψώ,
εἵματά τ' ἀμφιέσασα θυώδεα καὶ λούσασα.

sottile e grazioso, si cinse ai fianchi una fascia
bella, d'oro, e pose un velo sul capo.
Allora preparò la partenza al magnanimo Odisseo.
Una scure grande gli diede, da impugnare a due mani,
235 di bronzo, affilata a due tagli: v'era infisso
un bel manico di legno d'ulivo;
gli diede inoltre una lucida ascia. S'avviò
verso l'orlo dell'isola dov'erano gli alberi alti:
l'ontano e il pioppo e, alto fino al cielo, l'abete,
240 stagionati, secchi, che galleggiassero lievi.
Dopo che gli ebbe mostrato dov'erano gli alberi alti,
se ne andò verso casa Calipso, chiara fra le dee,
ed egli cominciò a recidere tronchi: lavorava rapidamente.
Ne abbatté in tutto venti, li sgrossò con la scure di bronzo,
245 li spianò a regola d'arte e li fece diritti col filo.
Intanto Calipso, chiara fra le dee, portò le trivelle:
egli fece in tutti dei fori e li strinse l'un l'altro,
connesse la zattera con caviglie e chiavarde.
Come è grande il fondo di un'ampia nave da carico
250 che un uomo esperto dell'arte fabbrichi cavo,
così grande Odisseo lo fece per l'ampia zattera.
Vi pose e fece dei fianchi fissandoli con fitti
puntelli: li completò poi con tavole lunghe.
Vi fece l'albero e, legata ad esso, l'antenna:
255 inoltre fece il timone per poterla guidare.
La ristoppò tutt'intorno con giunchi di salice,
a riparo dal flutto: molto legno vi sparse.
Calipso, chiara fra le dee, portò intanto dei teli
per fare le vele: ed egli fece bene anche quelle.
260 Legò in essa le sartie, le drizze e le scotte;
poi, per mezzo di stanghe, la trasse nel mare lucente.
Era già il quarto giorno e tutto egli aveva finito:
al quinto la chiara Calipso lo fece partire dall'isola,
dopo averlo coperto di vesti odorose e lavato.

265 ἐν δέ οἱ ἀσκὸν ἔθηκε θεὰ μέλανος οἴνοιο
τὸν ἕτερον, ἕτερον δ' ὕδατος μέγαν, ἐν δὲ καὶ ᾖα
κωρύκῳ· ἐν δέ οἱ ὄψα τίθει μενοεικέα πολλά·
οὖρον δὲ προέηκεν ἀπήμονά τε λιαρόν τε.
γηθόσυνος δ' οὔρῳ πέτασ' ἱστία δῖος Ὀδυσσεύς.
270 αὐτὰρ ὁ πηδαλίῳ ἰθύνετο τεχνηέντως
ἥμενος· οὐδέ οἱ ὕπνος ἐπὶ βλεφάροισιν ἔπιπτε
Πληϊάδας τ' ἐσορῶντι καὶ ὀψὲ δύοντα Βοώτην
Ἄρκτον θ', ἣν καὶ ἄμαξαν ἐπίκλησιν καλέουσιν,
ἥ τ' αὐτοῦ στρέφεται καί τ' Ὠρίωνα δοκεύει,
275 οἴη δ' ἄμμορός ἐστι λοετρῶν Ὠκεανοῖο·
τὴν γὰρ δή μιν ἄνωγε Καλυψώ, δῖα θεάων,
ποντοπορευέμεναι ἐπ' ἀριστερὰ χειρὸς ἔχοντα.
ἑπτὰ δὲ καὶ δέκα μὲν πλέεν ἤματα ποντοπορεύων,
ὀκτωκαιδεκάτῃ δ' ἐφάνη ὄρεα σκιόεντα
280 γαίης Φαιήκων, ὅθι τ' ἄγχιστον πέλεν αὐτῷ·
εἴσατο δ' ὡς ὅτε ῥινὸν ἐν ἠεροειδέϊ πόντῳ.

τὸν δ' ἐξ Αἰθιόπων ἀνιὼν κρείων ἐνοσίχθων
τηλόθεν ἐκ Σολύμων ὀρέων ἴδεν· εἴσατο γάρ οἱ
πόντον ἐπιπλείων· ὁ δ' ἐχώσατο κηρόθι μᾶλλον,
285 κινήσας δὲ κάρη προτὶ ὃν μυθήσατο θυμόν·

« ὢ πόποι, ἦ μάλα δὴ μετεβούλευσαν θεοὶ ἄλλως
ἀμφ' Ὀδυσῆϊ ἐμεῖο μετ' Αἰθιόπεσσιν ἐόντος,
καὶ δὴ Φαιήκων γαίης σχεδόν, ἔνθα οἱ αἶσα
ἐκφυγέειν μέγα πεῖραρ ὀϊζύος, ἥ μιν ἱκάνει·
290 ἀλλ' ἔτι μέν μίν φημι ἄδην ἐλάαν κακότητος ».

ὣς εἰπὼν σύναγεν νεφέλας, ἐτάραξε δὲ πόντον
χερσὶ τρίαιναν ἑλών· πάσας δ' ὀρόθυνεν ἀέλλας
παντοίων ἀνέμων, σὺν δὲ νεφέεσσι κάλυψε
γαῖαν ὁμοῦ καὶ πόντον· ὀρώρει δ' οὐρανόθεν νύξ.
295 σὺν δ' Εὖρός τε Νότος τ' ἔπεσον Ζέφυρός τε δυσαὴς
καὶ Βορέης αἰθρηγενέτης, μέγα κῦμα κυλίνδων.
καὶ τότ' Ὀδυσσῆος λύτο γούνατα καὶ φίλον ἦτορ,
ὀχθήσας δ' ἄρα εἶπε πρὸς ὃν μεγαλήτορα θυμόν·

265 A bordo la dea mise un otre di vino scuro,
un altro grande di acqua, e viveri
in una bisaccia: molti cibi saporiti vi mise
e gli mandò un vento propizio e leggero.
Lieto del vento, il chiaro Odisseo tese le vele.
270 Egli dunque col timone guidava destramente,
seduto: né il sonno gli cadeva sugli occhi
guardando le Pleiadi, Boote che tardi tramonta,
e l'Orsa che chiamano anche col nome di carro,
che ruota in un punto e spia Orione:
275 è la sola esclusa dai lavacri di Oceano.
Gli aveva ingiunto Calipso, chiara fra le dee,
di far rotta avendola a manca.
Diciassette giorni navigò, traversandolo, il mare,
al diciottesimo apparvero i monti ombrosi
280 della terra dei Feaci, la parte a lui più vicina:
sembrava come uno scudo nel fosco mare.
Ed ecco, tornando dagli Etiopi, lo Scuotiterra possente
da lontano lo vide, dai monti dei Solimi: gli apparve
mentre navigava sul mare. Di più si sdegnò nel suo cuore,
285 e scuotendo la testa parlò rivolto al suo animo:
« Che malanno! Gli dei hanno dunque deciso altrimenti
di Odisseo, mentre ero presso gli Etiopi:
è già vicino alla terra dei Feaci, dove è destino
che sfugga alla massa di guai che l'incalzano.
290 Ma penso di ricacciarlo a fondo nella sventura ».
Detto così, spinse insieme le nuvole, agitò il mare,
levando con le mani il tridente: aizzò tutti i turbini
d'ogni sorta di venti, con le nubi ravvolse
e terra e mare. Dal cielo era sorta la notte.
295 Euro, Noto, Zefiro violento, Borea nato dall'etere
s'avventarono insieme, voltolando gran flutto.
Allora si sciolsero a Odisseo le ginocchia e il cuore,
e angosciato disse al suo cuore magnanimo:

« ὤ μοι ἐγὼ δειλός, τί νύ μοι μήκιστα γένηται;
300 δείδω μὴ δὴ πάντα θεὰ νημερτέα εἶπεν,
ἥ μ' ἔφατ' ἐν πόντῳ, πρὶν πατρίδα γαῖαν ἱκέσθαι,
ἄλγε' ἀναπλήσειν· τὰ δὲ δὴ νῦν πάντα τελεῖται,
οἵοισιν νεφέεσσι περιστέφει οὐρανὸν εὐρὺν
Ζεύς, ἐτάραξε δὲ πόντον, ἐπισπέρχουσι δ' ἄελλαι
305 παντοίων ἀνέμων· νῦν μοι σῶς αἰπὺς ὄλεθρος.
τρισμάκαρες Δαναοὶ καὶ τετράκις οἳ τότ' ὄλοντο
Τροίῃ ἐν εὐρείῃ, χάριν Ἀτρεΐδῃσι φέροντες.
ὡς δὴ ἐγώ γ' ὄφελον θανέειν καὶ πότμον ἐπισπεῖν
ἤματι τῷ ὅτε μοι πλεῖστοι χαλκήρεα δοῦρα
310 Τρῶες ἐπέρριψαν περὶ Πηλείωνι θανόντι.
τῷ κ' ἔλαχον κτερέων, καί μευ κλέος ἦγον Ἀχαιοί·
νῦν δέ με λευγαλέῳ θανάτῳ εἵμαρτο ἁλῶναι ».
ὣς ἄρα μιν εἰπόντ' ἔλασεν μέγα κῦμα κατ' ἄκρης,
δεινὸν ἐπεσσύμενον, περὶ δὲ σχεδίην ἐλέλιξε.
315 τῆλε δ' ἀπὸ σχεδίης αὐτὸς πέσε, πηδάλιον δὲ
ἐκ χειρῶν προέηκε· μέσον δέ οἱ ἱστὸν ἔαξε
δεινὴ μισγομένων ἀνέμων ἐλθοῦσα θύελλα,
τηλοῦ δὲ σπεῖρον καὶ ἐπίκριον ἔμπεσε πόντῳ.
τὸν δ' ἄρ' ὑπόβρυχα θῆκε πολὺν χρόνον, οὐδ' ἐδυνάσθη
320 αἶψα μάλ' ἀνσχεθέειν μεγάλου ὑπὸ κύματος ὁρμῆς·
εἵματα γάρ ῥ' ἐβάρυνε, τά οἱ πόρε δῖα Καλυψώ.
ὀψὲ δὲ δή ῥ' ἀνέδυ, στόματος δ' ἐξέπτυσεν ἅλμην
πικρήν, ἥ οἱ πολλὴ ἀπὸ κρατὸς κελάρυζεν.
ἀλλ' οὐδ' ὣς σχεδίης ἐπελήθετο, τειρόμενός περ,
325 ἀλλὰ μεθορμηθεὶς ἐνὶ κύμασιν ἐλλάβετ' αὐτῆς,
ἐν μέσσῃ δὲ καθῖζε τέλος θανάτου ἀλεείνων.
τὴν δ' ἐφόρει μέγα κῦμα κατὰ ῥόον ἔνθα καὶ ἔνθα.
ὡς δ' ὅτ' ὀπωρινὸς Βορέης φορέῃσιν ἀκάνθας
ἂμ πεδίον, πυκιναὶ δὲ πρὸς ἀλλήλῃσιν ἔχονται,
330 ὣς τὴν ἂμ πέλαγος ἄνεμοι φέρον ἔνθα καὶ ἔνθα·
ἄλλοτε μέν τε Νότος Βορέῃ προβάλεσκε φέρεσθαι,
ἄλλοτε δ' αὖτ' Εὖρος Ζεφύρῳ εἴξασκε διώκειν.

« Povero me, alla fine che mi accadrà?
300 Temo che la dea m'abbia detto la verità,
dicendomi che avrei colmato sul mare le mie sofferenze
prima di giungere in patria: e ora tutto si compie.
Di che nuvole Zeus riempie fino all'orlo
il vasto cielo: il mare ha sconvolto, incalzano raffiche
305 di venti diversi. La ripida morte per me ora è certa.
Tre e quattro volte beati i Danai che morirono allora
nella vasta terra di Troia, arrecando gioia agli Atridi.
Così fossi morto io pure e avessi subito il destino,
il giorno che mi scagliarono in folla i Troiani
310 aste di bronzo intorno al Pelide morto.
Avrei avuto onori funebri e dagli Achei la fama:
ora mi tocca esser preda d'una misera morte ».
Mentre diceva così, l'investì un gran flutto, dall'alto,
con impeto terrificante e fece ruotare la zattera.
315 Lontano dalla zattera cadde, dalle mani
lasciò andare il timone: l'albero glielo ruppe a metà
un turbine di venti diversi sopraggiunto terribile,
vela e antenna caddero in mare, lontano.
A lungo lo tenne sommerso; non poté
320 riemergere presto, per la furia del grande maroso:
lo appesantivano i panni che gli diede la chiara Calipso.
Finalmente riemerse, dalla bocca sputò l'acre acqua
salata che copiosa gli grondava dal capo.
Ma neppure così, benché affranto, dimenticò la sua barca:
325 slanciatosi tra i flutti la prese,
in mezzo vi si sedette, evitando la fine e la morte.
Un grande maroso la portava con la corrente qua e là.
Come quando per la pianura Borea d'autunno trascina
i cardi, ed essi si tengono stretti ammucchiati,
330 così la portavano i venti sul mare qua e là:
ora Noto gettava la barca a Borea, che la spingesse,
ora Euro l'abbandonava a Zefiro, che l'inseguisse.

τὸν δὲ ἴδεν Κάδμου θυγάτηρ, καλλίσφυρος Ἰνώ,
Λευκοθέη, ἣ πρὶν μὲν ἔην βροτὸς αὐδήεσσα,
335 νῦν δ' ἁλὸς ἐν πελάγεσσι θεῶν ἐξέμμορε τιμῆς.
ἥ ῥ' Ὀδυσῆ' ἐλέησεν ἀλώμενον, ἄλγε' ἔχοντα·
αἰθυίῃ δ' εἰκυῖα ποτῇ ἀνεδύσετο λίμνης,
ἷζε δ' ἐπὶ σχεδίης καί μιν πρὸς μῦθον ἔειπε·
« κάμμορε, τίπτε τοι ὧδε Ποσειδάων ἐνοσίχθων
340 ὠδύσατ' ἐκπάγλως, ὅτι τοι κακὰ πολλὰ φυτεύει;
οὐ μὲν δή σε καταφθίσει, μάλα περ μενεαίνων.
ἀλλὰ μάλ' ὧδ' ἔρξαι, δοκέεις δέ μοι οὐκ ἀπινύσσειν·
εἵματα ταῦτ' ἀποδὺς σχεδίην ἀνέμοισι φέρεσθαι
κάλλιπ', ἀτὰρ χείρεσσι νέων ἐπιμαίεο νόστου
345 γαίης Φαιήκων, ὅθι τοι μοῖρ' ἐστὶν ἀλύξαι.
τῆ δέ, τόδε κρήδεμνον ὑπὸ στέρνοιο τάνυσσαι
ἄμβροτον· οὐδέ τί τοι παθέειν δέος οὐδ' ἀπολέσθαι.
αὐτὰρ ἐπὴν χείρεσσιν ἐφάψεαι ἠπείροιο,
ἂψ ἀπολυσάμενος βαλέειν εἰς οἴνοπα πόντον
350 πολλὸν ἀπ' ἠπείρου, αὐτὸς δ' ἀπονόσφι τραπέσθαι ».
ὣς ἄρα φωνήσασα θεὰ κρήδεμνον ἔδωκεν,
αὐτὴ δ' ἂψ ἐς πόντον ἐδύσετο κυμαίνοντα
αἰθυίῃ εἰκυῖα· μέλαν δέ ἑ κῦμ' ἐκάλυψεν.
αὐτὰρ ὁ μερμήριξε πολύτλας δῖος Ὀδυσσεύς,
355 ὀχθήσας δ' ἄρα εἶπε πρὸς ὃν μεγαλήτορα θυμόν·
« ὤ μοι ἐγώ, μή τίς μοι ὑφαίνῃσιν δόλον αὖτε
ἀθανάτων, ὅ τέ με σχεδίης ἀποβῆναι ἀνώγει.
ἀλλὰ μάλ' οὔ πω πείσομ', ἐπεὶ ἑκὰς ὀφθαλμοῖσι
γαῖαν ἐγὼν ἰδόμην, ὅθι μοι φάτο φύξιμον εἶναι.
360 ἀλλὰ μάλ' ὧδ' ἔρξω, δοκέει δέ μοι εἶναι ἄριστον·
ὄφρ' ἂν μέν κεν δούρατ' ἐν ἁρμονίῃσιν ἀρήρῃ,
τόφρ' αὐτοῦ μενέω καὶ τλήσομαι ἄλγεα πάσχων·
αὐτὰρ ἐπὴν δή μοι σχεδίην διὰ κῦμα τινάξῃ,
νήξομ', ἐπεὶ οὐ μέν τι πάρα προνοῆσαι ἄμεινον ».
365 εἷος ὁ ταῦθ' ὥρμαινε κατὰ φρένα καὶ κατὰ θυμόν,
ὦρσε δ' ἐπὶ μέγα κῦμα Ποσειδάων ἐνοσίχθων,

Lo scorse la figlia di Cadmo, Ino dalle belle caviglie,
Leucotea, che era mortale un tempo, con voce umana,
335 e ora tra i gorghi del mare ha in sorte onori divini.
Ebbe pietà di Odisseo, che errava soffrendo dolori:
come una procellaria emerse a volo dall'acqua,
si posò sulla barca e gli disse:
« Infelice, perché Posidone che scuote la terra è irato
340 così tremendamente, da darti tante disgrazie?
Eppure non può rovinarti, anche se molto lo brama.
Ma tu fa' così – non mi sembri uno sciocco:
togliti questi vestiti, abbandona ai venti
la zattera, e cerca d'arrivare a braccia, nuotando,
345 nella terra dei Feaci, dove è destino che scampi.
Ecco, stendi sotto il petto questo velo
immortale: non aver timore di soffrire o morire!
Ma appena toccherai con le mani la terra,
scioglilo e gettalo subito nel mare scuro come vino,
350 molto lontano da terra, e tu voltati via ».
Detto così, la dea gli diede un suo velo,
e come una procellaria si immerse subito
nel mare ondoso: la coprì l'onda scura.
Ma egli esitò, il paziente chiaro Odisseo,
355 e angosciato disse al suo cuore magnanimo:
« Ohimè, che non mi ordisca ancora un inganno
qualche immortale, esortandomi a lasciare la zattera.
Ma non darò retta, perché ho visto con i miei occhi
che è lontana la terra in cui disse sarei scampato.
360 Ma farò piuttosto così, mi sembra la cosa migliore:
finché i legni saranno confitti nelle loro giunture,
resterò ancora qui e, pur soffrendo dolori, resisterò;
quando poi l'onda mi sfascerà del tutto la barca,
nuoterò, poiché non c'è un piano migliore ».
365 Mentre rifletteva così nella mente e nell'animo,
Posidone che scuote la terra suscitò una grande onda

δεινόν τ' ἀργαλέον τε, κατηρεφές, ἤλασε δ' αὐτόν.
ὡς δ' ἄνεμος ζαὴς ἠΐων θημῶνα τινάξῃ
καρφαλέων, τὰ μὲν ἄρ τε διεσκέδασ' ἄλλυδις ἄλλῃ,
370 ὣς τῆς δούρατα μακρὰ διεσκέδασ'. αὐτὰρ 'Οδυσσεὺς
ἀμφ' ἑνὶ δούρατι βαῖνε, κέληθ' ὡς ἵππον ἐλαύνων,
εἵματα δ' ἐξαπέδυνε, τά οἱ πόρε δῖα Καλυψώ.
αὐτίκα δὲ κρήδεμνον ὑπὸ στέρνοιο τάνυσσεν,
αὐτὸς δὲ πρηνὴς ἁλὶ κάππεσε, χεῖρε πετάσσας,
375 νηχέμεναι μεμαώς· ἴδε δὲ κρείων ἐνοσίχθων,
κινήσας δὲ κάρη προτὶ ὃν μυθήσατο θυμόν·
« οὕτω νῦν κακὰ πολλὰ παθὼν ἀλόω κατὰ πόντον,
εἰς ὅ κεν ἀνθρώποισι διοτρεφέεσσι μιγήῃς·
ἀλλ' οὐδ' ὥς σε ἔολπα ὀνόσσεσθαι κακότητος ».
380 ὣς ἄρα φωνήσας ἵμασεν καλλίτριχας ἵππους,
ἵκετο δ' εἰς Αἰγάς, ὅθι οἱ κλυτὰ δώματ' ἔασιν.
αὐτὰρ 'Αθηναίη, κούρη Διός, ἄλλ' ἐνόησεν·
ἦ τοι τῶν ἄλλων ἀνέμων κατέδησε κελεύθους,
παύσασθαι δ' ἐκέλευσε καὶ εὐνηθῆναι ἅπαντας·
385 ὦρσε δ' ἐπὶ κραιπνὸν Βορέην, πρὸ δὲ κύματ' ἔαξεν,
ἕως ὅ γε Φαιήκεσσι φιληρέτμοισι μιγείη
διογενὴς 'Οδυσεὺς θάνατον καὶ κῆρας ἀλύξας.
ἔνθα δύω νύκτας δύο τ' ἤματα κύματι πηγῷ
πλάζετο, πολλὰ δέ οἱ κραδίη προτιόσσετ' ὄλεθρον.
390 ἀλλ' ὅτε δὴ τρίτον ἦμαρ ἐϋπλόκαμος τέλεσ' 'Ηώς,
καὶ τότ' ἔπειτ' ἄνεμος μὲν ἐπαύσατο ἠδὲ γαλήνη
ἔπλετο νηνεμίη, ὁ δ' ἄρα σχεδὸν εἴσιδε γαῖαν
ὀξὺ μάλα προϊδών, μεγάλου ὑπὸ κύματος ἀρθείς.
ὡς δ' ὅτ' ἂν ἀσπάσιος βίοτος παίδεσσι φανήῃ
395 πατρός, ὃς ἐν νούσῳ κεῖται κρατέρ' ἄλγεα πάσχων,
δηρὸν τηκόμενος, στυγερὸς δέ οἱ ἔχραε δαίμων,
ἀσπάσιον δ' ἄρα τόν γε θεοὶ κακότητος ἔλυσαν,
ὣς 'Οδυσῆ' ἀσπαστὸν ἐείσατο γαῖα καὶ ὕλη,
νῆχε δ' ἐπειγόμενος ποσὶν ἠπείρου ἐπιβῆναι.
400 ἀλλ' ὅτε τόσσον ἀπῆν ὅσσον τε γέγωνε βοήσας,

dolorosa e terribile, inarcata, contro di lui, e lo spinse.
Come un vento impetuoso agita un mucchio di arida
pula e la sparpaglia qua e là,
370 così sparpagliò i lunghi legni. Allora Odisseo
montò su un tronco, come guidando un corsiero,
si spogliò delle vesti che gli diede la chiara Calipso,
stese subito il velo sotto il suo petto,
si tuffò prono in mare, allargando le mani,
375 dandosi con foga a nuotare. Lo vide lo Scuotiterra possente
e muovendo la testa parlò rivolto al suo animo:

« Erra dunque così per il mare, dopo i molti mali sofferti,
finché arriverai tra uomini allevati da Zeus:
ma penso che neanche così dirai piccola la tua sventura ».

380 Detto così, frustò i cavalli dalla bella criniera,
andò ad Aigai, dove sono le sue celebri case.

Ma Atena, la figlia di Zeus, pensò un'altra cosa:
impedì agli altri venti il cammino,
a tutti ordinò di cessare e placarsi,
385 e suscitò l'impetuoso Borea, ruppe innanzi le onde,
finché giungesse tra i Feaci che amano i remi
il divino Odisseo, evitata la morte e il destino.

Due notti e due giorni vagò sull'onda
dura, e spesso il suo cuore intravide la morte.
390 Ma quando Aurora dai riccioli belli portò il terzo giorno,
finalmente il vento cessò e ci fu calma
di vento: allora egli scorse vicino la terra,
aguzzando la vista, sollevato da una grande onda.
Come quando ai figli appare preziosa la vita
395 del padre, che giace ammalato soffrendo atroci dolori,
a lungo languendo – un demone cattivo l'invase –
e dopo tanto agognare gli dei lo sottrassero al male,
così agognate apparvero a Odisseo la terra e la selva,
e nuotava bramoso di calcare coi piedi la terra.
400 Ma appena distò quanto basta per sentire chi grida,

καὶ δὴ δοῦπον ἄκουσε ποτὶ σπιλάδεσσι θαλάσσης·
ῥόχθει γὰρ μέγα κῦμα ποτὶ ξερὸν ἠπείροιο
δεινὸν ἐρευγόμενον, εἴλυτο δὲ πάνθ' ἁλὸς ἄχνῃ·
οὐ γὰρ ἔσαν λιμένες νηῶν ὀχοί, οὐδ' ἐπιωγαί,
405 ἀλλ' ἀκταὶ προβλῆτες ἔσαν σπιλάδες τε πάγοι τε·
καὶ τότ' Ὀδυσσῆος λύτο γούνατα καὶ φίλον ἦτορ,
ὀχθήσας δ' ἄρα εἶπε πρὸς ὃν μεγαλήτορα θυμόν·
« ὤ μοι, ἐπεὶ δὴ γαῖαν ἀελπέα δῶκεν ἰδέσθαι
Ζεύς, καὶ δὴ τόδε λαῖτμα διατμήξας ἐτέλεσσα,
410 ἔκβασις οὔ πῃ φαίνεθ' ἁλὸς πολιοῖο θύραζε·
ἔκτοσθεν μὲν γὰρ πάγοι ὀξέες, ἀμφὶ δὲ κῦμα
βέβρυχεν ῥόθιον, λισσὴ δ' ἀναδέδρομε πέτρη,
ἀγχιβαθὴς δὲ θάλασσα, καὶ οὔ πως ἔστι πόδεσσι
στήμεναι ἀμφοτέροισι καὶ ἐκφυγέειν κακότητα·
415 μή πώς μ' ἐκβαίνοντα βάλῃ λίθακι ποτὶ πέτρῃ
κῦμα μέγ' ἁρπάξαν· μελέη δέ μοι ἔσσεται ὁρμή.
εἰ δέ κ' ἔτι προτέρω παρανήξομαι, ἤν που ἐφεύρω
ἠϊόνας τε παραπλῆγας λιμένας τε θαλάσσης,
δείδω μή μ' ἐξαῦτις ἀναρπάξασα θύελλα
420 πόντον ἐπ' ἰχθυόεντα φέρῃ βαρέα στενάχοντα,
ἠέ τί μοι καὶ κῆτος ἐπισσεύῃ μέγα δαίμων
ἐξ ἁλός, οἷά τε πολλὰ τρέφει κλυτὸς Ἀμφιτρίτη·
οἶδα γὰρ ὥς μοι ὀδώδυσται κλυτὸς ἐννοσίγαιος ».
εἷος ὁ ταῦθ' ὥρμαινε κατὰ φρένα καὶ κατὰ θυμόν,
425 τόφρα δέ μιν μέγα κῦμα φέρε τρηχεῖαν ἐπ' ἀκτήν.
ἔνθα κ' ἀπὸ ῥινοὺς δρύφθη, σὺν δ' ὀστέ' ἀράχθη,
εἰ μὴ ἐπὶ φρεσὶ θῆκε θεὰ γλαυκῶπις Ἀθήνη·
ἀμφοτέρῃσι δὲ χερσὶν ἐπεσσύμενος λάβε πέτρης,
τῆς ἔχετο στενάχων, εἷος μέγα κῦμα παρῆλθε.
430 καὶ τὸ μὲν ὣς ὑπάλυξε, παλιρρόθιον δέ μιν αὖτις
πλῆξεν ἐπεσσύμενον, τηλοῦ δέ μιν ἔμβαλε πόντῳ.
ὡς δ' ὅτε πουλύποδος θαλάμης ἐξελκομένοιο
πρὸς κοτυληδονόφιν πυκιναὶ λάϊγγες ἔχονται,
ὣς τοῦ πρὸς πέτρῃσι θρασειάων ἀπὸ χειρῶν

allora udì tra gli scogli il rombo del mare:
la grande onda mugghiava contro la costa
orridamente ruggendo, tutto era avvolto dalla schiuma del mare.
Perché non v'erano porti per accogliere navi, né rade,
405 ma v'erano coste sporgenti e scogli e punte rocciose.
E allora ad Odisseo le ginocchia e il cuore si sciolsero,
e angosciato disse al suo cuore magnanimo:
« Ohimè, ora che Zeus m'ha concesso di vedere la terra
insperata e ho attraversato questo abisso, solcandolo,
410 da nessun lato appare un'uscita dal mare canuto.
Scogli aguzzi sporgono in fuori, l'onda mugghia
fragorosa d'intorno, liscia s'eleva la roccia,
il mare sottocosta è profondo e non si può stare
ben saldi sui piedi e sfuggire al pericolo.
415 Che un grosso maroso mentre esco non mi sbatta
su una roccia pietrosa: vano sarebbe il mio slancio.
Se nuoto ancora, più avanti, per vedere se trovo
spiagge lambite di fianco e porti di mare,
temo che la tempesta mi trascini di nuovo,
420 e mi porti tra cupi gemiti sul mare pescoso,
o che un dio mi susciti contro un gran mostro
dal mare, come ne nutre tanti la gloriosa Anfitrite:
so già che lo Scuotiterra glorioso m'ha in odio ».
Mentre rifletteva così nella mente e nell'animo,
425 un grande maroso lo spinse sulla costa scogliosa.
E lì si sarebbe stracciata la pelle, fracassate le ossa,
se non lo avesse ispirato la dea glaucopide Atena.
Di slancio afferrò con le mani la roccia,
vi si resse gemendo finché la grande onda passò.
430 E così la evitò: ma rifluendo di nuovo
lo aggredì e colpì, lo gettò lontano nel mare.
Come quando alle ventose di un polipo strappato
dal covo restano attaccate fitte pietruzze,
così fu stracciata sulla roccia la pelle

435 ῥινοὶ ἀπέδρυφθεν· τὸν δὲ μέγα κῦμ' ἐκάλυψεν.
ἔνθα κε δὴ δύστηνος ὑπὲρ μόρον ὤλετ' Ὀδυσσεύς,
εἰ μὴ ἐπιφροσύνην δῶκε γλαυκῶπις Ἀθήνη.
κύματος ἐξαναδύς, τά τ' ἐρεύγεται ἤπειρόνδε,
νῆχε παρέξ, ἐς γαῖαν ὁρώμενος, εἴ που ἐφεύροι
440 ἠϊόνας τε παραπλῆγας λιμένας τε θαλάσσης.
ἀλλ' ὅτε δὴ ποταμοῖο κατὰ στόμα καλλιρόοιο
ἷξε νέων, τῇ δή οἱ ἐείσατο χῶρος ἄριστος,
λεῖος πετράων, καὶ ἐπὶ σκέπας ἦν ἀνέμοιο.
ἔγνω δὲ προρέοντα καὶ εὔξατο ὃν κατὰ θυμόν·
445 « κλῦθι, ἄναξ, ὅτις ἐσσί· πολύλλιστον δέ σ' ἱκάνω
φεύγων ἐκ πόντοιο Ποσειδάωνος ἐνιπάς.
αἰδοῖος μέν τ' ἐστὶ ἀθανάτοισι θεοῖσιν
ἀνδρῶν ὅς τις ἵκηται ἀλώμενος, ὡς καὶ ἐγὼ νῦν
σόν τε ῥόον σά τε γούναθ' ἱκάνω πολλὰ μογήσας.
450 ἀλλ' ἐλέαιρε, ἄναξ· ἱκέτης δέ τοι εὔχομαι εἶναι ».
ὣς φάθ', ὁ δ' αὐτίκα παῦσεν ἑὸν ῥόον, ἔσχε δὲ κῦμα,
πρόσθε δέ οἱ ποίησε γαλήνην, τὸν δ' ἐσάωσεν
ἐς ποταμοῦ προχοάς· ὁ δ' ἄρ' ἄμφω γούνατ' ἔκαμψε
χεῖράς τε στιβαράς· ἁλὶ γὰρ δέδμητο φίλον κῆρ.
455 ᾤδεε δὲ χρόα πάντα, θάλασσα δὲ κήκιε πολλὴ
ἂν στόμα τε ῥῖνάς θ'· ὁ δ' ἄρ' ἄπνευστος καὶ ἄναυδος
κεῖτ' ὀλιγηπελέων, κάματος δέ μιν αἰνὸς ἵκανεν.
ἀλλ' ὅτε δή ῥ' ἄμπνυτο καὶ ἐς φρένα θυμὸς ἀγέρθη,
καὶ τότε δὴ κρήδεμνον ἀπὸ ἕο λῦσε θεοῖο.
460 καὶ τὸ μὲν ἐς ποταμὸν ἁλιμυρήεντα μεθῆκεν,
ἂψ δ' ἔφερεν μέγα κῦμα κατὰ ῥόον, αἶψα δ' ἄρ' Ἰνὼ
δέξατο χερσὶ φίλῃσιν· ὁ δ' ἐκ ποταμοῖο λιασθεὶς
σχοίνῳ ὑπεκλίνθη, κύσε δὲ ζείδωρον ἄρουραν·
ὀχθήσας δ' ἄρα εἶπε πρὸς ὃν μεγαλήτορα θυμόν·
465 « ὤ μοι ἐγώ, τί πάθω; τί νύ μοι μήκιστα γένηται;
εἰ μέν κ' ἐν ποταμῷ δυσκηδέα νύκτα φυλάσσω,
μή μ' ἄμυδις στίβη τε κακὴ καὶ θῆλυς ἐέρση
ἐξ ὀλιγηπελίης δαμάσῃ κεκαφηότα θυμόν·

435 dalle sue mani audaci: una grande onda l'avvolse.
L'infelice Odisseo sarebbe allora perito, ingiustamente,
se non gli avesse dato giudizio la glaucopide Atena.
Riemerso dall'onda che correva verso terra mugghiando,
nuotò sottocosta, guardando la terra, per trovare
440 spiagge lambite di fianco e porti di mare.
Ma quando alla foce di un fiume dalla bella corrente
giunse nuotando, là gli parve ottimo il luogo,
sgombro di scogli, v'era anche un riparo dal vento;
riconobbe l'acqua del fiume e lo pregò nel suo animo:
445 « Ascolta, signore, chiunque tu sia! Giungo a te,
che sei tanto invocato, fuggendo l'ira di Posidone dal mare.
Anche per gli dei immortali è degno di compassione
chi degli uomini arrivi ramingo, come arrivo ora io
al tuo corso e alle tue ginocchia, dopo tanto soffrire.
450 Abbi pietà, signore: mi dichiaro tuo supplice ».
Disse così: ed egli subito smise di scorrere, trattenne l'onda,
gli fece bonaccia davanti, lo portò in salvo
nella foce del fiume. Egli piegò ambedue le ginocchia
e le mani robuste: perché il suo cuore era vinto dal mare.
455 In tutto il corpo era gonfio, dalla bocca e dal naso
gli sgorgava molta acqua di mare: giaceva senza fiato
né voce, sfinito, lo colse un'atroce stanchezza.
Quando poi prese fiato e l'animo si raccolse nel petto,
sciolse il velo della dea dal suo corpo
460 e lo gettò nell'acqua del fiume, che al mare fluiva:
con la corrente il gran flutto lo portò indietro e subito Ino
lo accolse nelle sue mani. Egli, uscito dal fiume,
si stese tra i giunchi, baciò la terra che dona le biade,
e addolorato disse al suo cuore magnanimo:
465 « Povero me, che mi capita? alla fine che mi accadrà?
Se veglio nella notte dolorosa sul fiume,
temo che, insieme, la brina maligna e la molle guazza
mi prostrino l'animo, ansante di debolezza:

αὔρη δ' ἐκ ποταμοῦ ψυχρὴ πνέει ἠῶθι πρό.
470 εἰ δέ κεν ἐς κλειτὺν ἀναβὰς καὶ δάσκιον ὕλην
θάμνοις ἐν πυκινοῖσι καταδράθω, εἴ με μεθήῃ
ῥῖγος καὶ κάματος, γλυκερὸς δέ μοι ὕπνος ἐπέλθῃ,
δείδω μὴ θήρεσσιν ἕλωρ καὶ κύρμα γένωμαι ».
ὣς ἄρα οἱ φρονέοντι δοάσσατο κέρδιον εἶναι·
475 βῆ ῥ' ἴμεν εἰς ὕλην· τὴν δὲ σχεδὸν ὕδατος εὗρεν
ἐν περιφαινομένῳ· δοιοὺς δ' ἄρ' ὑπήλυθε θάμνους
ἐξ ὁμόθεν πεφυῶτας· ὁ μὲν φυλίης, ὁ δ' ἐλαίης.
τοὺς μὲν ἄρ' οὔτ' ἀνέμων διάη μένος ὑγρὸν ἀέντων,
οὔτε ποτ' ἠέλιος φαέθων ἀκτῖσιν ἔβαλλεν
480 οὔτ' ὄμβρος περάασκε διαμπερές· ὣς ἄρα πυκνοὶ
ἀλλήλοισιν ἔφυν ἐπαμοιβαδίς· οὓς ὑπ' Ὀδυσσεὺς
δύσετ'. ἄφαρ δ' εὐνὴν ἐπαμήσατο χερσὶ φίλῃσιν
εὐρεῖαν· φύλλων γὰρ ἔην χύσις ἤλιθα πολλή,
ὅσσον τ' ἠὲ δύω ἠὲ τρεῖς ἄνδρας ἔρυσθαι
485 ὥρῃ χειμερίῃ, εἰ καὶ μάλα περ χαλεπαίνοι.
τὴν μὲν ἰδὼν γήθησε πολύτλας δῖος Ὀδυσσεύς,
ἐν δ' ἄρα μέσσῃ λέκτο, χύσιν δ' ἐπεχεύατο φύλλων.
ὡς δ' ὅτε τις δαλὸν σποδιῇ ἐνέκρυψε μελαίνῃ
ἀγροῦ ἐπ' ἐσχατιῆς, ᾧ μὴ πάρα γείτονες ἄλλοι,
490 σπέρμα πυρὸς σώζων, ἵνα μή ποθεν ἄλλοθεν αὔοι,
ὣς Ὀδυσεὺς φύλλοισι καλύψατο· τῷ δ' ἄρ' Ἀθήνη
ὕπνον ἐπ' ὄμμασι χεῦ', ἵνα μιν παύσειε τάχιστα
δυσπονέος καμάτοιο, φίλα βλέφαρ' ἀμφικαλύψας.

spira fresca l'aria dal fiume di prima mattina.
470 Se invece risalgo il pendio e vado a dormire
nel bosco ombroso tra i fitti cespugli, temo,
se freddo e stanchezza mi passano e mi coglie il dolce sonno,
di diventare preda e bottino di fiere ».

E mentre pensava, gli parve meglio così:
475 si diresse verso la selva; la trovò non lontana dall'acqua
in luogo aperto alla vista. Si infilò tra due arbusti
nati da un medesimo ceppo: uno d'oleastro, l'altro d'ulivo.
Non li penetrava il vigore dei venti che spirano umidi,
né mai il sole lucente li colpiva coi raggi
480 e neppure vi filtrava la pioggia: così stretti
s'erano intrecciati tra loro. Entrò Odisseo
lì sotto. Ammassò subito un largo giaciglio
con le sue mani: c'era un mucchio enorme di foglie,
tanto da riparare due o tre uomini
485 nella stagione invernale, anche se rigida.
Gioì vedendolo, il paziente chiaro Odisseo,
si coricò lì in mezzo, si coprì con un mucchio di foglie.
Come chi nasconde un tizzone tra la cenere nera
ai confini d'un campo, non avendo altri vicini,
490 e serba il seme del fuoco, per non accendere altrove,
così Odisseo si coprì con le foglie. E Atena
gli versò il sonno sugli occhi, per sottrarlo al più presto
alla dura stanchezza e gli chiuse le care palpebre.

Z

Ὣς ὁ μὲν ἔνθα καθεῦδε πολύτλας δῖος Ὀδυσσεὺς
ὕπνῳ καὶ καμάτῳ ἀρημένος· αὐτὰρ Ἀθήνη
βῆ ῥ' ἐς Φαιήκων ἀνδρῶν δῆμόν τε πόλιν τε,
οἳ πρὶν μέν ποτ' ἔναιον ἐν εὐρυχόρῳ Ὑπερείῃ,
5 ἀγχοῦ Κυκλώπων, ἀνδρῶν ὑπερηνορεόντων,
οἵ σφεας σινέσκοντο, βίηφι δὲ φέρτεροι ἦσαν.
ἔνθεν ἀναστήσας ἄγε Ναυσίθοος θεοειδής,
εἷσεν δ' ἐν Σχερίῃ, ἑκὰς ἀνδρῶν ἀλφηστάων,
ἀμφὶ δὲ τεῖχος ἔλασσε πόλει, καὶ ἐδείματο οἴκους,
10 καὶ νηοὺς ποίησε θεῶν, καὶ ἐδάσσατ' ἀρούρας.
ἀλλ' ὁ μὲν ἤδη κηρὶ δαμεὶς Ἄϊδόσδε βεβήκει,
Ἀλκίνοος δὲ τότ' ἦρχε, θεῶν ἄπο μήδεα εἰδώς·
τοῦ μὲν ἔβη πρὸς δῶμα θεὰ γλαυκῶπις Ἀθήνη,
νόστον Ὀδυσσῆϊ μεγαλήτορι μητιόωσα.
15 βῆ δ' ἴμεν ἐς θάλαμον πολυδαίδαλον, ᾧ ἔνι κούρη
κοιμᾶτ' ἀθανάτῃσι φυὴν καὶ εἶδος ὁμοίη,
Ναυσικάα, θυγάτηρ μεγαλήτορος Ἀλκινόοιο,
πὰρ δὲ δύ' ἀμφίπολοι, Χαρίτων ἄπο κάλλος ἔχουσαι,
σταθμοῖϊν ἑκάτερθε· θύραι δ' ἐπέκειντο φαειναί.
20 ἡ δ' ἀνέμου ὡς πνοιὴ ἐπέσσυτο δέμνια κούρης,
στῆ δ' ἄρ' ὑπὲρ κεφαλῆς, καί μιν πρὸς μῦθον ἔειπεν,
εἰδομένη κούρῃ ναυσικλειτοῖο Δύμαντος,
ἥ οἱ ὁμηλικίη μὲν ἔην, κεχάριστο δὲ θυμῷ.
τῇ μιν ἐεισαμένη προσέφη γλαυκῶπις Ἀθήνη·
25 «Ναυσικάα, τί νύ σ' ὧδε μεθήμονα γείνατο μήτηρ;
εἵματα μέν τοι κεῖται ἀκηδέα σιγαλόεντα,

LIBRO SESTO

Così egli dormiva in quel luogo, il paziente chiaro Odisseo,
vinto dal sonno e dalla stanchezza: intanto Atena
andò nel paese e nella città dei Feaci,
che una volta abitavano nell'ampia Iperea,
5 vicino ai Ciclopi, uomini oltracotanti,
che li depredavano ed erano più forti.
Li tolse di là Nausitoo simile a un dio, li condusse
e insediò a Scheria, lontano dagli uomini che mangiano pane,
cinse la città con un muro, e costruì le dimore,
10 e fece i templi agli dei, e i campi spartì.
Ma egli, vinto dal fato, era andato nell'Ade,
e il capo allora era Alcinoo, che aveva dagli dei i pensieri.
Andò nella casa di questi la dea glaucopide Atena,
pensando al ritorno del magnanimo Odisseo.
15 Si diresse nel talamo adorno, nel quale una fanciulla
dormiva simile alle immortali per figura ed aspetto,
Nausicaa, la figlia del magnanimo Alcinoo,
e, vicino, due ancelle che avevano la beltà dalle Cariti,
ciascuna a uno stipite: erano serrati i lucidi battenti.
20 Volò come un soffio di vento al letto della fanciulla,
si fermò sul suo capo e le disse,
somigliante alla figlia del famoso navigatore Dimante,
che era sua coetanea e le era cara nell'animo.
A lei somigliante la glaucopide Atena parlò:
25 « Nausicaa, ma perché ti fece così pigra tua madre?
Giacciono abbandonate le vesti splendenti

σοὶ δὲ γάμος σχεδόν ἐστιν, ἵνα χρὴ καλὰ μὲν αὐτὴν
ἕννυσθαι, τὰ δὲ τοῖσι παρασχεῖν οἵ κέ σ' ἄγωνται.
ἐκ γάρ τοι τούτων φάτις ἀνθρώπους ἀναβαίνει
30 ἐσθλή, χαίρουσιν δὲ πατὴρ καὶ πότνια μήτηρ.
ἀλλ' ἴομεν πλυνέουσαι ἅμ' ἠοῖ φαινομένηφι·
καί τοι ἐγὼ συνέριθος ἅμ' ἕψομαι, ὄφρα τάχιστα
ἐντύνεαι, ἐπεὶ οὔ τοι ἔτι δὴν παρθένος ἔσσεαι·
ἤδη γάρ σε μνῶνται ἀριστῆες κατὰ δῆμον
35 πάντων Φαιήκων, ὅθι τοι γένος ἐστὶ καὶ αὐτῇ.
ἀλλ' ἄγ' ἐπότρυνον πατέρα κλυτὸν ἠῶθι πρὸ
ἡμιόνους καὶ ἄμαξαν ἐφοπλίσαι, ἥ κεν ἄγῃσι
ζῶστρά τε καὶ πέπλους καὶ ῥήγεα σιγαλόεντα.
καὶ δὲ σοὶ ὧδ' αὐτῇ πολὺ κάλλιον ἠὲ πόδεσσιν
40 ἔρχεσθαι· πολλὸν γὰρ ἀπὸ πλυνοί εἰσι πόληος ».
ἡ μὲν ἄρ' ὣς εἰποῦσ' ἀπέβη γλαυκῶπις Ἀθήνη
Οὔλυμπόνδ', ὅθι φασὶ θεῶν ἕδος ἀσφαλὲς αἰεὶ
ἔμμεναι· οὔτ' ἀνέμοισι τινάσσεται οὔτε ποτ' ὄμβρῳ
δεύεται οὔτε χιὼν ἐπιπίλναται, ἀλλὰ μάλ' αἴθρη
45 πέπταται ἀνέφελος, λευκὴ δ' ἐπιδέδρομεν αἴγλη·
τῷ ἔνι τέρπονται μάκαρες θεοὶ ἤματα πάντα.
ἔνθ' ἀπέβη γλαυκῶπις, ἐπεὶ διεπέφραδε κούρῃ.
αὐτίκα δ' Ἠὼς ἦλθεν ἐΰθρονος, ἥ μιν ἔγειρε
Ναυσικάαν εὔπεπλον· ἄφαρ δ' ἀπεθαύμασ' ὄνειρον,
50 βῆ δ' ἴμεναι διὰ δώμαθ', ἵν' ἀγγείλειε τοκεῦσι,
πατρὶ φίλῳ καὶ μητρί· κιχήσατο δ' ἔνδον ἐόντας·
ἡ μὲν ἐπ' ἐσχάρῃ ἧστο σὺν ἀμφιπόλοισι γυναιξίν,
ἠλάκατα στρωφῶσ' ἁλιπόρφυρα· τῷ δὲ θύραζε
ἐρχομένῳ ξύμβλητο μετὰ κλειτοὺς βασιλῆας
55 ἐς βουλήν, ἵνα μιν κάλεον Φαίηκες ἀγαυοί.
ἡ δὲ μάλ' ἄγχι στᾶσα φίλον πατέρα προσέειπε·
« πάππα φίλ', οὐκ ἂν δή μοι ἐφοπλίσσειας ἀπήνην
ὑψηλὴν εὔκυκλον, ἵνα κλυτὰ εἵματ' ἄγωμαι
ἐς ποταμὸν πλυνέουσα, τά μοι ῥερυπωμένα κεῖται;
60 καὶ δὲ σοὶ αὐτῷ ἔοικε μετὰ πρώτοισιν ἐόντα

e per te son vicine le nozze, in cui devi indossarne belle
tu stessa e offrirne a coloro che ti portano via.
Proprio così si diffonde gloriosa la fama
30 tra gli uomini: ne gioiscono il padre e la madre augusta.
Ma andiamo a lavarle appena sorge l'aurora:
verrò anche io come aiuto, perché tu sia pronta
al più presto. Non sarai una vergine ancora per molto.
Da tempo ti chiedono in sposa i migliori, in questo paese,
35 tra tutti i Feaci, tra i quali hai tu pure la stirpe.
Ma via, persuadi il tuo nobile padre alla prima aurora
ad armarti le mule e il carro, con cui trasportare
le vesti e i pepli e le splendenti coperte.
Anche per te è molto meglio andarci così,
40 che a piedi: distano molto dalla città i lavatoi ».

Detto così la glaucopide Atena andò via
sull'Olimpo, dove dicono sia la dimora sempre serena
degli dei: non è agitata da venti, non è mai bagnata
da pioggia, non vi si adagia la neve, ma senza nubi
45 l'aria si stende e vi è diffuso un terso splendore;
gli dei beati si allietano in essa ogni giorno.
Andò lì la dea glaucopide, dopoché consigliò la fanciulla.

E subito giunse Aurora sul trono, che destò
Nausicaa dal peplo elegante: stupì tosto del sogno,
50 attraversò le sale per dirlo ai suoi genitori,
al padre e alla madre. Li trovò dentro casa:
lei, seduta al focolare con le donne sue ancelle,
filava stami dai bagliori marini; lui l'incontrò
sulla porta, che andava coi capi gloriosi
55 in consiglio, dove aspettavano gli illustri Feaci.
E stando vicinissima al padre gli disse:

« Papà caro, non mi armeresti un carro
alto sulle solide ruote, così porto al fiume
a lavare le magnifiche vesti, che mi giacciono sporche?
60 S'addice anche a te, quando sei con i principi

βουλὰς βουλεύειν καθαρὰ χροῒ εἵματ' ἔχοντα.
πέντε δέ τοι φίλοι υἷες ἐνὶ μεγάροις γεγάασιν,
οἱ δύ' ὀπυίοντες, τρεῖς δ' ἠΐθεοι θαλέθοντες·
οἱ δ' αἰεὶ ἐθέλουσι νεόπλυτα εἵματ' ἔχοντες
65 ἐς χορὸν ἔρχεσθαι· τὰ δ' ἐμῇ φρενὶ πάντα μέμηλεν ».
ὣς ἔφατ'· αἴδετο γὰρ θαλερὸν γάμον ἐξονομῆναι
πατρὶ φίλῳ· ὁ δὲ πάντα νόει καὶ ἀμείβετο μύθῳ·
« οὔτε τοι ἡμιόνων φθονέω, τέκος, οὔτε τευ ἄλλου.
ἔρχευ· ἀτάρ τοι δμῶες ἐφοπλίσσουσιν ἀπήνην
70 ὑψηλὴν εὔκυκλον, ὑπερτερίῃ ἀραρυῖαν ».
ὣς εἰπὼν δμώεσσιν ἐκέκλετο, τοὶ δ' ἐπίθοντο.
οἱ μὲν ἄρ' ἐκτὸς ἄμαξαν ἐΰτροχον ἡμιονείην
ὥπλεον, ἡμιόνους θ' ὕπαγον ζεῦξάν θ' ὑπ' ἀπήνῃ·
κούρη δ' ἐκ θαλάμοιο φέρεν ἐσθῆτα φαεινήν.
75 καὶ τὴν μὲν κατέθηκεν ἐϋξέστῳ ἐπ' ἀπήνῃ,
μήτηρ δ' ἐν κίστῃ ἐτίθει μενοεικέ' ἐδωδὴν
παντοίην, ἐν δ' ὄψα τίθει, ἐν δ' οἶνον ἔχευεν
ἀσκῷ ἐν αἰγείῳ· κούρη δ' ἐπεβήσετ' ἀπήνης.
δῶκεν δὲ χρυσέῃ ἐν ληκύθῳ ὑγρὸν ἔλαιον,
80 εἷος χυτλώσαιτο σὺν ἀμφιπόλοισι γυναιξίν.
ἡ δ' ἔλαβεν μάστιγα καὶ ἡνία σιγαλόεντα,
μάστιξεν δ' ἐλάαν· καναχὴ δ' ἦν ἡμιόνοιϊν·
αἱ δ' ἄμοτον τανύοντο, φέρον δ' ἐσθῆτα καὶ αὐτήν,
οὐκ οἴην, ἅμα τῇ γε καὶ ἀμφίπολοι κίον ἄλλαι.
85 αἱ δ' ὅτε δὴ ποταμοῖο ῥόον περικαλλέ' ἵκοντο,
ἔνθ' ἦ τοι πλυνοὶ ἦσαν ἐπηετανοί, πολὺ δ' ὕδωρ
καλὸν ὑπεκπρορέει μάλα περ ῥυπόωντα καθῆραι,
ἔνθ' αἵ γ' ἡμιόνους μὲν ὑπεκπροέλυσαν ἀπήνης.
καὶ τὰς μὲν σεῦαν ποταμὸν πάρα δινήεντα
90 τρώγειν ἄγρωστιν μελιηδέα· ταὶ δ' ἀπ' ἀπήνης
εἵματα χερσὶν ἕλοντο καὶ ἐσφόρεον μέλαν ὕδωρ,
στεῖβον δ' ἐν βόθροισι θοῶς ἔριδα προφέρουσαι.
αὐτὰρ ἐπεὶ πλῦνάν τε κάθηράν τε ῥύπα πάντα,
ἑξείης πέτασαν παρὰ θῖν' ἁλός, ἧχι μάλιστα

a tenere consiglio, indossare delle vesti pulite.
Cinque figli sono nati a te nella casa,
due ammogliati e tre giovanotti fiorenti:
e questi vogliono andare sempre alla danza
65 con vesti lavate di fresco. Penso io a tutto ciò ».

Disse così, perché aveva pudore d'accennare col padre
alle floride nozze; ma lui capì tutto e rispose:
« Non ti nego le mule, figliola, né altro.
Va' pure: i servi ti armeranno il carro
70 alto sulle solide ruote, attaccato alla cassa ».

Detto così, diede l'ordine ai servi ed essi ubbidirono.
Così essi trassero e armarono il carro con le solide ruote,
da mule, e spinsero e aggiogarono al carro le mule.
Dal talamo la fanciulla portava gli splendidi panni.
75 E nel carro levigato li pose;
in un canestro la madre mise ogni sorta di cibi
in abbondanza, vi pose saporite vivande, versò il vino
in un otre di capra: sul carro salì la fanciulla.
A lei diede fluido olio in un'aurea ampolla
80 perché si ungesse con le donne sue ancelle.
Ella prese la frusta e le briglie splendenti,
frustò per avviarle, dalle mule s'alzò un tintinnio,
si tendevano esse con sforzo: portavano i panni e lei stessa,
non sola, con lei erano anche le altre, le ancelle.
85 Quando arrivarono al bellissimo corso del fiume
dove erano i lavatoi perenni e tanta acqua
sgorga bella, da lavare anche panni assai sporchi,
allora esse sciolsero dal carro le mule.
E lungo il fiume vorticoso le spinsero
90 a pascolare l'erba dolcissima: presero dal carro
sulle braccia le vesti e le portarono nell'acqua scura,
le calcarono sveltamente nei botri provocandosi a gara.
Dopoché le lavarono e resero linde d'ogni sporcizia,
le stesero in fila sulla riva del mare, dove l'acqua

95 λάϊγγας ποτὶ χέρσον ἀποπλύνεσκε θάλασσα.
αἱ δὲ λοεσσάμεναι καὶ χρισάμεναι λίπ' ἐλαίῳ
δεῖπνον ἔπειθ' εἵλοντο παρ' ὄχθησιν ποταμοῖο,
εἵματα δ' ἠελίοιο μένον τερσήμεναι αὐγῇ.
αὐτὰρ ἐπεὶ σίτου τάρφθεν δμῳαί τε καὶ αὐτή,
100 σφαίρῃ ταὶ δ' ἄρα παῖζον, ἀπὸ κρήδεμνα βαλοῦσαι·
τῇσι δὲ Ναυσικάα λευκώλενος ἤρχετο μολπῆς.
οἵη δ' Ἄρτεμις εἶσι κατ' οὔρεα ἰοχέαιρα,
ἢ κατὰ Τηΰγετον περιμήκετον ἢ Ἐρύμανθον,
τερπομένη κάπροισι καὶ ὠκείῃς ἐλάφοισι·
105 τῇ δέ θ' ἅμα νύμφαι, κοῦραι Διὸς αἰγιόχοιο,
ἀγρονόμοι παίζουσι· γέγηθε δέ τε φρένα Λητώ·
πασάων δ' ὑπὲρ ἥ γε κάρη ἔχει ἠδὲ μέτωπα,
ῥεῖά τ' ἀριγνώτη πέλεται, καλαὶ δέ τε πᾶσαι·
ὣς ἥ γ' ἀμφιπόλοισι μετέπρεπε παρθένος ἀδμής.
110 ἀλλ' ὅτε δὴ ἄρ' ἔμελλε πάλιν οἶκόνδε νέεσθαι
ζεύξασ' ἡμιόνους πτύξασά τε εἵματα καλά,
ἔνθ' αὖτ' ἄλλ' ἐνόησε θεὰ γλαυκῶπις Ἀθήνη,
ὡς Ὀδυσεὺς ἔγροιτο, ἴδοι τ' εὐώπιδα κούρην,
ἥ οἱ Φαιήκων ἀνδρῶν πόλιν ἡγήσαιτο.
115 σφαῖραν ἔπειτ' ἔρριψε μετ' ἀμφίπολον βασίλεια·
ἀμφιπόλου μὲν ἅμαρτε, βαθείῃ δ' ἔμβαλε δίνῃ,
αἱ δ' ἐπὶ μακρὸν ἄϋσαν. ὁ δ' ἔγρετο δῖος Ὀδυσσεύς,
ἑζόμενος δ' ὥρμαινε κατὰ φρένα καὶ κατὰ θυμόν·
« ὤ μοι ἐγώ, τέων αὖτε βροτῶν ἐς γαῖαν ἱκάνω;
120 ἦ ῥ' οἵ γ' ὑβρισταί τε καὶ ἄγριοι οὐδὲ δίκαιοι,
ἦε φιλόξεινοι, καί σφιν νόος ἐστὶ θεουδής;
ὥς τέ με κουράων ἀμφήλυθε θῆλυς ἀϋτή,
νυμφάων, αἳ ἔχουσ' ὀρέων αἰπεινὰ κάρηνα
καὶ πηγὰς ποταμῶν καὶ πίσεα ποιήεντα.
125 ἦ νύ που ἀνθρώπων εἰμὶ σχεδὸν αὐδηέντων;
ἀλλ' ἄγ', ἐγὼν αὐτὸς πειρήσομαι ἠδὲ ἴδωμαι ».
ὣς εἰπὼν θάμνων ὑπεδύσετο δῖος Ὀδυσσεύς,
ἐκ πυκινῆς δ' ὕλης πτόρθον κλάσε χειρὶ παχείῃ

95 soleva lavare la ghiaia di più, sulla spiaggia.
Fatto il bagno e untesi copiosamente con l'olio,
esse presero il pasto sulla sponda del fiume:
aspettavano che le vesti asciugassero al raggio del sole.
Quando le ancelle e lei stessa si furono ristorate di cibo,
100 gettati via i veli dal capo giocarono a palla.
Iniziò il gioco Nausicaa dalle candide braccia.
Come sui monti va Artemide saettatrice,
sull'immenso Taigeto o per l'Erimanto,
lieta tra cinghiali e cerve veloci,
105 e con lei giocano le ninfe dei campi,
figlie di Zeus egìoco, gioisce Leto nell'animo,
e lei col capo e la fronte supera tutte,
e facilmente si nota, e tutte son belle;
così tra le ancelle spiccava la vergine casta.
110 Ma quando doveva tornarsene a casa,
aggiogate le mule e piegate le belle vesti,
allora pensò un'altra cosa la dea glaucopide Atena,
perché Odisseo si ridestasse e vedesse la bella fanciulla
che poteva guidarlo alla città dei Feaci.
115 Ecco, la figlia del re lanciò la palla a un'ancella:
mancò l'ancella e la fece cadere nel gorgo profondo.
Un lungo grido lanciarono. Si destò il chiaro Odisseo,
e sedendo rimuginava nella mente e nell'animo:
« Povero me! nella terra di quali mortali mi trovo?
120 Forse prepotenti e selvaggi e non giusti,
oppure ospitali e che temono nella mente gli dei?
Un tenero grido, come di fanciulle, m'ha avvolto;
di ninfe, che abitano le cime scoscese dei monti,
le sorgenti dei fiumi e i pascoli erbosi.
125 O sono tra uomini che hanno un linguaggio?
Ma voglio tentare e vedere io stesso ».
Detto così, sbucò dagli arbusti il chiaro Odisseo,
dalla fitta selva ruppe con la mano robusta un ramo

φύλλων, ὡς ῥύσαιτο περὶ χροῒ μήδεα φωτός.
130 βῆ δ' ἴμεν ὥς τε λέων ὀρεσίτροφος, ἀλκὶ πεποιθώς,
ὅς τ' εἶσ' ὑόμενος καὶ ἀήμενος, ἐν δέ οἱ ὄσσε
δαίεται· αὐτὰρ ὁ βουσὶ μετέρχεται ἢ ὀΐεσσιν
ἠὲ μετ' ἀγροτέρας ἐλάφους· κέλεται δέ ἑ γαστὴρ
μήλων πειρήσοντα καὶ ἐς πυκινὸν δόμον ἐλθεῖν·
135 ὣς Ὀδυσεὺς κούρῃσιν ἐϋπλοκάμοισιν ἔμελλε
μίξεσθαι, γυμνός περ ἐών· χρειὼ γὰρ ἵκανε.
σμερδαλέος δ' αὐτῇσι φάνη κεκακωμένος ἅλμῃ,
τρέσσαν δ' ἄλλυδις ἄλλη ἐπ' ἠϊόνας προὐχούσας·
οἴη δ' Ἀλκινόου θυγάτηρ μένε· τῇ γὰρ Ἀθήνη
140 θάρσος ἐνὶ φρεσὶ θῆκε καὶ ἐκ δέος εἵλετο γυίων.
στῆ δ' ἄντα σχομένη· ὁ δὲ μερμήριξεν Ὀδυσσεύς,
ἢ γούνων λίσσοιτο λαβὼν εὐώπιδα κούρην,
ἦ αὔτως ἐπέεσσιν ἀποσταδὰ μειλιχίοισι
λίσσοιτ', εἰ δείξειε πόλιν καὶ εἵματα δοίη.
145 ὣς ἄρα οἱ φρονέοντι δοάσσατο κέρδιον εἶναι,
λίσσεσθαι ἐπέεσσιν ἀποσταδὰ μειλιχίοισι,
μή οἱ γοῦνα λαβόντι χολώσαιτο φρένα κούρη.
αὐτίκα μειλίχιον καὶ κερδαλέον φάτο μῦθον·
« γουνοῦμαί σε, ἄνασσα· θεός νύ τις ἦ βροτός ἐσσι;
150 εἰ μέν τις θεός ἐσσι, τοὶ οὐρανὸν εὐρὺν ἔχουσιν,
Ἀρτέμιδί σε ἐγώ γε, Διὸς κούρῃ μεγάλοιο,
εἶδός τε μέγεθός τε φυήν τ' ἄγχιστα ἐΐσκω·
εἰ δέ τίς ἐσσι βροτῶν, οἳ ἐπὶ χθονὶ ναιετάουσι,
τρισμάκαρες μὲν σοί γε πατὴρ καὶ πότνια μήτηρ,
155 τρισμάκαρες δὲ κασίγνητοι· μάλα πού σφισι θυμὸς
αἰὲν ἐϋφροσύνῃσιν ἰαίνεται εἵνεκα σεῖο,
λευσσόντων τοιόνδε θάλος χορὸν εἰσοιχνεῦσαν.
κεῖνος δ' αὖ περὶ κῆρι μακάρτατος ἔξοχον ἄλλων,
ὅς κέ σ' ἐέδνοισι βρίσας οἶκόνδ' ἀγάγηται.
160 οὐ γάρ πω τοιοῦτον ἴδον βροτὸν ὀφθαλμοῖσιν,
οὔτ' ἄνδρ' οὔτε γυναῖκα· σέβας μ' ἔχει εἰσορόωντα.
Δήλῳ δή ποτε τοῖον Ἀπόλλωνος παρὰ βωμῷ

di foglie, per coprirsi nel corpo le vergogne di uomo.
130 Mosse come un leone montano sicuro del proprio vigore,
che avanza battuto dalla pioggia e dal vento, gli ardono
gli occhi, e si getta tra buoi o tra pecore
o dietro a selvatiche cerve: anche in un fitto recinto
il ventre lo spinge ad entrare, per assalire le greggi;
135 così s'accingeva Odisseo ad andare, benché fosse nudo,
tra le fanciulle dai riccioli belli: lo premeva il bisogno.
Orribile ad esse apparve, bruttato dalla salsedine:
fuggirono atterrite qua e là per le rive sporgenti.
Sola rimase la figlia di Alcinoo: a lei Atena
140 mise coraggio nell'animo e tolse dagli arti il terrore.
Si trattenne e gli stette dinanzi: e Odisseo fu incerto
se implorare la bella fanciulla prendendole le ginocchia,
o pregarla con dolci parole, così,
da lontano, che la città gli mostrasse e desse dei panni.
145 E così pensando, gli parve che fosse più utile
restare lontano e pregarla con dolci parole:
che la fanciulla non si irritasse prendendole le ginocchia.
E subito le fece un discorso dolce ed accorto:
« Ti supplico, o sovrana: un dio sei forse o un mortale?
150 Se un dio tu sei – essi hanno il vasto cielo –
assai somigliante ad Artemide, la figlia del grande Zeus,
mi sembri in volto, statura ed aspetto.
Se uno dei mortali tu sei, che abitano sulla terra,
tre volte beati tuo padre e la madre augusta,
155 beati tre volte i fratelli: il loro animo certo
si scalda sempre di gioia per merito tuo,
guardando tale germoglio che muove alla danza.
Ma più di tutti beato nel cuore colui
che pieno di doni ti condurrà a casa sua.
160 Perché, coi miei occhi, non vidi mai un mortale così,
né uomo né donna: stupore mi prende guardandoti.
Vidi a Delo, vicino all'altare di Apollo,

φοίνικος νέον ἔρνος ἀνερχόμενον ἐνόησα·
ἦλθον γὰρ καὶ κεῖσε, πολὺς δέ μοι ἕσπετο λαός
165 τὴν ὁδὸν ᾗ δὴ μέλλεν ἐμοὶ κακὰ κήδε' ἔσεσθαι.
ὣς δ' αὔτως καὶ κεῖνο ἰδὼν ἐτεθήπεα θυμῷ
δήν, ἐπεὶ οὔ πω τοῖον ἀνήλυθεν ἐκ δόρυ γαίης,
ὡς σέ, γύναι, ἄγαμαί τε τέθηπά τε δείδιά τ' αἰνῶς
γούνων ἅψασθαι· χαλεπὸν δέ με πένθος ἱκάνει.
170 χθιζὸς ἐεικοστῷ φύγον ἤματι οἴνοπα πόντον·
τόφρα δέ μ' αἰεὶ κῦμ' ἐφόρει κραιπναί τε θύελλαι
νήσου ἀπ' Ὠγυγίης· νῦν δ' ἐνθάδε κάββαλε δαίμων,
ὄφρα τί που καὶ τῇδε πάθω κακόν· οὐ γὰρ ὀΐω
παύσεσθ', ἀλλ' ἔτι πολλὰ θεοὶ τελέουσι πάροιθεν.
175 ἀλλά, ἄνασσ', ἐλέαιρε· σὲ γὰρ κακὰ πολλὰ μογήσας
ἐς πρώτην ἱκόμην, τῶν δ' ἄλλων οὔ τινα οἶδα
ἀνθρώπων, οἳ τήνδε πόλιν καὶ γαῖαν ἔχουσιν.
ἄστυ δέ μοι δεῖξον, δὸς δὲ ῥάκος ἀμφιβαλέσθαι,
εἴ τί που εἴλυμα σπείρων ἔχες ἐνθάδ' ἰοῦσα.
180 σοὶ δὲ θεοὶ τόσα δοῖεν ὅσα φρεσὶ σῇσι μενοινᾷς,
ἄνδρα τε καὶ οἶκον καὶ ὁμοφροσύνην ὀπάσειαν
ἐσθλήν· οὐ μὲν γὰρ τοῦ γε κρεῖσσον καὶ ἄρειον,
ἢ ὅθ' ὁμοφρονέοντε νοήμασιν οἶκον ἔχητον
ἀνὴρ ἠδὲ γυνή· πόλλ' ἄλγεα δυσμενέεσσι,
185 χάρματα δ' εὐμενέτῃσι· μάλιστα δέ τ' ἔκλυον αὐτοί».
τὸν δ' αὖ Ναυσικάα λευκώλενος ἀντίον ηὔδα·
«ξεῖν', ἐπεὶ οὔτε κακῷ οὔτ' ἄφρονι φωτὶ ἔοικας,
Ζεὺς δ' αὐτὸς νέμει ὄλβον Ὀλύμπιος ἀνθρώποισιν,
ἐσθλοῖς ἠδὲ κακοῖσιν, ὅπως ἐθέλῃσιν, ἑκάστῳ·
190 καί που σοὶ τάδ' ἔδωκε, σὲ δὲ χρὴ τετλάμεν ἔμπης.
νῦν δ', ἐπεὶ ἡμετέρην τε πόλιν καὶ γαῖαν ἱκάνεις,
οὔτ' οὖν ἐσθῆτος δευήσεαι οὔτε τευ ἄλλου,
ὧν ἐπέοιχ' ἱκέτην ταλαπείριον ἀντιάσαντα.
ἄστυ δέ τοι δείξω, ἐρέω δέ τοι οὔνομα λαῶν.
195 Φαίηκες μὲν τήνδε πόλιν καὶ γαῖαν ἔχουσιν,
εἰμὶ δ' ἐγὼ θυγάτηρ μεγαλήτορος Ἀλκινόοιο,

una volta, un giovane germoglio di palma levarsi così:
perché sono stato anche là e mi seguì molta gente
165 in quel viaggio, da cui doveva venirmi dolore e sventura.
E come nel vedere anche quello stupii nell'animo
a lungo, perché dalla terra un fusto così non crebbe mai prima,
così, o donna, ti ammiro e stupisco e temo tremendamente
di toccarti i ginocchi: ma un grave dolore mi opprime.
170 Solo ieri, al ventesimo giorno, scampai il mare scuro come vino:
per tutto il tempo mi portarono l'onda e le procelle impetuose
dall'isola Ogigia: un dio m'ha gettato ora qui,
perché anche qui patisca sventure; non credo che finiranno,
ma molte ancora ne aggiungeranno prima gli dei.
175 Ma abbi pietà, o sovrana: dopo molto soffrire vengo supplice
a te per prima: nessun altro conosco
degli uomini, che abitano la città e questa terra.
La rocca mostrami, dammi uno straccio da mettere addosso,
se avevi un telo per avvolgere i panni venendo qui.
180 Gli dei ti concedano quanto nel tuo cuore desideri,
un marito e una casa, e per compagna la felice
concordia; perché non c'è bene più saldo e prezioso,
di quando con pensieri concordi reggono la casa
un uomo e una donna: molto dolore ai nemici,
185 ma gioia agli amici, e soprattutto fama per essi ».

Gli rispose allora Nausicaa dalle candide braccia:
« Straniero – poiché non somigli a un miserabile o a un pazzo –,
agli uomini assegna la felicità lo stesso Zeus Olimpio,
a nobili e miseri, a ciascuno come egli vuole.
190 E a te diede questo destino e devi sopportarlo comunque.
Ora, poiché arrivi nella nostra città e nel nostro paese,
non ti mancherà una veste o cos'altro
è giusto ottenere arrivando da supplice sventurato.
Ti indicherò la rocca, ti dirò il nome del popolo:
195 abitano la città e questa terra i Feaci,
io sono la figlia del magnanimo Alcinoo;

τοῦ δ' ἐκ Φαιήκων ἔχεται κάρτος τε βίη τε ».
ἦ ῥα, καὶ ἀμφιπόλοισιν ἐϋπλοκάμοισι κέλευσε·
« στῆτέ μοι, ἀμφίπολοι· πόσε φεύγετε φῶτα ἰδοῦσαι;
200 ἦ μή πού τινα δυσμενέων φάσθ' ἔμμεναι ἀνδρῶν;
οὐκ ἔσθ' οὗτος ἀνὴρ διερὸς βροτὸς οὐδὲ γένηται,
ὅς κεν Φαιήκων ἀνδρῶν ἐς γαῖαν ἵκηται
δηϊοτῆτα φέρων· μάλα γὰρ φίλοι ἀθανάτοισιν.
οἰκέομεν δ' ἀπάνευθε πολυκλύστῳ ἐνὶ πόντῳ,
205 ἔσχατοι, οὐδέ τις ἄμμι βροτῶν ἐπιμίσγεται ἄλλος.
ἀλλ' ὅδε τις δύστηνος ἀλώμενος ἐνθάδ' ἱκάνει,
τὸν νῦν χρὴ κομέειν· πρὸς γὰρ Διός εἰσιν ἅπαντες
ξεῖνοί τε πτωχοί τε, δόσις δ' ὀλίγη τε φίλη τε.
ἀλλὰ δότ', ἀμφίπολοι, ξείνῳ βρῶσίν τε πόσιν τε,
210 λούσατέ τ' ἐν ποταμῷ, ὅθ' ἐπὶ σκέπας ἔστ' ἀνέμοιο ».
ὣς ἔφαθ', αἱ δ' ἔσταν τε καὶ ἀλλήλῃσι κέλευσαν,
κὰδ δ' ἄρ' Ὀδυσσῆ' εἷσαν ἐπὶ σκέπας, ὡς ἐκέλευσε
Ναυσικάα, θυγάτηρ μεγαλήτορος Ἀλκινόοιο,
πὰρ δ' ἄρα οἱ φᾶρός τε χιτῶνά τε εἵματ' ἔθηκαν,
215 δῶκαν δὲ χρυσέῃ ἐν ληκύθῳ ὑγρὸν ἔλαιον,
ἤνωγον δ' ἄρα μιν λοῦσθαι ποταμοῖο ῥοῇσι.
δή ῥα τότ' ἀμφιπόλοισι μετηύδα δῖος Ὀδυσσεύς·
« ἀμφίπολοι, στῆθ' οὕτω ἀπόπροθεν, ὄφρ' ἐγὼ αὐτὸς
ἅλμην ὤμοιϊν ἀπολούσομαι, ἀμφὶ δ' ἐλαίῳ
220 χρίσομαι· ἦ γὰρ δηρὸν ἀπὸ χροός ἐστιν ἀλοιφή.
ἄντην δ' οὐκ ἂν ἐγώ γε λοέσσομαι· αἰδέομαι γὰρ
γυμνοῦσθαι κούρῃσιν ἐϋπλοκάμοισι μετελθών ».
ὣς ἔφαθ', αἱ δ' ἀπάνευθεν ἴσαν, εἶπον δ' ἄρα κούρῃ.
αὐτὰρ ὁ ἐκ ποταμοῦ χρόα νίζετο δῖος Ὀδυσσεὺς
225 ἅλμην, ἥ οἱ νῶτα καὶ εὐρέας ἄμπεχεν ὤμους·
ἐκ κεφαλῆς δ' ἔσμηχεν ἁλὸς χνόον ἀτρυγέτοιο.
αὐτὰρ ἐπεὶ δὴ πάντα λοέσσατο καὶ λίπ' ἄλειψεν,
ἀμφὶ δὲ εἵματα ἕσσαθ' ἅ οἱ πόρε παρθένος ἀδμής,
τὸν μὲν Ἀθηναίη θῆκεν, Διὸς ἐκγεγαυῖα,
230 μείζονά τ' εἰσιδέειν καὶ πάσσονα, κὰδ δὲ κάρητος

da lui dipende il potere dei Feaci e la forza ».
Disse così e incitò le ancelle dai riccioli belli:
« Ancelle, fermatevi: dove fuggite alla vista di un uomo?
200 Credete forse che sia un nemico?
Non c'è né può esserci un forte uomo mortale,
che arrivi nel paese dei Feaci
portando la guerra: perché agli immortali son molto cari.
Abitiamo in disparte, nel mare ondoso,
205 ai confini del mondo, nessun altro mortale arriva tra noi.
Ma costui è un infelice, qui arrivato ramingo,
che ora ha bisogno di cure: mendicanti e stranieri
sono mandati da Zeus. Il dono sia piccolo e caro.
Ancelle, date all'ospite cibo e bevanda,
210 fategli il bagno nel fiume, dove c'è un riparo dal vento ».
Disse così, ed esse tra loro incitandosi si arrestarono,
e condussero Odisseo giù, al riparo, come aveva ordinato
Nausicaa, la figlia del magnanimo Alcinoo;
gli posero accanto le vesti, un manto e una tunica,
215 gli diedero fluido olio in un'aurea ampolla,
l'invitarono a lavarsi nell'onda fluente del fiume.
Allora si rivolse alle ancelle il chiaro Odisseo:
« Ancelle, aspettate in disparte, così, che mi lavi
io stesso dalle spalle la salsedine e mi unga
220 con olio: l'olio da tempo non tocca il mio corpo.
Davanti a voi io non voglio lavarmi: perché ho vergogna
di trovarmi nudo tra fanciulle dai riccioli belli ».
Disse così, esse andarono via, alla fanciulla lo dissero.
Allora con l'acqua del fiume il chiaro Odisseo lavò dal corpo
225 la salsedine che gli copriva la schiena e le larghe spalle.
Dal capo grattò la lordura del mare infecondo.
Quando si lavò tutto e si unse copiosamente,
mise indosso le vesti che gli diede la vergine casta;
e Atena, la figlia di Zeus, lo fece
230 d'aspetto più grande e robusto, e dal capo

οὔλας ἧκε κόμας, ὑακινθίνῳ ἄνθει ὁμοίας.
ὡς δ' ὅτε τις χρυσὸν περιχεύεται ἀργύρῳ ἀνὴρ
ἴδρις, ὃν Ἥφαιστος δέδαεν καὶ Παλλὰς Ἀθήνη
τέχνην παντοίην, χαρίεντα δὲ ἔργα τελείει,
235 ὣς ἄρα τῷ κατέχευε χάριν κεφαλῇ τε καὶ ὤμοις.
ἕζετ' ἔπειτ' ἀπάνευθε κιὼν ἐπὶ θῖνα θαλάσσης,
κάλλεϊ καὶ χάρισι στίλβων· θηεῖτο δὲ κούρη.
δή ῥα τότ' ἀμφιπόλοισιν ἐϋπλοκάμοισι μετηύδα·
« κλῦτέ μοι, ἀμφίπολοι λευκώλενοι, ὄφρα τι εἴπω.
240 οὐ πάντων ἀέκητι θεῶν, οἳ Ὄλυμπον ἔχουσι,
Φαιήκεσσ' ὅδ' ἀνὴρ ἐπιμίσγεται ἀντιθέοισι·
πρόσθεν μὲν γὰρ δή μοι ἀεικέλιος δέατ' εἶναι,
νῦν δὲ θεοῖσιν ἔοικε, τοὶ οὐρανὸν εὐρὺν ἔχουσιν.
αἲ γὰρ ἐμοὶ τοιόσδε πόσις κεκλημένος εἴη
245 ἐνθάδε ναιετάων, καί οἱ ἅδοι αὐτόθι μίμνειν.
ἀλλὰ δότ', ἀμφίπολοι, ξείνῳ βρῶσίν τε πόσιν τε ».
ὣς ἔφαθ', αἱ δ' ἄρα τῆς μάλα μὲν κλύον ἠδ' ἐπίθοντο,
πὰρ δ' ἄρ' Ὀδυσσῆϊ ἔθεσαν βρῶσίν τε πόσιν τε.
ἦ τοι ὁ πῖνε καὶ ἦσθε πολύτλας δῖος Ὀδυσσεὺς
250 ἁρπαλέως· δηρὸν γὰρ ἐδητύος ἦεν ἄπαστος.
αὐτὰρ Ναυσικάα λευκώλενος ἄλλ' ἐνόησεν·
εἵματ' ἄρα πτύξασα τίθει καλῆς ἐπ' ἀπήνης,
ζεῦξε δ' ὑφ' ἡμιόνους κρατερώνυχας, ἂν δ' ἔβη αὐτή.
ὤτρυνεν δ' Ὀδυσῆα, ἔπος τ' ἔφατ' ἔκ τ' ὀνόμαζεν·
255 « ὄρσεο δὴ νῦν, ξεῖνε, πόλινδ' ἴμεν, ὄφρα σε πέμψω
πατρὸς ἐμοῦ πρὸς δῶμα δαΐφρονος, ἔνθα σέ φημι
πάντων Φαιήκων εἰδησέμεν ὅσσοι ἄριστοι.
ἀλλὰ μάλ' ὧδ' ἔρδειν· δοκέεις δέ μοι οὐκ ἀπινύσσειν·
ὄφρ' ἂν μέν κ' ἀγροὺς ἴομεν καὶ ἔργ' ἀνθρώπων,
260 τόφρα σὺν ἀμφιπόλοισι μεθ' ἡμιόνους καὶ ἄμαξαν
καρπαλίμως ἔρχεσθαι· ἐγὼ δ' ὁδὸν ἡγεμονεύσω.
αὐτὰρ ἐπὴν πόλιος ἐπιβείομεν ἣν πέρι πύργος
ὑψηλός, καλὸς δὲ λιμὴν ἑκάτερθε πόληος,
λεπτὴ δ' εἰσίθμη· νῆες δ' ὁδὸν ἀμφιέλισσαι

gli fece scendere riccioli simili a fior di giacinto.
Come quando intorno all'argento versa dell'oro
un artefice, che Efesto e Pallade Atena istruirono
nei segreti dell'arte, e crea opere piene di grazia,
235 così gli infuse la grazia sul capo e sugli omeri.
Poi sedette in disparte, sulla riva del mare,
splendente di bellezza e di grazia: l'ammirava Nausicaa.
Allora parlò alle ancelle dai riccioli belli:
« Uditemi, ancelle dalle candide braccia, che vi dico una cosa.
240 Non senza il volere di tutti gli dei che hanno l'Olimpo
quest'uomo è tra i Feaci pari agli dei:
prima mi pareva ignobile e brutto;
e ora rassomiglia agli dei che hanno il vasto cielo.
Oh, se un uomo così potesse dirsi mio sposo
245 qui abitando e qui gli piacesse restare.
Ma su, ancelle, date all'ospite cibo e bevanda ».
Disse così, ed esse le diedero ascolto e ubbidirono:
accanto a Odisseo posero cibo e bevanda.
Egli dunque beveva e mangiava, il paziente chiaro Odisseo,
250 avidamente, perché da tempo era digiuno di cibo.
Ma Nausicaa dalle candide braccia pensò un'altra cosa:
piegate le vesti le mise sopra al bel carro,
aggiogò le mule dalle forti unghie e lei stessa montò.
Chiamò Odisseo, gli rivolse la parola, gli disse:
255 « Straniero, alzati ora, per andare in città, che ti guidi
alla casa di mio padre valente, dove penso che tu
incontrerai i più nobili tra tutti i Feaci.
Devi fare, però, in questo modo: non mi sembri uno sciocco.
Finché andiamo per la campagna e le colture degli uomini,
260 cammina dietro le mule e il carro,
svelto, insieme alle ancelle: farò io strada.
Ma appena prossimi alla città, con intorno alte
mura, ecco ai due lati di essa un bel porto
e, stretta, un'entrata: navi veloci a virare son tratte

265 εἰρύαται· πᾶσιν γὰρ ἐπίστιόν ἐστιν ἑκάστῳ.
ἔνθα δέ τέ σφ' ἀγορή, καλὸν Ποσιδήϊον ἀμφίς,
ῥυτοῖσιν λάεσσι κατωρυχέεσσ' ἀραρυῖα.
ἔνθα δὲ νηῶν ὅπλα μελαινάων ἀλέγουσι,
πείσματα καὶ σπεῖρα, καὶ ἀποξύνουσιν ἐρετμά.
270 οὐ γὰρ Φαιήκεσσι μέλει βιὸς οὐδὲ φαρέτρη,
ἀλλ' ἱστοὶ καὶ ἐρετμὰ νεῶν καὶ νῆες ἐῖσαι,
ᾗσιν ἀγαλλόμενοι πολιὴν περόωσι θάλασσαν·
τῶν ἀλεείνω φῆμιν ἀδευκέα, μή τις ὀπίσσω
μωμεύῃ· μάλα δ' εἰσὶν ὑπερφίαλοι κατὰ δῆμον·
275 καί νύ τις ὧδ' εἴπῃσι κακώτερος ἀντιβολήσας·
"τίς δ' ὅδε Ναυσικάᾳ ἕπεται καλός τε μέγας τε
ξεῖνος; ποῦ δέ μιν εὗρε; πόσις νύ οἱ ἔσσεται αὐτῇ.
ἦ τινά που πλαγχθέντα κομίσσατο ἧς ἀπὸ νηὸς
ἀνδρῶν τηλεδαπῶν, ἐπεὶ οὔ τινες ἐγγύθεν εἰσίν·
280 ἤ τίς οἱ εὐξαμένῃ πολυάρητος θεὸς ἦλθεν
οὐρανόθεν καταβάς, ἕξει δέ μιν ἤματα πάντα.
βέλτερον, εἰ καὐτή περ ἐποιχομένη πόσιν εὗρεν
ἄλλοθεν· ἦ γὰρ τούσδε γ' ἀτιμάζει κατὰ δῆμον
Φαίηκας, τοί μιν μνῶνται πολέες τε καὶ ἐσθλοί".
285 ὣς ἐρέουσιν, ἐμοὶ δέ κ' ὀνείδεα ταῦτα γένοιτο.
καὶ δ' ἄλλῃ νεμεσῶ, ἥ τις τοιαῦτά γε ῥέζοι,
ἥ τ' ἀέκητι φίλων πατρὸς καὶ μητρὸς ἐόντων
ἀνδράσι μίσγηται πρίν γ' ἀμφάδιον γάμον ἐλθεῖν.
ξεῖνε, σὺ δ' ὧδ' ἐμέθεν ξυνίει ἔπος, ὄφρα τάχιστα
290 πομπῆς καὶ νόστοιο τύχῃς παρὰ πατρὸς ἐμοῖο.
δήομεν ἀγλαὸν ἄλσος Ἀθήνης ἄγχι κελεύθου
αἰγείρων· ἐν δὲ κρήνη νάει, ἀμφὶ δὲ λειμών.
ἔνθα δὲ πατρὸς ἐμοῦ τέμενος τεθαλυῖά τ' ἀλωή,
τόσσον ἀπὸ πτόλιος ὅσσον τε γέγωνε βοήσας·
295 ἔνθα καθεζόμενος μεῖναι χρόνον, εἰς ὅ κεν ἡμεῖς
ἄστυδε ἔλθωμεν καὶ ἱκώμεθα δώματα πατρός.
αὐτὰρ ἐπὴν ἡμέας ἔλπῃ ποτὶ δώματ' ἀφῖχθαι,
καὶ τότε Φαιήκων ἴμεν ἐς πόλιν ἠδ' ἐρέεσθαι

265 lungo la via, perché tutti hanno lì il loro posto.
Lì, intorno al bel Posideio, c'è la piazza
serrata da massi trascinati e confitti nel suolo.
Lì riparano gli attrezzi delle nere navi,
gli ormeggi e le vele, e raffilano i remi.
270 Perché ai Feaci non importano arco e faretra,
ma alberi e remi di navi e navi librate,
con cui varcano il mare canuto, orgogliosi.
Di essi voglio evitare le ciarle maligne, che non sparli
qualcuno: tra il popolo vi sono dei veri insolenti,
275 e uno più maligno, incontrandoci, potrebbe dire così:
"Questo straniero, che segue Nausicaa, così bello e grande,
chi è? dove mai l'ha trovato? sarà certo il suo sposo!
Forse ha accolto qualcuno sperdutosi dalla sua nave,
uno di genti lontane, perché non ce ne sono vicine;
280 oppure un dio, invocato, è venuto da lei implorante,
sceso dal cielo, e l'avrà poi per sempre.
Meglio ancora se andò lei stessa a trovarsi un marito
di fuori: perché questi del paese li spregia,
i Feaci che la vogliono in moglie, benché molti e valenti".
285 Diranno così, e questo sarebbe per me una vergogna.
Biasimerei anche io un'altra che facesse così,
una che senza il consenso di suo padre e sua madre,
si incontrasse con uomini prima di andare a pubbliche nozze.
Ospite, ascolta un consiglio da me, per avere
290 da mio padre al più presto una scorta e il ritorno.
Troveremo vicino alla strada lo splendido bosco di Atena,
di pioppi: dentro vi scorre una fonte, intorno v'è un prato.
Accanto è il recinto e l'orto fiorente del padre mio,
distante dalla città, tanto da sentire chi grida.
295 Siediti là e aspetta il tempo che noi
arriviamo in città e alla casa del padre mio.
Quando poi credi che noi siamo giunte in casa,
entra pure nella città dei Feaci e chiedi

δώματα πατρὸς ἐμοῦ μεγαλήτορος Ἀλκινόοιο.
300 ῥεῖα δ' ἀρίγνωτ' ἐστὶ καὶ ἂν πάϊς ἡγήσαιτο
νήπιος· οὐ μὲν γάρ τι ἐοικότα τοῖσι τέτυκται
δώματα Φαιήκων, οἷος δόμος Ἀλκινόοιο
ἥρως. ἀλλ' ὁπότ' ἄν σε δόμοι κεκύθωσι καὶ αὐλή,
ὦκα μάλα μεγάροιο διελθέμεν, ὄφρ' ἂν ἵκηαι
305 μητέρ' ἐμήν· ἡ δ' ἧσται ἐπ' ἐσχάρῃ ἐν πυρὸς αὐγῇ,
ἠλάκατα στρωφῶσ' ἁλιπόρφυρα, θαῦμα ἰδέσθαι,
κίονι κεκλιμένη· δμωαὶ δέ οἱ εἵατ' ὄπισθεν.
ἔνθα δὲ πατρὸς ἐμοῖο θρόνος ποτικέκλιται αὐτῇ,
τῷ ὅ γε οἰνοποτάζει ἐφήμενος ἀθάνατος ὥς.
310 τὸν παραμειψάμενος μητρὸς περὶ γούνασι χεῖρας
βάλλειν ἡμετέρης, ἵνα νόστιμον ἦμαρ ἴδηαι
χαίρων καρπαλίμως, εἰ καὶ μάλα τηλόθεν ἐσσί.
εἴ κέν τοι κείνη γε φίλα φρονέῃσ' ἐνὶ θυμῷ,
ἐλπωρή τοι ἔπειτα φίλους τ' ἰδέειν καὶ ἱκέσθαι
315 οἶκον ἐϋκτίμενον καὶ σὴν ἐς πατρίδα γαῖαν ».
ὣς ἄρα φωνήσασ' ἵμασεν μάστιγι φαεινῇ
ἡμιόνους· αἱ δ' ὦκα λίπον ποταμοῖο ῥέεθρα.
αἱ δ' εὖ μὲν τρώχων, εὖ δ' ἐπλίσσοντο πόδεσσιν.
ἡ δὲ μάλ' ἡνιόχευεν, ὅπως ἅμ' ἑποίατο πεζοὶ
320 ἀμφίπολοί τ' Ὀδυσεύς τε· νόῳ δ' ἐπέβαλλεν ἱμάσθλην.
δύσετό τ' ἠέλιος, καὶ τοὶ κλυτὸν ἄλσος ἵκοντο
ἱρὸν Ἀθηναίης, ἵν' ἄρ' ἕζετο δῖος Ὀδυσσεύς.
αὐτίκ' ἔπειτ' ἠρᾶτο Διὸς κούρῃ μεγάλοιο·
« κλῦθί μοι, αἰγιόχοιο Διὸς τέκος, Ἀτρυτώνη·
325 νῦν δή πέρ μευ ἄκουσον, ἐπεὶ πάρος οὔ ποτ' ἄκουσας
ῥαιομένου, ὅτε μ' ἔρραιε κλυτὸς ἐννοσίγαιος.
δός μ' ἐς Φαίηκας φίλον ἐλθεῖν ἠδ' ἐλεεινόν ».
ὣς ἔφατ' εὐχόμενος, τοῦ δ' ἔκλυε Παλλὰς Ἀθήνη·
αὐτῷ δ' οὔ πω φαίνετ' ἐναντίη· αἴδετο γάρ ῥα
330 πατροκασίγνητον· ὁ δ' ἐπιζαφελῶς μενέαινεν
ἀντιθέῳ Ὀδυσῆϊ πάρος ἣν γαῖαν ἱκέσθαι.

della casa del padre mio, del magnanimo Alcinoo.
300 Facilmente si riconosce, anche un bambino inesperto
saprebbe guidarti: perché le case dei Feaci non sono
simili ad essa, com'è il palazzo di Alcinoo,
l'eroe. Ma quando sarai nel palazzo e dentro il cortile,
subito attraversa la sala, per trovare
305 mia madre: al focolare essa siede, nella luce del fuoco,
filando stami dai bagliori marini, una meraviglia a vedersi,
appoggiata ad una colonna; dietro a lei son sedute le ancelle.
Lì, accanto a lei, è appoggiato il trono del padre mio.
Come un immortale egli beve, seduto su di esso, il suo vino.
310 Oltrepassalo, e getta le mani intorno ai ginocchi
di mia madre, perché presto tu possa vedere con gioia
il dì del ritorno, anche se abiti molto lontano.
Se lei nell'animo sarà ben disposta verso di te,
allora hai speranza di vedere i tuoi cari e arrivare
315 nella casa ben costruita e nella terra dei padri ».
Detto così, sferzò con la lucida frusta
le mule: rapidamente lasciarono il corso del fiume.
Correvano esse con lena, con lena trottavano.
Lei reggeva le briglie, perché la seguissero a piedi
320 le ancelle ed Odisseo: dava la frusta con senno.
Il sole calò ed essi arrivarono al bellissimo bosco
sacro ad Atena, in cui il chiaro Odisseo sedette.
E subito pregò la figlia di Zeus egìoco:
« Ascoltami, figlia di Zeus egìoco, Atritona;
325 ascoltami almeno ora, perché prima non m'hai ascoltato
mentre naufragavo, e mi colpiva lo Scuotiterra glorioso.
Concedi che io arrivi gradito e degno di pietà tra i Feaci ».
Così disse, pregando, e l'ascoltò Pallade Atena;
ma non gli comparve davanti; rispettava
330 il fratello del padre: violentemente egli fu in collera
con Odisseo pari a un dio, finché non giunse nella sua terra.

Η

Ὣς ὁ μὲν ἔνθ' ἠρᾶτο πολύτλας δῖος Ὀδυσσεύς,
κούρην δὲ προτὶ ἄστυ φέρεν μένος ἡμιόνοιϊν.
ἡ δ' ὅτε δὴ οὗ πατρὸς ἀγακλυτὰ δώμαθ' ἵκανε,
στῆσεν ἄρ' ἐν προθύροισι, κασίγνητοι δέ μιν ἀμφὶς
5 ἵσταντ' ἀθανάτοις ἐναλίγκιοι, οἵ ῥ' ὑπ' ἀπήνης
ἡμιόνους ἔλυον ἐσθῆτά τε ἔσφερον εἴσω.
αὐτὴ δ' ἐς θάλαμον ἑὸν ἤιε· δαῖε δέ οἱ πῦρ
γρηῢς Ἀπειραίη, θαλαμηπόλος Εὐρυμέδουσα,
τήν ποτ' Ἀπείρηθεν νέες ἤγαγον ἀμφιέλισσαι·
10 Ἀλκινόῳ δ' αὐτὴν γέρας ἔξελον, οὕνεκα πᾶσι
Φαιήκεσσιν ἄνασσε, θεοῦ δ' ὣς δῆμος ἄκουεν·
ἣ τρέφε Ναυσικάαν λευκώλενον ἐν μεγάροισιν.
ἥ οἱ πῦρ ἀνέκαιε καὶ εἴσω δόρπον ἐκόσμει.
καὶ τότ' Ὀδυσσεὺς ὦρτο πόλινδ' ἴμεν· ἀμφὶ δ' Ἀθήνη
15 πολλὴν ἠέρα χεῦε φίλα φρονέουσ' Ὀδυσῆϊ,
μή τις Φαιήκων μεγαθύμων ἀντιβολήσας
κερτομέοι τ' ἐπέεσσι καὶ ἐξερέοιθ' ὅτις εἴη.
ἀλλ' ὅτε δὴ ἄρ' ἔμελλε πόλιν δύσεσθαι ἐραννήν,
ἔνθα οἱ ἀντεβόλησε θεὰ γλαυκῶπις Ἀθήνη
20 παρθενικῇ εἰκυῖα νεήνιδι, κάλπιν ἐχούσῃ.
στῆ δὲ πρόσθ' αὐτοῦ· ὁ δ' ἀνείρετο δῖος Ὀδυσσεύς·
« ὦ τέκος, οὐκ ἄν μοι δόμον ἀνέρος ἡγήσαιο
Ἀλκινόου, ὃς τοῖσδε μετ' ἀνθρώποισιν ἀνάσσει;
καὶ γὰρ ἐγὼ ξεῖνος ταλαπείριος ἐνθάδ' ἱκάνω
25 τηλόθεν ἐξ ἀπίης γαίης· τῷ οὔ τινα οἶδα
ἀνθρώπων, οἳ τήνδε πόλιν καὶ ἔργα νέμονται ».

LIBRO SETTIMO

Così egli pregava in quel luogo, il paziente chiaro Odisseo,
e intanto il vigore delle mule portò la fanciulla alla rocca.
Quando ella arrivò nell'insigne palazzo del padre,
s'arrestò sotto il portico: e simili agli immortali
5 le stettero intorno i fratelli, che sciolsero
dal carro le mule e portarono dentro le vesti.
Lei andò in camera sua: le accese il fuoco
la vecchia di Apira, l'ancella del talamo Eurimedusa
che le navi veloci a virare portarono un giorno da Apira.
10 L'avevano scelta e donata ad Alcinoo, perché regnava
su tutti i Feaci: come un dio lo ascoltava il suo popolo.
Fu lei a nutrire in casa Nausicaa dalle candide braccia.
Il fuoco le accese e apparecchiò nella stanza la cena.
E allora Odisseo si alzò per andare in città: con molta
15 nebbia Atena lo avvolse pensando al bene di Odisseo,
che nessuno dei Feaci animosi incontrandolo
gli dicesse insolenze e chiedesse chi era.
Ma quando stava per entrare nella graziosa città,
ecco gli venne incontro la dea glaucopide Atena,
20 simile ad una fanciulla che reca una brocca.
Era davanti a lui e il chiaro Odisseo le chiese:
« Figliola, non vorresti condurmi al palazzo dell'uomo
che regna tra questa gente, al palazzo di Alcinoo?
Io arrivo qui da lontano, straniero duramente
25 provato, da una terra remota: perciò non conosco nessuno
degli uomini che governano questa città ed i campi ».

τὸν δ' αὖτε προσέειπε θεὰ γλαυκῶπις Ἀθήνη·
« τοιγὰρ ἐγώ τοι, ξεῖνε πάτερ, δόμον ὅν με κελεύεις
δείξω, ἐπεί μοι πατρὸς ἀμύμονος ἐγγύθι ναίει.
30 ἀλλ' ἴθι σιγῇ τοῖον, ἐγὼ δ' ὁδὸν ἡγεμονεύσω,
μηδέ τιν' ἀνθρώπων προτιόσσεο μηδ' ἐρέεινε.
οὐ γὰρ ξείνους οἵδε μάλ' ἀνθρώπους ἀνέχονται,
οὐδ' ἀγαπαζόμενοι φιλέουσ' ὅς κ' ἄλλοθεν ἔλθῃ.
νηυσὶ θοῇσιν τοί γε πεποιθότες ὠκείῃσι
35 λαῖτμα μέγ' ἐκπερόωσιν, ἐπεί σφισι δῶκ' ἐνοσίχθων·
τῶν νέες ὠκεῖαι ὡς εἰ πτερὸν ἠὲ νόημα ».
ὣς ἄρα φωνήσασ' ἡγήσατο Παλλὰς Ἀθήνη
καρπαλίμως· ὁ δ' ἔπειτα μετ' ἴχνια βαῖνε θεοῖο.
τὸν δ' ἄρα Φαίηκες ναυσικλυτοὶ οὐκ ἐνόησαν
40 ἐρχόμενον κατὰ ἄστυ διὰ σφέας· οὐ γὰρ Ἀθήνη
εἴα ἐϋπλόκαμος, δεινὴ θεός, ἥ ῥά οἱ ἀχλὺν
θεσπεσίην κατέχευε φίλα φρονέουσ' ἐνὶ θυμῷ.
θαύμαζεν δ' Ὀδυσεὺς λιμένας καὶ νῆας ἐΐσας,
αὐτῶν θ' ἡρώων ἀγορὰς καὶ τείχεα μακρὰ
45 ὑψηλά, σκολόπεσσιν ἀρηρότα, θαῦμα ἰδέσθαι.
ἀλλ' ὅτε δὴ βασιλῆος ἀγακλυτὰ δώμαθ' ἵκοντο,
τοῖσι δὲ μύθων ἦρχε θεὰ γλαυκῶπις Ἀθήνη·
« οὗτος δή τοι, ξεῖνε πάτερ, δόμος, ὅν με κελεύεις
πεφραδέμεν· δήεις δὲ διοτρεφέας βασιλῆας
50 δαίτην δαινυμένους· σὺ δ' ἔσω κίε μηδέ τι θυμῷ
τάρβει· θαρσαλέος γὰρ ἀνὴρ ἐν πᾶσιν ἀμείνων
ἔργοισιν τελέθει, εἰ καί ποθεν ἄλλοθεν ἔλθοι.
δέσποιναν μὲν πρῶτα κιχήσεαι ἐν μεγάροισιν·
Ἀρήτη δ' ὄνομ' ἐστὶν ἐπώνυμον, ἐκ δὲ τοκήων
55 τῶν αὐτῶν οἵ περ τέκον Ἀλκίνοον βασιλῆα.
Ναυσίθοον μὲν πρῶτα Ποσειδάων ἐνοσίχθων
γείνατο καὶ Περίβοια, γυναικῶν εἶδος ἀρίστη,
ὁπλοτάτη θυγάτηρ μεγαλήτορος Εὐρυμέδοντος,
ὅς ποθ' ὑπερθύμοισι Γιγάντεσσιν βασίλευεν.
60 ἀλλ' ὁ μὲν ὤλεσε λαὸν ἀτάσθαλον, ὤλετο δ' αὐτός,

Gli disse allora la dea glaucopide Atena:
« La casa che chiedi io certo posso indicartela, o padre
straniero, perché egli abita vicino al mio nobile padre.
30 Cammina così, in silenzio, ti guiderò io per la via;
non guardare o chiedere a nessuno degli uomini.
Perché gli stranieri non li tollerano molto costoro
e non accolgono con amicizia chi viene da un altro paese.
Fidando nelle rapide navi veloci, essi
35 varcano il grande abisso: glielo concesse lo Scuotiterra.
Le loro navi sono veloci proprio come ala o pensiero ».
Detto così, lo guidò Pallade Atena
sveltamente: dietro la dea andò lui.
E i famosi navigatori feaci non lo scorsero
40 mentre andava in città tra di loro: non lo permise
Atena dai riccioli belli, dea tremenda, che una prodigiosa
caligine gli sparse intorno, pensando nella mente al suo bene.
Con stupore Odisseo guardava i porti e le navi librate,
le piazze di quegli eroi e le grandi mura,
45 alte, munite di pali, una meraviglia a vedersi.
Ma appena arrivarono all'insigne palazzo del re,
cominciò a dire tra loro la dea glaucopide Atena:
« Eccoti, o padre straniero, il palazzo che mi chiedi
di dirti: troverai i re allevati da Zeus
50 che prendono parte a un banchetto. Tu entra senza temere
nell'animo: meglio in tutto riesce
un uomo animoso, anche se giunge da un altro paese.
Raggiungerai la regina, anzitutto, nella gran sala:
si chiama Arete di nome e discende dagli stessi
55 antenati, che generarono anche il re Alcinoo.
Prima Posidone che scuote la terra generò
Nausitoo da Peribea, per beltà superiore a ogni donna,
ultima figlia del magnanimo Eurimedonte,
che un tempo regnava sui Giganti superbi:
60 ma portò alla rovina quel popolo empio e perì anche lui.

τῇ δὲ Ποσειδάων ἐμίγη, καὶ ἐγείνατο παῖδα
Ναυσίθοον μεγάθυμον, ὃς ἐν Φαίηξιν ἄνασσε·
Ναυσίθοος δ' ἔτεκεν Ῥηξήνορά τ' Ἀλκίνοόν τε.
τὸν μὲν ἄκουρον ἐόντα βάλ' ἀργυρότοξος Ἀπόλλων
65 νυμφίον, ἐν μεγάρῳ μίαν οἴην παῖδα λιπόντα
Ἀρήτην· τὴν δ' Ἀλκίνοος ποιήσατ' ἄκοιτιν,
καί μιν ἔτισ' ὡς οὔ τις ἐπὶ χθονὶ τίεται ἄλλη,
ὅσσαι νῦν γε γυναῖκες ὑπ' ἀνδράσιν οἶκον ἔχουσιν.
ὣς κείνη περὶ κῆρι τετίμηταί τε καὶ ἔστιν
70 ἔκ τε φίλων παίδων ἔκ τ' αὐτοῦ Ἀλκινόοιο
καὶ λαῶν, οἵ μίν ῥα θεὸν ὣς εἰσορόωντες
δειδέχαται μύθοισιν, ὅτε στείχῃσ' ἀνὰ ἄστυ.
οὐ μὲν γάρ τι νόου γε καὶ αὐτὴ δεύεται ἐσθλοῦ·
οἷσί τ' ἐῢ φρονέῃσι καὶ ἀνδράσι νείκεα λύει
75 εἴ κέν τοι κείνη γε φίλα φρονέῃσ' ἐνὶ θυμῷ,
ἐλπωρή τοι ἔπειτα φίλους τ' ἰδέειν καὶ ἱκέσθαι
οἶκον ἐς ὑψόροφον καὶ σὴν ἐς πατρίδα γαῖαν ».

ὣς ἄρα φωνήσασ' ἀπέβη γλαυκῶπις Ἀθήνη
πόντον ἐπ' ἀτρύγετον, λίπε δὲ Σχερίην ἐρατεινήν,
80 ἵκετο δ' ἐς Μαραθῶνα καὶ εὐρυάγυιαν Ἀθήνην,
δῦνε δ' Ἐρεχθῆος πυκινὸν δόμον. αὐτὰρ Ὀδυσσεὺς
Ἀλκινόου πρὸς δώματ' ἴε κλυτά· πολλὰ δέ οἱ κῆρ
ὥρμαιν' ἱσταμένῳ, πρὶν χάλκεον οὐδὸν ἱκέσθαι.
ὥς τε γὰρ ἠελίου αἴγλη πέλεν ἠὲ σελήνης
85 δῶμα καθ' ὑψερεφὲς μεγαλήτορος Ἀλκινόοιο.
χάλκεοι μὲν γὰρ τοῖχοι ἐληλάδατ' ἔνθα καὶ ἔνθα,
ἐς μυχὸν ἐξ οὐδοῦ, περὶ δὲ θριγκὸς κυάνοιο·
χρύσειαι δὲ θύραι πυκινὸν δόμον ἐντὸς ἔεργον·
ἀργύρεοι δὲ σταθμοὶ ἐν χαλκέῳ ἕστασαν οὐδῷ,
90 ἀργύρεον δ' ἐφ' ὑπερθύριον, χρυσέη δὲ κορώνη.
χρύσειοι δ' ἑκάτερθε καὶ ἀργύρεοι κύνες ἦσαν,
οὓς Ἥφαιστος ἔτευξεν ἰδυίῃσι πραπίδεσσι
δῶμα φυλασσέμεναι μεγαλήτορος Ἀλκινόοιο,
ἀθανάτους ὄντας καὶ ἀγήρως ἤματα πάντα.

Con lei si unì Posidone e generò un figlio,
l'ardito Nausitoo, che regnò sui Feaci.
Nausitoo generò Rexenore e Alcinoo.
Il primo lo uccise Apollo dall'arco d'argento, privo d'erede,
65 appena sposato, e in casa lasciò soltanto una figlia,
Arete: Alcinoo la fece sua sposa
e l'ha onorata, come nessuna altra oggi è onorata
delle donne che hanno una casa sottoposte a un marito.
Così è stata onorata di cuore, e lo è
70 dai figli e da Alcinoo stesso
e dal popolo, che guarda a lei come a un dio
e la acclama con grida quando passa in città.
Perché davvero non manca anche ella di nobile senno
e a chi vuole bene, anche uomini, scioglie le liti.
75 Se ella sarà ben disposta nell'animo verso di te,
allora hai speranza di vedere i tuoi cari e tornare
nella casa dall'alto soffitto e nella terra dei padri».
Detto così, la glaucopide Atena andò via
sul mare infecondo, lasciò la graziosa Scheria,
80 andò a Maratona e ad Atene dalle vie larghe,
entrò nella solida casa di Erètteo. Odisseo allora
si volse al famoso palazzo di Alcinoo: molto meditò
nel suo cuore, fermandosi, prima di varcare la soglia di bronzo.
Perché v'era un chiarore come di sole o di luna
85 nella casa dall'alto soffitto del magnanimo Alcinoo:
muri di bronzo correvano ai lati,
dalla soglia all'interno, orlati da un fregio azzurrino;
porte d'oro serravano la solida casa di dentro;
stipiti d'argento si ergevano sulla soglia di bronzo;
90 d'argento l'architrave, la maniglia era d'oro.
Ai lati v'erano cani, d'oro e d'argento,
che Efesto aveva foggiato con mente ingegnosa
per guardare il palazzo del magnanimo Alcinoo,
immortali e senza vecchiaia in eterno.

95 ἐν δὲ θρόνοι περὶ τοῖχον ἐρηρέδατ' ἔνθα καὶ ἔνθα,
ἐς μυχὸν ἐξ οὐδοῖο διαμπερές, ἔνθ' ἐνὶ πέπλοι
λεπτοὶ ἐΰννητοι βεβλήατο, ἔργα γυναικῶν.
ἔνθα δὲ Φαιήκων ἡγήτορες ἑδριόωντο
πίνοντες καὶ ἔδοντες· ἐπηετανὸν γὰρ ἔχεσκον.
100 χρύσειοι δ' ἄρα κοῦροι ἐϋδμήτων ἐπὶ βωμῶν
ἕστασαν αἰθομένας δαΐδας μετὰ χερσὶν ἔχοντες,
φαίνοντες νύκτας κατὰ δώματα δαιτυμόνεσσι.
πεντήκοντα δέ οἱ δμῳαὶ κατὰ δῶμα γυναῖκες
αἱ μὲν ἀλετρεύουσι μύλῃς ἔπι μήλοπα καρπόν,
105 αἱ δ' ἱστοὺς ὑφόωσι καὶ ἠλάκατα στρωφῶσιν
ἥμεναι, οἷά τε φύλλα μακεδνῆς αἰγείροιο·
καιροσσέων δ' ὀθονέων ἀπολείβεται ὑγρὸν ἔλαιον.
ὅσσον Φαίηκες περὶ πάντων ἴδριες ἀνδρῶν
νῆα θοὴν ἐνὶ πόντῳ ἐλαυνέμεν, ὣς δὲ γυναῖκες
110 ἱστῶν τεχνῆσσαι· πέρι γάρ σφισι δῶκεν Ἀθήνη
ἔργα τ' ἐπίστασθαι περικαλλέα καὶ φρένας ἐσθλάς.
ἔκτοσθεν δ' αὐλῆς μέγας ὄρχατος ἄγχι θυράων
τετράγυος· περὶ δ' ἕρκος ἐλήλαται ἀμφοτέρωθεν.
ἔνθα δὲ δένδρεα μακρὰ πεφύκει τηλεθόωντα,
115 ὄγχναι καὶ ῥοιαὶ καὶ μηλέαι ἀγλαόκαρποι
συκέαι τε γλυκεραὶ καὶ ἐλαῖαι τηλεθόωσαι.
τάων οὔ ποτε καρπὸς ἀπόλλυται οὐδ' ἀπολείπει
χείματος οὐδὲ θέρευς, ἐπετήσιος· ἀλλὰ μάλ' αἰεί
Ζεφυρίη πνείουσα τὰ μὲν φύει, ἄλλα δὲ πέσσει.
120 ὄγχνη ἐπ' ὄγχνῃ γηράσκει, μῆλον δ' ἐπὶ μήλῳ,
αὐτὰρ ἐπὶ σταφυλῇ σταφυλή, σῦκον δ' ἐπὶ σύκῳ.
ἔνθα δέ οἱ πολύκαρπος ἀλωὴ ἐρρίζωται,
τῆς ἕτερον μὲν θειλόπεδον λευρῷ ἐνὶ χώρῳ
τέρσεται ἠελίῳ, ἑτέρας δ' ἄρα τε τρυγόωσιν,
125 ἄλλας δὲ τραπέουσι· πάροιθε δέ τ' ὄμφακές εἰσιν
ἄνθος ἀφιεῖσαι, ἕτεραι δ' ὑποπερκάζουσιν.
ἔνθα δὲ κοσμηταὶ πρασιαὶ παρὰ νείατον ὄρχον
παντοῖαι πεφύασιν, ἐπηετανὸν γανόωσαι·

95 Al muro stavano troni, ai due lati,
in fila dalla soglia all'interno e v'erano posti sopra
dei drappi sottili, ben fatti, un lavoro di donne.
I capi feaci solevano sedersi su di essi
per bere e mangiare: ne avevano sempre.
100 Giovani d'oro su basi ben costruite
stavano ritti con in mano fiaccole accese,
rischiarando ai convitati nella casa le notti.
Cinquanta donne servono Alcinoo in casa:
alcune sulla mola macinano grano color mela,
105 altre tessono tele e filano lane,
sedute, come le foglie d'un altissimo pioppo.
Dai fili sospesi al telaio stilla fluido olio.
Come i Feaci sono più esperti di tutti gli uomini
nel guidare una nave veloce sul mare, così sono esperte
110 di tessuti le donne: Atena concesse loro
di conoscere i lavori più belli e i pensieri più nobili.
Oltre il cortile, vicino alle porte, v'è un grande giardino
di quattro misure: ai due lati corre un recinto.
Grandi alberi rigogliosi vi crescono,
115 peri e granati e meli con splendidi frutti,
fichi dolcissimi e piante rigogliose d'ulivo.
Mai il loro frutto marcisce o finisce,
né inverno né estate: è perenne. Sempre
lo Zefiro gli uni fa crescere, gli altri matura, soffiando.
120 Invecchia sulla pera la pera, sulla mela la mela,
sul grappolo il grappolo, il fico sul fico.
È piantata lì la sua vigna ricca di frutti:
una parte, esposta ai raggi su un aperto terreno,
è seccata dal sole; le altre uve invece le colgono,
125 altre ancora le pigiano. Davanti sono grappoli acerbi,
che gettano il fiore e altri che imbrunano.
Lungo l'estremo filare crescono verdure diverse
in bell'ordine, che brillano per tutto l'anno.

ἐν δὲ δύω κρῆναι ἡ μέν τ' ἀνὰ κῆπον ἅπαντα
130 σκίδναται, ἡ δ' ἑτέρωθεν ὑπ' αὐλῆς οὐδὸν ἵησι
πρὸς δόμον ὑψηλόν, ὅθεν ὑδρεύοντο πολῖται.
τοῖ' ἄρ' ἐν 'Αλκινόοιο θεῶν ἔσαν ἀγλαὰ δῶρα.
ἔνθα στὰς θηεῖτο πολύτλας δῖος 'Οδυσσεύς.
αὐτὰρ ἐπεὶ δὴ πάντα ἑῷ θηήσατο θυμῷ,
135 καρπαλίμως ὑπὲρ οὐδὸν ἐβήσετο δώματος εἴσω.
εὗρε δὲ Φαιήκων ἡγήτορας ἠδὲ μέδοντας
σπένδοντας δεπάεσσιν ἐϋσκόπῳ 'Αργεϊφόντῃ,
ᾧ πυμάτῳ σπένδεσκον, ὅτε μνησαίατο κοίτου.
αὐτὰρ ὁ βῆ διὰ δῶμα πολύτλας δῖος 'Οδυσσεὺς
140 πολλὴν ἠέρ' ἔχων, ἥν οἱ περίχευεν 'Αθήνη,
ὄφρ' ἵκετ' 'Αρήτην τε καὶ 'Αλκίνοον βασιλῆα.
ἀμφὶ δ' ἄρ' 'Αρήτης βάλε γούνασι χεῖρας 'Οδυσσεύς,
καὶ τότε δή ῥ' αὐτοῖο πάλιν χύτο θέσφατος ἀήρ.
οἱ δ' ἄνεω ἐγένοντο δόμον κάτα φῶτα ἰδόντες,
145 θαύμαζον δ' ὁρόωντες· ὁ δὲ λιτάνευεν 'Οδυσσεύς·
« 'Αρήτη, θύγατερ 'Ρηξήνορος ἀντιθέοιο,
σόν τε πόσιν σά τε γούναθ' ἱκάνω πολλὰ μογήσας,
τούσδε τε δαιτυμόνας, τοῖσιν θεοὶ ὄλβια δοῖεν,
ζωέμεναι, καὶ παισὶν ἐπιτρέψειεν ἕκαστος
150 κτήματ' ἐνὶ μεγάροισι γέρας θ' ὅ τι δῆμος ἔδωκεν.
αὐτὰρ ἐμοὶ πομπὴν ὀτρύνετε πατρίδ' ἱκέσθαι
θᾶσσον, ἐπεὶ δὴ δηθὰ φίλων ἄπο πήματα πάσχω ».
ὣς εἰπὼν κατ' ἄρ' ἕζετ' ἐπ' ἐσχάρῃ ἐν κονίῃσι
πὰρ πυρί· οἱ δ' ἄρα πάντες ἀκὴν ἐγένοντο σιωπῇ.
155 ὀψὲ δὲ δὴ μετέειπε γέρων ἥρως 'Εχένηος,
ὃς δὴ Φαιήκων ἀνδρῶν προγενέστερος ἦεν
καὶ μύθοισι κέκαστο, παλαιά τε πολλά τε εἰδώς·
ὅ σφιν ἐϋφρονέων ἀγορήσατο καὶ μετέειπεν·
« 'Αλκίνο', οὐ μέν τοι τόδε κάλλιον οὐδὲ ἔοικε,
160 ξεῖνον μὲν χαμαὶ ἧσθαι ἐπ' ἐσχάρῃ ἐν κονίῃσιν·
οἵδε δὲ σὸν μῦθον ποτιδέγμενοι ἰσχανόωνται.
ἀλλ' ἄγε δὴ ξεῖνον μὲν ἐπὶ θρόνου ἀργυροήλου

Vi sono due fonti. Una si spande per tutto il giardino,
130 l'altra sotto la soglia dell'atrio scorre
verso l'alto palazzo: i cittadini attingono ad essa.
Questi, gli splendidi doni degli dei nella casa di Alcinoo.
Si fermò ammirato il paziente chiaro Odisseo.
Poi, quando nell'animo ebbe tutto ammirato,
135 varcò sveltamente la soglia ed entrò nel palazzo.
Trovò i capi e i consiglieri feaci
che con le coppe libavano all'Arghifonte di ottima vista,
al quale libavano in ultimo, quando pensavano al sonno.
Andò attraverso la sala, il paziente chiaro Odisseo,
140 nella spessa nebbia con cui Atena lo avvolse,
finché giunse da Arete e dal re Alcinoo.
Intorno ai ginocchi di Arete gettò Odisseo le braccia,
ed ecco la prodigiosa caligine si sciolse da lui.
Ammutolirono dentro la casa vedendo l'eroe;
145 stupiti guardavano, Odisseo pregava:
« Arete, figlia di Rexenore simile a un dio,
dopo molto soffrire giungo al tuo sposo, ai tuoi ginocchi
e a questi invitati: gli dei diano loro fortuna,
che vivano, e ciascuno passi ai suoi figli
150 gli averi di casa e il rango ad essi assegnato dal popolo.
A me preparate una scorta per giungere a casa
al più presto, perché peno da tempo, lontano dai miei ».
Disse così e sedette sul focolare, nella cenere,
vicino al fuoco: immobili erano tutti, in silenzio.
155 Tra essi finalmente parlò il vecchio eroe Echeneo,
che era tra gli uomini feaci un anziano
e nei discorsi eccelleva, sapendo molte cose e antiche.
Tra essi prese saggiamente la parola e parlò:
« Alcinoo, non è né bello né giusto,
160 che un ospite sieda a terra sul focolare, nella cenere:
costoro aspettano di avere un tuo ordine.
Ma su, alza l'ospite e fallo sedere

εἷσον ἀναστήσας, σὺ δὲ κηρύκεσσι κέλευσον
οἶνον ἐπικρῆσαι, ἵνα καὶ Διὶ τερπικεραύνῳ
165 σπείσομεν, ὅς θ' ἱκέτῃσιν ἅμ' αἰδοίοισιν ὀπηδεῖ·
δόρπον δὲ ξείνῳ ταμίη δότω ἔνδον ἐόντων ».
αὐτὰρ ἐπεὶ τό γ' ἄκουσ' ἱερὸν μένος 'Αλκινόοιο,
χειρὸς ἑλὼν 'Οδυσῆα δαΐφρονα ποικιλομήτην
ὦρσεν ἀπ' ἐσχαρόφιν καὶ ἐπὶ θρόνου εἷσε φαεινοῦ,
170 υἱὸν ἀναστήσας ἀγαπήνορα Λαοδάμαντα,
ὅς οἱ πλησίον ἷζε, μάλιστα δέ μιν φιλέεσκε.
χέρνιβα δ' ἀμφίπολος προχόῳ ἐπέχευε φέρουσα
καλῇ χρυσείῃ, ὑπὲρ ἀργυρέοιο λέβητος,
νίψασθαι· παρὰ δὲ ξεστὴν ἐτάνυσσε τράπεζαν.
175 σῖτον δ' αἰδοίη ταμίη παρέθηκε φέρουσα,
εἴδατα πόλλ' ἐπιθεῖσα, χαριζομένη παρεόντων.
αὐτὰρ ὁ πῖνε καὶ ἦσθε πολύτλας δῖος 'Οδυσσεύς·
καὶ τότε κήρυκα προσέφη μένος 'Αλκινόοιο·
« Ποντόνοε, κρητῆρα κερασσάμενος μέθυ νεῖμον
180 πᾶσιν ἀνὰ μέγαρον, ἵνα καὶ Διὶ τερπικεραύνῳ
σπείσομεν, ὅς θ' ἱκέτῃσιν ἅμ' αἰδοίοισιν ὀπηδεῖ ».
ὣς φάτο, Ποντόνοος δὲ μελίφρονα οἶνον ἐκίρνα,
νώμησεν δ' ἄρα πᾶσιν ἐπαρξάμενος δεπάεσσιν.
αὐτὰρ ἐπεὶ σπεῖσάν τ' ἔπιόν θ' ὅσον ἤθελε θυμός,
185 τοῖσιν δ' 'Αλκίνοος ἀγορήσατο καὶ μετέειπε·
« κέκλυτε, Φαιήκων ἡγήτορες ἠδὲ μέδοντες,
ὄφρ' εἴπω τά με θυμὸς ἐνὶ στήθεσσι κελεύει.
νῦν μὲν δαισάμενοι κατακείετε οἴκαδ' ἰόντες·
ἠῶθεν δὲ γέροντας ἐπὶ πλέονας καλέσαντες
190 ξεῖνον ἐνὶ μεγάροις ξεινίσσομεν ἠδὲ θεοῖσι
ῥέξομεν ἱερὰ καλά, ἔπειτα δὲ καὶ περὶ πομπῆς
μνησόμεθ', ὥς χ' ὁ ξεῖνος ἄνευθε πόνου καὶ ἀνίης
πομπῇ ὑφ' ἡμετέρῃ ἣν πατρίδα γαῖαν ἵκηται
χαίρων καρπαλίμως, εἰ καὶ μάλα τηλόθεν ἐστί,
195 μηδέ τι μεσσηγύς γε κακὸν καὶ πῆμα πάθῃσι
πρίν γε τὸν ἧς γαίης ἐπιβήμεναι· ἔνθα δ' ἔπειτα

su un trono con borchie d'argento, ordina tu agli araldi
di mescere il vino, perché anche a Zeus lieto del fulmine,
165 che si accompagna coi supplici venerati, libiamo.
E all'ospite dia la dispensiera la cena, quello che c'è ».
Appena udì questo, il sacro vigore di Alcinoo
prese per mano il valente astuto Odisseo,
dal focolare lo tolse e lo fece sedere su uno splendido trono,
170 facendo alzare suo figlio, l'ospitale Laodamante,
che gli sedeva vicino: Alcinoo lo aveva assai caro.
Un'ancella venne a versare dell'acqua, da una brocca
bella, d'oro, in un bacile d'argento,
perché si lavasse: vicino stese una tavola liscia.
175 La riverita dispensiera recò e pose il cibo,
imbandendo molte vivande, generosa di quello che c'era.
Ed egli beveva e mangiava, il paziente chiaro Odisseo.
E allora il vigore di Alcinoo disse a un araldo:
« Pontonoo, mischia un cratere e a tutti nella sala
180 da' vino, perché anche a Zeus lieto del fulmine,
che si accompagna coi supplici venerati, libiamo ».
Disse così, e Pontonoo mischiava il dolce vino
e a tutti distribuì nelle coppe la parte iniziale.
Poi, dopo aver libato e bevuto quanto l'animo volle,
185 Alcinoo tra essi prese la parola e parlò:
« Ascoltate, capi e consiglieri feaci,
che dica quel che l'animo nel petto mi impone.
Ora che avete cenato, andate a casa a dormire;
dopo l'aurora, chiamati un numero maggiore di anziani,
190 faremo all'ospite gli onori di casa e agli dei
bei sacrifici; penseremo poi anche
alla scorta, perché l'ospite, senza fatica o fastidio,
arrivi nella sua patria, scortato da noi,
lieto, rapidamente, anche se sta lontanissimo:
195 che nel tragitto non soffra disgrazia e dolore,
prima di mettere piede sulla sua terra; poi lì

πείσεται ἅσσα οἱ αἶσα κατὰ Κλῶθές τε βαρεῖαι
γεινομένῳ νήσαντο λίνῳ, ὅτε μιν τέκε μήτηρ.
εἰ δέ τις ἀθανάτων γε κατ' οὐρανοῦ εἰλήλουθεν,
200 ἄλλο τι δὴ τόδ' ἔπειτα θεοὶ περιμηχανόωνται.
αἰεὶ γὰρ τὸ πάρος γε θεοὶ φαίνονται ἐναργεῖς
ἡμῖν, εὖτ' ἔρδωμεν ἀγακλειτὰς ἑκατόμβας,
δαίνυνταί τε παρ' ἄμμι καθήμενοι ἔνθα περ ἡμεῖς.
εἰ δ' ἄρα τις καὶ μοῦνος ἰὼν σύμβληται ὁδίτης,
205 οὔ τι κατακρύπτουσιν, ἐπεί σφισιν ἐγγύθεν εἰμέν,
ὥς περ Κύκλωπές τε καὶ ἄγρια φῦλα Γιγάντων ».
τὸν δ' ἀπαμειβόμενος προσέφη πολύμητις Ὀδυσσεύς·
« Ἀλκίνο', ἄλλο τί τοι μελέτω φρεσίν· οὐ γὰρ ἐγώ γε
ἀθανάτοισιν ἔοικα, τοὶ οὐρανὸν εὐρὺν ἔχουσιν,
210 οὐ δέμας οὐδὲ φυήν, ἀλλὰ θνητοῖσι βροτοῖσιν·
οὕς τινας ὑμεῖς ἴστε μάλιστ' ὀχέοντας ὀϊζὺν
ἀνθρώπων, τοῖσίν κεν ἐν ἄλγεσιν ἰσωσαίμην.
καὶ δ' ἔτι κεν καὶ πλείον' ἐγὼ κακὰ μυθησαίμην,
ὅσσα γε δὴ ξύμπαντα θεῶν ἰότητι μόγησα.
215 ἀλλ' ἐμὲ μὲν δορπῆσαι ἐάσατε κηδόμενόν περ.
οὐ γάρ τι στυγερῇ ἐπὶ γαστέρι κύντερον ἄλλο
ἔπλετο, ἥ τ' ἐκέλευσεν ἕο μνήσασθαι ἀνάγκῃ
καὶ μάλα τειρόμενον καὶ ἐνὶ φρεσὶ πένθος ἔχοντα,
ὡς καὶ ἐγὼ πένθος μὲν ἔχω φρεσίν, ἡ δὲ μάλ' αἰεὶ
220 ἐσθέμεναι κέλεται καὶ πινέμεν, ἐκ δέ με πάντων
ληθάνει ὅσσ' ἔπαθον, καὶ ἐνιπλήσασθαι ἀνώγει.
ὑμεῖς δ' ὀτρύνεσθε ἅμ' ἠοῖ φαινομένηφιν,
ὥς κ' ἐμὲ τὸν δύστηνον ἐμῆς ἐπιβήσετε πάτρης,
καί περ πολλὰ παθόντα· ἰδόντα με καὶ λίποι αἰὼν
225 κτῆσιν ἐμὴν δμῶάς τε καὶ ὑψερεφὲς μέγα δῶμα ».
ὣς ἔφαθ', οἱ δ' ἄρα πάντες ἐπῄνεον ἠδ' ἐκέλευον
πεμπέμεναι τὸν ξεῖνον, ἐπεὶ κατὰ μοῖραν ἔειπεν.
αὐτὰρ ἐπεὶ σπεῖσάν τ' ἔπιόν θ' ὅσον ἤθελε θυμός,
οἱ μὲν κακκείοντες ἔβαν οἶκόνδε ἕκαστος,
230 αὐτὰρ ὁ ἐν μεγάρῳ ὑπελείπετο δῖος Ὀδυσσεύς,

subirà quel che è destino e le Filatrici severe filarono
col lino per lui alla nascita, quando sua madre lo generò.
Se poi è un immortale disceso dal cielo,
200 allora è altro che gli dei ci preparano.
Da sempre gli dei ci appaiono col loro sembiante,
quando facciamo le famose ecatombi,
e banchettano presso di noi, sedendo con noi.
E se uno li incontra per strada, anche solo,
205 non si nascondono, perché ad essi siamo vicini
come i Ciclopi e le selvagge tribù dei Giganti ».
Rispondendogli disse l'astuto Odisseo:
« Alcinoo, non occuparti di questo: perché certo io
non somiglio agli immortali che hanno il vasto cielo
210 per aspetto o figura, ma alle creature mortali.
Agli uomini che voi sapete sopportano
grandi sventure, a questi nel dolore potrei somigliare.
E potrei raccontare anche mali più numerosi,
così tanti ne ho sopportati per volontà degli dei.
215 Ma lasciate che io ceni, anche se afflitto:
perché non c'è cosa più impudente del ventre
odioso, che impone per forza di ricordarsi di lui,
anche a chi è molto provato e ha una pena nell'animo,
come ho anche io una pena nell'animo. Sempre egli
220 impone di mangiare e di bere: mi fa dimenticare
tutto quel che ho sofferto e mi costringe ad empirlo.
Voi all'apparire dell'aurora affrettatevi
a sbarcarmi, infelice, nella mia patria,
anche dopo molto soffrire: e dopo aver visti i miei beni,
225 i servi e il palazzo dall'alto soffitto, la vita mi lasci ».
Disse così, ed essi assentivano e l'incitavano tutti
a dare una scorta all'ospite, perché parlò in modo giusto.
Poi, dopo aver libato e bevuto quanto l'animo volle,
essi andarono ciascuno a casa, a dormire,
230 mentre egli si fermò nella sala, il chiaro Odisseo:

πὰρ δέ οἱ Ἀρήτη τε καὶ Ἀλκίνοος θεοειδὴς
ἥσθην· ἀμφίπολοι δ' ἀπεκόσμεον ἔντεα δαιτός.
τοῖσιν δ' Ἀρήτη λευκώλενος ἤρχετο μύθων·
ἔγνω γὰρ φᾶρός τε χιτῶνά τε εἵματ' ἰδοῦσα
235 καλά, τά ῥ' αὐτὴ τεῦξε σὺν ἀμφιπόλοισι γυναιξί·
καί μιν φωνήσασ' ἔπεα πτερόεντα προσηύδα·
« ξεῖνε, τὸ μέν σε πρῶτον ἐγὼν εἰρήσομαι αὐτή·
τίς πόθεν εἰς ἀνδρῶν; τίς τοι τάδε εἵματ' ἔδωκεν;
οὐ δὴ φῇς ἐπὶ πόντον ἀλώμενος ἐνθάδ' ἱκέσθαι; ».
240 τὴν δ' ἀπαμειβόμενος προσέφη πολύμητις Ὀδυσσεύς·
« ἀργαλέον, βασίλεια, διηνεκέως ἀγορεῦσαι
κήδε', ἐπεί μοι πολλὰ δόσαν θεοὶ Οὐρανίωνες·
τοῦτο δέ τοι ἐρέω ὅ μ' ἀνείρεαι ἠδὲ μεταλλᾷς.
Ὠγυγίη τις νῆσος ἀπόπροθεν εἰν ἁλὶ κεῖται,
245 ἔνθα μὲν Ἄτλαντος θυγάτηρ, δολόεσσα Καλυψώ,
ναίει ἐϋπλόκαμος, δεινὴ θεός· οὐδέ τις αὐτῇ
μίσγεται οὔτε θεῶν οὔτε θνητῶν ἀνθρώπων.
ἀλλ' ἐμὲ τὸν δύστηνον ἐφέστιον ἤγαγε δαίμων
οἶον, ἐπεί μοι νῆα θοὴν ἀργῆτι κεραυνῷ
250 Ζεὺς ἐλάσας ἐκέασσε μέσῳ ἐνὶ οἴνοπι πόντῳ.
ἔνθ' ἄλλοι μὲν πάντες ἀπέφθιθεν ἐσθλοὶ ἑταῖροι,
αὐτὰρ ἐγὼ τρόπιν ἀγκὰς ἑλὼν νεὸς ἀμφιελίσσης
ἐννῆμαρ φερόμην· δεκάτῃ δέ με νυκτὶ μελαίνῃ
νῆσον ἐς Ὠγυγίην πέλασαν θεοί, ἔνθα Καλυψὼ
255 ναίει ἐϋπλόκαμος, δεινὴ θεός, ἥ με λαβοῦσα
ἐνδυκέως ἐφίλει τε καὶ ἔτρεφεν ἠδὲ ἔφασκε
θήσειν ἀθάνατον καὶ ἀγήραον ἤματα πάντα·
ἀλλ' ἐμὸν οὔ ποτε θυμὸν ἐνὶ στήθεσσιν ἔπειθεν.
ἔνθα μὲν ἑπτάετες μένον ἔμπεδον, εἵματα δ' αἰεὶ
260 δάκρυσι δεύεσκον, τά μοι ἄμβροτα δῶκε Καλυψώ·
ἀλλ' ὅτε δὴ ὄγδοόν μοι ἐπιπλόμενον ἔτος ἦλθε,
καὶ τότε δή μ' ἐκέλευσεν ἐποτρύνουσα νέεσθαι
Ζηνὸς ὑπ' ἀγγελίης, ἢ καὶ νόος ἐτράπετ' αὐτῆς.
πέμπε δ' ἐπὶ σχεδίης πολυδέσμου, πολλὰ δ' ἔδωκε,

sedevano Arete ed Alcinoo simile a un dio
con lui. Le ancelle sparecchiavano le stoviglie del pasto.
Tra essi iniziò Arete dalle candide braccia a parlare:
vedendoli, riconobbe il manto, la tunica e le belle
235 vesti che aveva fatto lei stessa insieme alle ancelle.
E parlando gli rivolse alate parole:
« Ospite, ti chiederò una cosa, anzitutto:
chi sei, di che stirpe? Queste vesti chi te le ha date?
Non hai detto che eri arrivato ramingo sul mare? ».
240 Rispondendole disse l'astuto Odisseo:
« Difficile raccontare, o regina, dal principio alla fine,
perché sventure me ne diedero molte gli dei Uranidi:
ma ti dirò quello che mi chiedi e domandi.
C'è un'isola lontano nel mare, Ogigia,
245 in cui abita la figlia di Atlante, l'insidiosa Calipso
dai riccioli belli, dea tremenda: costei non la visita
mai nessun dio né uomo mortale.
Un dio portò me, codesto infelice, al suo focolare,
solo, dopo che Zeus, percossami col vivido fulmine
250 la nave veloce, la spezzò in mezzo al mare scuro come vino.
Allora tutti gli altri compagni valorosi perirono,
ma io, abbrancata la chiglia della nave veloce a virare,
per nove giorni fui trascinato: nella notte buia del decimo
gli dei mi gettarono sull'isola Ogigia, dove abita
255 Calipso dai riccioli belli, dea tremenda. Gentilmente
ella mi accolse, si prese cura di me, mi nutrì, e diceva
che mi avrebbe reso immortale e per sempre senza vecchiaia:
ma nel petto non convinse mai il mio animo.
Restai lì sette anni, di seguito: sempre bagnavo
260 di lacrime le vesti immortali che mi diede Calipso.
Ma quando volgendo arrivò per me l'ottavo anno,
allora mi esortò e spinse a tornare,
per comando di Zeus, ma forse aveva mutato pensiero.
Mi mandò via su una zattera dai molti legami, molto mi diede,

265 σῖτον καὶ μέθυ ἡδύ, καὶ ἄμβροτα εἵματα ἕσσεν,
οὖρον δὲ προέηκεν ἀπήμονά τε λιαρόν τε.
ἑπτὰ δὲ καὶ δέκα μὲν πλέον ἤματα ποντοπορεύων,
ὀκτωκαιδεκάτῃ δ' ἐφάνη ὄρεα σκιόεντα
γαίης ὑμετέρης, γήθησε δέ μοι φίλον ἦτορ
270 δυσμόρῳ· ἦ γὰρ μέλλον ἔτι ξυνέσεσθαι ὀϊζυῖ
πολλῇ, τήν μοι ἐπῶρσε Ποσειδάων ἐνοσίχθων,
ὅς μοι ἐφορμήσας ἀνέμους κατέδησε κέλευθον,
ὤρινεν δὲ θάλασσαν ἀθέσφατον, οὐδέ τι κῦμα
εἴα ἐπὶ σχεδίης ἁδινὰ στενάχοντα φέρεσθαι.
275 τὴν μὲν ἔπειτα θύελλα διεσκέδασ'· αὐτὰρ ἐγώ γε
νηχόμενος τόδε λαῖτμα διέτμαγον, ὄφρα με γαίῃ
ὑμετέρῃ ἐπέλασσε φέρων ἄνεμός τε καὶ ὕδωρ.
ἔνθα κέ μ' ἐκβαίνοντα βιήσατο κῦμ' ἐπὶ χέρσου,
πέτρῃς πρὸς μεγάλῃσι βαλὸν καὶ ἀτερπέϊ χώρῳ·
280 ἀλλ' ἀναχασσάμενος νῆχον πάλιν, εἷος ἐπῆλθον
ἐς ποταμόν, τῇ δή μοι ἐείσατο χῶρος ἄριστος,
λεῖος πετράων, καὶ ἐπὶ σκέπας ἦν ἀνέμοιο.
ἐκ δ' ἔπεσον θυμηγερέων, ἐπὶ δ' ἀμβροσίη νὺξ
ἤλυθ'· ἐγὼ δ' ἀπάνευθε διιπετέος ποταμοῖο
285 ἐκβὰς ἐν θάμνοισι κατέδραθον, ἀμφὶ δὲ φύλλα
ἠφυσάμην· ὕπνον δὲ θεὸς κατ' ἀπείρονα χεῦεν.
ἔνθα μὲν ἐν φύλλοισι, φίλον τετιημένος ἦτορ,
εὗδον παννύχιος καὶ ἐπ' ἠῶ καὶ μέσον ἦμαρ·
δύσετό τ' ἠέλιος, καί με γλυκὺς ὕπνος ἀνῆκεν.
290 ἀμφιπόλους δ' ἐπὶ θινὶ τεῆς ἐνόησα θυγατρὸς
παιζούσας, ἐν δ' αὐτὴ ἔην ἐϊκυῖα θεῇσι.
τὴν ἱκέτευσ'· ἡ δ' οὔ τι νοήματος ἤμβροτεν ἐσθλοῦ,
ὡς οὐκ ἂν ἔλποιο νεώτερον ἀντιάσαντα
ἐρξέμεν· αἰεὶ γάρ τε νεώτεροι ἀφραδέουσιν.
295 ἥ μοι σῖτον ἔδωκεν ἅλις ἠδ' αἴθοπα οἶνον,
καὶ λοῦσ' ἐν ποταμῷ, καί μοι τάδε εἵματ' ἔδωκε.
ταῦτά τοι ἀχνύμενός περ ἀληθείην κατέλεξα ».
τὸν δ' αὖτ' Ἀλκίνοος ἀπαμείβετο φώνησέν τε·

265 del cibo e del vino dolce, mi coprì di vesti immortali,
mi inviò un vento propizio e leggero.
Per diciassette giorni traversai, navigandolo, il mare;
al diciottesimo apparvero i monti ombrosi
della vostra terra. Gioì il mio cuore:
270 me disgraziato, perché molto dolore dovevo ancora
patire. Me lo diede Posidone che scuote la terra,
che aizzando i venti impedì il mio viaggio,
suscitò un mare immenso, e il maroso non lasciava
che sulla barca avanzassi, urlante e piangente.
275 La tempesta poi la sfasciò; e allora, nuotando,
io traversai questo abisso, finché alla vostra terra
mi avvicinarono il vento e l'acqua portandomi.
E qui, mentre uscivo, mi avrebbe sbattuto contro la costa,
gettandomi sulle gran rocce e l'orrido luogo:
280 ma arretrando, mi misi a nuotare di nuovo, finché arrivai
ad un fiume, e lì mi parve ottimo il luogo,
sgombro di scogli, v'era anche un riparo dal vento.
Caddi, riprendendo coraggio: la notte divina
arrivò. Andato lontano dal fiume disceso da Zeus,
285 mi stesi tra i cespugli a dormire, attorno ammassai
delle foglie: un dio mi infuse un sonno infinito.
Là tra le foglie, col cuore turbato,
dormii per tutta la notte e oltre l'aurora e il meriggio.
Il sole calò e mi abbandonò il dolce sonno.
290 Scorsi le ancelle di tua figlia, che sulla riva
giocavano: tra esse era lei, somigliante alle dee.
La implorai. E lei non mancò di nobile senno,
come non spereresti che faccia un ragazzo
incontrandoti: sono sempre sconsiderati i ragazzi.
295 Cibo abbondante e scuro vino mi diede,
mi fece lavare nel fiume e mi donò queste vesti.
E con questo ti ho detto la verità, benché addolorato ».

Allora Alcinoo rispose e gli disse:

« ξεῖν', ἦ τοι μὲν τοῦτό γ' ἐναίσιμον οὐκ ἐνόησε
300 παῖς ἐμή, οὕνεκά σ' οὔ τι μετ' ἀμφιπόλοισι γυναιξὶν
ἦγεν ἐς ἡμέτερον· σὺ δ' ἄρα πρώτην ἱκέτευσας ».
τὸν δ' ἀπαμειβόμενος προσέφη πολύμητις Ὀδυσσεύς·
« ἥρως, μή μοι τοὔνεκ' ἀμύμονα νείκεε κούρην·
ἡ μὲν γάρ μ' ἐκέλευε σὺν ἀμφιπόλοισιν ἕπεσθαι·
305 ἀλλ' ἐγὼ οὐκ ἔθελον δείσας αἰσχυνόμενός τε,
μή πως καὶ σοὶ θυμὸς ἐπισκύσσαιτο ἰδόντι·
δύσζηλοι γάρ τ' εἰμὲν ἐπὶ χθονὶ φῦλ' ἀνθρώπων ».
τὸν δ' αὖτ' Ἀλκίνοος ἀπαμείβετο φώνησέν τε·
« ξεῖν', οὔ μοι τοιοῦτον ἐνὶ στήθεσσι φίλον κῆρ
310 μαψιδίως κεχολῶσθαι· ἀμείνω δ' αἴσιμα πάντα.
αἲ γάρ, Ζεῦ τε πάτερ καὶ Ἀθηναίη καὶ Ἄπολλον,
τοῖος ἐὼν οἷός ἐσσι, τά τε φρονέων ἅ τ' ἐγώ περ,
παῖδά τ' ἐμὴν ἐχέμεν καὶ ἐμὸς γαμβρὸς καλέεσθαι
αὖθι μένων· οἶκον δέ τ' ἐγὼ καὶ κτήματα δοίην,
315 εἴ κ' ἐθέλων γε μένοις· ἀέκοντα δέ σ' οὔ τις ἐρύξει
Φαιήκων· μὴ τοῦτο φίλον Διὶ πατρὶ γένοιτο.
πομπὴν δ' ἐς τόδ' ἐγὼ τεκμαίρομαι, ὄφρ' ἐῢ εἰδῇς,
αὔριον ἔς· τῆμος δὲ σὺ μὲν δεδμημένος ὕπνῳ
λέξεαι, οἱ δ' ἐλόωσι γαλήνην, ὄφρ' ἂν ἵκηαι
320 πατρίδα σὴν καὶ δῶμα, καὶ εἴ πού τοι φίλον ἐστίν,
εἴ περ καὶ μάλα πολλὸν ἑκαστέρω ἔστ' Εὐβοίης,
τήν περ τηλοτάτω φάσ' ἔμμεναι οἵ μιν ἴδοντο
λαῶν ἡμετέρων, ὅτε τε ξανθὸν Ῥαδάμανθυν
ἦγον ἐποψόμενον Τιτυόν, Γαιήϊον υἱόν.
325 καὶ μὲν οἱ ἔνθ' ἦλθον, καὶ ἄτερ καμάτοιο τέλεσσαν
ἤματι τῷ αὐτῷ καὶ ἀπήνυσαν οἴκαδ' ὀπίσσω.
εἰδήσεις δὲ καὶ αὐτὸς ἐνὶ φρεσὶν ὅσσον ἄρισται
νῆες ἐμαὶ καὶ κοῦροι ἀναρρίπτειν ἅλα πηδῷ ».
ὣς φάτο, γήθησεν δὲ πολύτλας δῖος Ὀδυσσεύς,
330 εὐχόμενος δ' ἄρα εἶπεν ἔπος τ' ἔφατ' ἔκ τ' ὀνόμαζε·
« Ζεῦ πάτερ, αἴθ' ὅσα εἶπε τελευτήσειεν ἅπαντα
Ἀλκίνοος· τοῦ μέν κεν ἐπὶ ζείδωρον ἄρουραν

« Ospite, questo non lo pensò in modo giusto
300 mia figlia, di non condurti da noi
con le ancelle: tu la supplicasti per prima ».
Rispondendogli disse l'astuto Odisseo:
« O eroe, non biasimare per questo la nobile giovane:
lei me lo disse di seguirla insieme alle ancelle,
305 ma io non lo volli, per timore e ritegno,
che vedendomi ti adirassi nell'animo.
Perché noi uomini sulla terra siamo gelosi ».
Allora Alcinoo rispose e gli disse:
« Ospite, il mio cuore nel petto non è cosiffatto,
310 da adirarsi alla cieca: ogni cosa misurata è migliore.
Magari, o padre Zeus, e Atena e Apollo,
essendo così come sei, pensando le cose che io penso,
volessi avere mia figlia e dirti mio genero,
fermandoti qui: ti darei una casa e dei beni
315 se volessi restare. Nessuno dei Feaci però, se non vuoi,
ti tratterrà. Non piaccia al padre Zeus, questo.
La partenza, perché tu lo sappia, io la fisso così,
per domani. Mentre tu giacerai, domato dal sonno,
essi batteranno il mare in bonaccia, perché tu giunga
320 nella tua patria e a casa e dove comunque ti è caro,
anche se è molto più in là dell'Eubea,
che pure dicono sia lontanissima, quelli del nostro popolo
che l'hanno veduta, quando il biondo Radamanto
portarono, che andava a vedere Tizio, figlio della Terra.
325 Anche lì essi giunsero e compirono senza sforzo il viaggio
lo stesso giorno e tornarono indietro a casa.
Ti accorgerai anche tu quanto eccellono
le mie navi ed i giovani a sollevare il mare col remo ».
Parlò così: il paziente chiaro Odisseo si rallegrò,
330 e pregando gli rivolse la parola, gli disse:
« Padre Zeus, voglia Alcinoo compiere tutto quello
che ha detto: la sua fama sulla fertile terra

ἄσβεστον κλέος εἴη, ἐγὼ δέ κε πατρίδ' ἱκοίμην ».
ὣς οἱ μὲν τοιαῦτα πρὸς ἀλλήλους ἀγόρευον,
335 κέκλετο δ' Ἀρήτη λευκώλενος ἀμφιπόλοισι
δέμνι' ὑπ' αἰθούσῃ θέμεναι καὶ ῥήγεα καλὰ
πορφύρε' ἐμβαλέειν, στορέσαι τ' ἐφύπερθε τάπητας
χλαίνας τ' ἐνθέμεναι οὔλας καθύπερθεν ἕσασθαι.
αἱ δ' ἴσαν ἐκ μεγάροιο δάος μετὰ χερσὶν ἔχουσαι·
340 αὐτὰρ ἐπεὶ στόρεσαν πυκινὸν λέχος ἐγκονέουσαι,
ὤτρυνον Ὀδυσῆα παριστάμεναι ἐπέεσσιν·
« ὄρσο κέων, ὦ ξεῖνε· πεποίηται δέ τοι εὐνή ».
ὣς φάν· τῷ δ' ἀσπαστὸν ἐείσατο κοιμηθῆναι.
ὣς ὁ μὲν ἔνθα καθεῦδε πολύτλας δῖος Ὀδυσσεὺς
345 τρητοῖς ἐν λεχέεσσιν ὑπ' αἰθούσῃ ἐριδούπῳ·
Ἀλκίνοος δ' ἄρα λέκτο μυχῷ δόμου ὑψηλοῖο,
πὰρ δὲ γυνὴ δέσποινα λέχος πόρσυνε καὶ εὐνήν.

sarebbe inestinguibile, ed io potrei giungere in patria ».

Così dunque dicevano essi l'un l'altro,

335 e Arete dalle candide braccia alle ancelle ordinò
di porre sotto il portico i letti e di mettervi
bei tappeti purpurei, di stendervi su le coperte
e di aggiungervi coltri villose, per potersi coprire.
Esse andarono via dalla sala, tenendo in mano una fiaccola.

340 Quando sollecite stesero ben fitto il giaciglio,
invitarono Odisseo, standogli accanto:
« Va' a sdraiarti, straniero: è fatto il tuo letto ».
Così dissero, e a lui parve gradito sdraiarsi.
Egli dunque dormiva lì, il paziente chiaro Odisseo,

345 nel letto coi fori, sotto il rumoroso loggiato.
Alcinoo si coricò invece nell'interno dell'alta dimora:
la regina, sua moglie, preparò accanto letto e giaciglio.

Θ

Ἦμος δ' ἠριγένεια φάνη ῥοδοδάκτυλος Ἠώς,
ὤρνυτ' ἄρ' ἐξ εὐνῆς ἱερὸν μένος Ἀλκινόοιο,
ἂν δ' ἄρα διογενὴς ὦρτο πτολίπορθος Ὀδυσσεύς.
τοῖσιν δ' ἡγεμόνευ' ἱερὸν μένος Ἀλκινόοιο
5 Φαιήκων ἀγορήνδ', ἥ σφιν παρὰ νηυσὶ τέτυκτο.
ἐλθόντες δὲ καθῖζον ἐπὶ ξεστοῖσι λίθοισι
πλησίον· ἡ δ' ἀνὰ ἄστυ μετῴχετο Παλλὰς Ἀθήνη,
εἰδομένη κήρυκι δαΐφρονος Ἀλκινόοιο,
νόστον Ὀδυσσῆϊ μεγαλήτορι μητιόωσα,
10 καί ῥα ἑκάστῳ φωτὶ παρισταμένη φάτο μῦθον·
« δεῦτ' ἄγε, Φαιήκων ἡγήτορες ἠδὲ μέδοντες,
εἰς ἀγορὴν ἰέναι, ὄφρα ξείνοιο πύθησθε,
ὃς νέον Ἀλκινόοιο δαΐφρονος ἵκετο δῶμα
πόντον ἐπιπλαγχθείς, δέμας ἀθανάτοισιν ὁμοῖος ».
15 ὣς εἰποῦσ' ὤτρυνε μένος καὶ θυμὸν ἑκάστου.
καρπαλίμως δ' ἔμπληντο βροτῶν ἀγοραί τε καὶ ἕδραι
ἀγρομένων· πολλοὶ δ' ἄρα θηήσαντο ἰδόντες
υἱὸν Λαέρταο δαΐφρονα. τῷ δ' ἄρ' Ἀθήνη
θεσπεσίην κατέχευε χάριν κεφαλῇ τε καὶ ὤμοις,
20 καί μιν μακρότερον καὶ πάσσονα θῆκεν ἰδέσθαι,
ὥς κεν Φαιήκεσσι φίλος πάντεσσι γένοιτο
δεινός τ' αἰδοῖός τε, καὶ ἐκτελέσειεν ἀέθλους
πολλούς, τοὺς Φαίηκες ἐπειρήσαντ' Ὀδυσῆος.
αὐτὰρ ἐπεί ῥ' ἤγερθεν ὁμηγερέες τ' ἐγένοντο,
25 τοῖσιν δ' Ἀλκίνοος ἀγορήσατο καὶ μετέειπε·
« κέκλυτε, Φαιήκων ἡγήτορες ἠδὲ μέδοντες,

LIBRO OTTAVO

Quando mattutina apparve Aurora dalle rosee dita,
il sacro vigore di Alcinoo sorse dal letto
e sorse il divino distruttore di città, Odisseo.
Li guidava il sacro vigore di Alcinoo
5 all'assemblea dei Feaci, che era vicino alle navi.
Arrivati, sedettero su lisci seggi di pietra,
vicini: per la città corse Pallade Atena
simile a un nunzio del valente Alcinoo,
pensando al ritorno del magnanimo Odisseo,
10 e stando a fianco di ogni uomo gli fece un discorso:
« Orsù, capi e consiglieri feaci,
andate in consiglio ad apprendere dello straniero
che è appena arrivato in casa del valente Alcinoo
dopo avere errato sul mare, somigliante agli dei immortali ».
15 Così dicendo suscitava vigore e voglia in ciascuno.
Rapidamente luoghi e seggi si empirono di uomini
accorsi: molti stupirono guardando
il figlio valente di Laerte. Una grazia divina
Atena gli infuse sul capo e sugli omeri
20 e lo fece più alto e robusto a vedersi,
perché riuscisse gradito a tutti i Feaci,
fosse riverito e onorato, e superasse le molte
gare in cui i Feaci misero Odisseo alla prova.
E dopoché si adunarono e furono uniti,
25 Alcinoo tra essi prese la parola e parlò:
« Ascoltate, capi e consiglieri feaci,

ὄφρ' εἴπω τά με θυμὸς ἐνὶ στήθεσσι κελεύει.
ξεῖνος ὅδ', οὐκ οἶδ' ὅς τις, ἀλώμενος ἵκετ' ἐμὸν δῶ,
ἠὲ πρὸς ἠοίων ἦ ἑσπερίων ἀνθρώπων·
30 πομπὴν δ' ὀτρύνει, καὶ λίσσεται ἔμπεδον εἶναι.
ἡμεῖς δ', ὡς τὸ πάρος περ, ἐποτρυνώμεθα πομπήν.
οὐδὲ γὰρ οὐδέ τις ἄλλος, ὅτις κ' ἐμὰ δώμαθ' ἵκηται,
ἐνθάδ' ὀδυρόμενος δηρὸν μένει εἵνεκα πομπῆς.
ἀλλ' ἄγε νῆα μέλαιναν ἐρύσσομεν εἰς ἅλα δῖαν
35 πρωτόπλοον, κούρω δὲ δύω καὶ πεντήκοντα
κρινάσθων κατὰ δῆμον, ὅσοι πάρος εἰσὶν ἄριστοι.
δησάμενοι δ' εὖ πάντες ἐπὶ κληῖσιν ἐρετμὰ
ἔκβητ'· αὐτὰρ ἔπειτα θοὴν ἀλεγύνετε δαῖτα
ἡμέτερόνδ' ἐλθόντες· ἐγὼ δ' εὖ πᾶσι παρέξω.
40 κούροισιν μὲν ταῦτ' ἐπιτέλλομαι· αὐτὰρ οἱ ἄλλοι
σκηπτοῦχοι βασιλῆες ἐμὰ πρὸς δώματα καλὰ
ἔρχεσθ', ὄφρα ξεῖνον ἐνὶ μεγάροισι φιλέωμεν·
μηδέ τις ἀρνείσθω· καλέσασθε δὲ θεῖον ἀοιδόν,
Δημόδοκον· τῷ γάρ ῥα θεὸς πέρι δῶκεν ἀοιδὴν
45 τέρπειν, ὅππῃ θυμὸς ἐποτρύνῃσιν ἀείδειν ».
ὣς ἄρα φωνήσας ἡγήσατο, τοὶ δ' ἅμ' ἕποντο
σκηπτοῦχοι· κῆρυξ δὲ μετῴχετο θεῖον ἀοιδόν.
κούρω δὲ κρινθέντε δύω καὶ πεντήκοντα
βήτην, ὡς ἐκέλευσ', ἐπὶ θῖν' ἁλὸς ἀτρυγέτοιο.
50 αὐτὰρ ἐπεί ῥ' ἐπὶ νῆα κατήλυθον ἠδὲ θάλασσαν,
νῆα μὲν οἵ γε μέλαιναν ἁλὸς βένθοσδε ἔρυσσαν,
ἐν δ' ἱστόν τ' ἐτίθεντο καὶ ἱστία νηῒ μελαίνῃ,
ἠρτύναντο δ' ἐρετμὰ τροποῖς ἐν δερματίνοισι,
πάντα κατὰ μοῖραν· ἀνὰ δ' ἱστία λευκὰ πέτασσαν.
55 ὑψοῦ δ' ἐν νοτίῳ τήν γ' ὥρμισαν· αὐτὰρ ἔπειτα
βάν ῥ' ἴμεν 'Αλκινόοιο δαΐφρονος ἐς μέγα δῶμα.
πλῆντο δ' ἄρ' αἴθουσαί τε καὶ ἕρκεα καὶ δόμοι ἀνδρῶν
ἀγρομένων· πολλοὶ δ' ἄρ' ἔσαν νέοι ἠδὲ παλαιοί.
τοῖσιν δ' 'Αλκίνοος δυοκαίδεκα μῆλ' ἱέρευσεν,
60 ὀκτὼ δ' ἀργιόδοντας ὕας, δύο δ' εἰλίποδας βοῦς·

che dica quel che l'animo nel petto mi impone.
Questo straniero, ignoro chi sia, è arrivato errabondo da me
dal paese degli uomini o di levante o di ponente:
30 una scorta sollecita, e prega che gli sia assicurata.
E noi mandiamo una scorta, come anche in passato.
Perché nessun altro che sia giunto da me,
rimane qui a lungo lagnandosi per una scorta.
Su dunque, tiriamo una nera nave nel mare lucente,
35 una al suo primo viaggio, e tra il popolo siano scelti
cinquantadue giovani, quelli che sono finora i migliori.
Quando tutti avrete ben stretto i remi agli scalmi,
scendete: dopo preparate in fretta il banchetto,
venendo da me: l'offrirò io a tutti, abbondante.
40 Dò questo incarico ai giovani. Invece voi altri,
re insigniti di scettro, venite nelle mie case
belle, per accogliere l'ospite dentro le sale:
e nessuno rifiuti. Chiamate il cantore divino,
Demodoco: a lui un dio largì il canto,
45 per allietare, come l'animo l'induce a cantare».
Detto così li guidò, ed essi lo seguirono insieme,
gli insigniti di scettro: l'araldo cercò il cantore divino.
I cinquantadue giovani scelti
andarono, come ordinò, sulla riva del mare infecondo.
50 E quando giunsero alla nave ed al mare,
trassero la nera nave dove l'acqua era fonda,
nella nera nave misero albero e vela,
aggiustarono i remi negli stroppi di cuoio,
tutto secondo le norme: le bianche vele spiegarono.
55 L'ormeggiarono che galleggiasse, e poi
s'avviarono al grande palazzo del valente Alcinoo.
Erano pieni d'una folla di uomini i loggiati e i cortili
e le stanze: molti ve n'erano, giovani e vecchi.
Per essi Alcinoo fece immolare dodici pecore,
60 otto maiali dalle bianche zanne, due buoi dal passo ricurvo:

τοὺς δέρον ἀμφί θ' ἕπον, τετύκοντό τε δαῖτ' ἐρατεινήν.
κῆρυξ δ' ἐγγύθεν ἦλθεν ἄγων ἐρίηρον ἀοιδόν,
τὸν πέρι Μοῦσ' ἐφίλησε, δίδου δ' ἀγαθόν τε κακόν τε·
ὀφθαλμῶν μὲν ἄμερσε, δίδου δ' ἡδεῖαν ἀοιδήν,
65 τῷ δ' ἄρα Ποντόνοος θῆκε θρόνον ἀργυρόηλον
μέσσῳ δαιτυμόνων, πρὸς κίονα μακρὸν ἐρείσας.
κὰδ δ' ἐκ πασσαλόφι κρέμασεν φόρμιγγα λίγειαν
αὐτοῦ ὑπὲρ κεφαλῆς καὶ ἐπέφραδε χερσὶν ἑλέσθαι
κῆρυξ· πὰρ δ' ἐτίθει κάνεον καλήν τε τράπεζαν,
70 πὰρ δὲ δέπας οἴνοιο, πιεῖν ὅτε θυμὸς ἀνώγοι.
οἱ δ' ἐπ' ὀνείαθ' ἑτοῖμα προκείμενα χεῖρας ἴαλλον.
αὐτὰρ ἐπεὶ πόσιος καὶ ἐδητύος ἐξ ἔρον ἕντο,
Μοῦσ' ἄρ' ἀοιδὸν ἀνῆκεν ἀειδέμεναι κλέα ἀνδρῶν,
οἴμης τῆς τότ' ἄρα κλέος οὐρανὸν εὐρὺν ἵκανε,
75 νεῖκος Ὀδυσσῆος καὶ Πηλεΐδεω Ἀχιλῆος,
ὥς ποτε δηρίσαντο θεῶν ἐν δαιτὶ θαλείῃ
ἐκπάγλοις ἐπέεσσιν, ἄναξ δ' ἀνδρῶν Ἀγαμέμνων
χαῖρε νόῳ, ὅ τ' ἄριστοι Ἀχαιῶν δηριόωντο.
ὣς γάρ οἱ χρείων μυθήσατο Φοῖβος Ἀπόλλων
80 Πυθοῖ ἐν ἠγαθέῃ, ὅθ' ὑπέρβη λάϊνον οὐδὸν
χρησόμενος· τότε γάρ ῥα κυλίνδετο πήματος ἀρχὴ
Τρωσί τε καὶ Δαναοῖσι Διὸς μεγάλου διὰ βουλάς.
ταῦτ' ἄρ' ἀοιδὸς ἄειδε περικλυτός· αὐτὰρ Ὀδυσσεὺς
πορφύρεον μέγα φᾶρος ἑλὼν χερσὶ στιβαρῇσι
85 κὰκ κεφαλῆς εἴρυσσε, κάλυψε δὲ καλὰ πρόσωπα·
αἴδετο γὰρ Φαίηκας ὑπ' ὀφρύσι δάκρυα λείβων.
ἦ τοι ὅτε λήξειεν ἀείδων θεῖος ἀοιδός,
δάκρυ' ὀμορξάμενος κεφαλῆς ἄπο φᾶρος ἕλεσκε
καὶ δέπας ἀμφικύπελλον ἑλὼν σπείσασκε θεοῖσιν·
90 αὐτὰρ ὅτ' ἂψ ἄρχοιτο καὶ ὀτρύνειαν ἀείδειν
Φαιήκων οἱ ἄριστοι, ἐπεὶ τέρποντ' ἐπέεσσιν,
ἂψ Ὀδυσεὺς κατὰ κρᾶτα καλυψάμενος γοάασκεν.
ἔνθ' ἄλλους μὲν πάντας ἐλάνθανε δάκρυα λείβων,
Ἀλκίνοος δέ μιν οἶος ἐπεφράσατ' ἠδ' ἐνόησεν

li scuoiavano e preparavano, approntarono l'amabile pasto.
Venne l'araldo, guidando il valente cantore.
Molto la Musa lo amò, e gli diede il bene e il male:
gli tolse gli occhi, ma il dolce canto gli diede.
65 Per lui Pontonoo pose un trono con le borchie d'argento
al centro dei convitati, appoggiato a un'alta colonna:
l'araldo appese ad un chiodo la cetra sonora,
lì sul suo capo, e gli mostrò come prenderla
con le mani; vicino poneva un canestro e una tavola bella;
70 vicino, una coppa di vino per bere quando volesse.
Ed essi sui cibi pronti, imbanditi, le mani tendevano.
Poi, quando ebbero scacciata la voglia di bere e di cibo,
la Musa indusse l'aedo a cantare le glorie degli uomini,
da un tema, la cui fama allora arrivava al vasto cielo,
75 la lite di Odisseo e del Pelide Achille,
come una volta contesero in un lauto banchetto di dei
con parole violente: e Agamennone, signore di uomini,
nella mente gioiva che i migliori degli Achei contendessero.
Perché così Febo Apollo gli disse vaticinando
80 a Pito divina, quando per consultare l'oracolo varcò
la soglia di pietra: s'inarcò allora su Troiani e su Danai
la cima della sventura, secondo i piani del grande Zeus.
Questi fatti il cantore famoso cantava: e Odisseo,
con le forti mani afferrato il gran manto purpureo,
85 se lo tirò sulla testa, nascose i bei tratti del viso:
si vergognava di spargere lacrime dalle ciglia davanti ai Feaci.
Quando il cantore divino smetteva il suo canto,
toglieva il mantello dal capo, dopo essersi asciugate le lacrime,
e alzata la coppa a due anse libava agli dei;
90 quando cominciava di nuovo e i nobili Feaci
l'incitavano al canto, perché ai suoi racconti gioivano,
Odisseo singhiozzava di nuovo, dopo essersi coperta la testa.
E a tutti gli altri sfuggì che piangeva;
solo Alcinoo lo notò e se ne accorse,

95 ἥμενος ἄγχ' αὐτοῦ, βαρὺ δὲ στενάχοντος ἄκουσεν.
αἶψα δὲ Φαιήκεσσι φιληρέτμοισι μετηύδα·
« κέκλυτε, Φαιήκων ἡγήτορες ἠδὲ μέδοντες·
ἤδη μὲν δαιτὸς κεκορήμεθα θυμὸν ἐΐσης
φόρμιγγός θ', ἣ δαιτὶ συνήορός ἐστι θαλείῃ·
100 νῦν δ' ἐξέλθωμεν καὶ ἀέθλων πειρηθέωμεν
πάντων, ὥς χ' ὁ ξεῖνος ἐνίσπῃ οἷσι φίλοισιν,
οἴκαδε νοστήσας, ὅσσον περιγιγνόμεθ' ἄλλων
πύξ τε παλαισμοσύνῃ τε καὶ ἅλμασιν ἠδὲ πόδεσσιν »
ὣς ἄρα φωνήσας ἡγήσατο, τοὶ δ' ἅμ' ἕποντο.
105 κὰδ δ' ἐκ πασσαλόφι κρέμασεν φόρμιγγα λίγειαν,
Δημοδόκου δ' ἕλε χεῖρα καὶ ἔξαγεν ἐκ μεγάροιο
κῆρυξ· ἦρχε δὲ τῷ αὐτὴν ὁδὸν ἥν περ οἱ ἄλλοι
Φαιήκων οἱ ἄριστοι, ἀέθλια θαυμανέοντες.
βὰν δ' ἴμεν εἰς ἀγορήν, ἅμα δ' ἕσπετο πουλὺς ὅμιλος,
110 μυρίοι· ἂν δ' ἵσταντο νέοι πολλοί τε καὶ ἐσθλοί.
ὦρτο μὲν Ἀκρόνεώς τε καὶ Ὠκύαλος καὶ Ἐλατρεὺς
Ναυτεύς τε Πρυμνεύς τε καὶ Ἀγχίαλος καὶ Ἐρετμεὺς
Ποντεύς τε Πρῳρεύς τε, Θόων Ἀναβησίνεώς τε
Ἀμφίαλός θ', υἱὸς Πολυνήου Τεκτονίδαο·
115 ἂν δὲ καὶ Εὐρύαλος, βροτολοιγῷ ἶσος Ἄρηϊ,
Ναυβολίδης, ὃς ἄριστος ἔην εἶδός τε δέμας τε
πάντων Φαιήκων μετ' ἀμύμονα Λαοδάμαντα.
ἂν δ' ἔσταν τρεῖς παῖδες ἀμύμονος Ἀλκινόοιο,
Λαοδάμας θ' Ἅλιός τε καὶ ἀντίθεος Κλυτόνηος·
120 οἱ δ' ἦ τοι πρῶτον μὲν ἐπειρήσαντο πόδεσσι.
τοῖσι δ' ἀπὸ νύσσης τέτατο δρόμος· οἱ δ' ἅμα πάντες
καρπαλίμως ἐπέτοντο κονίοντες πεδίοιο.
τῶν δὲ θέειν ὄχ' ἄριστος ἔην Κλυτόνηος ἀμύμων·
ὅσσον τ' ἐν νειῷ οὖρον πέλει ἡμιόνοιϊν,
125 τόσσον ὑπεκπροθέων λαοὺς ἵκεθ', οἱ δ' ἐλίποντο.
οἱ δὲ παλαισμοσύνης ἀλεγεινῆς πειρήσαντο·
τῇ δ' αὖτ' Εὐρύαλος ἀπεκαίνυτο πάντας ἀρίστους.
ἅλματι δ' Ἀμφίαλος πάντων προφερέστατος ἦεν·

95 sedendo al suo fianco: l'udì gemere cupamente.
Subito disse ai Feaci che amano i remi:
« Ascoltate, capi e consiglieri feaci.
Abbiamo saziato la voglia del pasto ugualmente diviso,
e della cetra, che di un florido pasto è compagna:
100 andiamo ora fuori, e misuriamoci in tutte
le gare, perché l'ospite, tornato a casa, possa narrare
ai suoi cari quanto eccelliamo sugli altri
coi pugni e a lottare e nel salto ed a correre ».
Detto così li guidò, ed essi lo seguivano insieme.
105 L'araldo appese ad un chiodo la cetra sonora,
prese per mano Demodoco e lo condusse via
dalla sala: lo guidò per la medesima via che gli altri
nobili Feaci avevano presa per andare ad ammirare le gare.
All'assemblea si diressero, s'accodò una gran folla,
110 a migliaia: molti giovani valorosi si alzarono.
Si alzò Acroneo e Ochialo ed Elatreo,
Nauteo, Primneo ed Anchialo ed Eretmeo,
Ponteo, Proreo, Toonte e Anabesineo,
Anfialo figlio di Polineo Tectonide.
115 Anche Eurialo s'alzò, simile ad Ares funesto ai mortali,
il Naubolide, che era il più insigne tra tutti i Feaci
per aspetto e beltà, dopo il nobile Laodamante.
Si alzarono tre figli del nobile Alcinoo,
Laodamante, Alio e Clitoneo pari a un dio.
120 Prima si misurarono nella corsa, costoro.
Fin dal segno la loro corsa fu tesa: tutti insieme
velocemente volarono, sollevando la polvere della pianura.
E il migliore di essi fu il nobile Clitoneo nella corsa:
quant'è per due muli lo spazio dentro un maggese,
125 così li staccò e raggiunse la folla, gli altri rimasero indietro.
Gareggiarono poi nella lotta dolorosissima:
e in essa Eurialo superava tutti i migliori.
Nel salto più valente di tutti fu Anfialo;

δίσκῳ δ' αὖ πάντων πολὺ φέρτατος ἦεν Ἐλατρεύς,
130 πὺξ δ' αὖ Λαοδάμας, ἀγαθὸς πάϊς Ἀλκινόοιο.
αὐτὰρ ἐπεὶ δὴ πάντες ἐτέρφθησαν φρέν' ἀέθλοις,
τοῖς ἄρα Λαοδάμας μετέφη, πάϊς Ἀλκινόοιο·
« δεῦτε, φίλοι, τὸν ξεῖνον ἐρώμεθα εἴ τιν' ἄεθλον
οἶδέ τε καὶ δεδάηκε· φυήν γε μὲν οὐ κακός ἐστι,
135 μηρούς τε κνήμας τε καὶ ἄμφω χεῖρας ὕπερθεν
αὐχένα τε στιβαρὸν μέγα τε σθένος· οὐδέ τι ἥβης
δεύεται, ἀλλὰ κακοῖσι συνέρρηκται πολέεσσιν.
οὐ γὰρ ἐγώ γέ τί φημι κακώτερον ἄλλο θαλάσσης
ἄνδρα γε συγχεῦαι, εἰ καὶ μάλα καρτερὸς εἴη ».
140 τὸν δ' αὖτ' Εὐρύαλος ἀπαμείβετο φώνησέν τε·
« Λαοδάμα, μάλα τοῦτο ἔπος κατὰ μοῖραν ἔειπες.
αὐτὸς νῦν προκάλεσσαι ἰὼν καὶ πέφραδε μῦθον ».
αὐτὰρ ἐπεὶ τό γ' ἄκουσ' ἀγαθὸς πάϊς Ἀλκινόοιο,
στῆ ῥ' ἐς μέσσον ἰὼν καὶ Ὀδυσσῆα προσέειπε·
145 « δεῦρ' ἄγε καὶ σύ, ξεῖνε πάτερ, πείρησαι ἀέθλων,
εἴ τινά που δεδάηκας· ἔοικε δέ σ' ἴδμεν ἀέθλους.
οὐ μὲν γὰρ μεῖζον κλέος ἀνέρος ὄφρα κεν ᾖσιν
ἤ ὅ τι ποσσίν τε ῥέξῃ καὶ χερσὶν ἑῇσιν.
ἀλλ' ἄγε πείρησαι, σκέδασον δ' ἀπὸ κήδεα θυμοῦ·
150 σοὶ δ' ὁδὸς οὐκέτι δηρὸν ἀπέσσεται, ἀλλά τοι ἤδη
νηῦς τε κατείρυσται καὶ ἐπαρτέες εἰσὶν ἑταῖροι ».
τὸν δ' ἀπαμειβόμενος προσέφη πολύμητις Ὀδυσσεύς·
« Λαοδάμα, τί με ταῦτα κελεύετε κερτομέοντες;
κήδεά μοι καὶ μᾶλλον ἐνὶ φρεσὶν ἤ περ ἄεθλοι,
155 ὃς πρὶν μὲν μάλα πόλλ' ἔπαθον καὶ πόλλ' ἐμόγησα,
νῦν δὲ μεθ' ὑμετέρῃ ἀγορῇ νόστοιο χατίζων
ἧμαι, λισσόμενος βασιλῆά τε πάντα τε δῆμον ».
τὸν δ' αὖτ' Εὐρύαλος ἀπαμείβετο νείκεσέ τ' ἄντην·
« οὐ γάρ σ' οὐδέ, ξεῖνε, δαήμονι φωτὶ ἐΐσκω
160 ἄθλων, οἷά τε πολλὰ μετ' ἀνθρώποισι πέλονται,
ἀλλὰ τῷ ὅς θ' ἅμα νηῒ πολυκλήϊδι θαμίζων,
ἀρχὸς ναυτάων οἵ τε πρηκτῆρες ἔασι,

a sua volta Elatreo fu più forte di tutti nel disco;
130 nel pugilato fu Laodamante, il bravo figlio di Alcinoo.
Quando tutti ebbero tratto gioia dalle gare,
parlò Laodamante tra essi, il figlio di Alcinoo:
« Amici, chiediamo all'ospite se sa e conosce
una gara. Non ha una figura cattiva:
135 le cosce e le gambe e, sopra, entrambe le mani,
il collo robusto e il grande torace. Non manca
di giovinezza. Certo è stato fiaccato da molte disgrazie:
non credo davvero che v'è altra cosa peggiore del mare
per distruggere un uomo, anche molto più forte ».
140 Allora Eurialo rispose e gli disse:
« Laodamante, hai detto a proposito queste parole.
Va' ora tu stesso a invitarlo e a dirglielo ».
Appena sentì, il bravo figlio di Alcinoo
andò, si fermò lì nel mezzo e parlò rivolto ad Odisseo:
145 « Suvvia, ospite padre, provati anche tu nelle gare,
se ne conosci qualcuna: ed è giusto che tu ne conosca.
Per un uomo non v'è gloria maggiore, finché egli vive,
che compiere imprese coi piedi e con le sue mani.
Ma provati, disperdi gli affanni dall'animo.
150 Non più sarà lungo il cammino per te, ma la nave
ti è stata già tratta e sono già pronti i compagni ».
Rispondendo gli disse l'astuto Odisseo:
« Laodamante, perché chiedermi questo, beffandomi?
Più ancora che gare, ho affanni nell'animo,
155 io che sventure ne ho tante patite e tante sofferte
e ora siedo nella vostra assemblea agognando
il ritorno, supplicando il re e tutto il popolo ».
Allora Eurialo rispose e lo ingiuriò apertamente:
« Certo, o straniero, perché non somigli ad un uomo esperto
160 di gare, come ne esistono tante tra gli uomini,
ma ad uno che trafficando con la nave fitta di scalmi,
a capo di marinai che fanno i mercanti,

φόρτου τε μνήμων καὶ ἐπίσκοπος ᾖσιν ὁδαίων
κερδέων θ' ἁρπαλέων· οὐδ' ἀθλητῆρι ἔοικας ».
165 τὸν δ' ἄρ' ὑπόδρα ἰδὼν προσέφη πολύμητις Ὀδυσσεύς·
« ξεῖν', οὐ καλὸν ἔειπες· ἀτασθάλῳ ἀνδρὶ ἔοικας.
οὕτως οὐ πάντεσσι θεοὶ χαρίεντα διδοῦσιν
ἀνδράσιν, οὔτε φυὴν οὔτ' ἂρ φρένας οὔτ' ἀγορητύν.
ἄλλος μὲν γάρ τ' εἶδος ἀκιδνότερος πέλει ἀνήρ,
170 ἀλλὰ θεὸς μορφὴν ἔπεσι στέφει, οἱ δέ τ' ἐς αὐτὸν
τερπόμενοι λεύσσουσιν· ὁ δ' ἀσφαλέως ἀγορεύει
αἰδοῖ μειλιχίῃ, μετὰ δὲ πρέπει ἀγρομένοισιν,
ἐρχόμενον δ' ἀνὰ ἄστυ θεὸν ὣς εἰσορόωσιν.
ἄλλος δ' αὖ τ' εἶδος μὲν ἀλίγκιος ἀθανάτοισιν,
175 ἀλλ' οὔ οἱ χάρις ἀμφὶ περιστέφεται ἐπέεσσιν,
ὡς καὶ σοὶ εἶδος μὲν ἀριπρεπές, οὐδέ κεν ἄλλως
οὐδὲ θεὸς τεύξειε, νόον δ' ἀποφώλιός ἐσσι.
ὤρινάς μοι θυμὸν ἐνὶ στήθεσσι φίλοισιν
εἰπὼν οὐ κατὰ κόσμον· ἐγὼ δ' οὐ νῆϊς ἀέθλων,
180 ὡς σύ γε μυθεῖαι, ἀλλ' ἐν πρώτοισιν ὀΐω
ἔμμεναι, ὄφρ' ἥβῃ τε πεποίθεα χερσί τ' ἐμῇσι.
νῦν δ' ἔχομαι κακότητι καὶ ἄλγεσι· πολλὰ γὰρ ἔτλην,
ἀνδρῶν τε πτολέμους ἀλεγεινά τε κύματα πείρων.
ἀλλὰ καὶ ὣς κακὰ πολλὰ παθὼν πειρήσομ' ἀέθλων·
185 θυμοδακὴς γὰρ μῦθος· ἐπώτρυνας δέ με εἰπών ».
ἦ ῥα καὶ αὐτῷ φάρει ἀναΐξας λάβε δίσκον
μείζονα καὶ πάχετον, στιβαρώτερον οὐκ ὀλίγον περ
ἢ οἵῳ Φαίηκες ἐδίσκεον ἀλλήλοισι.
τόν ῥα περιστρέψας ἧκε στιβαρῆς ἀπὸ χειρός,
190 βόμβησεν δὲ λίθος· κατὰ δ' ἔπτηξαν ποτὶ γαίῃ
Φαίηκες δολιχήρετμοι, ναυσίκλυτοι ἄνδρες,
λᾶος ὑπὸ ῥιπῆς· ὁ δ' ὑπέρπτατο σήματα πάντων
ῥίμφα θέων ἀπὸ χειρός· ἔθηκε δὲ τέρματ' Ἀθήνη
ἀνδρὶ δέμας ἐϊκυῖα, ἔπος τ' ἔφατ' ἔκ τ' ὀνόμαζε·
195 « καί κ' ἀλαός τοι, ξεῖνε, διακρίνειε τὸ σῆμα
ἀμφαφόων· ἐπεὶ οὔ τι μεμιγμένον ἐστὶν ὁμίλῳ,

si dia pensiero del carico e stia a badare alle merci
e ai rapaci guadagni: non sembri un atleta ».

165 Guardandolo storto gli disse l'astuto Odisseo:
« Ospite, non hai detto bene: sembri un uomo arrogante.
È così! non a tutti concedono i loro favori
gli dei: figura, senno, parola.
Un uomo infatti è di aspetto meschino,
170 ma un dio ne inghirlanda di beltà le parole, e gli altri
con piacere lo fissano: egli parla in tono sicuro,
con dolce riguardo, si distingue tra i convenuti,
e quando avanza in città guardano a lui come a un dio.
Un altro nell'aspetto somiglia agli dei,
175 ma la grazia non ne incorona i discorsi:
così anche tu hai una bella figura, neanche un dio
la farebbe diversa, ma sei vuoto di mente.
L'animo mi hai irritato nel petto,
parlando in modo sgarbato. Io non sono ignaro di gare,
180 come tu cianci, ma credo d'essere stato tra i primi
finché ho potuto contare sulla giovane età e le mie mani.
Ora mi fermano la sventura e i dolori: molto ho sofferto,
traversando le guerre degli uomini e gli aspri marosi.
Ma anche così, dopo i molti mali sofferti, entrerò in gara:
185 perché la tua parola è mordace, col tuo dire mi spingi ».

Disse e, slanciatosi con tutto il mantello, afferrò un disco
grande e grosso, ben più pesante
di quello con cui gareggiavano tra loro i Feaci.
Lo roteò e lanciò dalla mano vigorosa.
190 La pietra rombò: si piegarono a terra
i Feaci dai lunghi remi, navigatori famosi,
all'impeto della pietra. Essa volò oltre il segno di tutti,
correndo veloce dalla sua mano. Segnò i termini Atena,
somigliante ad un uomo, e gli rivolse la parola, gli disse:
195 « Anche un cieco, o straniero, a tentoni distinguerebbe
il tuo segno, perché non è confuso nel mucchio,

ἀλλὰ πολὺ πρῶτον· σὺ δὲ θάρσει τόνδε γ' ἄεθλον·
οὔ τις Φαιήκων τόν γ' ἵξεται οὐδ' ὑπερήσει ».
ὣς φάτο, γήθησεν δὲ πολύτλας δῖος Ὀδυσσεύς,
200 χαίρων οὕνεχ' ἑταῖρον ἐνηέα λεῦσσ' ἐν ἀγῶνι.
καὶ τότε κουφότερον μετεφώνεε Φαιήκεσσι·
« τοῦτον νῦν ἀφίκεσθε, νέοι· τάχα δ' ὕστερον ἄλλον
ἥσειν ἢ τοσσοῦτον ὀΐομαι ἢ ἔτι μᾶσσον.
τῶν δ' ἄλλων ὅτινα κραδίη θυμός τε κελεύει,
205 δεῦρ' ἄγε πειρηθήτω, ἐπεί μ' ἐχολώσατε λίην,
ἢ πὺξ ἠὲ πάλῃ ἢ καὶ ποσίν, οὔ τι μεγαίρω,
πάντων Φαιήκων πλήν γ' αὐτοῦ Λαοδάμαντος.
ξεῖνος γάρ μοι ὅδ' ἐστί· τίς ἂν φιλέοντι μάχοιτο;
ἄφρων δὴ κεῖνός γε καὶ οὐτιδανὸς πέλει ἀνήρ,
210 ὅς τις ξεινοδόκῳ ἔριδα προφέρηται ἀέθλων
δήμῳ ἐν ἀλλοδαπῷ· ἕο δ' αὐτοῦ πάντα κολούει.
τῶν δ' ἄλλων οὔ πέρ τιν' ἀναίνομαι οὐδ' ἀθερίζω,
ἀλλ' ἐθέλω ἴδμεν καὶ πειρηθήμεναι ἄντην.
πάντα γὰρ οὐ κακός εἰμι, μετ' ἀνδράσιν ὅσσοι ἄεθλοι.
215 εὖ μὲν τόξον οἶδα ἐΰξοον ἀμφαφάασθαι·
πρῶτός κ' ἄνδρα βάλοιμι ὀϊστεύσας ἐν ὁμίλῳ
ἀνδρῶν δυσμενέων, εἰ καὶ μάλα πολλοὶ ἑταῖροι
ἄγχι παρασταῖεν καὶ τοξαζοίατο φωτῶν·
οἶος δή με Φιλοκτήτης ἀπεκαίνυτο τόξῳ
220 δήμῳ ἔνι Τρώων, ὅτε τοξαζοίμεθ' Ἀχαιοί.
τῶν δ' ἄλλων ἐμέ φημι πολὺ προφερέστερον εἶναι,
ὅσσοι νῦν βροτοί εἰσιν ἐπὶ χθονὶ σῖτον ἔδοντες.
ἀνδράσι δὲ προτέροισιν ἐριζέμεν οὐκ ἐθελήσω,
οὔθ' Ἡρακλῆϊ οὔτ' Εὐρύτῳ Οἰχαλιῆϊ,
225 οἵ ῥα καὶ ἀθανάτοισιν ἐρίζεσκον περὶ τόξων.
τῷ ῥα καὶ αἶψ' ἔθανεν μέγας Εὔρυτος, οὐδ' ἐπὶ γῆρας
ἵκετ' ἐνὶ μεγάροισι· χολωσάμενος γὰρ Ἀπόλλων
ἔκτανεν, οὕνεκά μιν προκαλίζετο τοξάζεσθαι.
δουρὶ δ' ἀκοντίζω ὅσον οὐκ ἄλλος τις ὀϊστῷ.
230 οἴοισιν δείδοικα ποσὶν μή τίς με παρέλθῃ

ma è molto più avanti. Rincuorati per questa tua prova.
Nessun Feace raggiungerà o passerà questo segno ».
Parlò così: si rallegrò il paziente chiaro Odisseo,
200 contento perché nell'agone vedeva un compagno benevolo.
E allora parlò tra i Feaci più sollevato:
« E ora, o giovani, raggiungete il mio segno: subito,
penso, farò un altro lancio simile o anche più lungo.
Chiunque degli altri il cuore e l'animo spinge alle gare,
205 venga e gareggi, perché troppo mi avete irritato,
o ai pugni o alla lotta o anche alla corsa, non mi rifiuto:
chiunque tra tutti i Feaci, eccetto Laodamante.
Egli è il mio ospite: chi sfiderebbe colui che lo accoglie?
È un folle o un uomo da nulla colui
210 che propone a chi l'ospita una gara agonale
in terra straniera: taglia tutto dalla propria persona.
Degli altri non rifiuto e non spregio nessuno,
ma voglio conoscerli e in gara affrontarli.
Non sono in tutto incapace, quante mai gare vi siano.
215 So impugnare abilmente un arco ben levigato:
tra una folla di guerrieri nemici saprei colpire per primo
un uomo con una freccia, anche se molti compagni
mi stessero accanto e tirassero contro di essi.
Filottete soltanto mi vinceva nell'arco
220 nella terra troiana, quando noi Achei tiravamo.
Affermo di essere molto più forte degli altri,
dei mortali di adesso, che sulla terra mangiano pane.
Con gli uomini del tempo passato non voglio contendere,
o con Eracle o con Eurito di Ecalia,
225 i quali sfidavano anche gli immortali nell'arco.
Perciò il grande Eurito morì presto e non arrivò
alla vecchiaia nelle case: lo uccise Apollo adirato
perché lo sfidava a tirare con l'arco.
Scaglio l'asta quanto un altro non tira una freccia.
230 Solo nel correre temo che qualcuno dei Feaci

Φαιήκων· λίην γὰρ ἀεικελίως ἐδαμάσθην
κύμασιν ἐν πολλοῖς, ἐπεὶ οὐ κομιδὴ κατὰ νῆα
ἦεν ἐπηετανός· τῷ μοι φίλα γυῖα λέλυνται ».
ὣς ἔφαθ', οἱ δ' ἄρα πάντες ἀκὴν ἐγένοντο σιωπῇ·
235 Ἀλκίνοος δέ μιν οἶος ἀμειβόμενος προσέειπε·
« ξεῖν', ἐπεὶ οὐκ ἀχάριστα μεθ' ἡμῖν ταῦτ' ἀγορεύεις,
ἀλλ' ἐθέλεις ἀρετὴν σὴν φαινέμεν, ἥ τοι ὀπηδεῖ,
χωόμενος ὅτι σ' οὗτος ἀνὴρ ἐν ἀγῶνι παραστὰς
νείκεσεν, ὡς ἂν σὴν ἀρετὴν βροτὸς οὔ τις ὄνοιτο
240 ὅς τις ἐπίσταιτο ᾗσι φρεσὶν ἄρτια βάζειν·
ἀλλ' ἄγε νῦν ἐμέθεν ξυνίει ἔπος, ὄφρα καὶ ἄλλῳ
εἴπῃς ἡρώων, ὅτε κεν σοῖς ἐν μεγάροισι
δαινύῃ παρὰ σῇ τ' ἀλόχῳ καὶ σοῖσι τέκεσσιν,
ἡμετέρης ἀρετῆς μεμνημένος, οἷα καὶ ἡμῖν
245 Ζεὺς ἐπὶ ἔργα τίθησι διαμπερὲς ἐξ ἔτι πατρῶν.
οὐ γὰρ πυγμάχοι εἰμὲν ἀμύμονες οὐδὲ παλαισταί,
ἀλλὰ ποσὶ κραιπνῶς θέομεν καὶ νηυσὶν ἄριστοι,
αἰεὶ δ' ἡμῖν δαίς τε φίλη κίθαρίς τε χοροί τε
εἵματά τ' ἐξημοιβὰ λοετρά τε θερμὰ καὶ εὐναί.
250 ἀλλ' ἄγε, Φαιήκων βητάρμονες ὅσσοι ἄριστοι,
παίσατε, ὥς χ' ὁ ξεῖνος ἐνίσπῃ οἷσι φίλοισιν,
οἴκαδε νοστήσας, ὅσσον περιγιγνόμεθ' ἄλλων
ναυτιλίῃ καὶ ποσσὶ καὶ ὀρχηστυῖ καὶ ἀοιδῇ.
Δημοδόκῳ δέ τις αἶψα κιὼν φόρμιγγα λίγειαν
255 οἰσέτω, ἥ που κεῖται ἐν ἡμετέροισι δόμοισιν ».
ὣς ἔφατ' Ἀλκίνοος θεοείκελος, ὦρτο δὲ κῆρυξ
οἴσων φόρμιγγα γλαφυρὴν δόμου ἐκ βασιλῆος.
αἰσυμνῆται δὲ κριτοὶ ἐννέα πάντες ἀνέσταν
δήμιοι, οἳ κατ' ἀγῶνας ἐῢ πρήσσεσκον ἕκαστα,
260 λείηναν δὲ χορόν, καλὸν δ' εὔρυναν ἀγῶνα.
κῆρυξ δ' ἐγγύθεν ἦλθε φέρων φόρμιγγα λίγειαν
Δημοδόκῳ· ὁ δ' ἔπειτα κί' ἐς μέσον· ἀμφὶ δὲ κοῦροι
πρωθῆβαι ἵσταντο, δαήμονες ὀρχηθμοῖο,
πέπληγον δὲ χορὸν θεῖον ποσίν· αὐτὰρ Ὀδυσσεὺς

mi superi: troppo miseramente fui spossato
tra i molti marosi, perché sulla nave non c'erano
agi per tutto il tempo, e i miei arti si sono slegati ».

Disse così: immobili erano tutti, in silenzio.

235 Solo Alcinoo rispondendo gli disse:

« Ospite, poiché non parli così tra noi per malanimo,
ma vuoi mostrare il valore che con te s'accompagna,
sdegnato che codesto uomo, venuto nel campo agonale,
ti abbia oltraggiato, come non lederebbe il tuo valore
240 nessuno che nel suo animo sappia dire a proposito.
Orsù, le mie parole ora ascolta, perché tu riferisca
a qualche altro eroe, allorché banchetterai
in casa tua accanto a tua moglie e ai tuoi figli,
ricordandoti del nostro valore, quali opere Zeus
245 assegna anche a noi fin dal tempo dei padri.
Non siamo infatti campioni di pugilato e di lotta,
ma corriamo veloci coi piedi e siamo con le navi i migliori:
sempre ci è cara la mensa, la cetra, le danze,
vestiti diversi, caldi lavacri ed il letto.
250 Ma su, voi che siete i migliori danzatori feaci,
danzate, perché l'ospite racconti ai suoi cari,
tornato a casa, quanto siamo più bravi degli altri
nell'arte navale ed a correre, nella danza e nel canto.
Qualcuno vada subito a prendere la cetra sonora
255 a Demodoco, la cetra che è in casa nostra ».

Disse così Alcinoo simile a un dio, e l'araldo s'alzò
per portare dalla casa del re la cetra incavata.
Tutti e nove si alzarono gli arbitri scelti
del popolo, che nelle gare preparavano bene ogni cosa,
260 spianarono un coro, allargarono bene il campo di gara.
S'accostò l'araldo recando la cetra sonora
a Demodoco, ed egli avanzò fino al centro. L'attorniavano
giovani nel primissimo fiore, esperti di danze:
scandirono coi piedi la danza divina. Odisseo

265 μαρμαρυγὰς θηεῖτο ποδῶν, θαύμαζε δὲ θυμῷ.
αὐτὰρ ὁ φορμίζων ἀνεβάλλετο καλὸν ἀείδειν
ἀμφ' Ἄρεος φιλότητος ἐϋστεφάνου τ' Ἀφροδίτης,
ὡς τὰ πρῶτ' ἐμίγησαν ἐν Ἡφαίστοιο δόμοισι
λάθρῃ· πολλὰ δ' ἔδωκε, λέχος δ' ᾔσχυνε καὶ εὐνὴν
270 Ἡφαίστοιο ἄνακτος· ἄφαρ δέ οἱ ἄγγελος ἦλθεν
Ἥλιος, ὅ σφ' ἐνόησε μιγαζομένους φιλότητι.
Ἥφαιστος δ' ὡς οὖν θυμαλγέα μῦθον ἄκουσε,
βῆ ῥ' ἴμεν ἐς χαλκεῶνα, κακὰ φρεσὶ βυσσοδομεύων,
ἐν δ' ἔθετ' ἀκμοθέτῳ μέγαν ἄκμονα, κόπτε δὲ δεσμοὺς
275 ἀρρήκτους ἀλύτους, ὄφρ' ἔμπεδον αὖθι μένοιεν.
αὐτὰρ ἐπεὶ δὴ τεῦξε δόλον κεχολωμένος Ἄρει,
βῆ ῥ' ἴμεν ἐς θάλαμον, ὅθι οἱ φίλα δέμνι' ἔκειτο,
ἀμφὶ δ' ἄρ' ἑρμῖσιν χέε δέσματα κύκλῳ ἁπάντῃ·
πολλὰ δὲ καὶ καθύπερθε μελαθρόφιν ἐξεκέχυντο,
280 ἠΰτ' ἀράχνια λεπτά, τά γ' οὔ κέ τις οὐδὲ ἴδοιτο,
οὐδὲ θεῶν μακάρων· πέρι γὰρ δολόεντα τέτυκτο.
αὐτὰρ ἐπεὶ δὴ πάντα δόλον περὶ δέμνια χεῦεν,
εἴσατ' ἴμεν ἐς Λῆμνον, ἐϋκτίμενον πτολίεθρον,
ἥ οἱ γαιάων πολὺ φιλτάτη ἐστὶν ἁπασέων.
285 οὐδ' ἀλαοσκοπιὴν εἶχε χρυσήνιος Ἄρης,
ὡς ἴδεν Ἥφαιστον κλυτοτέχνην νόσφι κιόντα·
βῆ δ' ἴμεναι πρὸς δῶμα περικλυτοῦ Ἡφαίστοιο,
ἰσχανόων φιλότητος ἐϋστεφάνου Κυθερείης.
ἡ δὲ νέον παρὰ πατρὸς ἐρισθενέος Κρονίωνος
290 ἐρχομένη κατ' ἄρ' ἕζεθ'· ὁ δ' εἴσω δώματος ᾔει,
ἔν τ' ἄρα οἱ φῦ χειρὶ ἔπος τ' ἔφατ' ἔκ τ' ὀνόμαζε·
« δεῦρο, φίλη, λέκτρονδε τραπείομεν εὐνηθέντε·
οὐ γὰρ ἔθ' Ἥφαιστος μεταδήμιος, ἀλλά που ἤδη
οἴχεται ἐς Λῆμνον μετὰ Σίντιας ἀγριοφώνους ».
295 ὣς φάτο, τῇ δ' ἀσπαστὸν ἐείσατο κοιμηθῆναι.
τὼ δ' ἐς δέμνια βάντε κατέδραθον· ἀμφὶ δὲ δεσμοὶ
τεχνήεντες ἔχυντο πολύφρονος Ἡφαίστοιο,
οὐδέ τι κινῆσαι μελέων ἦν οὐδ' ἀναεῖραι.

265 guardava il balenare dei piedi e stupiva nell'animo.
L'aedo iniziò sulla cetra a cantare con arte
gli amori di Ares e di Afrodite dal bel diadema,
come in segreto si unirono nelle case di Efesto
la prima volta: molti doni le diede e il letto oltraggiò
270 di Efesto signore. Ma andò da lui come nunzio
il Sole che li vide unirsi in amore.
Appena udì il doloroso racconto, Efesto
s'avviò alla fucina, covando sventure nell'animo,
pose sul ceppo un'incudine grande e forgiava catene
275 infrangibili, salde, perché vi restassero presi.
Quando ebbe costruita la trappola, adirato con Ares,
si avviò verso il talamo dove era il suo letto:
attorno ai sostegni spargeva in giro i legami,
molti ne erano sparsi anche sopra, dal tetto,
280 come ragnatele sottili: non li avrebbe scorti nessuno,
neppure gli dei beati, perché erano fraudolenti.
Dopo che intorno al letto sparse tutta la rete,
fece finta di partire per Lemno, la ben costruita città
che gli è molto più cara di tutte le terre.
285 Ares dalle redini d'oro non fu cieco in vedetta,
quando vide partire l'illustre artefice Efesto.
S'avviò alla casa del famosissimo Efesto
bramando l'amore di Citerea dal bel diadema.
Lei era appena tornata dalla casa del padre, del possente
290 Cronide, e sedeva; lui entrò nella casa,
le strinse la mano, le rivolse la parola, le disse:
« Su, cara, corichiamoci a letto e godiamo.
Efesto non è più nel paese, ma è già partito
per Lemno, tra i Sinti dall'accento selvatico ».
295 Disse così: e a lei parve allettante giacersi.
E, andati a letto, si addormentarono: ma intorno si sparsero
i fili forgiati dall'abile Efesto,
e non potevano muovere o alzare le membra.

καὶ τότε δὴ γίγνωσκον, ὅτ' οὐκέτι φυκτὰ πέλοντο.
300 ἀγχίμολον δέ σφ' ἦλθε περικλυτὸς Ἀμφιγυήεις,
αὖτις ὑποστρέψας, πρὶν Λήμνου γαῖαν ἱκέσθαι·
Ἠέλιος γάρ οἱ σκοπιὴν ἔχεν εἶπέ τε μῦθον.
βῆ δ' ἴμεναι πρὸς δῶμα, φίλον τετιημένος ἦτορ·
ἔστη δ' ἐν προθύροισι, χόλος δέ μιν ἄγριος ᾕρει·
305 σμερδαλέον δ' ἐβόησε, γέγωνέ τε πᾶσι θεοῖσι·
« Ζεῦ πάτερ ἠδ' ἄλλοι μάκαρες θεοὶ αἰὲν ἐόντες,
δεῦθ', ἵνα ἔργα γελαστὰ καὶ οὐκ ἐπιεικτὰ ἴδησθε,
ὡς ἐμὲ χωλὸν ἐόντα Διὸς θυγάτηρ Ἀφροδίτη
αἰὲν ἀτιμάζει, φιλέει δ' ἀΐδηλον Ἄρηα,
310 οὕνεχ' ὁ μὲν καλός τε καὶ ἀρτίπος, αὐτὰρ ἐγώ γε
ἠπεδανὸς γενόμην· ἀτὰρ οὔ τί μοι αἴτιος ἄλλος,
ἀλλὰ τοκῆε δύω, τὼ μὴ γείνασθαι ὄφελλον.
ἀλλ' ὄψεσθ', ἵνα τώ γε καθεύδετον ἐν φιλότητι,
εἰς ἐμὰ δέμνια βάντες· ἐγὼ δ' ὁρόων ἀκάχημαι.
315 οὐ μέν σφεας ἔτ' ἔολπα μίνυνθά γε κειέμεν οὕτω,
καὶ μάλα περ φιλέοντε· τάχ' οὐκ ἐθελήσετον ἄμφω
εὕδειν· ἀλλά σφωε δόλος καὶ δεσμὸς ἐρύξει,
εἰς ὅ κέ μοι μάλα πάντα πατὴρ ἀποδώσει ἔεδνα,
ὅσσα οἱ ἐγγυάλιξα κυνώπιδος εἵνεκα κούρης,
320 οὕνεκά οἱ καλὴ θυγάτηρ, ἀτὰρ οὐκ ἐχέθυμος ».
ὣς ἔφαθ', οἱ δ' ἀγέροντο θεοὶ ποτὶ χαλκοβατὲς δῶ·
ἦλθε Ποσειδάων γαιήοχος, ἦλθ' ἐριούνης
Ἑρμείας, ἦλθεν δὲ ἄναξ ἑκάεργος Ἀπόλλων.
θηλύτεραι δὲ θεαὶ μένον αἰδοῖ οἴκοι ἑκάστη.
325 ἔσταν δ' ἐν προθύροισι θεοί, δωτῆρες ἐάων·
ἄσβεστος δ' ἄρ' ἐνῶρτο γέλως μακάρεσσι θεοῖσι
τέχνας εἰσορόωσι πολύφρονος Ἡφαίστοιο.
ὧδε δέ τις εἴπεσκεν ἰδὼν ἐς πλησίον ἄλλον·
« οὐκ ἀρετᾷ κακὰ ἔργα· κιχάνει τοι βραδὺς ὠκύν,
330 ὡς καὶ νῦν Ἥφαιστος ἐὼν βραδὺς εἷλεν Ἄρηα,
ὠκύτατόν περ ἐόντα θεῶν οἳ Ὄλυμπον ἔχουσι

E allora capirono, quando ormai non c'era più scampo.
300 Andò da loro il famoso Ambidestro,
tornato prima di giungere nella terra di Lemno:
il Sole aveva fatto la guardia e gli disse la storia.
S'avviò verso casa col cuore turbato,
s'arrestò sotto il portico: lo prendeva un'ira selvaggia,
305 urlò da fare spavento e gridò a tutti gli dei:
« Padre Zeus e voi altri beati dei eterni,
venite a vedere l'azione ridicola e intollerabile,
come sempre mi oltraggia Afrodite figlia di Zeus,
me che son zoppo, e invece ama Ares inviso e funesto,
310 perché lui è bello e veloce, mentre io
sono storpio. Ma colpevoli per me non sono altri
che i miei genitori: non dovevano mettermi al mondo.
Ma guardate dove sono coricati in amore quei due,
saliti dentro il mio letto: io mi tormento a vederli.
315 Non credo che giaceranno così ancora molto,
anche se s'amano tanto: presto non vorranno più
starsene a letto. Però la trappola e il vincolo li tratterrà,
fino a quando suo padre mi ridarà tutti i doni nuziali
che gli diedi per questa sposa faccia di cagna:
320 perché è bella sua figlia, ma è incontinente ».
Disse così. Gli dei s'affollarono nella casa dalla soglia di bronzo:
arrivò Posidone che percorre la terra, arrivò il corridore
Ermete, arrivò Apollo, il signore che agisce a distanza.
Per pudore rimasero ciascuna a casa le dee.
325 Erano fermi nel portico gli dei datori di beni:
e tra gli dei beati s'alzò inestinguibile il riso
vedendo le arti dell'abile Efesto.
E qualcuno diceva così rivolto al vicino:
« Le male azioni non pagano. Il lento coglie il veloce:
330 così anche ora Efesto, che è lento, ha preso Ares,
che pure è il più celere tra gli dei che hanno l'Olimpo.

χωλὸς ἐὼν τέχνῃσι· τὸ καὶ μοιχάγρι' ὀφέλλει ».
ὣς οἱ μὲν τοιαῦτα πρὸς ἀλλήλους ἀγόρευον·
Ἑρμῆν δὲ προσέειπεν ἄναξ Διὸς υἱὸς Ἀπόλλων·
335 « Ἑρμεία, Διὸς υἱέ, διάκτορε, δῶτορ ἐάων,
ἦ ῥά κεν δεσμοῖς ἐθέλοις κρατεροῖσι πιεσθεὶς
εὕδειν ἐν λέκτροισι παρὰ χρυσέῃ Ἀφροδίτῃ; ».
τὸν δ' ἠμείβετ' ἔπειτα διάκτορος Ἀργεϊφόντης·
« αἲ γὰρ τοῦτο γένοιτο, ἄναξ ἑκατηβόλ' Ἄπολλον.
340 δεσμοὶ μὲν τρὶς τόσσοι ἀπείρονες ἀμφὶς ἔχοιεν,
ὑμεῖς δ' εἰσορόῳτε θεοὶ πᾶσαί τε θέαιναι,
αὐτὰρ ἐγὼν εὕδοιμι παρὰ χρυσέῃ Ἀφροδίτῃ ».
ὣς ἔφατ', ἐν δὲ γέλως ὦρτ' ἀθανάτοισι θεοῖσιν.
οὐδὲ Ποσειδάωνα γέλως ἔχε, λίσσετο δ' αἰεὶ
345 Ἥφαιστον κλυτοεργὸν ὅπως λύσειεν Ἄρηα·
καί μιν φωνήσας ἔπεα πτερόεντα προσηύδα·
« λῦσον· ἐγὼ δέ τοι αὐτὸν ὑπίσχομαι, ὡς σὺ κελεύεις,
τείσειν αἴσιμα πάντα μετ' ἀθανάτοισι θεοῖσι ».
τὸν δ' αὖτε προσέειπε περικλυτὸς Ἀμφιγυήεις·
350 « μή με, Ποσείδαον γαιήοχε, ταῦτα κέλευε·
δειλαί τοι δειλῶν γε καὶ ἐγγύαι ἐγγυάασθαι.
πῶς ἂν ἐγώ σε δέοιμι μετ' ἀθανάτοισι θεοῖσιν,
εἴ κεν Ἄρης οἴχοιτο χρέος καὶ δεσμὸν ἀλύξας; ».
τὸν δ' αὖτε προσέειπε Ποσειδάων ἐνοσίχθων·
355 « Ἥφαιστ', εἴ περ γάρ κεν Ἄρης χρεῖος ὑπαλύξας
οἴχηται φεύγων, αὐτός τοι ἐγὼ τάδε τείσω ».
τὸν δ' ἠμείβετ' ἔπειτα περικλυτὸς Ἀμφιγυήεις·
« οὐκ ἔστ' οὐδὲ ἔοικε τεὸν ἔπος ἀρνήσασθαι ».
ὣς εἰπὼν δεσμὸν ἀνίει μένος Ἡφαίστοιο.
360 τὼ δ' ἐπεὶ ἐκ δεσμοῖο λύθεν, κρατεροῦ περ ἐόντος,
αὐτίκ' ἀναΐξαντε ὁ μὲν Θρῄκηνδε βεβήκει,
ἡ δ' ἄρα Κύπρον ἵκανε φιλομμειδὴς Ἀφροδίτη,
ἐς Πάφον, ἔνθα τέ οἱ τέμενος βωμός τε θυήεις.
ἔνθα δέ μιν Χάριτες λοῦσαν καὶ χρῖσαν ἐλαίῳ
365 ἀμβρότῳ, οἷα θεοὺς ἐπενήνοθεν αἰὲν ἐόντας,

E poiché è zoppo, l'ha preso con l'arte: e lo deve pagare ».
Così dunque dicevano essi l'un l'altro,
e Apollo, il signore figlio di Zeus, disse ad Ermete:
335 « Ermete, figlio di Zeus, messaggero, datore di beni!
schiacciato in salde catene vorresti
dormire a letto con l'aurea Afrodite? ».
Gli rispose allora il messaggero Arghifonte:
« Magari, o signore lungisaettante Apollo:
340 mi tenessero catene tre volte tante, infinite,
e voi dei e tutte le dee steste a guardare,
con l'aurea Afrodite io dormirei ».
Disse così e il riso s'alzò tra gli dei immortali.
Il riso non prese però Posidone: senza posa pregava
345 l'illustre artefice Efesto di sciogliere Ares.
E parlando gli rivolse alate parole:
« Scioglilo! io prometto che, come tu chiedi,
ti pagherà tutto il debito davanti agli dei immortali ».
Gli disse allora il famoso Ambidestro:
350 « Non chiedermi questo, Posidone che percorri la terra:
anche le garanzie dei cattivi sono cattive.
Come potrei legarti davanti agli dei immortali,
se Ares va via, sottraendosi al debito e al laccio? ».
Gli disse allora Posidone che scuote la terra:
355 « Efesto, anche se Ares fuggisse, sottraendosi
al debito, io stesso te lo pagherò ».
Gli rispose allora il famoso Ambidestro:
« Non è possibile e giusto respingere la tua parola ».
Detto così, il vigore di Efesto allentò le catene.
360 Appena liberi dalle catene, che erano solide, i due
d'un balzo scomparvero. In Tracia egli giunse,
e lei arrivava a Cipro, la ridente Afrodite,
a Pafo dove aveva un recinto e un altare odoroso.
Le Grazie lì la lavarono e unsero d'olio
365 immortale, come ne sono cosparsi gli dei che vivono eterni.

ἀμφὶ δὲ εἵματα ἕσσαν ἐπήρατα, θαῦμα ἰδέσθαι.
ταῦτ' ἄρ' ἀοιδὸς ἄειδε περικλυτός· αὐτὰρ Ὀδυσσεὺς
τέρπετ' ἐνὶ φρεσὶν ᾗσιν ἀκούων ἠδὲ καὶ ἄλλοι
Φαίηκες δολιχήρετμοι, ναυσίκλυτοι ἄνδρες.

370 Ἀλκίνοος δ' Ἅλιον καὶ Λαοδάμαντα κέλευσε
μουνὰξ ὀρχήσασθαι, ἐπεί σφισιν οὔ τις ἔριζεν.
οἱ δ' ἐπεὶ οὖν σφαῖραν καλὴν μετὰ χερσὶν ἕλοντο,
πορφυρέην, τήν σφιν Πόλυβος ποίησε δαΐφρων,
τὴν ἕτερος ῥίπτασκε ποτὶ νέφεα σκιόεντα

375 ἰδνωθεὶς ὀπίσω· ὁ δ' ἀπὸ χθονὸς ὑψόσ' ἀερθεὶς
ῥηϊδίως μεθέλεσκε, πάρος ποσὶν οὖδας ἱκέσθαι.
αὐτὰρ ἐπεὶ δὴ σφαίρῃ ἀν' ἰθὺν πειρήσαντο,
ὠρχείσθην δὴ ἔπειτα ποτὶ χθονὶ πουλυβοτείρῃ
ταρφέ' ἀμειβομένω· κοῦροι δ' ἐπελήκεον ἄλλοι

380 ἑσταότες κατ' ἀγῶνα, πολὺς δ' ὑπὸ κόμπος ὀρώρει.
δὴ τότ' ἄρ' Ἀλκίνοον προσεφώνεε δῖος Ὀδυσσεύς·
« Ἀλκίνοε κρεῖον, πάντων ἀριδείκετε λαῶν,
ἠμὲν ἀπείλησας βητάρμονας εἶναι ἀρίστους,
ἠδ' ἄρ' ἑτοῖμα τέτυκτο· σέβας μ' ἔχει εἰσορόωντα ».

385 ὣς φάτο, γήθησεν δ' ἱερὸν μένος Ἀλκινόοιο.
αἶψα δὲ Φαιήκεσσι φιληρέτμοισι μετηύδα·
« κέκλυτε, Φαιήκων ἡγήτορες ἠδὲ μέδοντες·
ὁ ξεῖνος μάλα μοι δοκέει πεπνυμένος εἶναι.
ἀλλ' ἄγε οἱ δῶμεν ξεινήϊον, ὡς ἐπιεικές.

390 δώδεκα γὰρ κατὰ δῆμον ἀριπρεπέες βασιλῆες
ἀρχοὶ κραίνουσι, τρισκαιδέκατος δ' ἐγὼ αὐτός·
τῶν οἱ ἕκαστος φᾶρος ἐϋπλυνὲς ἠδὲ χιτῶνα
καὶ χρυσοῖο τάλαντον ἐνείκατε τιμήεντος.
αἶψα δὲ πάντα φέρωμεν ἀολλέα, ὄφρ' ἐνὶ χερσὶ

395 ξεῖνος ἔχων ἐπὶ δόρπον ἴῃ χαίρων ἐνὶ θυμῷ.
Εὐρύαλος δέ ἑ αὐτὸν ἀρεσσάσθω ἐπέεσσι
καὶ δώρῳ, ἐπεὶ οὔ τι ἔπος κατὰ μοῖραν ἔειπεν ».
ὣς ἔφαθ', οἱ δ' ἄρα πάντες ἐπῄνεον ἠδ' ἐκέλευον,
δῶρα δ' ἄρ' οἰσέμεναι πρόεσαν κήρυκα ἕκαστος.

L'avvolsero di vesti incantevoli, una meraviglia a vedersi.
Questi fatti il cantore famoso cantava: e Odisseo
nell'animo suo gioiva ascoltando, e gioivano gli altri
Feaci dai lunghi remi, navigatori famosi.
370 Alcinoo invitò Alio e Laodamante
a danzare da soli, poiché nessuno gareggiava con loro.
Allora essi presero in mano una bella palla
purpurea, che fece ad essi l'abile Polibo:
uno la gettava alle nuvole ombrose,
375 piegato all'indietro, l'altro spiccando un salto da terra
l'afferrava agilmente, prima di toccare il suolo coi piedi.
Dopo aver gareggiato con la palla nel salto,
danzarono sulla terra molto ferace
sempre alternandosi. Gli altri giovani scandivano il tempo
380 in piedi attorno alla pista: era sorto molto rumore.
Il chiaro Odisseo allora disse ad Alcinoo:
« Potente Alcinoo, insigne tra tutti i popoli,
affermavi che siete danzatori eccellenti,
ed è proprio vero: stupore mi prende guardandoli ».
385 Disse così, e il sacro vigore di Alcinoo si rallegrò.
Subito disse ai Feaci che amano i remi:
« Ascoltate, capi e consiglieri feaci,
mi sembra che l'ospite abbia molto giudizio:
orsù, diamogli un dono ospitale, come si deve.
390 Dodici insigni re governano come capi
il paese, il tredicesimo sono io stesso.
Portategli ognuno un manto pulito,
una tunica e un talento di oro prezioso.
Mettiamo insieme subito tutto, perché l'ospite
395 venga a cena già avendoli, con animo lieto.
Eurialo si riconcilî con lui, con scuse
e un dono, perché non parlò in modo giusto ».
Disse così, ed essi assentivano e l'incitavano tutti,
e inviarono ciascuno l'araldo a prendere i doni.

400 τὸν δ' αὖτ' Εὐρύαλος ἀπαμείβετο φώνησέν τε·
« Ἀλκίνοε κρεῖον, πάντων ἀριδείκετε λαῶν,
τοιγὰρ ἐγὼ τὸν ξεῖνον ἀρέσσομαι, ὡς σὺ κελεύεις.
δώσω οἱ τόδ' ἄορ παγχάλκεον, ᾧ ἔπι κώπη
ἀργυρέη, κολεὸν δὲ νεοπρίστου ἐλέφαντος
405 ἀμφιδεδίνηται· πολέος δέ οἱ ἄξιον ἔσται ».
ὣς εἰπὼν ἐν χερσὶ τίθει ξίφος ἀργυρόηλον,
καί μιν φωνήσας ἔπεα πτερόεντα προσηύδα·
« χαῖρε, πάτερ ὦ ξεῖνε· ἔπος δ' εἴ πέρ τι βέβακται
δεινόν, ἄφαρ τὸ φέροιεν ἀναρπάξασαι ἄελλαι.
410 σοὶ δὲ θεοὶ ἄλοχόν τ' ἰδέειν καὶ πατρίδ' ἱκέσθαι
δοῖεν, ἐπεὶ δὴ δηθὰ φίλων ἄπο πήματα πάσχεις ».
τὸν δ' ἀπαμειβόμενος προσέφη πολύμητις Ὀδυσσεύς·
« καὶ σύ, φίλος, μάλα χαῖρε, θεοὶ δέ τοι ὄλβια δοῖεν,
μηδέ τί τοι ξίφεός γε ποθὴ μετόπισθε γένοιτο
415 τούτου, ὃ δή μοι δῶκας, ἀρεσσάμενος ἐπέεσσιν ».
ἦ ῥα καὶ ἀμφ' ὤμοισι θέτο ξίφος ἀργυρόηλον.
δύσετό τ' ἠέλιος, καὶ τῷ κλυτὰ δῶρα παρῆεν·
καὶ τά γ' ἐς Ἀλκινόοιο φέρον κήρυκες ἀγαυοί·
δεξάμενοι δ' ἄρα παῖδες ἀμύμονος Ἀλκινόοιο
420 μητρὶ παρ' αἰδοίῃ ἔθεσαν περικαλλέα δῶρα.
τοῖσιν δ' ἡγεμόνευ' ἱερὸν μένος Ἀλκινόοιο,
ἐλθόντες δὲ καθῖζον ἐν ὑψηλοῖσι θρόνοισι,
δή ῥα τότ' Ἀρήτην προσέφη μένος Ἀλκινόοιο·
« δεῦρο, γύναι, φέρε χηλὸν ἀριπρεπέ', ἥ τις ἀρίστη·
425 ἐν δ' αὐτῇ θὲς φᾶρος ἐΰπλυνὲς ἠδὲ χιτῶνα.
ἀμφὶ δέ οἱ πυρὶ χαλκὸν ἰήνατε, θέρμετε δ' ὕδωρ,
ὄφρα λοεσσάμενός τε ἰδών τ' εὖ κείμενα πάντα
δῶρα, τά οἱ Φαίηκες ἀμύμονες ἐνθάδ' ἔνεικαν,
δαιτί τε τέρπηται καὶ ἀοιδῆς ὕμνον ἀκούων.
430 καί οἱ ἐγὼ τόδ' ἄλεισον ἐμὸν περικαλλὲς ὀπάσσω,
χρύσεον, ὄφρ' ἐμέθεν μεμνημένος ἤματα πάντα
σπένδῃ ἐνὶ μεγάρῳ Διί τ' ἄλλοισίν τε θεοῖσιν ».
ὣς ἔφατ', Ἀρήτη δὲ μετὰ δμῳῇσιν ἔειπεν

400 Allora Eurialo rispose e gli disse:
« Potente Alcinoo, insigne tra tutti i popoli,
io voglio riconciliarmi con l'ospite, come tu chiedi.
Gli darò questa spada, di bronzo massiccio, su cui è un'elsa
d'argento: una guaina d'avorio intagliato di fresco
405 l'avvolge. Sarà per lui di gran pregio ».
Detto così, gli porgeva la spada con borchie d'argento
e parlando gli rivolse alate parole:
« Salve, o padre straniero. Se una parola offensiva
fu detta, la rapiscano e portino via le tempeste.
410 E gli dei ti concedano di vedere la sposa e di giungere
in patria, perché da tempo soffri dolori, lontano dai tuoi ».
Rispondendogli disse l'astuto Odisseo:
« Salute anche a te, o caro: felicità ti diano gli dei.
Che tu non abbia desiderio della spada in futuro,
415 di questa che mi hai dato con parole di scusa ».
Disse e cinse a tracolla la spada con borchie d'argento.
Il sole calò e con sé egli aveva gli splendidi doni:
li portarono in casa di Alcinoo gli illustri araldi;
e i figli del nobile Alcinoo, avutili,
420 posero i doni bellissimi presso la madre onorata.
Il sacro vigore di Alcinoo guidava i Feaci:
arrivati, sedettero sugli alti troni.
Allora il vigore di Alcinoo disse ad Arete:
« Donna, porta un magnifico scrigno, il migliore:
425 mettici dentro tu stessa un manto pulito e una tunica,
scaldate sul fuoco una conca di bronzo, scaldategli l'acqua,
perché, fatto il bagno e vedendo riposti tutti
i regali che i nobili Feaci portarono qui,
abbia gioia sia del pasto sia di udire il suono del canto.
430 Anche io gli darò questa mia bellissima coppa,
d'oro, perché ricordandosi di me ogni giorno
libi nella sua casa a Zeus e agli altri dei ».
Disse così, Arete ordinò alle serve

ἀμφὶ πυρὶ στῆσαι τρίποδα μέγαν ὅττι τάχιστα.
435 αἱ δὲ λοετροχόον τρίποδ' ἵστασαν ἐν πυρὶ κηλέῳ,
ἐν δ' ἄρ' ὕδωρ ἔχεαν, ὑπὸ δὲ ξύλα δαῖον ἑλοῦσαι.
γάστρην μὲν τρίποδος πῦρ ἄμφεπε, θέρμετο δ' ὕδωρ.
τόφρα δ' ἄρ' Ἀρήτη ξείνῳ περικαλλέα χηλὸν
ἐξέφερεν θαλάμοιο, τίθει δ' ἐνὶ κάλλιμα δῶρα,
440 ἐσθῆτα χρυσόν τε, τά οἱ Φαίηκες ἔδωκαν·
ἐν δ' αὐτὴ φᾶρος θῆκεν καλόν τε χιτῶνα,
καί μιν φωνήσασ' ἔπεα πτερόεντα προσηύδα·
« αὐτὸς νῦν ἴδε πῶμα, θοῶς δ' ἐπὶ δεσμὸν ἴηλον,
μή τίς τοι καθ' ὁδὸν δηλήσεται, ὁππότ' ἂν αὖτε
445 εὕδησθα γλυκὺν ὕπνον ἰὼν ἐν νηὶ μελαίνῃ ».
αὐτὰρ ἐπεὶ τό γ' ἄκουσε πολύτλας δῖος Ὀδυσσεύς,
αὐτίκ' ἐπήρτυε πῶμα, θοῶς δ' ἐπὶ δεσμὸν ἴηλε
ποικίλον, ὅν ποτέ μιν δέδαε φρεσὶ πότνια Κίρκη,
αὐτόδιον δ' ἄρα μιν ταμίη λούσασθαι ἀνώγει
450 ἔς ῥ' ἀσάμινθον βάνθ'· ὁ δ' ἄρ' ἀσπασίως ἴδε θυμῷ
θερμὰ λοετρ' ἐπεὶ οὔ τι κομιζόμενός γε θάμιζεν,
ἐπεὶ δὴ λίπε δῶμα Καλυψοῦς ἠϋκόμοιο·
τόφρα δέ οἱ κομιδή γε θεῷ ὣς ἔμπεδος ἦεν.
τὸν δ' ἐπεὶ οὖν δμῳαὶ λοῦσαν καὶ χρῖσαν ἐλαίῳ,
455 ἀμφὶ δέ μιν χλαῖναν καλὴν βάλον ἠδὲ χιτῶνα,
ἔκ ῥ' ἀσαμίνθου βὰς ἄνδρας μέτα οἰνοποτῆρας
ἤϊε· Ναυσικάα δὲ θεῶν ἄπο κάλλος ἔχουσα
στῆ ῥα παρὰ σταθμὸν τέγεος πύκα ποιητοῖο,
θαύμαζεν δ' Ὀδυσῆα ἐν ὀφθαλμοῖσιν ὁρῶσα,
460 καί μιν φωνήσασ' ἔπεα πτερόεντα προσηύδα·
« χαῖρε, ξεῖν', ἵνα καί ποτ' ἐὼν ἐν πατρίδι γαίῃ
μνήσῃ ἐμεῖ', ὅτι μοι πρώτῃ ζωάγρι' ὀφέλλεις ».
τὴν δ' ἀπαμειβόμενος προσέφη πολύμητις Ὀδυσσεύς·
« Ναυσικάα, θύγατερ μεγαλήτορος Ἀλκινόοιο,
465 οὕτω νῦν Ζεὺς θείη, ἐρίγδουπος πόσις Ἥρης,
οἴκαδέ τ' ἐλθέμεναι καὶ νόστιμον ἦμαρ ἰδέσθαι·
τῷ κέν τοι καὶ κεῖθι θεῷ ὣς εὐχετοῴμην

di porre al più presto sul fuoco un tripode grande.
435 Sul fuoco ardente esse posero un tripode per l'acqua del bagno,
vi versarono l'acqua e, presa la legna, l'accendevano sotto.
Il fuoco avvolse la pancia del tripode, l'acqua si riscaldava:
intanto Arete portava dal talamo all'ospite
uno scrigno bellissimo e vi poneva i bei doni,
440 le vesti e l'oro che i Feaci gli avevano dato;
un manto e una bella tunica aggiunse
e parlando gli rivolse alate parole:
« Tu stesso ora guarda il coperchio, facci rapido un nodo,
che qualcuno non ti derubi in viaggio, mentre poi
445 dormi un dolce sonno viaggiando nella nera nave ».
Appena udì questo, il paziente chiaro Odisseo
subito chiuse il coperchio, vi fece rapido un nodo
intricato, che gli insegnò una volta Circe possente.
Ed ecco la dispensiera lo invitò per il bagno
450 dentro la vasca: egli guardò il bagno caldo
con animo lieto, perché non soleva curarsi
da quando lasciò la dimora di Calipso dai bei capelli:
allora aveva avuto costante cura di sé, come un dio.
Dopoché, dunque, le serve lo lavarono e unsero d'olio,
455 gli gettarono indosso un bel manto e una tunica:
quando uscì dalla vasca, Odisseo andò tra gli uomini
bevitori di vino. Nausicaa, che aveva la beltà dagli dei,
si fermò vicino a un pilastro del solido tetto:
era piena di stupore guardando Odisseo con gli occhi,
460 e parlando gli rivolse alate parole:
« Ti saluto, straniero, perché possa ricordarti di me
anche in patria: poiché devi a me per prima la vita ».
Rispondendole disse l'astuto Odisseo:
« Nausicaa, figlia del magnanimo Alcinoo,
465 voglia così ora Zeus, il tonante sposo di Era,
che a casa io giunga e veda il dì del ritorno.
Allora ti venererei anche lì come dea

αἰεὶ ἤματα πάντα· σὺ γάρ μ' ἐβιώσαο, κούρη ».
ἦ ῥα καὶ ἐς θρόνον ἷζε παρ' Ἀλκίνοον βασιλῆα.
470 οἱ δ' ἤδη μοίρας τ' ἔνεμον κερόωντό τε οἶνον.
κῆρυξ δ' ἐγγύθεν ἦλθεν ἄγων ἐρίηρον ἀοιδόν,
Δημόδοκον λαοῖσι τετιμένον· εἷσε δ' ἄρ' αὐτὸν
μέσσῳ δαιτυμόνων, πρὸς κίονα μακρὸν ἐρείσας.
δὴ τότε κήρυκα προσέφη πολύμητις Ὀδυσσεύς,
475 νώτου ἀποπροταμών, ἐπὶ δὲ πλεῖον ἐλέλειπτο,
ἀργιόδοντος ὑός, θαλερὴ δ' ἦν ἀμφὶς ἀλοιφή·
« κῆρυξ, τῆ δή, τοῦτο πόρε κρέας, ὄφρα φάγῃσι,
Δημοδόκῳ, καί μιν προσπτύξομαι, ἀχνύμενός περ.
πᾶσι γὰρ ἀνθρώποισιν ἐπιχθονίοισιν ἀοιδοὶ
480 τιμῆς ἔμμοροί εἰσι καὶ αἰδοῦς, οὕνεκ' ἄρα σφέας
οἴμας Μοῦσ' ἐδίδαξε, φίλησε δὲ φῦλον ἀοιδῶν ».
ὣς ἄρ' ἔφη, κῆρυξ δὲ φέρων ἐν χερσὶν ἔθηκεν
ἥρῳ Δημοδόκῳ· ὁ δ' ἐδέξατο, χαῖρε δὲ θυμῷ.
οἱ δ' ἐπ' ὀνείαθ' ἑτοῖμα προκείμενα χεῖρας ἴαλλον.
485 αὐτὰρ ἐπεὶ πόσιος καὶ ἐδητύος ἐξ ἔρον ἕντο,
δὴ τότε Δημόδοκον προσέφη πολύμητις Ὀδυσσεύς·
« Δημόδοκ', ἔξοχα δή σε βροτῶν αἰνίζομ' ἁπάντων·
ἢ σέ γε Μοῦσ' ἐδίδαξε, Διὸς πάϊς, ἢ σέ γ' Ἀπόλλων.
λίην γὰρ κατὰ κόσμον Ἀχαιῶν οἶτον ἀείδεις,
490 ὅσσ' ἔρξαν τ' ἔπαθόν τε καὶ ὅσσ' ἐμόγησαν Ἀχαιοί,
ὥς τέ που ἢ αὐτὸς παρεὼν ἢ ἄλλου ἀκούσας.
ἀλλ' ἄγε δὴ μετάβηθι καὶ ἵππου κόσμον ἄεισον
δουρατέου, τὸν Ἐπειὸς ἐποίησεν σὺν Ἀθήνῃ,
ὅν ποτ' ἐς ἀκρόπολιν δόλον ἤγαγε δῖος Ὀδυσσεύς,
495 ἀνδρῶν ἐμπλήσας οἵ ῥ' Ἴλιον ἐξαλάπαξαν.
αἴ κεν δή μοι ταῦτα κατὰ μοῖραν καταλέξῃς,
αὐτίκ' ἐγὼ πᾶσιν μυθήσομαι ἀνθρώποισιν
ὡς ἄρα τοι πρόφρων θεὸς ὤπασε θέσπιν ἀοιδήν ».
ὣς φάθ', ὁ δ' ὁρμηθεὶς θεοῦ ἤρχετο, φαῖνε δ' ἀοιδήν,
500 ἔνθεν ἑλὼν ὡς οἱ μὲν ἐϋσσέλμων ἐπὶ νηῶν
βάντες ἀπέπλειον, πῦρ ἐν κλισίῃσι βαλόντες,

sempre e ogni giorno: tu m'hai salvata la vita, o fanciulla ».
Disse, e sedette sul trono, accanto al re Alcinoo.
470 Gli scalchi davano intanto le parti e mescevano il vino.
Venne l'araldo, guidando il valente cantore
Demodoco, onorato dal popolo: lo fece sedere
al centro dei convitati, appoggiato a un'alta colonna.
Allora disse all'araldo l'astuto Odisseo,
475 staccato un pezzo di porco dalle bianche zanne, dal dorso,
ma il più rimaneva attaccato, v'era intorno grasso copioso:
« Araldo, tieni, da' questa carne, perché la mangi,
a Demodoco, ed io gli dica, benché addolorato, il mio affetto:
per tutti gli uomini in terra i cantori
480 sono degni d'onore e rispetto, perché ad essi
la Musa insegna le trame e ne ama la stirpe ».
Disse così: l'araldo portò la carne e la pose nelle mani
all'eroe Demodoco. Egli la prese: ne fu lieto nell'animo.
Ed essi sui cibi pronti, imbanditi, le mani tendevano.
485 Poi, quando ebbero scacciata la voglia di bere e di cibo,
allora disse a Demodoco l'astuto Odisseo:
« Demodoco, io ti lodo al di sopra di tutti i mortali:
o ti ha istruito la Musa, figlia di Zeus, o Apollo.
Canti la sorte degli Achei in modo perfetto,
490 quanto fecero gli Achei e patirono, e quanto soffrirono:
come uno che era presente o che ha sentito da un altro.
Ma su, cambia tema e canta il progetto del cavallo
di legno, che Epeo costruì con l'aiuto di Atena:
la trappola che poi il chiaro Odisseo portò sull'acropoli,
495 dopo averla riempita degli uomini che annientarono Ilio.
Se questo mi narrerai in modo giusto,
dirò a tutti gli uomini, subito,
che un dio benevolo ti concesse il canto divino ».
Disse così. Egli, ispirato, dal dio cominciò. Cantava
500 iniziando da quando, imbarcatisi sulle navi ben costruite,
gli Argivi salparono, dopo aver appiccato il fuoco

'Αργεῖοι, τοὶ δ' ἤδη ἀγακλυτὸν ἀμφ' 'Οδυσῆα
εἵατ' ἐνὶ Τρώων ἀγορῇ κεκαλυμμένοι ἵππῳ·
αὐτοὶ γάρ μιν Τρῶες ἐς ἀκρόπολιν ἐρύσαντο.
505 ὣς ὁ μὲν ἑστήκει, τοὶ δ' ἄκριτα πόλλ' ἀγόρευον
ἥμενοι ἀμφ' αὐτόν· τρίχα δέ σφισιν ἥνδανε βουλή,
ἠὲ διατμῆξαι κοῖλον δόρυ νηλέϊ χαλκῷ,
ἢ κατὰ πετράων βαλέειν ἐρύσαντας ἐπ' ἄκρης,
ἢ ἐάαν μέγ' ἄγαλμα θεῶν θελκτήριον εἶναι,
510 τῇ περ δὴ καὶ ἔπειτα τελευτήσεσθαι ἔμελλεν·
αἶσα γὰρ ἦν ἀπολέσθαι, ἐπὴν πόλις ἀμφικαλύψῃ
δουράτεον μέγαν ἵππον, ὅθ' εἵατο πάντες ἄριστοι
'Αργείων Τρώεσσι φόνον καὶ κῆρα φέροντες.
ἤειδεν δ' ὡς ἄστυ διέπραθον υἷες 'Αχαιῶν
515 ἱππόθεν ἐκχύμενοι, κοῖλον λόχον ἐκπρολιπόντες.
ἄλλον δ' ἄλλῃ ἄειδε πόλιν κεραϊζέμεν αἰπήν,
αὐτὰρ 'Οδυσσῆα προτὶ δώματα Δηϊφόβοιο
βήμεναι, ἠΰτ' Ἄρηα, σὺν ἀντιθέῳ Μενελάῳ.
κεῖθι δὴ αἰνότατον πόλεμον φάτο τολμήσαντα
520 νικῆσαι καὶ ἔπειτα διὰ μεγάθυμον 'Αθήνην.
ταῦτ' ἄρ' ἀοιδὸς ἄειδε περικλυτός· αὐτὰρ 'Οδυσσεὺς
τήκετο, δάκρυ δ' ἔδευεν ὑπὸ βλεφάροισι παρειάς.
ὡς δὲ γυνὴ κλαίῃσι φίλον πόσιν ἀμφιπεσοῦσα,
ὅς τε ἑῆς πρόσθεν πόλιος λαῶν τε πέσῃσιν,
525 ἄστεϊ καὶ τεκέεσσιν ἀμύνων νηλεὲς ἦμαρ·
ἡ μὲν τὸν θνήσκοντα καὶ ἀσπαίροντα ἰδοῦσα
ἀμφ' αὐτῷ χυμένη λίγα κωκύει· οἱ δέ τ' ὄπισθε
κόπτοντες δούρεσσι μετάφρενον ἠδὲ καὶ ὤμους
εἴρερον εἰσανάγουσι, πόνον τ' ἐχέμεν καὶ ὀϊζύν·
530 τῆς δ' ἐλεεινοτάτῳ ἄχεϊ φθινύθουσι παρειαί·
ὣς 'Οδυσεὺς ἐλεεινὸν ὑπ' ὀφρύσι δάκρυον εἶβεν.
ἔνθ' ἄλλους μὲν πάντας ἐλάνθανε δάκρυα λείβων,
'Αλκίνοος δέ μιν οἶος ἐπεφράσατ' ἠδ' ἐνόησεν,
ἥμενος ἄγχ' αὐτοῦ, βαρὺ δὲ στενάχοντος ἄκουσεν.
535 αἶψα δὲ Φαιήκεσσι φιληρέτμοισι μετηύδα·

alle tende. Intanto gli altri, stretti all'insigne Odisseo,
stavano nella piazza di Troia, nascosti dentro il cavallo.
Gli stessi Troiani lo avevano tratto fin sull'acropoli.
505 Così il cavallo era lì: ed essi, seduti all'intorno,
dicevano molti contrastanti pareri: tre ne piacevano loro,
o spaccare il cavo animale di legno col bronzo spietato,
o trarlo fino al dirupo e gettarlo giù dalle rocce,
o lasciarlo, che fosse un gran dono propiziatorio agli dei.
510 E in questo modo poi doveva finire.
Perché era destino che la città rovinasse, appena accolto
il grande cavallo di legno in cui sedevano tutti gli Argivi
migliori per portare strage e rovina ai Troiani.
E cantava come distrussero i figli degli Achei la città,
515 riversatisi giù dal cavallo e lasciato il cavo agguato.
Cantava che devastarono chi qua chi là la rocca scoscesa,
che Odisseo andò come il dio della guerra, come Ares,
alle case di Deifobo con Menelao pari a un dio.
Diceva che lì, sostenuta una battaglia terribile,
520 vinse anche allora grazie alla magnanima Atena.

Queste imprese il cantore famoso cantava, e si struggeva
Odisseo. il pianto gli bagnava le guance sotto le palpebre.
Come piange una donna, gettatasi sul caro marito
che cadde davanti alla propria città e alle schiere
525 per stornare dalla patria e dai figli il giorno spietato:
ella, che l'ha visto morire e dibattersi, riversa
su di lui, singhiozza stridulamente, e i nemici di dietro,
battendole con le aste la schiena e le spalle,
la portano schiava, ad avere fatica e miseria;
530 le si consumano per la pena straziante le guance;
così Odisseo spargeva pianto straziante sotto le ciglia.
E a tutti gli altri sfuggì che piangeva;
solo Alcinoo lo notò e se ne accorse,
che sedeva al suo fianco: l'udì gemere profondamente.
535 E subito disse ai Feaci che amano i remi:

« κέκλυτε, Φαιήκων ἡγήτορες ἠδὲ μέδοντες,
Δημόδοκος δ' ἤδη σχεθέτω φόρμιγγα λίγειαν·
οὐ γάρ πως πάντεσσι χαριζόμενος τάδ' ἀείδει.
ἐξ οὗ δορπέομέν τε καὶ ὤρορε θεῖος ἀοιδός,
540 ἐκ τοῦδ' οὔ πω παύσατ' ὀϊζυροῖο γόοιο
ὁ ξεῖνος· μάλα πού μιν ἄχος φρένας ἀμφιβέβηκεν.
ἀλλ' ἄγ' ὁ μὲν σχεθέτω, ἵν' ὁμῶς τερπώμεθα πάντες
ξεινοδόκοι καὶ ξεῖνος, ἐπεὶ πολὺ κάλλιον οὕτως·
εἵνεκα γὰρ ξείνοιο τάδ' αἰδοίοιο τέτυκται,
545 πομπὴ καὶ φίλα δῶρα, τά οἱ δίδομεν φιλέοντες.
ἀντὶ κασιγνήτου ξεῖνός θ' ἱκέτης τε τέτυκται
ἀνέρι, ὅς τ' ὀλίγον περ ἐπιψαύῃ πραπίδεσσι.
τῷ νῦν μηδὲ σὺ κεῦθε νοήμασι κερδαλέοισιν
ὅττι κέ σ' εἴρωμαι· φάσθαι δέ σε κάλλιόν ἐστιν.
550 εἴπ' ὄνομ' ὅττι σε κεῖθι κάλεον μήτηρ τε πατήρ τε,
ἄλλοι θ' οἳ κατὰ ἄστυ καὶ οἳ περιναιετάουσιν.
οὐ μὲν γάρ τις πάμπαν ἀνώνυμός ἐστ' ἀνθρώπων,
οὐ κακὸς οὐδὲ μὲν ἐσθλός, ἐπὴν τὰ πρῶτα γένηται,
ἀλλ' ἐπὶ πᾶσι τίθενται, ἐπεί κε τέκωσι, τοκῆες.
555 εἰπὲ δέ μοι γαῖάν τε τεὴν δῆμόν τε πόλιν τε,
ὄφρα σε τῇ πέμψωσι τιτυσκόμεναι φρεσὶ νῆες.
οὐ γὰρ Φαιήκεσσι κυβερνητῆρες ἔασιν,
οὐδέ τι πηδάλι' ἐστί, τά τ' ἄλλαι νῆες ἔχουσιν·
ἀλλ' αὐταὶ ἴσασι νοήματα καὶ φρένας ἀνδρῶν,
560 καὶ πάντων ἴσασι πόλιας καὶ πίονας ἀγροὺς
ἀνθρώπων, καὶ λαῖτμα τάχισθ' ἁλὸς ἐκπερόωσιν
ἠέρι καὶ νεφέλῃ κεκαλυμμέναι· οὐδέ ποτέ σφιν
οὔτε τι πημανθῆναι ἔπι δέος οὔτ' ἀπολέσθαι.
ἀλλὰ τόδ' ὥς ποτε πατρὸς ἐγὼν εἰπόντος ἄκουσα
565 Ναυσιθόου, ὃς ἔφασκε Ποσειδάων' ἀγάσασθαι
ἡμῖν, οὕνεκα πομποὶ ἀπήμονές εἰμεν ἁπάντων.
φῆ ποτὲ Φαιήκων ἀνδρῶν εὐεργέα νῆα
ἐκ πομπῆς ἀνιοῦσαν ἐν ἠεροειδέϊ πόντῳ
ῥαισέμεναι, μέγα δ' ἧμιν ὄρος πόλει ἀμφικαλύψειν.

« Ascoltate, capi e consiglieri feaci,
Demodoco fermi subito la cetra sonora,
perché canta senza essere a tutti gradito.
Da quando ceniamo e il cantore divino si è alzato,
540 da allora non smette di gemere miseramente
il nostro ospite: l'angoscia gli ha avvolto i precordi.
Dunque smetta l'aedo, per gioire tutti ugualmente,
ospitanti e ospitato, perché è assai meglio così:
sono per l'ospite riverito questi onori,
545 la scorta e i cari doni che gli diamo da amici.
L'ospite e il supplice valgono quanto un congiunto
per l'uomo che abbia anche solo un poco di senno.
Perciò ora tu non celare con scaltri pensieri
ciò che ti chiedo: è più bello se parli.
550 Di' il nome col quale ti chiamano la madre, il padre,
gli altri in città e quelli che abitano nei luoghi vicini,
perché nessun uomo è privo di un nome,
misero o nobile, appena sia nato,
ma i genitori lo impongono a tutti quando li generano.
555 Dimmi la terra e la gente e la tua città,
perché le navi dirigendosi là col pensiero ti portino.
Infatti i Feaci non hanno piloti,
le navi non hanno i timoni che hanno le altre,
ma sanno da sole i pensieri e la mente degli uomini,
560 le città e i grassi campi di tutti conoscono,
e traversano celeri l'abisso del mare
avvolte nella foschia e in una nube: esse non temono
mai di soffrire alcun danno o d'andare in rovina.
Ma una volta sentii dire questo a mio padre
565 Nausitoo: diceva che Posidone era irato
con noi, perché senza danno siamo guide di tutti.
Diceva che un giorno avrebbe spezzato una nave ben costruita
ai Feaci, mentre sul mare fosco da un viaggio di scorta
tornava, e avrebbe avvolto la nostra città d'un gran monte.

570 ὣς ἀγόρευ' ὁ γέρων· τὰ δέ κεν θεὸς ἢ τελέσειεν,
ἤ κ' ἀτέλεστ' εἴη, ὥς οἱ φίλον ἔπλετο θυμῷ.
ἀλλ' ἄγε μοι τόδε εἰπὲ καὶ ἀτρεκέως κατάλεξον,
ὅππη ἀπεπλάγχθης τε καὶ ἅς τινας ἵκεο χώρας
ἀνθρώπων, αὐτούς τε πόλιάς τ' εὖ ναιεταούσας,
575 ἠμὲν ὅσοι χαλεποί τε καὶ ἄγριοι οὐδὲ δίκαιοι,
οἵ τε φιλόξεινοι καί σφιν νόος ἐστὶ θεουδής.
εἰπὲ δ' ὅ τι κλαίεις καὶ ὀδύρεαι ἔνδοθι θυμῷ
Ἀργείων Δαναῶν ἠδ' Ἰλίου οἶτον ἀκούων.
τὸν δὲ θεοὶ μὲν τεῦξαν, ἐπεκλώσαντο δ' ὄλεθρον
580 ἀνθρώποις, ἵνα ᾖσι καὶ ἐσσομένοισιν ἀοιδή.
ἦ τίς τοι καὶ πηὸς ἀπέφθιτο Ἰλιόθι πρὸ
ἐσθλὸς ἐών, γαμβρὸς ἢ πενθερός, οἵ τε μάλιστα
κήδιστοι τελέθουσι μεθ' αἷμά τε καὶ γένος αὐτῶν;
ἦ τίς που καὶ ἑταῖρος ἀνὴρ κεχαρισμένα εἰδώς,
585 ἐσθλός; ἐπεὶ οὐ μέν τι κασιγνήτοιο χερείων
γίγνεται ὅς κεν ἑταῖρος ἐὼν πεπνυμένα εἰδῇ ».

570 Così il vecchio diceva: e questo il dio potrà compierlo
o rimarrà incompiuto, come gli è caro nell'animo.
Ma dimmi una cosa e dilla con tutta franchezza,
come fosti sviato e in quali terre abitate da uomini
sei arrivato: racconta di essi e delle popolose città,
575 di quanti sono ostili e selvaggi e non giusti
e di quelli ospitali e che temono nella mente gli dei.
Di' perché piangi e nel tuo animo gemi
quando odi la sorte dei Danai argivi e di Ilio.
A volerla sono stati gli dei: filarono la rovina
580 per gli uomini, perché avessero anche i posteri il canto.
Davanti a Ilio t'è forse morto un parente
che era valoroso, un genero o il suocero, che sono
i più cari dopo i congiunti di sangue e la propria famiglia?
o anche un compagno che provava affetto per te,
585 valoroso? perché non è inferiore
a un congiunto un compagno che abbia saggi pensieri ».

I

Τὸν δ' ἀπαμειβόμενος προσέφη πολύμητις Ὀδυσσεύς·
« Ἀλκίνοε κρεῖον, πάντων ἀριδείκετε λαῶν,
ἤτοι μὲν τόδε καλὸν ἀκουέμεν ἐστὶν ἀοιδοῦ
τοιοῦδ', οἷος ὅδ' ἐστί, θεοῖσ' ἐναλίγκιος αὐδήν.
5 οὐ γὰρ ἐγώ γέ τί φημι τέλος χαριέστερον εἶναι
ἢ ὅτ' ἐϋφροσύνη μὲν ἔχῃ κατὰ δῆμον ἅπαντα,
δαιτυμόνες δ' ἀνὰ δώματ' ἀκουάζωνται ἀοιδοῦ
ἥμενοι ἑξείης, παρὰ δὲ πλήθωσι τράπεζαι
σίτου καὶ κρειῶν, μέθυ δ' ἐκ κρητῆρος ἀφύσσων
10 οἰνοχόος φορέῃσι καὶ ἐγχείῃ δεπάεσσι·
τοῦτό τί μοι κάλλιστον ἐνὶ φρεσὶν εἴδεται εἶναι.
σοὶ δ' ἐμὰ κήδεα θυμὸς ἐπετράπετο στονόεντα
εἴρεσθ', ὄφρ' ἔτι μᾶλλον ὀδυρόμενος στεναχίζω.
τί πρῶτόν τοι ἔπειτα, τί δ' ὑστάτιον καταλέξω;
15 κήδε' ἐπεί μοι πολλὰ δόσαν θεοὶ Οὐρανίωνες.
νῦν δ' ὄνομα πρῶτον μυθήσομαι, ὄφρα καὶ ὑμεῖς
εἴδετ', ἐγὼ δ' ἂν ἔπειτα φυγὼν ὕπο νηλεὲς ἦμαρ
ὑμῖν ξεῖνος ἔω καὶ ἀπόπροθι δώματα ναίων.
εἴμ' Ὀδυσεὺς Λαερτιάδης, ὃς πᾶσι δόλοισιν
20 ἀνθρώποισι μέλω, καί μευ κλέος οὐρανὸν ἵκει.
ναιετάω δ' Ἰθάκην εὐδείελον· ἐν δ' ὄρος αὐτῇ,
Νήριτον εἰνοσίφυλλον ἀριπρεπές· ἀμφὶ δὲ νῆσοι
πολλαὶ ναιετάουσι μάλα σχεδὸν ἀλλήλῃσι,
Δουλίχιόν τε Σάμη τε καὶ ὑλήεσσα Ζάκυνθος.
25 αὐτὴ δὲ χθαμαλὴ πανυπερτάτη εἰν ἁλὶ κεῖται
πρὸς ζόφον, αἱ δέ τ' ἄνευθε πρὸς ἠῶ τ' ἠέλιόν τε,

LIBRO NONO

Rispondendo gli disse l'astuto Odisseo:
« Potente Alcinoo, insigne tra tutti i popoli,
certo è bello ascoltare un cantore
così come è questo, simile per la voce agli dei.
5 Perché penso non v'è godimento più bello,
di quando la gioia pervade tutta la gente,
i convitati ascoltano nella sala il cantore
seduti con ordine, le tavole accanto son piene
di pane e di carni, dal cratere attinge vino
10 il coppiere, lo porta e nelle coppe lo versa:
questo mi sembra nell'animo una cosa bellissima.
Ma il tuo cuore s'è volto a chiedere delle mie dolorose
sventure, perché piangendo io gema di più.
Quale devo narrare per prima, quale per ultima?
15 perché sventure me ne diedero molte gli dei Uranidi.
Anzitutto dirò ora il nome, perché lo sappiate
anche voi ed io dopo, sfuggito al giorno spietato,
per voi sia un ospite, anche abitando lontano.
Sono Odisseo, figlio di Laerte, noto agli uomini
20 per tutte le astuzie, la mia fama va fino al cielo.
Abito ad Itaca chiara nel sole: in essa è un monte
che spicca, il Nerito frusciante di foglie; intorno sono
molte isole, vicine tra loro,
Dulichio e Same e Zacinto selvosa.
25 Bassa nel mare essa giace, ultima
verso occidente – le altre a parte, verso l'aurora e il sole –,

τρηχεῖ', ἀλλ' ἀγαθὴ κουροτρόφος· οὔ τι ἐγώ γε
ἧς γαίης δύναμαι γλυκερώτερον ἄλλο ἰδέσθαι.
ἦ μέν μ' αὐτόθ' ἔρυκε Καλυψώ, δῖα θεάων,
30 ἐν σπέσσι γλαφυροῖσι, λιλαιομένη πόσιν εἶναι·
ὣς δ' αὔτως Κίρκη κατερήτυεν ἐν μεγάροισιν
Αἰαίη δολόεσσα, λιλαιομένη πόσιν εἶναι.
ἀλλ' ἐμὸν οὔ ποτε θυμὸν ἐνὶ στήθεσσιν ἔπειθεν.
ὡς οὐδὲν γλύκιον ἧς πατρίδος οὐδὲ τοκήων
35 γίγνεται, εἴ περ καί τις ἀπόπροθι πίονα οἶκον
γαίῃ ἐν ἀλλοδαπῇ ναίει ἀπάνευθε τοκήων.
εἰ δ' ἄγε τοι καὶ νόστον ἐμὸν πολυκηδέ' ἐνίσπω,
ὅν μοι Ζεὺς ἐφέηκεν ἀπὸ Τροίηθεν ἰόντι.
'Ιλιόθεν με φέρων ἄνεμος Κικόνεσσι πέλασσεν,
40 'Ισμάρῳ· ἔνθα δ' ἐγὼ πόλιν ἔπραθον, ὤλεσα δ' αὐτούς·
ἐκ πόλιος δ' ἀλόχους καὶ κτήματα πολλὰ λαβόντες
δασσάμεθ', ὡς μή τίς μοι ἀτεμβόμενος κίοι ἴσης.
ἔνθ' ἤτοι μὲν ἐγὼ διερῷ ποδὶ φευγέμεν ἡμέας
ἠνώγεα, τοὶ δὲ μέγα νήπιοι οὐκ ἐπίθοντο.
45 ἔνθα δὲ πολλὸν μὲν μέθυ πίνετο, πολλὰ δὲ μῆλα
ἔσφαζον παρὰ θῖνα καὶ εἰλίποδας ἕλικας βοῦς.
τόφρα δ' ἄρ' οἰχόμενοι Κίκονες Κικόνεσσι γεγώνευν,
οἵ σφιν γείτονες ἦσαν, ἅμα πλέονες καὶ ἀρείους,
ἤπειρον ναίοντες, ἐπιστάμενοι μὲν ἀφ' ἵππων
50 ἀνδράσι μάρνασθαι καὶ ὅθι χρὴ πεζὸν ἐόντα.
ἦλθον ἔπειθ', ὅσα φύλλα καὶ ἄνθεα γίγνεται ὥρῃ,
ἠέριοι· τότε δή ῥα κακὴ Διὸς αἶσα παρέστη
ἡμῖν αἰνομόροισιν, ἵν' ἄλγεα πολλὰ πάθοιμεν.
στησάμενοι δ' ἐμάχοντο μάχην παρὰ νηυσὶ θοῇσι,
55 βάλλον δ' ἀλλήλους χαλκήρεσιν ἐγχείῃσιν.
ὄφρα μὲν ἠὼς ἦν καὶ ἀέξετο ἱερὸν ἦμαρ,
τόφρα δ' ἀλεξόμενοι μένομεν πλέονάς περ ἐόντας·
ἦμος δ' ἠέλιος μετενίσετο βουλυτόνδε,
καὶ τότε δὴ Κίκονες κλῖναν δαμάσαντες 'Αχαιούς.
60 ἓξ δ' ἀφ' ἑκάστης νηὸς ἐϋκνήμιδες ἑταῖροι

irta di sassi, ma brava nutrice di giovani. Non so vedere
altra cosa più dolce, per uno, della sua terra.
Da una parte mi teneva Calipso, chiara tra le dee,
30 nelle cave spelonche, vogliosa d'avermi marito;
e così mi teneva anche Circe, nella sua casa,
l'insidiosa abitante di Eea, vogliosa d'avermi marito:
mai nessuna però convinse nel petto il mio animo.
Perché niente è più dolce, per uno, della patria
35 e dei suoi genitori, anche se abita una casa opulenta
lontano, in terra straniera, diviso dai genitori.
Suvvia, anche il mio doloroso ritorno voglio narrarti,
quello che Zeus mi inflisse partendo da Troia.
Da Ilio il vento mi spinse e portò dai Cìconi,
40 ad Ismaro: lì saccheggiai la città, annientai gli abitanti.
Prendemmo le spose e molte ricchezze dalla città,
le dividemmo, perché nessuno partisse privato del giusto.
Io allora dissi che dovevamo fuggire con rapido
piede, ma quegli sciocchi non mi diedero ascolto.
45 Si bevve laggiù molto vino, molte greggi
sulla riva sgozzavano, e buoi dal passo e dalle corna ricurve.
I Cìconi andarono intanto a chiedere aiuto dai Cìconi
che erano loro vicini, più numerosi e più forti,
che nell'interno abitavano e sapevano battersi
50 coi nemici dal carro e, dove occorreva, appiedati.
Arrivarono, come spuntano in primavera le foglie e i fiori,
al mattino: allora la mala sorte di Zeus fu a fianco
a noi, sciagurati, perché patissimo molti dolori.
Attaccarono battaglia schierati presso le navi veloci,
55 gli uni colpivano gli altri con le aste di bronzo.
Finché era ancora mattino e il sacro giorno cresceva,
resistemmo, benché fossero più numerosi:
ma quando il sole raggiunse l'ora che fa sciogliere i buoi,
i Cìconi, sopraffatti gli Achei, li piegarono.
60 Perirono sei compagni dai saldi schinieri

ὤλονθ᾽· οἱ δ᾽ ἄλλοι φύγομεν θάνατόν τε μόρον τε.

ἔνθεν δὲ προτέρω πλέομεν ἀκαχήμενοι ἦτορ,
ἄσμενοι ἐκ θανάτοιο, φίλους ὀλέσαντες ἑταίρους·
οὐδ᾽ ἄρα μοι προτέρω νῆες κίον ἀμφιέλισσαι,
65 πρίν τινα τῶν δειλῶν ἑτάρων τρὶς ἕκαστον ἀῦσαι,
οἳ θάνον ἐν πεδίῳ Κικόνων ὕπο δῃωθέντες.
νηυσὶ δ᾽ ἐπῶρσ᾽ ἄνεμον βορέην νεφεληγερέτα Ζεὺς
λαίλαπι θεσπεσίῃ, σὺν δὲ νεφέεσσι κάλυψε
γαῖαν ὁμοῦ καὶ πόντον· ὀρώρει δ᾽ οὐρανόθεν νύξ.
70 αἱ μὲν ἔπειτ᾽ ἐφέροντ᾽, ἐπικάρσιαι, ἱστία δέ σφιν
τριχθά τε καὶ τετραχθὰ διέσχισεν ἲς ἀνέμοιο.
καὶ τὰ μὲν ἐς νῆας κάθεμεν, δείσαντες ὄλεθρον,
αὐτὰς δ᾽ ἐσσυμένως προερέσσαμεν ἤπειρόνδε.
ἔνθα δύω νύκτας δύο τ᾽ ἤματα συνεχὲς αἰεὶ
75 κείμεθ᾽, ὁμοῦ καμάτῳ τε καὶ ἄλγεσι θυμὸν ἔδοντες.
ἀλλ᾽ ὅτε δὴ τρίτον ἦμαρ ἐϋπλόκαμος τέλεσ᾽ Ἠώς,
ἱστοὺς στησάμενοι ἀνά θ᾽ ἱστία λεύκ᾽ ἐρύσαντες
ἥμεθα· τὰς δ᾽ ἄνεμός τε κυβερνῆταί τ᾽ ἴθυνον.
καί νύ κεν ἀσκηθὴς ἱκόμην ἐς πατρίδα γαῖαν,
80 ἀλλά με κῦμα ῥόος τε περιγνάμπτοντα Μάλειαν
καὶ βορέης ἀπέωσε, παρέπλαγξεν δὲ Κυθήρων.

ἔνθεν δ᾽ ἐννῆμαρ φερόμην ὀλοοῖσ᾽ ἀνέμοισι
πόντον ἐπ᾽ ἰχθυόεντα· ἀτὰρ δεκάτῃ ἐπέβημεν
γαίης Λωτοφάγων, οἵ τ᾽ ἄνθινον εἶδαρ ἔδουσιν.
85 ἔνθα δ᾽ ἐπ᾽ ἠπείρου βῆμεν καὶ ἀφυσσάμεθ᾽ ὕδωρ,
αἶψα δὲ δεῖπνον ἕλοντο θοῇς παρὰ νηυσὶν ἑταῖροι.
αὐτὰρ ἐπεὶ σίτοιό τ᾽ ἐπασσάμεθ᾽ ἠδὲ ποτῆτος,
δὴ τότ᾽ ἐγὼν ἑτάρους προΐην πεύθεσθαι ἰόντας
οἵ τινες ἀνέρες εἶεν ἐπὶ χθονὶ σῖτον ἔδοντες,
90 ἄνδρε δύω κρίνας, τρίτατον κήρυχ᾽ ἅμ᾽ ὀπάσσας.
οἱ δ᾽ αἶψ᾽ οἰχόμενοι μίγεν ἀνδράσι Λωτοφάγοισιν·
οὐδ᾽ ἄρα Λωτοφάγοι μήδονθ᾽ ἑτάροισιν ὄλεθρον
ἡμετέροισ᾽, ἀλλά σφι δόσαν λωτοῖο πάσασθαι.
τῶν δ᾽ ὅς τις λωτοῖο φάγοι μελιηδέα καρπόν,

per ogni nave: noi altri sfuggimmo alla morte e al destino.
Navigammo oltre, da lì, col cuore angosciato,
sollevati da morte, perduti i cari compagni.
Ma non avanzarono oltre le navi veloci a virare,
65 finché, per tre volte, non invocammo ciascuno dei miseri
che erano morti sul campo sopraffatti dai Cìconi.
Contro le navi Zeus che addensa le nubi suscitò borea
con tremendo uragano, e con le nubi ravvolse
e terra e mare: dal cielo era sorta la notte.
70 Di traverso esse furono spinte, la forza del vento
squarciò loro le vele in tre e quattro lembi.
Paventando la fine, le tirammo giù nelle navi,
e spingemmo queste a forza di remi alla riva.
Restammo lì due giorni e due notti di seguito,
75 rodendoci l'animo a un tempo con fatiche e dolori.
Ma quando Aurora dai riccioli belli portò il terzo giorno,
drizzati gli alberi e issate le bianche vele,
sulle navi sedemmo: le guidavano il vento e i piloti.
E sarei giunto illeso nella terra dei padri:
80 ma nel doppiare Capo Malea l'onda, la corrente
e borea mi dirottarono e da Citera sviarono.
Per nove giorni fui spinto dai venti funesti
sul mare pescoso: al decimo giorno arrivammo
presso i Lotofagi, che mangiano un cibo di fiori.
85 Scendemmo lì a terra e acqua attingemmo:
subito presero il pasto accanto alle navi veloci, i compagni.
Dopoché fummo sazi di cibo e bevanda,
allora io mandai dei compagni a indagare
chi fossero gli uomini che in quella terra mangiavano pane,
90 scelti due uomini e aggiunto come terzo un araldo.
Costoro partirono e subito furono in mezzo ai Lotofagi.
Non meditavano la morte ai nostri compagni
i Lotofagi, ma gli diedero da mangiare del loto.
E chi di essi mangiava il dolcissimo frutto del loto

95 οὐκέτ' ἀπαγγεῖλαι πάλιν ἤθελεν οὐδὲ νέεσθαι,
ἀλλ' αὐτοῦ βούλοντο μετ' ἀνδράσι Λωτοφάγοισι
λωτὸν ἐρεπτόμενοι μενέμεν νόστου τε λαθέσθαι.
τοὺς μὲν ἐγὼν ἐπὶ νῆας ἄγον κλαίοντας ἀνάγκῃ,
νηυσὶ δ' ἐνὶ γλαφυρῇσιν ὑπὸ ζυγὰ δῆσα ἐρύσσας.
100 αὐτὰρ τοὺς ἄλλους κελόμην ἐρίηρας ἑταίρους
σπερχομένους νηῶν ἐπιβαινέμεν ὠκειάων,
μή πώς τις λωτοῖο φαγὼν νόστοιο λάθηται.
οἱ δ' αἶψ' εἴσβαινον καὶ ἐπὶ κληῖσι καθῖζον,
ἑξῆς δ' ἑζόμενοι πολιὴν ἅλα τύπτον ἐρετμοῖς.
105 ἔνθεν δὲ προτέρω πλέομεν ἀκαχήμενοι ἦτορ.
Κυκλώπων δ' ἐς γαῖαν ὑπερφιάλων ἀθεμίστων
ἱκόμεθ', οἵ ῥα θεοῖσι πεποιθότες ἀθανάτοισιν
οὔτε φυτεύουσιν χερσὶν φυτὸν οὔτ' ἀρόωσιν,
ἀλλὰ τά γ' ἄσπαρτα καὶ ἀνήροτα πάντα φύονται,
110 πυροὶ καὶ κριθαὶ ἠδ' ἄμπελοι, αἵ τε φέρουσιν
οἶνον ἐριστάφυλον, καί σφιν Διὸς ὄμβρος ἀέξει.
τοῖσιν δ' οὔτ' ἀγοραὶ βουληφόροι οὔτε θέμιστες,
ἀλλ' οἵ γ' ὑψηλῶν ὀρέων ναίουσι κάρηνα
ἐν σπέσσι γλαφυροῖσι, θεμιστεύει δὲ ἕκαστος
115 παίδων ἠδ' ἀλόχων, οὐδ' ἀλλήλων ἀλέγουσι.
νῆσος ἔπειτα λάχεια παρὲκ λιμένος τετάνυσται
γαίης Κυκλώπων οὔτε σχεδὸν οὔτ' ἀποτηλοῦ,
ὑλήεσσ'· ἐν δ' αἶγες ἀπειρέσιαι γεγάασιν
ἄγριαι· οὐ μὲν γὰρ πάτος ἀνθρώπων ἀπερύκει,
120 οὐδέ μιν εἰσοιχνεῦσι κυνηγέται, οἵ τε καθ' ὕλην
ἄλγεα πάσχουσιν κορυφὰς ὀρέων ἐφέποντες.
οὔτ' ἄρα ποίμνῃσιν καταΐσχεται οὔτ' ἀρότοισιν,
ἀλλ' ἥ γ' ἄσπαρτος καὶ ἀνήροτος ἤματα πάντα
ἀνδρῶν χηρεύει, βόσκει δέ τε μηκάδας αἶγας.
125 οὐ γὰρ Κυκλώπεσσι νέες πάρα μιλτοπάρῃοι,
οὐδ' ἄνδρες νεῶν ἔνι τέκτονες, οἵ κε κάμοιεν
νῆας ἐϋσσέλμους, αἵ κεν τελέοιεν ἕκαστα
ἄστε' ἐπ' ἀνθρώπων ἱκνεύμεναι, οἷά τε πολλὰ

95 non aveva più voglia d'annunziare e tornare,
ma preferiva restare lì tra i Lotofagi
a cibarsi di loto, e obliare il ritorno.
A forza condussi costoro, piangenti, alle navi
e trascinatili nelle navi ben cave li legai sotto i bagli;
100 poi agli altri fedeli compagni ordinai
di salire rapidamente sulle navi veloci,
perché nessuno, mangiando loto, obliasse il ritorno.
Essi si imbarcarono subito e presero posto agli scalmi
e sedendo in fila battevano l'acqua canuta coi remi.
105 Navigammo oltre, da lì, col cuore angosciato,
e arrivammo alla terra dei Ciclopi violenti
e privi di leggi, che fidando negli dei immortali
con le mani non piantano piante, né arano:
ma tutto spunta senza seme né aratro,
110 il grano, l'orzo, le viti che producono
vino di ottimi grappoli, e la pioggia di Zeus glielo fa crescere.
Costoro non hanno assemblee di consiglio, né leggi,
ma abitano le cime di alte montagne
in cave spelonche, e ciascuno comanda
115 sui figli e le mogli, incuranti gli uni degli altri.
Fuori del porto s'allunga un'isola, piana,
non troppo prossima alla terra dei Ciclopi o distante,
boscosa: ci vivono innumerevoli capre
selvatiche. Nessun passaggio di uomini le tiene lontane
120 e non la percorrono i cacciatori, che nella foresta,
andando per le cime dei monti, dolori sopportano.
Non è coperta da greggi o da campi di biade,
ma è tutto il tempo incolta, inarata,
senza uomini, e nutre capre belanti.
125 I Ciclopi non hanno navi con le guance di minio,
non vi sono carpentieri tra essi, che lavorino
a navi ben costruite, in grado di fare ogni cosa
toccando luoghi abitati, così come gli uomini

ἄνδρες ἐπ' ἀλλήλους νηυσὶν περόωσι θάλασσαν·
130 οἵ κέ σφιν καὶ νῆσον ἐϋκτιμένην ἐκάμοντο.
οὐ μὲν γάρ τι κακή γε, φέροι δέ κεν ὥρια πάντα·
ἐν μὲν γὰρ λειμῶνες ἁλὸς πολιοῖο παρ' ὄχθας
ὑδρηλοὶ μαλακοί· μάλα κ' ἄφθιτοι ἄμπελοι εἶεν·
ἐν δ' ἄροσις λείη· μάλα κεν βαθὺ λήϊον αἰεὶ
135 εἰς ὥρας ἀμῷεν, ἐπεὶ μάλα πῖαρ ὑπ' οὖδας.
ἐν δὲ λιμὴν εὔορμος, ἵν' οὐ χρεὼ πείσματός ἐστιν,
οὔτ' εὐνὰς βαλέειν οὔτε πρυμνήσι' ἀνάψαι,
ἀλλ' ἐπικέλσαντας μεῖναι χρόνον, εἰς ὅ κε ναυτέων
θυμὸς ἐποτρύνῃ καὶ ἐπιπνεύσωσιν ἀῆται.
140 αὐτὰρ ἐπὶ κρατὸς λιμένος ῥέει ἀγλαὸν ὕδωρ,
κρήνη ὑπὸ σπείους· περὶ δ' αἴγειροι πεφύασιν.
ἔνθα κατεπλέομεν, καί τις θεὸς ἡγεμόνευε
νύκτα δι' ὀρφναίην, οὐδὲ προὐφαίνετ' ἰδέσθαι·
ἀὴρ γὰρ περὶ νηυσὶ βαθεῖ' ἦν, οὐδὲ σελήνη
145 οὐρανόθεν προὔφαινε, κατείχετο δὲ νεφέεσσιν.
ἔνθ' οὔ τις τὴν νῆσον ἐσέδρακεν ὀφθαλμοῖσιν·
οὔτ' οὖν κύματα μακρὰ κυλινδόμενα προτὶ χέρσον
εἰσίδομεν, πρὶν νῆας ἐϋσσέλμους ἐπικέλσαι.
κελσάσῃσι δὲ νηυσὶ καθείλομεν ἱστία πάντα,
150 ἐκ δὲ καὶ αὐτοὶ βῆμεν ἐπὶ ῥηγμῖνι θαλάσσης·
ἔνθα δ' ἀποβρίξαντες ἐμείναμεν Ἠῶ δῖαν.
  ἦμος δ' ἠριγένεια φάνη ῥοδοδάκτυλος Ἠώς,
νῆσον θαυμάζοντες ἐδινεόμεσθα κατ' αὐτήν.
ὦρσαν δὲ Νύμφαι, κοῦραι Διὸς αἰγιόχοιο,
155 αἶγας ὀρεσκῴους, ἵνα δειπνήσειαν ἑταῖροι.
αὐτίκα καμπύλα τόξα καὶ αἰγανέας δολιχαύλους
εἱλόμεθ' ἐκ νηῶν, διὰ δὲ τρίχα κοσμηθέντες
βάλλομεν· αἶψα δὲ δῶκε θεὸς μενοεικέα θήρην.
νῆες μέν μοι ἕποντο δυώδεκα, ἐς δὲ ἑκάστην
160 ἐννέα λάγχανον αἶγες· ἐμοὶ δὲ δέκ' ἔξελον οἴῳ.
ὣς τότε μὲν πρόπαν ἦμαρ ἐς ἠέλιον καταδύντα
ἥμεθα δαινύμενοι κρέα τ' ἄσπετα καὶ μέθυ ἡδύ.

vanno spesso con le navi sul mare gli uni dagli altri.
130 Gli avrebbero coltivato anche l'isola ben costruita, costoro.
Non è, infatti, cattiva e darebbe ogni frutto a suo tempo:
vi sono roridi, morbidi prati vicino alle rive
del mare canuto e vi attecchirebbero viti perenni;
vi è terra piana, da arare, e mieterebbero sempre alta messe
135 a suo tempo, perché il suolo sotto è ben grasso.
C'è un porto con ottimi approdi, dove non occorre la gomena,
né gettare le ancore né legare gli ormeggi:
ma, approdati, si può rimanere finché l'animo
spinga i naviganti a salpare e soffino i venti.
140 In capo al porto scorre limpida acqua:
una fonte, dentro una grotta. Intorno crescono pioppi.
Arrivammo in quel luogo, e un dio ci guidava
nella notte buia, senza svelarsi alla vista:
intorno alle navi c'era nebbia profonda, la luna
145 non luceva dal cielo, ma era impigliata tra nubi.
Così nessuno con gli occhi scorse quell'isola
e neppure vedemmo rotolare sul lido
le lunghe onde, finché le navi ben costruite approdarono.
Alle navi approdate togliemmo tutte le vele,
150 noi stessi sbarcammo sulla riva del mare.
E lì, immersi nel sonno, aspettammo la chiara Aurora.
Quando mattutina apparve Aurora dalle rosee dita,
meravigliati facemmo il giro dell'isola.
Le ninfe, figlie di Zeus egìoco, eccitarono
155 le capre montane, perché i compagni avessero il pasto:
subito dalle navi prendemmo gli archi ricurvi
e le aste col becco lungo, e tiravamo, in tre squadre
divisi: subito il dio ci diede una caccia abbondante.
Mi seguivano dodici navi e toccarono nove capre
160 a ciascuna: solo a me ne scelsero dieci.
Così tutto il giorno sedemmo, fino al tramonto,
consumando carni abbondanti e dolce vino:

οὐ γάρ πω νηῶν ἐξέφθιτο οἶνος ἐρυθρός,
ἀλλ' ἐνέην· πολλὸν γὰρ ἐν ἀμφιφορεῦσι ἕκαστοι
165 ἠφύσαμεν Κικόνων ἱερὸν πτολίεθρον ἑλόντες.
Κυκλώπων δ' ἐς γαῖαν ἐλεύσσομεν ἐγγὺς ἐόντων,
καπνόν τ' αὐτῶν τε φθογγὴν ὀΐων τε καὶ αἰγῶν.
ἦμος δ' ἠέλιος κατέδυ καὶ ἐπὶ κνέφας ἦλθε,
δὴ τότε κοιμήθημεν ἐπὶ ῥηγμῖνι θαλάσσης.
170 ἦμος δ' ἠριγένεια φάνη ῥοδοδάκτυλος Ἠώς,
καὶ τότ' ἐγὼν ἀγορὴν θέμενος μετὰ πᾶσιν ἔειπον·
"ἄλλοι μὲν νῦν μίμνετ', ἐμοὶ ἐρίηρες ἑταῖροι·
αὐτὰρ ἐγὼ σὺν νηΐ τ' ἐμῇ καὶ ἐμοῖσ' ἑτάροισιν
ἐλθὼν τῶνδ' ἀνδρῶν πειρήσομαι, οἵ τινές εἰσιν,
175 ἤ ῥ' οἵ γ' ὑβρισταί τε καὶ ἄγριοι οὐδὲ δίκαιοι,
ἦε φιλόξεινοι, καί σφιν νόος ἐστὶ θεουδής".
ὣς εἰπὼν ἀνὰ νηὸς ἔβην, ἐκέλευσα δ' ἑταίρους
αὐτούς τ' ἀμβαίνειν ἀνά τε πρυμνήσια λῦσαι.
οἱ δ' αἶψ' εἴσβαινον καὶ ἐπὶ κληῖσι καθῖζον,
180 ἑξῆς δ' ἑζόμενοι πολιὴν ἅλα τύπτον ἐρετμοῖς.
ἀλλ' ὅτε δὴ τὸν χῶρον ἀφικόμεθ' ἐγγὺς ἐόντα,
ἔνθα δ' ἐπ' ἐσχατιῇ σπέος εἴδομεν ἄγχι θαλάσσης,
ὑψηλόν, δάφνῃσι κατηρεφές· ἔνθα δὲ πολλὰ
μῆλ', ὄϊές τε καὶ αἶγες ἰαύεσκον· περὶ δ' αὐλὴ
185 ὑψηλὴ δέδμητο κατωρυχέεσσι λίθοισι
μακρῇσίν τε πίτυσσιν ἰδὲ δρυσὶν ὑψικόμοισιν.
ἔνθα δ' ἀνὴρ ἐνίαυε πελώριος, ὅς ῥα τὰ μῆλα
οἶος ποιμαίνεσκεν ἀπόπροθεν· οὐδὲ μετ' ἄλλους
πωλεῖτ', ἀλλ' ἀπάνευθεν ἐὼν ἀθεμίστια ᾔδη.
190 καὶ γὰρ θαῦμ' ἐτέτυκτο πελώριον, οὐδὲ ἐῴκει
ἀνδρί γε σιτοφάγῳ, ἀλλὰ ῥίῳ ὑλήεντι
ὑψηλῶν ὀρέων, ὅ τε φαίνεται οἶον ἀπ' ἄλλων.
δὴ τότε τοὺς ἄλλους κελόμην ἐρίηρας ἑταίρους
αὐτοῦ πὰρ νηΐ τε μένειν καὶ νῆα ἔρυσθαι·
195 αὐτὰρ ἐγὼ κρίνας ἑτάρων δυοκαίδεκ' ἀρίστους
βῆν· ἀτὰρ αἴγεον ἀσκὸν ἔχον μέλανος οἴνοιο,

il rosso vino sulle navi non era finito,
ma ve n'era: nelle anfore ciascuno ne aveva versato
165 molto, quando prendemmo la città sacra dei Cìconi.
Volgevamo lo sguardo alla terra dei vicini Ciclopi,
al fumo, alla voce loro, delle pecore e delle capre.
Appena il sole calò e sopraggiunse la tenebra,
ci sdraiammo sulla riva del mare.
170 Quando mattutina apparve Aurora dalle rosee dita,
allora fatto un consiglio parlai in mezzo a tutti:
"Voialtri ora aspettate, miei fedeli compagni,
mentre io con la mia nave e i miei compagni
vado a vedere che uomini sono costoro,
175 se prepotenti e selvaggi e non giusti,
oppure ospitali e che temono nella mente gli dei".
Detto così salii sulla nave, comandai ai compagni
di imbarcarsi anche loro e di sciogliere a poppa le gomene.
Subito essi salirono e presero posto agli scalmi,
180 e sedendo in fila battevano l'acqua canuta coi remi.
Quando arrivammo in quel luogo, che era vicino,
scorgemmo sull'orlo, accosto al mare, un'alta
spelonca coperta di alloro: molte greggi,
pecore e capre, di notte vi stavano; un alto recinto
185 si ergeva all'intorno con massi confitti in terra,
con lunghi tronchi di pino e di quercia d'alte fronde.
Vi dormiva un uomo immenso, che pasceva
da solo le greggi, lontano; non stava
con gli altri, ma viveva in disparte, da empio.
190 Ed era un mostro immenso, non somigliava
ad un uomo che mangia pane, ma alla cima selvosa
di altissimi monti, che appare isolata dalle altre.
Allora agli altri fedeli compagni ordinai
di restare presso la nave e di farle la guardia;
195 mentre io, scelti i dodici compagni migliori,
mi avviai. Avevo un otre di capra, pieno del nero vino,

ἡδέος, ὅν μοι ἔδωκε Μάρων, Εὐάνθεος υἱός,
ἱρεὺς Ἀπόλλωνος, ὃς Ἴσμαρον ἀμφιβεβήκει,
οὕνεκά μιν σὺν παισὶ περισχόμεθ' ἠδὲ γυναικὶ
200 ἁζόμενοι· ᾤκει γὰρ ἐν ἄλσεϊ δενδρήεντι
Φοίβου Ἀπόλλωνος. ὁ δέ μοι πόρεν ἀγλαὰ δῶρα·
χρυσοῦ μέν μοι δῶκ' εὐεργέος ἑπτὰ τάλαντα,
δῶκε δέ μοι κρητῆρα πανάργυρον, αὐτὰρ ἔπειτα
οἶνον ἐν ἀμφιφορεῦσι δυώδεκα πᾶσιν ἀφύσσας,
205 ἡδὺν ἀκηράσιον, θεῖον ποτόν· οὐδέ τις αὐτὸν
ἠείδη δμώων οὐδ' ἀμφιπόλων ἐνὶ οἴκῳ,
ἀλλ' αὐτός τ' ἄλοχός τε φίλη ταμίη τε μί' οἴη.
τὸν δ' ὅτε πίνοιεν μελιηδέα οἶνον ἐρυθρόν,
ἓν δέπας ἐμπλήσας ὕδατος ἀνὰ εἴκοσι μέτρα
210 χεῦ', ὀδμὴ δ' ἡδεῖα ἀπὸ κρητῆρος ὀδώδει,
θεσπεσίη· τότ' ἂν οὔ τοι ἀποσχέσθαι φίλον ἦεν.
τοῦ φέρον ἐμπλήσας ἀσκὸν μέγαν, ἐν δὲ καὶ ἦα
κωρύκῳ· αὐτίκα γάρ μοι ὀΐσσατο θυμὸς ἀγήνωρ
ἄνδρ' ἐπελεύσεσθαι μεγάλην ἐπιειμένον ἀλκήν,
215 ἄγριον, οὔτε δίκας εὖ εἰδότα οὔτε θέμιστας.
καρπαλίμως δ' εἰς ἄντρον ἀφικόμεθ', οὐδέ μιν ἔνδον
εὕρομεν, ἀλλ' ἐνόμευε νομὸν κάτα πίονα μῆλα.
ἐλθόντες δ' εἰς ἄντρον ἐθηεύμεσθα ἕκαστα·
ταρσοὶ μὲν τυρῶν βρῖθον, στείνοντο δὲ σηκοὶ
220 ἀρνῶν ἠδ' ἐρίφων· διακεκριμέναι δὲ ἕκασται
ἔρχατο, χωρὶς μὲν πρόγονοι, χωρὶς δὲ μέτασσαι,
χωρὶς δ' αὖθ' ἕρσαι· ναῖον δ' ὀρῷ ἄγγεα πάντα,
γαυλοί τε σκαφίδες τε, τετυγμένα, τοῖσ' ἐνάμελγεν.
ἔνθ' ἐμὲ μὲν πρώτισθ' ἕταροι λίσσοντ' ἐπέεσσι
225 τυρῶν αἰνυμένους ἰέναι πάλιν, αὐτὰρ ἔπειτα
καρπαλίμως ἐπὶ νῆα θοὴν ἐρίφους τε καὶ ἄρνας
σηκῶν ἐξελάσαντας ἐπιπλεῖν ἁλμυρὸν ὕδωρ·
ἀλλ' ἐγὼ οὐ πιθόμην – ἦ τ' ἂν πολὺ κέρδιον ἦεν –,
ὄφρ' αὐτόν τε ἴδοιμι καὶ εἴ μοι ξείνια δοίη.
230 οὐδ' ἄρ' ἔμελλ' ἑτάροισι φανεὶς ἐρατεινὸς ἔσεσθαι.

dolce, che mi diede Marone figlio di Euante,
sacerdote di Apollo, che era protettore di Ismaro,
perché, riverenti, col figlio e la moglie
200 lo risparmiammo: abitava, infatti, nel folto bosco
di Febo Apollo. Splendidi doni costui mi offrì:
sette talenti di oro lavorato mi diede,
mi diede un cratere tutto d'argento e del vino,
che egli versò nelle anfore, dodici in tutto,
205 dolce e puro, bevanda divina. Non era noto
a nessuno dei servi e alle ancelle di casa,
ma solo a lui, a sua moglie e ad una dispensiera.
Quando bevevano questo rosso vino di miele,
ne versava una tazza piena su venti misure
210 di acqua: dal cratere si spandeva un dolce profumo,
divino. Allora non avresti gradito starne lontano.
Un grande otre di questo vino portavo, e cibi
dentro un canestro: perché subito il mio animo altero pensò
che avremmo trovato un uomo con una gran forza,
215 selvaggio e ignaro di giusti pensieri e di leggi.
Rapidamente arrivammo alla grotta e non lo trovammo
dentro: pasceva le pingui greggi al pascolo.
Entrati nella spelonca guardammo meravigliati ogni cosa:
erano carichi di formaggi i graticci, erano stipati i recinti
220 di agnelli e capretti: ciascun gruppo era chiuso
a parte, da un lato i più vecchi, da uno i mezzani,
da un altro i lattanti; traboccavano tutti di siero i vasi
ben lavorati, secchi e mastelli, nei quali mungeva.
Allora i compagni mi chiesero di prendere
225 anzitutto il formaggio e andar via, e poi,
cacciati sveltamente i capretti e gli agnelli dai recinti
sulla nave veloce, di navigare sull'acqua salata:
ma io non volli ascoltare – e sarebbe stato assai meglio –
per poterlo vedere, e vedere se mi avrebbe ospitato.
230 Ma coi compagni non sarebbe stato gentile, una volta comparso.

ἔνθα δὲ πῦρ κήαντες ἐθύσαμεν ἠδὲ καὶ αὐτοὶ
τυρῶν αἰνύμενοι φάγομεν, μένομέν τέ μιν ἔνδον
ἥμενοι, ἕως ἐπῆλθε νέμων. φέρε δ' ὄβριμον ἄχθος
ὕλης ἀζαλέης, ἵνα οἱ ποτιδόρπιον εἴη.
235 ἔκτοσθεν δ' ἄντροιο βαλὼν ὀρυμαγδὸν ἔθηκεν·
ἡμεῖς δὲ δείσαντες ἀπεσσύμεθ' ἐς μυχὸν ἄντρου.
αὐτὰρ ὅ γ' εἰς εὐρὺ σπέος ἤλασε πίονα μῆλα,
πάντα μάλ', ὅσσ' ἤμελγε, τὰ δ' ἄρσενα λεῖπε θύρηφιν,
ἀρνειούς τε τράγους τε, βαθείης ἔκτοθεν αὐλῆς.
240 αὐτὰρ ἔπειτ' ἐπέθηκε θυρεὸν μέγαν ὑψόσ' ἀείρας,
ὄβριμον· οὐκ ἂν τόν γε δύω καὶ εἴκοσ' ἄμαξαι
ἐσθλαὶ τετράκυκλοι ἀπ' οὔδεος ὀχλίσσειαν·
τόσσην ἠλίβατον πέτρην ἐπέθηκε θύρῃσιν.
ἑζόμενος δ' ἤμελγεν ὄϊς καὶ μηκάδας αἶγας,
245 πάντα κατὰ μοῖραν, καὶ ὑπ' ἔμβρυον ἧκεν ἑκάστῃ.
αὐτίκα δ' ἥμισυ μὲν θρέψας λευκοῖο γάλακτος
πλεκτοῖσ' ἐν ταλάροισιν ἀμησάμενος κατέθηκεν,
ἥμισυ δ' αὖτ' ἔστησεν ἐν ἄγγεσιν, ὄφρα οἱ εἴη
πίνειν αἰνυμένῳ καί οἱ ποτιδόρπιον εἴη.
250 αὐτὰρ ἐπεὶ δὴ σπεῦσε πονησάμενος τὰ ἃ ἔργα,
καὶ τότε πῦρ ἀνέκαιε καὶ εἴσιδεν, εἴρετο δ' ἡμέας·
"ὦ ξεῖνοι, τίνες ἐστέ; πόθεν πλεῖθ' ὑγρὰ κέλευθα;
ἦ τι κατὰ πρῆξιν ἦ μαψιδίως ἀλάλησθε
οἷά τε ληϊστῆρες ὑπεὶρ ἅλα, τοί τ' ἀλόωνται
255 ψυχὰς παρθέμενοι, κακὸν ἀλλοδαποῖσι φέροντες;".
ὣς ἔφαθ', ἡμῖν δ' αὖτε κατεκλάσθη φίλον ἦτορ,
δεισάντων φθόγγον τε βαρὺν αὐτόν τε πέλωρον.
ἀλλὰ καὶ ὣς μιν ἔπεσσιν ἀμειβόμενος προσέειπον·
"ἡμεῖς τοι Τροίηθεν ἀποπλαγχθέντες Ἀχαιοὶ
260 παντοίοισ' ἀνέμοισιν ὑπὲρ μέγα λαῖτμα θαλάσσης,
οἴκαδε ἱέμενοι, ἄλλην ὁδόν, ἄλλα κέλευθα
ἤλθομεν· οὕτω που Ζεὺς ἤθελε μητίσασθαι.
λαοὶ δ' Ἀτρεΐδεω Ἀγαμέμνονος εὐχόμεθ' εἶναι,
τοῦ δὴ νῦν γε μέγιστον ὑπουράνιον κλέος ἐστί·

Acceso il fuoco, bruciammo offerte e, preso del cacio,
mangiammo noi pure: lo aspettammo seduti
lì dentro, finché arrivò con la mandria. Portava un carico greve
di legna secca per servirsene durante la cena.
235 Gettandolo nella caverna produsse un rimbombo:
noi, atterriti, corremmo nel fondo dell'antro.
Poi egli spinse nella vasta spelonca le pingui bestie,
tutti i capi che egli mungeva: fuori lasciò quelli maschi,
arieti e caproni, all'interno dell'alto steccato.
240 Poi, sollevatolo in alto, mise come porta un gran masso
pesante: dalla soglia non l'avrebbero smosso
ventidue solidi carri con quattro ruote.
Una pietra così smisurata mise all'ingresso.
Sedutosi, munse le pecore e le capre belanti,
245 tutto in modo giusto, e sotto ogni bestia spinse un lattante.
Subito, fatto cagliare metà del candido latte,
lo raccolse e depose in canestri intrecciati,
invece metà lo mise nei vasi, perché lo potesse
prendere e bere e gli servisse da cena.
250 Dopoché sveltamente finì il suo lavoro,
ecco che accese il fuoco e ci scorse, ci chiese:
"Stranieri, chi siete? da dove venite per le liquide vie?
Per affari o alla ventura vagate
sul mare, come i predoni che vagano
255 rischiando la vita, portando danno agli estranei?".
Disse così, e a noi si spezzò il caro cuore,
atterriti dalla voce profonda e da lui, dal mostro.
Ma anche così rispondendo con parole gli dissi:
"Siamo Achei, di ritorno da Troia! deviati
260 da venti diversi sul grande abisso del mare,
bramosi di giungere a casa, altre rotte e altre tappe
abbiamo percorso: ha voluto disporre così certo Zeus.
Ci vantiamo d'essere gente dell'Atride Agamennone,
la cui fama sotto il cielo è grandissima ora:

265 τόσσην γὰρ διέπερσε πόλιν καὶ ἀπώλεσε λαοὺς
πολλούς· ἡμεῖς δ' αὖτε κιχανόμενοι τὰ σὰ γοῦνα
ἱκόμεθ', εἴ τι πόροις ξεινήϊον ἠὲ καὶ ἄλλως
δοίης δωτίνην, ἥ τε ξείνων θέμις ἐστίν.
ἀλλ' αἰδεῖο, φέριστε, θεούς· ἱκέται δέ τοί εἰμεν.
270 Ζεὺς δ' ἐπιτιμήτωρ ἱκετάων τε ξείνων τε,
ξείνιος, ὃς ξείνοισιν ἅμ' αἰδοίοισιν ὀπηδεῖ".
ὣς ἐφάμην, ὁ δέ μ' αὐτίκ' ἀμείβετο νηλέϊ θυμῷ·
"νήπιός εἰς, ὦ ξεῖν', ἢ τηλόθεν εἰλήλουθας,
ὅς με θεοὺς κέλεαι ἢ δειδίμεν ἢ ἀλέασθαι·
275 οὐ γὰρ Κύκλωπες Διὸς αἰγιόχου ἀλέγουσιν
οὐδὲ θεῶν μακάρων, ἐπεὶ ἦ πολὺ φέρτεροί εἰμεν·
οὐδ' ἂν ἐγὼ Διὸς ἔχθος ἀλευάμενος πεφιδοίμην
οὔτε σεῦ οὔθ' ἑτάρων, εἰ μὴ θυμός με κελεύοι.
ἀλλά μοι εἴφ' ὅπῃ ἔσχες ἰὼν εὐεργέα νῆα,
280 ἤ που ἐπ' ἐσχατιῆς ἦ καὶ σχεδόν, ὄφρα δαείω".
ὣς φάτο πειράζων, ἐμὲ δ' οὐ λάθεν εἰδότα πολλά,
ἀλλά μιν ἄψορρον προσέφην δολίοισ' ἐπέεσσι·
"νέα μέν μοι κατέαξε Ποσειδάων ἐνοσίχθων,
πρὸς πέτρῃσι βαλὼν ὑμῆς ἐπὶ πείρασι γαίης,
285 ἄκρῃ προσπελάσας· ἄνεμος δ' ἐκ πόντου ἔνεικεν·
αὐτὰρ ἐγὼ σὺν τοῖσδε ὑπέκφυγον αἰπὺν ὄλεθρον".
ὣς ἐφάμην, ὁ δέ μ' οὐδὲν ἀμείβετο νηλέϊ θυμῷ,
ἀλλ' ὅ γ' ἀναΐξας ἑτάροισ' ἐπὶ χεῖρας ἴαλλε,
σὺν δὲ δύω μάρψας ὥς τε σκύλακας ποτὶ γαίῃ
290 κόπτ'· ἐκ δ' ἐγκέφαλος χαμάδις ῥέε, δεῦε δὲ γαῖαν.
τοὺς δὲ διὰ μελεϊστὶ ταμὼν ὁπλίσσατο δόρπον·
ἤσθιε δ' ὥς τε λέων ὀρεσίτροφος, οὐδ' ἀπέλειπεν,
ἔγκατά τε σάρκας τε καὶ ὀστέα μυελόεντα.
ἡμεῖς δὲ κλαίοντες ἀνεσχέθομεν Διὶ χεῖρας,
295 σχέτλια ἔργ' ὁρόωντες· ἀμηχανίη δ' ἔχε θυμόν.
αὐτὰρ ἐπεὶ Κύκλωψ μεγάλην ἐμπλήσατο νηδὺν
ἀνδρόμεα κρέ' ἔδων καὶ ἐπ' ἄκρητον γάλα πίνων,
κεῖτ' ἔντοσθ' ἄντροιο τανυσσάμενος διὰ μήλων.

265 così grande città, infatti, ha distrutto e molte genti
ha annientato. Noi, qui venuti, ci gettiamo
alle tue ginocchia, semmai ci ospitassi o ci dessi
anche un diverso regalo, quale è norma tra gli ospiti.
O potente, onora gli dei: siamo tuoi supplici.
270 Vendicatore di supplici e ospiti è Zeus,
il dio ospitale che scorta i venerandi stranieri".
Dissi così, lui subito mi rispose con cuore spietato:
"Sei sciocco o straniero o vieni da molto lontano,
tu che mi inviti a temere o a schivare gli dei.
275 Ma i Ciclopi non curano Zeus egìoco
o gli dei beati, perché siamo molto più forti.
Per schivare l'ira di Zeus non risparmierei
né te né i compagni, se l'animo non me lo ordina.
Ma dimmi dove hai fermato, venendo, la nave ben costruita,
280 se in fondo o in luogo vicino, perché io lo sappia".
Disse così per provarmi: ma non m'ingannò, ne so tante.
E di nuovo gli dissi con parole ingannevoli:
"La nave me l'ha fracassata Posidone che scuote la terra,
gettandola contro gli scogli, ai confini del vostro paese,
285 spingendola su un promontorio: il vento la portava dal largo.
Io però, con costoro, ho evitato la ripida morte".
Disse così, ed egli non mi rispose, con cuore spietato,
ma d'un balzo allungò sui compagni le mani,
ne afferrò due a un tempo e li sbatté come cuccioli
290 a terra: sprizzò a terra il cervello, e bagnò il suolo.
Li squartò membro a membro e apprestò la sua cena:
mangiava come un leone cresciuto sui monti, niente lasciava,
interiora, carni e ossa con il midollo.
Noi piangendo alzammo a Zeus le mani,
295 vedendo l'atroce misfatto: eravamo impotenti.
Quando il Ciclope si fu riempito il gran ventre,
divorando la carne umana e bevendoci latte puro,
giacque nell'antro, disteso in mezzo alle greggi.

τὸν μὲν ἐγὼ βούλευσα κατὰ μεγαλήτορα θυμὸν
300 ἆσσον ἰών, ξίφος ὀξὺ ἐρυσσάμενος παρὰ μηροῦ,
οὐτάμεναι πρὸς στῆθος, ὅθι φρένες ἧπαρ ἔχουσι,
χείρ' ἐπιμασσάμενος· ἕτερος δέ με θυμὸς ἔρυκεν.
αὐτοῦ γάρ κε καὶ ἄμμες ἀπωλόμεθ' αἰπὺν ὄλεθρον·
οὐ γάρ κεν δυνάμεσθα θυράων ὑψηλάων
305 χερσὶν ἀπώσασθαι λίθον ὄβριμον, ὃν προσέθηκεν.
ὣς τότε μὲν στενάχοντες ἐμείναμεν Ἠῶ δῖαν.

ἦμος δ' ἠριγένεια φάνη ῥοδοδάκτυλος Ἠώς,
καὶ τότε πῦρ ἀνέκαιε καὶ ἤμελγε κλυτὰ μῆλα,
πάντα κατὰ μοῖραν, καὶ ὑπ' ἔμβρυον ἧκεν ἑκάστῃ.
310 αὐτὰρ ἐπεὶ δὴ σπεῦσε πονησάμενος τὰ ἃ ἔργα,
σὺν δ' ὅ γε δὴ αὖτε δύω μάρψας ὁπλίσσατο δεῖπνον.
δειπνήσας δ' ἄντρου ἐξήλασε πίονα μῆλα,
ῥηϊδίως ἀφελὼν θυρεὸν μέγαν· αὐτὰρ ἔπειτα
ἂψ ἐπέθηχ', ὡς εἴ τε φαρέτρῃ πῶμ' ἐπιθείη.
315 πολλῇ δὲ ῥοίζῳ πρὸς ὄρος τρέπε πίονα μῆλα
Κύκλωψ· αὐτὰρ ἐγὼ λιπόμην κακὰ βυσσοδομεύων,
εἴ πως τεισαίμην, δοίη δέ μοι εὖχος Ἀθήνη.
ἥδε δέ μοι κατὰ θυμὸν ἀρίστη φαίνετο βουλή.
Κύκλωπος γὰρ ἔκειτο μέγα ῥόπαλον παρὰ σηκῷ,
320 χλωρὸν ἐλαΐνεον· τὸ μὲν ἔκταμεν, ὄφρα φοροίη
αὐανθέν. τὸ μὲν ἄμμες ἐΐσκομεν εἰσορόωντες
ὅσσον θ' ἱστὸν νηὸς ἐεικοσόροιο μελαίνης,
φορτίδος εὐρείης, ἥ τ' ἐκπεράᾳ μέγα λαῖτμα·
τόσσον ἔην μῆκος, τόσσον πάχος εἰσοράασθαι.
325 τοῦ μὲν ὅσον τ' ὄργυιαν ἐγὼν ἀπέκοψα παραστὰς
καὶ παρέθηχ' ἑτάροισιν, ἀποξῦναι δ' ἐκέλευσα·
οἱ δ' ὁμαλὸν ποίησαν· ἐγὼ δ' ἐθόωσα παραστὰς
ἄκρον, ἄφαρ δὲ λαβὼν ἐπυράκτεον ἐν πυρὶ κηλέῳ.
καὶ τὸ μὲν εὖ κατέθηκα καταχρύψας ὑπὸ κόπρῳ,
330 ἥ ῥα κατὰ σπείους κέχυτο μεγάλ' ἤλιθα πολλή·
αὐτὰρ τοὺς ἄλλους κλήρῳ πεπαλέσθαι ἄνωγον,
ὅς τις τολμήσειεν ἐμοὶ σὺν μοχλὸν ἀείρας

Io nel cuore magnanimo pensai
300 d'accostarmi e, tratta l'aguzza spada lungo la coscia,
di colpirlo al petto, dove i precordi reggono il fegato,
cercando a tastoni: ma mi trattenne un altro pensiero.
Infatti saremmo finiti lì anche noi nella ripida morte,
perché con le mani non avremmo potuto spostare
305 dall'alto ingresso la pesante pietra messa da lui.
E così, sospirando, aspettammo la chiara Aurora.
Quando mattutina apparve Aurora dalle rosee dita,
allora egli accese il fuoco e munse le belle greggi,
tutto in modo giusto, e sotto ogni bestia spinse un lattante.
310 Dopoché sveltamente finì il suo lavoro,
afferrati ancora due uomini apprestò il suo pasto.
Appena finì di mangiare, cacciò le pingui greggi dall'antro,
dopo aver tolto facilmente il gran masso. Poi però
lo rimise, quasi mettesse ad una faretra il coperchio.
315 Con un gran fischio volse al monte le pingui greggi
il Ciclope: io invece restai a covare piani funesti,
semmai potessi punirlo e Atena me ne desse il vanto.
E il piano migliore mi parve nell'animo questo:
accanto a un recinto il Ciclope teneva un gran tronco
320 verde d'ulivo: l'aveva tagliato per portarlo con sé
appena secco. C'era parso, guardandolo, grande
quanto l'albero d'una nera nave con venti remi,
larga da carico, che varca il grande abisso:
misurava, guardandolo, tanto in lunghezza e in grossezza.
325 Accostatomi, ne tagliai per due braccia
e lo porsi ai compagni: gli ordinai di sgrossarlo.
Ed essi lo fecero liscio. Io aguzzai la sua punta,
lì accanto: poi lo presi e indurii nel fuoco avvampante.
Lo riposi per bene, nascondendolo sotto il letame
330 che alto giaceva nell'antro in gran quantità:
agli altri ordinai di decidere a sorte
chi avrebbe ardito tenere il palo con me

τρῖψαι ἐν ὀφθαλμῷ, ὅτε τὸν γλυκὺς ὕπνος ἱκάνοι.
οἱ δ' ἔλαχον, τοὺς ἄρ κε καὶ ἤθελον αὐτὸς ἑλέσθαι,
335 τέσσαρες, αὐτὰρ ἐγὼ πέμπτος μετὰ τοῖσιν ἐλέγμην.
ἑσπέριος δ' ἦλθεν καλλίτριχα μῆλα νομεύων·
αὐτίκα δ' εἰς εὐρὺ σπέος ἤλασε πίονα μῆλα,
πάντα μάλ', οὐδέ τι λεῖπε βαθείης ἔκτοθεν αὐλῆς,
ἤ τι ὀϊσσάμενος, ἢ καὶ θεὸς ὣς ἐκέλευσεν.
340 αὐτὰρ ἔπειτ' ἐπέθηκε θυρεὸν μέγαν ὑψόσ' ἀείρας,
ἑζόμενος δ' ἤμελγεν ὄϊς καὶ μηκάδας αἶγας,
πάντα κατὰ μοῖραν, καὶ ὑπ' ἔμβρυον ἧκεν ἑκάστῃ.
αὐτὰρ ἐπεὶ δὴ σπεῦσε πονησάμενος τὰ ἃ ἔργα,
σὺν δ' ὅ γε δὴ αὖτε δύω μάρψας ὁπλίσσατο δόρπον.
345 καὶ τότ' ἐγὼ Κύκλωπα προσηύδων ἄγχι παραστάς,
κισσύβιον μετὰ χερσὶν ἔχων μέλανος οἴνοιο.
"Κύκλωψ, τῆ, πίε οἶνον, ἐπεὶ φάγες ἀνδρόμεα κρέα,
ὄφρ' εἰδῇς οἷόν τι ποτὸν τόδε νηῦς ἐκεκεύθει
ἡμετέρη· σοὶ δ' αὖ λοιβὴν φέρον, εἴ μ' ἐλεήσας
350 οἴκαδε πέμψειας· σὺ δὲ μαίνεαι οὐκέτ' ἀνεκτῶς.
σχέτλιε, πῶς κέν τίς σε καὶ ὕστερον ἄλλος ἵκοιτο
ἀνθρώπων πολέων; ἐπεὶ οὐ κατὰ μοῖραν ἔρεξας".
ὣς ἐφάμην, ὁ δὲ δέκτο καὶ ἔκπιεν· ἥσατο δ' αἰνῶς
ἡδὺ ποτὸν πίνων καί μ' ᾔτεε δεύτερον αὖτις·
355 "δός μοι ἔτι πρόφρων καί μοι τεὸν οὔνομα εἰπὲ
αὐτίκα νῦν, ἵνα τοι δῶ ξείνιον, ᾧ κε σὺ χαίρῃς.
καὶ γὰρ Κυκλώπεσσι φέρει ζείδωρος ἄρουρα
οἶνον ἐριστάφυλον, καί σφιν Διὸς ὄμβρος ἀέξει·
ἀλλὰ τόδ' ἀμβροσίης καὶ νέκταρός ἐστιν ἀπορρώξ".
360 ὣς ἔφατ'· αὐτάρ οἱ αὖτις ἐγὼ πόρον αἴθοπα οἶνον·
τρὶς μὲν ἔδωκα φέρων, τρὶς δ' ἔκπιεν ἀφραδίῃσιν.
αὐτὰρ ἐπεὶ Κύκλωπα περὶ φρένας ἤλυθεν οἶνος,
καὶ τότε δή μιν ἔπεσσι προσηύδων μειλιχίοισι·
"Κύκλωψ, εἰρωτᾷς μ' ὄνομα κλυτόν; αὐτὰρ ἐγώ τοι
365 ἐξερέω· σὺ δέ μοι δὸς ξείνιον, ὥς περ ὑπέστης.
Οὖτις ἐμοί γ' ὄνομα· Οὖτιν δέ με κικλήσκουσι

e pestarlo nell'occhio, quando l'avesse raggiunto il dolce sonno.
Uscirono a sorte quei quattro che io stesso
335 avrei scelto, ed io con essi fui quinto.

A sera tornò, guidando le greggi villose.
Subito, spinse nella vasta spelonca le pingui bestie,
tutte, senza lasciarne nessuna fuori dell'alto steccato,
o perché pensava qualcosa o perché un dio così l'ispirò.
340 Poi, sollevatolo in alto, mise come porta il gran masso.
Sedutosi, munse le pecore e le capre belanti,
tutto in modo giusto, e sotto ogni bestia spinse un lattante.
Dopoché sveltamente finì il suo lavoro,
afferrati ancora due uomini apprestò la sua cena.
345 Allora io standogli accanto dissi al Ciclope,
tenendo con le mani una ciotola di nero vino:

"Su, bevi il vino, Ciclope, dopo aver mangiato la carne umana,
perché tu sappia che bevanda è questa che la nostra nave
serbava. Te l'avevo portato in offerta, semmai impietosito
350 mi mandassi a casa. Ma tu sei insopportabilmente furioso.
Sciagurato, chi altro dei molti uomini potrebbe venire
in futuro da te? perché non agisci in modo giusto".

Dissi così, lui lo prese e lo tracannò: gioì terribilmente
a bere la dolce bevanda e me ne chiese ancora dell'altro:
355 "Dammene ancora, da bravo, e dimmi il tuo nome,
ora subito, che ti do un dono ospitale di cui rallegrarti.
Certo la terra che dona le biade produce ai Ciclopi
vino di ottimi grappoli, e la pioggia di Zeus glielo fa crescere.
Ma questo è una goccia di ambrosia e di nettare!".
360 Disse così, e io di nuovo gli porsi il vino scuro.
Gliene diedi tre volte, tre volte lo tracannò stoltamente.
Ma quando il vino raggiunse il Ciclope ai precordi,
allora gli parlai con dolci parole:

"Ciclope, mi chiedi il nome famoso, ed io
365 ti dirò: tu dammi, come hai promesso, il dono ospitale.
Nessuno è il mio nome: Nessuno mi chiamano

μήτηρ ἠδὲ πατὴρ ἠδ' ἄλλοι πάντες ἑταῖροι".
ὣς ἐφάμην, ὁ δέ μ' αὐτίκ' ἀμείβετο νηλέϊ θυμῷ·
"Οὖτιν ἐγὼ πύματον ἔδομαι μετὰ οἷσ' ἑτάροισι,
370 τοὺς δ' ἄλλους πρόσθεν· τὸ δέ τοι ξεινήϊον ἔσται".
ἦ καὶ ἀνακλινθεὶς πέσε ὕπτιος, αὐτὰρ ἔπειτα
κεῖτ' ἀποδοχμώσας παχὺν αὐχένα, κὰδ δέ μιν ὕπνος
ᾕρει πανδαμάτωρ· φάρυγος δ' ἐξέσσυτο οἶνος
ψωμοί τ' ἀνδρόμεοι· ὁ δ' ἐρεύγετο οἰνοβαρείων.
375 καὶ τότ' ἐγὼ τὸν μοχλὸν ὑπὸ σποδοῦ ἤλασα πολλῆς,
εἵως θερμαίνοιτο· ἔπεσσι δὲ πάντας ἑταίρους
θάρσυνον, μή τίς μοι ὑποδδείσας ἀναδύη.
ἀλλ' ὅτε δὴ τάχ' ὁ μοχλὸς ἐλάϊνος ἐν πυρὶ μέλλεν
ἅψεσθαι, χλωρός περ ἐών, διεφαίνετο δ' αἰνῶς,
380 καὶ τότ' ἐγὼν ἄσσον φέρον ἐκ πυρός, ἀμφὶ δ' ἑταῖροι
ἵσταντ'· αὐτὰρ θάρσος ἐνέπνευσεν μέγα δαίμων.
οἱ μὲν μοχλὸν ἑλόντες ἐλάϊνον, ὀξὺν ἐπ' ἄκρῳ,
ὀφθαλμῷ ἐνέρεισαν· ἐγὼ δ' ἐφύπερθεν ἀερθεὶς
δίνεον, ὡς ὅτε τις τρυπῷ δόρυ νήϊον ἀνὴρ
385 τρυπάνῳ, οἱ δέ τ' ἔνερθεν ὑποσσείουσιν ἱμάντι
ἁψάμενοι ἑκάτερθε, τὸ δὲ τρέχει ἐμμενὲς αἰεί·
ὣς τοῦ ἐν ὀφθαλμῷ πυριήκεα μοχλὸν ἔχοντες
δινέομεν, τὸν δ' αἷμα περίρρεε θερμὸν ἐόντα.
πάντα δέ οἱ βλέφαρ' ἀμφὶ καὶ ὀφρύας εὗσεν ἀϋτμὴ
390 γλήνης καιομένης· σφαραγεῦντο δέ οἱ πυρὶ ῥίζαι.
ὡς δ' ὅτ' ἀνὴρ χαλκεὺς πέλεκυν μέγαν ἠὲ σκέπαρνον
εἰν ὕδατι ψυχρῷ βάπτῃ μεγάλα ἰάχοντα
φαρμάσσων· τὸ γὰρ αὖτε σιδήρου γε κράτος ἐστίν·
ὣς τοῦ σίζ' ὀφθαλμὸς ἐλαϊνέῳ περὶ μοχλῷ.
395 σμερδαλέον δὲ μέγ' ᾤμωξεν, περὶ δ' ἴαχε πέτρη,
ἡμεῖς δὲ δείσαντες ἀπεσσύμεθ'. αὐτὰρ ὁ μοχλὸν
ἐξέρυσ' ὀφθαλμοῖο πεφυρμένον αἵματι πολλῷ.
τὸν μὲν ἔπειτ' ἔρριψεν ἀπὸ ἕο χερσὶν ἀλύων,
αὐτὰρ ὁ Κύκλωπας μεγάλ' ἤπυεν, οἵ ῥά μιν ἀμφὶς
400 ᾤκεον ἐν σπήεσσι δι' ἄκριας ἠνεμοέσσας.

mia madre e mio padre e tutti gli altri compagni".
Dissi così, lui subito mi rispose con cuore spietato:
"Per ultimo io mangerò Nessuno, dopo i compagni,
370 gli altri prima: per te sarà questo il dono ospitale".
Disse, e arrovesciatosi cadde supino, e poi
giacque piegando il grosso collo: il sonno,
che tutto doma, lo colse; dalla strozza gli uscì fuori vino
e pezzi di carne umana; ruttava ubriaco.
375 E allora io spinsi sotto la gran cenere il palo
finché si scaldò: a tutti i compagni feci
coraggio, perché nessuno si ritraesse atterrito.
E appena il palo d'ulivo stava per avvampare
nel fuoco, benché fosse verde – era terribilmente rovente –,
380 allora lo trassi dal fuoco. I compagni stavano
intorno: un dio ci ispirò gran coraggio.
Essi, afferrato il palo d'ulivo, aguzzo all'estremità,
lo ficcarono dentro il suo occhio; io, sollevatomi, lo giravo
di sopra, come quando uno fora un legno di nave
385 col trapano, che altri di sotto muovono con una cinghia
tenendola dalle due parti, e sempre, senza sosta, esso avanza;
così giravamo nell'occhio il palo infuocato,
reggendolo, e intorno alla punta calda il sangue scorreva.
Tutte le palpebre e le sopracciglia gli riarse la vampa,
390 quando il bulbo bruciò: le radici gli sfrigolavano al fuoco.
Come quando un fabbro immerge una grande scure
o un'ascia nell'acqua fredda con acuto stridio
per temprarle – ed è questa la forza del ferro –,
così sfrigolava il suo occhio attorno al palo d'ulivo.
395 Lanciò un grande urlo pauroso: rimbombò intorno la roccia.
Noi atterriti scappammo. Dall'occhio
si svelse il palo, sporco di molto sangue.
Lo scagliò con le mani lontano da sé, smaniando:
poi chiamò a gran voce i Ciclopi, che lì intorno
400 in spelonche abitavano, per le cime ventose.

οἱ δὲ βοῆς ἀΐοντες ἐφοίτων ἄλλοθεν ἄλλος,
ἱστάμενοι δ' εἴροντο περὶ σπέος, ὅττι ἑ κήδοι·
"τίπτε τόσον, Πολύφημ', ἀρημένος ὧδ' ἐβόησας
νύκτα δι' ἀμβροσίην καὶ ἀΰπνους ἄμμε τίθησθα;
405 ἦ μή τίς σευ μῆλα βροτῶν ἀέκοντος ἐλαύνει;
ἦ μή τίς σ' αὐτὸν κτείνει δόλῳ ἠὲ βίηφι;".
τοὺς δ' αὖτ' ἐξ ἄντρου προσέφη κρατερὸς Πολύφημος·
"ὦ φίλοι, Οὖτίς με κτείνει δόλῳ οὐδὲ βίηφιν".
οἱ δ' ἀπαμειβόμενοι ἔπεα πτερόεντ' ἀγόρευον·
410 "εἰ μὲν δή μή τίς σε βιάζεται οἶον ἐόντα,
νοῦσόν γ' οὔ πως ἔστι Διὸς μεγάλου ἀλέασθαι,
ἀλλὰ σύ γ' εὔχεο πατρὶ Ποσειδάωνι ἄνακτι".
ὣς ἄρ' ἔφαν ἀπιόντες, ἐμὸν δ' ἐγέλασσε φίλον κῆρ,
ὡς ὄνομ' ἐξαπάτησεν ἐμὸν καὶ μῆτις ἀμύμων.
415 Κύκλωψ δὲ στενάχων τε καὶ ὠδίνων ὀδύνῃσι,
χερσὶ ψηλαφόων, ἀπὸ μὲν λίθον εἷλε θυράων,
αὐτὸς δ' εἰνὶ θύρῃσι καθέζετο χεῖρε πετάσσας,
εἴ τινά που μετ' ὄεσσι λάβοι στείχοντα θύραζε·
οὕτω γάρ πού μ' ἤλπετ' ἐνὶ φρεσὶ νήπιον εἶναι.
420 αὐτὰρ ἐγὼ βούλευον, ὅπως ὄχ' ἄριστα γένοιτο,
εἴ τιν' ἑταίροισιν θανάτου λύσιν ἠδ' ἐμοὶ αὐτῷ
εὑροίμην· πάντας δὲ δόλους καὶ μῆτιν ὕφαινον,
ὥς τε περὶ ψυχῆς· μέγα γὰρ κακὸν ἐγγύθεν ἦεν.
ἥδε δέ μοι κατὰ θυμὸν ἀρίστη φαίνετο βουλή·
425 ἄρσενες ὄιες ἦσαν ἐΰτρεφέες δασύμαλλοι,
καλοί τε μεγάλοι τε, ἰοδνεφὲς εἶρος ἔχοντες·
τοὺς ἀκέων συνέεργον ἐϋστρεφέεσσι λύγοισι,
τῇσ' ἔπι Κύκλωψ εὗδε πέλωρ, ἀθεμίστια εἰδώς,
σύντρεις αἰνύμενος· ὁ μὲν ἐν μέσῳ ἄνδρα φέρεσκε,
430 τὼ δ' ἑτέρω ἑκάτερθεν ἴτην σώοντες ἑταίρους.
τρεῖς δὲ ἕκαστον φῶτ' ὄϊες φέρον· αὐτὰρ ἐγώ γε —
ἀρνειὸς γὰρ ἔην, μήλων ὄχ' ἄριστος ἁπάντων —
τοῦ κατὰ νῶτα λαβών, λασίην ὑπὸ γαστέρ' ἐλυσθεὶς
κείμην· αὐτὰρ χερσὶν ἀώτου θεσπεσίοιο

Quelli, udendo il suo grido, arrivarono chi di qua chi di là
e, fermatisi presso il suo antro, chiedevano cosa lo molestasse:
"Perché, Polifemo, sei così afflitto e hai gridato così
nella notte divina, e ci fai senza sonno?
405 Forse un mortale porta via le tue greggi, e non vuoi?
forse qualcuno ti uccide con l'inganno o la forza?".
Ad essi il forte Polifemo rispose dall'antro:
"Nessuno, amici, mi uccide con l'inganno, non con la forza".
Ed essi rispondendo dissero alate parole:
410 "Se dunque nessuno ti fa violenza e sei solo,
non puoi certo evitare il morbo del grande Zeus:
allora tu prega tuo padre, Posidone signore".
Dicevano così, e rise il mio cuore,
perché il nome mio e l'astuzia perfetta l'aveva ingannato.
415 Il Ciclope gemendo e penando per il dolore,
brancolando a tentoni, tolse dall'ingresso la pietra,
sedette davanti all'entrata tendendo le mani,
semmai cogliesse tra le pecore qualcuno che usciva:
forse sperava che io fossi così sciocco nell'animo.
420 Invece io meditavo quale fosse il piano migliore,
semmai trovassi uno scampo dalla morte ai compagni
e a me stesso; e tessevo ogni inganno ed astuzia,
come si fa per la vita: ci incalzava una grande sciagura.
E il piano migliore mi parve nell'animo questo:
425 c'erano alcuni montoni ben nutriti e villosi,
belli e grandi, ricoperti di lana violetta.
Li legai in silenzio con i vimini torti,
sui quali dormiva l'enorme Ciclope maligno,
afferrandone tre: quello in mezzo portava un compagno,
430 gli altri due avanzavano ai lati coprendo i compagni.
Tre montoni portavano ogni uomo; io invece –
c'era infatti un montone più grosso di tutte le bestie –
afferratolo al dorso, giacqui sotto il suo ventre villoso
piegato: giratomi, mi reggevo con le mani

435 νωλεμέως στρεφθεὶς ἐχόμην τετληότι θυμῷ.
ὣς τότε μὲν στενάχοντες ἐμείναμεν Ἠῶ δῖαν.
ἦμος δ' ἠριγένεια φάνη ῥοδοδάκτυλος Ἠώς,
καὶ τότ' ἔπειτα νομόνδ' ἐξέσσυτο ἄρσενα μῆλα,
θήλειαι δὲ μέμηκον ἀνήμελκτοι περὶ σηκούς·
440 οὔθατα γὰρ σφαραγεῦντο. ἄναξ δ' ὀδύνῃσι κακῇσι
τειρόμενος πάντων ὀΐων ἐπεμαίετο νῶτα
ὀρθῶν ἑσταότων· τὸ δὲ νήπιος οὐκ ἐνόησεν,
ὥς οἱ ὑπ' εἰροπόκων ὀΐων στέρνοισι δέδεντο.
ὕστατος ἀρνειὸς μήλων ἔστειχε θύραζε,
445 λαχμῷ στεινόμενος καὶ ἐμοὶ πυκινὰ φρονέοντι.
τὸν δ' ἐπιμασσάμενος προσέφη κρατερὸς Πολύφημος·
"κριὲ πέπον, τί μοι ὧδε διὰ σπέος ἔσσυο μήλων
ὕστατος; οὔ τι πάρος γε λελειμμένος ἔρχεαι οἰῶν,
ἀλλὰ πολὺ πρῶτος νέμεαι τέρεν' ἄνθεα ποίης
450 μακρὰ βιβάς, πρῶτος δὲ ῥοὰς ποταμῶν ἀφικάνεις,
πρῶτος δὲ σταθμόνδε λιλαίεαι ἀπονέεσθαι
ἑσπέριος; νῦν αὖτε πανύστατος. ἦ σύ γ' ἄνακτος
ὀφθαλμὸν ποθέεις; τὸν ἀνὴρ κακὸς ἐξαλάωσε
σὺν λυγροῖσ' ἑτάροισι, δαμασσάμενος φρένας οἴνῳ,
455 Οὖτις, ὃν οὔ πώ φημι πεφυγμένον ἔμμεν ὄλεθρον.
εἰ δὴ ὁμοφρονέοις ποτιφωνήεις τε γένοιο
εἰπεῖν ὅππῃ κεῖνος ἐμὸν μένος ἠλασκάζει·
τῷ κέ οἱ ἐγκέφαλός γε διὰ σπέος ἄλλυδις ἄλλῃ
θεινομένου ῥαίοιτο πρὸς οὔδεϊ, κὰδ δέ κ' ἐμὸν κῆρ
460 λωφήσειε κακῶν, τά μοι οὐτιδανὸς πόρεν Οὖτις".
ὣς εἰπὼν τὸν κριὸν ἀπὸ ἕο πέμπε θύραζε.
ἐλθόντες δ' ἠβαιὸν ἀπὸ σπείους τε καὶ αὐλῆς
πρῶτος ὑπ' ἀρνειοῦ λυόμην, ὑπέλυσα δ' ἑταίρους.
καρπαλίμως δὲ τὰ μῆλα ταναύποδα, πίονα δημῷ,
465 πολλὰ περιτροπέοντες ἐλαύνομεν, ὄφρ' ἐπὶ νῆα
ἱκόμεθ'· ἀσπάσιοι δὲ φίλοισ' ἑτάροισι φάνημεν,
οἳ φύγομεν θάνατον· τοὺς δὲ στενάχοντο γοῶντες.
ἀλλ' ἐγὼ οὐκ εἴων, ἀνὰ δ' ὀφρύσι νεῦον ἑκάστῳ,

435 al vello divino, senza posa, con cuore paziente.
E così, sospirando, aspettammo la chiara Aurora.
Quando mattutina apparve Aurora dalle rosee dita,
allora egli spinse al pascolo le mandrie dei maschi;
le femmine, per i recinti, non munte belavano:
440 le loro poppe scoppiavano, infatti. Tormentato da fieri dolori,
il padrone tastava le groppe di tutte le bestie,
ferme diritte: lo sciocco non lo aveva capito,
che gli uomini erano stretti al petto delle bestie lanose.
Ultimo uscì il montone del gregge,
445 gravato dalla lana e da me coi miei fitti pensieri.
E il forte Polifemo palpandolo disse:
"Caro montone, perché vieni per la spelonca così,
per ultimo? prima non sei mai venuto dopo le pecore,
ma primissimo correvi a brucare i teneri fiori dell'erba,
450 a gran salti; per primo raggiungevi il corso dei fiumi;
per primo bramavi tornare alle stalle,
la sera; e ora invece sei l'ultimo. Forse tu piangi
l'occhio del tuo padrone? Lo ha accecato un vigliacco,
coi suoi vili compagni, dopo avermi vinto la mente col vino:
455 Nessuno, che penso non è sfuggito ancora alla morte.
Oh se potessi anche tu pensare e parlare,
per dirmi dove lui fugge dal mio furore.
A lui, sbattuto qua e là per la grotta,
si spaccherebbe il cervello per terra e il mio cuore
460 avrebbe sollievo dai mali che questo Nessuno da nulla mi diede".
Detto così, spinse fuori il montone.
Giunti poco lontano dall'antro e dallo steccato,
mi staccai dal montone, per primo, e sciolsi i compagni.
Spingemmo in fretta le greggi dal passo diritto, pingui
465 di grasso, più volte volgendoci, finché arrivammo
alla nave. Al nostro apparire i cari compagni gioirono,
perché eravamo sfuggiti alla morte, ma piansero gli altri.
Io non lasciai che piangessero, coi sopraccigli dissuasi

κλαίειν· ἀλλ' ἐκέλευσα θοῶς καλλίτριχα μῆλα
470 πόλλ' ἐν νηῒ βαλόντας ἐπιπλεῖν ἁλμυρὸν ὕδωρ.
οἱ δ' αἶψ' εἴσβαινον καὶ ἐπὶ κληῖσι καθῖζον·
ἑξῆς δ' ἑζόμενοι πολιὴν ἅλα τύπτον ἐρετμοῖς.
ἀλλ' ὅτε τόσσον ἀπῆν, ὅσσον τε γέγωνε βοήσας,
καὶ τότ' ἐγὼ Κύκλωπα προσηύδων κερτομίοισι·
475 "Κύκλωψ, οὐκ ἄρ' ἔμελλες ἀνάλκιδος ἀνδρὸς ἑταίρους
ἔδμεναι ἐν σπῆϊ γλαφυρῷ κρατερῆφι βίηφι.
καὶ λίην σέ γ' ἔμελλε κιχήσεσθαι κακὰ ἔργα,
σχέτλι', ἐπεὶ ξείνους οὐχ ἅζεο σῷ ἐνὶ οἴκῳ
ἐσθέμεναι· τῶ σε Ζεὺς τείσατο καὶ θεοὶ ἄλλοι".
480 ὣς ἐφάμην, ὁ δ' ἔπειτα χολώσατο κηρόθι μᾶλλον·
ἧκε δ' ἀπορρήξας κορυφὴν ὄρεος μεγάλοιο,
482 κὰδ δ' ἔβαλε προπάροιθε νεὸς κυανοπρῴροιο,
484 ἐκλύσθη δὲ θάλασσα κατερχομένης ὑπὸ πέτρης·
485 τὴν δ' ἂψ ἤπειρόνδε παλιρρόθιον φέρε κῦμα,
πλημυρὶς ἐκ πόντοιο, θέμωσε δὲ χέρσον ἱκέσθαι.
αὐτὰρ ἐγὼ χείρεσσι λαβὼν περιμήκεα κοντὸν
ὦσα παρέξ· ἑτάροισι δ' ἐποτρύνας ἐκέλευσα
ἐμβαλέειν κώπῃσ', ἵν' ὑπὲκ κακότητα φύγοιμεν,
490 κρατὶ κατανεύων· οἱ δὲ προπεσόντες ἔρεσσον.
ἀλλ' ὅτε δὴ δὶς τόσσον ἅλα πρήσσοντες ἀπῆμεν,
καὶ τότ' ἐγὼ Κύκλωπα προσηύδων· ἀμφὶ δ' ἑταῖροι
μειλιχίοισ' ἐπέεσσιν ἐρήτυον ἄλλοθεν ἄλλος·
"σχέτλιε, τίπτ' ἐθέλεις ἐρεθιζέμεν ἄγριον ἄνδρα;
495 ὃς καὶ νῦν πόντονδε βαλὼν βέλος ἤγαγε νῆα
αὖτις ἐς ἤπειρον, καὶ δὴ φάμεν αὐτόθ' ὀλέσθαι.
εἰ δὲ φθεγξαμένου τευ ἢ αὐδήσαντος ἄκουσε,
σύν κεν ἄραξ' ἡμέων κεφαλὰς καὶ νήϊα δοῦρα
μαρμάρῳ ὀκριόεντι βαλών· τόσσον γὰρ ἵησιν".
500 ὣς φάσαν, ἀλλ' οὐ πεῖθον ἐμὸν μεγαλήτορα θυμόν,
ἀλλά μιν ἄψορρον προσέφην κεκοτηότι θυμῷ·
"Κύκλωψ, αἴ κέν τίς σε καταθνητῶν ἀνθρώπων
ὀφθαλμοῦ εἴρηται ἀεικελίην ἀλαωτύν,

ciascuno, ma ordinai di gettare rapidamente le molte
470 greggi villose dentro la nave e navigare sull'acqua salata.
Essi si imbarcarono subito e presero posto agli scalmi
e sedendo in fila battevano l'acqua canuta coi remi.
Ma appena distai quanto basta per sentire chi grida,
allora con parole taglienti dissi al Ciclope:
475 "Ciclope, non certo i compagni di un uomo vigliacco
avresti mangiato nella cava spelonca con dura violenza.
E i misfatti dovevano ricadere proprio su te,
sciagurato, che non hai esitato a mangiare gli ospiti
nella tua casa: perciò ti ha punito Zeus e gli altri dei".
480 Dissi così, e lui si adirò nel cuore di più,
divelse e scagliò la cima di una grande montagna:
482 la fece cadere oltre la nave dalla prora turchina;
484 alla caduta del masso il mare si sollevò:
485 l'onda rifluendo sospinse la nave a terra,
il riflusso dal largo, e la strinse contro la costa.
Io però, afferrata una lunghissima pertica,
la spinsi di fianco e ordinai ai compagni, incitandoli,
di gettarsi sui remi, per scampare al pericolo,
490 con cenni del capo: ed essi remavano, piegandosi avanti.
Quando avanzando sul mare distammo il doppio,
allora gridai al Ciclope; intorno i compagni
chi di qua chi di là mi frenavano con dolci parole:
"Sciagurato, perché vuoi irritare un selvaggio?
495 che anche ora, lanciando il masso nel mare, ha risospinto
verso terra la nave, e credevamo di lasciarci la vita.
Se sentiva fiatare o parlare qualcuno,
ci fracassava le teste e i legni di bordo,
colpendoci con una ruvida roccia: perché tira lontano".
500 Così dicevano, ma non convinsero il mio cuore magnanimo,
e di nuovo gli dissi con animo irato:
"Ciclope, se qualche uomo mortale
ti chiede dello sconcio accecamento dell'occhio,

φάσθαι Ὀδυσσῆα πτολιπόρθιον ἐξαλαῶσαι,
505 υἱὸν Λαέρτεω, Ἰθάκῃ ἔνι οἰκί' ἔχοντα".
ὣς ἐφάμην, ὁ δέ μ' οἰμώξας ἠμείβετο μύθῳ·
"ὢ πόποι, ἦ μάλα δή με παλαίφατα θέσφαθ' ἱκάνει.
ἔσκε τις ἐνθάδε μάντις ἀνὴρ ἠΰς τε μέγας τε,
Τήλεμος Εὐρυμίδης, ὃς μαντοσύνῃ ἐκέκαστο
510 καὶ μαντευόμενος κατεγήρα Κυκλώπεσσιν·
ὅς μοι ἔφη τάδε πάντα τελευτήσεσθαι ὀπίσσω,
χειρῶν ἐξ Ὀδυσῆος ἁμαρτήσεσθαι ὀπωπῆς.
ἀλλ' αἰεί τινα φῶτα μέγαν καὶ καλὸν ἐδέγμην
ἐνθάδ' ἐλεύσεσθαι, μεγάλην ἐπιειμένον ἀλκήν·
515 νῦν δέ μ' ἐὼν ὀλίγος τε καὶ οὐτιδανὸς καὶ ἄκικυς
ὀφθαλμοῦ ἀλάωσεν, ἐπεί μ' ἐδαμάσσατο οἴνῳ.
ἀλλ' ἄγε δεῦρ', Ὀδυσεῦ, ἵνα τοι πὰρ ξείνια θείω,
πομπήν τ' ὀτρύνω δόμεναι κλυτὸν ἐννοσίγαιον·
τοῦ γὰρ ἐγὼ πάϊς εἰμί, πατὴρ δ' ἐμὸς εὔχεται εἶναι.
520 αὐτὸς δ', αἴ κ' ἐθέλῃσ', ἰήσεται, οὐδέ τις ἄλλος
οὔτε θεῶν μακάρων οὔτε θνητῶν ἀνθρώπων".
ὣς ἔφατ', αὐτὰρ ἐγώ μιν ἀμειβόμενος προσέειπον·
"αἲ γὰρ δὴ ψυχῆς τε καὶ αἰῶνός σε δυναίμην
εὖνιν ποιήσας πέμψαι δόμον Ἄϊδος εἴσω,
525 ὡς οὐκ ὀφθαλμόν γ' ἰήσεται οὐδ' ἐνοσίχθων".
ὣς ἐφάμην, ὁ δ' ἔπειτα Ποσειδάωνι ἄνακτι
εὔχετο, χεῖρ' ὀρέγων εἰς οὐρανὸν ἀστερόεντα·
"κλῦθι, Ποσείδαον γαιήοχε κυανοχαῖτα·
εἰ ἐτεόν γε σός εἰμι, πατὴρ δ' ἐμὸς εὔχεαι εἶναι,
530 δὸς μὴ Ὀδυσσῆα πτολιπόρθιον οἴκαδ' ἱκέσθαι
υἱὸν Λαέρτεω, Ἰθάκῃ ἔνι οἰκί' ἔχοντα.
ἀλλ' εἴ οἱ μοῖρ' ἐστὶ φίλους τ' ἰδέειν καὶ ἱκέσθαι
οἶκον ἐϋκτίμενον καὶ ἑὴν ἐς πατρίδα γαῖαν,
ὀψὲ κακῶς ἔλθοι, ὀλέσας ἄπο πάντας ἑταίρους,
535 νηὸς ἐπ' ἀλλοτρίης, εὕροι δ' ἐν πήματα οἴκῳ".
ὣς ἔφατ' εὐχόμενος, τοῦ δ' ἔκλυε κυανοχαίτης.
αὐτὰρ ὅ γ' ἐξαῦτις πολὺ μείζονα λᾶαν ἀείρας

digli che ad accecarti fu Odisseo, distruttore di rocche,
505 il figlio di Laerte che abita ad Itaca".
Dissi così, ed egli mi rispose gemendo:
"Ahimè, una profezia molto antica si avvera.
C'era qui un indovino valente e grande,
Telemo Eurimide, che eccelleva nell'arte profetica
510 e profetando invecchiò tra i Ciclopi:
egli mi disse che un giorno tutto questo si sarebbe compiuto,
d'essere privato della vista per mano di Odisseo.
Ma io ho sempre aspettato che arrivasse qui un uomo
grande e bello, vestito di grande vigore:
515 invece uno che è piccolo, da nulla e debole, ora
mi ha orbato dell'occhio, dopo avermi vinto col vino.
Ma vieni, Odisseo, ché ti offra i doni ospitali
e induca lo Scuotiterra glorioso a scortarti:
di lui sono figlio, padre mio dice d'essere.
520 Egli mi guarirà, se lo vuole, lui e nessun altro,
né degli dei beati né degli uomini mortali".
Disse così, ed io rispondendogli dissi:
"Magari avessi potuto privarti dell'anima
e della vita e scortarti nella casa di Ade,
525 come non guarirà il tuo occhio neppure lo Scuotiterra".
Dissi così, ed egli a Posidone signore
elevò una preghiera, tendendo le mani al cielo stellato:
"Ascolta, Posidone che percorri la terra, dai capelli turchini,
se sono tuo veramente, padre mio dici d'essere,
530 che a casa non giunga Odisseo distruttore di rocche,
il figlio di Laerte che abita ad Itaca.
Ma se è suo destino vedere i suoi cari e tornare
nella casa ben costruita e nella terra dei padri,
tardi vi giunga e male, perduti tutti i compagni,
535 sopra una nave straniera, e a casa trovi dolori".
Disse così pregando, lo udì il dio dai capelli turchini.
Egli sollevato di nuovo un macigno molto più grande

ἧκ' ἐπιδινήσας, ἐπέρεισε δὲ ἶν' ἀπέλεθρον,
κὰδ δ' ἔβαλεν μετόπισθε νεὸς κυανοπρῴροιο
540 τυτθόν, ἐδεύησεν δ' οἰήϊον ἄκρον ἱκέσθαι.
ἐκλύσθη δὲ θάλασσα κατερχομένης ὑπὸ πέτρης·
τὴν δὲ πρόσω φέρε κῦμα, θέμωσε δὲ χέρσον ἱκέσθαι.
ἀλλ' ὅτε δὴ τὴν νῆσον ἀφικόμεθ', ἔνθα περ ἄλλαι
νῆες ἐΰσσελμοι μένον ἀθρόαι, ἀμφὶ δ' ἑταῖροι
545 εἵατ' ὀδυρόμενοι, ἡμέας ποτιδέγμενοι αἰεί,
νῆα μὲν ἔνθ' ἐλθόντες ἐκέλσαμεν ἐν ψαμάθοισιν,
ἐκ δὲ καὶ αὐτοὶ βῆμεν ἐπὶ ῥηγμῖνι θαλάσσης.
μῆλα δὲ Κύκλωπος γλαφυρῆς ἐκ νηὸς ἑλόντες
δασσάμεθ', ὡς μή τίς μοι ἀτεμβόμενος κίοι ἴσης.
550 ἀρνειὸν δ' ἐμοὶ οἴῳ ἐϋκνήμιδες ἑταῖροι
μήλων δαιομένων δόσαν ἔξοχα· τὸν δ' ἐπὶ θινὶ
Ζηνὶ κελαινεφέϊ Κρονίδῃ, ὃς πᾶσιν ἀνάσσει,
ῥέξας μηρί' ἔκαιον· ὁ δ' οὐκ ἐμπάζετο ἱρῶν,
ἀλλ' ὅ γε μερμήριζεν, ὅπως ἀπολοίατο πᾶσαι
555 νῆες ἐΰσσελμοι καὶ ἐμοὶ ἐρίηρες ἑταῖροι.
ὣς τότε μὲν πρόπαν ἦμαρ ἐς ἠέλιον καταδύντα
ἥμεθα δαινύμενοι κρέα τ' ἄσπετα καὶ μέθυ ἡδύ·
ἦμος δ' ἠέλιος κατέδυ καὶ ἐπὶ κνέφας ἦλθε,
δὴ τότε κοιμήθημεν ἐπὶ ῥηγμῖνι θαλάσσης.
560 ἦμος δ' ἠριγένεια φάνη ῥοδοδάκτυλος Ἠώς,
δὴ τότ' ἐγὼν ἑτάροισιν ἐποτρύνας ἐκέλευσα
αὐτούς τ' ἀμβαίνειν ἀνά τε πρυμνήσια λῦσαι.
οἱ δ' αἶψ' εἴσβαινον καὶ ἐπὶ κληῗσι καθῖζον,
ἑξῆς δ' ἑζόμενοι πολιὴν ἅλα τύπτον ἐρετμοῖς.
565 ἔνθεν δὲ προτέρω πλέομεν ἀκαχήμενοι ἦτορ,
ἄσμενοι ἐκ θανάτοιο, φίλους ὀλέσαντες ἑταίρους.

l'avventò roteando, gli impresse un impeto immenso:
cadde dietro la nave dalla prora turchina,
540 poco lontano, e quasi colpì l'estremità del timone.
Alla caduta del masso il mare si sollevò,
l'onda sospinse la nave, la spinse verso la costa.
Quando arrivammo nell'isola, dove aspettavano
insieme le altre navi ben costruite – i compagni sedevano
545 intorno gemendo, sempre attendendoci –,
spingemmo sulla sabbia la nave, appena arrivati,
e noi stessi sbarcammo sulla riva del mare.
Tratte le greggi del Ciclope dalla nave ben cava,
le dividemmo, perché nessuno partisse privato del giusto.
550 I compagni dai saldi schinieri, divise le bestie,
assegnarono il montone a me solo, a parte: immolandolo
a Zeus Cronide dalle nuvole cupe, che di tutti è signore,
ne bruciai sulla riva i cosci. Ma non accettò il sacrificio:
meditava come potessero perdersi tutte
555 le navi ben costruite e i miei fedeli compagni.
Così tutto il giorno sedemmo, fino al tramonto,
consumando carni abbondanti e dolce vino:
appena il sole calò e sopraggiunse la tenebra,
ci sdraiammo sulla riva del mare.
560 Quando mattutina apparve Aurora dalle rosee dita,
allora comandai ai compagni, incitandoli,
di imbarcarsi anche loro e di sciogliere a poppa le gomene.
Subito essi salirono e presero posto agli scalmi,
e sedendo in fila battevano l'acqua canuta coi remi.
565 Navigammo oltre, da lì, col cuore angosciato,
sollevati da morte, perduti i cari compagni.

K

Αἰολίην δ' ἐς νῆσον ἀφικόμεθ'· ἔνθα δ' ἔναιεν
Αἴολος Ἱπποτάδης, φίλος ἀθανάτοισι θεοῖσι,
πλωτῇ ἐνὶ νήσῳ· πᾶσαν δέ τέ μιν πέρι τεῖχος
χάλκεον ἄρρηκτον, λισσὴ δ' ἀναδέδρομε πέτρη.
5 τοῦ καὶ δώδεκα παῖδες ἐνὶ μεγάροις γεγάασι,
ἓξ μὲν θυγατέρες, ἓξ δ' υἱέες ἡβώοντες.
ἔνθ' ὅ γε θυγατέρας πόρεν υἱάσιν εἶναι ἀκοίτις.
οἱ δ' αἰεὶ παρὰ πατρὶ φίλῳ καὶ μητέρι κεδνῇ
δαίνυνται· παρὰ δέ σφιν ὀνείατα μυρία κεῖται,
10 κνισῆεν δέ τε δῶμα περιστεναχίζεται αὐλῇ
ἤματα· νύκτας δ' αὖτε παρ' αἰδοίῃσ' ἀλόχοισιν
εὕδουσ' ἔν τε τάπησι καὶ ἐν τρητοῖσι λέχεσσι.
καὶ μὲν τῶν ἱκόμεσθα πόλιν καὶ δώματα καλά.
μῆνα δὲ πάντα φίλει με καὶ ἐξερέεινεν ἕκαστα,
15 Ἴλιον Ἀργείων τε νέας καὶ νόστον Ἀχαιῶν·
καὶ μὲν ἐγὼ τῷ πάντα κατὰ μοῖραν κατέλεξα.
ἀλλ' ὅτε δὴ καὶ ἐγὼ ὁδὸν ᾔτεον ἠδ' ἐκέλευον
πεμπέμεν, οὐδέ τι κεῖνος ἀνήνατο, τεῦχε δὲ πομπήν.
δῶκε δέ μ' ἐκδείρας ἀσκὸν βοὸς ἐννεώροιο,
20 ἔνθα δὲ βυκτάων ἀνέμων κατέδησε κέλευθα·
κεῖνον γὰρ ταμίην ἀνέμων ποίησε Κρονίων,
ἠμὲν παυέμεναι ἠδ' ὀρνύμεν ὅν κ' ἐθέλησι.
νηῒ δ' ἐνὶ γλαφυρῇ κατέδει μέρμιθι φαεινῇ
ἀργυρέῃ, ἵνα μή τι παραπνεύσῃ ὀλίγον περ·
25 αὐτὰρ ἐμοὶ πνοιὴν ζεφύρου προέηκεν ἀῆναι,
ὄφρα φέροι νῆάς τε καὶ αὐτούς· οὐδ' ἄρ' ἔμελλεν

LIBRO DECIMO

E arrivammo all'isola Eolia: vi abitava
Eolo Ippotade caro agli dei immortali,
su un'isola galleggiante; un muro di bronzo infrangibile
la cinge tutta, s'eleva liscia la roccia.
5 Sono nati da lui nelle case dodici figli,
sei figlie e sei figli fiorenti:
ed egli ha dato in moglie ai figli le figlie.
Sempre in casa del padre e della madre augusta
essi mangiano, davanti gli stanno infinite vivande,
10 la casa fumosa di grasso risuona in cortile,
di giorno; accanto alle spose onorate di notte
essi dormono, tra le coltri e nei letti coi fori.
Anche nella città e nelle belle case di questi arrivammo.
Mi ospitò tutto un mese e mi chiese ogni cosa,
15 Ilio e le navi degli Argivi e il ritorno degli Achei;
ed io gli narrai in modo giusto ogni cosa.
Quando chiesi a mia volta il ritorno e pregai
che mi desse una scorta, Eolo non me la negò, ma apprestò.
Un otre mi diede, scuoiatolo da un bue di nove anni,
20 e vi costrinse le rotte dei venti ululanti:
perché il Cronide lo fece custode dei venti,
sia di arrestare sia d'eccitare quello che vuole.
Lo legò nella nave ben cava con un laccio lucente,
d'argento, perché neanche un poco ne uscisse.
25 A spirare per me mandò il soffio di Zefiro,
che portasse le navi e noi stessi: ma non doveva

ἐκτελέειν· αὐτῶν γὰρ ἀπωλόμεθ' ἀφραδίῃσιν.
ἐννῆμαρ μὲν ὁμῶς πλέομεν νύκτας τε καὶ ἦμαρ,
τῇ δεκάτῃ δ' ἤδη ἀνεφαίνετο πατρὶς ἄρουρα.
30 καὶ δὴ πυρπολέοντας ἐλεύσσομεν ἐγγὺς ἐόντας.
ἔνθ' ἐμὲ μὲν γλυκὺς ὕπνος ἐπήλυθε κεκμηῶτα·
αἰεὶ γὰρ πόδα νηὸς ἐνώμων, οὐδέ τῳ ἄλλῳ
δῶχ' ἑτάρων, ἵνα θᾶσσον ἱκοίμεθα πατρίδα γαῖαν·
οἱ δ' ἕταροι ἐπέεσσι πρὸς ἀλλήλους ἀγόρευον,
35 καί μ' ἔφασαν χρυσόν τε καὶ ἄργυρον οἴκαδ' ἄγεσθαι,
δῶρα παρ' Αἰόλοο μεγαλήτορος Ἱπποτάδαο·
ὧδε δέ τις εἴπεσκεν ἰδὼν ἐς πλησίον ἄλλον·
"ὢ πόποι, ὡς ὅδε πᾶσι φίλος καὶ τίμιός ἐστιν
ἀνθρώποισ', ὅτεών τε πόλιν καὶ γαῖαν ἵκηται.
40 πολλὰ μὲν ἐκ Τροίης ἄγεται κειμήλια καλὰ
ληΐδος· ἡμεῖς δ' αὖτε ὁμὴν ὁδὸν ἐκτελέσαντες
οἴκαδε νισόμεθα κενεὰς σὺν χεῖρας ἔχοντες.
καὶ νῦν οἱ τά γε δῶκε χαριζόμενος φιλότητι
Αἴολος. ἀλλ' ἄγε θᾶσσον ἰδώμεθα ὅττι τάδ' ἐστίν,
45 ὅσσος τις χρυσός τε καὶ ἄργυρος ἀσκῷ ἔνεστιν".
ὣς ἔφασαν, βουλὴ δὲ κακὴ νίκησεν ἑταίρων·
ἀσκὸν μὲν λῦσαν, ἄνεμοι δ' ἐκ πάντες ὄρουσαν,
τοὺς δ' αἶψ' ἁρπάξασα φέρεν πόντονδε θύελλα
κλαίοντας, γαίης ἄπο πατρίδος. αὐτὰρ ἐγώ γε
50 ἐγρόμενος κατὰ θυμὸν ἀμύμονα μερμήριξα
ἠὲ πεσὼν ἐκ νηὸς ἀποφθίμην ἐνὶ πόντῳ,
ἦ ἀκέων τλαίην καὶ ἔτι ζωοῖσι μετείην.
ἀλλ' ἔτλην καὶ ἔμεινα, καλυψάμενος δ' ἐνὶ νηῒ
κείμην· αἱ δ' ἐφέροντο κακῇ ἀνέμοιο θυέλλῃ
55 αὖτις ἐπ' Αἰολίην νῆσον, στενάχοντο δ' ἑταῖροι.
ἔνθα δ' ἐπ' ἠπείρου βῆμεν καὶ ἀφυσσάμεθ' ὕδωρ,
αἶψα δὲ δεῖπνον ἕλοντο θοῇς παρὰ νηυσὶν ἑταῖροι.
αὐτὰρ ἐπεὶ σίτοιό τ' ἐπασσάμεθ' ἠδὲ ποτῆτος,
δὴ τότ' ἐγὼ κήρυκά τ' ὀπασσάμενος καὶ ἑταῖρον,
60 βῆν εἰς Αἰόλοο κλυτὰ δώματα· τὸν δ' ἐκίχανον

avverarsi, ci perdemmo per la nostra stoltezza.
Navigammo nove giorni, di notte e di giorno;
al decimo già appariva la terra dei padri
30 e, ormai prossimi, scorgevamo i custodi del fuoco:
un dolce sonno allora mi prese, che ero sfinito;
avevo retto sempre la scotta; non l'avevo affidata
a un altro compagno, perché arrivassimo in patria più presto.
Ma i compagni tra loro parlavano
35 e pensarono che a casa portavo oro e argento,
avuti in dono dal magnanimo Eolo Ippotade.
E qualcuno diceva così rivolto al vicino:
"Guarda come costui è amato e onorato da tutti
gli uomini, alla cui città e paese egli giunga.
40 Tanti bei cimeli e bottino si porta
da Troia, mentre noi, venuti per l'identica strada,
torniamo a casa stringendo le mani vuote.
Ed Eolo ora gli ha dato anche questo, favorendolo
per amicizia. Orsù, presto, vediamo cos'è,
45 vediamo quanto oro e argento c'è dentro l'otre".
Così dissero, e il consiglio cattivo dei compagni prevalse:
sciolsero l'otre e i venti eruppero tutti,
e subito l'uragano rapitili li trascinò verso il mare,
piangenti, lontano dalla terra dei padri. Io allora,
50 svegliatomi, fui incerto nel mio nobile animo
se uccidermi gettandomi dalla nave nel mare
o sopportare in silenzio e restare ancora tra i vivi.
Ma sopportai e restai: copertomi, giacqui
in fondo alla nave. Dal maligno uragano eran tratte
55 di nuovo verso l'isola Eolia: i compagni piangevano.
Scendemmo lì a terra e acqua attingemmo:
subito presero il pasto accanto alle navi veloci, i compagni.
Dopoché fummo sazi di cibo e bevanda,
allora io, presi con me un araldo e un compagno,
60 mi avviai alle celebri case di Eolo: lo trovai

δαινύμενον παρὰ ᾗ τ' ἀλόχῳ καὶ οἷσι τέκεσσιν.
ἐλθόντες δ' ἀνὰ δῶμα παρὰ σταθμοῖσι ἐπ' οὐδοῦ
ἑζόμεθ'· οἱ δ' ἀνὰ θυμὸν ἐθάμβεον ἔκ τ' ἐρέοντο·
"πῶς ἦλθες, Ὀδυσεῦ; τίς τοι κακὸς ἔχραε δαίμων;
65 ἦ μέν σ' ἐνδυκέως ἀπεπέμπομεν, ὄφρα ἵκοιο
πατρίδα σὴν καὶ δῶμα, καὶ εἴ πού τοι φίλον ἐστίν".
ὣς φάσαν· αὐτὰρ ἐγὼ μετεφώνεον ἀχνύμενος κῆρ·
"ἄασάν μ' ἕταροί τε κακοὶ πρὸς τοῖσί τε ὕπνος
σχέτλιος. ἀλλ' ἀκέσασθε, φίλοι· δύναμις γὰρ ἐν ὑμῖν".
70 ὣς ἐφάμην μαλακοῖσι καθαπτόμενος ἐπέεσσιν·
οἱ δ' ἄνεω ἐγένοντο· πατὴρ δ' ἠμείβετο μύθῳ·
"ἔρρ' ἐκ νήσου θᾶσσον, ἐλέγχιστε ζωόντων·
οὐ γάρ μοι θέμις ἐστὶ κομιζέμεν οὐδ' ἀποπέμπειν
ἄνδρα τόν, ὅς κε θεοῖσιν ἀπέχθηται μακάρεσσιν.
75 ἔρρ', ἐπεὶ ἀθανάτοισιν ἀπεχθόμενος τόδ' ἱκάνεις".
ὣς εἰπὼν ἀπέπεμπε δόμων βαρέα στενάχοντα.
ἔνθεν δὲ προτέρω πλέομεν ἀκαχήμενοι ἦτορ·
τείρετο δ' ἀνδρῶν θυμὸς ὑπ' εἰρεσίης ἀλεγεινῆς
ἡμετέρῃ ματίῃ, ἐπεὶ οὐκέτι φαίνετο πομπή.
80 ἑξῆμαρ μὲν ὁμῶς πλέομεν νύκτας τε καὶ ἦμαρ·
ἑβδομάτῃ δ' ἱκόμεσθα Λάμου αἰπὺ πτολίεθρον,
Τηλέπυλον Λαιστρυγονίην, ὅθι ποιμένα ποιμὴν
ἠπύει εἰσελάων, ὁ δέ τ' ἐξελάων ὑπακούει.
ἔνθα κ' ἄϋπνος ἀνὴρ δοιοὺς ἐξήρατο μισθούς,
85 τὸν μὲν βουκολέων, τὸν δ' ἄργυφα μῆλα νομεύων·
ἐγγὺς γὰρ νυκτός τε καὶ ἤματός εἰσι κέλευθοι.
ἔνθ' ἐπεὶ ἐς λιμένα κλυτὸν ἤλθομεν, ὃν πέρι πέτρη
ἠλίβατος τετύχηκε διαμπερὲς ἀμφοτέρωθεν,
ἀκταὶ δὲ προβλῆτες ἐναντίαι ἀλλήλῃσιν
90 ἐν στόματι προὔχουσιν, ἀραιὴ δ' εἴσοδός ἐστιν,
ἔνθ' οἵ γ' εἴσω πάντες ἔχον νέας ἀμφιελίσσας.
αἱ μὲν ἄρ' ἔντοσθεν λιμένος κοίλοιο δέδεντο
πλησίαι· οὐ μὲν γάρ ποτ' ἀέξετο κῦμά γ' ἐν αὐτῷ,
οὔτε μέγ' οὔτ' ὀλίγον, λευκὴ δ' ἦν ἀμφὶ γαλήνη.

a banchetto, accanto a sua moglie e ai suoi figli.
Entrati in casa, sulla soglia sedemmo
vicino agli stipiti; ed essi stupiti ci chiesero:
"Odisseo, come tornasti? quale demone cattivo ti invase?
65 Eppure ti rifornimmo con cura, perché tu giungessi
nella tua patria e a casa e dove comunque ti è caro".
Così dissero, ed io col cuore addolorato risposi:
"Mi rovinarono i vili compagni e con essi un perfido
sonno. Ma rimediate voi, cari: è in vostro potere".
70 Dicevo così, avvolgendoli con parole gentili,
ma ammutolirono quelli, e il padre rispose:
"Va' via dall'isola, subito, ignominia dei vivi;
non è mio costume ospitare e scortare
un uomo che è in odio agli dei beati.
75 Vattene, perché arrivi qui in odio agli dei".
Dicendo così mi cacciò dalla casa tra gemiti cupi.
Navigammo oltre, da lì, col cuore angosciato.
Il faticoso remare spossava il vigore degli uomini
per la nostra stoltezza, perché era sparita la scorta.
80 Navigammo sei giorni, di notte e di giorno:
al settimo fummo alla rocca scoscesa di Lamo,
la Lestrigonia Telèpilo, dove il pastore rientrando
chiama il pastore e quello uscendo risponde.
Un uomo insonne otterrebbe lì doppia paga,
85 una guardando i buoi, l'altra pascendo le argentee greggi.
Perché lì son vicini i sentieri della notte e del giorno.
Quando arrivammo nel celebre porto, intorno a cui s'alza
scoscesa la roccia ininterrottamente ai due lati,
e coste sporgenti si allungano
90 opposte tra loro all'imbocco – è angusta l'entrata –,
i compagni arrestarono tutti le navi veloci a virare.
Erano dunque ormeggiate all'interno del porto incavato,
vicine: in esso non s'alza mai l'onda,
né molto né poco, e intorno era chiara bonaccia.

95 αὐτὰρ ἐγὼν οἶος σχέθον ἔξω νῆα μέλαιναν,
αὐτοῦ ἐπ' ἐσχατιῇ, πέτρης ἐκ πείσματα δήσας.
ἔστην δὲ σκοπιὴν ἐς παιπαλόεσσαν ἀνελθών·
ἔνθα μὲν οὔτε βοῶν οὔτ' ἀνδρῶν φαίνετο ἔργα,
καπνὸν δ' οἶον ὁρῶμεν ἀπὸ χθονὸς ἀΐσσοντα.
100 δὴ τότ' ἐγὼν ἑτάρους προΐην πεύθεσθαι ἰόντας,
οἵ τινες ἀνέρες εἶεν ἐπὶ χθονὶ σῖτον ἔδοντες,
ἄνδρε δύο κρίνας, τρίτατον κήρυχ' ἅμ' ὀπάσσας.
οἱ δ' ἴσαν ἐκβάντες λείην ὁδόν, ᾗ περ ἅμαξαι
ἄστυδ' ἀφ' ὑψηλῶν ὀρέων καταγίνεον ὕλην.
105 κούρῃ δὲ ξύμβληντο πρὸ ἄστεος ὑδρευούσῃ,
θυγατέρ' ἰφθίμῃ Λαιστρυγόνος Ἀντιφάταο.
ἡ μὲν ἄρ' ἐς κρήνην κατεβήσετο καλλιρέεθρον
Ἀρτακίην· ἔνθεν γὰρ ὕδωρ προτὶ ἄστυ φέρεσκον·
οἱ δὲ παριστάμενοι προσεφώνεον, ἔκ τ' ἐρέοντο
110 ὅς τις τῶνδ' εἴη βασιλεὺς καὶ οἷσιν ἀνάσσοι.
ἡ δὲ μάλ' αὐτίκα πατρὸς ἐπέφραδε ὑψερεφὲς δῶ.
οἱ δ' ἐπεὶ εἰσῆλθον κλυτὰ δώματα, τὴν δὲ γυναῖκα
εὗρον ὅσην τ' ὄρεος κορυφήν, κατὰ δ' ἔστυγον αὐτήν.
ἡ δ' αἶψ' ἐξ ἀγορῆς ἐκάλει κλυτὸν Ἀντιφατῆα,
115 ὃν πόσιν, ὃς δὴ τοῖσιν ἐμήσατο λυγρὸν ὄλεθρον.
αὐτίχ' ἕνα μάρψας ἑτάρων ὁπλίσσατο δεῖπνον·
τὼ δὲ δύ' ἀΐξαντε φυγῇ ἐπὶ νῆας ἱκέσθην.
αὐτὰρ ὁ τεῦχε βοὴν διὰ ἄστεος· οἱ δ' ἀΐοντες
φοίτων ἴφθιμοι Λαιστρυγόνες ἄλλοθεν ἄλλος,
120 μυρίοι, οὐκ ἄνδρεσσιν ἐοικότες, ἀλλὰ Γίγασιν.
οἵ ῥ' ἀπὸ πετράων ἀνδραχθέσι χερμαδίοισι
βάλλον· ἄφαρ δὲ κακὸς κόναβος κατὰ νῆας ὀρώρει
ἀνδρῶν τ' ὀλλυμένων νηῶν θ' ἅμα ἀγνυμενάων·
ἰχθῦς δ' ὣς πείροντες ἀτερπέα δαῖτα φέροντο.
125 ὄφρ' οἱ τοὺς ὄλεκον λιμένος πολυβενθέος ἐντός,
τόφρα δ' ἐγὼ ξίφος ὀξὺ ἐρυσσάμενος παρὰ μηροῦ
τῷ ἀπὸ πείσματ' ἔκοψα νεὸς κυανοπρῴροιο·
αἶψα δ' ἐμοῖς ἑτάροισιν ἐποτρύνας ἐκέλευσα

95 Io solo trattenni all'esterno la nera nave,
lì sulla punta, legando alla roccia una gomena.
Salii su una altura scoscesa e stetti in vedetta:
non si vedevano lì lavori di buoi o di uomini,
ma vedevamo soltanto del fumo levarsi da terra.
100 Allora io mandai dei compagni a indagare
chi fossero gli uomini che in quella terra mangiavano pane,
scelti due uomini e aggiunto come terzo un araldo.
Sbarcati, essi presero il piano sentiero per dove
i carri portavano dalle alte montagne la legna in città.
105 Fuori città s'imbatterono in una fanciulla che andava alla fonte,
la nobile figlia del Lestrigone Antifate.
Ella era scesa alla fonte Artachia
dalla bella corrente: da lì portavano l'acqua in città.
Avvicinatisi, le rivolsero la parola e le chiesero
110 chi fosse mai il loro re e su chi comandava.
Subito lei indicò la casa dall'alto soffitto del padre.
Quando entrarono nelle celebri case, vi trovarono
la moglie di questi, alta come cima di monte, e ne ebbero orrore.
Ed ecco costei chiamò dalla piazza il nobile Antifate,
115 suo marito, il quale ordì loro una fine luttuosa.
Afferrato senza indugio un compagno, lo fece suo pasto:
gli altri due, lanciatisi in fuga, le navi raggiunsero.
Ma egli diede una voce per la città: sentendolo essi
arrivarono chi di qua chi di là, i forti Lestrigoni,
120 innumerevoli, non simili ad uomini ma come Giganti.
Lanciavano dalle rocce macigni, che un uomo
a stento può alzare: sulle navi era sorto un rumore sinistro
di uomini uccisi e, insieme, di navi spezzate.
Infilzandoli quasi fossero pesci, li portavano come laido pasto.
125 Mentre essi li sterminavano dentro il porto profondo,
io, tratta l'aguzza lama lungo la coscia,
tagliai con essa gli ormeggi alla nave dalla prora turchina.
Subito ai miei compagni ordinai, incitandoli,

ἐμβαλέειν κώπησ', ἵν' ὑπὲκ κακότητα φύγοιμεν·
130 οἱ δ' ἅμα πάντες ἀνέρριψαν, δείσαντες ὄλεθρον.
ἀσπασίως δ' ἐς πόντον ἐπηρεφέας φύγε πέτρας
νηῦς ἐμή· αὐτὰρ αἱ ἄλλαι ἀολλέες αὐτόθ' ὄλοντο.

ἔνθεν δὲ προτέρω πλέομεν ἀκαχήμενοι ἦτορ,
ἄσμενοι ἐκ θανάτοιο, φίλους ὀλέσαντες ἑταίρους.
135 Αἰαίην δ' ἐς νῆσον ἀφικόμεθ'· ἔνθα δ' ἔναιε
Κίρκη ἐϋπλόκαμος, δεινὴ θεὸς αὐδήεσσα,
αὐτοκασιγνήτη ὀλοόφρονος Αἰήταο·
ἄμφω δ' ἐκγεγάτην φαεσιμβρότου Ἠελίοιο
μητρός τ' ἐκ Πέρσης, τὴν Ὠκεανὸς τέκε παῖδα.
140 ἔνθα δ' ἐπ' ἀκτῆς νηῒ κατηγαγόμεσθα σιωπῇ
ναύλοχον ἐς λιμένα, καί τις θεὸς ἡγεμόνευεν.
ἔνθα τότ' ἐκβάντες δύο τ' ἤματα καὶ δύο νύκτας
κείμεθ', ὁμοῦ καμάτῳ τε καὶ ἄλγεσι θυμὸν ἔδοντες.

ἀλλ' ὅτε δὴ τρίτον ἦμαρ ἐϋπλόκαμος τέλεσ' Ἠώς,
145 καὶ τότ' ἐγὼν ἐμὸν ἔγχος ἑλὼν καὶ φάσγανον ὀξὺ
καρπαλίμως παρὰ νηὸς ἀνήϊον ἐς περιωπήν,
εἴ πως ἔργα ἴδοιμι βροτῶν ἐνοπήν τε πυθοίμην.
ἔστην δὲ σκοπιὴν ἐς παιπαλόεσσαν ἀνελθών,
καί μοι ἐείσατο καπνὸς ἀπὸ χθονὸς εὐρυοδείης
150 Κίρκης ἐν μεγάροισι διὰ δρυμὰ πυκνὰ καὶ ὕλην.
μερμήριξα δ' ἔπειτα κατὰ φρένα καὶ κατὰ θυμὸν
ἐλθεῖν ἠδὲ πυθέσθαι, ἐπεὶ ἴδον αἴθοπα καπνόν.
ὧδε δέ μοι φρονέοντι δοάσσατο κέρδιον εἶναι,
πρῶτ' ἐλθόντ' ἐπὶ νῆα θοὴν καὶ θῖνα θαλάσσης
155 δεῖπνον ἑταίροισιν δόμεναι προέμεν τε πυθέσθαι.

ἀλλ' ὅτε δὴ σχεδὸν ἦα κιὼν νεὸς ἀμφιελίσσης,
καὶ τότε τίς με θεῶν ὀλοφύρατο μοῦνον ἐόντα,
ὅς ῥά μοι ὑψίκερων ἔλαφον μέγαν εἰς ὁδὸν αὐτὴν
ἧκεν· ὁ μὲν ποταμόνδε κατήϊεν ἐκ νομοῦ ὕλης
160 πιόμενος· δὴ γάρ μιν ἔχεν μένος ἠελίοιο.
τὸν δ' ἐγὼ ἐκβαίνοντα κατὰ κνῆστιν μέσα νῶτα
πλῆξα· τὸ δ' ἀντικρὺ δόρυ χάλκεον ἐξεπέρησε,

di gettarsi sui remi per scampare al pericolo.
130 Ed essi insieme remarono, tutti, temendo la fine.
Felicemente sfuggì verso il mare alle rocce incombenti
la nave mia: ma le altre perirono in mucchio in quel luogo.
Navigammo oltre, da lì, col cuore angosciato,
sollevati da morte, perduti i cari compagni.
135 E arrivammo all'isola Eea: vi abitava
Circe dai riccioli belli, dea tremenda con voce umana,
sorella germana di Aiete pericoloso:
erano nati entrambi dal Sole che dà luce ai mortali
e da Perse, la madre, che Oceano ebbe per figlia.
140 Là dirigemmo in silenzio la nave alla riva
in un porto sicuro, e un dio ci guidava.
Sbarcati, restammo due giorni e due notti in quel luogo,
rodendoci l'animo a un tempo con fatiche e dolori.
Ma quando Aurora dai riccioli belli portò il terzo giorno,
145 allora io, presa la lancia e l'aguzzo brando,
dalla nave salii sveltamente su un luogo con ampia vista,
semmai vedessi lavori di uomini e sentissi una voce.
Salii su un'altura scoscesa e stetti in vedetta:
e un fumo dalla campagna spaziosa m'apparve,
150 nella casa di Circe, tra la fitta macchia e la selva.
Allora pensai nella mente e nell'animo
di andare a indagare, quando vidi lo scuro fumo;
e mentre pensavo mi parve meglio così:
di tornare anzitutto alla nave veloce e alla riva del mare,
155 per dar da mangiare ai compagni e mandarli a esplorare.
Camminando ero già vicino alla nave veloce a virare,
quand'ecco un dio ebbe pena di me che ero solo,
e spinse sul mio stesso cammino un gran cervo
con alte corna. Al fiume scendeva, dal pascolo della foresta,
160 per bere: lo tormentava la furia del sole.
Lo colpii, mentre usciva, in mezzo alla schiena,
alla spina dorsale: l'asta di bronzo lo trapassò.

κὰδ δ' ἔπεσ' ἐν κονίῃσι μακών, ἀπὸ δ' ἔπτατο θυμός.
τῷ δ' ἐγὼ ἐμβαίνων δόρυ χάλκεον ἐξ ὠτειλῆς
165 εἰρυσάμην· τὸ μὲν αὖθι κατακλίνας ἐπὶ γαίῃ
εἴασ'· αὐτὰρ ἐγὼ σπασάμην ῥῶπάς τε λύγους τε,
πεῖσμα δ' ὅσον τ' ὄργυιαν ἐΰστρεφὲς ἀμφοτέρωθεν
πλεξάμενος συνέδησα πόδας δεινοῖο πελώρου,
βῆν δὲ καταλοφάδια φέρων ἐπὶ νῆα μέλαιναν,
170 ἔγχει ἐρειδόμενος, ἐπεὶ οὔ πως ἦεν ἐπ' ὤμου
χειρὶ φέρειν ἑτέρῃ· μάλα γὰρ μέγα θηρίον ἦεν.
κὰδ δ' ἔβαλον προπάροιθε νεός, ἀνέγειρα δ' ἑταίρους
μειλιχίοισ' ἐπέεσσι παρασταδὸν ἄνδρα ἕκαστον·
"ὦ φίλοι, οὐ γάρ πω καταδυσόμεθ', ἀχνύμενοί περ,
175 εἰς 'Αΐδαο δόμους, πρὶν μόρσιμον ἦμαρ ἐπέλθῃ·
ἀλλ' ἄγετ', ὄφρ' ἐν νηῒ θοῇ βρῶσίς τε πόσις τε,
μνησόμεθα βρώμης μηδὲ τρυχώμεθα λιμῷ".
ὣς ἐφάμην, οἱ δ' ὦκα ἐμοῖς ἐπέεσσι πίθοντο·
ἐκ δὲ καλυψάμενοι παρὰ θῖν' ἁλὸς ἀτρυγέτοιο
180 θηήσαντ' ἔλαφον· μάλα γὰρ μέγα θηρίον ἦεν.
αὐτὰρ ἐπεὶ τάρπησαν ὁρώμενοι ὀφθαλμοῖσι,
χεῖρας νιψάμενοι τεύχοντ' ἐρικυδέα δαῖτα.
ὣς τότε μὲν πρόπαν ἦμαρ ἐς ἠέλιον καταδύντα
ἥμεθα δαινύμενοι κρέα τ' ἄσπετα καὶ μέθυ ἡδύ·
185 ἦμος δ' ἠέλιος κατέδυ καὶ ἐπὶ κνέφας ἦλθε,
δὴ τότε κοιμήθημεν ἐπὶ ῥηγμῖνι θαλάσσης.
ἦμος δ' ἠριγένεια φάνη ῥοδοδάκτυλος 'Ηώς,
188 καὶ τότ' ἐγὼν ἀγορὴν θέμενος μετὰ πᾶσιν ἔειπον·
190 "ὦ φίλοι, οὐ γάρ τ' ἴδμεν ὅπῃ ζόφος οὐδ' ὅπῃ ἠώς,
οὐδ' ὅπῃ ἠέλιος φαεσίμβροτος εἶσ' ὑπὸ γαῖαν
οὐδ' ὅπῃ ἀννεῖται· ἀλλὰ φραζώμεθα θᾶσσον,
εἴ τις ἔτ' ἔσται μῆτις· ἐγὼ δ' οὐκ οἴομαι εἶναι.
εἶδον γὰρ σκοπιὴν ἐς παιπαλόεσσαν ἀνελθὼν
195 νῆσον, τὴν πέρι πόντος ἀπείριτος ἐστεφάνωται.
αὐτὴ δὲ χθαμαλὴ κεῖται· καπνὸν δ' ἐνὶ μέσσῃ
ἔδρακον ὀφθαλμοῖσι διὰ δρυμὰ πυκνὰ καὶ ὕλην".

Nella polvere cadde, bramendo, volò via la vita.
Salito su di esso, svelsi l'asta di bronzo
165 dalla ferita: la lasciai lì a terra
poggiata. Io invece staccai virgulti e vermene
e intrecciata una corda lunga due braccia, ritorta
ai due capi, legai i piedi dell'enorme bestia
e portandola in collo mi diressi alla nave nera
170 appoggiandomi all'asta, perché sulla spalla non potevo
portarla con l'altra mano: era una bestia assai grande.
La gettai davanti alla nave, destai i compagni
con parole gentili, stando accanto a ciascuno:
"O amici, non scenderemo, benché addolorati,
175 nelle case di Ade, prima che arrivi il giorno fatale.
Ma su, finché nella nave veloce c'è cibo e bevanda
pensiamo a mangiare e non ci consumi la fame".
Dissi così e subito mi diedero ascolto.
Sbarazzatisi delle coperte, sulla riva del mare infecondo
180 ammiravano il cervo: era una bestia assai grande.
Quando furono sazi di guardare cogli occhi,
dopo aver lavato le mani, prepararono lo splendido pasto.
Così tutto il giorno sedemmo fino al tramonto,
consumando carni abbondanti e dolce vino:
185 appena il sole calò e sopraggiunse la tenebra,
ci sdraiammo sulla riva del mare.
Quando mattutina apparve Aurora dalle rosee dita,
188 allora fatto un consiglio parlai in mezzo a tutti:
190 "O amici, non sappiamo dov'è l'occidente e l'aurora,
dove va sotto terra il sole che dà luce ai mortali,
e dove risorge: su presto, pensiamo
se v'è ancora un rimedio. Io non credo vi sia.
Son salito su una altura scoscesa, ed un'isola
195 ho visto, che il mare infinito incorona:
bassa essa giace; un fumo ho scorto con gli occhi
nel mezzo, tra la fitta macchia e la selva".

ὣς ἐφάμην, τοῖσιν δὲ κατεκλάσθη φίλον ἦτορ
μνησαμένοισ' ἔργων Λαιστρυγόνος 'Αντιφάταο
200 Κύκλωπός τε βίης μεγαλήτορος ἀνδροφάγοιο.
κλαῖον δὲ λιγέως, θαλερὸν κατὰ δάκρυ χέοντες·
ἀλλ' οὐ γάρ τις πρῆξις ἐγίγνετο μυρομένοισιν.
αὐτὰρ ἐγὼ δίχα πάντας ἐϋκνήμιδας ἑταίρους
ἠρίθμεον, ἀρχὸν δὲ μετ' ἀμφοτέροισιν ὄπασσα·
205 τῶν μὲν ἐγὼν ἦρχον, τῶν δ' Εὐρύλοχος θεοειδής.
κλήρους δ' ἐν κυνέῃ χαλκήρεϊ πάλλομεν ὦκα·
ἐκ δ' ἔθορε κλῆρος μεγαλήτορος Εὐρυλόχοιο.
βῆ δ' ἰέναι, ἅμα τῷ γε δύω καὶ εἴκοσ' ἑταῖροι
κλαίοντες· κατὰ δ' ἄμμε λίπον γοόωντας ὄπισθεν.
210 εὗρον δ' ἐν βήσσῃσι τετυγμένα δώματα Κίρκης
ξεστοῖσιν λάεσσι, περισκέπτῳ ἐνὶ χώρῳ.
ἀμφὶ δέ μιν λύκοι ἦσαν ὀρέστεροι ἠδὲ λέοντες,
τοὺς αὐτὴ κατέθελξεν, ἐπεὶ κακὰ φάρμακ' ἔδωκεν.
οὐδ' οἵ γ' ὡρμήθησαν ἐπ' ἀνδράσιν, ἀλλ' ἄρα τοί γε
215 οὐρῇσιν μακρῇσι περισσαίνοντες ἀνέσταν.
ὡς δ' ὅτ' ἂν ἀμφὶ ἄνακτα κύνες δαίτηθεν ἰόντα
σαίνωσ'· αἰεὶ γάρ τε φέρει μειλίγματα θυμοῦ·
ὣς τοὺς ἀμφὶ λύκοι κρατερώνυχες ἠδὲ λέοντες
σαῖνον· τοὶ δ' ἔδδεισαν, ἐπεὶ ἴδον αἰνὰ πέλωρα.
220 ἔσταν δ' εἰνὶ θύρῃσι θεᾶς καλλιπλοκάμοιο,
Κίρκης δ' ἔνδον ἄκουον ἀειδούσης ὀπὶ καλῇ
ἱστὸν ἐποιχομένης μέγαν ἄμβροτον, οἷα θεάων
λεπτά τε καὶ χαρίεντα καὶ ἀγλαὰ ἔργα πέλονται.
τοῖσι δὲ μύθων ἦρχε Πολίτης, ὄρχαμος ἀνδρῶν,
225 ὅς μοι κήδιστος ἑτάρων ἦν κεδνότατός τε·
"ὦ φίλοι, ἔνδον γάρ τις ἐποιχομένη μέγαν ἱστὸν
καλὸν ἀοιδιάει, δάπεδον δ' ἅπαν ἀμφιμέμυκεν,
ἢ θεὸς ἠὲ γυνή· ἀλλὰ φθεγγώμεθα θᾶσσον".
ὣς ἄρ' ἐφώνησεν, τοὶ δ' ἐφθέγγοντο καλεῦντες.
230 ἡ δ' αἶψ' ἐξελθοῦσα θύρας ὤϊξε φαεινὰς
καὶ κάλει· οἱ δ' ἅμα πάντες ἀϊδρείῃσιν ἕποντο·

Dissi così, e ad essi si spezzò il caro cuore,
pensando ai misfatti del Lestrigono Antifate
200 e alla forza del magnanimo Ciclope antropofago.
Gemevano stridulamente, versando pianto copioso:
nessun vantaggio però gli veniva piangendo.
Allora io divisi tutti i compagni dai saldi schinieri
in due squadre, e diedi un capo a ciascuna.
205 Degli uni il capo ero io, degli altri Euriloco simile a un dio.
Subito agitiamo le sorti in un elmo di bronzo:
e saltò fuori la sorte del magnanimo Euriloco.
Si mise in cammino, e con lui ventidue compagni
piangenti: ci lasciarono, che gemevamo.
210 Nella vallata trovarono le case di Circe costruite
con pietre squadrate, in un luogo protetto:
c'erano intorno lupi montani e leoni
che ella aveva stregato, dandogli filtri maligni.
Essi non assalirono gli uomini, ma
215 agitando le lunghe code si alzarono.
Come quando i cani scodinzolano al padrone che torna
da un pranzo, perché porta ogni volta dei buoni bocconi;
così i lupi dalle forti unghie e i leoni scodinzolavano
ad essi: temettero, quando videro le orribili fiere.
220 Si fermarono davanti alle porte della dea dai bei riccioli,
sentivano Circe che dentro con voce bella cantava,
intenta a un ordito grande, immortale, come le dee
sanno farli, sottili e pieni di grazia e di luce.
E cominciò fra essi a parlare Polite, capo di forti,
225 che mi era tra i compagni il più caro e fidato:
"O cari, qui dentro, intenta a un grande ordito,
canta in modo perfetto – ne risuona tutta la casa –
una dea o una donna: su presto, gridiamo".
Disse così, ed essi con grida chiamarono.
230 Lei subito uscita aprì le porte lucenti
e li invitò: la seguirono tutti senza sospetto.

Εὐρύλοχος δ' ὑπέμεινεν, ὀΐσσατο γὰρ δόλον εἶναι.
εἷσεν δ' εἰσαγαγοῦσα κατὰ κλισμούς τε θρόνους τε,
ἐν δέ σφιν τυρόν τε καὶ ἄλφιτα καὶ μέλι χλωρὸν
235 οἴνῳ Πραμνείῳ ἐκύκα· ἀνέμισγε δὲ σίτῳ
φάρμακα λύγρ', ἵνα πάγχυ λαθοίατο πατρίδος αἴης.
αὐτὰρ ἐπεὶ δῶκέν τε καὶ ἔκπιον, αὐτίκ' ἔπειτα
ῥάβδῳ πεπληγυῖα κατὰ συφεοῖσιν ἐέργνυ.
οἱ δὲ συῶν μὲν ἔχον κεφαλὰς φωνήν τε τρίχας τε
240 καὶ δέμας, αὐτὰρ νοῦς ἦν ἔμπεδος ὡς τὸ πάρος περ.
ὣς οἱ μὲν κλαίοντες ἐέρχατο· τοῖσι δὲ Κίρκη
πὰρ ἄκυλον βάλανόν τ' ἔβαλεν καρπόν τε κρανείης
ἔδμεναι, οἷα σύες χαμαιευνάδες αἰὲν ἔδουσιν.
Εὐρύλοχος δ' αἶψ' ἦλθε θοὴν ἐπὶ νῆα μέλαιναν,
245 ἀγγελίην ἑτάρων ἐρέων καὶ ἀδευκέα πότμον.
οὐδέ τι ἐκφάσθαι δύνατο ἔπος, ἱέμενός περ,
κῆρ ἄχεϊ μεγάλῳ βεβολημένος· ἐν δέ οἱ ὄσσε
δακρυόφιν πίμπλαντο, γόον δ' ὠΐετο θυμός.
ἀλλ' ὅτε δή μιν πάντες ἀγασσάμεθ' ἐξερέοντες,
250 καὶ τότε τῶν ἄλλων ἑτάρων κατέλεξεν ὄλεθρον·
"ἤομεν, ὡς ἐκέλευες, ἀνὰ δρυμά, φαίδιμ' Ὀδυσσεῦ·
εὕρομεν ἐν βήσσῃσι τετυγμένα δώματα καλὰ
ξεστοῖσιν λάεσσι, περισκέπτῳ ἐνὶ χώρῳ.
ἔνθα δέ τις μέγαν ἱστὸν ἐποιχομένη λίγ' ἄειδεν
255 ἢ θεὸς ἠὲ γυνή· τοὶ δ' ἐφθέγγοντο καλεῦντες.
ἡ δ' αἶψ' ἐξελθοῦσα θύρας ὤϊξε φαεινὰς
καὶ κάλει· οἱ δ' ἅμα πάντες ἀϊδρείῃσιν ἕποντο·
αὐτὰρ ἐγὼν ὑπέμεινα, ὀϊσσάμενος δόλον εἶναι.
οἱ δ' ἅμ' ἀϊστώθησαν ἀολλέες, οὐδέ τις αὐτῶν
260 ἐξεφάνη· δηρὸν δὲ καθήμενος ἐσκοπίαζον".
ὣς ἔφατ', αὐτὰρ ἐγὼ περὶ μὲν ξίφος ἀργυρόηλον
ὤμοιϊν βαλόμην, μέγα χάλκεον, ἀμφὶ δὲ τόξα·
τὸν δ' αἶψ' ἠνώγεα αὐτὴν ὁδὸν ἡγήσασθαι.
264 αὐτὰρ ὅ γ' ἀμφοτέρῃσι λαβὼν ἐλλίσσετο γούνων·
266 "μή μ' ἄγε κεῖσ' ἀέκοντα, διοτρεφές, ἀλλὰ λίπ' αὐτοῦ.

Indietro restò Euriloco: pensò che fosse una trappola.
Li guidò e fece sedere sulle sedie e sui troni:
formaggio, farina d'orzo e pallido miele mischiò
235 ad essi col vino di Pramno; funesti farmaci
mischiò nel cibo, perché obliassero del tutto la patria.
Dopoché glielo diede e lo bevvero, li toccò subito
con una bacchetta e li rinserrò nei porcili.
Dei porci essi avevano il corpo: voci e setole
240 e aspetto. Ma come in passato la mente era salda.
Così essi furono chiusi, piangenti, e Circe
gli gettò da mangiare le ghiande di leccio, di quercia
e corniolo, che mangiano sempre i maiali stesi per terra.

Euriloco in fretta tornò alla nera nave veloce
245 per dire la nuova degli altri compagni e il loro amaro destino.
Ma non riusciva a dire parola, per quanto volesse,
colpito nel cuore da grande dolore: i suoi occhi
erano pieni di lacrime, l'animo aveva voglia di pianto.
Ma quando, a furia di chiedere, ci adirammo tutti con lui,
250 allora narrò la fine degli altri compagni:

"Andammo, come ordinasti, dentro la macchia, illustre Odisseo;
belle case trovammo nella vallata, costruite
con pietre squadrate in luogo protetto.
Intenta a un grande ordito, cantava laggiù a voce spiegata
255 una dea o una donna; essi con grida chiamarono;
lei subito uscita aprì le porte lucenti
e li invitò; la seguirono tutti senza sospetto;
ma io mi fermai, pensando che fosse una trappola.
E furono in mucchio annientati: di essi non è ricomparso
260 nessuno. Son rimasto a lungo a spiare".

Disse così, e la spada con borchie d'argento
mi gettai sulle spalle, grande, di bronzo, e l'arco a tracolla:
gli ordinai di guidarmi subito per la medesima strada.
264 Ma egli, ai ginocchi abbracciandomi, mi scongiurò:
266 "Non condurmi lì a forza, o allevato da Zeus, ma lasciami qui,

οἶδα γὰρ ὡς οὔτ' αὐτὸς ἐλεύσεαι οὔτε τιν' ἄλλον
ἄξεις σῶν ἑτάρων· ἀλλὰ ξὺν τοίσδεσι θᾶσσον
φεύγωμεν· ἔτι γάρ κεν ἀλύξαιμεν κακὸν ἦμαρ".
270 ὣς ἔφατ', αὐτὰρ ἐγώ μιν ἀμειβόμενος προσέειπον·
"Εὐρύλοχ', ἤτοι μὲν σὺ μέν' αὐτοῦ τῷδ' ἐνὶ χώρῳ
ἔσθων καὶ πίνων, κοίλῃ παρὰ νηῒ μελαίνῃ·
αὐτὰρ ἐγὼν εἶμι· κρατερὴ δέ μοι ἔπλετ' ἀνάγκη".
ὣς εἰπὼν παρὰ νηὸς ἀνήϊον ἠδὲ θαλάσσης.
275 ἀλλ' ὅτε δὴ ἄρ' ἔμελλον ἰὼν ἱερὰς ἀνὰ βήσσας
Κίρκης ἵξεσθαι πολυφαρμάκου ἐς μέγα δῶμα,
ἔνθα μοι Ἑρμείας χρυσόρραπις ἀντεβόλησεν
ἐρχομένῳ πρὸς δῶμα, νεηνίῃ ἀνδρὶ ἐοικώς,
πρῶτον ὑπηνήτῃ, τοῦ περ χαριεστάτη ἥβη·
280 ἔν τ' ἄρα μοι φῦ χειρὶ ἔπος τ' ἔφατ' ἔκ τ' ὀνόμαζε·
"πῇ δὴ αὖτ', ὦ δύστηνε, δι' ἄκριας ἔρχεαι οἶος,
χώρου ἄϊδρις ἐών; ἕταροι δέ τοι οἵδ' ἐνὶ Κίρκης
ἔρχαται, ὥς τε σύες πυκινοὺς κευθμῶνας ἔχοντες.
ἦ τοὺς λυσόμενος δεῦρ' ἔρχεαι; οὐδέ σέ φημι
285 αὐτὸν νοστήσειν, μενέεις δὲ σύ γ' ἔνθα περ ἄλλοι.
ἀλλ' ἄγε δή σε κακῶν ἐκλύσομαι ἠδὲ σαώσω·
τῆ, τόδε φάρμακον ἐσθλὸν ἔχων ἐς δώματα Κίρκης
ἔρχευ, ὅ κέν τοι κρατὸς ἀλάλκῃσιν κακὸν ἦμαρ.
πάντα δέ τοι ἐρέω ὀλοφώϊα δήνεα Κίρκης.
290 τεύξει τοι κυκεῶ, βαλέει δ' ἐν φάρμακα σίτῳ·
ἀλλ' οὐδ' ὧς θέλξαι σε δυνήσεται· οὐ γὰρ ἐάσει
φάρμακον ἐσθλόν, ὅ τοι δώσω, ἐρέω δὲ ἕκαστα.
ὁππότε κεν Κίρκη σ' ἐλάσῃ περιμήκεϊ ῥάβδῳ,
δὴ τότε σὺ ξίφος ὀξὺ ἐρυσσάμενος παρὰ μηροῦ
295 Κίρκῃ ἐπαῖξαι ὥς τε κτάμεναι μενεαίνων.
ἡ δέ σ' ὑποδδείσασα κελήσεται εὐνηθῆναι·
ἔνθα σὺ μηκέτ' ἔπειτ' ἀπανήνασθαι θεοῦ εὐνήν,
ὄφρα κέ τοι λύσῃ θ' ἑτάρους αὐτόν τε κομίσσῃ·
ἀλλὰ κέλεσθαί μιν μακάρων μέγαν ὅρκον ὀμόσσαι
300 μή τί τοι αὐτῷ πῆμα κακὸν βουλευσέμεν ἄλλο,

perché so che né tu tornerai, né alcun altro
porterai dei compagni. Ma fuggiamo al più presto
con questi: potremmo ancora evitare la fine".

270 Disse così, ma io rispondendo gli dissi:
"Euriloco, dunque tu resta qui, in questo luogo,
a mangiare ed a bere vicino alla nera nave incavata:
io però vado, è per me un duro dovere".

Detto così mi lasciai alle spalle la nave e il mare.
275 Ma quando stavo per giungere, traversando i sacri valloni,
alla grande dimora di Circe esperta di filtri,
ecco Ermete dall'aurea verga farmisi incontro,
mentre andavo verso la casa, simile a un giovane
di primo pelo, la cui giovinezza è leggiadra.
280 Mi strinse la mano, mi rivolse la parola, mi disse:

"Dove vai ancora, infelice, solo per queste cime,
ignaro della contrada? Sono chiusi lì i tuoi compagni,
da Circe, come maiali che vivono in fitti recessi.
Vieni qui a liberarli? Neanche tu tornerai,
285 io penso, ma lì resterai come gli altri anche tu.
Ma su, ti scioglierò e salverò dai pericoli.
Ecco, va' nelle case di Circe con questo benefico
farmaco, che può allontanarti dal capo il giorno mortale.
Tutte le astuzie funeste di Circe ti svelerò.
290 Farà per te un beverone, getterà nel cibo dei farmaci,
ma neppure così ti potrà stregare: lo impedirà
il benefico farmaco che ti darò, e ti svelerò ogni cosa.
Quando Circe ti colpirà con una lunghissima verga,
tu allora, tratta l'aguzza spada lungo la coscia,
295 assali Circe, come fossi bramoso di ucciderla;
lei impaurita ti inviterà a coricarti;
tu non rifiutare, né allora né dopo, il letto della dea,
perché i compagni ti liberi e aiuti anche te.
Ma imponile di giurare il gran giuramento dei beati,
300 che non ti ordirà nessun altro malanno:

μή σ' ἀπογυμνωθέντα κακὸν καὶ ἀνήνορα θήῃ".
ὣς ἄρα φωνήσας πόρε φάρμακον Ἀργεϊφόντης
ἐκ γαίης ἐρύσας, καί μοι φύσιν αὐτοῦ ἔδειξε.
ῥίζῃ μὲν μέλαν ἔσκε, γάλακτι δὲ εἴκελον ἄνθος·
305 μῶλυ δέ μιν καλέουσι θεοί· χαλεπὸν δέ τ' ὀρύσσειν
ἀνδράσι γε θνητοῖσι· θεοὶ δέ τε πάντα δύνανται.
Ἑρμείας μὲν ἔπειτ' ἀπέβη πρὸς μακρὸν Ὄλυμπον
νῆσον ἀν' ὑλήεσσαν, ἐγὼ δ' ἐς δώματα Κίρκης
ἤϊα· πολλὰ δέ μοι κραδίη πόρφυρε κιόντι.
310 ἔστην δ' εἰνὶ θύρῃσι θεᾶς καλλιπλοκάμοιο·
ἔνθα στὰς ἐβόησα, θεὰ δέ μευ ἔκλυεν αὐδῆς.
ἡ δ' αἶψ' ἐξελθοῦσα θύρας ὤϊξε φαεινὰς
καὶ κάλει· αὐτὰρ ἐγὼν ἑπόμην ἀκαχήμενος ἦτορ.
εἷσε δέ μ' εἰσαγαγοῦσα ἐπὶ θρόνου ἀργυροήλου,
315 καλοῦ δαιδαλέου· ὑπὸ δὲ θρῆνυς ποσὶν ἦεν·
τεῦχε δέ μοι κυκεῶ χρυσέῳ δέπαι, ὄφρα πίοιμι,
ἐν δέ τε φάρμακον ἧκε, κακὰ φρονέουσ' ἐνὶ θυμῷ.
αὐτὰρ ἐπεὶ δῶκέν τε καὶ ἔκπιον οὐδέ μ' ἔθελξε,
ῥάβδῳ πεπληγυῖα ἔπος τ' ἔφατ' ἔκ τ' ὀνόμαζεν·
320 "ἔρχεο νῦν συφεόνδε, μετ' ἄλλων λέξο ἑταίρων".
ὣς φάτ', ἐγὼ δ' ἄορ ὀξὺ ἐρυσσάμενος παρὰ μηροῦ
Κίρκῃ ἐπήϊξα ὥς τε κτάμεναι μενεαίνων.
ἡ δὲ μέγα ἰάχουσα ὑπέδραμε καὶ λάβε γούνων,
καί μ' ὀλοφυρομένη ἔπεα πτερόεντα προσηύδα·
325 "τίς πόθεν εἰς ἀνδρῶν; πόθι τοι πόλις ἠδὲ τοκῆες;
θαῦμά μ' ἔχει ὡς οὔ τι πιὼν τάδε φάρμακ' ἐθέλχθης.
οὐδὲ γὰρ οὐδέ τις ἄλλος ἀνὴρ τάδε φάρμακ' ἀνέτλη,
ὅς κε πίῃ καὶ πρῶτον ἀμείψεται ἕρκος ὀδόντων.
σοὶ δέ τις ἐν στήθεσσιν ἀκήλητος νόος ἐστίν.
330 ἦ σύ γ' Ὀδυσσεύς ἐσσι πολύτροπος, ὅν τέ μοι αἰεὶ
φάσκεν ἐλεύσεσθαι χρυσόρραπις Ἀργεϊφόντης,
ἐκ Τροίης ἀνιόντα θοῇ σὺν νηῒ μελαίνῃ.
ἀλλ' ἄγε δὴ κολεῷ μὲν ἄορ θέο, νῶϊ δ' ἔπειτα
εὐνῆς ἡμετέρης ἐπιβείομεν, ὄφρα μιγέντε

che appena nudo non ti faccia vile e impotente".
Detto così l'Arghifonte mi porse il farmaco,
dalla terra strappandolo, e me ne mostrò la natura.
Nella radice era nero e il fiore era simile al latte.
305 Gli dei lo chiamano *moly* e per uomini mortali
è duro strapparlo: gli dei però possono tutto.
Poi Ermete andò via, sull'alto Olimpo,
per l'isola boscosa. Ed io mi diressi alla casa
di Circe: andavo e il mio cuore era molto agitato.
310 Mi fermai davanti alle porte della dea dai bei riccioli;
fermatomi lì, gridai: la dea sentì la mia voce
e subito uscita aprì le porte lucenti.
Mi invitò: la seguii col cuore angosciato.
Mi guidò e fece sedere su un trono con borchie d'argento,
315 bello, lavorato: c'era sotto uno sgabello pei piedi.
In un vaso d'oro mi preparò un beverone, perché lo bevessi:
un farmaco ci mise dentro, meditando sventure nell'animo.
Poi me lo diede e lo bevvi, ma non mi stregò;
mi colpì con la verga, mi rivolse la parola, mi disse:
320 "Va' ora al porcile, stenditi con gli altri compagni".
Disse così; io, tratta l'aguzza lama lungo la coscia,
assalii Circe, come fossi bramoso d'ucciderla.
Lei con un urlo corse, m'afferrò le ginocchia
e piangendo mi rivolse alate parole:
325 "Chi sei, di che stirpe? dove hai città e genitori?
Mi stupisce che bevuti i miei farmaci non fosti stregato.
Nessun altro sopportò questi farmaci,
chi li bevve, appena varcarono il recinto dei denti:
una mente che vince gli inganni hai nel petto.
330 Certo Odisseo tu sei, il multiforme, che sempre
l'Arghifonte dall'aurea verga mi diceva sarebbe arrivato,
venendo da Troia con la nera nave veloce.
Ma orsù, riponi la lama nel fodero, e tutti e due
saliamo sul letto, perché congiunti

335 εὐνῇ καὶ φιλότητι πεποίθομεν ἀλλήλοισιν".

ὣς ἔφατ', αὐτὰρ ἐγώ μιν ἀμειβόμενος προσέειπον·
"ὦ Κίρκη, πῶς γάρ με κέλῃ σοὶ ἤπιον εἶναι,
ἥ μοι σῦς μὲν ἔθηκας ἐνὶ μεγάροισιν ἑταίρους,
αὐτὸν δ' ἐνθάδ' ἔχουσα δολοφρονέουσα κελεύεις
340 ἐς θάλαμόν τ' ἰέναι καὶ σῆς ἐπιβήμεναι εὐνῆς,
ὄφρα με γυμνωθέντα κακὸν καὶ ἀνήνορα θήῃς.
οὐδ' ἂν ἐγώ γ' ἐθέλοιμι τεῆς ἐπιβήμεναι εὐνῆς,
εἰ μή μοι τλαίης γε, θεά, μέγαν ὅρκον ὀμόσσαι
μή τί μοι αὐτῷ πῆμα κακὸν βουλευσέμεν ἄλλο".
345 ὣς ἐφάμην, ἡ δ' αὐτίκ' ἀπώμνυεν, ὡς ἐκέλευον.
αὐτὰρ ἐπεί ῥ' ὄμοσέν τε τελεύτησέν τε τὸν ὅρκον,
καὶ τότ' ἐγὼ Κίρκης ἐπέβην περικαλλέος εὐνῆς.

ἀμφίπολοι δ' ἄρα τέως ἐνὶ μεγάροισι πένοντο
τέσσαρες, αἵ οἱ δῶμα κάτα δρήστειραι ἔασι.
350 γίγνονται δ' ἄρα ταί γ' ἔκ τε κρηνέων ἀπό τ' ἀλσέων
ἔκ θ' ἱερῶν ποταμῶν, οἵ τ' εἰς ἅλαδε προρέουσι.
τάων ἡ μὲν ἔβαλλε θρόνοισ' ἔνι ῥήγεα καλά,
πορφύρεα καθύπερθ', ὑπένερθε δὲ λῖθ' ὑπέβαλλεν·
ἡ δ' ἑτέρη προπάροιθε θρόνων ἐτίταινε τραπέζας
355 ἀργυρέας, ἐπὶ δέ σφι τίθει χρύσεια κάνεια·
ἡ δὲ τρίτη κρητῆρι μελίφρονα οἶνον ἐκίρνα
ἡδὺν ἐν ἀργυρέῳ, νέμε δὲ χρύσεια κύπελλα·
ἡ δὲ τετάρτη ὕδωρ ἐφόρει καὶ πῦρ ἀνέκαιε
πολλὸν ὑπὸ τρίποδι μεγάλῳ· ἰαίνετο δ' ὕδωρ.
360 αὐτὰρ ἐπεὶ δὴ ζέσσεν ὕδωρ ἐνὶ ἤνοπι χαλκῷ,
ἔς ῥ' ἀσάμινθον ἕσασα λό' ἐκ τρίποδος μεγάλοιο,
θυμῆρες κεράσασα κατὰ κρατός τε καὶ ὤμων,
ὄφρα μοι ἐκ κάματον θυμοφθόρον εἵλετο γυίων.
αὐτὰρ ἐπεὶ λοῦσέν τε καὶ ἔχρισεν λίπ' ἐλαίῳ,
365 ἀμφὶ δέ με χλαῖναν καλὴν βάλεν ἠδὲ χιτῶνα,
εἷσε δέ μ' εἰσαγαγοῦσα ἐπὶ θρόνου ἀργυροήλου,
καλοῦ δαιδαλέου· ὑπὸ δὲ θρῆνυς ποσὶν ἦεν·
χέρνιβα δ' ἀμφίπολος προχόῳ ἐπέχευε φέρουσα

335 nel letto e in amore ci si possa l'un l'altro fidare".
Disse così, ed io rispondendole dissi:
"Circe, come puoi chiedermi d'essere mite con te,
che nella casa m'hai fatto maiali i compagni,
e qui tenendomi adeschi anche me, insidiosa,
340 a venire nel talamo sopra il tuo letto,
perché, appena nudo, mi faccia vile e impotente?
Sul tuo letto io non voglio salire,
se non acconsenti a giurarmi, o dea, il gran giuramento
che non mediti un'altra azione cattiva a mio danno".
345 Dissi così, e lei giurò subito come volevo.
E dopo che ebbe giurato e finito quel giuramento,
allora io salii sul bellissimo letto di Circe.
Nelle sale lavoravano intanto le quattro
ancelle, che le stanno in casa come domestiche.
350 Sono nate dalle fonti e dai boschi, costoro,
e dai sacri fiumi che scorrono al mare.
Bei tappeti purpurei una d'esse metteva
sui troni, di sopra; e metteva panni lisci di sotto;
davanti ai troni un'altra stendeva argentee
355 tavole, e su di esse canestri d'oro poneva;
nel cratere d'argento mischiava il vino soave,
dolce, la terza, e le coppe d'oro distribuiva;
portava l'acqua, la quarta, e sotto a un gran tripode
molto fuoco accendeva: l'acqua bolliva.
360 E quando poi l'acqua bollì nel bronzo lucente,
nella vasca mi fece sedere e me la versò dal gran tripode,
temperandola gradevolmente, sul capo e le spalle,
per togliere dalle mie membra la snervante fatica.
E quando m'ebbe lavato e unto con olio copiosamente,
365 mi gettò un bel manto e una tunica indosso,
mi guidò e fece sedere su un trono con borchie d'argento,
bello, lavorato: c'era sotto uno sgabello pei piedi;
un'ancella venne a versare dell'acqua da una brocca

καλῇ χρυσείῃ, ὑπὲρ ἀργυρέοιο λέβητος,
370 νίψασθαι· παρὰ δὲ ξεστὴν ἐτάνυσσε τράπεζαν.
σῖτον δ' αἰδοίη ταμίη παρέθηκε φέρουσα,
εἴδατα πόλλ' ἐπιθεῖσα, χαριζομένη παρεόντων·
ἐσθέμεναι δ' ἐκέλευεν· ἐμῷ δ' οὐχ ἥνδανε θυμῷ,
ἀλλ' ἥμην ἀλλοφρονέων, κακὰ δ' ὄσσετο θυμός.
375 Κίρκη δ' ὡς ἐνόησεν ἔμ' ἥμενον οὐδ' ἐπὶ σίτῳ
χεῖρας ἰάλλοντα, στυγερὸν δέ με πένθος ἔχοντα,
ἄγχι παρισταμένη ἔπεα πτερόεντα προσηύδα·
"τίφθ' οὕτως, Ὀδυσεῦ, κατ' ἄρ' ἕζεαι ἶσος ἀναύδῳ,
θυμὸν ἔδων, βρώμης δ' οὐχ ἅπτεαι οὐδὲ ποτῆτος;
380 ἦ τινά που δόλον ἄλλον ὀΐεαι· οὐδέ τί σε χρὴ
δειδίμεν· ἤδη γάρ τοι ἀπώμοσα καρτερὸν ὅρκον".
ὣς ἔφατ', αὐτὰρ ἐγώ μιν ἀμειβόμενος προσέειπον·
"ὦ Κίρκη, τίς γάρ κεν ἀνήρ, ὃς ἐναίσιμος εἴη,
πρὶν τλαίη πάσσασθαι ἐδητύος ἠδὲ ποτῆτος,
385 πρὶν λύσασθ' ἑτάρους καὶ ἐν ὀφθαλμοῖσιν ἰδέσθαι;
ἀλλ' εἰ δὴ πρόφρασσα πιεῖν φαγέμεν τε κελεύεις,
λῦσον, ἵν' ὀφθαλμοῖσιν ἴδω ἐρίηρας ἑταίρους".
ὣς ἐφάμην, Κίρκη δὲ διὲκ μεγάροιο βεβήκει
ῥάβδον ἔχουσ' ἐν χειρί, θύρας δ' ἀνέῳξε συφειοῦ,
390 ἐκ δ' ἔλασεν σιάλοισιν ἐοικότας ἐννεώροισιν.
οἱ μὲν ἔπειτ' ἔστησαν ἐναντίοι, ἡ δὲ δι' αὐτῶν
ἐρχομένη προσάλειφεν ἑκάστῳ φάρμακον ἄλλο.
τῶν δ' ἐκ μὲν μελέων τρίχες ἔρρεον, ἃς πρὶν ἔφυσε
φάρμακον οὐλόμενον, τό σφιν πόρε πότνια Κίρκη·
395 ἄνδρες δ' αἶψ' ἐγένοντο νεώτεροι ἢ πάρος ἦσαν
καὶ πολὺ καλλίονες καὶ μείζονες εἰσοράασθαι.
ἔγνωσαν δέ με κεῖνοι, ἔφυν τ' ἐν χερσὶν ἕκαστος·
πᾶσιν δ' ἱμερόεις ὑπέδυ γόος, ἀμφὶ δὲ δῶμα
σμερδαλέον κονάβιζε· θεὰ δ' ἐλέαιρε καὶ αὐτή.
400 ἡ δέ μευ ἄγχι στᾶσα προσηύδα δῖα θεάων·
"διογενὲς Λαερτιάδη, πολυμήχαν' Ὀδυσσεῦ,
ἔρχεο νῦν ἐπὶ νῆα θοὴν καὶ θῖνα θαλάσσης.

bella, d'oro, in un bacile d'argento,
370 perché mi lavassi: vicino stese una tavola liscia.
La riverita dispensiera recò e pose il cibo,
imbandendo molte vivande, generosa di quello che c'era;
mi invitava a mangiare; ma non era gradito al mio animo,
e sedevo pensando ad altro, l'animo vedeva sventure.
375 Circe, come notò che sedevo e non allungavo
le mani sul cibo, ma avevo un penoso dolore,
standomi accanto mi rivolse alate parole:
"Perché, Odisseo, siedi così come un muto,
mangiandoti il cuore, e non tocchi cibo e bevanda?
380 Un altro inganno forse sospetti? Ma niente devi
temere! Un giuramento potente ormai ti ho giurato".
Disse così, ed io rispondendole dissi:
"Circe, quale uomo che sia anche giusto,
vorrebbe saziarsi di cibo e bevanda, prima d'aver liberato
385 e aver veduto i compagni davanti ai suoi occhi?
Se vuoi veramente che beva e che mangi,
scioglili, perché coi miei occhi veda i fedeli compagni".
Dissi così, e Circe uscì dalla sala,
con in mano la verga, spalancò il porcile,
390 e li spinse simili a grassi maiali di nove anni.
Davanti le stettero, e lei avanzando
tra loro spalmò d'un altro farmaco ognuno.
Dal loro corpo le setole caddero, fatte nascere prima
dal filtro funesto che ad essi offrì Circe possente:
395 subito divennero uomini, più giovani di come erano prima,
e molto più belli e più grandi a vedersi.
Mi riconobbero e ciascuno mi diede la mano.
A tutti venne voglia di pianto, intorno ne echeggiava
altamente la casa: la dea si commosse anche lei.
400 E standomi accanto mi disse, chiara tra le dee:
"Divino figlio di Laerte, Odisseo pieno di astuzie,
adesso va' alla nave veloce e alla riva del mare.

νῆα μὲν ἂρ πάμπρωτον ἐρύσσατε ἤπειρόνδε,
κτήματα δ' ἐν σπήεσσι πελάσσατε ὅπλα τε πάντα·
405 αὐτὸς δ' ἂψ ἰέναι καὶ ἄγειν ἐρίηρας ἑταίρους".
ὣς ἔφατ', αὐτὰρ ἐμοί γ' ἐπεπείθετο θυμὸς ἀγήνωρ,
βῆν δ' ἰέναι ἐπὶ νῆα θοὴν καὶ θῖνα θαλάσσης.
εὗρον ἔπειτ' ἐπὶ νηῒ θοῇ ἐρίηρας ἑταίρους
οἴκτρ' ὀλοφυρομένους, θαλερὸν κατὰ δάκρυ χέοντας.
410 ὡς δ' ὅτ' ἂν ἄγραυλοι πόριες περὶ βοῦς ἀγελαίας,
ἐλθούσας ἐς κόπρον, ἐπὴν βοτάνης κορέσωνται,
πᾶσαι ἅμα σκαίρουσιν ἐναντίαι· οὐδ' ἔτι σηκοὶ
ἴσχουσ', ἀλλ' ἁδινὸν μυκώμεναι ἀμφιθέουσι
μητέρας· ὣς ἐμὲ κεῖνοι, ἐπεὶ ἴδον ὀφθαλμοῖσι,
415 δακρυόεντες ἔχυντο· δόκησε δ' ἄρα σφίσι θυμὸς
ὣς ἔμεν, ὡς εἰ πατρίδ' ἱκοίατο καὶ πόλιν αὐτῶν
τρηχείης Ἰθάκης, ἵνα τ' ἔτραφον ἠδ' ἐγένοντο·
καί μ' ὀλοφυρόμενοι ἔπεα πτερόεντα προσηύδων·
"σοὶ μὲν νοστήσαντι, διοτρεφές, ὣς ἐχάρημεν,
420 ὡς εἴ τ' εἰς Ἰθάκην ἀφικοίμεθα πατρίδα γαῖαν·
ἀλλ' ἄγε, τῶν ἄλλων ἑτάρων κατάλεξον ὄλεθρον".
ὣς ἔφαν, αὐτὰρ ἐγὼ προσέφην μαλακοῖς ἐπέεσσι·
"νῆα μὲν ἂρ πάμπρωτον ἐρύσσομεν ἤπειρόνδε,
κτήματα δ' ἐν σπήεσσι πελάσσομεν ὅπλα τε πάντα·
425 αὐτοὶ δ' ὀτρύνεσθε ἐμοὶ ἅμα πάντες ἕπεσθαι,
ὄφρ' ἴδηθ' ἑτάρους ἱεροῖσ' ἐν δώμασι Κίρκης
πίνοντας καὶ ἔδοντας· ἐπηετανὸν γὰρ ἔχουσιν".
ὣς ἐφάμην, οἱ δ' ὦκα ἐμοῖσ' ἐπέεσσι πίθοντο·
429 Εὐρύλοχος δέ μοι οἶος ἐρύκανε πάντας ἑταίρους·
431 "ἆ δειλοί, πόσ' ἴμεν; τί κακῶν ἱμείρετε τούτων,
Κίρκης ἐς μέγαρον καταβήμεναι, ἥ κεν ἅπαντας
ἢ σῦς ἠὲ λύκους ποιήσεται ἠὲ λέοντας,
οἵ κέν οἱ μέγα δῶμα φυλάσσοιμεν καὶ ἀνάγκῃ,
435 ὥς περ Κύκλωψ ἕρξ', ὅτε οἱ μέσσαυλον ἵκοντο
ἡμέτεροι ἕταροι, σὺν δ' ὁ θρασὺς εἵπετ' Ὀδυσσεύς·
τούτου γὰρ καὶ κεῖνοι ἀτασθαλίῃσιν ὄλοντο".

Tirata anzitutto la nave all'asciutto,
stipate nelle grotte gli averi e tutti gli attrezzi:
405 tu poi ritorna e porta i fedeli compagni".
Disse così e fu convinto il mio animo altero,
ad andare alla nave veloce e alla riva del mare.
Trovai, dunque, sulla nave veloce i fedeli compagni
che pietosamente piangendo versavano pianto copioso.
410 Come quando vitelle nei campi intorno alle mucche del gregge
che vanno alla stalla, dopo essersi saziate di erba,
tutte insieme gli saltellano innanzi, né più gli steccati
le tengono, ma corrono intorno alle madri muggendo
sonoramente, così appena essi con gli occhi mi videro,
415 si riversarono in lacrime: il loro animo parve
come avessero toccato la patria e la loro città
di Itaca irta di sassi, dove crebbero e nacquero.
E piangendo mi rivolsero alate parole:
"Del tuo ritorno, o allevato da Zeus, ci rallegriamo
420 come fossimo giunti ad Itaca, nella terra dei padri.
Ma ora racconta la fine degli altri compagni".
Così dissero, ma io con placide parole risposi:
"Tiriamo anzitutto la nave all'asciutto,
stipiamo nelle grotte gli averi e tutti gli attrezzi,
425 e insieme affrettatevi tutti a seguirmi
perché nelle sacre case di Circe vediate i compagni
a bere e mangiare: ne hanno per sempre".
Dissi così e subito mi diedero ascolto;
429 ma Euriloco mi tratteneva da solo tutti i compagni:
431 "Dove andiamo, infelici? perché bramate sventure,
di entrare nella casa di Circe, che tutti
ci renda o porci o lupi o leoni
e noi le guardiamo a forza la grande dimora:
435 così li chiuse il Ciclope, allorché nella stalla gli entrarono
i nostri compagni e il temerario Odisseo era con loro.
Perirono anche essi per la follia di costui".

ὣς ἔφατ', αὐτὰρ ἐγώ γε μετὰ φρεσὶ μερμήριξα,
σπασσάμενος τανύηκες ἄορ παχέος παρὰ μηροῦ,
440 τῷ οἱ ἀποτμήξας κεφαλὴν οὖδάσδε πελάσσαι,
καὶ πηῷ περ ἐόντι μάλα σχεδόν· ἀλλά μ' ἑταῖροι
μειλιχίοισ' ἐπέεσσιν ἐρήτυον ἄλλοθεν ἄλλος·
"διογενές, τοῦτον μὲν ἐάσομεν, εἰ σὺ κελεύεις,
αὐτοῦ πὰρ νηΐ τε μένειν καὶ νῆα ἔρυσθαι·
445 ἡμῖν δ' ἡγεμόνευ' ἱερὰ πρὸς δώματα Κίρκης".
ὣς φάμενοι παρὰ νηὸς ἀνήϊον ἠδὲ θαλάσσης.
οὐδὲ μὲν Εὐρύλοχος κοίλῃ παρὰ νηΐ λέλειπτο,
ἀλλ' ἕπετ'· ἔδδεισεν γὰρ ἐμὴν ἔκπαγλον ἐνιπήν.
τόφρα δὲ τοὺς ἄλλους ἑτάρους ἐν δώμασι Κίρκη
450 ἐνδυκέως λοῦσέν τε καὶ ἔχρισεν λίπ' ἐλαίῳ,
ἀμφὶ δ' ἄρα χλαίνας οὔλας βάλεν ἠδὲ χιτῶνας·
δαινυμένους δ' εὖ πάντας ἐφεύρομεν ἐν μεγάροισιν.
οἱ δ' ἐπεὶ ἀλλήλους εἶδον φράσσαντό τ' ἐσάντα,
κλαῖον ὀδυρόμενοι, περὶ δὲ στεναχίζετο δῶμα.
455 ἡ δέ μευ ἄγχι στᾶσα προσηύδα δῖα θεάων·
"διογενὲς Λαερτιάδη, πολυμήχαν' Ὀδυσσεῦ,
μηκέτι νῦν θαλερὸν γόον ὄρνυτε· οἶδα καὶ αὐτή,
ἠμὲν ὅσ' ἐν πόντῳ πάθετ' ἄλγεα ἰχθυόεντι,
ἠδ' ὅσ' ἀνάρσιοι ἄνδρες ἐδηλήσαντ' ἐπὶ χέρσου.
460 ἀλλ' ἄγετ' ἐσθίετε βρώμην καὶ πίνετε οἶνον,
εἰς ὅ κεν αὖτις θυμὸν ἐνὶ στήθεσσι λάβητε,
οἷον ὅτε πρώτιστον ἐλείπετε πατρίδα γαῖαν
τρηχείης Ἰθάκης· νῦν δ' ἀσκελέες καὶ ἄθυμοι,
αἰὲν ἄλης χαλεπῆς μεμνημένοι· οὐδέ ποθ' ὔμιν
465 θυμὸς ἐν εὐφροσύνῃ, ἐπεὶ ἦ μάλα πολλὰ πέποσθε".
ὣς ἔφαθ', ἡμῖν δ' αὖτ' ἐπεπείθετο θυμὸς ἀγήνωρ.
ἔνθα μὲν ἤματα πάντα τελεσφόρον εἰς ἐνιαυτὸν
ἥμεθα, δαινύμενοι κρέα τ' ἄσπετα καὶ μέθυ ἡδύ·
ἀλλ' ὅτε δή ῥ' ἐνιαυτὸς ἔην, περὶ δ' ἔτραπον ὧραι,
470 μηνῶν φθινόντων, περὶ δ' ἤματα μακρὰ τελέσθη,
καὶ τότε μ' ἐκκαλέσαντες ἔφαν ἐρίηρες ἑταῖροι·

Disse così ed io meditai nella mente
di trarre la lama affilata lungo la coscia robusta,
440 staccargli la testa e gettargliela a terra,
anche se era un parente strettissimo; ma i compagni
chi di qua chi di là mi frenavano con dolci parole:
"O divino, se l'ordini, permetteremo a costui
di restare presso la nave e di farle la guardia:
445 guida *noi* alle sacre dimore di Circe".
Detto così si lasciarono alle spalle la nave e il mare.
Neanche Euriloco rimase presso la nave incavata,
ma ci seguì: ebbe paura della mia terribile furia.
Intanto gli altri compagni Circe, in casa, li fece
450 con cura lavare e ungere d'olio copiosamente.
Gli gettò un morbido manto e una tunica indosso.
Li trovammo in casa che banchettavano tutti lautamente.
Quando l'un l'altro si videro e riconobbero,
gemendo si misero a piangere, intorno ne risuonava la casa.
455 Lei standomi accanto mi disse, chiara tra le dee:
"Divino figlio di Laerte, Odisseo pieno d'astuzie,
non suscitate più, ora, pianto copioso: so anche io
quanti dolori patiste sul mare pescoso
e quanto vi tormentarono a terra uomini ostili.
460 Ma il cibo mangiate e il vino bevete,
finché riprendete nel petto coraggio,
come quando all'inizio lasciaste la terra dei padri,
Itaca irta di sassi. Ora sfiniti e abbattuti,
sempre memori dell'aspro mare, non avete mai
465 l'animo in pace, perché molto avete sofferto".
Disse così, e fu convinto il nostro animo altero.
Restammo lì sempre, fino alla fine
dell'anno, consumando carni abbondanti e dolce vino.
Ma quando era un anno e trascorsi i mesi,
470 le stagioni tornarono, e i giorni lunghi finirono,
allora i fedeli compagni mi chiamarono e dissero:

"δαιμόνι', ἤδη νῦν μιμνήσκεο πατρίδος αἴης,
εἴ τοι θέσφατόν ἐστι σαωθῆναι καὶ ἱκέσθαι
οἶκον ἐϋκτίμενον καὶ σὴν ἐς πατρίδα γαῖαν".

475 ὣς ἔφαν, αὐτὰρ ἐμοί γ' ἐπεπείθετο θυμὸς ἀγήνωρ.
ὣς τότε μὲν πρόπαν ἦμαρ ἐς ἠέλιον καταδύντα
ἥμεθα, δαινύμενοι κρέα τ' ἄσπετα καὶ μέθυ ἡδύ.
ἦμος δ' ἠέλιος κατέδυ καὶ ἐπὶ κνέφας ἦλθεν,
οἱ μὲν κοιμήσαντο κατὰ μέγαρα σκιόεντα.

480 αὐτὰρ ἐγὼ Κίρκης ἐπιβὰς περικαλλέος εὐνῆς
481 γούνων ἐλλιτάνευσα, θεὰ δέ μευ ἔκλυεν αὐδῆς·
483 "ὦ Κίρκη, τέλεσόν μοι ὑπόσχεσιν, ἥν περ ὑπέστης,
οἴκαδε πεμψέμεναι· θυμὸς δέ μοι ἔσσυται ἤδη,
485 ἠδ' ἄλλων ἑτάρων, οἵ μευ φθινύθουσι φίλον κῆρ
ἀμφ' ἔμ' ὀδυρόμενοι, ὅτε που σύ γε νόσφι γένηαι".

ὣς ἐφάμην, ἡ δ' αὐτίκ' ἀμείβετο δῖα θεάων·
"διογενὲς Λαερτιάδη, πολυμήχαν' Ὀδυσσεῦ,
μηκέτι νῦν ἀέκοντες ἐμῷ ἐνὶ μίμνετε οἴκῳ·
490 ἀλλ' ἄλλην χρὴ πρῶτον ὁδὸν τελέσαι καὶ ἱκέσθαι
εἰς Ἀΐδαο δόμους καὶ ἐπαινῆς Περσεφονείης,
ψυχῇ χρησομένους Θηβαίου Τειρεσίαο,
μάντηος ἀλαοῦ, τοῦ τε φρένες ἔμπεδοί εἰσι·
τῷ καὶ τεθνειῶτι νόον πόρε Περσεφόνεια
495 οἴῳ πεπνῦσθαι· τοὶ δὲ σκιαὶ ἀΐσσουσιν".

ὣς ἔφατ', αὐτὰρ ἐμοί γε κατεκλάσθη φίλον ἦτορ·
κλαῖον δ' ἐν λεχέεσσι καθήμενος, οὐδέ νύ μοι κῆρ
ἤθελ' ἔτι ζώειν καὶ ὁρᾶν φάος ἠελίοιο.
αὐτὰρ ἐπεὶ κλαίων τε κυλινδόμενός τε κορέσθην,
500 καὶ τότε δή μιν ἔπεσσιν ἀμειβόμενος προσέειπον·
"ὦ Κίρκη, τίς γὰρ ταύτην ὁδὸν ἡγεμονεύσει;
εἰς Ἄϊδος δ' οὔ πώ τις ἀφίκετο νηῒ μελαίνῃ".

ὣς ἐφάμην, ἡ δ' αὐτίκ' ἀμείβετο δῖα θεάων·
"διογενὲς Λαερτιάδη, πολυμήχαν' Ὀδυσσεῦ,
505 μή τί τοι ἡγεμόνος γε ποθὴ παρὰ νηῒ μελέσθω·
ἱστὸν δὲ στήσας ἀνά θ' ἱστία λευκὰ πετάσσας

"Sciagurato, ricordati ormai della patria,
se davvero è destino che ti salvi e che arrivi
nella casa ben costruita e nella terra dei padri".

475 Così dissero e fu convinto il mio animo altero.
Così tutto il giorno sedemmo, fino al tramonto
consumando carni abbondanti e dolce vino;
appena il sole calò e sopraggiunse la tenebra,
nelle sale ombrose gli altri si coricarono.

480 Io invece, salito sul bellissimo letto di Circe,
481 la supplicai umilmente, la dea ascoltò la mia voce:
483 "Circe, compi la promessa che pur mi facesti,
e mandami a casa: già lo esige l'animo mio
485 e degli altri compagni, che mi struggono il cuore
piangendomi intorno, quando tu non ci sei".

Dissi così, e subito essa rispose, chiara fra le dee:
"Divino figlio di Laerte, Odisseo pieno di astuzie,
non restare più, in casa mia, contro voglia.
490 Ma prima occorre facciate un altro viaggio e andiate
alle case di Ade e della tremenda Persefone,
per chiedere all'anima del tebano Tiresia,
il cieco indovino, di cui sono saldi i precordi:
a lui solo Persefone diede, anche da morto,
495 la facoltà d'esser savio; gli altri sono ombre vaganti".

Disse così e a me si spezzò il caro cuore:
piangevo seduto sul letto e il mio cuore
non voleva più vivere e vedere la luce del sole.
E quando fui sazio di piangere e di voltolarmi,
500 allora rispondendo le dissi:

"Circe, e chi lo guiderà questo viaggio?
Su una nera nave non arrivò mai nessuno da Ade".

Dissi così e subito essa rispose, chiara fra le dee:
"Divino figlio di Laerte, Odisseo pieno di astuzie,
505 non ti preoccupi che manchi una guida sulla tua nave:
dopoché hai drizzato l'albero e spiegate le bianche vele,

ἧσθαι· τὴν δέ κέ τοι πνοιὴ βορέαο φέρῃσιν.
ἀλλ' ὁπότ' ἂν δὴ νηῒ δι' Ὠκεανοῖο περήσῃς,
ἔνθ' ἀκτή τε λάχεια καὶ ἄλσεα Περσεφονείης,
510 μακραί τ' αἴγειροι καὶ ἰτέαι ὠλεσίκαρποι,
νῆα μὲν αὐτοῦ κέλσαι ἐπ' Ὠκεανῷ βαθυδίνῃ,
αὐτὸς δ' εἰς Ἀΐδεω ἰέναι δόμον εὐρώεντα.
ἔνθα μὲν εἰς Ἀχέροντα Πυριφλεγέθων τε ῥέουσι
Κώκυτός θ', ὃς δὴ Στυγὸς ὕδατός ἐστιν ἀπορρώξ,
515 πέτρη τε ξύνεσίς τε δύω ποταμῶν ἐριδούπων·
ἔνθα δ' ἔπειθ', ἥρως, χριμφθεὶς πέλας, ὥς σε κελεύω,
βόθρον ὀρύξαι ὅσον τε πυγούσιον ἔνθα καὶ ἔνθα,
ἀμφ' αὐτῷ δὲ χοὴν χεῖσθαι πᾶσιν νεκύεσσι,
πρῶτα μελικρήτῳ, μετέπειτα δὲ ἡδέϊ οἴνῳ,
520 τὸ τρίτον αὖθ' ὕδατι· ἐπὶ δ' ἄλφιτα λευκὰ παλύνειν.
πολλὰ δὲ γουνοῦσθαι νεκύων ἀμενηνὰ κάρηνα,
ἐλθὼν εἰς Ἰθάκην στεῖραν βοῦν, ἥ τις ἀρίστη,
ῥέξειν ἐν μεγάροισι πυρήν τ' ἐμπλησέμεν ἐσθλῶν,
Τειρεσίῃ δ' ἀπάνευθεν ὄϊν ἱερευσέμεν οἴῳ
525 παμμέλαν', ὃς μήλοισι μεταπρέπει ὑμετέροισιν.
αὐτὰρ ἐπὴν εὐχῇσι λίσῃ κλυτὰ ἔθνεα νεκρῶν,
ἔνθ' ὄϊν ἀρνειὸν ῥέζειν θῆλύν τε μέλαιναν
εἰς Ἔρεβος στρέψας, αὐτὸς δ' ἀπονόσφι τραπέσθαι
ἱέμενος ποταμοῖο ῥοάων· ἔνθα δὲ πολλαὶ
530 ψυχαὶ ἐλεύσονται νεκύων κατατεθνειώτων.
δὴ τότ' ἔπειθ' ἑτάροισιν ἐποτρῦναι καὶ ἀνῶξαι
μῆλα, τὰ δὴ κατάκειτ' ἐσφαγμένα νηλέϊ χαλκῷ,
δείραντας κατακῆαι, ἐπεύξασθαι δὲ θεοῖσιν,
ἰφθίμῳ τ' Ἀΐδῃ καὶ ἐπαινῇ Περσεφονείῃ·
535 αὐτὸς δὲ ξίφος ὀξὺ ἐρυσσάμενος παρὰ μηροῦ
ἧσθαι, μηδὲ ἐᾶν νεκύων ἀμενηνὰ κάρηνα
αἵματος ἄσσον ἴμεν πρὶν Τειρεσίαο πυθέσθαι.
ἔνθα τοι αὐτίκα μάντις ἐλεύσεται, ὄρχαμε λαῶν,
ὅς κέν τοι εἴπῃσιν ὁδὸν καὶ μέτρα κελεύθου
540 νόστον θ', ὡς ἐπὶ πόντον ἐλεύσεαι ἰχθυόεντα".

siediti: te la porterà il soffio di borea, la nave.
Ma quando con essa avrai traversato l'Oceano,
ecco la costa bassa e le selve di Persefone,
510 ecco gli alti pioppi e i salici che perdono i frutti:
là tu approda la nave, sull'Oceano dai gorghi profondi,
e va' tu stesso alle case ammuffite di Ade.
Sboccano lì in Acheronte il Piriflegetonte
e il Cocito, che è un ramo dell'acqua di Stige;
515 c'è una roccia e l'incontro dei due fiumi tonanti.
Dopo essere andato vicino, o eroe, come t'ordino,
scava una fossa di un cubito in un senso e nell'altro
e versa intorno un'offerta per tutti i defunti,
prima di latte e miele, dopo di dolce vino,
520 poi una terza di acqua: cospargila con bianca farina di orzo.
Fa' voto con fervore alle teste senza forza dei morti,
di immolare, giunto ad Itaca, in casa,
la migliore vacca sterile e colmare di doni opulenti la pira,
e d'immolare a Tiresia, a lui solo, il montone
525 tutto nero, che nelle tue greggi spicca di più.
Quando avrai supplicato con voti le stirpi illustri dei morti,
immola allora un montone e una pecora nera
piegandoli giù verso l'Erebo, e tu volta lo sguardo lontano
cercando le correnti del fiume: verranno lì
530 molte anime di morti defunti.
Ingiungi poi e comanda ai compagni
di scuoiare e bruciare le bestie che giaceranno sgozzate
dal bronzo spietato e pregare gli dei,
Ade possente e la tremenda Persefone:
535 e tu, tratta l'aguzza spada lungo la coscia,
appòstati e non lasciare che le teste senza forza dei morti
si accostino al sangue, prima d'interrogare Tiresia.
Subito verrà l'indovino, o capo di popoli,
che può dirti la via e la lunghezza del viaggio
540 e il ritorno, come andrai sul mare pescoso".

ὣς ἔφατ', αὐτίκα δὲ χρυσόθρονος ἤλυθεν Ἠώς.
ἀμφὶ δέ με χλαῖνάν τε χιτῶνά τε εἵματα ἕσσεν·
αὐτὴ δ' ἀργύφεον φᾶρος μέγα ἕννυτο νύμφη,
λεπτὸν καὶ χαρίεν, περὶ δὲ ζώνην βάλετ' ἰξυῖ
545 καλὴν χρυσείην, κεφαλῇ δ' ἐπέθηκε καλύπτρην.
αὐτὰρ ἐγὼ διὰ δώματ' ἰὼν ὤτρυνον ἑταίρους
μειλιχίοισ' ἐπέεσσι παρασταδὸν ἄνδρα ἕκαστον·
"μηκέτι νῦν εὕδοντες ἀωτεῖτε γλυκὺν ὕπνον,
ἀλλ' ἴομεν· δὴ γάρ μοι ἐπέφραδε πότνια Κίρκη".
550 ὣς ἐφάμην, τοῖσιν δ' ἐπεπείθετο θυμὸς ἀγήνωρ.
οὐδὲ μὲν οὐδ' ἔνθεν περ ἀπήμονας ἦγον ἑταίρους.
Ἐλπήνωρ δέ τις ἔσκε νεώτατος, οὔτε τι λίην
ἄλκιμος ἐν πολέμῳ οὔτε φρεσὶν ᾗσιν ἀρηρώς,
ὅς μοι ἄνευθ' ἑτάρων ἱεροῖσ' ἐν δώμασι Κίρκης
555 ψύχεος ἱμείρων, κατελέξατο οἰνοβαρείων·
κινυμένων δ' ἑτάρων ὅμαδον καὶ δοῦπον ἀκούσας
ἐξαπίνης ἀνόρουσε καὶ ἐκλάθετο φρεσὶν ᾗσιν
ἄψορρον καταβῆναι ἰὼν ἐς κλίμακα μακρήν,
ἀλλὰ καταντικρὺ τέγεος πέσεν· ἐκ δέ οἱ αὐχὴν
560 ἀστραγάλων ἐάγη, ψυχὴ δ' Ἄϊδόσδε κατῆλθεν·
ἐρχομένοισι δὲ τοῖσιν ἐγὼ μετὰ μῦθον ἔειπον·
"φάσθε νύ που οἶκόνδε φίλην ἐς πατρίδα γαῖαν
ἔρχεσθ'· ἄλλην δ' ἧμιν ὁδὸν τεκμήρατο Κίρκη
εἰς Ἀΐδαο δόμους καὶ ἐπαινῆς Περσεφονείης
565 ψυχῇ χρησομένους Θηβαίου Τειρεσίαο".
ὣς ἐφάμην, τοῖσιν δὲ κατεκλάσθη φίλον ἦτορ,
ἑζόμενοι δὲ κατ' αὖθι γόων τίλλοντό τε χαίτας·
ἀλλ' οὐ γάρ τις πρῆξις ἐγίγνετο μυρομένοισιν.
ἀλλ' ὅτε δή ῥ' ἐπὶ νῆα θοὴν καὶ θῖνα θαλάσσης
570 ἤομεν ἀχνύμενοι, θαλερὸν κατὰ δάκρυ χέοντες,
τόφρα δ' ἄρ' οἰχομένη Κίρκη παρὰ νηῒ μελαίνῃ
ἀρνειὸν κατέδησεν ὄϊν θῆλύν τε μέλαιναν,
ῥεῖα παρεξελθοῦσα· τίς ἂν θεὸν οὐκ ἐθέλοντα
ὀφθαλμοῖσιν ἴδοιτ' ἢ ἔνθ' ἢ ἔνθα κιόντα;

Disse così e subito venne Aurora dall'aureo trono.
Allora mi fece indossare le vesti, un manto e una tunica;
invece la ninfa s'avvolse un gran drappo lucente
sottile e grazioso, si cinse ai fianchi una fascia
545 bella, d'oro, e pose un velo sul capo.
Io andai per la casa e incitai i compagni
con dolci parole stando accanto a ciascuno:
"Non cogliete più il dolce sonno, dormendo,
ma andiamo: me l'ha consigliato Circe possente".
550 Dissi così, e fu convinto il loro animo altero.
Ma neanche da lì condussi indenni i compagni.
Un certo Elpenore c'era, giovanissimo, non troppo
valoroso in battaglia e ben saldo nell'animo,
che cercando frescura mi s'era sdraiato, greve di vino,
555 nelle case sacre di Circe, via dai compagni:
udendo il vociare e il rumore dei compagni in partenza,
balzò all'improvviso e non si sovvenne nell'animo
di scendere tornando alla lunga scala,
ma cadde a capofitto dal tetto: il collo gli si spezzò
560 dalle vertebre, l'anima scese nell'Ade.
Ma ad essi che accorrevano io dissi:
"Credete d'andare a casa e nella cara terra dei padri
voi, forse: ma Circe un'altra via ci ha indicato,
alle case di Ade e della tremenda Persefone,
565 a interrogare l'anima del tebano Tiresia".
Dissi così, e ad essi si spezzò il caro cuore:
lì seduti piangevano e si strappavano i capelli,
nessun vantaggio però gli veniva piangendo.
Mentre noi andavamo, versando pianto copioso,
570 addolorati, alla nave veloce e alla riva del mare,
Circe era venuta e presso la nave nera
aveva legato un montone e una pecora nera
sfuggendoci agevolmente: un dio che non voglia, chi
potrebbe vederlo con gli occhi mentre va qui o là?

Λ

Αὐτὰρ ἐπεί ῥ' ἐπὶ νῆα κατήλθομεν ἠδὲ θάλασσαν,
νῆα μὲν ἂρ πάμπρωτον ἐρύσσαμεν εἰς ἅλα δῖαν,
ἐν δ' ἱστὸν τιθέμεσθα καὶ ἱστία νηῒ μελαίνῃ,
ἐν δὲ τὰ μῆλα λαβόντες ἐβήσαμεν, ἂν δὲ καὶ αὐτοὶ
5 βαίνομεν ἀχνύμενοι, θαλερὸν κατὰ δάκρυ χέοντες.
ἡμῖν δ' αὖ κατόπισθε νεὸς κυανοπρῴροιο
ἴκμενον οὖρον ἵει πλησίστιον, ἐσθλὸν ἑταῖρον,
Κίρκη ἐϋπλόκαμος, δεινὴ θεὸς αὐδήεσσα.
ἡμεῖς δ' ὅπλα ἕκαστα πονησάμενοι κατὰ νῆα
10 ἥμεθα· τὴν δ' ἄνεμός τε κυβερνήτης τ' ἴθυνε.
τῆς δὲ πανημερίης τέταθ' ἱστία ποντοπορούσης.
δύσετό τ' ἠέλιος, σκιόωντό τε πᾶσαι ἀγυιαί·
ἡ δ' ἐς πείραθ' ἵκανε βαθυρρόου Ὠκεανοῖο.
ἔνθα δὲ Κιμμερίων ἀνδρῶν δῆμός τε πόλις τε,
15 ἠέρι καὶ νεφέλῃ κεκαλυμμένοι· οὐδέ ποτ' αὐτοὺς
Ἠέλιος φαέθων ἐπιδέρκεται ἀκτίνεσσιν,
οὔθ' ὁπότ' ἂν στείχῃσι πρὸς οὐρανὸν ἀστερόεντα,
οὔθ' ὅτ' ἂν ἂψ ἐπὶ γαῖαν ἀπ' οὐρανόθεν προτράπηται,
ἀλλ' ἐπὶ νὺξ ὀλοὴ τέταται δειλοῖσι βροτοῖσι.
20 νῆα μὲν ἔνθ' ἐλθόντες ἐκέλσαμεν, ἐκ δὲ τὰ μῆλα
εἱλόμεθ'· αὐτοὶ δ' αὖτε παρὰ ῥόον Ὠκεανοῖο
ᾔομεν, ὄφρ' ἐς χῶρον ἀφικόμεθ', ὃν φράσε Κίρκη.
ἔνθ' ἱερήϊα μὲν Περιμήδης Εὐρύλοχός τε
ἔσχον· ἐγὼ δ' ἄορ ὀξὺ ἐρυσσάμενος παρὰ μηροῦ
25 βόθρον ὄρυξ' ὅσσον τε πυγούσιον ἔνθα καὶ ἔνθα,
ἀμφ' αὐτῷ δὲ χοὴν χεόμην πᾶσιν νεκύεσσι,
πρῶτα μελικρήτῳ, μετέπειτα δὲ ἡδέϊ οἴνῳ,

LIBRO UNDICESIMO

Quando giungemmo alla nave e al mare,
anzitutto traemmo la nave nel mare lucente,
mettemmo nella nera nave albero e vele,
prendemmo e imbarcammo le pecore e, tristi,
5 salimmo noi pure, versando pianto copioso.
Poi, dietro la nave dalla prora turchina
Circe dai riccioli belli, dea tremenda con voce umana,
ci inviò il vento propizio che gonfia la vela, valente compagno.
Dopo che disponemmo i singoli attrezzi dentro la nave,
10 sedemmo; la governavano il vento e il pilota.
Tutto il giorno restarono tese le vele, mentre correva sul mare.
Il sole calò e tutte le strade s'ombravano:
ed essa giunse ai confini dell'Oceano profondo.
Laggiù sono il popolo e la città dei Cimmerii,
15 avvolti da nebbie e da nuvole: mai
il Sole splendente li guarda con i suoi raggi,
né quando sale nel cielo stellato,
né quando volge dal cielo al tramonto,
ma sugli infelici mortali si stende una notte funesta.
20 Lì arrivati, approdammo e sbarcammo
le bestie: poi andammo lungo il corso
di Oceano, finché fummo al luogo indicato da Circe.
Perimede ed Euriloco fermarono in quel punto
le vittime. Io, tratta l'aguzza lama lungo la coscia,
25 scavai una fossa di un cubito, in un senso e nell'altro,
e versai intorno un'offerta per tutti i defunti,
prima di latte e miele, dopo di dolce vino,

τὸ τρίτον αὖθ' ὕδατι· ἐπὶ δ' ἄλφιτα λευκὰ πάλυνον.
πολλὰ δὲ γουνούμην νεκύων ἀμενηνὰ κάρηνα,
30 ἐλθὼν εἰς Ἰθάκην στεῖραν βοῦν, ἥ τις ἀρίστη,
ῥέξειν ἐν μεγάροισι πυρήν τ' ἐμπλησέμεν ἐσθλῶν,
Τειρεσίῃ δ' ἀπάνευθεν ὄϊν ἱερευσέμεν οἴῳ
παμμέλαν', ὃς μήλοισι μεταπρέπει ἡμετέροισι.
τοὺς δ' ἐπεὶ εὐχωλῇσι λιτῇσί τε, ἔθνεα νεκρῶν,
35 ἐλλισάμην, τὰ δὲ μῆλα λαβὼν ἀπεδειροτόμησα
ἐς βόθρον, ῥέε δ' αἷμα κελαινεφές· αἱ δ' ἀγέροντο
ψυχαὶ ὑπὲξ Ἐρέβευς νεκύων κατατεθνειώτων.
νύμφαι τ' ἠΐθεοί τε πολύτλητοί τε γέροντες
παρθενικαί τ' ἀταλαὶ νεοπενθέα θυμὸν ἔχουσαι·
40 πολλοὶ δ' οὐτάμενοι χαλκήρεσιν ἐγχείῃσιν,
ἄνδρες ἀρηΐφατοι βεβροτωμένα τεύχε' ἔχοντες·
οἳ πολλοὶ περὶ βόθρον ἐφοίτων ἄλλοθεν ἄλλος
θεσπεσίῃ ἰαχῇ· ἐμὲ δὲ χλωρὸν δέος ᾕρει.
δὴ τότ' ἔπειθ' ἑτάροισιν ἐποτρύνας ἐκέλευσα
45 μῆλα, τὰ δὴ κατέκειτ' ἐσφαγμένα νηλέϊ χαλκῷ,
δείραντας κατακῆαι, ἐπεύξασθαι δὲ θεοῖσιν,
ἰφθίμῳ τ' Ἀΐδῃ καὶ ἐπαινῇ Περσεφονείῃ·
αὐτὸς δὲ ξίφος ὀξὺ ἐρυσσάμενος παρὰ μηροῦ
ἥμην οὐδ' εἴων νεκύων ἀμενηνὰ κάρηνα
50 αἵματος ἄσσον ἴμεν πρὶν Τειρεσίαο πυθέσθαι.
πρώτη δὲ ψυχὴ Ἐλπήνορος ἦλθεν ἑταίρου·
οὐ γάρ πω ἐτέθαπτο ὑπὸ χθονὸς εὐρυοδείης·
σῶμα γὰρ ἐν Κίρκης μεγάρῳ κατελείπομεν ἡμεῖς
ἄκλαυτον καὶ ἄθαπτον, ἐπεὶ πόνος ἄλλος ἔπειγε.
55 τὸν μὲν ἐγὼ δάκρυσα ἰδὼν ἐλέησά τε θυμῷ,
καί μιν φωνήσας ἔπεα πτερόεντα προσηύδων·
"Ἐλπῆνορ, πῶς ἦλθες ὑπὸ ζόφον ἠερόεντα;
ἔφθης πεζὸς ἰὼν ἢ ἐγὼ σὺν νηΐ μελαίνῃ".
ὣς ἐφάμην, ὁ δέ μ' οἰμώξας ἠμείβετο μύθῳ·
60 "διογενὲς Λαερτιάδη, πολυμήχαν' Ὀδυσσεῦ,
ἆσέ με δαίμονος αἶσα κακὴ καὶ ἀθέσφατος οἶνος·

poi una terza di acqua: la cosparsi di bianca farina di orzo.
Feci voto con fervore alle teste senza forza dei morti,
30 di immolare, giunto ad Itaca, in casa,
la migliore vacca sterile e colmare di doni opulenti la pira,
e d'immolare a Tiresia, a lui solo, il montone
tutto nero, che nelle mie greggi spicca di più.
Dopo aver supplicato le stirpi dei morti con voti
35 e preghiere, afferrai e scannai sulla fossa
le bestie: fosco come nube il sangue scorreva. Dall'Erebo
si accalcarono le anime dei morti defunti.
Donne, giovani, vecchi provati da molto dolore,
tenere spose con acerbo strazio nell'animo,
40 molti squarciati da armi di bronzo,
uomini uccisi in battaglia, con le armi lorde di sangue:
s'aggiravano in folla attorno alla fossa, chi di qua chi di là,
con strano gridio: mi prese una pallida angoscia.
Allora ordinai ai compagni, incitandoli,
45 di scuoiare e bruciare le bestie che giacevano uccise
dal bronzo spietato e pregare gli dei,
Ade possente e la tremenda Persefone,
e intanto, tratta l'aguzza spada lungo la coscia,
mi appostai e impedii che le teste senza forza dei morti
50 si accostassero al sangue, prima d'interrogare Tiresia.
Avanzò prima l'anima del mio compagno Elpenore:
non era ancora sepolto sotto la terra spaziosa,
ma ne avevamo lasciato il corpo in casa di Circe
senza compianto e insepolto, perché c'incalzava altro impegno.
55 Vedendolo piansi e nell'animo ne ebbi pietà
e parlando gli rivolsi alate parole:
"Elpenore, come sei giunto nella tenebra fosca?
A piedi arrivasti prima di me con la nera nave".
Dissi così ed egli singhiozzando rispose:
60 "Divino figlio di Laerte, Odisseo pieno di astuzie,
mi colpì la mala sorte di un dio e il troppo vino.

Κίρκης δ' ἐν μεγάρῳ καταλέγμενος οὐκ ἐνόησα
ἄψορρον καταβῆναι ἰὼν ἐς κλίμακα μακρήν,
ἀλλὰ καταντικρὺ τέγεος πέσον· ἐκ δέ μοι αὐχὴν
65 ἀστραγάλων ἐάγη, ψυχὴ δ' Ἄϊδόσδε κατῆλθε.
νῦν δέ σε τῶν ὄπιθεν γουνάζομαι, οὐ παρεόντων,
πρός τ' ἀλόχου καὶ πατρός, ὅ σ' ἔτρεφε τυτθὸν ἐόντα,
Τηλεμάχου θ', ὃν μοῦνον ἐνὶ μεγάροισιν ἔλειπες·
οἶδα γὰρ ὡς ἐνθένδε κιὼν δόμου ἐξ Ἀΐδαο
70 νῆσον ἐς Αἰαίην σχήσεις εὐεργέα νῆα·
ἔνθα σ' ἔπειτα, ἄναξ, κέλομαι μνήσασθαι ἐμεῖο.
μή μ' ἄκλαυτον ἄθαπτον ἰὼν ὄπιθεν καταλείπειν
νοσφισθείς, μή τοί τι θεῶν μήνιμα γένωμαι,
ἀλλά με κακκῆαι σὺν τεύχεσιν, ἅσσα μοί ἐστι,
75 σῆμά τέ μοι χεῦαι πολιῆς ἐπὶ θινὶ θαλάσσης,
ἀνδρὸς δυστήνοιο, καὶ ἐσσομένοισι πυθέσθαι·
ταῦτά τέ μοι τελέσαι πῆξαί τ' ἐπὶ τύμβῳ ἐρετμόν,
τῷ καὶ ζωὸς ἔρεσσον ἐὼν μετ' ἐμοῖσ' ἑτάροισιν".
ὣς ἔφατ'· αὐτὰρ ἐγώ μιν ἀμειβόμενος προσέειπον·
80 "ταῦτά τοι, ὦ δύστηνε, τελευτήσω τε καὶ ἔρξω".
νῶϊ μὲν ὣς ἐπέεσσιν ἀμειβομένω στυγεροῖσιν
ἥμεθ' ἐγὼ μὲν ἄνευθεν ἐφ' αἵματι φάσγανον ἴσχων,
εἴδωλον δ' ἑτέρωθεν ἑταίρου πόλλ' ἀγόρευεν.
ἦλθε δ' ἐπὶ ψυχὴ μητρὸς κατατεθνηυίης,
85 Αὐτολύκου θυγάτηρ μεγαλήτορος Ἀντίκλεια,
τὴν ζωὴν κατέλειπον ἰὼν εἰς Ἴλιον ἱρήν.
τὴν μὲν ἐγὼ δάκρυσα ἰδὼν ἐλέησά τε θυμῷ·
ἀλλ' οὐδ' ὧς εἴων προτέρην, πυκινόν περ ἀχεύων,
αἵματος ἄσσον ἴμεν πρὶν Τειρεσίαο πυθέσθαι.
90 ἦλθε δ' ἐπὶ ψυχὴ Θηβαίου Τειρεσίαο,
χρύσεον σκῆπτρον ἔχων, ἐμὲ δ' ἔγνω καὶ προσέειπε·
"διογενὲς Λαερτιάδη, πολυμήχαν' Ὀδυσσεῦ,
τίπτ' αὖτ', ὦ δύστηνε, λιπὼν φάος ἠελίοιο
ἤλυθες, ὄφρα ἴδῃ νέκυας καὶ ἀτερπέα χῶρον;
95 ἀλλ' ἀποχάζεο βόθρου, ἄπισχε δὲ φάσγανον ὀξύ,

Dormivo sdraiato in casa di Circe e non pensai
di scendere tornando alla lunga scala,
ma caddi a capofitto dal tetto: il collo mi si spezzò
65 dalle vertebre, l'anima scese nell'Ade.
Ora ti supplico, in nome di chi è lontano ed assente,
in nome della moglie e del padre, che t'allevò da bambino,
e di Telemaco che solo nelle case hai lasciato –
so infatti che partendo da qui, dalla casa di Ade,
70 fermerai all'isola Eea la nave ben costruita –,
là dunque, o signore, ti chiedo di ricordarti di me.
Partendo non mi lasciare senza compianto, insepolto,
abbandonandomi: che io non diventi per te motivo di ira divina,
ma bruciami con tutte le armi che ho,
75 e sulla riva del mare canuto ergimi un tumulo,
d'un uomo infelice, che ne giunga notizia anche ai posteri.
Fa' questo per me, e pianta sul tumulo il remo
col quale, quando ero vivo, remavo insieme ai compagni".
Disse così ed io rispondendogli dissi:
80 "O infelice, compirò e farò tutto questo per te".
Noi stavamo così, scambiandoci tristi
parole, io da un lato tenendo il brando sul sangue
e l'ombra del compagno dall'altro: e molto parlava.
Venne poi l'anima della madre defunta,
85 Anticlea figlia del magnanimo Autolico:
viva io l'avevo lasciata, partendo per la sacra Ilio.
Vedendola piansi e nell'animo ne ebbi pietà:
ma neppure così, benché tanto accorato, la lasciai
accostare al sangue prima d'interrogare Tiresia.
90 E venne poi l'anima del tebano Tiresia,
stringendo lo scettro d'oro. Mi riconobbe e mi disse:
"Divino figlio di Laerte, Odisseo pieno di astuzie,
perché mai, infelice, lasciata la luce del sole,
sei venuto a vedere i defunti e questo tristissimo luogo?
95 Orsù, dalla fossa allontanati, togli l'aguzzo brando,

αἵματος ὄφρα πίω καί τοι νημερτέα εἴπω".
ὣς φάτ', ἐγὼ δ' ἀναχασσάμενος ξίφος ἀργυρόηλον
κουλεῷ ἐγκατέπηξ'· ὁ δ' ἐπεὶ πίεν αἷμα κελαινόν,
καὶ τότε δή μ' ἐπέεσσι προσηύδα μάντις ἀμύμων·
100 "νόστον δίζηαι μελιηδέα, φαίδιμ' Ὀδυσσεῦ·
τὸν δέ τοι ἀργαλέον θήσει θεός. οὐ γὰρ ὀΐω
λήσειν ἐννοσίγαιον, ὅ τοι κότον ἔνθετο θυμῷ,
χωόμενος, ὅτι οἱ υἱὸν φίλον ἐξαλάωσας.
ἀλλ' ἔτι μέν κε καὶ ὣς κακά περ πάσχοντες ἵκοισθε,
105 αἴ κ' ἐθέλῃς σὸν θυμὸν ἐρυκακέειν καὶ ἑταίρων,
ὁππότε κε πρῶτον πελάσῃς εὐεργέα νῆα
Θρινακίῃ νήσῳ, προφυγὼν ἰοειδέα πόντον,
βοσκομένας δ' εὕρητε βόας καὶ ἴφια μῆλα
Ἠελίου, ὃς πάντ' ἐφορᾷ καὶ πάντ' ἐπακούει.
110 τὰς εἰ μέν κ' ἀσινέας ἐάᾳς νόστου τε μέδηαι,
καί κεν ἔτ' εἰς Ἰθάκην κακά περ πάσχοντες ἵκοισθε·
εἰ δέ κε σίνηαι, τότε τοι τεκμαίρομ' ὄλεθρον
νηΐ τε καὶ ἑτάροισ'. αὐτὸς δ' εἴ πέρ κεν ἀλύξῃς,
ὀψὲ κακῶς νεῖαι, ὀλέσας ἄπο πάντας ἑταίρους,
115 νηὸς ἐπ' ἀλλοτρίης· δήεις δ' ἐν πήματα οἴκῳ,
ἄνδρας ὑπερφιάλους, οἵ τοι βίοτον κατέδουσι
μνώμενοι ἀντιθέην ἄλοχον καὶ ἕδνα διδόντες.
ἀλλ' ἦτοι κείνων γε βίας ἀποτείσεαι ἐλθών·
αὐτὰρ ἐπὴν μνηστῆρας ἐνὶ μεγάροισι τεοῖσι
120 κτείνῃς ἠὲ δόλῳ ἢ ἀμφαδὸν ὀξέϊ χαλκῷ,
ἔρχεσθαι δὴ ἔπειτα, λαβὼν εὐῆρες ἐρετμόν,
εἰς ὅ κε τοὺς ἀφίκηαι, οἳ οὐκ ἴσασι θάλασσαν
ἀνέρες οὐδέ θ' ἅλεσσι μεμιγμένον εἶδαρ ἔδουσιν·
οὐδ' ἄρα τοὶ ἴσασι νέας φοινικοπαρῄους,
125 οὐδ' εὐήρε' ἐρετμά, τά τε πτερὰ νηυσὶ πέλονται.
σῆμα δέ τοι ἐρέω μάλ' ἀριφραδές, οὐδέ σε λήσει·
ὁππότε κεν δή τοι ξυμβλήμενος ἄλλος ὁδίτης
φήῃ ἀθηρηλοιγὸν ἔχειν ἀνὰ φαιδίμῳ ὤμῳ,
καὶ τότε δὴ γαίῃ πήξας εὐῆρες ἐρετμόν,

perché beva di questo sangue e ti dica parole veraci".
Disse così ed io arretrando infilai nel fodero
la spada con borchie d'argento. Appena bevé il fosco sangue,
mi parlò allora con queste parole l'esimio veggente:
100 "Desideri un dolce ritorno, illustre Odisseo,
ma te lo farà aspro un dio. Perché credo che non sfuggirai
al dio scuotiterra, che con te nell'animo è in collera,
sdegnato perché gli accecasti suo figlio.
Ma anche così potresti arrivare, pur subendo sventure,
105 se sai trattenere l'animo tuo e dei compagni,
appena avrai spinto la nave ben costruita
sull'isola della Trinachia, sfuggito al mare viola,
e troverete le vacche al pascolo e le greggi pingui
del Sole, che vede ogni cosa e sente ogni cosa.
110 Se queste le lasci illese e pensi al ritorno,
potrete ancora arrivare ad Itaca, pur subendo sventure;
se però le molesti, allora prevedo rovina per te,
per la nave e i compagni: e tu, seppure ne scampi,
tardi ritorni e male, perduti tutti i compagni,
115 sopra una nave straniera; e a casa trovi dolori,
uomini prepotenti, che ti divorano i beni,
corteggiando la sposa divina e facendole doni.
Ma, tornato, tu punirai la loro violenza:
e quando, nelle tue case, i pretendenti li hai sterminati,
120 con l'inganno o a fronte con l'aguzzo bronzo,
prendi allora il maneggevole remo e va',
finché arrivi da uomini che non sanno
del mare, che non mangiano cibi conditi col sale,
che non conoscono navi dalle gote purpuree
125 né i maneggevoli remi che sono per le navi le ali.
E ti dirò un segno chiarissimo: non potrà sfuggirti.
Quando un altro viandante, incontrandoti,
dirà che tu hai un ventilabro sull'illustre spalla,
allora, confitto a terra il maneggevole remo

130 ἔρξας ἱερὰ καλὰ Ποσειδάωνι ἄνακτι,
ἀρνειὸν ταῦρόν τε συῶν τ' ἐπιβήτορα κάπρον,
οἴκαδ' ἀποστείχειν ἔρδειν θ' ἱερὰς ἑκατόμβας
ἀθανάτοισι θεοῖσι, τοὶ οὐρανὸν εὐρὺν ἔχουσι,
πᾶσι μάλ' ἑξείης. θάνατος δέ τοι ἐξ ἁλὸς αὐτῷ
135 ἀβληχρὸς μάλα τοῖος ἐλεύσεται, ὅς κέ σε πέφνῃ
γήραι ὕπο λιπαρῷ ἀρημένον· ἀμφὶ δὲ λαοὶ
ὄλβιοι ἔσσονται. τὰ δέ τοι νημερτέα εἴρω".

ὣς ἔφατ', αὐτὰρ ἐγώ μιν ἀμειβόμενος προσέειπον·
"Τειρεσίη, τὰ μὲν ἄρ που ἐπέκλωσαν θεοὶ αὐτοί.
140 ἀλλ' ἄγε μοι τόδε εἰπὲ καὶ ἀτρεκέως κατάλεξον·
μητρὸς τήνδ' ὁρόω ψυχὴν κατατεθνηυίης·
ἡ δ' ἀκέουσ' ἧσται σχεδὸν αἵματος οὐδ' ἑὸν υἱὸν
ἔτλη ἐσάντα ἰδεῖν οὐδὲ προτιμυθήσασθαι.
εἰπέ, ἄναξ, πῶς κέν με ἀναγνοίη τὸν ἐόντα;".
145 ὣς ἐφάμην, ὁ δέ μ' αὐτίκ' ἀμειβόμενος προσέειπε·
"ῥηΐδιόν τοι ἔπος ἐρέω καὶ ἐπὶ φρεσὶ θήσω·
ὅν τινα μέν κεν ἐᾷς νεκύων κατατεθνειώτων
αἵματος ἄσσον ἴμεν, ὁ δέ τοι νημερτὲς ἐνίψει·
ᾧ δέ κ' ἐπιφθονέῃς, ὁ δέ τοι πάλιν εἶσιν ὀπίσσω".
150 ὣς φαμένη ψυχὴ μὲν ἔβη δόμον Ἄϊδος εἴσω
Τειρεσίαο ἄνακτος, ἐπεὶ κατὰ θέσφατ' ἔλεξεν·
αὐτὰρ ἐγὼν αὐτοῦ μένον ἔμπεδον, ὄφρ' ἐπὶ μήτηρ
ἤλυθε καὶ πίεν αἷμα κελαινεφές· αὐτίκα δ' ἔγνω
καί μ' ὀλοφυρομένη ἔπεα πτερόεντα προσηύδα·
155 "τέκνον ἐμόν, πῶς ἦλθες ὑπὸ ζόφον ἠερόεντα
ζωὸς ἐών; χαλεπὸν δὲ τάδε ζωοῖσιν ὁρᾶσθαι.
μέσσῳ γὰρ μεγάλοι ποταμοὶ καὶ δεινὰ ῥέεθρα,
Ὠκεανὸς μὲν πρῶτα, τὸν οὔ πως ἔστι περῆσαι
πεζὸν ἐόντ', ἢν μή τις ἔχῃ εὐεργέα νῆα.
160 ἦ νῦν δὴ Τροίηθεν ἀλώμενος ἐνθάδ' ἱκάνεις
νηΐ τε καὶ ἑτάροισι πολὺν χρόνον; οὐδέ πω ἦλθες
εἰς Ἰθάκην, οὐδ' εἶδες ἐνὶ μεγάροισι γυναῖκα;".
ὣς ἔφατ', αὐτὰρ ἐγώ μιν ἀμειβόμενος προσέειπον·

130 e offerti bei sacrifici a Posidone signore,
un ariete, un toro e un verro che monta le scrofe,
torna a casa e sacrifica sacre ecatombi
agli dei immortali che hanno il vasto cielo,
a tutti con ordine. Per te la morte verrà
135 fuori dal mare, così serenamente da coglierti
consunto da splendente vecchiezza: intorno avrai
popoli ricchi. Questo senza errore ti annunzio".
Disse così ed io rispondendogli dissi:
"Tiresia, l'hanno filata gli dei questa sorte;
140 ma dimmi una cosa e dilla con tutta franchezza.
Vedo qui l'anima della madre defunta,
che sta presso il sangue, muta, e non osa
guardare in volto suo figlio e parlargli:
dimmi, o signore, come può riconoscere che sono io?".
145 Dissi così e subito rispondendomi disse:
"Una facile risposta posso darti e porre nell'animo:
chiunque dei morti defunti tu lasci
accostarsi al sangue, ti dirà cose vere;
chi invece tenessi lontano, tornerà indietro".
150 Detto così, andò via nella casa di Ade
l'anima del signore Tiresia, dopo che disse i responsi.
Ma io stetti immobile, finché sopraggiunse mia madre
e bevve il sangue fosco come nube. Subito mi riconobbe
e piangendo mi rivolse alate parole:
155 "Figlio, come sei giunto nella tenebra fosca
da vivo? Vedere questa landa per i vivi è difficile:
ci sono grandi fiumi di mezzo e terribili vortici,
e anzitutto l'Oceano che a piedi non si può
traversare, se non hai una nave ben costruita.
160 Arrivi qui ora da Troia, avendo vagato
gran tempo con la nave e i compagni? A Itaca
non ci sei stato, non hai visto nelle case tua moglie?".
Disse così ed io rispondendole dissi:

“μῆτερ ἐμή, χρειώ με κατήγαγεν εἰς Ἀΐδαο
165 ψυχῇ χρησόμενον Θηβαίου Τειρεσίαο·
οὐ γάρ πω σχεδὸν ἦλθον Ἀχαιΐδος οὐδέ πω ἁμῆς
γῆς ἐπέβην, ἀλλ' αἰὲν ἔχων ἀλάλημαι ὀϊζύν,
ἐξ οὗ τὰ πρώτισθ' ἑπόμην Ἀγαμέμνονι δίῳ
Ἴλιον εἰς εὔπωλον, ἵνα Τρώεσσι μαχοίμην.
170 ἀλλ' ἄγε μοι τόδε εἰπὲ καὶ ἀτρεκέως κατάλεξον·
τίς νύ σε κὴρ ἐδάμασσε τανηλεγέος θανάτοιο;
ἢ δολιχὴ νοῦσος, ἦ Ἄρτεμις ἰοχέαιρα
οἷσ' ἀγανοῖσι βέλεσσιν ἐποιχομένη κατέπεφνεν;
εἰπὲ δέ μοι πατρός τε καὶ υἱέος, ὃν κατέλειπον,
175 ἢ ἔτι πὰρ κείνοισιν ἐμὸν γέρας, ἦέ τις ἤδη
ἀνδρῶν ἄλλος ἔχει, ἐμὲ δ' οὐκέτι φασὶ νέεσθαι.
εἰπὲ δέ μοι μνηστῆς ἀλόχου βουλήν τε νόον τε,
ἠὲ μένει παρὰ παιδὶ καὶ ἔμπεδα πάντα φυλάσσει,
ἦ ἤδη μιν ἔγημεν Ἀχαιῶν ὅς τις ἄριστος”.
180 ὣς ἐφάμην, ἡ δ' αὐτίκ' ἀμείβετο πότνια μήτηρ·
“καὶ λίην κείνη γε μένει τετληότι θυμῷ
σοῖσιν ἐνὶ μεγάροισιν· ὀϊζυραὶ δέ οἱ αἰεὶ
φθίνουσιν νύκτες τε καὶ ἤματα δάκρυ χεούσῃ.
σὸν δ' οὔ πώ τις ἔχει καλὸν γέρας, ἀλλὰ ἕκηλος
185 Τηλέμαχος τεμένεα νέμεται καὶ δαῖτας ἐΐσας
δαίνυται, ἃς ἐπέοικε δικασπόλον ἄνδρ' ἀλεγύνειν·
πάντες γὰρ καλέουσι. πατὴρ δὲ σὸς αὐτόθι μίμνει
ἀγρῷ οὐδὲ πόλινδε κατέρχεται· οὐδέ οἱ εὐναὶ
δέμνια καὶ χλαῖναι καὶ ῥήγεα σιγαλόεντα,
190 ἀλλ' ὅ γε χεῖμα μὲν εὕδει ὅθι δμῶες ἐνὶ οἴκῳ
ἐν κόνι ἄγχι πυρός, κακὰ δὲ χροῒ εἵματα εἷται·
αὐτὰρ ἐπὴν ἔλθῃσι θέρος τεθαλυῖά τ' ὀπώρη,
πάντῃ οἱ κατὰ γουνὸν ἀλωῆς οἰνοπέδοιο
φύλλων κεκλιμένων χθαμαλαὶ βεβλήαται εὐναί.
195 ἔνθ' ὅ γε κεῖτ' ἀχέων, μέγα δὲ φρεσὶ πένθος ἀέξει
σὸν πότμον γοόων· χαλεπὸν δ' ἐπὶ γῆρας ἱκάνει.
οὕτω γὰρ καὶ ἐγὼν ὀλόμην καὶ πότμον ἐπέσπον·

"Madre, il bisogno mi ha condotto da Ade
165 per chiedere all'anima del tebano Tiresia.
Non giunsi mai vicino all'Acaide, non toccai mai
la nostra terra, ma sempre, con dolore, ho vagato,
fin da quando ho seguito il chiaro Agamennone
ad Ilio dalle belle puledre, per combattere contro i Troiani.
170 Ma dimmi una cosa e dilla con tutta franchezza:
quale fato di morte spietata ti vinse?
una lunga malattia? o Artemide saettatrice,
colpendoti con i suoi miti dardi, ti uccise?
Dimmi di mio padre e del figlio che ho lasciato laggiù,
175 se la mia dignità l'hanno loro, o l'ha
qualche altro e dicono che mai tornerò.
Svelami il volere e il pensiero della mia legittima sposa,
se sta con mio figlio e serba come prima ogni cosa,
o l'ha sposata qualche nobile Acheo".
180 Dissi così, e subito essa rispose, la madre augusta:
"Certo che ella rimane con animo fermo
nelle tue case! tristi le si consumano
sempre le notti e i giorni versando lacrime.
E nessuno ha il tuo nobile ufficio, ma Telemaco
185 amministra tranquillo le terre e partecipa
ai giusti conviti, di cui è bene si curi chi rende giustizia:
tutti infatti lo chiamano. Tuo padre se ne sta sempre lì,
nel suo campo, e non scende in città. Per giaciglio non ha
letti e coltri e coperte lucenti,
190 ma dorme d'inverno dove dormono in casa gli schiavi,
nella cenere vicino al fuoco, e indossa miseri panni.
E quando poi viene l'estate e l'autunno fiorente,
dappertutto per lui sull'altura del podere a vigneti
sono sparsi per terra giacigli di foglie cadute.
195 Lì egli giace accorato, la pena gli si ingrossa nell'animo,
piangendo sulla tua sorte: aspra la vecchiezza l'ha colto.
E così son finita anche io e ho subito il destino.

οὔτ' ἐμέ γ' ἐν μεγάροισιν ἐΰσκοπος ἰοχέαιρα
οἷσ' ἀγανοῖσι βέλεσσιν ἐποιχομένη κατέπεφνεν,
200 οὔτε τις οὖν μοι νοῦσος ἐπήλυθεν, ἥ τε μάλιστα
τηκεδόνι στυγερῇ μελέων ἐξείλετο θυμόν·
ἀλλά με σός τε πόθος σά τε μήδεα, φαίδιμ' Ὀδυσσεῦ,
σή τ' ἀγανοφροσύνη μελιηδέα θυμὸν ἀπηύρα".
ὣς ἔφατ', αὐτὰρ ἐγώ γ' ἔθελον φρεσὶ μερμηρίξας
205 μητρὸς ἐμῆς ψυχὴν ἑλέειν κατατεθνηυίης.
τρὶς μὲν ἐφωρμήθην, ἑλέειν τέ με θυμὸς ἀνώγει,
τρὶς δέ μοι ἐκ χειρῶν σκιῇ εἴκελον ἢ καὶ ὀνείρῳ
ἔπτατ'· ἐμοὶ δ' ἄχος ὀξὺ γενέσκετο κηρόθι μᾶλλον,
καί μιν φωνήσας ἔπεα πτερόεντα προσηύδων·
210 "μῆτερ ἐμή, τί νύ μ' οὐ μίμνεις ἑλέειν μεμαῶτα,
ὄφρα καὶ εἰν Ἀΐδαο φίλας περὶ χεῖρε βαλόντε
ἀμφοτέρω κρυεροῖο τεταρπώμεσθα γόοιο;
ἦ τί μοι εἴδωλον τόδ' ἀγαυὴ Περσεφόνεια
ὤτρυν', ὄφρ' ἔτι μᾶλλον ὀδυρόμενος στεναχίζω;".
215 ὣς ἐφάμην, ἡ δ' αὐτίκ' ἀμείβετο πότνια μήτηρ·
"ὤ μοι, τέκνον ἐμόν, περὶ πάντων κάμμορε φωτῶν,
οὔ τί σε Περσεφόνεια Διὸς θυγάτηρ ἀπαφίσκει,
ἀλλ' αὕτη δίκη ἐστὶ βροτῶν, ὅτε τίς κε θάνῃσιν.
οὐ γὰρ ἔτι σάρκας τε καὶ ὀστέα ἶνες ἔχουσιν,
220 ἀλλὰ τὰ μέν τε πυρὸς κρατερὸν μένος αἰθομένοιο
δάμνατ', ἐπεί κε πρῶτα λίπῃ λεύκ' ὀστέα θυμός,
ψυχὴ δ' ἠΰτ' ὄνειρος ἀποπταμένη πεπότηται.
ἀλλὰ φόωσδε τάχιστα λιλαίεο· ταῦτα δὲ πάντα
ἴσθ', ἵνα καὶ μετόπισθε τεῇ εἴπῃσθα γυναικί".
225 νῶϊ μὲν ὣς ἐπέεσσιν ἀμειβόμεθ', αἱ δὲ γυναῖκες
ἤλυθον, ὤτρυνεν γὰρ ἀγαυὴ Περσεφόνεια,
ὅσσαι ἀριστήων ἄλοχοι ἔσαν ἠδὲ θύγατρες.
αἱ δ' ἀμφ' αἷμα κελαινὸν ἀολλέες ἠγερέθοντο,
αὐτὰρ ἐγὼ βούλευον, ὅπως ἐρέοιμι ἑκάστην.
230 ἥδε δέ μοι κατὰ θυμὸν ἀρίστη φαίνετο βουλή·
σπασσάμενος τανύηκες ἄορ παχέος παρὰ μηροῦ

Non fu l'abile saettatrice che in casa,
colpendomi con i suoi miti dardi, mi uccise,
200 né mi venne una qualche malattia, che spesso
toglie la vita con l'odiosa consunzione del corpo,
ma il rimpianto di te, dei tuoi saggi pensieri, illustre Odisseo,
del tuo mite carattere, mi tolse la dolcissima vita".
Disse così, e benché dubbioso nell'animo io volevo
205 abbracciare l'immagine di mia madre morta.
Tre volte tentai e mi spinse ad abbracciarla il mio animo,
e tre volte mi volò dalle mani simile a un'ombra
o a un sogno. Diveniva sempre più acuta la mia pena nel cuore,
e parlando le rivolsi alate parole:
210 "Madre, perché non m'aspetti mentre voglio abbracciarti
per saziarci di gelido pianto ambedue
gettandoci anche nell'Ade le braccia intorno?
Oppure questo è un fantasma, che a me l'insigne Persefone
manda, perché piangendo io gema ancora di più?".
215 Dissi così, e subito essa rispose, la madre augusta:
"Ohimè, figlio mio, il più misero di tutti gli uomini,
Persefone, la figlia di Zeus, non ti inganna,
ma la legge degli uomini è questa, quando si muore:
i nervi non reggono più la carne e le ossa,
220 ma la furia violenta del fuoco ardente
li disfa, appena la vita abbandona le bianche ossa
e l'anima vagola, volata via, come un sogno.
Ma volgiti in fretta alla luce: tutto questo
tu sappilo, per dirlo anche dopo a tua moglie".
225 Noi due discorrevamo così, ed ecco arrivare
le donne: le mandava l'insigne Persefone,
tutte quelle che furono spose e figlie di nobili.
Esse s'accalcarono in folla attorno al fosco sangue:
ma io meditavo come interrogare ciascuna.
230 E il piano migliore mi parve nell'animo questo:
tratta l'aguzza lama lungo la coscia robusta,

οὐκ εἴων πίνειν ἅμα πάσας αἷμα κελαινόν.
αἱ δὲ προμνηστῖναι ἐπήϊσαν, ἠδὲ ἑκάστη
ὃν γόνον ἐξαγόρευεν· ἐγὼ δ' ἐρέεινον ἁπάσας.
235 ἔνθ' ἤτοι πρώτην Τυρὼ ἴδον εὐπατέρειαν,
ἣ φάτο Σαλμωνῆος ἀμύμονος ἔκγονος εἶναι,
φῆ δὲ Κρηθῆος γυνὴ ἔμμεναι Αἰολίδαο·
ἣ ποταμοῦ ἠράσσατ' Ἐνιπῆος θείοιο,
ὃς πολὺ κάλλιστος ποταμῶν ἐπὶ γαῖαν ἵησι,
240 καί ῥ' ἐπ' Ἐνιπῆος πωλέσκετο καλὰ ῥέεθρα.
τῷ δ' ἄρα εἰσάμενος γαιήοχος ἐννοσίγαιος
ἐν προχοῇς ποταμοῦ παρελέξατο δινήεντος·
πορφύρεον δ' ἄρα κῦμα περιστάθη, οὔρεϊ ἶσον,
κυρτωθέν, κρύψεν δὲ θεὸν θνητήν τε γυναῖκα.
245 λῦσε δὲ παρθενίην ζώνην, κατὰ δ' ὕπνον ἔχευεν.
αὐτὰρ ἐπεί ῥ' ἐτέλεσσε θεὸς φιλοτήσια ἔργα,
ἔν τ' ἄρα οἱ φῦ χειρὶ ἔπος τ' ἔφατ' ἔκ τ' ὀνόμαζε·
"χαῖρε, γύναι, φιλότητι· περιπλομένου δ' ἐνιαυτοῦ
τέξεις ἀγλαὰ τέκνα, ἐπεὶ οὐκ ἀποφώλιοι εὐναὶ
250 ἀθανάτων· σὺ δὲ τοὺς κομέειν ἀτιταλλέμεναί τε.
νῦν δ' ἔρχευ πρὸς δῶμα καὶ ἴσχεο μηδ' ὀνομήνῃς·
αὐτὰρ ἐγώ τοί εἰμι Ποσειδάων ἐνοσίχθων".
ὣς εἰπὼν ὑπὸ πόντον ἐδύσετο κυμαίνοντα.
ἡ δ' ὑποκυσαμένη Πελίην τέκε καὶ Νηλῆα,
255 τὼ κρατερὼ θεράποντε Διὸς μεγάλοιο γενέσθην
ἀμφοτέρω· Πελίης μὲν ἐν εὐρυχόρῳ Ἰαωλκῷ
ναῖε πολύρρηνος, ὁ δ' ἄρ' ἐν Πύλῳ ἠμαθόεντι.
τοὺς δ' ἑτέρους Κρηθῆϊ τέκεν βασίλεια γυναικῶν,
Αἴσονά τ' ἠδὲ Φέρητ' Ἀμυθάονά θ' ἱππιοχάρμην.
260 τὴν δὲ μέτ' Ἀντιόπην ἴδον, Ἀσωποῖο θύγατρα,
ἣ δὴ καὶ Διὸς εὔχετ' ἐν ἀγκοίνῃσιν ἰαῦσαι,
καί ῥ' ἔτεκεν δύο παῖδ', Ἀμφίονά τε Ζῆθόν τε,
οἳ πρῶτοι Θήβης ἕδος ἔκτισαν ἑπταπύλοιο,
πύργωσάν τ', ἐπεὶ οὐ μὲν ἀπύργωτόν γ' ἐδύναντο
265 ναιέμεν εὐρύχορον Θήβην, κρατερώ περ ἐόντε.

impedii che bevessero tutte insieme il fosco sangue.
Una dopo l'altra esse avanzavano, e ciascuna
illustrava il suo ceppo: e tutte io interrogavo.
235 Per prima, là, vidi Tiro di padre onorato,
che disse di essere figlia del nobile Salmoneo,
e disse di essere moglie di Creteo figlio di Eolo.
Costei s'invaghì d'un fiume, del divino Enipeo,
che sulla terra è il più bello dei fiumi,
240 e frequentava le belle correnti dell'Enipeo.
Fattosi simile a lui, il dio che percorre e scuote la terra
si giacque sulla foce del fiume vorticoso con lei:
gonfia intorno un'onda si erse, pari a un monte,
inarcata, e nascose il dio e la donna mortale.
245 Le sciolse la cintura di vergine, le versò il sonno.
Quando il dio terminò i suoi atti d'amore,
le prese la mano, le rivolse la parola, le disse:
"Di questo amore rallegrati, o donna: nel giro dell'anno
partorirai figli splendidi, perché non sono infeconde le unioni
250 degli immortali: tu accudiscili e allevali.
Ora va' a casa e taci, non nominarmi:
ma sono, per te, Posidone che scuote la terra".
Detto così, si immerse nel mare ondeggiante.
Ingravidando, lei partorì Pelia e Neleo
255 che furono forti servi del grande Zeus
entrambi: Pelia, ricco di armenti, abitava
a Iolco spaziosa, l'altro a Pilo sabbiosa.
Gli altri, la donna regale li generò a Creteo:
Esone e Ferete e Amitaone combattente dal carro.
260 Dopo di lei vidi Antiope, la figlia di Asopo,
che si gloriava d'aver dormito nelle braccia di Zeus:
e generò due figli, Anfione e Zeto,
che per primi fondarono la sede di Tebe con sette porte,
e turrita la fecero, perché senza mura non potevano
265 vivere a Tebe spaziosa, benché fossero forti.

τὴν δὲ μέτ' Ἀλκμήνην ἴδον, Ἀμφιτρύωνος ἄκοιτιν,
ἥ ῥ' Ἡρακλῆα θρασυμέμνονα θυμολέοντα
γείνατ' ἐν ἀγκοίνῃσι Διὸς μεγάλοιο μιγεῖσα·
καὶ Μεγάρην, Κρείοντος ὑπερθύμοιο θύγατρα,
270 τὴν ἔχεν Ἀμφιτρύωνος υἱὸς μένος αἰὲν ἀτειρής.
μητέρα τ' Οἰδιπόδαο ἴδον, καλὴν Ἐπικάστην,
ἣ μέγα ἔργον ἔρεξεν ἀϊδρείῃσι νόοιο
γημαμένη ᾧ υἷϊ· ὁ δ' ὃν πατέρ' ἐξεναρίξας
γῆμεν· ἄφαρ δ' ἀνάπυστα θεοὶ θέσαν ἀνθρώποισιν.
275 ἀλλ' ὁ μὲν ἐν Θήβῃ πολυηράτῳ ἄλγεα πάσχων
Καδμείων ἤνασσε θεῶν ὀλοὰς διὰ βουλάς·
ἡ δ' ἔβη εἰς Ἀΐδαο πυλάρταο κρατεροῖο,
ἁψαμένη βρόχον αἰπὺν ἀφ' ὑψηλοῖο μελάθρου
ᾧ ἄχεϊ σχομένη· τῷ δ' ἄλγεα κάλλιπ' ὀπίσσω
280 πολλὰ μάλ', ὅσσα τε μητρὸς ἐρινύες ἐκτελέουσι.
καὶ Χλῶριν εἶδον περικαλλέα, τήν ποτε Νηλεὺς
γῆμεν ἑὸν διὰ κάλλος, ἐπεὶ πόρε μυρία ἕδνα,
ὁπλοτάτην κούρην Ἀμφίονος Ἰασίδαο,
ὅς ποτ' ἐν Ὀρχομενῷ Μινυηΐῳ ἶφι ἄνασσεν·
285 ἡ δὲ Πύλου βασίλευε, τέκεν δέ οἱ ἀγλαὰ τέκνα,
Νέστορά τε Χρομίον τε Περικλύμενόν τ' ἀγέρωχον.
τοῖσι δ' ἐπ' ἰφθίμην Πηρὼ τέκε, θαῦμα βροτοῖσι,
τὴν πάντες μνώοντο περικτίται· οὐδέ τι Νηλεὺς
τῷ ἐδίδου, ὃς μὴ ἕλικας βόας εὐρυμετώπους
290 ἐκ Φυλάκης ἐλάσειε βίης Ἰφικληείης
ἀργαλέας. τὰς δ' οἶος ὑπέσχετο μάντις ἀμύμων
ἐξελάαν· χαλεπὴ δὲ θεοῦ κατὰ μοῖρα πέδησε
δεσμοί τ' ἀργαλέοι καὶ βουκόλοι ἀγροιῶται.
ἀλλ' ὅτε δὴ μῆνές τε καὶ ἡμέραι ἐξετελεῦντο
295 ἂψ περιτελλομένου ἔτεος καὶ ἐπήλυθον ὧραι,
καὶ τότε δή μιν λῦσε βίη Ἰφικληείη
θέσφατα πάντ' εἰπόντα· Διὸς δ' ἐτελείετο βουλή.
καὶ Λήδην εἶδον, τὴν Τυνδαρέου παράκοιτιν,
ἥ ῥ' ὑπὸ Τυνδαρέῳ κρατερόφρονε γείνατο παῖδε,

Dopo costei io vidi Alcmena, la sposa di Anfitrione,
che generò Eracle ardimentoso, cuor di leone,
nelle braccia del grande Zeus, unendosi a lui;
e Megara, la figlia dell'ardito Creonte,
270 colei che l'inflessibile figlio d'Alcmena sposò.
Vidi la madre di Edipo, la bella Epicasta,
che unendosi al figlio senza saperlo compì
un gran fatto: la sposò dopo che egli uccise suo padre,
e presto gli dei lo svelarono agli uomini.
275 Ed egli regnava sui Cadmei, pur soffrendo dolori,
nell'amabile Tebe, per i funesti disegni dei numi;
ma lei andò nel regno di Ade, il duro portiere,
avendo attaccato un ripido laccio all'altissimo tetto,
presa nella sua pena: e a lui lasciò gli infiniti
280 dolori, che le erinni di una madre procurano.
E vidi la bellissima Clori, che un tempo Neleo
sposò per la sua bellezza, offerti innumerevoli doni,
la più giovane figlia di Anfione figlio di Iaso
che un tempo regnava con forza su Orcomeno Minio.
285 Fu regina di Pilo e diede splendidi figli al marito,
Nestore e Cromio e Periclimeno altero;
e poi generò l'avvenente Però, meraviglia degli uomini,
che tutti i vicini chiedevano in moglie, ma Neleo
a nessuno la dava, se prima non riportava da Filace
290 le vacche di Ificlo, con le corna ricurve e l'ampia fronte,
difficili. Soltanto il nobile vate promise
di riportarle: ma lo fermò il duro destino di un dio,
le catene difficili e i bovari dei campi.
Ma quando si compirono i mesi e i giorni
295 dell'anno che di nuovo volgeva, e le stagioni tornarono,
allora la forza di Ificlo lo sciolse, dopo che egli
gli disse tutti i responsi: si compiva il volere di Zeus.
E vidi Leda, la consorte di Tindaro,
che a Tindaro generò due figli d'animo forte,

300 Κάστορά θ' ἱππόδαμον καὶ πὺξ ἀγαθὸν Πολυδεύκεα,
τοὺς ἄμφω ζωοὺς κατέχει φυσίζοος αἶα·
οἳ καὶ νέρθεν γῆς τιμὴν πρὸς Ζηνὸς ἔχοντες
ἄλλοτε μὲν ζώουσ' ἑτερήμεροι, ἄλλοτε δ' αὖτε
τεθνᾶσι· τιμὴν δὲ λελόγχασιν ἶσα θεοῖσι.

305 τὴν δὲ μέτ' Ἰφιμέδειαν, Ἀλωῆος παράκοιτιν,
εἴσιδον, ἣ δὴ φάσκε Ποσειδάωνι μιγῆναι,
καί ῥ' ἔτεκεν δύο παῖδε, μινυνθαδίω δὲ γενέσθην,
Ὦτόν τ' ἀντίθεον τηλεκλειτόν τ' Ἐφιάλτην,
οὓς δὴ μηκίστους θρέψε ζείδωρος ἄρουρα
310 καὶ πολὺ καλλίστους μετά γε κλυτὸν Ὠρίωνα·
ἐννέωροι γὰρ τοί γε καὶ ἐννεαπήχεες ἦσαν
εὖρος, ἀτὰρ μῆκός γε γενέσθην ἐννεόργυιοι.
οἵ ῥα καὶ ἀθανάτοισιν ἀπειλήτην ἐν Ὀλύμπῳ
φυλόπιδα στήσειν πολυάϊκος πολέμοιο.
315 Ὄσσαν ἐπ' Οὐλύμπῳ μέμασαν θέμεν, αὐτὰρ ἐπ' Ὄσσῃ
Πήλιον εἰνοσίφυλλον, ἵν' οὐρανὸς ἀμβατὸς εἴη.
καί νύ κεν ἐξετέλεσσαν, εἰ ἥβης μέτρον ἵκοντο·
ἀλλ' ὄλεσεν Διὸς υἱός, ὃν ἠύκομος τέκε Λητώ,
ἀμφοτέρω, πρίν σφωϊν ὑπὸ κροτάφοισιν ἰούλους
320 ἀνθῆσαι πυκάσαι τε γένυς εὐανθέϊ λάχνῃ.

Φαίδρην τε Πρόκριν τε ἴδον καλήν τ' Ἀριάδνην,
κούρην Μίνωος ὀλοόφρονος, ἥν ποτε Θησεὺς
ἐκ Κρήτης ἐς γουνὸν Ἀθηνάων ἱεράων
ἦγε μέν, οὐδ' ἀπόνητο· πάρος δέ μιν Ἄρτεμις ἔκτα
325 Δίῃ ἐν ἀμφιρύτῃ Διονύσου μαρτυρίῃσι.

Μαῖράν τε Κλυμένην τε ἴδον στυγερήν τ' Ἐριφύλην,
ἣ χρυσὸν φίλου ἀνδρὸς ἐδέξατο τιμήεντα.
πάσας δ' οὐκ ἂν ἐγὼ μυθήσομαι οὐδ' ὀνομήνω
ὅσσας ἡρώων ἀλόχους ἴδον ἠδὲ θύγατρας·
330 πρὶν γάρ κεν καὶ νὺξ φθῖτ' ἄμβροτος. ἀλλὰ καὶ ὥρη
εὕδειν, ἢ ἐπὶ νῆα θοὴν ἐλθόντ' ἐς ἑταίρους
ἢ αὐτοῦ· πομπὴ δὲ θεοῖσ' ὑμῖν τε μελήσει ».

ὣς ἔφαθ', οἳ δ' ἄρα πάντες ἀκὴν ἐγένοντο σιωπῇ,

300 Castore domacavalli e Polluce bravo coi pugni.
Entrambi li copre, vivi, la terra generatrice:
per onore avuto da Zeus, essi anche sotterra
una volta son vivi e un'altra son morti,
a giorni alterni. Onore come gli dei hanno in sorte.
305 Ifimedea, la consorte di Aloeo, vidi
dopo di lei, che diceva d'essersi unita con Posidone;
e generò due figli, ma ebbero ambedue vita breve,
Oto pari agli dei e il famosissimo Efialte.
La terra che dona le biade li fece i più alti
310 e i più belli, dopo il nobile Orione:
erano già nove cubiti a nove anni
in larghezza, ed erano nove tese in altezza.
Ma anche agli immortali in Olimpo minacciavano
di fare una mischia di guerra furiosa:
315 pensarono di mettere l'Ossa sopra l'Olimpo e sull'Ossa
il Pelio frusciante di foglie, perché il cielo fosse accessibile.
E riuscivano, se fossero giunti alla piena giovinezza:
ma entrambi il figlio di Zeus, che partorì Leto dai bei capelli,
li uccise prima che sotto le tempie fiorisse loro
320 la barba e coprisse il mento di fiorente peluria.
Vidi Fedra e Procri e la bella Arianna,
la figlia del funesto Minosse, che Teseo un giorno
voleva portare al colle della sacra Atene
da Creta, e non ne godette: Artemide la uccise prima,
325 a Dia circondata dall'acqua, per denunzia di Dioniso.
Vidi Maira e Climene e l'odiosa Erifile,
che oro prezioso accettò in cambio di suo marito.
Di tutte io non posso narrare né posso elencare,
quante mogli e figlie di eroi io vidi:
330 prima finirebbe la notte immortale. Ma è anche ora
d'andare a dormire, o dai compagni sulla nave veloce
o qui stesso: starà agli dei e a voi pensare al viaggio ».
Disse così: immobili erano tutti, in silenzio;

κηληθμῷ δ' ἔσχοντο κατὰ μέγαρα σκιόεντα.
335 τοῖσιν δ' Ἀρήτη λευκώλενος ἤρχετο μύθων·
« Φαίηκες, πῶς ὔμμιν ἀνὴρ ὅδε φαίνεται εἶναι
εἶδός τε μέγεθός τε ἰδὲ φρένας ἔνδον ἐΐσας;
ξεῖνος δ' αὖτ' ἐμός ἐστιν, ἕκαστος δ' ἔμμορε τιμῆς.
τῶ μὴ ἐπειγόμενοι ἀποπέμπετε μηδὲ τὰ δῶρα
340 οὕτω χρηΐζοντι κολούετε· πολλὰ γὰρ ὑμῖν
κτήματ' ἐνὶ μεγάροισι θεῶν ἰότητι κέονται ».
τοῖσι δὲ καὶ μετέειπε γέρων ἥρως Ἐχένηος,
ὃς δὴ Φαιήκων ἀνδρῶν προγενέστερος ἦεν·
« ὦ φίλοι, οὐ μὰν ἧμιν ἀπὸ σκοποῦ οὐδ' ἀπὸ δόξης
345 μυθεῖται βασίλεια περίφρων· ἀλλὰ πίθεσθε.
Ἀλκινόου δ' ἐκ τοῦδ' ἔχεται ἔργον τε ἔπος τε ».
τὸν δ' αὖτ' Ἀλκίνοος ἀπαμείβετο φώνησέν τε·
« τοῦτο μὲν οὕτω δὴ ἔσται ἔπος, αἴ κεν ἐγώ γε
ζωὸς Φαιήκεσσι φιληρέτμοισιν ἀνάσσω·
350 ξεῖνος δὲ τλήτω, μάλα περ νόστοιο χατίζων,
ἔμπης οὖν ἐπιμεῖναι ἐς αὔριον, εἰς ὅ κε πᾶσαν
δωτίνην τελέσω. πομπὴ δ' ἄνδρεσσι μελήσει
πᾶσι, μάλιστα δ' ἐμοί· τοῦ γὰρ κράτος ἔστ' ἐνὶ δήμῳ ».
τὸν δ' ἀπαμειβόμενος προσέφη πολύμητις Ὀδυσσεύς·
355 « Ἀλκίνοε κρεῖον, πάντων ἀριδείκετε λαῶν,
εἴ με καὶ εἰς ἐνιαυτὸν ἀνώγοιτ' αὐτόθι μίμνειν,
πομπὴν δ' ὀτρύνοιτε καὶ ἀγλαὰ δῶρα διδοῖτε,
καί κε τὸ βουλοίμην, καί κεν πολὺ κέρδιον εἴη,
πλειοτέρῃ σὺν χειρὶ φίλην ἐς πατρίδ' ἱκέσθαι·
360 καί κ' αἰδοιότερος καὶ φίλτερος ἀνδράσιν εἴην
πᾶσιν, ὅσοι μ' Ἰθάκηνδε ἰδοίατο νοστήσαντα ».
τὸν δ' αὖτ' Ἀλκίνοος ἀπαμείβετο φώνησέν τε·
« ὦ Ὀδυσεῦ, τὸ μὲν οὔ τί σ' ἐΐσκομεν εἰσορόωντες
ἠπεροπῆά τ' ἔμεν καὶ ἐπίκλοπον, οἷά τε πολλοὺς
365 βόσκει γαῖα μέλαινα πολυσπερέας ἀνθρώπους
ψεύδεά τ' ἀρτύνοντας, ὅθεν κέ τις οὐδὲ ἴδοιτο·
σοὶ δ' ἔπι μὲν μορφὴ ἐπέων, ἔνι δὲ φρένες ἐσθλαί,

da incantesimo erano presi nella sala ombrosa.
335 Tra essi iniziò Arete dalle candide braccia a parlare:
« Feaci, a voi come pare quest'uomo
nel volto e nella statura e per la mente assennata?
Ed è mio ospite e dell'onore ciascuno partecipa.
Dunque non congedatelo in fretta e non lesinate
340 i regali a chi ha tanto bisogno: in casa voi possedete
molte ricchezze per volontà degli dei ».
Allora tra essi parlò il vecchio eroe Echeneo,
che era tra gli uomini feaci un anziano:
« O cari, la saggia regina non dice parole lontane
345 dalla mia mira e opinione: perciò ascoltatela.
Ma fatti e parole dipendono qui da Alcinoo ».
Allora Alcinoo rispose e gli disse:
« Questa proposta è accettata, se veramente io
vivo e regno sui Feaci che amano i remi.
350 E benché tanto brami il ritorno, tuttavia l'ospite
pazienti fino a domani, finché finirò
tutta la raccolta dei doni. Starà a tutti gli uomini,
e a me soprattutto, pensare al viaggio: il potere è mio nel paese ».
Rispondendo gli disse l'astuto Odisseo:
355 « Potente Alcinoo, insigne tra tutti i popoli,
se mi invitaste a restare qui anche un anno,
mi preparaste una scorta e deste splendidi doni,
potrei volerlo anche io; e sarebbe assai meglio
tornare nella mia patria con le mani piene:
360 più rispettato sarei e più gradito a tutti
gli uomini, che mi vedrebbero tornare ad Itaca ».
Allora Alcinoo rispose e gli disse:
« Odisseo, non ci sembri davvero, guardandoti,
un imbroglione e un bugiardo, come ne alleva
365 tanti la terra nera, uomini sparsi in gran copia,
costruttori di storie false, che uno non riesce a vedere.
Ma i tuoi racconti hanno forma, in te v'è una mente egregia.

μῦθον δ' ὡς ὅτ' ἀοιδὸς ἐπισταμένως κατέλεξας,
πάντων Ἀργείων σέο τ' αὐτοῦ κήδεα λυγρά.
370 ἀλλ' ἄγε μοι τόδε εἰπὲ καὶ ἀτρεκέως κατάλεξον,
εἴ τινας ἀντιθέων ἑτάρων ἴδες, οἵ τοι ἅμ' αὐτῷ
Ἴλιον εἰς ἅμ' ἕποντο καὶ αὐτοῦ πότμον ἐπέσπον.
νὺξ δ' ἥδε μάλα μακρή, ἀθέσφατος, οὐδέ πω ὥρη
εὕδειν ἐν μεγάρῳ· σὺ δέ μοι λέγε θέσκελα ἔργα.
375 καί κεν ἐς ἠῶ δῖαν ἀνασχοίμην, ὅτε μοι σὺ
τλαίης ἐν μεγάρῳ τὰ σὰ κήδεα μυθήσασθαι ».
τὸν δ' ἀπαμειβόμενος προσέφη πολύμητις Ὀδυσσεύς·
« Ἀλκίνοε κρεῖον, πάντων ἀριδείκετε λαῶν,
ὥρη μὲν πολέων μύθων, ὥρη δὲ καὶ ὕπνου·
380 εἰ δ' ἔτ' ἀκουέμεναί γε λιλαίεαι, οὐκ ἂν ἔγωγε
τούτων σοι φθονέοιμι καὶ οἰκτρότερ' ἄλλ' ἀγορεύειν,
κήδε' ἐμῶν ἑτάρων, οἳ δὴ μετόπισθεν ὄλοντο,
οἳ Τρώων μὲν ὑπεξέφυγον στονόεσσαν ἀϋτήν,
ἐν νόστῳ δ' ἀπόλοντο κακῆς ἰότητι γυναικός.
385 αὐτὰρ ἐπεὶ ψυχὰς μὲν ἀπεσκέδασ' ἄλλυδις ἄλλη
ἁγνὴ Περσεφόνεια γυναικῶν θηλυτεράων,
ἦλθε δ' ἐπὶ ψυχὴ Ἀγαμέμνονος Ἀτρεΐδαο
ἀχνυμένη· περὶ δ' ἄλλαι ἀγηγέραθ', ὅσσοι ἅμ' αὐτῷ
οἴκῳ ἐν Αἰγίσθοιο θάνον καὶ πότμον ἐπέσπον.
390 ἔγνω δ' αἶψ' ἐμὲ κεῖνος, ἐπεὶ ἴδεν ὀφθαλμοῖσι·
κλαῖε δ' ὅ γε λιγέως, θαλερὸν κατὰ δάκρυον εἴβων,
πιτνὰς εἰς ἐμὲ χεῖρας ὀρέξασθαι μενεαίνων·
ἀλλ' οὐ γάρ οἱ ἔτ' ἦν ἲς ἔμπεδος οὐδ' ἔτι κῖκυς,
οἵη περ πάρος ἔσκεν ἐνὶ γναμπτοῖσι μέλεσσι.
395 τὸν μὲν ἐγὼ δάκρυσα ἰδὼν ἐλέησά τε θυμῷ,
καί μιν φωνήσας ἔπεα πτερόεντα προσηύδων·
" Ἀτρεΐδη κύδιστε, ἄναξ ἀνδρῶν Ἀγάμεμνον,
τίς νύ σε κὴρ ἐδάμασσε τανηλεγέος θανάτοιο;
ἦέ σέ γ' ἐν νήεσσι Ποσειδάων ἐδάμασσεν
400 ὄρσας ἀργαλέων ἀνέμων ἀμέγαρτον ἀϋτμήν,
ἦέ σ' ἀνάρσιοι ἄνδρες ἐδηλήσαντ' ἐπὶ χέρσου

Hai esposto con arte, come un aedo, il racconto,
le tristi sventure di tutti gli Argivi e le tue.
370 Ma dimmi una cosa e dilla con tutta franchezza,
se vedesti qualcuno dei tuoi compagni pari agli dei
che con te andarono ad Ilio e subirono il destino laggiù.
Questa è una notte assai lunga, indicibile: non è ancora tempo
per dormire nella gran sala. Tu dimmi le imprese meravigliose.
375 Anche fino all'aurora divina starei, se volessi
nella sala narrarmi le tue sventure ».

Rispondendo gli disse l'astuto Odisseo:
« Potente Alcinoo, insigne fra tutti i popoli,
c'è tempo per molti discorsi, ed è anche il tempo del sonno:
380 ma se desideri ancora ascoltare, non voglio
negarti il racconto di altre disgrazie più tristi,
le sventure dei compagni che morirono dopo,
che all'urlo luttuoso dei Troiani sfuggirono,
ma tornati perirono per colpa d'una donna malvagia.
385 Dopoché la veneranda Persefone disperse
qua e là le anime delle deboli donne,
giunse l'anima dell'Atride Agamennone,
triste: intorno s'eran raccolte le altre, di quanti con lui
morirono in casa di Egisto e il destino subirono.
390 Subito mi riconobbe, appena con gli occhi mi vide:
stridulamente gemeva, versando pianto copioso,
tendendo le braccia a me, volendo abbracciarmi:
ma non aveva più forza, non aveva il vigore
che c'era una volta nelle membra flessibili.
395 Vedendolo piansi e nell'animo ne ebbi pietà,
e parlando gli rivolsi alate parole:

"Gloriosissimo Atride, Agamennone signore di uomini,
quale fato di morte spietata ti vinse?
Ti vinse forse Posidone dentro le navi,
400 dopo aver suscitato un aspro uragano di venti,
oppure ti uccisero a terra uomini ostili,

βοῦς περιταμνόμενον ἠδ' οἰῶν πώεα καλά,
ἠὲ περὶ πτόλιος μαχεούμενον ἠδὲ γυναικῶν;".
ὣς ἐφάμην, ὁ δέ μ' αὐτίκ' ἀμειβόμενος προσέειπε·
405 "διογενὲς Λαερτιάδη, πολυμήχαν' Ὀδυσσεῦ,
οὔτ' ἐμέ γ' ἐν νήεσσι Ποσειδάων ἐδάμασσεν,
ὄρσας ἀργαλέων ἀνέμων ἀμέγαρτον ἀϋτμήν,
οὔτε μ' ἀνάρσιοι ἄνδρες ἐδηλήσαντ' ἐπὶ χέρσου,
ἀλλά μοι Αἴγισθος τεύξας θάνατόν τε μόρον τε
410 ἔκτα σὺν οὐλομένῃ ἀλόχῳ, οἶκόνδε καλέσσας,
δειπνίσσας, ὥς τίς τε κατέκτανε βοῦν ἐπὶ φάτνῃ.
ὣς θάνον οἰκτίστῳ θανάτῳ· περὶ δ' ἄλλοι ἑταῖροι
νωλεμέως κτείνοντο σύες ὣς ἀργιόδοντες,
οἵ ῥά τ' ἐν ἀφνειοῦ ἀνδρὸς μέγα δυναμένοιο
415 ἢ γάμῳ ἢ ἐράνῳ ἢ εἰλαπίνῃ τεθαλυίῃ.
ἤδη μὲν πολέων φόνῳ ἀνδρῶν ἀντεβόλησας,
μουνὰξ κτεινομένων καὶ ἐνὶ κρατερῇ ὑσμίνῃ·
ἀλλά κε κεῖνα μάλιστα ἰδὼν ὀλοφύραο θυμῷ,
ὡς ἀμφὶ κρητῆρα τραπέζας τε πληθούσας
420 κείμεθ' ἐνὶ μεγάρῳ, δάπεδον δ' ἅπαν αἵματι θῦεν.
οἰκτροτάτην δ' ἤκουσα ὄπα Πριάμοιο θυγατρὸς
Κασσάνδρης, τὴν κτεῖνε Κλυταιμήστρη δολόμητις
ἀμφ' ἐμοί· αὐτὰρ ἐγὼ ποτὶ γαίῃ χεῖρας ἀείρων
βάλλον ἀποθνήσκων περὶ φασγάνῳ· ἡ δὲ κυνῶπις
425 νοσφίσατ' οὐδέ μοι ἔτλη, ἰόντι περ εἰς Ἀΐδαο,
χερσὶ κατ' ὀφθαλμοὺς ἑλέειν σύν τε στόμ' ἐρεῖσαι.
ὣς οὐκ αἰνότερον καὶ κύντερον ἄλλο γυναικός,
ἥ τις δὴ τοιαῦτα μετὰ φρεσὶν ἔργα βάληται·
οἷον δὴ καὶ κείνη ἐμήσατο ἔργον ἀεικές,
430 κουριδίῳ τεύξασα πόσει φόνον. ἤτοι ἔφην γε
ἀσπάσιος παίδεσσιν ἰδὲ δμώεσσιν ἐμοῖσιν
οἴκαδ' ἐλεύσεσθαι· ἡ δ' ἔξοχα λυγρὰ ἰδυῖα
οἷ τε κατ' αἶσχος ἔχευε καὶ ἐσσομένῃσιν ὀπίσσω
θηλυτέρῃσι γυναιξί, καὶ ἥ κ' εὐεργὸς ἔῃσιν".
435 ὣς ἔφατ', αὐτὰρ ἐγώ μιν ἀμειβόμενος προσέειπον·

mentre buoi razziavi e bei greggi di pecore
o lottavi per una città e le sue donne?".
Dissi così e subito rispondendomi disse:
405 "Divino figlio di Laerte, Odisseo pieno di astuzie,
non mi vinse Posidone dentro le navi
dopo aver suscitato un aspro uragano di venti,
e neanche mi uccisero a terra uomini ostili,
ma Egisto, dopo aver preparato la morte e il destino,
410 con la mia sposa funesta mi uccise, invitandomi a casa
a mangiare, come un bue alla greppia si uccide.
Così sono morto di miserrima morte: accanto venivano uccisi
senza posa gli altri compagni, come porci dalle candide zanne
nella casa d'un ricco signore molto potente
415 per un pranzo nuziale o comune o un lauto banchetto.
Hai assistito di già alla strage di tanti guerrieri
uccisi in duello e nella mischia feroce:
ma molto di più ti saresti angustiato, vedendo
come noi giacevamo intorno al cratere e alle tavole colme
420 nella gran sala, e tutto il pavimento fumava di sangue.
Sentii il grido doloroso della figlia di Priamo,
Cassandra: su di me Clitemestra esperta di inganni
la uccise. Io levando le mani, le battei
a terra morente, dalla spada trafitto, e la faccia di cagna
425 andò via e non ebbe il cuore, mentre andavo nell'Ade,
di chiudermi gli occhi e serrarmi la bocca con le sue mani.
Nulla, così, è più orribile e più impudente della donna
che si metta in mente azioni siffatte,
come la sconcia azione che ella tramò
430 uccidendo il marito legittimo. Io pensavo
che sarei ritornato a casa gradito ai miei figli
e ai miei servi: ma lei, che conosce ogni orrore,
ha riversato vergogna su di sé e sulle donne
che verranno in futuro, anche su chi fosse buona".
435 Disse così ed io rispondendogli dissi:

"ὢ πόποι, ἦ μάλα δὴ γόνον Ἀτρέος εὐρύοπα Ζεὺς
ἐκπάγλως ἤχθηρε γυναικείας διὰ βουλὰς
ἐξ ἀρχῆς· Ἑλένης μὲν ἀπωλόμεθ' εἵνεκα πολλοί,
σοὶ δὲ Κλυταιμήστρη δόλον ἤρτυε τηλόθ' ἐόντι".

440 ὣς ἐφάμην, ὁ δέ μ' αὐτίκ' ἀμειβόμενος προσέειπε·
"τῶ νῦν μή ποτε καὶ σὺ γυναικί περ ἤπιος εἶναι
μηδ' οἱ μῦθον ἅπαντα πιφαυσκέμεν, ὅν κ' ἐῢ εἰδῇς,
ἀλλὰ τὸ μὲν φάσθαι, τὸ δὲ καὶ κεκρυμμένον εἶναι.
ἀλλ' οὐ σοί γ', Ὀδυσεῦ, φόνος ἔσσεται ἔκ γε γυναικός·
445 λίην γὰρ πινυτή τε καὶ εὖ φρεσὶ μήδεα οἶδε
κούρη Ἰκαρίοιο, περίφρων Πηνελόπεια.
ἦ μέν μιν νύμφην γε νέην κατελείπομεν ἡμεῖς
ἐρχόμενοι πόλεμόνδε· πάϊς δέ οἱ ἦν ἐπὶ μαζῷ
νήπιος, ὅς που νῦν γε μετ' ἀνδρῶν ἵζει ἀριθμῷ,
450 ὄλβιος· ἦ γὰρ τόν γε πατὴρ φίλος ὄψεται ἐλθών,
καὶ κεῖνος πατέρα προσπτύξεται, ἣ θέμις ἐστίν.
ἡ δ' ἐμὴ οὐδέ περ υἷος ἐνιπλησθῆναι ἄκοιτις
ὀφθαλμοῖσιν ἔασε· πάρος δέ με πέφνε καὶ αὐτόν.
ἄλλο δέ τοι ἐρέω, σὺ δ' ἐνὶ φρεσὶ βάλλεο σῇσι·
455 κρύβδην, μηδ' ἀναφανδά, φίλην ἐς πατρίδα γαῖαν
νῆα κατισχέμεναι, ἐπεὶ οὐκέτι πιστὰ γυναιξίν.
ἀλλ' ἄγε μοι τόδε εἰπὲ καὶ ἀτρεκέως κατάλεξον,
εἴ που ἔτι ζώοντος ἀκούετε παιδὸς ἐμοῖο
ἤ που ἐν Ὀρχομενῷ ἢ ἐν Πύλῳ ἠμαθόεντι
460 ἤ που πὰρ Μενελάῳ ἐνὶ Σπάρτῃ εὐρείῃ·
οὐ γάρ πω τέθνηκεν ἐπὶ χθονὶ δῖος Ὀρέστης".

ὣς ἔφατ', αὐτὰρ ἐγώ μιν ἀμειβόμενος προσέειπον·
" Ἀτρεΐδη, τί με ταῦτα διείρεαι; οὐδέ τι οἶδα,
ζώει ὅ γ' ἦ τέθνηκε· κακὸν δ' ἀνεμώλια βάζειν".
465 νῶϊ μὲν ὣς ἐπέεσσιν ἀμειβομένω στυγεροῖσιν
ἕσταμεν ἀχνύμενοι, θαλερὸν κατὰ δάκρυ χέοντες·
ἦλθε δ' ἐπὶ ψυχὴ Πηληϊάδεω Ἀχιλῆος
καὶ Πατροκλῆος καὶ ἀμύμονος Ἀντιλόχοιο
Αἴαντός θ', ὃς ἄριστος ἔην εἶδός τε δέμας τε

"Ah, quanto odiò orribilmente la stirpe di Atreo
con mene di donne Zeus dalla voce possente
fin dall'inizio: molti perimmo per colpa di Elena
e a te Clitemestra, mentre eri lontano, ordiva una trappola".
440 Dissi così e subito rispondendomi disse:
"Perciò non essere franco con la tua donna anche tu
e non raccontarle ogni cosa che sai,
ma digliene una e un'altra le resti nascosta.
Ma da tua moglie, o Odisseo, non avrai morte:
445 è assai giudiziosa ed ha accorti pensieri nell'animo
la figlia di Icario, la saggia Penelope.
Noi la lasciammo giovane sposa,
andando in guerra: aveva al seno un figlio
infante, che certo è nel novero ora degli uomini:
450 lui felice, perché il caro padre lo vedrà ritornando,
ed egli si stringerà, come è giusto, al petto del padre.
Invece mia moglie negò ai miei occhi d'empirsi
della vista del figlio: prima mi uccise.
Ma ti dirò un'altra cosa e tu tienila a mente.
455 Di nascosto, non alla scoperta, fa' approdare la nave
nella terra dei padri: delle donne non c'è da fidarsi.
Ma dimmi una cosa e dilla con tutta franchezza,
se sapete dove è vivo mio figlio,
ad Orcomeno o a Pilo sabbiosa
460 o da Menelao nella vasta Sparta:
perché il chiaro Oreste in terra non è ancora morto".
Disse così ed io rispondendogli dissi:
"Atride, perché me lo chiedi? non so neppure
se vive od è morto: è male dir parole di vento".
465 Noi stavamo così, scambiandoci tristi
parole, afflitti, versando pianto copioso:
e giunse l'anima del Pelide Achille,
di Patroclo e del nobile Antiloco
e di Aiace, che spiccava per aspetto e beltà

470 τῶν ἄλλων Δαναῶν μετ' ἀμύμονα Πηλεΐωνα.
ἔγνω δὲ ψυχή με ποδώκεος Αἰακίδαο,
καί ῥ' ὀλοφυρομένη ἔπεα πτερόεντα προσηύδα·
"διογενὲς Λαερτιάδη, πολυμήχαν' Ὀδυσσεῦ,
σχέτλιε, τίπτ' ἔτι μεῖζον ἐνὶ φρεσὶ μήσεαι ἔργον;
475 πῶς ἔτλης Ἄϊδόσδε κατελθέμεν, ἔνθα τε νεκροὶ
ἀφραδέες ναίουσι, βροτῶν εἴδωλα καμόντων;".
ὣς ἔφατ', αὐτὰρ ἐγώ μιν ἀμειβόμενος προσέειπον·
"ὦ Ἀχιλεῦ, Πηλῆος υἱέ, μέγα φέρτατ' Ἀχαιῶν,
ἦλθον Τειρεσίαο κατὰ χρέος, εἴ τινα βουλὴν
480 εἴποι, ὅπως Ἰθάκην ἐς παιπαλόεσσαν ἱκοίμην·
οὐ γάρ πω σχεδὸν ἦλθον Ἀχαιΐδος οὐδέ πω ἁμῆς
γῆς ἐπέβην, ἀλλ' αἰὲν ἔχω κακά. σεῖο δ', Ἀχιλλεῦ,
οὔ τις ἀνὴρ προπάροιθε μακάρτερος οὔτ' ἄρ' ὀπίσσω·
πρὶν μὲν γάρ σε ζωὸν ἐτίομεν ἶσα θεοῖσιν
485 Ἀργεῖοι, νῦν αὖτε μέγα κρατέεις νεκύεσσιν
ἐνθάδ' ἐών· τῶ μή τι θανὼν ἀκαχίζευ, Ἀχιλλεῦ".
ὣς ἐφάμην, ὁ δέ μ' αὐτίκ' ἀμειβόμενος προσέειπε·
"μὴ δή μοι θάνατόν γε παραύδα, φαίδιμ' Ὀδυσσεῦ.
βουλοίμην κ' ἐπάρουρος ἐὼν θητευέμεν ἄλλῳ,
490 ἀνδρὶ παρ' ἀκλήρῳ, ᾧ μὴ βίοτος πολὺς εἴη,
ἢ πᾶσιν νεκύεσσι καταφθιμένοισιν ἀνάσσειν.
ἀλλ' ἄγε μοι τοῦ παιδὸς ἀγαυοῦ μῦθον ἔνισπε,
ἢ ἔπετ' ἐς πόλεμον πρόμος ἔμμεναι ἦε καὶ οὐκί.
εἰπὲ δέ μοι Πηλῆος ἀμύμονος εἴ τι πέπυσσαι,
495 ἢ ἔτ' ἔχει τιμὴν πολέσιν μετὰ Μυρμιδόνεσσιν,
ἦ μιν ἀτιμάζουσιν ἀν' Ἑλλάδα τε Φθίην τε,
οὕνεκά μιν κατὰ γῆρας ἔχει χεῖράς τε πόδας τε.
εἰ γὰρ ἐγὼν ἐπαρωγὸς ὑπ' αὐγὰς ἠελίοιο,
τοῖος ἐὼν οἷός ποτ' ἐνὶ Τροίῃ εὐρείῃ
500 πέφνον λαὸν ἄριστον, ἀμύνων Ἀργείοισιν.
εἰ τοιόσδ' ἔλθοιμι μίνυνθά περ ἐς πατέρος δῶ,
τῶ κέ τεῳ στύξαιμι μένος καὶ χεῖρας ἀάπτους,
οἳ κεῖνον βιόωνται ἐέργουσίν τ' ἀπὸ τιμῆς".

470 sugli altri Danai dopo il nobile figlio di Peleo.
Mi riconobbe l'anima del celere Eacide
e piangendo mi rivolse alate parole:
"Divino figlio di Laerte, Odisseo pieno di astuzie,
temerario, quale impresa più audace penserai nella mente?
475 Come ardisti venire nell'Ade, dove i morti
privi di sensi dimorano, le ombre degli uomini estinti?".
Disse così ed io rispondendogli dissi:
"Achille, figlio di Peleo, tra gli Achei il più valoroso,
son venuto per sentire Tiresia, se un consiglio
480 mi dava, come giungere nella ripida Itaca.
Non giunsi mai vicino all'Acaide, non toccai mai
la nostra terra, ma sempre ho sventure. Nessuno
di te più beato, o Achille, in passato e in futuro:
prima infatti, da vivo, ti rendevamo onori di dei
485 noi Argivi, ed ora hai grande potere tra i morti
qui dimorando: non t'angusti, Achille, la morte".
Dissi così e subito rispondendomi disse:
"Non abbellirmi, illustre Odisseo, la morte!
Vorrei da bracciante servire un altro uomo,
490 un uomo senza podere che non ha molta roba;
piuttosto che dominare tra tutti i morti defunti.
Ma dammi qualche notizia del mio nobile figlio:
se è andato, o no, in guerra per essere un prode.
Dimmi del nobile Peleo, se hai saputo qualcosa:
495 se ha ancora la sua dignità tra i molti Mirmidoni,
o se nell'Ellade e a Ftia non lo onorano più,
perché la vecchiaia lo opprime alle mani e ai piedi.
Magari io potessi in suo aiuto, sotto i raggi del sole,
essendo così come quando nella vasta terra di Troia
500 facevo strage di eroi difendendo gli Argivi –
magari potessi andare così da mio padre, anche per poco:
odiose farei la mia forza e le irresistibili mani
per chi gli fa violenza e lo priva dell'onore dovuto".

ὣς ἔφατ', αὐτὰρ ἐγώ μιν ἀμειβόμενος προσέειπον·
505 "ἤτοι μὲν Πηλῆος ἀμύμονος οὔ τι πέπυσμαι,
αὐτάρ τοι παιδός γε Νεοπτολέμοιο φίλοιο
πᾶσαν ἀληθείην μυθήσομαι, ὥς με κελεύεις·
αὐτὸς γάρ μιν ἐγὼ κοίλης ἐπὶ νηὸς ἐΐσης
ἤγαγον ἐκ Σκύρου μετ' ἐϋκνήμιδας Ἀχαιούς.
510 ἤτοι ὅτ' ἀμφὶ πόλιν Τροίην φραζοίμεθα βουλάς,
αἰεὶ πρῶτος ἔβαζε καὶ οὐχ ἡμάρτανε μύθων·
Νέστωρ δ' ἀντίθεος καὶ ἐγὼ νικάσκομεν οἴω.
αὐτὰρ ὅτ' ἀμφὶ πόλιν Τροίην μαρνοίμεθ' Ἀχαιοί,
οὔ ποτ' ἐνὶ πληθυῖ μένεν ἀνδρῶν οὐδ' ἐν ὁμίλῳ,
515 ἀλλὰ πολὺ προθέεσκε, τὸ ὃν μένος οὐδενὶ εἴκων·
πολλοὺς δ' ἄνδρας ἔπεφνεν ἐν αἰνῇ δηϊοτῆτι.
πάντας δ' οὐκ ἂν ἐγὼ μυθήσομαι οὐδ' ὀνομήνω,
ὅσσον λαὸν ἔπεφνεν ἀμύνων Ἀργείοισιν,
ἀλλ' οἷον τὸν Τηλεφίδην κατενήρατο χαλκῷ,
520 ἥρω' Εὐρύπυλον· πολλοὶ δ' ἀμφ' αὐτὸν ἑταῖροι
Κήτειοι κτείνοντο γυναίων εἵνεκα δώρων.
κεῖνον δὴ κάλλιστον ἴδον μετὰ Μέμνονα δῖον.
αὐτὰρ ὅτ' εἰς ἵππον κατεβαίνομεν, ὃν κάμ' Ἐπειός,
Ἀργείων οἱ ἄριστοι, ἐμοὶ δ' ἐπὶ πάντ' ἐτέταλτο,
525 ἠμὲν ἀνακλῖναι πυκινὸν λόχον ἠδ' ἐπιθεῖναι·
ἔνθ' ἄλλοι Δαναῶν ἡγήτορες ἠδὲ μέδοντες
δάκρυά τ' ὠμόργνυντο τρέμον θ' ὑπὸ γυῖα ἑκάστου·
κεῖνον δ' οὔ ποτε πάμπαν ἐγὼν ἴδον ὀφθαλμοῖσιν
οὔτ' ὠχρήσαντα χρόα κάλλιμον οὔτε παρειῶν
530 δάκρυ' ὀμορξάμενον· ὁ δέ με μάλα πόλλ' ἱκέτευεν
ἱππόθεν ἐξίμεναι, ξίφεος δ' ἐπεμαίετο κώπην
καὶ δόρυ χαλκοβαρές, κακὰ δὲ Τρώεσσι μενοίνα.
ἀλλ' ὅτε δὴ Πριάμοιο πόλιν διεπέρσαμεν αἰπήν,
μοῖραν καὶ γέρας ἐσθλὸν ἔχων ἐπὶ νηὸς ἔβαινεν
535 ἀσκηθής, οὔτ' ἂρ βεβλημένος ὀξέϊ χαλκῷ
οὔτ' αὐτοσχεδίην οὐτασμένος, οἷά τε πολλὰ
γίγνεται ἐν πολέμῳ· ἐπιμὶξ δέ τε μαίνεται Ἄρης".

Disse così ed io rispondendogli dissi:
505 "Veramente non so del nobile Peleo,
ma sul tuo caro figlio Neottolemo
tutta la verità ti dirò, come vuoi.
Lo portai sulla concava nave librata
io stesso da Sciro, tra gli Achei dai saldi schinieri.
510 E quando facevamo dei piani su Troia,
sempre parlava per primo e non sbagliava i discorsi:
soli lo superavamo Nestore pari a un nume ed io.
Ma quando nella piana di Troia noi Achei lottavamo,
non restava mai nella folla degli uomini e nella schiera,
515 ma molto avanzava, senza cedere in furore a nessuno:
molti uomini uccise nella mischia terribile.
Di tutti io non posso narrare né posso elencare,
quanti armati egli uccise difendendo gli Argivi:
ma solo che uccise col bronzo il figlio di Telefo,
520 l'eroe Euripilo, e intorno molti compagni
Cetei furono uccisi per doni di donne.
Era lui il più bello che vidi, dopo il chiarissimo Memnone.
E quando nel cavallo, che Epeo costruì, ci calammo
noi Argivi migliori, e tutto dipendeva da me,
525 se aprire l'agguato compatto o se chiuderlo,
allora gli altri capi e consiglieri dei Danai
si asciugavano il pianto, e gli arti di ognuno tremavano:
ma lui non lo vidi mai coi miei occhi
impallidire nel suo bell'aspetto o asciugarsi
530 dalle gote una lacrima; mi chiese invece più volte
di uscire da quel cavallo: l'elsa della spada stringeva
e la pesante lancia di bronzo, bramava sventure ai Troiani.
Ma quando abbattemmo la città scoscesa di Priamo,
egli tornò sulla nave avendo la sua parte e il nobile dono,
535 illeso, senz'essere stato raggiunto da aguzzo bronzo,
senz'essere stato ferito nel corpo a corpo, come spesso
in guerra succede: alla cieca Ares impazza".

ὣς ἐφάμην, ψυχὴ δὲ ποδώκεος Αἰακίδαο
φοίτα μακρὰ βιβᾶσα κατ' ἀσφοδελὸν λειμῶνα,
540 γηθοσύνη ὅ οἱ υἱὸν ἔφην ἀριδείκετον εἶναι.
αἱ δ' ἄλλαι ψυχαὶ νεκύων κατατεθνειώτων
ἕστασαν ἀχνύμεναι, εἴροντο δὲ κήδε' ἑκάστη.
οἴη δ' Αἴαντος ψυχὴ Τελαμωνιάδαο
νόσφιν ἀφεστήκει, κεχολωμένη εἵνεκα νίκης,
545 τήν μιν ἐγὼ νίκησα δικαζόμενος παρὰ νηυσὶ
τεύχεσιν ἀμφ' Ἀχιλῆος· ἔθηκε δὲ πότνια μήτηρ,
παῖδες δὲ Τρώων δίκασαν καὶ Παλλὰς Ἀθήνη.
ὡς δὴ μὴ ὄφελον νικᾶν τοιῷδ' ἐπ' ἀέθλῳ·
τοίην γὰρ κεφαλὴν ἕνεκ' αὐτῶν γαῖα κατέσχεν,
550 Αἴανθ', ὃς περὶ μὲν εἶδος, περὶ δ' ἔργα τέτυκτο
τῶν ἄλλων Δαναῶν μετ' ἀμύμονα Πηλεΐωνα.
τὸν μὲν ἐγὼν ἐπέεσσι προσηύδων μειλιχίοισιν·
"Αἶαν, παῖ Τελαμῶνος ἀμύμονος, οὐκ ἄρ' ἔμελλες
οὐδὲ θανὼν λήσεσθαι ἐμοὶ χόλου εἵνεκα τευχέων
555 οὐλομένων; τὰ δὲ πῆμα θεοὶ θέσαν Ἀργείοισι,
τοῖος γάρ σφιν πύργος ἀπώλεο· σεῖο δ' Ἀχαιοὶ
ἶσον Ἀχιλλῆος κεφαλῇ Πηληϊάδαο
ἀχνύμεθα φθιμένοιο διαμπερές· οὐδέ τις ἄλλος
αἴτιος, ἀλλὰ Ζεὺς Δαναῶν στρατὸν αἰχμητάων
560 ἐκπάγλως ἤχθηρε, τεῒν δ' ἐπὶ μοῖραν ἔθηκεν.
ἀλλ' ἄγε δεῦρο, ἄναξ, ἵν' ἔπος καὶ μῦθον ἀκούσῃς
ἡμέτερον· δάμασον δὲ μένος καὶ ἀγήνορα θυμόν".
ὣς ἐφάμην, ὁ δέ μ' οὐδὲν ἀμείβετο, βῆ δὲ μετ' ἄλλας
ψυχὰς εἰς Ἔρεβος νεκύων κατατεθνειώτων.
565 ἔνθα χ' ὅμως προσέφη κεχολωμένος, ἤ κεν ἐγὼ τόν·
ἀλλά μοι ἤθελε θυμὸς ἐνὶ στήθεσσι φίλοισι
τῶν ἄλλων ψυχὰς ἰδέειν κατατεθνειώτων.
ἔνθ' ἤτοι Μίνωα ἴδον, Διὸς ἀγλαὸν υἱόν,
χρύσεον σκῆπτρον ἔχοντα θεμιστεύοντα νέκυσσι,
570 ἥμενον· οἱ δέ μιν ἀμφὶ δίκας εἴροντο ἄνακτα,
ἥμενοι ἑσταότες τε, κατ' εὐρυπυλὲς Ἄϊδος δῶ.

Dicevo così e l'anima del celere Eacide
andava a gran passi sul prato asfodelio,
540 lieta, perché io gli dissi che il figlio era insigne.
Le altre anime dei morti defunti
stavano tristi, dicevano ognuna i propri dolori.
L'anima sola di Aiace Telamonide
se ne stava in disparte, in collera per la vittoria
545 con cui io lo vinsi in giudizio, ottenendo presso le navi
le armi di Achille: in palio le mise la madre augusta
e le aggiudicarono i figli dei Teucri e Pallade Atena.
Oh, non avessi mai vinto per tale premio!
Tale persona la terra coprì per causa loro,
550 Aiace, che superava per aspetto ed azioni
gli altri Danai dopo il nobile figlio di Peleo.
Io gli parlai con parole gentili:
"Aiace, figlio del gran Telamone, e così neanche da morto
avresti scordato il rancore contro di me per le armi
555 funeste? Una disgrazia le resero i numi agli Argivi:
tale baluardo è crollato per loro con te! Per la tua morte
soffriamo sempre noi Achei, come
per la persona di Achille Pelide. Nessun altro
l'autore, ma Zeus: terribilmente ebbe in odio le schiere
560 dei Danai armati di lancia e impose a te questa sorte.
Ma vieni, o signore: che il racconto e la nostra parola
tu senta! vinci il furore e il tuo animo duro!".
Dicevo così, ed egli non mi rispose, e andò
nell'Erebo tra le altre anime dei morti defunti.
565 Avrebbe potuto parlarmi, allora, anche se irato, o io a lui,
ma l'animo mio nel mio petto desiderava
vedere le anime degli altri defunti.
Là vidi dunque Minosse, il figlio illustre di Zeus,
che ai morti rendeva giustizia, stringendo lo scettro d'oro,
570 seduto: intorno chiedevano, a lui sovrano, sentenze,
seduti o ritti nella casa di Ade dalle larghe porte.

τὸν δὲ μέτ' Ὠαρίωνα πελώριον εἰσενόησα
θῆρας ὁμοῦ εἰλεῦντα κατ' ἀσφοδελὸν λειμῶνα,
τοὺς αὐτὸς κατέπεφνεν ἐν οἰοπόλοισιν ὄρεσσι,
575 χερσὶν ἔχων ῥόπαλον παγχάλκεον, αἰὲν ἀαγές.
καὶ Τιτυὸν εἶδον, Γαίης ἐρικυδέος υἱόν,
κείμενον ἐν δαπέδῳ· ὁ δ' ἐπ' ἐννέα κεῖτο πέλεθρα,
γῦπε δέ μιν ἑκάτερθε παρημένω ἧπαρ ἔκειρον,
δέρτρον ἔσω δύνοντες· ὁ δ' οὐκ ἀπαμύνετο χερσί.
580 Λητὼ γὰρ ἕλκησε, Διὸς κυδρὴν παράκοιτιν,
Πυθώδ' ἐρχομένην διὰ καλλιχόρου Πανοπῆος.
καὶ μὴν Τάνταλον εἰσεῖδον χαλέπ' ἄλγε' ἔχοντα,
ἑσταότ' ἐν λίμνῃ· ἡ δὲ προσέπλαζε γενείῳ.
στεῦτο δὲ διψάων, πιέειν δ' οὐκ εἶχεν ἑλέσθαι·
585 ὁσσάκι γὰρ κύψει' ὁ γέρων πιέειν μενεαίνων,
τοσσάχ' ὕδωρ ἀπολέσκετ' ἀναβροχέν, ἀμφὶ δὲ ποσσὶ
γαῖα μέλαινα φάνεσκε, καταζήνασκε δὲ δαίμων.
δένδρεα δ' ὑψιπέτηλα κατὰ κρῆθεν χέε καρπόν,
ὄγχναι καὶ ῥοιαὶ καὶ μηλέαι ἀγλαόκαρποι
590 συκέαι τε γλυκεραὶ καὶ ἐλαῖαι τηλεθόωσαι·
τῶν ὁπότ' ἰθύσει' ὁ γέρων ἐπὶ χερσὶ μάσασθαι,
τὰς δ' ἄνεμος ῥίπτασκε ποτὶ νέφεα σκιόεντα.
καὶ μὴν Σίσυφον εἰσεῖδον κρατέρ' ἄλγε' ἔχοντα,
λᾶαν βαστάζοντα πελώριον ἀμφοτέρῃσιν.
595 ἤτοι ὁ μὲν σκηριπτόμενος χερσίν τε ποσίν τε
λᾶαν ἄνω ὤθεσκε ποτὶ λόφον· ἀλλ' ὅτε μέλλοι
ἄκρον ὑπερβαλέειν, τότ' ἀποστρέψασκε Κραταιΐς·
αὖτις ἔπειτα πέδονδε κυλίνδετο λᾶας ἀναιδής.
αὐτὰρ ὅ γ' ἂψ ὤσασκε τιταινόμενος, κατὰ δ' ἱδρὼς
600 ἔρρεεν ἐκ μελέων, κονίη δ' ἐκ κρατὸς ὀρώρει.
τὸν δὲ μέτ' εἰσενόησα βίην Ἡρακληείην,
εἴδωλον· αὐτὸς δὲ μετ' ἀθανάτοισι θεοῖσι
τέρπεται ἐν θαλίῃς καὶ ἔχει καλλίσφυρον Ἥβην,
παῖδα Διὸς μεγάλοιο καὶ Ἥρης χρυσοπεδίλου.
605 ἀμφὶ δέ μιν κλαγγὴ νεκύων ἦν οἰωνῶν ὥς,

Dopo di lui scorsi Orìone, immenso,
cacciare sul prato asfodelio in torma le fiere,
che uccise sui monti deserti egli stesso,
575 stringendo la clava di bronzo massiccio, infrangibile.
Vidi anche Tizio, il figlio della splendida Terra,
steso al suolo: per nove iugeri egli era steso.
Due avvoltoi piantati ai due lati gli rodevano il fegato,
penetrandogli nel peritoneo, ed egli non si schermiva:
580 aveva violentato Letò, la gloriosa compagna di Zeus,
che andava, diretta a Pito, per l'ampia Panopeo.
E vidi Tantalo, che pene gravose soffriva
ritto dentro uno stagno: l'acqua lambiva il suo mento.
Pareva sempre assetato e non poteva attingere e bere:
585 ogni volta che, bramoso di bere, quel vecchio si curvava,
l'acqua risucchiata spariva, la nera terra
appariva ai suoi piedi. Un demone la prosciugava.
Alberi dall'alto fogliame gli spargevano frutti sul capo,
peri e granati e meli con splendidi frutti,
590 fichi dolcissimi e piante rigogliose d'ulivo:
ma appena il vecchio tendeva le mani a sfiorarli,
il vento glieli lanciava alle nuvole ombrose.
E vidi Sisifo, che pene atroci soffriva
reggendo con entrambe le mani un masso immenso.
595 Costui, piantando le mani e i piedi,
spingeva su un colle la pietra: ma appena stava
per varcarne la cresta, ecco la Violenza travolgerlo;
e rotolava al piano di nuovo la pietra impudente.
Ed egli tendendosi spingeva di nuovo: dalle membra
600 gli colava il sudore, dal suo capo si levava la polvere.
Scorsi dopo di lui la possanza di Eracle,
l'ombra: lui stesso insieme agli dei immortali
nei festini gioisce ed ha Ebe dalle belle caviglie,
la figlia del grande Zeus e di Era dai sandali d'oro.
605 L'attorniava uno strido di morti, come di uccelli

πάντοσ' ἀτυζομένων· ὁ δ' ἐρεμνῇ νυκτὶ ἐοικώς,
γυμνὸν τόξον ἔχων καὶ ἐπὶ νευρῆφιν ὀϊστόν,
δεινὸν παπταίνων, αἰεὶ βαλέοντι ἐοικώς.
σμερδαλέος δέ οἱ ἀμφὶ περὶ στήθεσσιν ἀορτὴρ
610 χρύσεος ἦν τελαμών, ἵνα θέσκελα ἔργα τέτυκτο,
ἄρκτοι τ' ἀγρότεροί τε σύες χαροποί τε λέοντες,
ὑσμῖναί τε μάχαι τε φόνοι τ' ἀνδροκτασίαι τε.
μὴ τεχνησάμενος μηδ' ἄλλο τι τεχνήσαιτο,
ὃς κεῖνον τελαμῶνα ἑῇ ἐγκάτθετο τέχνῃ.
615 ἔγνω δ' αἶψ' ἐμὲ κεῖνος, ἐπεὶ ἴδεν ὀφθαλμοῖσι,
καί μ' ὀλοφυρόμενος ἔπεα πτερόεντα προσηύδα·
"διογενὲς Λαερτιάδη, πολυμήχαν' Ὀδυσσεῦ,
ἆ δείλ', ἦ τινὰ καὶ σὺ κακὸν μόρον ἡγηλάζεις,
ὅν περ ἐγὼν ὀχέεσκον ὑπ' αὐγὰς ἠελίοιο.
620 Ζηνὸς μὲν πάϊς ἦα Κρονίονος, αὐτὰρ ὀϊζὺν
εἶχον ἀπειρεσίην· μάλα γὰρ πολὺ χείρονι φωτὶ
δεδμήμην, ὁ δέ μοι χαλεποὺς ἐπετέλλετ' ἀέθλους.
καί ποτέ μ' ἐνθάδ' ἔπεμψε κύν' ἄξοντ'· οὐ γὰρ ἔτ' ἄλλον
φράζετο τοῦδέ γέ μοι κρατερώτερον εἶναι ἄεθλον.
625 τὸν μὲν ἐγὼν ἀνένεικα καὶ ἤγαγον ἐξ Ἀΐδαο·
Ἑρμείας δέ μ' ἔπεμπεν ἰδὲ γλαυκῶπις Ἀθήνη".
ὣς εἰπὼν ὁ μὲν αὖτις ἔβη δόμον Ἄϊδος εἴσω,
αὐτὰρ ἐγὼν αὐτοῦ μένον ἔμπεδον, εἴ τις ἔτ' ἔλθοι
ἀνδρῶν ἡρώων, οἳ δὴ τὸ πρόσθεν ὄλοντο.
630 καί νύ κ' ἔτι προτέρους ἴδον ἀνέρας, οὓς ἔθελόν περ,
632 ἀλλὰ πρὶν ἐπὶ ἔθνε' ἀγείρετο μυρία νεκρῶν
ἠχῇ θεσπεσίῃ· ἐμὲ δὲ χλωρὸν δέος ᾕρει,
μή μοι Γοργείην κεφαλὴν δεινοῖο πελώρου
635 ἐξ Ἄϊδος πέμψειεν ἀγαυὴ Περσεφόνεια.
αὐτίκ' ἔπειτ' ἐπὶ νῆα κιὼν ἐκέλευον ἑταίρους
αὐτούς τ' ἀμβαίνειν ἀνά τε πρυμνήσια λῦσαι·
οἱ δ' αἶψ' εἴσβαινον καὶ ἐπὶ κληῗσι καθῖζον.
τὴν δὲ κατ' Ὠκεανὸν ποταμὸν φέρε κῦμα ῥόοιο,
640 πρῶτα μὲν εἰρεσίῃ, μετέπειτα δὲ κάλλιμος οὖρος.

che fuggono ovunque atterriti: egli, simile a notte cupa,
stringendo l'arco snudato e sulla corda una freccia,
scrutando con sguardi terribili, era sempre come chi scocca.
A bandoliera egli aveva sul petto un tremendo
610 balteo d'oro, adorno di opere meravigliose,
orsi e maiali selvatici e leoni con occhi di fuoco,
mischie e battaglie e massacri e stragi di uomini.
Possa uno uguale non farlo neanche l'artista
che ha concepito quel balteo nella sua arte.
615 Subito mi riconobbe, appena con gli occhi mi vide,
e piangendo mi rivolse alate parole:
"Divino figlio di Laerte, Odisseo pieno di astuzie,
infelice! porti addosso una misera sorte anche tu,
come la portavo io pure sotto i raggi del sole.
620 Ero figlio di Zeus Cronide, ma avevo
infinita miseria: un uomo di gran lunga inferiore
servivo, che m'imponeva pesanti fatiche.
E una volta fin qui mi mandò, a prendere il cane: pensava
che nessun'altra fatica sarebbe stata per me più crudele.
625 Ma su lo portai e lo trassi fuori dall'Ade:
m'era di scorta Ermete e la glaucopide Atena".
Detto così ritornò nella casa di Ade:
ma io stetti immobile, semmai arrivasse ancora qualcuno
degli uomini eroi, che erano morti in passato.
630 E avrei anche visto gli uomini antichi, come pure volevo,
632 ma prima si radunarono immense schiere di morti
con strano gridio. Mi prese una pallida angoscia,
che non mi mandasse dall'Ade, l'insigne Persefone,
635 la testa della Gorgone, il terribile mostro.
Subito allora tornai sulla nave, comandai ai compagni
di imbarcarsi anche loro e di sciogliere a poppa le gomene.
Subito essi salirono e presero posto agli scalmi.
L'onda della corrente portava sul fiume Oceano la nave,
640 prima a forza di remi, poi la portò un buon vento.

M

Αὐτὰρ ἐπεὶ ποταμοῖο λίπεν ῥόον Ὠκεανοῖο
νηῦς, ἀπὸ δ' ἵκετο κῦμα θαλάσσης εὐρυπόροιο
νῆσόν τ' Αἰαίην, ὅθι τ' Ἠοῦς ἠριγενείης
οἰκία καὶ χοροί εἰσι καὶ ἀντολαὶ Ἠελίοιο,
5 νῆα μὲν ἔνθ' ἐλθόντες ἐκέλσαμεν ἐν ψαμάθοισιν,
ἐκ δὲ καὶ αὐτοὶ βῆμεν ἐπὶ ῥηγμῖνι θαλάσσης·
ἔνθα δ' ἀποβρίξαντες ἐμείναμεν Ἠῶ δῖαν.
ἦμος δ' ἠριγένεια φάνη ῥοδοδάκτυλος Ἠώς,
δὴ τότ' ἐγὼν ἑτάρους προΐην ἐς δώματα Κίρκης
10 οἰσέμεναι νεκρὸν Ἐλπήνορα τεθνειῶτα.
φιτροὺς δ' αἶψα ταμόντες, ὅθ' ἀκροτάτη πρόεχ' ἀκτή,
θάπτομεν ἀχνύμενοι, θαλερὸν κατὰ δάκρυ χέοντες.
αὐτὰρ ἐπεὶ νεκρός τ' ἐκάη καὶ τεύχεα νεκροῦ,
τύμβον χεύαντες καὶ ἐπὶ στήλην ἐρύσαντες
15 πήξαμεν ἀκροτάτῳ τύμβῳ εὐῆρες ἐρετμόν.
ἡμεῖς μὲν τὰ ἕκαστα διείπομεν· οὐδ' ἄρα Κίρκην
ἐξ Ἀΐδεω ἐλθόντες ἐλήθομεν, ἀλλὰ μάλ' ὦκα
ἦλθ' ἐντυναμένη· ἅμα δ' ἀμφίπολοι φέρον αὐτῇ
σῖτον καὶ κρέα πολλὰ καὶ αἴθοπα οἶνον ἐρυθρόν.
20 ἡ δ' ἐν μέσσῳ στᾶσα μετηύδα δῖα θεάων·
"σχέτλιοι, οἳ ζώοντες ὑπήλθετε δῶμ' Ἀΐδαο,
δισθανέες, ὅτε τ' ἄλλοι ἅπαξ θνήσκουσ' ἄνθρωποι.
ἀλλ' ἄγετ' ἐσθίετε βρώμην καὶ πίνετε οἶνον
αὖθι πανημέριοι· ἅμα δ' ἠοῖ φαινομένηφι
25 πλεύσεσθ'· αὐτὰρ ἐγὼ δείξω ὁδὸν ἠδὲ ἕκαστα
σημανέω, ἵνα μή τι κακορραφίῃ ἀλεγεινῇ

LIBRO DODICESIMO

Dopoché la nave lasciò la corrente del fiume
Oceano e giunse sull'onda del vasto mare
e all'isola Eea, dove sono la casa e i cori
della mattutina Aurora e l'oriente del Sole,
5 spingemmo sulla sabbia la nave, appena arrivati,
e noi stessi sbarcammo sulla riva del mare:
e lì, immersi nel sonno, aspettammo la chiara Aurora.
Quando mattutina apparve Aurora dalle rosee dita,
io mandai dei compagni alla casa di Circe
10 per portare il defunto Elpenore morto.
Tagliati tosto dei rami, tristi lo seppellimmo
dove lunga sporgeva la costa, versando pianto copioso.
Quando la salma con le armi del morto fu incenerita,
elevato un tumulo e trattavi sopra una stele,
15 figgemmo il maneggevole remo sulla cima del tumulo.
Noi parlammo d'ogni singola cosa, e a Circe
non era sfuggito che eravamo tornati dall'Ade, ma presto
adornatasi venne: erano le ancelle con lei e recavano
pane e molta carne e scuro vino rosso.
20 Lei stando in mezzo parlò, chiara tra le dee:
"Temerari, che vivi scendeste nella casa di Ade,
mortali due volte, mentre gli altri muoiono solo una volta.
Orsù, il cibo mangiate e il vino bevete
qui tutto il giorno. Con la prima aurora
25 potrete salpare: vi indicherò io la via, e tutto
vi spiegherò, sicché per trame penose

ἢ ἁλὸς ἢ ἐπὶ γῆς ἀλγήσετε πῆμα παθόντες".
ὣς ἔφαθ', ἡμῖν δ' αὖτ' ἐπεπείθετο θυμὸς ἀγήνωρ.
ὣς τότε μὲν πρόπαν ἦμαρ ἐς ἠέλιον καταδύντα
30 ἥμεθα δαινύμενοι κρέα τ' ἄσπετα καὶ μέθυ ἡδύ·
ἦμος δ' ἠέλιος κατέδυ καὶ ἐπὶ κνέφας ἦλθεν,
οἱ μὲν κοιμήσαντο παρὰ πρυμνήσια νηός,
ἡ δ' ἐμὲ χειρὸς ἑλοῦσα φίλων ἀπονόσφιν ἑταίρων
εἷσέ τε καὶ προσέλεκτο καὶ ἐξερέεινεν ἕκαστα·
35 αὐτὰρ ἐγὼ τῇ πάντα κατὰ μοῖραν κατέλεξα.
καὶ τότε δή μ' ἐπέεσσι προσηύδα πότνια Κίρκη·
"ταῦτα μὲν οὕτω πάντα πεπείρανται, σὺ δ' ἄκουσον,
ὥς τοι ἐγὼν ἐρέω, μνήσει δέ σε καὶ θεὸς αὐτός.
Σειρῆνας μὲν πρῶτον ἀφίξεαι, αἵ ῥά τε πάντας
40 ἀνθρώπους θέλγουσιν, ὅτις σφέας εἰσαφίκηται.
ὅς τις ἀϊδρείῃ πελάσῃ καὶ φθόγγον ἀκούσῃ
Σειρήνων, τῷ δ' οὔ τι γυνὴ καὶ νήπια τέκνα
οἴκαδε νοστήσαντι παρίσταται οὐδὲ γάνυνται,
ἀλλά τε Σειρῆνες λιγυρῇ θέλγουσιν ἀοιδῇ,
45 ἥμεναι ἐν λειμῶνι· πολὺς δ' ἀμφ' ὀστεόφιν θὶς
ἀνδρῶν πυθομένων, περὶ δὲ ῥινοὶ μινύθουσι.
ἀλλὰ παρὲξ ἐλάαν, ἐπὶ δ' οὔατ' ἀλεῖψαι ἑταίρων
κηρὸν δεψήσας μελιηδέα μή τις ἀκούσῃ
τῶν ἄλλων· ἀτὰρ αὐτὸς ἀκουέμεν αἴ κ' ἐθέλῃσθα,
50 δησάντων σ' ἐν νηῒ θοῇ χεῖράς τε πόδας τε
ὀρθὸν ἐν ἱστοπέδῃ, ἐκ δ' αὐτοῦ πείρατ' ἀνήφθω,
ὄφρα κε τερπόμενος ὄπ' ἀκούσῃς Σειρήνοιϊν.
εἰ δέ κε λίσσηαι ἑτάρους λῦσαί τε κελεύῃς,
οἱ δέ σ' ἔτι πλεόνεσσι τότ' ἐν δεσμοῖσι δεόντων.
55 αὐτὰρ ἐπὴν δὴ τάς γε παρὲξ ἐλάσωσιν ἑταῖροι,
ἔνθα τοι οὐκέτ' ἔπειτα διηνεκέως ἀγορεύσω,
ὁπποτέρῃ δή τοι ὁδὸς ἔσσεται, ἀλλὰ καὶ αὐτὸς
θυμῷ βουλεύειν· ἐρέω δέ τοι ἀμφοτέρωθεν.
ἔνθεν μὲν γὰρ πέτραι ἐπηρεφέες, προτὶ δ' αὐτὰς
60 κῦμα μέγα ῥοχθεῖ κυανώπιδος Ἀμφιτρίτης·

non siate intricati in mare o in terra patendo sventure".
Disse così e fu convinto il nostro animo altero.
Così tutto il giorno sedemmo fino al tramonto,
30 consumando carni abbondanti e dolce vino.
Appena il sole calò e sopraggiunse la tenebra,
essi si giacquero vicino agli ormeggi di poppa,
e lei, per mano guidandomi lontano dai cari compagni,
mi fece sedere, si stese e mi chiese ogni cosa,
35 ed io le narrai in modo giusto ogni cosa.
Mi parlò allora con queste parole Circe possente:
"E così tutto questo è compiuto. Tu però ascolta
e fa' come io ti dirò: te lo ricorderà anche un dio.
Tu arriverai, prima, dalle Sirene, che tutti
40 gli uomini incantano, chi arriva da loro.
A colui che ignaro s'accosta e ascolta la voce
delle Sirene, mai più la moglie e i figli bambini
gli sono vicini, felici che a casa è tornato,
ma le Sirene lo incantano col limpido canto,
45 adagiate sul prato: intorno è un gran mucchio di ossa
di uomini putridi, con la pelle che si raggrinza.
Perciò passa oltre: sulle orecchie ai compagni impasta
e spalma dolcissima cera, che nessuno degli altri
le senta. Tu ascolta pure, se vuoi:
50 mani e piedi ti leghino nella nave veloce
ritto sulla scassa dell'albero, ad esso sian strette le funi,
perché possa udire la voce delle Sirene e goderne.
Se tu scongiuri i compagni e comandi di scioglierti,
allora dovranno legarti con funi più numerose.
55 Dopoché i compagni avranno remato oltre quelle,
non ti dirò da quel punto per filo e per segno
quale sarà la tua rotta: consigliati
tu nel tuo animo, io te le dico ambedue.
Rupi a picco vi sono da un lato, e di contro
60 il flutto dell'azzurra Anfitrite alto rimbomba:

Πλαγκτὰς δή τοι τάς γε θεοὶ μάκαρες καλέουσι.
τῇ μέν τ' οὐδὲ ποτητὰ παρέρχεται οὐδὲ πέλειαι
τρήρωνες, ταί τ' ἀμβροσίην Διὶ πατρὶ φέρουσιν,
ἀλλά τε καὶ τῶν αἰὲν ἀφαιρεῖται λὶς πέτρη·
65 ἀλλ' ἄλλην ἐνίησι πατὴρ ἐναρίθμιον εἶναι.
τῇ δ' οὔ πώ τις νηῦς φύγεν ἀνδρῶν, ἥ τις ἵκηται,
ἀλλά θ' ὁμοῦ πίνακάς τε νεῶν καὶ σώματα φωτῶν
κύμαθ' ἁλὸς φορέουσι πυρός τ' ὀλοοῖο θύελλαι.
οἴη δὴ κείνῃ γε παρέπλω ποντοπόρος νηῦς
70 Ἀργὼ πᾶσι μέλουσα, παρ' Αἰήταο πλέουσα·
καί νύ κε τὴν ἔνθ' ὦκα βάλεν μεγάλας ποτὶ πέτρας,
ἀλλ' Ἥρη παρέπεμψεν, ἐπεὶ φίλος ἦεν Ἰήσων.
οἱ δὲ δύω σκόπελοι ὁ μὲν οὐρανὸν εὐρὺν ἱκάνει
ὀξείῃ κορυφῇ, νεφέλη δέ μιν ἀμφιβέβηκε
75 κυανέη· τὸ μὲν οὔ ποτ' ἐρωεῖ, οὐδέ ποτ' αἴθρη
κείνου ἔχει κορυφὴν οὔτ' ἐν θέρει οὔτ' ἐν ὀπώρῃ·
οὐδέ κεν ἀμβαίη βροτὸς ἀνὴρ οὐδ' ἐπιβαίη,
οὐδ' εἴ οἱ χεῖρές γε ἐείκοσι καὶ πόδες εἶεν·
πέτρη γὰρ λίς ἐστι, περιξέστῃ ἐϊκυῖα.
80 μέσσῳ δ' ἐν σκοπέλῳ ἐστὶ σπέος ἠεροειδές,
πρὸς ζόφον εἰς Ἔρεβος τετραμμένον, ᾗ περ ἂν ὑμεῖς
νῆα παρὰ γλαφυρὴν ἰθύνετε, φαίδιμ' Ὀδυσσεῦ.
οὐδέ κεν ἐκ νηὸς γλαφυρῆς αἰζήϊος ἀνὴρ
τόξῳ ὀϊστεύσας κοῖλον σπέος εἰσαφίκοιτο.
85 ἔνθα δ' ἐνὶ Σκύλλη ναίει δεινὸν λελακυῖα.
τῆς ἤτοι φωνὴ μὲν ὅση σκύλακος νεογιλλῆς
γίγνεται, αὐτὴ δ' αὖτε πέλωρ κακόν· οὐδέ κέ τίς μιν
γηθήσειεν ἰδών, οὐδ' εἰ θεὸς ἀντιάσειε.
τῆς ἤτοι πόδες εἰσὶ δυώδεκα πάντες ἄωροι,
90 ἓξ δέ τέ οἱ δειραὶ περιμήκεες, ἐν δὲ ἑκάστῃ
σμερδαλέη κεφαλή, ἐν δὲ τρίστοιχοι ὀδόντες,
πυκνοὶ καὶ θαμέες, πλεῖοι μέλανος θανάτοιο.
μέσση μέν τε κατὰ σπείους κοίλοιο δέδυκεν,
ἔξω δ' ἐξίσχει κεφαλὰς δεινοῖο βερέθρου·

chiamano *Erranti* queste rupi i beati.
Neppure gli uccelli vi passano, neppure le timorose
colombe che al padre Zeus portano ambrosia:
la roccia liscia ne coglie sempre qualcuna
65 e il padre ne manda un'altra a rintegrarla.
Da lì non scampò alcuna nave d'eroi, che vi capitò,
ma le onde del mare e i turbini del fuoco funesto
trascinano legni di navi e corpi di uomini in mucchio.
Solo una nave marina riuscì a superarle,
70 Argo, a tutti ben nota, tornando da Eeta.
E quasi scagliavano anche essa sulla gran rupe,
ma Era la dirottò, poiché amava Giasone.
Dall'altro sono due scogli: uno con la vetta aguzza
arriva al vasto cielo, l'avvolge una nuvola scura
75 che mai si disperde: mai l'aria è limpida
intorno alla cima, d'estate o d'autunno.
Un uomo mortale non potrebbe scalarla o salirvi
neppure se mani e piedi ne avesse venti.
Perché è liscia come fosse levigata la roccia.
80 In mezzo allo scoglio è una buia caverna
volta a occidente, all'erebo: voi drizzerete
su questa la nave ben cava, o illustre Odisseo.
Neanche un uomo forzuto dalla nave ben cava
colpirebbe l'antro profondo tirando con l'arco.
85 Lì dentro abita Scilla, orridamente latrando.
La sua voce è come di cucciola
nata da poco, ma essa è un mostro funesto: nessuno
gioirebbe vedendola, neppure un dio incontrandola.
Dodici sono i suoi piedi, tutti informi,
90 sei i lunghissimi colli, con sopra una testa
orrenda e dentro tre file di denti,
fitti e numerosissimi, ricolmi di morte nera.
Per metà è immersa nella cava spelonca,
ma allunga le teste fuori dell'orrido antro

95 αὐτοῦ δ' ἰχθυάᾳ, σκόπελον περιμαιμώωσα,
δελφῖνάς τε κύνας τε καὶ εἴ ποθι μεῖζον ἕλησι
κῆτος, ἃ μυρία βόσκει ἀγάστονος Ἀμφιτρίτη.
τῇ δ' οὔ πώ ποτε ναῦται ἀκήριοι εὐχετόωνται
παρφυγέειν σὺν νηΐ· φέρει δέ τε κρατὶ ἑκάστῳ
100 φῶτ' ἐξαρπάξασα νεὸς κυανοπρῴροιο.
τὸν δ' ἕτερον σκόπελον χθαμαλώτερον ὄψει, Ὀδυσσεῦ,
πλησίον ἀλλήλων· καί κεν διοϊστεύσειας.
τῷ δ' ἐν ἐρινεός ἐστι μέγας, φύλλοισι τεθηλώς·
τῷ δ' ὑπὸ δῖα Χάρυβδις ἀναρρυβδεῖ μέλαν ὕδωρ.
105 τρὶς μὲν γάρ τ' ἀνίησιν ἐπ' ἤματι, τρὶς δ' ἀναρυβδεῖ
δεινόν· μὴ σύ γε κεῖθι τύχοις, ὅτε ῥυβδήσειεν·
οὐ γάρ κεν ῥύσαιτό σ' ὑπὲκ κακοῦ οὐδ' ἐνοσίχθων.
ἀλλὰ μάλα Σκύλλης σκοπέλῳ πεπλημένος ὦκα
νῆα παρὲξ ἐλάαν, ἐπεὶ ἦ πολὺ φέρτερόν ἐστιν
110 ἓξ ἑτάρους ἐν νηῒ ποθήμεναι ἢ ἅμα πάντας".
ὣς ἔφατ', αὐτὰρ ἐγώ μιν ἀτυζόμενος προσέειπον·
"εἰ δ' ἄγε δή μοι τοῦτο, θεά, νημερτὲς ἔνισπε,
εἴ πως τὴν ὀλοὴν μὲν ὑπεκπροφύγοιμι Χάρυβδιν,
τὴν δέ κ' ἀμυναίμην, ὅτε μοι σίνοιτό γ' ἑταίρους".
115 ὣς ἐφάμην, ἡ δ' αὐτίκ' ἀμείβετο δῖα θεάων·
"σχέτλιε, καὶ δὴ αὖ τοι πολεμήϊα ἔργα μέμηλε
καὶ πόνος· οὐδὲ θεοῖσιν ὑπείξεαι ἀθανάτοισιν;
ἡ δέ τοι οὐ θνητή, ἀλλ' ἀθάνατον κακόν ἐστι,
δεινόν τ' ἀργαλέον τε καὶ ἄγριον οὐδὲ μαχητόν·
120 οὐδέ τις ἔστ' ἀλκή· φυγέειν κάρτιστον ἀπ' αὐτῆς.
ἢν γὰρ δηθύνησθα κορυσσόμενος παρὰ πέτρῃ,
δείδω μή σ' ἐξαῦτις ἐφορμηθεῖσα κίχησι
τόσσῃσιν κεφαλῇσι, τόσους δ' ἐκ φῶτας ἕληται.
ἀλλὰ μάλα σφοδρῶς ἐλάαν, βωστρεῖν δὲ Κράταιϊν,
125 μητέρα τῆς Σκύλλης, ἥ μιν τέκε πῆμα βροτοῖσιν·
ἥ μιν ἔπειτ' ἀποπαύσει ἐς ὕστερον ὁρμηθῆναι.
Θρινακίην δ' ἐς νῆσον ἀφίξεαι· ἔνθα δὲ πολλαὶ
βόσκοντ' Ἠελίοιο βόες καὶ ἴφια μῆλα,

95 e lì intorno, spiando lo scoglio, pesca
delfini e cani marini e talora una bestia
più grossa: ne nutre tantissime l'urlante Anfitrite.
Nessun marinaio si vanta d'essere mai scampato
illeso da lì con la nave: con ogni testa porta via
100 un uomo, strappato alla nave dalla prora turchina.
Vedrai l'altro scoglio più basso, o Odisseo,
vicino: con un dardo potresti colpirlo.
Su di esso è un gran fico rigoglioso di foglie:
di sotto la chiara Cariddi risucchia l'acqua nera.
105 Tre volte al giorno la vomita e tre la risucchia,
orridamente: che tu non vi sia, quando risucchia.
Non potrebbe salvarti neppure lo Scuotiterra:
ma tieniti accosto allo scoglio di Scilla e spingi
oltre la nave velocemente, perché è molto meglio
110 rimpiangere a bordo sei uomini che piangerli tutti".
Disse così ed io sconvolto le dissi:
"Orsù, dea, dimmi questo senza sbagliare:
se riuscissi a fuggire la funesta Cariddi,
potrei respingere l'altra, quando mi ruba i compagni".
115 Dissi così, e subito essa rispose chiara tra le dee:
"Ostinato! dunque ti piace la guerra e la lotta
di nuovo: neppure agli dei immortali vuoi cedere?
quella non è mortale, ma è una rovina immortale,
terribile, atroce, selvaggia, imbattibile:
120 non c'è uno scampo, la cosa migliore è fuggire.
Perché se indugi ad armarti vicino allo scoglio,
ho paura che di nuovo ti colga, allungando
tutte le teste, e ti strappi altrettanti compagni.
A tutta forza tu passa e invoca a gran voce Crataide,
125 la madre di Scilla, che la generò per disgrazia degli uomini:
essa le impedirà di avventarsi di nuovo.
All'isola della Trinachia arriverai: là numerose
pascolano le vacche e le pingui greggi del Sole,

ἑπτὰ βοῶν ἀγέλαι, τόσα δ' οἰῶν πώεα καλά,
130 πεντήκοντα δ' ἕκαστα. γόνος δ' οὐ γίγνεται αὐτῶν,
οὐδέ ποτε φθινύθουσι. θεαὶ δ' ἐπιποιμένες εἰσί,
νύμφαι ἐϋπλόκαμοι, Φαέθουσά τε Λαμπετίη τε,
ἃς τέκεν Ἠελίῳ Ὑπερίονι δῖα Νέαιρα.
τὰς μὲν ἄρα θρέψασα τεκοῦσά τε πότνια μήτηρ
135 Θρινακίην ἐς νῆσον ἀπῴκισε τηλόθι ναίειν,
μῆλα φυλασσέμεναι πατρώϊα καὶ ἕλικας βοῦς.
τὰς εἰ μέν κ' ἀσινέας ἐάᾳς νόστου τε μέδηαι,
ἦ τ' ἂν ἔτ' εἰς Ἰθάκην κακά περ πάσχοντες ἵκοισθε·
εἰ δέ κε σίνηαι, τότε τοι τεκμαίρομ' ὄλεθρον
140 νηΐ τε καὶ ἑτάροισ'· αὐτὸς δ' εἴ πέρ κεν ἀλύξῃς,
ὀψὲ κακῶς νεῖαι, ὀλέσας ἄπο πάντας ἑταίρους".
ὣς ἔφατ', αὐτίκα δὲ χρυσόθρονος ἤλυθεν Ἠώς.
ἡ μὲν ἔπειτ' ἀνὰ νῆσον ἀπέστιχε δῖα θεάων·
αὐτὰρ ἐγὼν ἐπὶ νῆα κιὼν ὤτρυνον ἑταίρους
145 αὐτούς τ' ἀμβαίνειν ἀνά τε πρυμνήσια λῦσαι.
οἱ δ' αἶψ' εἴσβαινον καὶ ἐπὶ κληῗσι καθῖζον,
ἑξῆς δ' ἑζόμενοι πολιὴν ἅλα τύπτον ἐρετμοῖς.
ἡμῖν δ' αὖ κατόπισθε νεὸς κυανοπρῴροιο
ἴκμενον οὖρον ἵει πλησίστιον, ἐσθλὸν ἑταῖρον,
150 Κίρκη ἐϋπλόκαμος, δεινὴ θεὸς αὐδήεσσα.
αὐτίκα δ' ὅπλα ἕκαστα πονησάμενοι κατὰ νῆα
ἥμεθα· τὴν δ' ἄνεμός τε κυβερνήτης τ' ἴθυνε.
δὴ τότ' ἐγὼν ἑτάροισι μετηύδων ἀχνύμενος κῆρ·
"ὦ φίλοι, οὐ γὰρ χρὴ ἕνα ἴδμεναι οὐδὲ δύ' οἴους
155 θέσφαθ', ἅ μοι Κίρκη μυθήσατο, δῖα θεάων·
ἀλλ' ἐρέω μὲν ἐγών, ἵνα εἰδότες ἤ κε θάνωμεν
ἤ κεν ἀλευάμενοι θάνατον καὶ κῆρα φύγοιμεν.
Σειρήνων μὲν πρῶτον ἀνώγει θεσπεσιάων
φθόγγον ἀλεύασθαι καὶ λειμῶν' ἀνθεμόεντα.
160 οἶον ἔμ' ἠνώγει ὄπ' ἀκουέμεν· ἀλλά με δεσμῷ
δήσατ' ἐν ἀργαλέῳ, ὄφρ' ἔμπεδον αὐτόθι μίμνω,
ὀρθὸν ἐν ἱστοπέδῃ, ἐκ δ' αὐτοῦ πείρατ' ἀνήφθω.

sette armenti di vacche e sette belle greggi di pecore
130 di cinquanta bestie ciascuno. Non figliano
e non muoiono mai. Sono dee i loro guardiani,
ninfe dai riccioli belli, Faetusa e Lampetie,
che la chiara Neera generò al Sole Iperione.
E dopo che le allevò e partorì, la madre augusta
135 le mandò ad abitare lontano, nell'isola della Trinachia,
a guardare le mandrie paterne e le vacche dalle corna ricurve.
Se queste le lasci illese e pensi al ritorno,
potrete ancora arrivare ad Itaca, pur subendo sventure;
se però le molesti, allora prevedo rovina per te,
140 per la nave e i compagni: e tu, seppure ne scampi,
tardi ritorni e male, perduti tutti i compagni".

Disse così e subito venne Aurora dall'aureo trono.
E lei si avviò per l'isola, chiara fra le dee:
io invece tornai sulla nave, ordinai ai compagni
145 di imbarcarsi anche loro e di sciogliere a poppa le gomene.
Subito essi salirono e presero posto agli scalmi,
e sedendo in fila battevano l'acqua canuta coi remi.
Poi, dietro la nave dalla prora turchina
Circe dai riccioli belli, dea tremenda con voce umana,
150 ci inviò il vento propizio che gonfia la vela, valente compagno.
Dopo che disponemmo i singoli attrezzi dentro la nave,
sedemmo: la governavano il vento e il pilota.
Allora col cuore angosciato io dissi ai compagni:

"O cari, non devono saperle uno o due soli
155 le predizioni che Circe mi disse, chiara fra le dee,
ma io voglio dirvele, perché conosciutele o noi moriamo
o scampiamo, schivando la morte e il destino.
Anzitutto ci esorta a fuggire il canto
e il prato fiorito delle divine Sirene.
160 Esortava che ne udissi io solo la voce. Legatemi dunque
in un nodo difficile, perché lì resti saldo,
ritto sulla scassa dell'albero: ad esso sian strette le funi.

εἰ δέ κε λίσσωμαι ὑμέας λῦσαί τε κελεύω,
ὑμεῖς δὲ πλεόνεσσι τότ᾽ ἐν δεσμοῖσι πιέζειν".
165 ἦτοι ἐγὼ τὰ ἕκαστα λέγων ἑτάροισι πίφαυσκον·
τόφρα δὲ καρπαλίμως ἐξίκετο νηῦς ἐϋεργὴς
νῆσον Σειρήνοιϊν· ἔπειγε γὰρ οὖρος ἀπήμων.
αὐτίκ᾽ ἔπειτ᾽ ἄνεμος μὲν ἐπαύσατο ἠδὲ γαλήνη
ἔπλετο νηνεμίη, κοίμησε δὲ κύματα δαίμων.
170 ἀνστάντες δ᾽ ἕταροι νεὸς ἱστία μηρύσαντο,
καὶ τὰ μὲν ἐν νηῒ γλαφυρῇ θέσαν, οἱ δ᾽ ἐπ᾽ ἐρετμὰ
ἑζόμενοι λεύκαινον ὕδωρ ξεστῇσ᾽ ἐλάτῃσιν.
αὐτὰρ ἐγὼ κηροῖο μέγαν τροχὸν ὀξέϊ χαλκῷ
τυτθὰ διατμήξας χερσὶ στιβαρῇσι πίεζον.
175 αἶψα δ᾽ ἰαίνετο κηρός, ἐπεὶ κέλετο μεγάλη ἲς
Ἠελίου τ᾽ αὐγὴ Ὑπεριονίδαο ἄνακτος·
ἑξείης δ᾽ ἑτάροισιν ἐπ᾽ οὔατα πᾶσιν ἄλειψα.
οἱ δ᾽ ἐν νηῒ μ᾽ ἔδησαν ὁμοῦ χεῖράς τε πόδας τε
ὀρθὸν ἐν ἱστοπέδῃ, ἐκ δ᾽ αὐτοῦ πείρατ᾽ ἀνῆπτον·
180 αὐτοὶ δ᾽ ἑζόμενοι πολιὴν ἅλα τύπτον ἐρετμοῖς.
ἀλλ᾽ ὅτε τόσσον ἀπῆμεν, ὅσον τε γέγωνε βοήσας,
ῥίμφα διώκοντες, τὰς δ᾽ οὐ λάθεν ὠκύαλος νηῦς
ἐγγύθεν ὀρνυμένη, λιγυρὴν δ᾽ ἔντυνον ἀοιδήν·
"δεῦρ᾽ ἄγ᾽ ἰών, πολύαιν᾽ Ὀδυσεῦ, μέγα κῦδος Ἀχαιῶν,
185 νῆα κατάστησον, ἵνα νωϊτέρην ὄπ᾽ ἀκούσῃς.
οὐ γάρ πώ τις τῇδε παρήλασε νηῒ μελαίνῃ,
πρίν γ᾽ ἡμέων μελίγηρυν ἀπὸ στομάτων ὄπ᾽ ἀκοῦσαι,
ἀλλ᾽ ὅ γε τερψάμενος νεῖται καὶ πλείονα εἰδώς.
ἴδμεν γάρ τοι πάνθ᾽, ὅσ᾽ ἐνὶ Τροίῃ εὐρείῃ
190 Ἀργεῖοι Τρῶές τε θεῶν ἰότητι μόγησαν.
ἴδμεν δ᾽ ὅσσα γένηται ἐπὶ χθονὶ πουλυβοτείρῃ".
ὣς φάσαν ἱεῖσαι ὄπα κάλλιμον· αὐτὰρ ἐμὸν κῆρ
ἤθελ᾽ ἀκουέμεναι, λῦσαί τ᾽ ἐκέλευον ἑταίρους,
ὀφρύσι νευστάζων· οἱ δὲ προπεσόντες ἔρεσσον.
195 αὐτίκα δ᾽ ἀνστάντες Περιμήδης Εὐρύλοχός τε
πλείοσί μ᾽ ἐν δεσμοῖσι δέον μᾶλλόν τε πίεζον.

Se vi scongiuro e comando di sciogliermi,
allora dovete legarmi con funi più numerose".
165 Dicendo così io spiegavo ogni cosa ai compagni:
intanto la solida nave rapidamente arrivò
all'isola delle Sirene: la spingeva un vento propizio.
Subito dopo il vento cessò, successe una calma
senza bava di vento, un dio assopiva le onde.
170 I compagni, levatisi e piegate le vele,
le deposero nella nave ben cava e postisi
ai remi imbiancavano l'acqua con gli abeti piallati.
Io invece, tagliato col bronzo aguzzo un grande
disco di cera a pezzetti, li premevo con le mani robuste.
175 Subito la cera cedette, sollecitata dalla gran forza
e dal raggio del Sole, del signore Iperionide:
la spalmai sulle orecchie a tutti i compagni, uno a uno.
Essi poi mi legarono per le mani ed i piedi
ritto sulla scassa dell'albero, ad esso eran strette le funi,
180 e sedutisi battevano l'acqua canuta coi remi.
Ma appena distammo quanto basta per sentire chi grida,
benché noi corressimo, non sfuggì ad esse la nave veloce
che s'appressava e intonarono un limpido canto:
"Vieni, celebre Odisseo, grande gloria degli Achei,
185 e ferma la nave, perché di noi due possa udire la voce.
Nessuno mai è passato di qui con la nera nave
senza ascoltare dalla nostra bocca il suono di miele,
ma egli va dopo averne goduto e sapendo più cose.
Perché conosciamo le pene che nella Troade vasta
190 soffrirono Argivi e Troiani per volontà degli dei;
conosciamo quello che accade sulla terra ferace".
Così dissero, cantando con bella voce: e il mio cuore
voleva ascoltare e ordinai ai compagni di sciogliermi,
facendo segno cogli occhi: ma essi curvi remavano.
195 Subito Perimede ed Euriloco alzatisi
mi legarono e strinsero di più con le funi.

αὐτὰρ ἐπεὶ δὴ τάς γε παρήλασαν, οὐδ' ἔτ' ἔπειτα
φθόγγον Σειρήνων ἠκούομεν οὐδ' ἔτ' ἀοιδήν,
αἶψ' ἀπὸ κηρὸν ἕλοντο ἐμοὶ ἐρίηρες ἑταῖροι,
200 ὅν σφιν ἐπ' ὠσὶν ἄλειψ', ἐμέ τ' ἐκ δεσμῶν ἀνέλυσαν.
ἀλλ' ὅτε δὴ τὴν νῆσον ἐλείπομεν, αὐτίκ' ἔπειτα
καπνὸν καὶ μέγα κῦμα ἴδον καὶ δοῦπον ἄκουσα·
τῶν δ' ἄρα δεισάντων ἐκ χειρῶν ἔπτατ' ἐρετμά,
βόμβησαν δ' ἄρα πάντα κατὰ ῥόον· ἔσχετο δ' αὐτοῦ
205 νηῦς, ἐπεὶ οὐκέτ' ἐρετμὰ προήκεα χερσὶν ἔπειγον.
αὐτὰρ ἐγὼ διὰ νηὸς ἰὼν ὄτρυνον ἑταίρους
μειλιχίοισ' ἐπέεσσι παρασταδὸν ἄνδρα ἕκαστον·
"ὦ φίλοι, οὐ γάρ πώ τι κακῶν ἀδαήμονές εἰμεν·
οὐ μὲν δὴ τόδε μεῖζον ἔπι κακόν, ἢ ὅτε Κύκλωψ
210 εἶλει ἐνὶ σπῆϊ γλαφυρῷ κρατερῆφι βίηφιν·
ἀλλὰ καὶ ἔνθεν ἐμῇ ἀρετῇ βουλῇ τε νόῳ τε
ἐκφύγομεν, καί που τῶνδε μνήσεσθαι ὀΐω.
νῦν δ' ἄγεθ', ὡς ἂν ἐγὼ εἴπω, πειθώμεθα πάντες.
ὑμεῖς μὲν κώπῃσιν ἁλὸς ῥηγμῖνα βαθεῖαν
215 τύπτετε κληΐδεσσιν ἐφήμενοι, αἴ κέ ποθι Ζεὺς
δώῃ τόνδε γ' ὄλεθρον ὑπεκφυγέειν καὶ ἀλύξαι·
σοὶ δέ, κυβερνῆθ', ὧδ' ἐπιτέλλομαι· ἀλλ' ἐνὶ θυμῷ
βάλλευ, ἐπεὶ νηὸς γλαφυρῆς οἰήϊα νωμᾷς·
τούτου μὲν καπνοῦ καὶ κύματος ἐκτὸς ἔεργε
220 νῆα, σὺ δὲ σκοπέλων ἐπιμαίεο, μή σε λάθῃσι
κεῖσ' ἐξορμήσασα καὶ ἐς κακὸν ἄμμε βάλῃσθα".
ὣς ἐφάμην, οἱ δ' ὦκα ἐμοῖσ' ἐπέεσσι πίθοντο.
Σκύλλην δ' οὐκέτ' ἐμυθεόμην, ἄπρηκτον ἀνίην,
μή πώς μοι δείσαντες ἀπολλήξειαν ἑταῖροι
225 εἰρεσίης, ἐντὸς δὲ πυκάζοιεν σφέας αὐτούς.
καὶ τότε δὴ Κίρκης μὲν ἐφημοσύνης ἀλεγεινῆς
λανθανόμην, ἐπεὶ οὔ τί μ' ἀνώγει θωρήσσεσθαι·
αὐτὰρ ἐγὼ καταδὺς κλυτὰ τεύχεα καὶ δύο δοῦρε
μάκρ' ἐν χερσὶν ἑλὼν εἰς ἴκρια νηὸς ἔβαινον
230 πρῴρης· ἔνθεν γάρ μιν ἐδέγμην πρῶτα φανεῖσθαι

Ma quando le superarono e più non s'udiva
la voce delle Sirene né il loro canto,
subito i fedeli compagni la cera levarono
200 che gli spalmai sulle orecchie, e dalle funi mi sciolsero.
Quando lasciammo quell'isola, subito
io vidi un fumo e grandi marosi e udii un fragore.
Dalle mani dei compagni atterriti i remi volarono
e con un tonfo sbatterono tutti nella corrente: la nave lì
205 s'arrestò, poiché non stringevano i remi appuntiti.
Io andai per la nave e incitai i compagni
con dolci parole, stando accanto a ciascuno:
"Amici, non siamo ignari di mali
e questa non è sciagura più grande, di quando il Ciclope
210 ci chiuse nella cava spelonca con dura violenza:
e come col mio valore, il consiglio e la mente, scampammo
da lì, così potremo ricordarci, io credo, di queste.
Suvvia, facciamo tutti nel modo che io dico.
Voi altri battete il frangente profondo del mare
215 coi remi, seduti agli scalmi, semmai Zeus
ci lasciasse sfuggire e scampare a questa rovina.
A te, pilota, comando così: e mettilo in mente,
perché reggi tu la barra della nave ben cava.
Lontana da questo fumo e dal flutto tieni
220 la nave, bada agli scogli, che non ti sfugga
se essa vi corre contro e ci mandi in malora".
Dissi così e subito mi diedero ascolto.
Non dissi di Scilla, calamità irrimediabile:
che i compagni, atterriti, non lasciassero
225 i remi e s'acquattassero dentro.
E dimenticai allora il divieto doloroso
di Circe: m'aveva detto di non vestire le armi,
e io invece calatomi nelle armi famose e afferrate
due lunghe aste avanzai sul ponte della nave
230 a prora: m'aspettavo che apparisse da lì

Σκύλλην πετραίην, ἥ μοι φέρε πῆμ' ἑτάροισιν.
οὐδέ πῃ ἀθρῆσαι δυνάμην· ἔκαμον δέ μοι ὄσσε
πάντῃ παπταίνοντι πρὸς ἠεροειδέα πέτρην.
ἡμεῖς μὲν στεινωπὸν ἀνεπλέομεν γοόωντες·
235 ἔνθεν γὰρ Σκύλλη, ἑτέρωθι δὲ δῖα Χάρυβδις
δεινὸν ἀνερρύβδησε θαλάσσης ἁλμυρὸν ὕδωρ.
ἦτοι ὅτ' ἐξεμέσειε, λέβης ὣς ἐν πυρὶ πολλῷ
πᾶσ' ἀναμορμύρεσκε κυκωμένη· ὑψόσε δ' ἄχνη
ἄκροισι σκοπέλοισιν ἐπ' ἀμφοτέροισιν ἔπιπτεν.
240 ἀλλ' ὅτ' ἀναβρόξειε θαλάσσης ἁλμυρὸν ὕδωρ,
πᾶσ' ἔντοσθε φάνεσκε κυκωμένη, ἀμφὶ δὲ πέτρη
δεινὸν βεβρύχει, ὑπένερθε δὲ γαῖα φάνεσκε
ψάμμῳ κυανέῃ· τοὺς δὲ χλωρὸν δέος ᾕρει.
ἡμεῖς μὲν πρὸς τὴν ἴδομεν δείσαντες ὄλεθρον·
245 τόφρα δέ μοι Σκύλλη γλαφυρῆς ἐκ νηὸς ἑταίρους
ἓξ ἕλεθ', οἳ χερσίν τε βίηφί τε φέρτατοι ἦσαν.
σκεψάμενος δ' ἐς νῆα θοὴν ἅμα καὶ μεθ' ἑταίρους
ἤδη τῶν ἐνόησα πόδας καὶ χεῖρας ὕπερθεν
ὑψόσ' ἀειρομένων· ἐμὲ δὲ φθέγγοντο καλεῦντες
250 ἐξονομακλήδην, τότε γ' ὕστατον, ἀχνύμενοι κῆρ.
ὡς δ' ὅτ' ἐπὶ προβόλῳ ἁλιεὺς περιμήκεϊ ῥάβδῳ
ἰχθύσι τοῖς ὀλίγοισι δόλον κατὰ εἴδατα βάλλων
ἐς πόντον προΐησι βοὸς κέρας ἀγραύλοιο,
ἀσπαίροντα δ' ἔπειτα λαβὼν ἔρριψε θύραζε,
255 ὣς οἵ γ' ἀσπαίροντες ἀείροντο προτὶ πέτρας.
αὐτοῦ δ' εἰνὶ θύρῃσι κατήσθιε κεκλήγοντας,
χεῖρας ἐμοὶ ὀρέγοντας ἐν αἰνῇ δηϊοτῆτι.
οἴκτιστον δὴ κεῖνο ἐμοῖσ' ἴδον ὀφθαλμοῖσι
πάντων, ὅσσ' ἐμόγησα πόρους ἁλὸς ἐξερεείνων.
260 αὐτὰρ ἐπεὶ πέτρας φύγομεν δεινήν τε Χάρυβδιν
Σκύλλην τ', αὐτίκ' ἔπειτα θεοῦ ἐς ἀμύμονα νῆσον
ἱκόμεθ'· ἔνθα δ' ἔσαν καλαὶ βόες εὐρυμέτωποι,
πολλὰ δὲ ἴφια μῆλ' Ὑπερίονος Ἠελίοιο.
δὴ τότ' ἐγὼν ἔτι πόντῳ ἐὼν ἐν νηῒ μελαίνῃ

tra le rocce, Scilla, per fare del male ai compagni.
Ma non riuscivo a vederla: mi si stancarono
gli occhi, scrutando ovunque la fosca roccia.
Navigavamo gemendo attraverso lo stretto:
235 da una parte era Scilla, dall'altra la chiara Cariddi
cominciò orridamente a succhiare l'acqua salsa del mare.
Quando la vomitava, gorgogliava tutta fremente,
come su un gran fuoco un lebete: dall'alto la schiuma
cadeva sulla cima di entrambi gli scogli.
240 Ma quando succhiava l'acqua salsa del mare,
tutta fremente appariva sul fondo, la roccia intorno
mugghiava orridamente, di sotto appariva la terra
nera di sabbia. Li prese una pallida angoscia.
Noi volgemmo ad essa lo sguardo, temendo la fine,
245 ed ecco Scilla mi prese dalla nave ben cava
i sei compagni migliori per le braccia e la forza.
Guardai nella nave veloce cercando i compagni,
e ne scorsi i piedi e più in alto le mani:
sollevati per aria, invocavano urlando
250 il mio nome, per l'ultima volta, col cuore angosciato.
Come su uno sperone chi pesca con una lunghissima verga,
gettando ai piccoli pesci come esca pezzetti di cibo,
lancia nel mare il corno di un bue selvatico,
e presone uno lo scaglia lontano, guizzante,
255 così essi erano tratti per aria, guizzanti, contro le rocce:
e là sull'entrata li divorò che urlavano,
con le mani tese verso di me nella terribile lotta.
La cosa più dolorosa che ho visto con gli occhi fu quella,
tra quante ne ho sopportate tentando le rotte del mare.
260 Dopo che scampammo agli scogli, all'orrenda Cariddi
ed a Scilla, subito all'isola egregia del dio
arrivammo: v'erano le belle vacche dall'ampia fronte
e le molte pingui greggi del Sole Iperione.
E mentre ero ancora sul mare, nella nera nave,

265 μυκηθμοῦ τ' ἤκουσα βοῶν αὐλιζομενάων
οἰῶν τε βληχήν· καί μοι ἔπος ἔμπεσε θυμῷ
μάντηος ἀλαοῦ, Θηβαίου Τειρεσίαο,
Κίρκης τ' Αἰαίης, ἥ μοι μάλα πόλλ' ἐπέτελλε
νῆσον ἀλεύασθαι τερψιμβρότου Ἠελίοιο.
270 δὴ τότ' ἐγὼν ἑτάροισι μετηύδων, ἀχνύμενος κῆρ·
"κέκλυτέ μευ μύθων, κακά περ πάσχοντες ἑταῖροι,
ὄφρ' ὕμιν εἴπω μαντήϊα Τειρεσίαο
Κίρκης τ' Αἰαίης, ἥ μοι μάλα πόλλ' ἐπέτελλε
νῆσον ἀλεύασθαι τερψιμβρότου Ἠελίοιο·
275 ἔνθα γὰρ αἰνότατον κακὸν ἔμμεναι ἄμμιν ἔφασκεν.
ἀλλὰ παρὲξ τὴν νῆσον ἐλαύνετε νῆα μέλαιναν".
ὣς ἐφάμην, τοῖσιν δὲ κατεκλάσθη φίλον ἦτορ.
αὐτίκα δ' Εὐρύλοχος στυγερῷ μ' ἠμείβετο μύθῳ·
"σχέτλιός εἰς, Ὀδυσεῦ, περί τοι μένος οὐδέ τι γυῖα
280 κάμνεις· ἦ ῥά νυ σοί γε σιδήρεα πάντα τέτυκται,
ὅς ῥ' ἑτάρους καμάτῳ ἀδηκότας ἠδὲ καὶ ὕπνῳ
οὐκ ἐάᾳς γαίης ἐπιβήμεναι, ἔνθα κεν αὖτε
νήσῳ ἐν ἀμφιρύτῃ λαρὸν τετυκοίμεθα δόρπον,
ἀλλ' αὔτως διὰ νύκτα θοὴν ἀλάλησθαι ἄνωγας,
285 νήσου ἀποπλαγχθέντας, ἐν ἠεροειδέϊ πόντῳ.
ἐκ νυκτῶν δ' ἄνεμοι χαλεποί, δηλήματα νηῶν,
γίγνονται· πῇ κέν τις ὑπεκφύγοι αἰπὺν ὄλεθρον,
ἤν πως ἐξαπίνης ἔλθῃ ἀνέμοιο θύελλα,
ἢ νότου ἢ ζεφύροιο δυσαέος, οἵ τε μάλιστα
290 νῆα διαρραίουσι, θεῶν ἀέκητι ἀνάκτων;
ἀλλ' ἤτοι νῦν μὲν πειθώμεθα νυκτὶ μελαίνῃ
δόρπον θ' ὁπλισόμεσθα θοῇ παρὰ νηῒ μένοντες·
ἠῶθεν δ' ἀναβάντες ἐνήσομεν εὐρέϊ πόντῳ".
ὣς ἔφατ' Εὐρύλοχος, ἐπὶ δ' ᾔνεον ἄλλοι ἑταῖροι.
295 καὶ τότε δὴ γίγνωσκον, ὃ δὴ κακὰ μήδετο δαίμων,
καί μιν φωνήσας ἔπεα πτερόεντα προσηύδων·
"Εὐρύλοχ', ἦ μάλα δή με βιάζετε μοῦνον ἐόντα.
ἀλλ' ἄγε νῦν μοι πάντες ὀμόσσατε καρτερὸν ὅρκον·

265 udii muggire le vacche spinte dentro le stalle
e belare le pecore: in mente mi venne il consiglio
del cieco indovino, del tebano Tiresia,
e di Circe di Eea, che mi ammonì molte volte
di evitare l'isola di Helios che rallegra i mortali.
270 Allora col cuore angosciato io dissi ai compagni:
"Le mie parole ascoltate, compagni, pur subendo sventure:
perché i vaticini di Tiresia vi dica
e di Circe di Eea, che mi ammonì molte volte
di evitare l'isola di Helios che rallegra i mortali.
275 Diceva che è qui, per noi, la sciagura più atroce:
guidate dunque oltre l'isola la nera nave".
Dissi così, e ad essi si spezzò il caro cuore.
Subito mi rispose Euriloco con odiose parole:
"Sei inflessibile, Odisseo: hai più coraggio, e non cedono
280 mai le tue forze. Tutto di ferro sei fatto, sicuramente,
se i compagni sazi di fatica e di sonno
non li lasci scendere a terra, dove prepareremmo
di nuovo un pasto gustoso nella terra circondata dall'acqua.
Ci imponi così di andare alla cieca nella notte veloce,
285 errando lontano dall'isola, sul fosco mare.
Ma sorgono venti maligni, che portano rovina alle navi,
di notte: come evitare la ripida morte
se a un tratto viene un vento furioso,
o Noto o Zefiro violento, che maggiormente
290 una nave distruggono, pur non volendo gli dei sovrani.
Ma ora cediamo alla notte buia,
prepariamo la cena, restando vicino alla nave veloce,
e all'alba, imbarcatici, la spingeremo nel vasto mare".
Così Euriloco disse e gli altri compagni approvarono.
295 Allora compresi che un dio meditava sventure
e parlando gli rivolsi alate parole:
"Euriloco, mi costringete perché sono solo.
Ma giuratemi tutti un giuramento potente:

εἴ κέ τιν' ἠὲ βοῶν ἀγέλην ἢ πῶϋ μέγ' οἰῶν
300 εὕρωμεν, μή πού τις ἀτασθαλίῃσι κακῇσιν
ἢ βοῦν ἠέ τι μῆλον ἀποκτάνῃ· ἀλλὰ ἕκηλοι
ἐσθίετε βρώμην, τὴν ἀθανάτη πόρε Κίρκη".
ὣς ἐφάμην, οἱ δ' αὐτίκ' ἀπώμνυον ὡς ἐκέλευον.
αὐτὰρ ἐπεί ῥ' ὄμοσάν τε τελεύτησάν τε τὸν ὅρκον,
305 στήσαμεν ἐν λιμένι γλαφυρῷ εὐεργέα νῆα
ἄγχ' ὕδατος γλυκεροῖο καὶ ἐξαπέβησαν ἑταῖροι
νηός, ἔπειτα δὲ δόρπον ἐπισταμένως τετύκοντο.
αὐτὰρ ἐπεὶ πόσιος καὶ ἐδητύος ἐξ ἔρον ἕντο,
μνησάμενοι δὴ ἔπειτα φίλους ἔκλαιον ἑταίρους,
310 οὓς ἔφαγε Σκύλλη γλαφυρῆς ἐκ νηὸς ἑλοῦσα·
κλαιόντεσσι δὲ τοῖσιν ἐπήλυθε νήδυμος ὕπνος.
ἦμος δὲ τρίχα νυκτὸς ἔην, μετὰ δ' ἄστρα βεβήκει,
ὦρσεν ἔπι ζαῆν ἄνεμον νεφεληγερέτα Ζεὺς
λαίλαπι θεσπεσίῃ, σὺν δὲ νεφέεσσι κάλυψε
315 γαῖαν ὁμοῦ καὶ πόντον· ὀρώρει δ' οὐρανόθεν νύξ.
ἦμος δ' ἠριγένεια φάνη ῥοδοδάκτυλος 'Ηώς,
νῆα μὲν ὡρμίσαμεν, κοῖλον σπέος εἰσερύσαντες·
ἔνθα δ' ἔσαν Νυμφέων καλοὶ χοροὶ ἠδὲ θόωκοι.
καὶ τότ' ἐγὼν ἀγορὴν θέμενος μετὰ πᾶσιν ἔειπον·
320 "ὦ φίλοι, ἐν γὰρ νηῒ θοῇ βρῶσίς τε πόσις τε
ἔστιν, τῶν δὲ βοῶν ἀπεχώμεθα, μή τι πάθωμεν·
δεινοῦ γὰρ θεοῦ αἵδε βόες καὶ ἴφια μῆλα,
'Ηελίου, ὃς πάντ' ἐφορᾷ καὶ πάντ' ἐπακούει".
ὣς ἐφάμην, τοῖσιν δ' ἐπεπείθετο θυμὸς ἀγήνωρ.
325 μῆνα δὲ πάντ' ἄλληκτος ἄη νότος, οὐδέ τις ἄλλος
γίγνετ' ἔπειτ' ἀνέμων, εἰ μὴ εὖρός τε νότος τε.
οἱ δ' εἵως μὲν σῖτον ἔχον καὶ οἶνον ἐρυθρόν,
τόφρα βοῶν ἀπέχοντο λιλαιόμενοι βιότοιο·
ἀλλ' ὅτε δὴ νηὸς ἐξέφθιτο ἤϊα πάντα,
330 καὶ δὴ ἄγρην ἐφέπεσκον ἀλητεύοντες ἀνάγκῃ,
ἰχθῦς ὄρνιθάς τε, φίλας ὅ τι χεῖρας ἵκοιτο,
γναμπτοῖσ' ἀγκίστροισιν· ἔτειρε δὲ γαστέρα λιμός·

se un armento di vacche o un branco di pecore
300 per caso trovassimo, nessuno per maligna arroganza
uccida una vacca o una pecora: mangiate
tranquilli il cibo che diede Circe immortale".
Dissi così e giurarono subito come volevo.
Dopo che fu giurato e finito quel giuramento,
305 ancorammo in un porto profondo la nave ben costruita
vicino a dell'acqua dolce: i compagni dalla nave
sbarcarono e poi prepararono abilmente la cena.
Quando ebbero scacciato la voglia di bere e di cibo,
cominciarono a piangere, ricordando i cari compagni
310 che Scilla mangiò dopo averli afferrati dalla nave ben cava:
e mentre piangevano un sonno profondo li colse.
Restava della notte un terzo e le stelle volgevano,
quando Zeus che addensa le nubi suscitò un vento impetuoso,
con tremendo uragano, e con le nubi ravvolse
315 e terra e mare: dal cielo era sorta la notte.
Quando mattutina apparve Aurora dalle rosee dita,
traemmo la nave al riparo dentro una cava spelonca:
c'erano là dei bei cori e dei seggi di Ninfe.
Allora, fatto un consiglio, parlai in mezzo a tutti:
320 "Amici, nella nave veloce ci sono cibo e bevanda;
non tocchiamo le vacche, che non si debba soffrirne.
Queste son vacche e greggi pingui d'un terribile dio,
del Sole, che vede ogni cosa e sente ogni cosa".
Dissi così, e fu persuaso il loro animo altero.
325 Per tutto un mese il noto soffiò, senza posa, e dopo
non sorse alcun vento oltre l'euro e il noto.
E finché essi ebbero cibo e rosso vino,
stettero dalle vacche lontani, bramosi di vivere.
Ma quando le provviste della nave finirono tutte,
330 e per il bisogno vagavano a caccia di cibo,
di pesci e di uccelli e di quanto gli capitava,
con gli ami ricurvi – la fame gli rodeva lo stomaco –,

δὴ τότ' ἐγὼν ἀνὰ νῆσον ἀπέστιχον, ὄφρα θεοῖσιν
εὐξαίμην, εἴ τίς μοι ὁδὸν φήνειε νέεσθαι.
335 ἀλλ' ὅτε δὴ διὰ νήσου ἰὼν ἤλυξα ἑταίρους,
χεῖρας νιψάμενος, ὅθ' ἐπὶ σκέπας ἦν ἀνέμοιο,
ἠρώμην πάντεσσι θεοῖσ', οἳ Ὄλυμπον ἔχουσιν·
οἱ δ' ἄρα μοι γλυκὺν ὕπνον ἐπὶ βλεφάροισιν ἔχευαν.
Εὐρύλοχος δ' ἑτάροισι κακῆς ἐξήρχετο βουλῆς·
340 "κέκλυτέ μευ μύθων, κακά περ πάσχοντες ἑταῖροι·
πάντες μὲν στυγεροὶ θάνατοι δειλοῖσι βροτοῖσι,
λιμῷ δ' οἴκτιστον θανέειν καὶ πότμον ἐπισπεῖν.
ἀλλ' ἄγετ', Ἠελίοιο βοῶν ἐλάσαντες ἀρίστας
ῥέξομεν ἀθανάτοισι, τοὶ οὐρανὸν εὐρὺν ἔχουσιν.
345 εἰ δέ κεν εἰς Ἰθάκην ἀφικοίμεθα, πατρίδα γαῖαν,
αἶψά κεν Ἠελίῳ Ὑπερίονι πίονα νηὸν
τεύξομεν, ἐν δέ κε θεῖμεν ἀγάλματα πολλὰ καὶ ἐσθλά.
εἰ δὲ χολωσάμενός τι βοῶν ὀρθοκραιράων
νῆ' ἐθέλῃ ὀλέσαι, ἐπὶ δ' ἕσπωνται θεοὶ ἄλλοι,
350 βούλομ' ἅπαξ πρὸς κῦμα χανὼν ἀπὸ θυμὸν ὀλέσσαι
ἢ δηθὰ στρεύγεσθαι ἐὼν ἐν νήσῳ ἐρήμῃ".
ὣς ἔφατ' Εὐρύλοχος, ἐπὶ δ' ᾔνεον ἄλλοι ἑταῖροι.
αὐτίκα δ' Ἠελίοιο βοῶν ἐλάσαντες ἀρίστας
ἐγγύθεν – οὐ γὰρ τῆλε νεὸς κυανοπρῴροιο
355 βοσκέσκονθ' ἕλικες καλαὶ βόες εὐρυμέτωποι –·
τὰς δὲ περιστήσαντο καὶ εὐχετόωντο θεοῖσι,
φύλλα δρεψάμενοι τέρενα δρυὸς ὑψικόμοιο·
οὐ γὰρ ἔχον κρῖ λευκὸν ἐϋσσέλμου ἐπὶ νηός.
αὐτὰρ ἐπεί ῥ' εὔξαντο καὶ ἔσφαξαν καὶ ἔδειραν,
360 μηρούς τ' ἐξέταμον κατά τε κνίσῃ ἐκάλυψαν,
δίπτυχα ποιήσαντες, ἐπ' αὐτῶν δ' ὠμοθέτησαν·
οὐδ' εἶχον μέθυ λεῖψαι ἐπ' αἰθομένοισ' ἱεροῖσιν,
ἀλλ' ὕδατι σπένδοντες ἐπώπτων ἔγκατα πάντα.
αὐτὰρ ἐπεὶ κατὰ μῆρ' ἐκάη καὶ σπλάγχν' ἐπάσαντο,
365 μίστυλλόν τ' ἄρα τἆλλα καὶ ἀμφ' ὀβελοῖσιν ἔπειρον.
καὶ τότε μοι βλεφάρων ἐξέσσυτο νήδυμος ὕπνος·

allora io andai nell'interno dell'isola, a pregare
gli dei, semmai mi mostrasse qualcuno una via per andarcene.
335 E quando, avanzando nell'isola, sfuggii ai compagni,
dopo aver lavato le mani dov'era un riparo dal vento,
invocai tutti gli dei che hanno l'Olimpo:
essi, però, mi versarono un dolce sonno sugli occhi.
E allora Euriloco diede un consiglio funesto ai compagni:
340 "Le mie parole ascoltate, compagni, pur subendo sventure.
Odiose son tutte le morti per gli infelici mortali,
ma la cosa più misera è morire e subire il destino per fame.
Suvvia, prendiamo le vacche migliori del Sole,
e immoliamole agli immortali che hanno il vasto cielo.
345 Se potremo giungere ad Itaca, nella terra dei padri,
costruiremo al Sole Iperione un tempio sontuoso
subito dopo, e vi porremo molti e splendidi voti.
Se invece, adirato per le vacche dalle corna diritte,
vuole annientare la nave, e gli altri dei l'assecondano,
350 preferisco piuttosto aprire all'onda la bocca e morire
una volta, che a lungo languire in un'isola disabitata".
Così Euriloco disse e gli altri compagni approvarono.
Incalzarono tosto le vacche migliori del Sole –
le belle vacche con le corna ricurve e l'ampia fronte
355 pascevano infatti vicino alla nave con la prora turchina –,
le circondarono e levarono preghiere agli dei,
dopo che colsero tenere foglie d'una quercia d'alte fronde:
nella nave ben costruita non avevano bianco orzo.
Dopo aver pregato e averle scannate e scuoiate,
360 fecero a pezzi i cosci, li coprirono intorno di grasso,
piegato in due strati, vi posero sopra la carne cruda.
Non avevano vino, per aspergere i sacrifici sul fuoco,
ma i visceri li arrostirono tutti libando con acqua.
E quando i cosci furono arsi e mangiarono i visceri,
365 spezzettarono il resto e l'infilzarono in spiedi.
Ed ecco, il dolce sonno svanì dai miei occhi

βῆν δ' ἰέναι ἐπὶ νῆα θοὴν καὶ θῖνα θαλάσσης.
ἀλλ' ὅτε δὴ σχεδὸν ἦα κιὼν νεὸς ἀμφιελίσσης,
καὶ τότε με κνίσης ἀμφήλυθεν ἡδὺς ἀϋτμή·
370 οἰμώξας δὲ θεοῖσι μετ' ἀθανάτοισι γεγώνευν·
"Ζεῦ πάτερ ἠδ' ἄλλοι μάκαρες θεοὶ αἰὲν ἐόντες,
ἦ με μάλ' εἰς ἄτην κοιμήσατε νηλέϊ ὕπνῳ,
οἱ δ' ἕταροι μέγα ἔργον ἐμητίσαντο μένοντες".
ὠκέα δ' Ἠελίῳ Ὑπερίονι ἄγγελος ἦλθε
375 Λαμπετίη τανύπεπλος, ὅ οἱ βόας ἔκταμεν ἡμεῖς.
αὐτίκα δ' ἀθανάτοισι μετηύδα χωόμενος κῆρ·
"Ζεῦ πάτερ ἠδ' ἄλλοι μάκαρες θεοὶ αἰὲν ἐόντες,
τεῖσαι δὴ ἑτάρους Λαερτιάδεω Ὀδυσῆος,
οἵ μευ βοῦς ἔκτειναν ὑπέρβιον, ᾗσιν ἐγώ γε
380 χαίρεσκον μὲν ἰὼν εἰς οὐρανὸν ἀστερόεντα,
ἠδ' ὁπότ' ἂψ ἐπὶ γαῖαν ἀπ' οὐρανόθεν προτραποίμην.
εἰ δέ μοι οὐ τείσουσι βοῶν ἐπιεικέ' ἀμοιβήν,
δύσομαι εἰς Ἀΐδαο καὶ ἐν νεκύεσσι φαείνω".
τὸν δ' ἀπαμειβόμενος προσέφη νεφεληγερέτα Ζεύς·
385 "Ἠέλι', ἦτοι μὲν σὺ μετ' ἀθανάτοισι φάεινε
καὶ θνητοῖσι βροτοῖσιν ἐπὶ ζείδωρον ἄρουραν·
τῶν δέ κ' ἐγὼ τάχα νῆα θοὴν ἀργῆτι κεραυνῷ
τυτθὰ βαλὼν κεάσαιμι μέσῳ ἐνὶ οἴνοπι πόντῳ".
ταῦτα δ' ἐγὼν ἤκουσα Καλυψοῦς ἠϋκόμοιο·
390 ἡ δ' ἔφη Ἑρμείαο διακτόρου αὐτὴ ἀκοῦσαι.
αὐτὰρ ἐπεί ῥ' ἐπὶ νῆα κατήλυθον ἠδὲ θάλασσαν,
νείκεον ἄλλοθεν ἄλλον ἐπισταδόν, οὐδέ τι μῆχος
εὑρέμεναι δυνάμεσθα· βόες δ' ἀποτέθνασαν ἤδη.
τοῖσιν δ' αὐτίκ' ἔπειτα θεοὶ τέραα προὔφαινον·
395 εἷρπον μὲν ῥινοί, κρέα δ' ἀμφ' ὀβελοῖσ' ἐμεμύκει,
ὀπταλέα τε καὶ ὠμά· βοῶν δ' ὣς γίγνετο φωνή.
ἑξῆμαρ μὲν ἔπειτα ἐμοὶ ἐρίηρες ἑταῖροι
δαίνυντ' Ἠελίοιο βοῶν ἐλόωντες ἀρίστας·
ἀλλ' ὅτε δὴ ἕβδομον ἦμαρ ἐπὶ Ζεὺς θῆκε Κρονίων,
400 καὶ τότ' ἔπειτ' ἄνεμος μὲν ἐπαύσατο λαίλαπι θύων,

e m'avviai alla nave veloce e alla riva del mare.
Camminando ero prossimo alla nave veloce a virare,
quando m'avvolse la dolce fragranza del grasso.
370 Invocai gemendo gli dei immortali:
"Padre Zeus e voi altri beati dei eterni,
per mia disgrazia m'avete assopito in un sonno spietato,
e nell'attesa i compagni tramarono un grande misfatto".
Lampetie dal peplo fluente andò a riferire, veloce,
375 al Sole Iperione che noi gli avevamo ucciso le vacche.
Subito, tra gli immortali, egli disse col cuore sdegnato:
"Padre Zeus e voi altri beati dei eterni,
punisci i compagni di Odisseo figlio di Laerte:
m'hanno ucciso con spregio le vacche, di cui
380 ogni volta gioivo muovendo al cielo stellato
o quando volgevo dal cielo al tramonto.
Se per le vacche non pagheranno una pena adeguata,
calerò nelle case di Ade e splenderò per i morti".
E a sua volta Zeus che addensa le nubi gli disse:
385 "Helios, tu da' agli immortali la luce
e dàlla ai mortali sulla terra che dona le biade:
ed io, percossagli la nave veloce col vivido fulmine,
la farò in piccoli pezzi nel mare scuro come vino".
Questo racconto io l'udii da Calipso dai bei capelli:
390 e diceva d'averlo saputo a sua volta da Ermete, il messaggero.
Quando giunsi alla nave e al mare,
li ingiuriai uno a uno. Ma non potevano
ormai rimediare: le vacche erano morte.
E tosto gli dei cominciarono a mostrare prodigi:
395 le pelli strisciavano, le carni agli spiedi muggivano
cotte e crude, e c'era come un suono di vacche.
Sei giorni mi stettero i fedeli compagni
a banchetto, dopo che presero le vacche migliori del Sole.
Ma quando Zeus Cronide impose il settimo giorno,
400 allora il vento cessò d'impazzare a tempesta

ἡμεῖς δ' αἶψ' ἀναβάντες ἐνήκαμεν εὐρέϊ πόντῳ,
ἱστὸν στησάμενοι ἀνά θ' ἱστία λεύκ' ἐρύσαντες.

ἀλλ' ὅτε δὴ τὴν νῆσον ἐλείπομεν οὐδέ τις ἄλλη
φαίνετο γαιάων, ἀλλ' οὐρανὸς ἠδὲ θάλασσα,
405 δὴ τότε κυανέην νεφέλην ἔστησε Κρονίων
νηὸς ὕπερ γλαφυρῆς, ἤχλυσε δὲ πόντος ὑπ' αὐτῆς.
ἡ δ' ἔθει οὐ μάλα πολλὸν ἐπὶ χρόνον· αἶψα γὰρ ἦλθε
κεκληγὼς ζέφυρος μεγάλῃ σὺν λαίλαπι θύων.
ἱστοῦ δὲ προτόνους ἔρρηξ' ἀνέμοιο θύελλα
410 ἀμφοτέρους, ἱστὸς δ' ὀπίσω πέσεν, ὅπλα τε πάντα
εἰς ἄντλον κατέχυνθ'· ὁ δ' ἄρα πρύμνῃ ἐνὶ νηῒ
πλῆξε κυβερνήτεω κεφαλήν, σὺν δ' ὀστέ' ἄραξε
πάντ' ἄμυδις κεφαλῆς· ὁ δ' ἄρ' ἀρνευτῆρι ἐοικὼς
κάππεσ' ἀπ' ἰκριόφιν, λίπε δ' ὀστέα θυμὸς ἀγήνωρ.
415 Ζεὺς δ' ἄμυδις βρόντησε καὶ ἔμβαλε νηῒ κεραυνόν·
ἡ δ' ἐλελίχθη πᾶσα Διὸς πληγεῖσα κεραυνῷ,
ἐν δὲ θεείου πλῆτο· πέσον δ' ἐκ νηὸς ἑταῖροι.
οἱ δὲ κορώνῃσιν ἴκελοι περὶ νῆα μέλαιναν
κύμασιν ἐμφορέοντο, θεὸς δ' ἀποαίνυτο νόστον.

420 αὐτὰρ ἐγὼ διὰ νηὸς ἐφοίτων, ὄφρ' ἀπὸ τοίχους
λῦσε κλύδων τρόπιος· τὴν δὲ ψιλὴν φέρε κῦμα.
ἐκ δέ οἱ ἱστὸν ἄραξε ποτὶ τρόπιν· αὐτὰρ ἐπ' αὐτῷ
ἐπίτονος βέβλητο, βοὸς ῥινοῖο τετευχώς.
τῷ ῥ' ἄμφω συνέεργον ὁμοῦ τρόπιν ἠδὲ καὶ ἱστόν,
425 ἑζόμενος δ' ἐπὶ τοῖς φερόμην ὀλοοῖσ' ἀνέμοισιν.

ἔνθ' ἤτοι ζέφυρος μὲν ἐπαύσατο λαίλαπι θύων,
ἦλθε δ' ἐπὶ νότος ὦκα, φέρων ἐμῷ ἄλγεα θυμῷ,
ὄφρ' ἔτι τὴν ὀλοὴν ἀναμετρήσαιμι Χάρυβδιν.
παννύχιος φερόμην, ἅμα δ' ἠελίῳ ἀνιόντι
430 ἦλθον ἐπὶ Σκύλλης σκόπελον δεινήν τε Χάρυβδιν.
ἡ μὲν ἀνερρύβδησε θαλάσσης ἁλμυρὸν ὕδωρ·
αὐτὰρ ἐγὼ ποτὶ μακρὸν ἐρινεὸν ὑψόσ' ἀερθείς,
τῷ προσφὺς ἐχόμην ὡς νυκτερίς· οὐδέ πῃ εἶχον
οὔτε στηρίξαι ποσὶν ἔμπεδον οὔτ' ἐπιβῆναι·

e noi, presto imbarcatici, spingemmo la nave nel vasto mare,
drizzato l'albero e issate le bianche vele.

Quando lasciammo quell'isola, e ormai non si vedeva
altra terra, ma il cielo e il mare soltanto,
405 ecco il Cronide rizzò sulla nave ben cava
una nuvola scura: di sotto il mare incupì.
Non corse ancora per molto: d'un tratto arrivò
urlante lo zefiro, impazzando con grande tempesta,
e la furia del vento spezzò entrambi gli stralli
410 dell'albero. L'albero cadde all'indietro, rovesciando tutte
le sartie e le vele nella sentina; sulla nave a poppa
percosse in testa il pilota e d'un colpo gli ruppe
tutte le ossa del cranio: simile a un tuffatore
egli cadde dal ponte, l'animo altero lasciò le sue ossa.
415 Zeus a un tempo tuonò e scagliò sulla nave un fulmine:
colpita dal fulmine di Zeus, essa ruotò interamente
e s'empì di vapori sulfurei. I compagni caddero in acqua.
Ed essi, come corvi di mare, intorno alla nera nave,
erano portati dai flutti: il dio gli tolse il ritorno.
420 Io m'aggiravo dentro la nave: ed ecco un maroso
dalla chiglia staccò le murate. Nuda la portavano i flutti.
Poi sbatté l'albero contro la chiglia: era gettato
su di esso uno strallo fatto di pelle di bue.
Legai con esso ambedue, la chiglia con l'albero,
425 e seduto su di essi ero spinto dai venti funesti.

Quando lo zefiro smise d'impazzare a tempesta,
venne rapido il noto a portare nel mio animo l'ansia
di dover traversare di nuovo la funesta Cariddi.
Fui sospinto per tutta la notte: il sole sorgeva
430 quando giunsi allo scoglio di Scilla e all'orrenda Cariddi.
Costei risucchiò l'acqua salsa del mare:
ma io, sollevatomi in alto al gran fico,
ad esso aggrappato, mi ressi come una nottola. Non avevo
dove puntare i piedi saldamente o salire:

435 ῥίζαι γὰρ ἑκὰς εἶχον, ἀπήωροι δ' ἔσαν ὄζοι,
μακροί τε μεγάλοι τε, κατεσκίαον δὲ Χάρυβδιν.
νωλεμέως δ' ἐχόμην, ὄφρ' ἐξεμέσειεν ὀπίσσω
ἱστὸν καὶ τρόπιν αὖτις· ἐελδομένῳ δέ μοι ἦλθον,
ὄψ'· ἦμος δ' ἐπὶ δόρπον ἀνὴρ ἀγορῆθεν ἀνέστη
440 κρίνων νείκεα πολλὰ δικαζομένων αἰζηῶν,
τῆμος δὴ τά γε δοῦρα Χαρύβδιος ἐξεφαάνθη.
ἧκα δ' ἐγὼ καθύπερθε πόδας καὶ χεῖρε φέρεσθαι,
μέσσῳ δ' ἐνδούπησα παρὲξ περιμήκεα δοῦρα,
ἑζόμενος δ' ἐπὶ τοῖσι διήρεσα χερσὶν ἐμῇσι.
445 Σκύλλην δ' οὐκέτ' ἔασε πατὴρ ἀνδρῶν τε θεῶν τε
εἰσιδέειν· οὐ γάρ κεν ὑπέκφυγον αἰπὺν ὄλεθρον.
ἔνθεν δ' ἐννῆμαρ φερόμην, δεκάτῃ δέ με νυκτὶ
νῆσον ἐς Ὠγυγίην πέλασαν θεοί, ἔνθα Καλυψὼ
ναίει ἐϋπλόκαμος, δεινὴ θεὸς αὐδήεσσα,
450 ἥ μ' ἐφίλει τ' ἐκόμει τε. τί τοι τάδε μυθολογεύω;
ἤδη γάρ τοι χθιζὸς ἐμυθεόμην ἐνὶ οἴκῳ
σοί τε καὶ ἰφθίμῃ ἀλόχῳ· ἐχθρὸν δέ μοί ἐστιν
αὖτις ἀριζήλως εἰρημένα μυθολογεύειν ».

435 stavano le radici lontano, ed erano in alto i rami
lunghi e grandi, e coprivano d'ombra Cariddi.
Mi ressi senza mollare, finché vomitò
nuovamente albero e chiglia. Li aspettavo, e arrivarono
alfine: allorché dalla piazza va a cena un uomo
440 che dirime le molteplici dispute d'uomini in lite,
a quell'ora spuntarono da Cariddi quei legni.
Lasciai mani e piedi dall'alto, con un tonfo
in acqua piombai accanto ai lunghissimi legni,
e su di essi sedendomi mi misi con le mani a remare.
445 Il padre di uomini e dei non lasciò che Scilla
vedesse: non sarei altrimenti sfuggito alla ripida morte.
Per nove giorni fui trascinato: alla decima notte
gli dei mi gettarono sull'isola Ogigia, dove abita
Calipso dai riccioli belli, dea tremenda con voce umana,
450 che m'accolse e nutrì. Ma perché lo racconto?
Te l'ho detto in casa già ieri,
a te e alla nobile sposa: m'è odioso
narrare di nuovo cose dette diffusamente ».

N

Ὣς ἔφαθ', οἱ δ' ἄρα πάντες ἀκὴν ἐγένοντο σιωπῇ,
κηληθμῷ δ' ἔσχοντο κατὰ μέγαρα σκιόεντα.
τὸν δ' αὖτ' Ἀλκίνοος ἀπαμείβετο φώνησέν τε·
« ὦ Ὀδυσεῦ, ἐπεὶ ἵκευ ἐμὸν ποτὶ χαλκοβατὲς δῶ,
5 ὑψερεφές, τῶ σ' οὔ τι παλιμπλαγχθέντα γ' ὀΐω
ἂψ ἀπονοστήσειν, εἰ καὶ μάλα πολλὰ πέπονθας.
ὑμέων δ' ἀνδρὶ ἑκάστῳ ἐφιέμενος τάδε εἴρω,
ὅσσοι ἐνὶ μεγάροισι γερούσιον αἴθοπα οἶνον
αἰεὶ πίνετ' ἐμοῖσιν, ἀκουάζεσθε δ' ἀοιδοῦ·
10 εἵματα μὲν δὴ ξείνῳ ἐϋξέστῃ ἐνὶ χηλῷ
κεῖται καὶ χρυσὸς πολυδαίδαλος ἄλλα τε πάντα
δῶρ', ὅσα Φαιήκων βουληφόροι ἐνθάδ' ἔνεικαν·
ἀλλ' ἄγε οἱ δῶμεν τρίποδα μέγαν ἠδὲ λέβητα
ἀνδρακάς, ἡμεῖς δ' αὖτε ἀγειρόμενοι κατὰ δῆμον
15 τισόμεθ'· ἀργαλέον γὰρ ἕνα προικὸς χαρίσασθαι ».
ὣς ἔφατ' Ἀλκίνοος, τοῖσιν δ' ἐπιήνδανε μῦθος.
οἱ μὲν κακκείοντες ἔβαν οἶκόνδε ἕκαστος·
ἦμος δ' ἠριγένεια φάνη ῥοδοδάκτυλος Ἠώς,
νῆάδ' ἐπεσσεύοντο, φέρον δ' εὐήνορα χαλκόν.
20 καὶ τὰ μὲν εὖ κατέθηχ' ἱερὸν μένος Ἀλκινόοιο,
αὐτὸς ἰὼν διὰ νηός, ὑπὸ ζυγά, μή τιν' ἑταίρων
βλάπτοι ἐλαυνόντων, ὁπότε σπερχοίατ' ἐρετμοῖς·
οἱ δ' εἰς Ἀλκινόοιο κίον καὶ δαῖτ' ἀλέγυνον.
τοῖσι δὲ βοῦν ἱέρευσ' ἱερὸν μένος Ἀλκινόοιο
25 Ζηνὶ κελαινεφέϊ Κρονίδῃ, ὃς πᾶσιν ἀνάσσει.
μῆρα δὲ κήαντες δαίνυντ' ἐρικυδέα δαῖτα

LIBRO TREDICESIMO

Disse così e immobili erano tutti, in silenzio:
erano presi d'incanto nella sala ombrosa.
Allora Alcinoo rispose e gli disse:
« Odisseo, sei giunto nella mia casa dalla soglia di bronzo,
5 dall'alto soffitto, e perciò penso che senza più errare
tu tornerai, anche se hai molto sofferto.
Raccomando e dico a ciascuno di voi
che sempre bevete in casa mia vino scuro,
il vino destinato agli Anziani, e ascoltate l'aedo:
10 sono dentro la cassa levigata le vesti
per l'ospite e l'oro lavorato con arte e gli altri
regali che portarono qui i Consiglieri feaci.
Diamogli ora ciascuno un tripode grande
e un lebete: e noi dopo ci rifaremo raccogliendo
15 tra il popolo, perché è gravoso per uno donare senza ricambio ».
Così Alcinoo disse e ad essi il discorso piacque.
Andarono ciascuno a casa, a dormire,
e quando mattutina apparve Aurora dalle rosee dita,
mossero verso la nave, portando valido bronzo.
20 Collocò questi doni con cura il sacro vigore di Alcinoo,
sotto i banchi, per la nave muovendosi, che non impicciassero
qualcuno dei vogatori quando con forza remavano.
Poi si recarono in casa di Alcinoo e attesero al pasto.
Per costoro sacrificò un bue il sacro vigore di Alcinoo,
25 a Zeus Cronide dalle nuvole cupe, che di tutti è signore.
Arrostiti i cosci, consumarono lo splendido pasto

τερπόμενοι· μετὰ δέ σφιν ἐμέλπετο θεῖος ἀοιδός,
Δημόδοκος, λαοῖσι τετιμένος. αὐτὰρ Ὀδυσσεὺς
πολλὰ πρὸς ἠέλιον κεφαλὴν τρέπε παμφανόωντα,
30 δῦναι ἐπειγόμενος· δὴ γὰρ μενέαινε νέεσθαι.
ὡς δ' ὅτ' ἀνὴρ δόρποιο λιλαίεται, ᾧ τε πανῆμαρ
νειὸν ἀν' ἕλκητον βόε οἴνοπε πηκτὸν ἄροτρον –
ἀσπασίως δ' ἄρα τῷ κατέδυ φάος ἠελίοιο
δόρπον ἐποίχεσθαι, βλάβεται δέ τε γούνατ' ἰόντι –
35 ὣς Ὀδυσῆ' ἀσπαστὸν ἔδυ φάος ἠελίοιο.
αἶψα δὲ Φαιήκεσσι φιληρέτμοισι μετηύδα,
Ἀλκινόῳ δὲ μάλιστα πιφαυσκόμενος φάτο μῦθον·
« Ἀλκίνοε κρεῖον, πάντων ἀριδείκετε λαῶν,
πέμπετέ με σπείσαντες ἀπήμονα, χαίρετε δ' αὐτοί.
40 ἤδη γὰρ τετέλεσται ἅ μοι φίλος ἤθελε θυμός,
πομπὴ καὶ φίλα δῶρα, τά μοι θεοὶ Οὐρανίωνες
ὄλβια ποιήσειαν· ἀμύμονα δ' οἴκοι ἄκοιτιν
νοστήσας εὕροιμι σὺν ἀρτεμέεσσι φίλοισιν.
ὑμεῖς δ' αὖθι μένοντες ἐϋφραίνοιτε γυναῖκας
45 κουριδίας καὶ τέκνα· θεοὶ δ' ἀρετὴν ὀπάσειαν
παντοίην, καὶ μή τι κακὸν μεταδήμιον εἴη ».
ὣς ἔφαθ', οἱ δ' ἄρα πάντες ἐπῄνεον ἠδ' ἐκέλευον
πεμπέμεναι τὸν ξεῖνον, ἐπεὶ κατὰ μοῖραν ἔειπε.
καὶ τότε κήρυκα προσέφη μένος Ἀλκινόοιο·
50 « Ποντόνοε, κρητῆρα κερασσάμενος μέθυ νεῖμον
πᾶσιν ἀνὰ μέγαρον, ὄφρ' εὐξάμενοι Διὶ πατρὶ
τὸν ξεῖνον πέμπωμεν ἑὴν ἐς πατρίδα γαῖαν ».
ὣς φάτο, Ποντόνοος δὲ μελίφρονα οἶνον ἐκίρνα,
νώμησεν δ' ἄρα πᾶσιν ἐπισταδόν· οἱ δὲ θεοῖσιν
55 ἔσπεισαν μακάρεσσι, τοὶ οὐρανὸν εὐρὺν ἔχουσιν,
αὐτόθεν ἐξ ἑδρέων. ἀνὰ δ' ἵστατο δῖος Ὀδυσσεύς,
Ἀρήτῃ δ' ἐν χερσὶ τίθει δέπας ἀμφικύπελλον
καί μιν φωνήσας ἔπεα πτερόεντα προσηύδα·
« χαῖρέ μοι, ὦ βασίλεια, διαμπερές, εἰς ὅ κε γῆρας
60 ἔλθῃ καὶ θάνατος, τά τ' ἐπ' ἀνθρώποισι πέλονται.

lietamente: tra loro cantava l'aedo divino,
Demodoco, onorato dal popolo. Ma Odisseo
spesso volgeva il capo verso il sole radioso,
30 impaziente che tramontasse: era smanioso d'andarsene.
Come quando sospira la cena un uomo, a cui tutto il giorno
due buoi color vino tirino l'aratro compatto per il maggese:
con sua gioia tramonta la luce del sole, con la gioia
di andarsene a cena, e andando le ginocchia gli tremano;
35 così gradita calò per Odisseo la luce del sole.
Subito parlò ai Feaci che amano i remi,
e rivolto soprattutto ad Alcinoo disse:
« Potente Alcinoo, insigne tra tutti i popoli,
dopo che avrete libato, scortatemi illeso, e voi siate felici.
40 È stato già fatto per me quel che il mio cuore voleva,
la scorta e gli amichevoli doni: che gli dei Uranidi
me li rendano fausti! e tornato, possa a casa trovare
intatta la sposa insieme ai miei cari in salute.
E voi che restate, possiate allietare le spose
45 legittime e i figli: ogni bene gli dei
vi concedano e non vi siano sciagure tra il popolo ».
Disse così ed essi assentirono tutti e ordinarono
di dare una scorta all'ospite, ché aveva parlato giusto.
Disse allora all'araldo il vigore di Alcinoo:
50 « Pontonoo, mesci un cratere e a tutti nella sala
da' il vino perché, invocato il padre Zeus,
facciamo scortare l'ospite nella sua patria ».
Disse così e Pontonoo mischiava il dolce vino
e a tutti di seguito lo distribuiva: libarono essi
55 agli dei beati, che hanno il vasto cielo,
lì dagli scanni. In piedi s'alzò il chiaro Odisseo
e pose in mano ad Arete la coppa a due anse,
e parlando le rivolse alate parole:
« Stammi bene, o regina, sempre, finché la vecchiaia
60 non arrivi e la morte, che in mezzo agli uomini girano.

αὐτὰρ ἐγὼ νέομαι· σὺ δὲ τέρπεο τῷδ' ἐνὶ οἴκῳ
παισί τε καὶ λαοῖσι καὶ 'Αλκινόῳ βασιλῆϊ ».
ὣς εἰπὼν ὑπὲρ οὐδὸν ἐβήσετο δῖος 'Οδυσσεύς.
τῷ δ' ἅμα κήρυκα προΐει μένος 'Αλκινόοιο
65 ἡγεῖσθαι ἐπὶ νῆα θοὴν καὶ θῖνα θαλάσσης.
'Αρήτη δ' ἄρα οἱ δμῳὰς ἅμ' ἔπεμπε γυναῖκας,
τὴν μὲν φᾶρος ἔχουσαν ἐϋπλυνὲς ἠδὲ χιτῶνα,
τὴν δ' ἑτέρην χηλὸν πυκινὴν ἅμ' ὄπασσε κομίζειν·
ἡ δ' ἄλλη σῖτόν τ' ἔφερεν καὶ οἶνον ἐρυθρόν.
70 αὐτὰρ ἐπεί ῥ' ἐπὶ νῆα κατήλυθον ἠδὲ θάλασσαν,
αἶψα τά γ' ἐν νηῒ γλαφυρῇ πομπῆες ἀγαυοὶ
δεξάμενοι κατέθεντο, πόσιν καὶ βρῶσιν ἅπασαν·
κὰδ δ' ἄρ' 'Οδυσσῆϊ στόρεσαν ῥῆγός τε λίνον τε
νηὸς ἐπ' ἰκριόφι γλαφυρῆς, ἵνα νήγρετον εὕδοι,
75 πρυμνῆς· ἂν δὲ καὶ αὐτὸς ἐβήσετο καὶ κατέλεκτο
σιγῇ· τοὶ δὲ καθῖζον ἐπὶ κληῗσιν ἕκαστοι
κόσμῳ, πεῖσμα δ' ἔλυσαν ἀπὸ τρητοῖο λίθοιο.
εὖθ' οἱ ἀνακλινθέντες ἀνερρίπτουν ἅλα πηδῷ,
καὶ τῷ νήδυμος ὕπνος ἐπὶ βλεφάροισιν ἔπιπτε,
80 νήγρετος ἥδιστος, θανάτῳ ἄγχιστα ἐοικώς.
ἡ δ', ὥς τ' ἐν πεδίῳ τετράοροι ἄρσενες ἵπποι,
πάντες ἅμ' ὁρμηθέντες ὑπὸ πληγῇσιν ἱμάσθλης
ὑψόσ' ἀειρόμενοι ῥίμφα πρήσσουσι κέλευθον,
ὣς ἄρα τῆς πρύμνη μὲν ἀείρετο, κῦμα δ' ὄπισθεν
85 πορφύρεον μέγα θυῖε πολυφλοίσβοιο θαλάσσης.
ἡ δὲ μάλ' ἀσφαλέως θέεν ἔμπεδον· οὐδέ κεν ἴρηξ
κίρκος ὁμαρτήσειεν, ἐλαφρότατος πετεηνῶν·
ὣς ἡ ῥίμφα θέουσα θαλάσσης κύματ' ἔταμνεν,
ἄνδρα φέρουσα θεοῖς ἐναλίγκια μήδε' ἔχοντα,
90 ὃς πρὶν μὲν μάλα πολλὰ πάθ' ἄλγεα ὃν κατὰ θυμὸν
ἀνδρῶν τε πτολέμους ἀλεγεινά τε κύματα πείρων·
δὴ τότε γ' ἀτρέμας εὗδε, λελασμένος ὅσσ' ἐπεπόνθει.
εὖτ' ἀστὴρ ὑπερέσχε φαάντατος, ὅς τε μάλιστα
ἔρχεται ἀγγέλλων φάος 'Ηοῦς ἠριγενείης,

Io parto: e tu abbi gioia in questa casa
dai figli, dal popolo e dal re Alcinoo».
Detto così, varcò la soglia il chiaro Odisseo.
Con lui mandò l'araldo il vigore di Alcinoo,
65 per condurlo alla nave veloce e alla riva del mare.
E con lui Arete inviò le sue ancelle,
una con un lindo mantello e una tunica,
gli affiancò l'altra per portargli il solido scrigno;
una terza recava del cibo e rosso vino.
70 Appena scesi alla nave e al mare,
le nobili guide li presero e li disposero
nella nave ben cava, ogni bevanda e cibo:
una coperta e un telo di lino ad Odisseo stesero
sul ponte della nave ben cava, che dormisse senza destarsi,
75 a poppa; anche lui poi salì e si giacque
in silenzio. Sedettero essi ciascuno agli scalmi,
con ordine, e sciolsero dalla pietra forata la gomena.
E mentre curvi rivoltavano il mare col remo,
a lui cadeva sulle palpebre un sonno profondo,
80 continuo, dolcissimo, assai somigliante alla morte.
Come in pianura i quattro stalloni d'un carro,
tutti scattando insieme ai colpi di frusta,
alta levando la testa, velocemente compiono il viaggio,
così si levava la poppa: di dietro impazzava
85 l'onda schiumante del mare che molto rimugghia.
La nave correva sicura, costante: neanche un falco
sparviero, l'uccello più celere, l'avrebbe uguagliata.
Così veloce correndo, essa tagliava le onde del mare
portando l'uomo che aveva pensieri come gli dei,
90 colui che tanti dolori aveva sofferto nell'animo suo
traversando le guerre degli uomini e gli aspri marosi.
Ma allora dormiva sereno, immemore dei mali sofferti.
Quando sorse la stella lucente, che più di tutte
annunzia venendo la luce della mattutina Aurora,

95 τῆμος δὴ νήσῳ προσεπίλνατο ποντοπόρος νηῦς.
Φόρκυνος δέ τίς ἐστι λιμήν, ἁλίοιο γέροντος,
ἐν δήμῳ Ἰθάκης· δύο δὲ προβλῆτες ἐν αὐτῷ
ἀκταὶ ἀπορρῶγες, λιμένος πότι πεπτηυῖαι,
αἵ τ' ἀνέμων σκεπόωσι δυσαήων μέγα κῦμα
100 ἔκτοθεν· ἔντοσθεν δέ τ' ἄνευ δεσμοῖο μένουσι
νῆες ἐΰσσελμοι, ὅτ' ἂν ὅρμου μέτρον ἵκωνται.
αὐτὰρ ἐπὶ κρατὸς λιμένος τανύφυλλος ἐλαίη,
ἀγχόθι δ' αὐτῆς ἄντρον ἐπήρατον ἠεροειδές,
ἱρὸν Νυμφάων, αἳ Νηϊάδες καλέονται.
105 ἐν δὲ κρητῆρές τε καὶ ἀμφιφορῆες ἔασι
λάϊνοι· ἔνθα δ' ἔπειτα τιθαιβώσσουσι μέλισσαι.
ἐν δ' ἱστοὶ λίθεοι περιμήκεες, ἔνθα τε Νύμφαι
φάρε' ὑφαίνουσιν ἁλιπόρφυρα, θαῦμα ἰδέσθαι·
ἐν δ' ὕδατ' ἀενάοντα. δύω δέ τέ οἱ θύραι εἰσίν,
110 αἱ μὲν πρὸς βορέαο καταιβαταὶ ἀνθρώποισιν,
αἱ δ' αὖ πρὸς νότου εἰσὶ θεώτεραι· οὐδέ τι κείνῃ
ἄνδρες ἐσέρχονται, ἀλλ' ἀθανάτων ὁδός ἐστιν.
ἔνθ' οἵ γ' εἰσέλασαν, πρὶν εἰδότες. ἡ μὲν ἔπειτα
ἠπείρῳ ἐπέκελσεν ὅσον τ' ἐπὶ ἥμισυ πάσης,
115 σπερχομένη· τοῖον γὰρ ἐπείγετο χέρσ' ἐρετάων.
οἱ δ' ἐκ νηὸς βάντες ἐϋζύγου ἤπειρόνδε
πρῶτον Ὀδυσσῆα γλαφυρῆς ἐκ νηὸς ἄειραν
αὐτῷ σύν τε λίνῳ καὶ ῥήγεϊ σιγαλόεντι,
κὰδ δ' ἄρ' ἐπὶ ψαμάθῳ ἔθεσαν δεδμημένον ὕπνῳ,
120 ἐκ δὲ κτήματ' ἄειραν, ἅ οἱ Φαίηκες ἀγαυοὶ
ὤπασαν οἴκαδ' ἰόντι διὰ μεγάθυμον Ἀθήνην.
καὶ τὰ μὲν οὖν παρὰ πυθμέν' ἐλαίης ἀθρόα θῆκαν
ἐκτὸς ὁδοῦ, μή πώ τις ὁδιτάων ἀνθρώπων,
πρὶν Ὀδυσῆ' ἐγρέσθαι, ἐπελθὼν δηλήσαιτο·
125 αὐτοὶ δ' αὖτ' οἶκόνδε πάλιν κίον. οὐδ' ἐνοσίχθων
λήθετ' ἀπειλάων, τὰς ἀντιθέῳ Ὀδυσῆϊ
πρῶτον ἐπηπείλησε, Διὸς δ' ἐξείρετο βουλήν·
« Ζεῦ πάτερ, οὐκέτ' ἐγώ γε μετ' ἀθανάτοισι θεοῖσι

95 ecco appressarsi all'isola la nave marina.
C'è un porto di Forco, il vecchio del mare,
nella terra di Itaca, e sporgenti in esso
due coste scoscese, degradanti nel porto,
che arrestano il grande maroso di fuori sospinto
100 dai venti furiosi: dentro vi sostano, senza cima d'ormeggio,
le navi ben costruite, quando arrivano all'ancoraggio.
E sulla punta del porto è un ulivo con foglie sottili,
e accanto una grotta graziosa, buia,
sacra alle Ninfe che si chiamano Naiadi.
105 Dentro vi sono crateri e anfore
fatti di pietra: e vi stipano il miele le api.
Vi sono telai sublimi di roccia, dove le Ninfe
tessono drappi dai bagliori marini, una meraviglia a vederli;
e acque perenni vi sono. Due entrate ha la grotta,
110 una a borea è accessibile agli uomini,
l'altra a noto è serbata agli dei: da lì non entrano
uomini, ma è la via degli eterni.
Si spinsero dentro, conoscendo da prima la via. La nave
s'arenò sulla spiaggia per metà della chiglia,
115 con impeto: tanto era spinta dal braccio dei rematori.
Sbarcati dalla nave dai solidi banchi,
prima levarono Odisseo dalla nave ben cava
col telo di lino e con la coperta splendente,
e lo deposero sopra la sabbia, vinto dal sonno;
120 levarono poi le ricchezze che gli illustri Feaci gli diedero
quando partì, grazie alla magnanima Atena.
E ai piedi dell'ulivo le posero in mucchio,
via dalla strada: che nessun viandante,
giunto prima che Odisseo si fosse svegliato, le saccheggiasse.
125 Poi ripartirono alla volta di casa. Lo Scuotiterra
non obliò le minacce che prima aveva scagliato
su Odisseo pari a un dio, e scrutava l'intenzione di Zeus:
«Padre Zeus, non sarò tra gli dei immortali

τιμήεις ἔσομαι, ὅτε με βροτοὶ οὔ τι τίουσι,
130 Φαίηκες, τοί πέρ τε ἐμῆς ἔξ εἰσι γενέθλης.
καὶ γὰρ νῦν Ὀδυσῆ' ἐφάμην κακὰ πολλὰ παθόντα
οἴκαδ' ἐλεύσεσθαι· νόστον δέ οἱ οὔ ποτ' ἀπηύρων
πάγχυ, ἐπεὶ σὺ πρῶτον ὑπέσχεο καὶ κατένευσας·
οἱ δ' εὕδοντ' ἐν νηῒ θοῇ ἐπὶ πόντον ἄγοντες
135 κάτθεσαν εἰν Ἰθάκῃ, ἔδοσαν δέ οἱ ἄσπετα δῶρα,
χαλκόν τε χρυσόν τε ἅλις ἐσθῆτά θ' ὑφαντήν,
πόλλ', ὅσ' ἂν οὐδέ ποτε Τροίης ἐξήρατ' Ὀδυσσεύς,
εἴ περ ἀπήμων ἦλθε, λαχὼν ἀπὸ ληΐδος αἶσαν ».
τὸν δ' ἀπαμειβόμενος προσέφη νεφεληγερέτα Ζεύς·
140 « ὢ πόποι, ἐννοσίγαι' εὐρυσθενές, οἷον ἔειπες.
οὔ τί σ' ἀτιμάζουσι θεοί· χαλεπὸν δέ κεν εἴη
πρεσβύτατον καὶ ἄριστον ἀτιμίῃσιν ἰάλλειν.
ἀνδρῶν δ' εἴ πέρ τίς σε βίῃ καὶ κάρτεϊ εἴκων
οὔ τι τίει, σοὶ δ' ἔστι καὶ ἐξοπίσω τίσις αἰεί.
145 ἔρξον ὅπως ἐθέλεις καί τοι φίλον ἔπλετο θυμῷ ».
τὸν δ' ἠμείβετ' ἔπειτα Ποσειδάων ἐνοσίχθων·
« αἶψά κ' ἐγὼν ἔρξαιμι, κελαινεφές, ὡς ἀγορεύεις·
ἀλλὰ σὸν αἰεὶ θυμὸν ὀπίζομαι ἠδ' ἀλεείνω.
νῦν αὖ Φαιήκων ἐθέλω περικαλλέα νῆα
150 ἐκ πομπῆς ἀνιοῦσαν ἐν ἠεροειδέϊ πόντῳ
ῥαῖσαι, ἵν' ἤδη σχῶνται, ἀπολλήξωσι δὲ πομπῆς
ἀνθρώπων, μέγα δέ σφιν ὄρος πόλει ἀμφικαλύψαι ».
τὸν δ' ἀπαμειβόμενος προσέφη νεφεληγερέτα Ζεύς·
« ὢ πέπον, ὡς μὲν ἐμῷ θυμῷ δοκεῖ εἶναι ἄριστα·
155 ὁππότε κεν δὴ πάντες ἐλαυνομένην προΐδωνται
λαοὶ ἀπὸ πτόλιος, θεῖναι λίθον ἐγγύθι γαίης
νηῒ θοῇ ἴκελον, ἵνα θαυμάζωσιν ἅπαντες
ἄνθρωποι, μέγα δέ σφιν ὄρος πόλει ἀμφικαλύψαι ».
αὐτὰρ ἐπεὶ τό γ' ἄκουσε Ποσειδάων ἐνοσίχθων,
160 βῆ ῥ' ἴμεν ἐς Σχερίην, ὅθι Φαίηκες γεγάασιν.
ἔνθ' ἔμεν'· ἡ δὲ μάλα σχεδὸν ἤλυθε ποντοπόρος νηῦς
ῥίμφα διωκομένη. τῆς δὲ σχεδὸν ἦλθ' ἐνοσίχθων,

onorato, se non mi onorano più i mortali,
130 i Feaci, che pure sono della mia stirpe.
Pensavo che Odisseo, ora, sofferte molte sventure,
sarebbe tornato a casa: il ritorno non glielo negavo
affatto, dopoché glielo avevi promesso e accordato.
Ma costoro, guidandolo in mare assopito nella nave veloce,
135 lo sbarcarono ad Itaca, gli diedero doni infiniti,
bronzo e oro in gran copia e vesti intessute:
molti doni, quanti Odisseo non ne avrebbe portati da Troia,
se fosse arrivato indenne con la parte sua di bottino».
Rispondendo gli disse Zeus che addensa le nubi:
140 «Ah, Scuotiterra vastamente potente, che hai detto!
Gli dei non ti negano affatto l'onore: sarebbe difficile
trattare con spregio il più anziano e il migliore.
Se mai un uomo inferiore per la forza e il potere
non ti onora, sempre tu puoi vendicarti, anche dopo.
145 Fa' come vuoi e come è caro al tuo cuore».
Gli rispose allora Posidone che scuote la terra:
«Farei subito come tu dici, o Nuvola cupa,
ma ho sempre riguardo per la tua volontà e la evito.
Ma ora la bellissima nave dei Feaci, che torna
150 dal viaggio di scorta sul fosco mare, voglio
spezzarla, perché si fermino e smettano d'accompagnare
gli uomini, e voglio avvolgere la loro città d'un gran monte».
Rispondendo gli disse Zeus che addensa le nubi:
«O caro, al mio animo pare meglio così:
155 quando tutta la gente dalla città la vede
arrivare, mùtala vicino alla terra in un sasso
simile alla nave veloce, perché tutti stupiscano,
e avvolgi la loro città d'un gran monte».
Appena udì questo, Posidone che scuote la terra
160 s'avviò verso Scheria, dove sono i Feaci.
E lì attendeva: velocemente sospinta, la nave marina
arrivò vicinissima. Le fu accanto lo Scuotiterra,

ὅς μιν λᾶαν θῆκε καὶ ἐρρίζωσεν ἔνερθε
χειρὶ καταπρηνεῖ ἐλάσας· ὁ δὲ νόσφι βεβήκει.
165 οἱ δὲ πρὸς ἀλλήλους ἔπεα πτερόεντ' ἀγόρευον
Φαίηκες δολιχήρετμοι, ναυσίκλυτοι ἄνδρες.
ὧδε δέ τις εἴπεσκεν ἰδὼν ἐς πλησίον ἄλλον·
« ὤ μοι, τίς δὴ νῆα θοὴν ἐπέδησ' ἐνὶ πόντῳ
οἴκαδ' ἐλαυνομένην; καὶ δὴ προὐφαίνετο πᾶσα ».
170 ὣς ἄρα τις εἴπεσκε· τὰ δ' οὐκ ἴσαν ὡς ἐτέτυκτο.
τοῖσιν δ' Ἀλκίνοος ἀγορήσατο καὶ μετέειπεν·
« ὢ πόποι, ἦ μάλα δή με παλαίφατα θέσφαθ' ἱκάνει
πατρὸς ἐμοῦ, ὃς ἔφασκε Ποσειδάων' ἀγάσασθαι
ἡμῖν, οὕνεκα πομποὶ ἀπήμονές εἰμεν ἁπάντων.
175 φῆ ποτε Φαιήκων ἀνδρῶν περικαλλέα νῆα
ἐκ πομπῆς ἀνιοῦσαν ἐν ἠεροειδέϊ πόντῳ
ῥαισέμεναι, μέγα δ' ἧμιν ὄρος πόλει ἀμφικαλύψειν.
ὣς ἀγόρευ' ὁ γέρων· τὰ δὲ δὴ νῦν πάντα τελεῖται.
ἀλλ' ἄγεθ', ὡς ἂν ἐγὼ εἴπω, πειθώμεθα πάντες·
180 πομπῆς μὲν παύσασθε βροτῶν, ὅτε κέν τις ἵκηται
ἡμέτερον προτὶ ἄστυ· Ποσειδάωνι δὲ ταύρους
δώδεκα κεκριμένους ἱερεύσομεν, αἴ κ' ἐλεήσῃ
μηδ' ἧμιν περίμηκες ὄρος πόλει ἀμφικαλύψῃ ».
ὣς ἔφαθ', οἱ δ' ἔδδεισαν, ἑτοιμάσσαντο δὲ ταύρους.
185 ὣς οἱ μέν ῥ' εὔχοντο Ποσειδάωνι ἄνακτι
δήμου Φαιήκων ἡγήτορες ἠδὲ μέδοντες,
ἑσταότες περὶ βωμόν. ὁ δ' ἔγρετο δῖος Ὀδυσσεὺς
εὕδων ἐν γαίῃ πατρωΐῃ, οὐδέ μιν ἔγνω,
ἤδη δὴν ἀπεών· περὶ γὰρ θεὸς ἠέρα χεῦε
190 Παλλὰς Ἀθηναίη, κούρη Διός, ὄφρα μιν αὐτὸν
ἄγνωστον τεύξειεν ἕκαστά τε μυθήσαιτο,
μή μιν πρὶν ἄλοχος γνοίη ἀστοί τε φίλοι τε,
πρὶν πᾶσαν μνηστῆρας ὑπερβασίην ἀποτῖσαι.
τοὔνεκ' ἄρ' ἀλλοειδέ' ἐφαίνετο πάντα ἄνακτι,
195 ἀτραπιτοί τε διηνεκέες λιμένες τε πάνορμοι
πέτραι τ' ἠλίβατοι καὶ δένδρεα τηλεθάοντα.

che la fece di sasso e al fondale la radicò,
col palmo della mano premendola: e già era lontano.
165 Parole alate dicevano essi l'un l'altro,
i Feaci dai lunghi remi, navigatori famosi.
E qualcuno diceva guardando l'altro accanto così:
« Ahimè, chi incatenò nel mare la nave veloce
sospinta verso casa dai remi? Essa si vedeva già tutta! ».
170 Qualcuno diceva così, ma ignorava come era avvenuto.
E Alcinoo tra essi prese la parola e parlò:
« Ahimè, una profezia molto antica mi coglie,
di mio padre, il quale diceva che Posidone era irato
con noi, perché senza danno siamo guide di tutti.
175 Diceva che un giorno avrebbe spezzato una bellissima nave
ai Feaci, mentre sul mare fosco da un viaggio di scorta
tornava, e avrebbe avvolto la nostra città d'un gran monte.
Così il vecchio diceva: e ora tutto si compie.
Suvvia, facciamo tutti nel modo che io dico:
180 smettete di scortare mortali, quando uno arriva
nella nostra città; a Posidone immoliamo
dodici tori scelti, se mai avesse pietà di noi
e non avvolgesse la città d'un gran monte ».
Disse così, essi temettero e prepararono i tori.
185 E così supplicavano Posidone signore
i capi e i consiglieri della gente feace,
stando intorno all'altare. Si destò il chiaro Odisseo,
che dormiva nella terra dei padri, e non riconobbe la patria,
da cui era assente da tempo: d'una nebbia lo avvolse la dea
190 Pallade Atena, la figlia di Zeus, per farlo
irriconoscibile e raccontargli ogni cosa,
che la moglie e i suoi compatrioti non sapessero chi era,
prima che egli punisse i pretendenti d'ogni loro violenza.
Perciò tutto pareva estraneo al sovrano,
195 gli ininterrotti sentieri e i porti con ogni approdo,
le impervie rupi e gli alberi lussureggianti.

στῆ δ' ἄρ' ἀναΐξας καί ῥ' εἴσιδε πατρίδα γαῖαν,
ᾤμωξέν τ' ἄρ' ἔπειτα καὶ ὣ πεπλήγετο μηρὼ
χερσὶ καταπρηνέσσ', ὀλοφυρόμενος δ' ἔπος ηὔδα·
200 « ὤ μοι ἐγώ, τέων αὖτε βροτῶν ἐς γαῖαν ἱκάνω;
ἦ ῥ' οἵ γ' ὑβρισταί τε καὶ ἄγριοι οὐδὲ δίκαιοι,
ἦε φιλόξεινοι καί σφιν νόος ἐστὶ θεουδής;
πῆ δὴ χρήματα πολλὰ φέρω τάδε; πῆ δὲ καὶ αὐτὸς
πλάζομαι; αἴθ' ὄφελον μεῖναι παρὰ Φαιήκεσσιν
205 αὐτοῦ· ἐγὼ δέ κεν ἄλλον ὑπερμενέων βασιλήων
ἐξικόμην, ὅς κέν μ' ἐφίλει καὶ ἔπεμπε νέεσθαι.
νῦν δ' οὔτ' ἄρ πη θέσθαι ἐπίσταμαι, οὐδὲ μὲν αὐτοῦ
καλλείψω, μή πώς μοι ἕλωρ ἄλλοισι γένηται.
ὢ πόποι, οὐκ ἄρα πάντα νοήμονες οὐδὲ δίκαιοι
210 ἦσαν Φαιήκων ἡγήτορες ἠδὲ μέδοντες,
οἵ μ' εἰς ἄλλην γαῖαν ἀπήγαγον· ἦ τέ μ' ἔφαντο
ἄξειν εἰς Ἰθάκην εὐδείελον, οὐδ' ἐτέλεσσαν.
Ζεύς σφεας τίσαιτο ἱκετήσιος, ὅς τε καὶ ἄλλους
ἀνθρώπους ἐφορᾷ καὶ τίνυται, ὅς τις ἁμάρτῃ.
215 ἀλλ' ἄγε δὴ τὰ χρήματ' ἀριθμήσω καὶ ἴδωμαι,
μή τί μοι οἴχονται κοίλης ἐπὶ νηὸς ἄγοντες ».
ὣς εἰπὼν τρίποδας περικαλλέας ἠδὲ λέβητας
ἠρίθμει καὶ χρυσὸν ὑφαντά τε εἵματα καλά.
τῶν μὲν ἄρ' οὔ τι πόθει· ὁ δ' ὀδύρετο πατρίδα γαῖαν
220 ἑρπύζων παρὰ θῖνα πολυφλοίσβοιο θαλάσσης,
πόλλ' ὀλοφυρόμενος. σχεδόθεν δέ οἱ ἦλθεν Ἀθήνη,
ἀνδρὶ δέμας εἰκυῖα νέῳ, ἐπιβώτορι μήλων,
παναπάλῳ, οἷοί τε ἀνάκτων παῖδες ἔασι,
δίπτυχον ἀμφ' ὤμοισιν ἔχουσ' εὐεργέα λώπην·
225 ποσσὶ δ' ὑπὸ λιπαροῖσι πέδιλ' ἔχε, χερσὶ δ' ἄκοντα.
τὴν δ' Ὀδυσεὺς γήθησεν ἰδὼν καὶ ἐναντίος ἦλθε
καί μιν φωνήσας ἔπεα πτερόεντα προσηύδα·
« ὦ φίλ', ἐπεί σε πρῶτα κιχάνω τῷδ' ἐνὶ χώρῳ,
χαῖρέ τε καὶ μή μοί τι κακῷ νόῳ ἀντιβολήσαις,
230 ἀλλὰ σάω μὲν ταῦτα, σάω δ' ἐμέ· σοὶ γὰρ ἐγώ γε

Si alzò in piedi e guardò la terra dei padri:
poi gemette e con le mani aperte batté
le sue cosce e piangendo esclamò:
200 «Povero me! nella terra di quali mortali mi trovo?
Forse prepotenti e selvaggi e non giusti,
oppure ospitali e che temono nella mente gli dei?
Tante ricchezze dove posso portarle? dove io stesso
ora vago? oh se fossero rimaste laggiù
205 dai Feaci! da un altro re potente
sarei andato, che mi avrebbe ospitato e scortato in viaggio.
Ora non so dove metterle, e qui non posso
lasciarle, che non mi diventino preda di altri.
Ahimè, non erano saggi e giusti
210 del tutto i capi e i consiglieri feaci
che mi portarono in una terra diversa: promettevano
di guidarmi ad Itaca chiara nel sole, ma non l'hanno fatto.
Che li ripaghi Zeus protettore dei supplici, che guarda
anche gli altri uomini e castiga chi sbaglia.
215 Ma voglio contare le ricchezze e vedere
se non sono partiti portandosele nella nave incavata».
Disse così e si mise a contare i bellissimi tripodi
e i lebeti e l'oro e le belle vesti intessute.
E di essi niente mancava: ma rimpiangeva la patria,
220 arrancando sulla riva del mare che molto rimugghia,
tra molti lamenti. Accanto a lui venne Atena,
nell'aspetto somigliante ad un giovane, a un pastore di greggi
delicatissimo, come sogliono i figli dei principi,
con intorno alle spalle un doppio mantello ben lavorato:
225 aveva sandali ai morbidi piedi ed in mano una picca.
Vedendola Odisseo gioì e le andò incontro
e parlando le rivolse alate parole:
«O caro, poiché ti incontro per primo in questo paese,
salute! e non accostarti a me con animo ostile,
230 ma salva queste ricchezze e salva anche me: come un dio

εὔχομαι ὥς τε θεῷ καί σευ φίλα γούναθ' ἱκάνω.
καί μοι τοῦτ' ἀγόρευσον ἐτήτυμον, ὄφρ' ἐῢ εἰδῶ·
τίς γῆ, τίς δῆμος, τίνες ἀνέρες ἐγγεγάασιν;
ἦ πού τις νήσων εὐδείελος, ἦέ τις ἀκτὴ
235 κεῖθ' ἁλὶ κεκλιμένη ἐριβώλακος ἠπείροιο; ».
τὸν δ' αὖτε προσέειπε θεὰ γλαυκῶπις Ἀθήνη·
« νήπιός εἰς, ὦ ξεῖν', ἢ τηλόθεν εἰλήλουθας,
εἰ δὴ τήνδε τε γαῖαν ἀνείρεαι. οὐδέ τι λίην
οὕτω νώνυμός ἐστιν· ἴσασι δέ μιν μάλα πολλοί,
240 ἠμὲν ὅσοι ναίουσι πρὸς ἠῶ τ' ἠέλιόν τε,
ἠδ' ὅσσοι μετόπισθε ποτὶ ζόφον ἠερόεντα.
ἦ τοι μὲν τρηχεῖα καὶ οὐχ ἱππήλατός ἐστιν
οὐδὲ λίην λυπρή, ἀτὰρ οὐδ' εὐρεῖα τέτυκται.
ἐν μὲν γάρ οἱ σῖτος ἀθέσφατος, ἐν δέ τε οἶνος
245 γίνεται· αἰεὶ δ' ὄμβρος ἔχει τεθαλυῖά τ' ἐέρση.
αἰγίβοτος δ' ἀγαθὴ καὶ βούβοτος· ἔστι μὲν ὕλη
παντοίη, ἐν δ' ἀρδμοὶ ἐπηετανοὶ παρέασι.
τῶ τοι, ξεῖν', Ἰθάκης γε καὶ ἐς Τροίην ὄνομ' ἵκει,
τήν περ τηλοῦ φασὶν Ἀχαιΐδος ἔμμεναι αἴης ».
250 ὣς φάτο, γήθησεν δὲ πολύτλας δῖος Ὀδυσσεὺς
χαίρων ᾗ γαίῃ πατρωΐῃ, ὥς οἱ ἔειπε
Παλλὰς Ἀθηναίη, κούρη Διὸς αἰγιόχοιο·
καί μιν φωνήσας ἔπεα πτερόεντα προσηύδα·
οὐδ' ὅ γ' ἀληθέα εἶπε, πάλιν δ' ὅ γε λάζετο μῦθον,
255 αἰεὶ ἐνὶ στήθεσσι νόον πολυκερδέα νωμῶν·
« πυνθανόμην Ἰθάκης γε καὶ ἐν Κρήτῃ εὐρείῃ,
τηλοῦ ὑπὲρ πόντου· νῦν δ' εἰλήλουθα καὶ αὐτὸς
χρήμασι σὺν τοίσδεσσι· λιπὼν δ' ἔτι παισὶ τοσαῦτα
φεύγω, ἐπεὶ φίλον υἷα κατέκτανον Ἰδομενῆος,
260 Ὀρσίλοχον πόδας ὠκύν, ὃς ἐν Κρήτῃ εὐρείῃ
ἀνέρας ἀλφηστὰς νίκα ταχέεσσι πόδεσσιν,
οὕνεκά με στερέσαι τῆς ληΐδος ἤθελε πάσης
Τρωϊάδος, τῆς εἵνεκ' ἐγὼ πάθον ἄλγεα θυμῷ,
ἀνδρῶν τε πτολέμους ἀλεγεινά τε κύματα πείρων,

io ti supplico e vengo ai tuoi cari ginocchi.
E dimmi sinceramente anche questo, che io sappia bene:
che terra è, che contrada, che uomini l'abitano?
È forse un'isola chiara nel sole? o una penisola
235 del continente dalle fertili zolle reclinata nel mare? ».
Gli rispose allora la dea glaucopide Atena:
« Sei sciocco o vieni da molto lontano, o straniero
che di questa terra domandi. Non è poi
così ignota: la conoscono tantissimi uomini,
240 sia quanti abitano verso l'aurora e il sole,
sia quanti abitano dietro, verso il fosco crepuscolo.
È aspra e impervia per i cavalli,
non è troppo magra né vasta.
Vi è grano da non dirsi in essa,
245 e vino, e sempre v'è pioggia e fitta rugiada.
È buona pastura di capre e di buoi e vi è un bosco
con ogni albero e sempre v'è acqua negli abbeveratoi.
Perciò il nome di Itaca è giunto, o straniero, anche a Troia
che pure dicono sia lontana dalla terra achea ».
250 Disse così, si rallegrò il paziente chiaro Odisseo
gioendo per la sua patria, da come gli disse
Pallade Atena, la figlia di Zeus egìoco.
E parlando le rivolse alate parole –
ma non disse la verità, si trattenne dal dirla;
255 sempre agitava nel petto un animo pieno d'astuzie:
« Anche nell'ampia Creta, lontano oltremare,
sentivo di Itaca: proprio ora io sono arrivato
con queste ricchezze. Ai figli ne ho lasciate altrettante
e fuggo in esilio, poiché uccisi il figlio di Idomeneo,
260 il celere Orsiloco, il quale nell'ampia Creta
vinceva coi piedi veloci gli uomini che mangiano pane.
L'uccisi perché mi voleva privare di tutto il bottino
troiano, per cui ho sofferto dolori nell'animo,
traversando le guerre degli uomini e gli aspri marosi,

265 οὕνεκ' ἄρ' οὐχ ᾧ πατρὶ χαριζόμενος θεράπευον
δήμῳ ἔνι Τρώων, ἀλλ' ἄλλων ἦρχον ἑταίρων.
τὸν μὲν ἐγὼ κατιόντα βάλον χαλκήρεϊ δουρὶ
ἀγρόθεν, ἐγγὺς ὁδοῖο λοχησάμενος σὺν ἑταίρῳ·
νὺξ δὲ μάλα δνοφερὴ κάτεχ' οὐρανόν, οὐδέ τις ἡμέας
270 ἀνθρώπων ἐνόησε, λάθον δέ ἑ θυμὸν ἀπούρας.
αὐτὰρ ἐπεὶ δὴ τόν γε κατέκτανον ὀξέϊ χαλκῷ,
αὐτίκ' ἐγὼν ἐπὶ νῆα κιὼν Φοίνικας ἀγαυοὺς
ἐλλισάμην καί σφιν μενοεικέα ληΐδα δῶκα·
τούς μ' ἐκέλευσα Πύλονδε καταστῆσαι καὶ ἐφέσσαι
275 ἢ εἰς Ἤλιδα δῖαν, ὅθι κρατέουσιν Ἐπειοί.
ἀλλ' ἦ τοί σφεας κεῖθεν ἀπώσατο ἲς ἀνέμοιο
πόλλ' ἀεκαζομένους, οὐδ' ἤθελον ἐξαπατῆσαι.
κεῖθεν δὲ πλαγχθέντες ἱκάνομεν ἐνθάδε νυκτός.
σπουδῇ δ' ἐς λιμένα προερέσσαμεν, οὐδέ τις ἡμῖν
280 δόρπου μνῆστις ἔην, μάλα περ χατέουσιν ἑλέσθαι,
ἀλλ' αὔτως ἀποβάντες ἐκείμεθα νηὸς ἅπαντες.
ἔνθ' ἐμὲ μὲν γλυκὺς ὕπνος ἐπέλλαβε κεκμηῶτα,
οἱ δὲ χρήματ' ἐμὰ γλαφυρῆς ἐκ νηὸς ἑλόντες
κάτθεσαν, ἔνθα περ αὐτὸς ἐπὶ ψαμάθοισιν ἐκείμην.
285 οἱ δ' ἐς Σιδονίην εὖ ναιομένην ἀναβάντες
ᾤχοντ'· αὐτὰρ ἐγὼ λιπόμην ἀκαχήμενος ἦτορ ».
ὣς φάτο, μείδησεν δὲ θεὰ γλαυκῶπις Ἀθήνη,
χειρί τέ μιν κατέρεξε· δέμας δ' ἤϊκτο γυναικὶ
καλῇ τε μεγάλῃ τε καὶ ἀγλαὰ ἔργα ἰδυίῃ·
290 καί μιν φωνήσασ' ἔπεα πτερόεντα προσηύδα·
« κερδαλέος κ' εἴη καὶ ἐπίκλοπος, ὅς σε παρέλθοι
ἐν πάντεσσι δόλοισι, καὶ εἰ θεὸς ἀντιάσειε.
σχέτλιε, ποικιλομῆτα, δόλων ἆτ', οὐκ ἄρ' ἔμελλες,
οὐδ' ἐν σῇ περ ἐὼν γαίῃ, λήξειν ἀπατάων
295 μύθων τε κλοπίων, οἵ τοι πεδόθεν φίλοι εἰσίν.
ἀλλ' ἄγε μηκέτι ταῦτα λεγώμεθα, εἰδότες ἄμφω
κέρδε', ἐπεὶ σὺ μέν ἐσσι βροτῶν ὄχ' ἄριστος ἁπάντων
βουλῇ καὶ μύθοισιν, ἐγὼ δ' ἐν πᾶσι θεοῖσι

265 dicendo che non avevo ossequiato e servito suo padre
nella terra di Troia, ma comandato ad altri compagni.
Lo colpii con l'asta di bronzo, che tornava
dai campi, appostandomi con un compagno vicino alla via:
copriva il cielo una notte tenebrosissima, e nessuno
270 ci scorse, non si seppe che gli tolsi la vita.
Dopo che uccisi costui con l'aguzzo bronzo,
subito, cercata una nave, implorai degli illustri Fenici
e gli diedi una lauta mercede:
gli dissi di prendermi a bordo e portarmi a Pilo
275 o nell'Elide chiara, dove hanno potere gli Epei.
Ma la furia del vento li respinse da lì,
contro il loro volere: non volevano illudermi.
Da lì dirottati, arrivammo qui durante la notte.
A forza di remi entrammo nel porto, senza neppure
280 pensare al pasto, benché bisognosi di prenderlo,
ma tutti, sbarcati, ci sdraiammo così.
E un dolce sonno mi prese, che ero sfinito,
ma essi, levate le mie ricchezze dalla nave ben cava,
le deposero lì dove anch'io sulla sabbia giacevo.
285 Imbarcatisi, partirono verso Sidone
ben costruita, ed io restai col cuore angosciato».

Disse così, la dea glaucopide Atena sorrise,
lo accarezzò con la mano: d'aspetto somigliava a una donna
bella e alta ed esperta di splendide opere;
290 e parlando gli disse alate parole:

«Dovrebbe essere accorto e abile chi volesse vincerti
in tutte le astuzie, ti stesse davanti anche un dio.
Ostinato, scaltro, mai sazio di inganni, non dovevi
neppure nella tua terra lasciar stare le trappole
295 e i racconti bugiardi, che tu ami tanto.
Ma non diciamone più, perché entrambi conosciamo
le astuzie. Tu superi tutti i mortali
per consiglio e parola, io tra tutti gli dei

μήτι τε κλέομαι καὶ κέρδεσιν· οὐδὲ σύ γ' ἔγνως
300 Παλλάδ' Ἀθηναίην, κούρην Διός, ἥ τέ τοι αἰεὶ
ἐν πάντεσσι πόνοισι παρίσταμαι ἠδὲ φυλάσσω,
καὶ δέ σε Φαιήκεσσι φίλον πάντεσσιν ἔθηκα.
νῦν αὖ δεῦρ' ἱκόμην, ἵνα τοι σὺν μῆτιν ὑφήνω
χρήματά τε κρύψω, ὅσα τοι Φαίηκες ἀγαυοὶ
305 ὤπασαν οἴκαδ' ἰόντι ἐμῇ βουλῇ τε νόῳ τε,
εἴπω θ' ὅσσα τοι αἶσα δόμοις ἔνι ποιητοῖσι
κήδε' ἀνασχέσθαι· σὺ δὲ τετλάμεναι καὶ ἀνάγκῃ,
μηδέ τῳ ἐκφάσθαι μήτ' ἀνδρῶν μήτε γυναικῶν,
πάντων, οὕνεκ' ἄρ' ἦλθες ἀλώμενος, ἀλλὰ σιωπῇ
310 πάσχειν ἄλγεα πολλά, βίας ὑποδέγμενος ἀνδρῶν ».
τὴν δ' ἀπαμειβόμενος προσέφη πολύμητις Ὀδυσσεύς·
« ἀργαλέον σε, θεά, γνῶναι βροτῷ ἀντιάσαντι
καὶ μάλ' ἐπισταμένῳ· σὲ γὰρ αὐτὴν παντὶ ἐΐσκεις.
τοῦτο δ' ἐγὼν εὖ οἶδ', ὅτι μοι πάρος ἠπίη ἦσθα,
315 ἧος ἐνὶ Τροίῃ πολεμίζομεν υἷες Ἀχαιῶν·
αὐτὰρ ἐπεὶ Πριάμοιο πόλιν διεπέρσαμεν αἰπήν,
βῆμεν δ' ἐν νήεσσι, θεὸς δ' ἐκέδασσεν Ἀχαιούς,
οὔ σ' ἔτ' ἔπειτα ἴδον, κούρη Διός, οὐδ' ἐνόησα
νηὸς ἐμῆς ἐπιβᾶσαν, ὅπως τί μοι ἄλγος ἀλάλκοις.
320 ἀλλ' αἰεὶ φρεσὶν ᾗσιν ἔχων δεδαϊγμένον ἦτορ
ἠλώμην, ἧός με θεοὶ κακότητος ἔλυσαν·
πρίν γ' ὅτε Φαιήκων ἀνδρῶν ἐν πίονι δήμῳ
θάρσυνάς τ' ἐπέεσσι καὶ ἐς πόλιν ἤγαγες αὐτή.
νῦν δέ σε πρὸς πατρὸς γουνάζομαι· οὐ γὰρ ὀΐω
325 ἥκειν εἰς Ἰθάκην εὐδείελον, ἀλλά τιν' ἄλλην
γαῖαν ἀναστρέφομαι· σὲ δὲ κερτομέουσαν ὀΐω
ταῦτ' ἀγορευέμεναι, ἵν' ἐμὰς φρένας ἠπεροπεύῃς·
εἰπέ μοι εἰ ἐτεόν γε φίλην ἐς πατρίδ' ἱκάνω ».
τὸν δ' ἠμείβετ' ἔπειτα θεὰ γλαυκῶπις Ἀθήνη·
330 « αἰεί τοι τοιοῦτον ἐνὶ στήθεσσι νόημα·
τῷ σε καὶ οὐ δύναμαι προλιπεῖν δύστηνον ἐόντα,
οὕνεκ' ἐπητής ἐσσι καὶ ἀγχίνοος καὶ ἐχέφρων.

sono celebre per senno ed astuzie: neanche tu ravvisasti
300 Pallade Atena, la figlia di Zeus, che sempre,
in tutti i travagli, ti assisto e proteggo
e ti ho reso gradito a tutti i Feaci.
Sono ora tornata per tessere insieme un piano
e nascondere i doni che partendo per casa
305 gli illustri Feaci ti diedero per mio consiglio e pensiero,
e dirti quanti dolori è tuo destino soffrire
nelle case ben costruite: tu sopportali, anche se a forza,
e non dire ad alcuno, né uomo né donna,
a nessuno, che sei arrivato errabondo, ma soffri
310 in silenzio i molti dolori, subendo gli insulti degli uomini».
Rispondendo le disse l'astuto Odisseo:
«Per un mortale è difficile, o dea, ravvisarti incontrandoti,
anche se è molto accorto: perché ti fai simile a tutti.
Però lo so bene, che prima mi fosti benigna
315 finché a Troia combattemmo noi figli di Achei:
dopo che devastammo la ripida rocca di Priamo,
salimmo sulle navi e un dio disperse gli Achei,
io più non ti vidi, o figlia di Zeus, né ti notai
imbarcata sulla mia nave, per trarmi da qualche dolore.
320 Ma sempre col cuore a pezzi dentro i precordi,
vagai finché gli dei mi sciolsero dalla sventura:
finché nella pingue terra dei prodi Feaci
mi hai incoraggiato e guidato tu stessa in città.
Ora ti supplico, in nome del padre – perché non credo
325 di essere giunto ad Itaca chiara nel sole, ma in un'altra
terra mi aggiro e penso che tu dici questo
per canzonarmi, per ingannare il mio animo.
Dimmi se sono davvero nella mia patria».
Gli rispose allora la dea glaucopide Atena:
330 «Hai sempre questo pensiero nell'animo:
per questo non posso lasciarti, sventurato che sei,
perché sei docile, sagace e prudente.

ἀσπασίως γάρ κ' ἄλλος ἀνὴρ ἀλαλήμενος ἐλθὼν
ἵετ' ἐνὶ μεγάροις ἰδέειν παῖδάς τ' ἄλοχόν τε·
335 σοὶ δ' οὔ πω φίλον ἐστὶ δαήμεναι οὐδὲ πυθέσθαι,
πρίν γ' ἔτι σῆς ἀλόχου πειρήσεαι, ἥ τέ τοι αὔτως
ἧσται ἐνὶ μεγάροισιν, ὀϊζυραὶ δέ οἱ αἰεὶ
φθίνουσιν νύκτες τε καὶ ἤματα δάκρυ χεούσῃ.
αὐτὰρ ἐγὼ τὸ μὲν οὔ ποτ' ἀπίστεον, ἀλλ' ἐνὶ θυμῷ
340 ᾔδε', ὃ νοστήσεις ὀλέσας ἄπο πάντας ἑταίρους·
ἀλλά τοι οὐκ ἐθέλησα Ποσειδάωνι μάχεσθαι
πατροκασιγνήτῳ, ὅς τοι κότον ἔνθετο θυμῷ,
χωόμενος ὅτι οἱ υἱὸν φίλον ἐξαλάωσας.
ἀλλ' ἄγε τοι δείξω Ἰθάκης ἕδος, ὄφρα πεποίθῃς·
345 Φόρκυνος μὲν ὅδ' ἐστὶ λιμήν, ἁλίοιο γέροντος,
ἥδε δ' ἐπὶ κρατὸς λιμένος τανύφυλλος ἐλαίη·
ἀγχόθι δ' αὐτῆς ἄντρον ἐπήρατον ἠεροειδές,
ἱρὸν Νυμφάων, αἳ Νηϊάδες καλέονται·
τοῦτο δέ τοι σπέος εὐρὺ κατηρεφές, ἔνθα σὺ πολλὰς
350 ἔρδεσκες Νύμφῃσι τεληέσσας ἑκατόμβας·
τοῦτο δὲ Νήριτόν ἐστιν ὄρος καταειμένον ὕλῃ ».
ὣς εἰποῦσα θεὰ σκέδασ' ἠέρα, εἴσατο δὲ χθών·
γήθησέν τ' ἄρ' ἔπειτα πολύτλας δῖος Ὀδυσσεὺς
χαίρων ᾗ γαίῃ, κύσε δὲ ζείδωρον ἄρουραν.
355 αὐτίκα δὲ Νύμφῃς ἠρήσατο χεῖρας ἀνασχών·
« Νύμφαι Νηϊάδες, κοῦραι Διός, οὔ ποτ' ἐγώ γε
ὄψεσθ' ὔμμ' ἐφάμην· νῦν δ' εὐχωλῇς ἀγανῇσι
χαίρετ'· ἀτὰρ καὶ δῶρα διδώσομεν, ὡς τὸ πάρος περ,
αἴ κεν ἐᾷ πρόφρων με Διὸς θυγάτηρ ἀγελείη
360 αὐτόν τε ζώειν καί μοι φίλον υἱὸν ἀέξῃ ».
τὸν δ' αὖτε προσέειπε θεὰ γλαυκῶπις Ἀθήνη·
« θάρσει, μή τοι ταῦτα μετὰ φρεσὶ σῇσι μελόντων·
ἀλλὰ χρήματα μὲν μυχῷ ἄντρου θεσπεσίοιο
θείομεν αὐτίκα νῦν, ἵνα περ τάδε τοι σόα μίμνῃ·
365 αὐτοὶ δὲ φραζώμεθ', ὅπως ὄχ' ἄριστα γένηται ».
ὣς εἰποῦσα θεὰ δῦνε σπέος ἠεροειδές,

Un altro uomo, tornato errabondo, sarebbe andato
lietamente a vedere in casa i figli e la moglie:
335 mentre a te non sta a cuore chiedere e apprendere,
se prima non metti alla prova tua moglie, che ti sta
in casa così, e tristi le si consumano
sempre le notti e i giorni versando lacrime.
Io non ho mai disperato, ma sapevo
340 nell'animo che saresti tornato, perduti tutti i compagni.
Ma non volevo contendere con Posidone,
col fratello del padre, che nell'animo ti serbava rancore,
sdegnato perché accecasti suo figlio.
Ma su, ti mostrerò i luoghi di Itaca, perché tu mi creda.
345 Questo è il porto di Forco, il vecchio del mare;
e sulla punta del porto è l'ulivo con foglie sottili;
e accanto la grotta graziosa, buia,
sacra alle Ninfe, che si chiamano Naiadi.
Questa è l'ampia spelonca, a volta, dove tu spesso
350 facevi perfette ecatombi alle Ninfe;
e quel monte coperto di boschi è il Nerito».
Dicendo così la dea dissolse la nebbia e apparve il paese:
gioì allora il paziente illustre Odisseo,
lieto della sua patria, e baciò la terra che dona le biade.
355 Subito pregò le Ninfe, levando le mani:
«Naiadi Ninfe, figlie di Zeus, io pensavo
di non rivedervi mai più. Ora accettate
le miti preghiere: vi offriremo, come allora, anche doni,
se la predatrice figlia di Zeus benignamente acconsente
360 che io viva e mi fa crescere il figlio caro».
Gli disse allora la dea glaucopide Atena:
«Coraggio, non preoccuparti di ciò nel tuo animo.
Ma ora mettiamo i tesori subito
in fondo alla grotta divina, perché ti restino intatti:
365 vediamo qual è il modo migliore».
Così dicendo la dea penetrò nella buia spelonca,

μαιομένη κευθμῶνας ἀνὰ σπέος· αὐτὰρ Ὀδυσσεὺς
ἄσσον πάντ᾽ ἐφόρει, χρυσὸν καὶ ἀτειρέα χαλκὸν
εἵματά τ᾽ εὐποίητα, τά οἱ Φαίηκες ἔδωκαν.
370 καὶ τὰ μὲν εὖ κατέθηκε, λίθον δ᾽ ἐπέθηκε θύρῃσι
Παλλὰς Ἀθηναίη, κούρη Διὸς αἰγιόχοιο.
τὼ δὲ καθεζομένω ἱερῆς παρὰ πυθμέν᾽ ἐλαίης
φραζέσθην μνηστῆρσιν ὑπερφιάλοισιν ὄλεθρον.
τοῖσι δὲ μύθων ἦρχε θεὰ γλαυκῶπις Ἀθήνη·
375 « διογενὲς Λαερτιάδη, πολυμήχαν᾽ Ὀδυσσεῦ,
φράζευ ὅπως μνηστῆρσιν ἀναιδέσι χεῖρας ἐφήσεις,
οἳ δή τοι τρίετες μέγαρον κάτα κοιρανέουσι,
μνώμενοι ἀντιθέην ἄλοχον καὶ ἕδνα διδόντες·
ἡ δὲ σὸν αἰεὶ νόστον ὀδυρομένη κατὰ θυμὸν
380 πάντας μέν ῥ᾽ ἔλπει καὶ ὑπίσχεται ἀνδρὶ ἑκάστῳ,
ἀγγελίας προϊεῖσα, νόος δέ οἱ ἄλλα μενοινᾷ ».
τὴν δ᾽ ἀπαμειβόμενος προσέφη πολύμητις Ὀδυσσεύς·
« ὢ πόποι, ἦ μάλα δὴ Ἀγαμέμνονος Ἀτρεΐδαο
φθίσεσθαι κακὸν οἶτον ἐνὶ μεγάροισιν ἔμελλον,
385 εἰ μή μοι σὺ ἕκαστα, θεά, κατὰ μοῖραν ἔειπες.
ἀλλ᾽ ἄγε μῆτιν ὕφηνον, ὅπως ἀποτίσομαι αὐτούς·
πὰρ δέ μοι αὐτὴ στῆθι μένος πολυθαρσὲς ἐνεῖσα,
οἷον ὅτε Τροίης λύομεν λιπαρὰ κρήδεμνα.
αἴ κέ μοι ὣς μεμαυῖα παρασταίης, γλαυκῶπι,
390 καί κε τριηκοσίοισιν ἐγὼν ἄνδρεσσι μαχοίμην
σὺν σοί, πότνα θεά, ὅτε μοι πρόφρασσ᾽ ἐπαρήγοις ».
τὸν δ᾽ ἠμείβετ᾽ ἔπειτα θεὰ γλαυκῶπις Ἀθήνη·
« καὶ λίην τοι ἐγώ γε παρέσσομαι, οὐδέ με λήσεις,
ὁππότε κεν δὴ ταῦτα πενώμεθα· καί τιν᾽ ὀΐω
395 αἵματί τ᾽ ἐγκεφάλῳ τε παλαξέμεν ἄσπετον οὖδας
ἀνδρῶν μνηστήρων, οἵ τοι βίοτον κατέδουσιν.
ἀλλ᾽ ἄγε σ᾽ ἄγνωστον τεύξω πάντεσσι βροτοῖσι·
κάρψω μὲν χρόα καλὸν ἐνὶ γναμπτοῖσι μέλεσσι,
ξανθὰς δ᾽ ἐκ κεφαλῆς ὀλέσω τρίχας, ἀμφὶ δὲ λαῖφος
400 ἕσσω, ὅ κε στυγέῃσιν ἰδὼν ἄνθρωπος ἔχοντα,

frugando i recessi della spelonca: Odisseo intanto
portava tutto lì in fondo, l'oro, l'indistruttibile bronzo,
e le vesti ben fatte, che gli avevano dato i Feaci.
370 E li ripose per bene: sull'ingresso pose una pietra
Pallade Atena, la figlia di Zeus egìoco.
Sedutisi ai piedi del sacro ulivo, meditavano
entrambi la fine per i pretendenti oltraggiosi.
Cominciò a parlare la dea glaucopide Atena:
375 «Divino figlio di Laerte, Odisseo pieno di astuzie,
pensa come assalire i pretendenti protervi
che da tre anni comandano nella tua casa
corteggiando tua moglie pari a una dea e facendole doni:
e lei, sospirando nell'animo sempre il tuo ritorno,
380 dà a tutti speranze, promette a ciascuno,
mandando messaggi: ma la sua mente medita altro».
Rispondendo le disse l'astuto Odisseo:
«Ah! avrei dunque dovuto subire a casa
la misera fine dell'Atride Agamennone,
385 se non mi dicevi *ogni* cosa tu in modo giusto, o dea.
Ordisci dunque un disegno come io li possa punire.
Stammi tu accanto, infondendomi ardito vigore,
come quando sciogliemmo il lucido scialle di Troia.
Oh se tu mi assistessi impetuosa così, o Glaucopide!
390 Anche con trecento avversari combatterei
insieme a te, dea possente, se mi aiutassi benevola».
Gli rispose allora la dea glaucopide Atena:
«Io sarò stretta al tuo fianco, non sfuggirai al mio sguardo,
quando agiremo; e penso che imbratterà
395 l'ampio suolo di sangue e cervello qualcuno
di quei pretendenti che ti divorano i beni.
Ma su, ti farò sconosciuto a tutti;
farò vizza la tua bella pelle sulle agili membra;
ti torrò dalla testa i biondi capelli; ti vestirò
400 d'uno straccio, che rende chi lo porta spregevole;

κνυζώσω δέ τοι ὄσσε πάρος περικαλλέ' ἐόντε,
ὡς ἂν ἀεικέλιος πᾶσι μνηστῆρσι φανήῃς
σῇ τ' ἀλόχῳ καὶ παιδί, τὸν ἐν μεγάροισιν ἔλειπες.
αὐτὸς δὲ πρώτιστα συβώτην εἰσαφικέσθαι,
405 ὅς τοι ὑῶν ἐπίουρος, ὁμῶς δέ τοι ἤπια οἶδε,
παῖδά τε σὸν φιλέει καὶ ἐχέφρονα Πηνελόπειαν.
δήεις τόν γε σύεσσι παρήμενον· αἱ δὲ νέμονται
πὰρ Κόρακος πέτρῃ ἐπί τε κρήνῃ 'Αρεθούσῃ,
ἔσθουσαι βάλανον μενοεικέα καὶ μέλαν ὕδωρ
410 πίνουσαι, τά θ' ὕεσσι τρέφει τεθαλυῖαν ἀλοιφήν.
ἔνθα μένειν καὶ πάντα παρήμενος ἐξερέεσθαι,
ὄφρ' ἂν ἐγὼν ἔλθω Σπάρτην ἐς καλλιγύναικα
Τηλέμαχον καλέουσα, τεὸν φίλον υἱόν, 'Οδυσσεῦ,
ὅς τοι ἐς εὐρύχορον Λακεδαίμονα πὰρ Μενέλαον
415 ᾤχετο πευσόμενος μετὰ σὸν κλέος, εἴ που ἔτ' εἴης ».
τὴν δ' ἀπαμειβόμενος προσέφη πολύμητις 'Οδυσσεύς·
« τίπτε τ' ἄρ' οὔ οἱ ἔειπες, ἐνὶ φρεσὶ πάντ' εἰδυῖα;
ἦ ἵνα που καὶ κεῖνος ἀλώμενος ἄλγεα πάσχῃ
πόντον ἐπ' ἀτρύγετον, βίοτον δέ οἱ ἄλλοι ἔδουσι; ».
420 τὸν δ' ἠμείβετ' ἔπειτα θεὰ γλαυκῶπις 'Αθήνη·
« μὴ δή τοι κεῖνός γε λίην ἐνθύμιος ἔστω.
αὐτή μιν πόμπευον, ἵνα κλέος ἐσθλὸν ἄροιτο
κεῖσ' ἐλθών· ἀτὰρ οὔ τιν' ἔχει πόνον, ἀλλὰ ἕκηλος
ἧσται ἐν 'Ατρεΐδαο δόμοις, παρὰ δ' ἄσπετα κεῖται.
425 ἦ μέν μιν λοχόωσι νέοι σὺν νηῒ μελαίνῃ,
ἱέμενοι κτεῖναι, πρὶν πατρίδα γαῖαν ἱκέσθαι·
ἀλλὰ τά γ' οὐκ ὀΐω· πρὶν καί τινα γαῖα καθέξει
ἀνδρῶν μνηστήρων, οἵ τοι βίοτον κατέδουσιν ».
ὣς ἄρα μιν φαμένη ῥάβδῳ ἐπεμάσσατ' 'Αθήνη.
430 κάρψε μέν οἱ χρόα καλὸν ἐνὶ γναμπτοῖσι μέλεσσι,
ξανθὰς δ' ἐκ κεφαλῆς ὄλεσε τρίχας, ἀμφὶ δὲ δέρμα
πάντεσσιν μελέεσσι παλαιοῦ θῆκε γέροντος,
κνύζωσεν δέ οἱ ὄσσε πάρος περικαλλέ' ἐόντε·
ἀμφὶ δέ μιν ῥάκος ἄλλο κακὸν βάλεν ἠδὲ χιτῶνα,

farò spenti i tuoi occhi, prima bellissimi;
perché tu ignobile appaia a ciascun pretendente,
a tua moglie ed al figlio che a casa lasciasti.
Per prima cosa tu va' dal porcaro, dal guardiano
405 dei tuoi maiali che ha affetto immutato per te,
ha caro tuo figlio e la saggia Penelope.
Lo troverai tra le scrofe: esse pascolano
vicino alla roccia del Corvo e sopra la fonte Aretusa,
divorando le ghiande e bevendo acqua scura:
410 rassodano queste ai maiali il florido grasso.
Fermati e lì dimorando domanda di tutto,
mentre io vado a Sparta abitata da belle donne,
a chiamare Telemaco, o Odisseo, il tuo caro figlio:
nella vasta Lacedemone è andato, da Menelao,
415 per sapere notizie di te, se tu vivi ancora».
Rispondendo le disse l'astuto Odisseo:
«Perché non glielo hai rivelato, tu che sai tutto?
Forse perché anche lui soffra dolori, vagando
sul mare infecondo, mentre gli altri gli divorano i beni?».
420 Gli rispose allora la dea glaucopide Atena:
«Non preoccuparti troppo per lui nel tuo animo.
Io stessa l'ho accompagnato, perché recandosi lì acquisti
nobile fama: non ha alcuna pena, ma siede
tranquillo in casa del figlio di Atreo, tra beni indicibili.
425 I giovani, certo, l'aspettano al varco con la nera nave,
bramosi di ucciderlo, prima che torni in patria;
ma io non lo credo: prima la terra avrà qualcuno
di quei pretendenti che ti divorano i beni».
Atena, dicendo così, lo toccò con una sua verga.
430 Gli fece vizza la bella pelle sulle agili membra,
gli tolse dalla testa i biondi capelli, gli avvolse
tutte le membra con la pelle d'un vecchio antico,
fece spenti i suoi occhi prima bellissimi;
gli gettò addosso un povero cencio e una tunica,

435 ῥωγαλέα ῥυπόωντα, κακῷ μεμορυχμένα καπνῷ·
ἀμφὶ δέ μιν μέγα δέρμα ταχείης ἕσσ' ἐλάφοιο,
ψιλόν· δῶκε δέ οἱ σκῆπτρον καὶ ἀεικέα πήρην,
πυκνὰ ῥωγαλέην· ἐν δὲ στρόφος ἦεν ἀορτήρ.
τώ γ' ὣς βουλεύσαντε διέτμαγεν· ἡ μὲν ἔπειτα
440 ἐς Λακεδαίμονα δῖαν ἔβη μετὰ παῖδ' Ὀδυσῆος.

435 laceri sporchi, bruttati di sudicio fumo;
lo vestì con la grossa pelle, logora, d'una cerva
veloce, gli diede un bastone e una vile bisaccia,
tutta lacera: ne era tracolla una corda.
Così, fatto il piano, entrambi si separarono: e lei
440 andò a Lacedemone illustre, dal figlio di Odisseo.

Ξ

Αὐτὰρ ὁ ἐκ λιμένος προσέβη τρηχεῖαν ἀταρπὸν
χῶρον ἀν' ὑλήεντα δι' ἄκριας, ᾗ οἱ Ἀθήνη
πέφραδε δῖον ὑφορβόν, ὅ οἱ βιότοιο μάλιστα
κήδετο οἰκήων, οὓς κτήσατο δῖος Ὀδυσσεύς.
5 τὸν δ' ἄρ' ἐνὶ προδόμῳ εὗρ' ἥμενον, ἔνθα οἱ αὐλὴ
ὑψηλὴ δέδμητο, περισκέπτῳ ἐνὶ χώρῳ,
καλή τε μεγάλη τε, περίδρομος· ἥν ῥα συβώτης
αὐτὸς δείμαθ' ὕεσσιν ἀποιχομένοιο ἄνακτος,
νόσφιν δεσποίνης καὶ Λαέρταο γέροντος,
10 ῥυτοῖσιν λάεσσι καὶ ἐθρίγκωσεν ἀχέρδῳ.
σταυροὺς δ' ἐκτὸς ἔλασσε διαμπερὲς ἔνθα καὶ ἔνθα
πυκνοὺς καὶ θαμέας, τὸ μέλαν δρυὸς ἀμφικεάσσας.
ἔντοσθεν δ' αὐλῆς συφεοὺς δυοκαίδεκα ποίει
πλησίον ἀλλήλων, εὐνὰς συσίν· ἐν δὲ ἑκάστῳ
15 πεντήκοντα σύες χαμαιευνάδες ἐρχατόωντο,
θήλειαι τοκάδες· τοὶ δ' ἄρσενες ἐκτὸς ἴαυον,
πολλὸν παυρότεροι· τοὺς γὰρ μινύθεσκον ἔδοντες
ἀντίθεοι μνηστῆρες, ἐπεὶ προΐαλλε συβώτης
αἰεὶ ζατρεφέων σιάλων τὸν ἄριστον ἁπάντων·
20 οἱ δὲ τριηκόσιοί τε καὶ ἑξήκοντα πέλοντο.
πὰρ δὲ κύνες θήρεσσιν ἐοικότες αἰὲν ἴαυον
τέσσαρες, οὓς ἔθρεψε συβώτης, ὄρχαμος ἀνδρῶν.
αὐτὸς δ' ἀμφὶ πόδεσσιν ἑοῖς ἀράρισκε πέδιλα,
τάμνων δέρμα βόειον ἐΰχροές· οἱ δὲ δὴ ἄλλοι
25 ᾤχοντ' ἄλλυδις ἄλλος ἅμ' ἀγρομένοισι σύεσσιν,
οἱ τρεῖς· τὸν δὲ τέταρτον ἀποπροέηκε πόλινδε

LIBRO QUATTORDICESIMO

Egli invece dal porto raggiunse l'aspro sentiero
nella terra boscosa tra alture, per dove Atena
gli aveva indicato il chiaro mandriano, che curava i suoi beni
di più tra i servi che il chiaro Odisseo aveva.
5 Lo trovò seduto davanti all'entrata, dove sorgeva,
in un luogo protetto, l'alto recinto
bello e grande, di forma rotonda, che aveva eretto
lo stesso porcaro per i porci del signore lontano
senz'ordine della padrona e del vecchio Laerte,
10 trascinando dei massi, e lo aveva coronato di spini.
Fuori aveva disposto ai due lati una fila di pali
solidi e fitti, spaccando la nera scorza di querce.
Dentro il recinto faceva, per giaciglio alle scrofe,
dodici stalle affiancate: v'erano chiuse
15 in ciascuna cinquanta scrofe sdraiate per terra,
femmine madri; i maschi dormivano fuori,
in numero molto inferiore: i pretendenti pari agli dei
mangiandoli li riducevano, perché sempre il porcaro
mandava il migliore di tutti i maiali più grassi.
20 Essi erano trecentosessanta.
Lì accanto stavano sempre accucciati, simili a belve,
quattro cani che aveva allevati il porcaro capo di uomini.
Egli stava facendo dei sandali per i suoi piedi,
tagliando la pelle colorata di un bue: gli altri tre
25 uomini erano in giro insieme alle mandrie
dei porci, il quarto l'aveva mandato in città,

σῦν ἀγέμεν μνηστῆρσιν ὑπερφιάλοισιν ἀνάγκη,
ὄφρ' ἱερεύσαντες κρειῶν κορεσαίατο θυμόν.
ἐξαπίνης δ' Ὀδυσῆα ἴδον κύνες ὑλακόμωροι.
30 οἱ μὲν κεκλήγοντες ἐπέδραμον· αὐτὰρ Ὀδυσσεὺς
ἕζετο κερδοσύνῃ, σκῆπτρον δέ οἱ ἔκπεσε χειρός.
ἔνθα κεν ᾧ πὰρ σταθμῷ ἀεικέλιον πάθεν ἄλγος·
ἀλλὰ συβώτης ὦκα ποσὶ κραιπνοῖσι μετασπὼν
ἔσσυτ' ἀνὰ πρόθυρον, σκῦτος δέ οἱ ἔκπεσε χειρός.
35 τοὺς μὲν ὁμοκλήσας σεῦεν κύνας ἄλλυδις ἄλλον
πυκνῇσιν λιθάδεσσιν, ὁ δὲ προσέειπεν ἄνακτα·
« ὦ γέρον, ἦ ὀλίγου σε κύνες διεδηλήσαντο
ἐξαπίνης, καί κέν μοι ἐλεγχείην κατέχευας.
καὶ δέ μοι ἄλλα θεοὶ δόσαν ἄλγεά τε στοναχάς τε·
40 ἀντιθέου γὰρ ἄνακτος ὀδυρόμενος καὶ ἀχεύων
ἧμαι, ἄλλοισιν δὲ σύας σιάλους ἀτιτάλλω
ἔδμεναι· αὐτὰρ κεῖνος ἐελδόμενός που ἐδωδῆς
πλάζετ' ἐπ' ἀλλοθρόων ἀνδρῶν δῆμόν τε πόλιν τε,
εἴ που ἔτι ζώει καὶ ὁρᾷ φάος ἠελίοιο.
45 ἀλλ' ἕπεο, κλισίηνδ' ἴομεν, γέρον, ὄφρα καὶ αὐτός,
σίτου καὶ οἴνοιο κορεσσάμενος κατὰ θυμόν,
εἴπῃς, ὁππόθεν ἐσσὶ καὶ ὁππόσα κήδε' ἀνέτλης ».
ὣς εἰπὼν κλισίηνδ' ἡγήσατο δῖος ὑφορβός,
εἷσεν δ' εἰσαγαγών, ῥῶπας δ' ὑπέχευε δασείας,
50 ἐστόρεσεν δ' ἐπὶ δέρμα ἰονθάδος ἀγρίου αἰγός,
αὐτοῦ ἐνεύναιον, μέγα καὶ δασύ. χαῖρε δ' Ὀδυσσεύς,
ὅττι μιν ὣς ὑπέδεκτο, ἔπος τ' ἔφατ' ἔκ τ' ὀνόμαζε·
« Ζεύς τοι δοίη, ξεῖνε, καὶ ἀθάνατοι θεοὶ ἄλλοι,
ὅττι μάλιστ' ἐθέλεις, ὅτι με πρόφρων ὑπέδεξο ».
55 τὸν δ' ἀπαμειβόμενος προσέφης, Εὔμαιε συβῶτα·
« ξεῖν', οὔ μοι θέμις ἔστ', οὐδ' εἰ κακίων σέθεν ἔλθοι,
ξεῖνον ἀτιμῆσαι· πρὸς γὰρ Διός εἰσιν ἅπαντες
ξεῖνοί τε πτωχοί τε. δόσις δ' ὀλίγη τε φίλη τε
γίνεται ἡμετέρη· ἡ γὰρ δμώων δίκη ἐστίν,
60 αἰεὶ δειδιότων, ὅτ' ἐπικρατέωσιν ἄνακτες

a portare ai pretendenti oltraggiosi un maiale, per forza,
perché l'immolassero e saziassero la voglia di carni.
All'improvviso i cani latranti videro Odisseo.
30 Abbaiando gli corsero contro: Odisseo
s'acquattò per prudenza, il bastone gli cadde di mano.
E avrebbe subìto uno sconcio dolore davanti alla sua masseria,
ma il porcaro si slanciò prontamente davanti all'entrata
inseguendoli coi piedi veloci, il cuoio gli cadde di mano.
35 Gridando disperse i cani qua e là
a fitte sassate, e disse rivolto al padrone:
« Vecchio, per poco i cani non ti hanno sbranato
a un tratto, e m'avresti coperto d'ingiurie.
Anche altri dolori e lamenti gli dei m'hanno dato:
40 sto qui gemendo e piangendo il signore pari a un dio
e allevo i grassi maiali per altri,
perché se li mangino; mentre egli, forse bisognoso di cibo,
erra in paesi e città di uomini con altro linguaggio,
semmai vive ancora e vede la luce del sole.
45 Ma seguimi, andiamo nella capanna, perché anche tu, o vecchio,
dopoché sarai sazio, come hai voglia, di cibo e di vino,
possa dire di dove tu sei e quanti dolori hai sofferto ».
Detto così, lo condusse nella capanna, il chiaro mandriano,
lo fece entrare e sedere, sparse dei soffici arbusti,
50 sopra vi stese la pelle d'una ispida capra selvatica,
il suo stesso giaciglio, grande e soffice. Fu lieto Odisseo
che lo accogliesse così, gli rivolse la parola, gli disse:
« Zeus ti conceda, o straniero, con gli altri immortali
ciò che tu più desideri, perché gentilmente mi accogli ».
55 E tu rispondendo, o porcaro Eumeo, gli dicesti:
« Straniero, non è mio costume offendere un ospite,
neppure se arriva uno meno di te: ospiti e poveri vengono
tutti da Zeus. Il dono è piccolo e caro
da parte nostra: perché è costume dei servi
60 avere sempre paura, quando come signori comandano

οἱ νέοι. ἦ γὰρ τοῦ γε θεοὶ κατὰ νόστον ἔδησαν,
ὅς κεν ἔμ' ἐνδυκέως ἐφίλει καὶ κτῆσιν ὄπασσεν,
οἷά τε ᾧ οἰκῆϊ ἄναξ εὔθυμος ἔδωκεν,
οἶκόν τε κλῆρόν τε πολυμνήστην τε γυναῖκα,
65 ὅς οἱ πολλὰ κάμῃσι, θεὸς δ' ἐπὶ ἔργον ἀέξῃ,
ὡς καὶ ἐμοὶ τόδε ἔργον ἀέξεται, ᾧ ἐπιμίμνω.
τῶ κέ με πόλλ' ὤνησεν ἄναξ, εἰ αὐτόθ' ἐγήρα·
ἀλλ' ὄλεθ'. ὡς ὤφελλ' Ἑλένης ἀπὸ φῦλον ὀλέσθαι
πρόχνυ, ἐπεὶ πολλῶν ἀνδρῶν ὑπὸ γούνατ' ἔλυσε·
70 καὶ γὰρ κεῖνος ἔβη Ἀγαμέμνονος εἵνεκα τιμῆς
Ἴλιον εἰς εὔπωλον, ἵνα Τρώεσσι μάχοιτο ».
ὣς εἰπὼν ζωστῆρι θοῶς συνέεργε χιτῶνα,
βῆ δ' ἴμεν ἐς συφεούς, ὅθι ἔθνεα ἔρχατο χοίρων.
ἔνθεν ἑλὼν δύ' ἔνεικε καὶ ἀμφοτέρους ἱέρευσεν,
75 εὗσέ τε μίστυλλέν τε καὶ ἀμφ' ὀβελοῖσιν ἔπειρεν.
ὀπτήσας δ' ἄρα πάντα φέρων παρέθηκ' Ὀδυσῆϊ
θέρμ' αὐτοῖς ὀβελοῖσιν, ὁ δ' ἄλφιτα λευκὰ πάλυνεν.
ἐν δ' ἄρα κισσυβίῳ κίρνη μελιηδέα οἶνον,
αὐτὸς δ' ἀντίον ἷζεν, ἐποτρύνων δὲ προσηύδα·
80 « ἔσθιε νῦν, ὦ ξεῖνε, τά τε δμώεσσι πάρεστι,
χοίρε'· ἀτὰρ σιάλους γε σύας μνηστῆρες ἔδουσιν,
οὐκ ὄπιδα φρονέοντες ἐνὶ φρεσὶν οὐδ' ἐλεητύν.
οὐ μὲν σχέτλια ἔργα θεοὶ μάκαρες φιλέουσιν,
ἀλλὰ δίκην τίουσι καὶ αἴσιμα ἔργ' ἀνθρώπων.
85 καὶ μὲν δυσμενέες καὶ ἀνάρσιοι, οἵ τ' ἐπὶ γαίης
ἀλλοτρίης βῶσιν καί σφιν Ζεὺς ληΐδα δώῃ,
πλησάμενοι δέ τε νῆας ἔβαν οἶκόνδε νέεσθαι,
καὶ μὲν τοῖς ὄπιδος κρατερὸν δέος ἐν φρεσὶ πίπτει·
οἵδε δέ τοι ἴσασι, θεοῦ δέ τιν' ἔκλυον αὐδήν,
90 κείνου λυγρὸν ὄλεθρον, ὅ τ' οὐκ ἐθέλουσι δικαίως
μνᾶσθαι οὐδὲ νέεσθαι ἐπὶ σφέτερ', ἀλλὰ ἕκηλοι
κτήματα δαρδάπτουσιν ὑπέρβιον, οὐδ' ἔπι φειδώ.
ὅσσαι γὰρ νύκτες τε καὶ ἡμέραι ἐκ Διός εἰσιν,
οὔ ποθ' ἓν ἱρεύουσ' ἱερήϊον οὐδὲ δύ' οἶα·

i giovani. Gli dei hanno avvinto il ritorno
di chi mi avrebbe voluto un gran bene e data tutta la roba
che un padrone d'animo buono dà al suo servitore –
una casa, un pezzo di terra, una donna ambita da molti –,
65 a chi tanto fatica per lui, a chi l'opera fa prospera il dio,
come anche a me rende prospera questa fatica, in cui duro.
Mi avrebbe aiutato molto il padrone, se qui invecchiava:
ma è morto. Così fosse morta in ginocchio la razza
di Elena, che fiaccò le ginocchia di tanti guerrieri:
70 perché anche egli andò per l'onore di Agamennone
a Ilio dalle belle puledre, a combattere contro i Troiani».
Così dicendo strinse sveltamente con la cinta la tunica,
s'avviò ai porcili dove erano rinchiusi i porcelli.
E presine due li portò e uccise ambedue,
75 li strinò e spezzettò, li infilzò agli spiedi.
E arrostitili portò i pezzi e li pose accanto ad Odisseo,
caldi, coi loro spiedi, li cosparse di bianca farina.
Mescé in una ciotola vino dolcissimo,
si sedette di fronte e invitandolo disse:
80 «Mangia ora, o straniero, quello che posseggono i servi,
i porcelli: i porci grassi li mangiano i proci,
senza avvertire nell'animo ritegno e pietà.
Gli dei beati non amano le azioni crudeli,
ma la giustizia onorano e le rette azioni degli uomini.
85 Anche ai cattivi e ai ribelli, che sbarcano
nella terra di altri, e Zeus gli concede la preda,
anche ad essi, che riempite le navi tornano a casa,
viene in petto un forte timore dell'occhio divino.
Invece costoro sanno, per aver sentito la voce di un dio,
90 la triste fine di lui: e non vogliono fare la corte
secondo l'usanza né tornarsene a casa, ma tranquilli
divorano con arroganza e senza risparmio la roba.
Ogni notte e ogni giorno che viene da Zeus
non immolano mai una vittima o solo due:

95 οἶνον δὲ φθινύθουσιν ὑπέρβιον ἐξαφύοντες.
ἦ γάρ οἱ ζωή γ' ἦν ἄσπετος· οὔ τινι τόσση
ἀνδρῶν ἡρώων, οὔτ' ἠπείροιο μελαίνης
οὔτ' αὐτῆς Ἰθάκης· οὐδὲ ξυνεείκοσι φωτῶν
ἔστ' ἄφενος τοσσοῦτον· ἐγὼ δέ κέ τοι καταλέξω.
100 δώδεκ' ἐν ἠπείρῳ ἀγέλαι· τόσα πώεα οἰῶν,
τόσσα συῶν συβόσια, τόσ' αἰπόλια πλατέ' αἰγῶν
βόσκουσι ξεῖνοί τε καὶ αὐτοῦ βώτορες ἄνδρες·
ἐνθάδε τ' αἰπόλια πλατέ' αἰγῶν ἕνδεκα πάντα
ἐσχατιῇ βόσκοντ', ἐπὶ δ' ἀνέρες ἐσθλοὶ ὄρονται.
105 τῶν αἰεί σφιν ἕκαστος ἐπ' ἤματι μῆλον ἀγινεῖ,
ζατρεφέων αἰγῶν ὅς τις φαίνηται ἄριστος.
αὐτὰρ ἐγὼ σῦς τάσδε φυλάσσω τε ῥύομαί τε
καί σφι συῶν τὸν ἄριστον ἐῢ κρίνας ἀποπέμπω ».
ὣς φάθ'· ὁ δ' ἐνδυκέως κρέα τ' ἤσθιε πῖνέ τε οἶνον,
110 ἁρπαλέως ἀκέων, κακὰ δὲ μνηστῆρσι φύτευεν.
αὐτὰρ ἐπεὶ δείπνησε καὶ ἤραρε θυμὸν ἐδωδῇ,
καί οἱ πλησάμενος δῶκε σκύφος, ᾧ περ ἔπινεν,
οἴνου ἐνίπλειον· ὁ δ' ἐδέξατο, χαῖρε δὲ θυμῷ,
καί μιν φωνήσας ἔπεα πτερόεντα προσηύδα·
115 « ὦ φίλε, τίς γάρ σε πρίατο κτεάτεσσιν ἑοῖσιν,
ὧδε μάλ' ἀφνειὸς καὶ καρτερός, ὡς ἀγορεύεις;
φῄς δ' αὐτὸν φθίσθαι Ἀγαμέμνονος εἵνεκα τιμῆς.
εἰπέ μοι, αἴ κέ ποθι γνώω τοιοῦτον ἐόντα.
Ζεὺς γάρ που τό γε οἶδε καὶ ἀθάνατοι θεοὶ ἄλλοι,
120 εἴ κέ μιν ἀγγείλαιμι ἰδών· ἐπὶ πολλὰ δ' ἀλήθην ».
τὸν δ' ἠμείβετ' ἔπειτα συβώτης, ὄρχαμος ἀνδρῶν·
« ὦ γέρον, οὔ τις κεῖνον ἀνὴρ ἀλαλήμενος ἐλθὼν
ἀγγέλλων πείσειε γυναῖκά τε καὶ φίλον υἱόν,
ἀλλ' ἄλλως, κομιδῆς κεχρημένοι, ἄνδρες ἀλῆται
125 ψεύδοντ' οὐδ' ἐθέλουσιν ἀληθέα μυθήσασθαι.
ὃς δέ κ' ἀλητεύων Ἰθάκης ἐς δῆμον ἵκηται,
ἐλθὼν ἐς δέσποιναν ἐμὴν ἀπατήλια βάζει·
ἡ δ' εὖ δεξαμένη φιλέει καὶ ἕκαστα μεταλλᾷ,

95 e consumano vino attingendone senza misura.
Perché roba infinita egli aveva: quanta nessun altro
eroe ne possiede sul continente scuro
o nella medesima Itaca; tanta non è neppure
la ricchezza di venti uomini. Te la voglio elencare.
100 Sul continente dodici armenti: altrettante greggi di pecore,
altrettante mandrie di porci e greggi copiose di capre
i mandriani estranei e i suoi propri gli pascolano.
Qui, nella parte estrema, pascolano greggi copiose di capre,
undici in tutto, e le guardano validi uomini.
105 Ciascuno porta ai proci un capo ogni giorno, sempre,
il capo che tra le grasse capre sembri il migliore.
Io custodisco e guardo codeste scrofe,
e mando loro, dopo averlo ben scelto, il maiale migliore».
Disse così, ed egli avidamente mangiava e beveva il vino,
110 con gusto, in silenzio, e ai pretendenti preparava sciagure.
Quando cenò e ristorò col cibo il suo animo,
gli empì e porse la tazza, da cui era solito bere,
colma di vino; egli la prese, ne fu lieto nell'animo
e parlando gli rivolse alate parole:
115 «O caro, l'uomo che ti comprò coi suoi averi, chi è mai
così ricco e potente, come racconti?
Dici che egli è perito per l'onore di Agamennone.
Dimmelo, semmai conoscessi un uomo così.
Lo sa Zeus e gli altri dei immortali
120 se non ti direi di lui, avendolo visto: ho molto girato».
Gli rispose allora il porcaro, capo di uomini:
«O vecchio, nessun uomo arrivato vagando
a darne notizia persuaderebbe la moglie e suo figlio.
I vagabondi, che hanno bisogno di aiuto, mentono
125 semplicemente, la verità non vogliono dirla.
Chi arriva errabondo nel paese di Itaca,
va dalla mia padrona e racconta fandonie:
e lei lo accoglie, lo ospita e domanda ogni cosa

καί οἱ ὀδυρομένῃ βλεφάρων ἄπο δάκρυα πίπτει,
130 ἣ θέμις ἐστὶ γυναικός, ἐπὴν πόσις ἄλλοθ' ὄληται.
αἶψά κε καὶ σύ, γεραιέ, ἔπος παρατεκτήναιο,
εἴ τίς τοι χλαῖνάν τε χιτῶνά τε εἵματα δοίη.
τοῦ δ' ἤδη μέλλουσι κύνες ταχέες τ' οἰωνοὶ
ῥινὸν ἀπ' ὀστεόφιν ἐρύσαι, ψυχὴ δὲ λέλοιπεν·
135 ἢ τόν γ' ἐν πόντῳ φάγον ἰχθύες, ὀστέα δ' αὐτοῦ
κεῖται ἐπ' ἠπείρου ψαμάθῳ εἰλυμένα πολλῇ.
ὣς ὁ μὲν ἔνθ' ἀπόλωλε, φίλοισι δὲ κήδε' ὀπίσσω
πᾶσιν, ἐμοὶ δὲ μάλιστα, τετεύχαται· οὐ γὰρ ἔτ' ἄλλον
ἤπιον ὧδε ἄνακτα κιχήσομαι, ὁππόσ' ἐπέλθω,
140 οὐδ' εἴ κεν πατρὸς καὶ μητέρος αὖτις ἵκωμαι
οἶκον, ὅθι πρῶτον γενόμην καί μ' ἔτρεφον αὐτοί.
οὐδέ νυ τῶν ἔτι τόσσον ὀδύρομαι, ἱέμενός περ
ὀφθαλμοῖσιν ἰδέσθαι ἐὼν ἐν πατρίδι γαίῃ,
ἀλλά μ' Ὀδυσσῆος πόθος αἴνυται οἰχομένοιο.
145 τὸν μὲν ἐγών, ὦ ξεῖνε, καὶ οὐ παρεόντ' ὀνομάζειν
αἰδέομαι· περὶ γάρ μ' ἐφίλει καὶ κήδετο θυμῷ·
ἀλλά μιν ἠθεῖον καλέω καὶ νόσφιν ἐόντα ».
τὸν δ' αὖτε προσέειπε πολύτλας δῖος Ὀδυσσεύς·
« ὦ φίλ', ἐπεὶ δὴ πάμπαν ἀναίνεαι οὐδ' ἔτι φῆσθα
150 κεῖνον ἐλεύσεσθαι, θυμὸς δέ τοι αἰὲν ἄπιστος,
ἀλλ' ἐγὼ οὐκ αὔτως μυθήσομαι, ἀλλὰ σὺν ὅρκῳ,
ὡς νεῖται Ὀδυσεύς· εὐαγγέλιον δέ μοι ἔστω
αὐτίκ', ἐπεί κεν κεῖνος ἰὼν τὰ ἃ δώμαθ' ἵκηται·
ἕσσαι με χλαῖνάν τε χιτῶνά τε, εἵματα καλά·
155 πρὶν δέ κε, καὶ μάλα περ κεχρημένος, οὔ τι δεχοίμην.
ἐχθρὸς γάρ μοι κεῖνος ὁμῶς Ἀΐδαο πύλῃσι
γίνεται, ὃς πενίῃ εἴκων ἀπατήλια βάζει.
ἴστω νῦν Ζεὺς πρῶτα θεῶν ξενίη τε τράπεζα
ἱστίη τ' Ὀδυσῆος ἀμύμονος, ἣν ἀφικάνω·
160 ἦ μέν τοι τάδε πάντα τελείεται ὡς ἀγορεύω.
τοῦδ' αὐτοῦ λυκάβαντος ἐλεύσεται ἐνθάδ' Ὀδυσσεύς.
τοῦ μὲν φθίνοντος μηνός, τοῦ δ' ἱσταμένοιο,

e dalle palpebre le cadono lacrime per il dolore,
130 come suole una donna, quando il marito è morto lontano.
Subito inventeresti anche tu, o vecchio, un racconto,
se qualcuno ti desse vestiti, un mantello e una tunica.
A lui i cani e gli uccelli veloci hanno certo strappato
ormai dalle ossa il midollo, e l'anima l'ha abbandonato:
135 o lo hanno divorato i pesci nel mare e le sue ossa
giacciono in terra ricoperte di molta sabbia.
Così egli è morto laggiù e a tutti i suoi cari ha inflitto
dolori per dopo, a me soprattutto: perché non avrò
un altro padrone tanto affettuoso, dovunque io vada,
140 neppure se in casa tornassi di mio padre
e mia madre, dove nacqui ed essi mi crebbero.
E non mi struggo più tanto per essi, pur bramando
vederli con gli occhi ed essere nella mia patria:
invece mi stringe il rimpianto di Odisseo lontano.
145 Ospite, anche se egli non c'è, ho ritegno a dire
il suo nome: aveva affetto e si dava pensiero per me.
Ma lo chiamo signore, anche se è assente».

Gli disse allora il paziente chiaro Odisseo:
« O caro, poiché non vuoi proprio sentire, e dici
150 che non tornerà, tu hai sempre un animo incredulo:
ma io non dirò inutilmente, ma con giuramento,
che Odisseo torna. E la buona notizia mi sia ripagata
quando egli arrivando verrà a casa sua;
vestendomi d'un mantello e una tunica, di bei vestiti;
155 prima, anche se ho molto bisogno, nulla voglio accettare.
Odioso come le porte di Ade è per me
chi cedendo al bisogno racconta fandonie.
Anzitutto lo sappia, tra gli dei, ora Zeus e la mensa ospitale
e il focolare del nobile Odisseo, presso cui sono giunto:
160 si avvererà, tutto questo, proprio come ti dico.
Odisseo verrà in questo stesso giro di tempo,
quando una luna finisce e l'altra comincia;

οἴκαδε νοστήσει καὶ τίσεται, ὅς τις ἐκείνου
ἐνθάδ' ἀτιμάζει ἄλοχον καὶ φαίδιμον υἱόν ».
165 τὸν δ' ἀπαμειβόμενος προσέφης, Εὔμαιε συβῶτα·
« ὦ γέρον, οὔτ' ἄρ' ἐγὼν εὐαγγέλιον τόδε τίσω
οὔτ' Ὀδυσεὺς ἔτι οἶκον ἐλεύσεται· ἀλλὰ ἕκηλος
πῖνε, καὶ ἄλλα παρὲξ μεμνώμεθα, μηδέ με τούτων
μίμνησκ'· ἦ γὰρ θυμὸς ἐνὶ στήθεσσιν ἐμοῖσιν
170 ἄχνυται, ὁππότε τις μνήσῃ κεδνοῖο ἄνακτος.
ἀλλ' ἦ τοι ὅρκον μὲν ἐάσομεν, αὐτὰρ Ὀδυσσεὺς
ἔλθοι, ὅπως μιν ἐγώ γ' ἐθέλω καὶ Πηνελόπεια
Λαέρτης θ' ὁ γέρων καὶ Τηλέμαχος θεοειδής.
νῦν αὖ παιδὸς ἄλαστον ὀδύρομαι, ὃν τέκ' Ὀδυσσεύς,
175 Τηλεμάχου. τὸν ἐπεὶ θρέψαν θεοὶ ἔρνεϊ ἶσον,
καί μιν ἔφην ἔσσεσθαι ἐν ἀνδράσιν οὔ τι χέρηα
πατρὸς ἑοῖο φίλοιο, δέμας καὶ εἶδος ἀγητόν,
τὸν δέ τις ἀθανάτων βλάψε φρένας ἔνδον ἐΐσας
ἠέ τις ἀνθρώπων· ὁ δ' ἔβη μετὰ πατρὸς ἀκουὴν
180 ἐς Πύλον ἠγαθέην· τὸν δὲ μνηστῆρες ἀγαυοὶ
οἴκαδ' ἰόντα λοχῶσιν, ὅπως ἀπὸ φῦλον ὄληται
νώνυμον ἐξ Ἰθάκης Ἀρκεισίου ἀντιθέοιο.
ἀλλ' ἦ τοι κεῖνον μὲν ἐάσομεν, ἤ κεν ἁλώῃ
ἦ κε φύγῃ καί κέν οἱ ὑπέρσχῃ χεῖρα Κρονίων.
185 ἀλλ' ἄγε μοι σύ, γεραιέ, τὰ σ' αὐτοῦ κήδε' ἐνίσπες
καί μοι τοῦτ' ἀγόρευσον ἐτήτυμον, ὄφρ' ἐῢ εἰδῶ·
τίς πόθεν εἰς ἀνδρῶν; πόθι τοι πόλις ἠδὲ τοκῆες;
ὁπποίης τ' ἐπὶ νηὸς ἀφίκεο· πῶς δέ σε ναῦται
ἤγαγον εἰς Ἰθάκην; τίνες ἔμμεναι εὐχετόωντο;
190 οὐ μὲν γάρ τί σε πεζὸν ὀΐομαι ἐνθάδ' ἱκέσθαι ».
τὸν δ' ἀπαμειβόμενος προσέφη πολύμητις Ὀδυσσεύς·
« τοιγὰρ ἐγώ τοι ταῦτα μάλ' ἀτρεκέως ἀγορεύσω.
εἴη μὲν νῦν νῶϊν ἐπὶ χρόνον ἠμὲν ἐδωδὴ
ἠδὲ μέθυ γλυκερὸν κλισίης ἔντοσθεν ἐοῦσι
195 δαίνυσθαι ἀκέοντ', ἄλλοι δ' ἐπὶ ἔργον ἕποιεν·
ῥηϊδίως κεν ἔπειτα καὶ εἰς ἐνιαυτὸν ἅπαντα

tornerà a casa e qui punirà chiunque
offende sua moglie e il suo splendido figlio».
165 E tu rispondendo, o porcaro Eumeo, gli dicesti:
«Vecchio, né io pagherò questa buona notizia,
né Odisseo arriverà mai a casa: ma bevi
tranquillo e pensiamo a tutt'altro. Non ricordarmi più
questo, perché il mio animo è triste
170 nel petto, quando uno ricorda il mio caro padrone.
Il giuramento lasciamolo, e Odisseo
possa arrivare, come desidero io e Penelope
e il vecchio Laerte e Telemaco simile a un dio.
Ma senza posa ora piango il figlio generato da Odisseo,
175 Telemaco. Dopo che gli dei lo crebbero come un virgulto –
e dicevo che non sarebbe stato inferiore tra gli uomini
al suo caro padre, ma ammirevole per aspetto e beltà –
un immortale o qualche essere umano gli sconvolse
la mente assennata; ed è andato per sentire del padre
180 a Pilo divina; ma, sulla via del ritorno, i pretendenti egregi
gli hanno teso un agguato, perché senza nome scompaia
da Itaca la stirpe di Archesio pari a un dio.
Ma via, lasciamo costui, o che sia catturato,
o che sfugga e il Cronide tenga su di lui la sua mano.
185 Orsù vecchio, ora raccontami tu le tue sofferenze,
e dimmi sinceramente anche questo, che io sappia bene:
chi sei, di che stirpe? dove hai città e genitori?
su che nave sei giunto? come i marinai
ti portarono a Itaca? chi dicevano d'essere?
190 Perché certo non credo sei giunto qui a piedi».
Rispondendo gli disse l'astuto Odisseo:
«Ma certo, te lo dirò con tutta franchezza.
Tuttavia, se ora noi due avessimo cibo
e dolce vino per mangiare tranquilli a lungo
195 nella capanna, e al lavoro attendessero altri,
neanche allora, neanche nel giro intero di un anno,

οὔ τι διαπρήξαιμι λέγων ἐμὰ κήδεα θυμοῦ,
ὅσσα γε δὴ ξύμπαντα θεῶν ἰότητι μόγησα.
ἐκ μὲν Κρητάων γένος εὔχομαι εὐρειάων,
200 ἀνέρος ἀφνειοῖο πάϊς· πολλοὶ δὲ καὶ ἄλλοι
υἷες ἐνὶ μεγάρῳ ἠμὲν τράφεν ἠδ' ἐγένοντο,
γνήσιοι, ἐξ ἀλόχου· ἐμὲ δ' ὠνητὴ τέκε μήτηρ,
παλλακίς, ἀλλά με ἶσον ἰθαιγενέεσσιν ἐτίμα
Κάστωρ Ὑλακίδης, τοῦ ἐγὼ γένος εὔχομαι εἶναι·
205 ὃς τότ' ἐνὶ Κρήτεσσι θεὸς ὣς τίετο δήμῳ
ὄλβῳ τε πλούτῳ τε καὶ υἱάσι κυδαλίμοισιν.
ἀλλ' ἦ τοι τὸν κῆρες ἔβαν θανάτοιο φέρουσαι
εἰς Ἀΐδαο δόμους· τοὶ δὲ ζωὴν ἐδάσαντο
παῖδες ὑπέρθυμοι καὶ ἐπὶ κλήρους ἐβάλοντο,
210 αὐτὰρ ἐμοὶ μάλα παῦρα δόσαν καὶ οἰκί' ἔνειμαν.
ἠγαγόμην δὲ γυναῖκα πολυκλήρων ἀνθρώπων
εἵνεκ' ἐμῆς ἀρετῆς. ἐπεὶ οὐκ ἀποφώλιος ἦα
οὐδὲ φυγοπτόλεμος· νῦν δ' ἤδη πάντα λέλοιπεν·
ἀλλ' ἔμπης καλάμην γέ σ' ὀΐομαι εἰσορόωντα
215 γινώσκειν· ἦ γάρ με δύη ἔχει ἤλιθα πολλή.
ἦ μὲν δὴ θάρσος μοι Ἄρης τ' ἔδοσαν καὶ Ἀθήνη
καὶ ῥηξηνορίην· ὁπότε κρίνοιμι λόχονδε
ἄνδρας ἀριστῆας, κακὰ δυσμενέεσσι φυτεύων,
οὔ ποτέ μοι θάνατον προτιόσσετο θυμὸς ἀγήνωρ,
220 ἀλλὰ πολὺ πρώτιστος ἐπάλμενος ἔγχει ἕλεσκον
ἀνδρῶν δυσμενέων ὅ τέ μοι εἴξειε πόδεσσι.
τοῖος ἔα ἐν πολέμῳ· ἔργον δέ μοι οὐ φίλον ἔσκεν
οὐδ' οἰκωφελίη, ἥ τε τρέφει ἀγλαὰ τέκνα,
ἀλλά μοι αἰεὶ νῆες ἐπήρετμοι φίλαι ἦσαν
225 καὶ πόλεμοι καὶ ἄκοντες ἐΰξεστοι καὶ ὀϊστοί,
λυγρά, τά τ' ἄλλοισίν γε καταρριγηλὰ πέλονται.
αὐτὰρ ἐμοὶ τὰ φίλ' ἔσκε, τά που θεὸς ἐν φρεσὶ θῆκεν·
ἄλλος γάρ τ' ἄλλοισιν ἀνὴρ ἐπιτέρπεται ἔργοις.
πρὶν μὲν γὰρ Τροίης ἐπιβήμεναι υἷας Ἀχαιῶν
230 εἰνάκις ἀνδράσιν ἦρξα καὶ ὠκυπόροισι νέεσσιν

saprei facilmente dirti i dolori dell'animo mio,
quanti ne ho sofferti per volontà degli dei.

Per stirpe dichiaro che vengo dall'ampia Creta,
200 figlio d'un uomo ricco: molti altri
figli crebbero in casa e nacquero dalla sua sposa
legittimamente. La madre che mi generò era schiava,
una sua concubina: ma Castore Ilacide, di cui dico
d'essere figlio, mi trattava come i figli legittimi.
205 Come un dio egli era onorato tra i Cretesi dal popolo,
per la fortuna, la ricchezza e i figli gloriosi.
Ma vennero le dee della morte e lo portarono
nelle case di Ade; ed essi, i magnanimi figli,
divisero i beni e li trassero a sorte;
210 ma poco mi diedero, mi assegnarono solo una casa.
Presi in moglie una donna di gran possidenti,
grazie al valore che ho. Perché non ero uno inetto
o un codardo: ma ora tutto è finito.
Penso che tu te ne accorga, pur vedendo solo
215 la paglia: certo mi prostra molta miseria.
Ares e Atena a me diedero ardire
e forza sterminatrice: quando per l'agguato sceglievo
i guerrieri più valorosi, preparando sciagure ai nemici,
il mio animo altero non vedeva la morte,
220 ma balzando per primo annientavo con l'asta
il nemico che davanti a me indietreggiasse.
Così ero in guerra: non amavo il lavoro
o il governo di casa, che cresce splendidi figli;
ma amavo sempre le navi coi remi
225 e le guerre e le aste polite e le frecce,
cose funeste che danno i brividi agli altri.
A me esse erano care, forse ispirate da un dio:
un uomo ha gioia da un lavoro e un altro da un altro.

Prima che arrivassimo a Troia noi figli di Achei,
230 guidai nove volte gli armati e le navi veloci

ἄνδρας ἐς ἀλλοδαπούς, καί μοι μάλα τύγχανε πολλά.
τῶν ἐξαιρεύμην μενοεικέα, πολλὰ δ' ὀπίσσω
λάγχανον· αἶψα δὲ οἶκος ὀφέλλετο, καί ῥα ἔπειτα
δεινός τ' αἰδοῖός τε μετὰ Κρήτεσσι τετύγμην.
235 ἀλλ' ὅτε δὴ τήν γε στυγερὴν ὁδὸν εὐρύοπα Ζεὺς
ἐφράσαθ', ἣ πολλῶν ἀνδρῶν ὑπὸ γούνατ' ἔλυσε,
δὴ τότ' ἔμ' ἤνωγον καὶ ἀγακλυτὸν Ἰδομενῆα
νήεσσ' ἡγήσασθαι ἐς Ἴλιον· οὐδέ τι μῆχος
ἦεν ἀνήνασθαι, χαλεπὴ δ' ἔχε δήμου φῆμις.
240 ἔνθα μὲν εἰνάετες πολεμίζομεν υἷες Ἀχαιῶν,
τῷ δεκάτῳ δὲ πόλιν Πριάμου πέρσαντες ἔβημεν
οἴκαδε σὺν νήεσσι, θεὸς δ' ἐκέδασσεν Ἀχαιούς.
αὐτὰρ ἐμοὶ δειλῷ κακὰ μήδετο μητίετα Ζεύς·
μῆνα γὰρ οἶον ἔμεινα τεταρπόμενος τεκέεσσι
245 κουριδίῃ τ' ἀλόχῳ καὶ κτήμασιν· αὐτὰρ ἔπειτα
Αἴγυπτόνδε με θυμὸς ἀνώγει ναυτίλλεσθαι,
νῆας ἐῢ στείλαντα, σὺν ἀντιθέοις ἑτάροισιν.
ἐννέα νῆας στεῖλα, θοῶς δ' ἐσαγείρετο λαός.
ἑξῆμαρ μὲν ἔπειτα ἐμοὶ ἐρίηρες ἑταῖροι
250 δαίνυντ'· αὐτὰρ ἐγὼν ἱερήϊα πολλὰ παρεῖχον
θεοῖσίν τε ῥέζειν αὐτοῖσί τε δαῖτα πένεσθαι.
ἑβδομάτῃ δ' ἀναβάντες ἀπὸ Κρήτης εὐρείης
ἐπλέομεν βορέῃ ἀνέμῳ ἀκραέϊ καλῷ
ῥηϊδίως, ὡς εἴ τε κατὰ ῥόον· οὐδέ τις οὖν μοι
255 νηῶν πημάνθη, ἀλλ' ἀσκηθέες καὶ ἄνουσοι
ἥμεθα, τὰς δ' ἄνεμός τε κυβερνῆταί τ' ἴθυνον.
πεμπταῖοι δ' Αἴγυπτον ἐϋρρείτην ἱκόμεσθα,
στῆσα δ' ἐν Αἰγύπτῳ ποταμῷ νέας ἀμφιελίσσας.
ἔνθ' ἦ τοι μὲν ἐγὼ κελόμην ἐρίηρας ἑταίρους
260 αὐτοῦ πὰρ νήεσσι μένειν καὶ νῆας ἔρυσθαι,
ὀπτῆρας δὲ κατὰ σκοπιὰς ὤτρυνα νέεσθαι·
οἱ δ' ὕβρει εἴξαντες, ἐπισπόμενοι μένεϊ σφῷ,
αἶψα μάλ' Αἰγυπτίων ἀνδρῶν περικαλλέας ἀγροὺς
πόρθεον, ἐκ δὲ γυναῖκας ἄγον καὶ νήπια τέκνα,

contro uomini d'altri paesi, e mi ebbi molto bottino.
Ne sceglievo come volevo e ne avevo in sorte poi
molto: subito la mia casa fu prospera, e divenni
così tra i Cretesi temuto e onorato.
235 Ma quando Zeus dalla voce possente pensò l'odioso
viaggio, che fiaccò le ginocchia di molti guerrieri,
allora imposero a me e all'insigne Idomeneo
di guidare le navi per Ilio; e non ci fu modo
di rifiutare: ce lo impediva la dura voce del popolo.
240 Nove anni noi figli di Achei combattemmo laggiù,
e al decimo, distrutta la rocca di Priamo, partimmo
con le navi per casa, ma un dio disperse gli Achei.
Sciagure il saggio Zeus meditò per me sventurato:
restai solo un mese a godermi i miei figli,
245 la legittima sposa e gli averi: ma dopo,
l'animo mi spinse a recarmi per mare in Egitto,
armate bene le navi coi compagni pari agli dei.
Armai nove navi, e la gente con rapidità si raccolse.
Per sei giorni i miei fedeli compagni
250 mangiarono: io offrii molte vittime
per immolarle agli dei e apprestare ad essi il pasto.
Al settimo salimmo a bordo e partimmo
dall'ampia Creta con vento di settentrione, vigoroso, bello,
senza difficoltà, come su una corrente: nessuna
255 mia nave ebbe danni, ma incolumi e sani
restammo seduti. Le guidavano il vento e i piloti.
Al quinto giorno arrivammo in Egitto dalla bella corrente,
e nel fiume Egitto fermai le navi veloci a virare.
Allora ordinai ai fedeli compagni
260 di restare vicino alle navi e difenderle,
e spinsi gli esploratori ad andare in vedetta:
ma datisi alla violenza, mossi dal loro furore,
devastavano, subito, i campi bellissimi
degli uomini egizi, le donne rapivano, e i figli bambini,

265 αὐτούς τ' ἔκτεινον· τάχα δ' ἐς πόλιν ἵκετ' ἀϋτή.
οἱ δὲ βοῆς ἀΐοντες ἅμ' ἠόϊ φαινομένηφι
ἦλθον· πλῆτο δὲ πᾶν πεδίον πεζῶν τε καὶ ἵππων
χαλκοῦ τε στεροπῆς. ἐν δὲ Ζεὺς τερπικέραυνος
φύζαν ἐμοῖς ἑτάροισι κακὴν βάλεν, οὐδέ τις ἔτλη
270 μεῖναι ἐναντίβιον· περὶ γὰρ κακὰ πάντοθεν ἔστη.
ἔνθ' ἡμέων πολλοὺς μὲν ἀπέκτανον ὀξέϊ χαλκῷ,
τοὺς δ' ἄναγον ζωούς, σφίσιν ἐργάζεσθαι ἀνάγκῃ.
αὐτὰρ ἐμοὶ Ζεὺς αὐτὸς ἐνὶ φρεσὶν ὧδε νόημα
ποίησ'· ὡς ὄφελον θανέειν καὶ πότμον ἐπισπεῖν
275 αὐτοῦ ἐν Αἰγύπτῳ· ἔτι γάρ νύ με πῆμ' ὑπέδεκτο·
αὐτίκ' ἀπὸ κρατὸς κυνέην εὔτυκτον ἔθηκα
καὶ σάκος ὤμοιϊν, δόρυ δ' ἔκβαλον ἔκτοσε χειρός·
αὐτὰρ ἐγὼ βασιλῆος ἐναντίον ἤλυθον ἵππων
καὶ κύσα γούναθ' ἑλών· ὁ δ' ἐρύσατο καί μ' ἐλέησεν,
280 ἐς δίφρον δέ μ' ἕσας ἄγεν οἴκαδε δάκρυ χέοντα.
ἦ μέν μοι μάλα πολλοὶ ἐπήϊσσον μελίῃσιν,
ἱέμενοι κτεῖναι· δὴ γὰρ κεχολώατο λίην·
ἀλλ' ἀπὸ κεῖνος ἔρυκε, Διὸς δ' ὠπίζετο μῆνιν
ξεινίου, ὅς τε μάλιστα νεμεσσᾶται κακὰ ἔργα.
285 ἔνθα μὲν ἑπτάετες μένον αὐτόθι, πολλὰ δ' ἄγειρα
χρήματ' ἀν' Αἰγυπτίους ἄνδρας· δίδοσαν γὰρ ἅπαντες.
ἀλλ' ὅτε δὴ ὄγδοόν μοι ἐπιπλόμενον ἔτος ἦλθε,
δὴ τότε Φοῖνιξ ἦλθεν ἀνὴρ ἀπατήλια εἰδώς,
τρώκτης, ὃς δὴ πολλὰ κάκ' ἀνθρώποισιν ἐώργει·
290 ὅς μ' ἄγε παρπεπιθὼν ᾗσι φρεσίν, ὄφρ' ἱκόμεσθα
Φοινίκην, ὅθι τοῦ γε δόμοι καὶ κτήματ' ἔκειτο.
ἔνθα παρ' αὐτῷ μεῖνα τελεσφόρον εἰς ἐνιαυτόν.
ἀλλ' ὅτε δὴ μῆνές τε καὶ ἡμέραι ἐξετελεῦντο
ἂψ περιτελλομένου ἔτεος καὶ ἐπήλυθον ὧραι,
295 ἐς Λιβύην μ' ἐπὶ νηὸς ἐέσσατο ποντοπόροιο,
ψεύδεα βουλεύσας, ἵνα οἱ σὺν φόρτον ἄγοιμι,
κεῖθι δέ μ' ὡς περάσειε καὶ ἄσπετον ὦνον ἕλοιτο.
τῷ ἑπόμην ἐπὶ νηός, ὀϊόμενός περ, ἀνάγκῃ.

265 uccidevano gli uomini: presto l'allarme giunse in città.
E quelli, sentendo il grido, con la prima Aurora
arrivarono: tutta la pianura era colma di fanti e cavalli,
del lampeggiare del bronzo. Zeus lieto del fulmine
gettò un funesto scompiglio tra i miei compagni, e nessuno ardì
270 affrontare lo scontro: d'ogni intorno s'ergevano guai.
Allora uccisero molti di noi con l'aguzzo bronzo,
e altri trascinarono vivi, perché lavorassero a forza per loro.
Ma lo stesso Zeus mi ispirò nella mente
questo pensiero – oh, fossi morto e avessi subito il destino
275 laggiù in Egitto, perché mi aspettavano ancora disgrazie!
Subito mi tolsi dal capo il solido elmo
e dalle spalle lo scudo, gettai lontano la lancia:
poi corsi incontro ai cavalli del re,
gli afferrai e baciai le ginocchia: lui mi salvò ed ebbe pietà,
280 mi fece sedere sul carro, mi condusse a casa piangente.
Tanti e tanti si lanciarono contro di me con le aste,
smaniosi di uccidermi: erano assai incolleriti.
Ma egli li tenne lontani, temeva l'ira di Zeus
ospitale, che molto si adira per le azioni cattive.
285 Restai lì sette anni, ammassai tra gli Egizi
molte ricchezze: me ne davano tutti.
Ma quando volgendo arrivò per me l'ottavo anno,
giunse un uomo fenicio esperto di frodi,
avido, che molte infamie tra gli uomini aveva compiuto,
290 il quale coi suoi raggiri mi convinse ad andare con lui
in Fenicia, dove egli aveva le case e gli averi.
Rimasi lì per un anno intero da lui.
Ma quando si compirono i mesi e i giorni dell'anno
che di nuovo volgeva, e le stagioni tornarono,
295 mi imbarcò su una nave marina diretta in Libia,
inventando menzogne, perché l'aiutassi a portare il carico;
in realtà, per vendermi lì e averne un ingente guadagno.
Benché lo pensassi, dovetti seguire costui sulla nave, per forza.

ἡ δ' ἔθεεν βορέῃ ἀνέμῳ ἀκραέϊ καλῷ
300 μέσσον ὑπὲρ Κρήτης· Ζεὺς δέ σφισι μήδετ' ὄλεθρον.
ἀλλ' ὅτε δὴ Κρήτην μὲν ἐλείπομεν, οὐδέ τις ἄλλη
φαίνετο γαιάων, ἀλλ' οὐρανὸς ἠδὲ θάλασσα,
δὴ τότε κυανέην νεφέλην ἔστησε Κρονίων
νηὸς ὕπερ γλαφυρῆς, ἤχλυσε δὲ πόντος ὑπ' αὐτῆς.
305 Ζεὺς δ' ἄμυδις βρόντησε καὶ ἔμβαλε νηΐ κεραυνόν·
ἡ δ' ἐλελίχθη πᾶσα Διὸς πληγεῖσα κεραυνῷ,
ἐν δὲ θεείου πλῆτο· πέσον δ' ἐκ νηὸς ἅπαντες.
οἱ δὲ κορώνῃσιν ἴκελοι περὶ νῆα μέλαιναν
κύμασιν ἐμφορέοντο· θεὸς δ' ἀποαίνυτο νόστον.
310 αὐτὰρ ἐμοὶ Ζεὺς αὐτός, ἔχοντί περ ἄλγεα θυμῷ,
ἱστὸν ἀμαιμάκετον νηὸς κυανοπρῴροιο
ἐν χείρεσσιν ἔθηκεν, ὅπως ἔτι πῆμα φύγοιμι.
τῷ ῥα περιπλεχθεὶς φερόμην ὀλοοῖς ἀνέμοισιν.
ἐννῆμαρ φερόμην, δεκάτῃ δέ με νυκτὶ μελαίνῃ
315 γαίῃ Θεσπρωτῶν πέλασεν μέγα κῦμα κυλίνδον.
ἔνθα με Θεσπρωτῶν βασιλεὺς ἐκομίσσατο Φείδων
ἥρως ἀπριάτην· τοῦ γὰρ φίλος υἱὸς ἐπελθὼν
αἴθρῳ καὶ καμάτῳ δεδμημένον ἦγεν ἐς οἶκον,
χειρὸς ἀναστήσας, ὄφρ' ἵκετο δώματα πατρός·
320 ἀμφὶ δέ με χλαῖνάν τε χιτῶνά τε εἵματα ἕσσεν.
ἔνθ' Ὀδυσῆος ἐγὼ πυθόμην· κεῖνος γὰρ ἔφασκε
ξεινίσαι ἠδὲ φιλῆσαι ἰόντ' ἐς πατρίδα γαῖαν,
καί μοι κτήματ' ἔδειξεν, ὅσα ξυναγείρατ' Ὀδυσσεύς,
χαλκόν τε χρυσόν τε πολύκμητόν τε σίδηρον.
325 καί νύ κεν ἐς δεκάτην γενεὴν ἕτερόν γ' ἔτι βόσκοι·
τόσσα οἱ ἐν μεγάροις κειμήλια κεῖτο ἄνακτος.
τὸν δ' ἐς Δωδώνην φάτο βήμεναι, ὄφρα θεοῖο
ἐκ δρυὸς ὑψικόμοιο Διὸς βουλὴν ἐπακούσαι,
ὅππως νοστήσει' Ἰθάκης ἐς πίονα δῆμον,
330 ἤδη δὴν ἀπεών, ἢ ἀμφαδὸν ἦε κρυφηδόν.
ὤμοσε δὲ πρὸς ἔμ' αὐτόν, ἀποσπένδων ἐνὶ οἴκῳ,
νῆα κατειρύσθαι καὶ ἐπαρτέας ἔμμεν ἑταίρους,

Essa correva con vento di settentrione, vigoroso, bello,
300 al largo oltre Creta, ma Zeus meditava la loro rovina.
Quando lasciammo Creta, né si vedeva
altra terra, ma il cielo e il mare soltanto,
ecco il Cronide rizzò sulla nave ben cava
una nuvola scura: di sotto il mare incupì.
305 Zeus a un tempo tuonò e scagliò sulla nave un fulmine:
colpita dal fulmine di Zeus essa ruotò interamente
e s'empì di vapori sulfurei: tutti caddero in acqua.
Ed essi come corvi di mare intorno alla nera nave
erano portati dai flutti: il dio gli tolse il ritorno.
310 Lo stesso Zeus a me, che avevo dolori nell'animo,
mise in mano il solido albero
della nave dalla prora turchina, perché evitassi ancora la morte.
Stretto ad esso ero spinto dai venti funesti.
Per nove giorni fui trascinato: nella notte buia del decimo
315 mi spinse voltolando un gran flutto nella Tesprozia.
Là mi ospitò gratuitamente il re dei Tesproti,
l'eroe Fidone: suo figlio, trovatomi
vinto dal gelo e dalla fatica, mi portò a casa sua,
sorreggendomi con la sua mano, finché giunse in casa del padre:
320 e mi fece indossare dei panni, un mantello e una tunica.
Là seppi di Odisseo: Fidone infatti diceva
d'averlo ospitato e accolto durante il ritorno in patria,
e mi mostrò le ricchezze che Odisseo aveva ammassate,
bronzo, oro e ferro lavorato con molta fatica.
325 Manterrebbero un uomo fino alla decima generazione:
tanti tesori egli aveva nella casa del re.
Disse che era andato a Dodona, a sentire
dalla quercia divina d'alte fronde il volere di Zeus,
come dovesse tornare nel pingue paese di Itaca,
330 da cui era assente da tanto, se alla scoperta o in segreto.
E mi giurò, mentre in casa libava,
che era già tratta la nave e già pronti i compagni

οἵ δή μιν πέμψουσι φίλην ἐς πατρίδα γαῖαν.
ἀλλ' ἐμὲ πρὶν ἀπέπεμψε· τύχησε γὰρ ἐρχομένη νηῦς
335 ἀνδρῶν Θεσπρωτῶν ἐς Δουλίχιον πολύπυρον.
ἔνθ' ὅ γέ μ' ἠνώγει πέμψαι βασιλῆϊ Ἀκάστῳ
ἐνδυκέως· τοῖσιν δὲ κακὴ φρεσὶν ἥνδανε βουλὴ
ἀμφ' ἐμοί, ὄφρ' ἔτι πάγχυ δύης ἐπὶ πῆμα γενοίμην.
ἀλλ' ὅτε γαίης πολλὸν ἀπέπλω ποντοπόρος νηῦς,
340 αὐτίκα δούλιον ἦμαρ ἐμοὶ περιμηχανόωντο.
ἐκ μέν με χλαῖνάν τε χιτῶνά τε εἵματ' ἔδυσαν,
ἀμφὶ δέ με ῥάκος ἄλλο κακὸν βάλον ἠδὲ χιτῶνα,
ῥωγαλέα, τὰ καὶ αὐτὸς ἐν ὀφθαλμοῖσιν ὅρηαι.
ἑσπέριοι δ' Ἰθάκης εὐδειέλου ἔργ' ἀφίκοντο.
345 ἔνθ' ἐμὲ μὲν κατέδησαν ἐϋσσέλμῳ ἐνὶ νηῒ
ὅπλῳ ἐϋστρεφέϊ στερεῶς, αὐτοὶ δ' ἀποβάντες
ἐσσυμένως παρὰ θῖνα θαλάσσης δόρπον ἕλοντο.
αὐτὰρ ἐμοὶ δεσμὸν μὲν ἀνέγναμψαν θεοὶ αὐτοὶ
ῥηϊδίως· κεφαλῇ δὲ κατὰ ῥάκος ἀμφικαλύψας,
350 ξεστὸν ἐφόλκαιον καταβὰς ἐπέλασσα θαλάσσῃ
στῆθος, ἔπειτα δὲ χερσὶ διήρεσα ἀμφοτέρῃσι
νηχόμενος, μάλα δ' ὦκα θύρηθ' ἔα ἀμφὶς ἐκείνων.
ἔνθ' ἀναβάς, ὅθι τε δρίος ἦν πολυανθέος ὕλης,
κείμην πεπτηώς. οἱ δὲ μεγάλα στενάχοντες
355 φοίτων· ἀλλ' οὐ γάρ σφιν ἐφαίνετο κέρδιον εἶναι
μαίεσθαι προτέρω, τοὶ μὲν πάλιν αὖτις ἔβαινον
νηὸς ἔπι γλαφυρῆς· ἐμὲ δ' ἔκρυψαν θεοὶ αὐτοὶ
ῥηϊδίως, καί με σταθμῷ ἐπέλασσαν ἄγοντες
ἀνδρὸς ἐπισταμένου· ἔτι γάρ νύ μοι αἶσα βιῶναι ».
360 τὸν δ' ἀπαμειβόμενος προσέφης, Εὔμαιε συβῶτα·
« ἆ δειλὲ ξείνων, ἦ μοι μάλα θυμὸν ὄρινας
ταῦτα ἕκαστα λέγων, ὅσα δὴ πάθες ἠδ' ὅσ' ἀλήθης.
ἀλλὰ τά γ' οὐ κατὰ κόσμον, ὀΐομαι, – οὐδέ με πείσεις –
εἰπὼν ἀμφ' Ὀδυσῆϊ. τί σε χρὴ τοῖον ἐόντα
365 μαψιδίως ψεύδεσθαι; ἐγὼ δ' εὖ οἶδα καὶ αὐτὸς
νόστον ἐμοῖο ἄνακτος, ὅ τ' ἤχθετο πᾶσι θεοῖσι

per portarlo nella cara terra patria.
Congedò prima me: per caso una nave tesprota
335 andava a Dulichio ricca di grano.
Ingiunse che mi scortassero là, dal re Acasto,
sollecitamente: ma quelli preferirono un piano malvagio
nell'animo, perché finissi nell'estrema miseria.
Quando la nave marina fu molto lontana da terra,
340 subito macchinarono il giorno della mia schiavitù.
Mi tolsero i panni, il mantello e la tunica,
mi gettarono addosso un povero cencio e una tunica,
laceri, questi che vedi coi tuoi stessi occhi.
A sera arrivarono ai campi di Itaca chiara nel sole.
345 Qui mi legarono dentro la nave ben costruita
con una fune ritorta, saldamente, e poi sbarcati
essi presero il pasto rapidamente sulla riva del mare.
Ma gli dei stessi mi sciolsero facilmente
la fune: strettomi il cencio intorno alla testa
350 e calatomi sulla tavola liscia, accostai al mare
il torace, poi con entrambe le mani remai
nuotando, e ben presto fui lontano da loro.
Approdato dove era un terreno con florida selva,
aspettai rannicchiato. Essi giravano intorno
355 con grandi lamenti. Ma vano gli parve
cercare più a lungo e di nuovo tornarono
sulla nave ben cava: mi avevano facilmente nascosto
gli dei, e guidandomi mi indirizzarono all'ovile
d'un saggio uomo: è destino perciò che io viva».
360 E tu rispondendo, o porcaro Eumeo, gli dicesti:
«Ah, sventurato tra gli ospiti, l'animo tu m'hai commosso,
raccontando per filo quanto hai sofferto ed errato.
Ma non mi convinci, penso, non dicendo
in modo giusto di Odisseo. Che bisogno hai di mentire,
365 uno come te, inutilmente? Lo conosco bene anche io
il ritorno del mio padrone: egli era odiato da tutti gli dei

πάγχυ μάλ', ὅττι μιν οὔ τι μετὰ Τρώεσσι δάμασσαν
ἠὲ φίλων ἐν χερσίν, ἐπεὶ πόλεμον τολύπευσε.
τῶ κέν οἱ τύμβον μὲν ἐποίησαν Παναχαιοί,
370 ἠδέ κε καὶ ᾧ παιδὶ μέγα κλέος ἤρατ' ὀπίσσω.
νῦν δέ μιν ἀκλειῶς Ἅρπυιαι ἀνηρέψαντο.
αὐτὰρ ἐγὼ παρ' ὕεσσιν ἀπότροπος· οὐδὲ πόλινδε
ἔρχομαι, εἰ μή πού τι περίφρων Πηνελόπεια
ἐλθέμεν ὀτρύνῃσιν, ὅτ' ἀγγελίη ποθὲν ἔλθοι.
375 ἀλλ' οἱ μὲν τὰ ἕκαστα παρήμενοι ἐξερέουσιν,
ἠμὲν οἳ ἄχνυνται δὴν οἰχομένοιο ἄνακτος,
ἠδ' οἳ χαίρουσιν βίοτον νήποινον ἔδοντες·
ἀλλ' ἐμοὶ οὐ φίλον ἐστὶ μεταλλῆσαι καὶ ἐρέσθαι,
ἐξ οὗ δή μ' Αἰτωλὸς ἀνὴρ ἐξήπαφε μύθῳ,
380 ὅς ῥ' ἄνδρα κτείνας πολλὴν ἐπὶ γαῖαν ἀληθεὶς
ἤλθεν ἐμὰ πρὸς δώματ', ἐγὼ δέ μιν ἀμφαγάπαζον.
φῆ δέ μιν ἐν Κρήτεσσι παρ' Ἰδομενῆϊ ἰδέσθαι
νῆας ἀκειόμενον, τάς οἱ ξυνέαξαν ἄελλαι·
καὶ φάτ' ἐλεύσεσθαι ἢ ἐς θέρος ἢ ἐς ὀπώρην,
385 πολλὰ χρήματ' ἄγοντα, σὺν ἀντιθέοις ἑτάροισι.
καὶ σύ, γέρον πολυπενθές, ἐπεί σέ μοι ἤγαγε δαίμων,
μήτε τί μοι ψεύδεσσι χαρίζεο μήτε τι θέλγε·
οὐ γὰρ τοὔνεκ' ἐγώ σ' αἰδέσσομαι οὐδὲ φιλήσω,
ἀλλὰ Δία ξένιον δείσας αὐτόν τ' ἐλεαίρων ».
390 τὸν δ' ἀπαμειβόμενος προσέφη πολύμητις Ὀδυσσεύς·
« ἦ μάλα τίς τοι θυμὸς ἐνὶ στήθεσσιν ἄπιστος,
οἷόν σ' οὐδ' ὀμόσας περ ἐπήγαγον οὐδέ σε πείθω.
ἀλλ' ἄγε νῦν ῥήτρην ποιησόμεθ'· αὐτὰρ ὄπισθε
μάρτυροι ἀμφοτέροισι θεοί, τοὶ Ὄλυμπον ἔχουσιν.
395 εἰ μέν κεν νοστήσῃ ἄναξ τεὸς ἐς τόδε δῶμα,
ἕσσας με χλαῖνάν τε χιτῶνά τε εἵματα πέμψαι
Δουλίχιόνδ' ἰέναι, ὅθι μοι φίλον ἔπλετο θυμῷ·
εἰ δέ κε μὴ ἔλθῃσιν ἄναξ τεὸς ὡς ἀγορεύω,
δμῶας ἐπισσεύας βαλέειν μεγάλης κατὰ πέτρης,
400 ὄφρα καὶ ἄλλος πτωχὸς ἀλεύεται ἠπεροπεύειν ».

moltissimo, e perciò non lo vinsero in mezzo ai Troiani,
o nelle braccia dei suoi, dopo aver dipanato la guerra.
Allora tutti gli Achei gli avrebbero fatto una tomba
370 e anche a suo figlio avrebbe acquistato gloria per dopo
Ma ora se lo portarono, ingloriosamente, le Arpie.
Io sto coi maiali, lontano: non vado
in città, se non quelle volte che la saggia Penelope
mi spinge ad andarci, quando giunge qualche notizia.
375 Loro si siedono accanto e domandano tutto,
sia quelli che soffrono per il padrone lontano,
sia quelli che godono a divorargli la roba impunemente:
ma a me non piace chiedere e fare domande,
dacché mi ingannò con racconti un Etolo.
380 Uccise un uomo, costui, e aveva vagato molto:
era poi giunto da me ed io con premura l'accolsi.
Diceva d'averlo veduto da Idomeneo, tra i Cretesi,
mentre aggiustava le navi danneggiate dalle tempeste;
e diceva che sarebbe arrivato durante l'estate o l'autunno,
385 recando molte ricchezze coi compagni pari agli dei.
Anche tu, vecchio infelice, poiché ti guidò da me un dio,
non farti gradito con false notizie e non incantarmi:
non per questo avrò rispetto per te e ti ospiterò,
ma per timore di Zeus ospitale e perché sento pietà».
390 Rispondendo gli disse l'astuto Odisseo:
«Hai un animo assai diffidente nel petto,
tanto che anche giurando non ti ho smosso e non ti convinco.
Ma su, facciamo ora un patto: e dopo
siano a noi due testimoni gli dei che hanno l'Olimpo.
395 Se il tuo signore ritorna in questa dimora,
vestimi con un mantello e una tunica e fammi portare
a Dulichio, nel luogo dove mi è caro nell'animo;
se il tuo signore non viene, come asserisco,
aizza gli schiavi e gettami da una gran rupe,
400 perché anche un altro accattone eviti di raggirarti».

τὸν δ' ἀπαμειβόμενος προσεφώνεε δῖος ὑφορβός·
« ξεῖν', οὕτω γάρ κέν μοι ἐϋκλείη τ' ἀρετή τε
εἴη ἐπ' ἀνθρώπους, ἅμα τ' αὐτίκα καὶ μετέπειτα,
ὅς σ' ἐπεὶ ἐς κλισίην ἄγαγον καὶ ξείνια δῶκα,
405 αὖτις δὲ κτείναιμι φίλον τ' ἀπὸ θυμὸν ἑλοίμην·
πρόφρων κεν δὴ ἔπειτα Δία Κρονίων' ἀλιτοίμην.
νῦν δ' ὥρη δόρποιο· τάχιστά μοι ἔνδον ἑταῖροι
εἶεν, ἵν' ἐν κλισίῃ λαρὸν τετυκοίμεθα δόρπον ».
ὣς οἱ μὲν τοιαῦτα πρὸς ἀλλήλους ἀγόρευον,
410 ἀγχίμολον δὲ σύες τε καὶ ἀνέρες ἦλθον ὑφορβοί.
τὰς μὲν ἄρα ἔρξαν κατὰ ἤθεα κοιμηθῆναι,
κλαγγὴ δ' ἄσπετος ὦρτο συῶν αὐλιζομενάων.
αὐτὰρ ὁ οἷς ἑτάροισιν ἐκέκλετο δῖος ὑφορβός·
« ἄξεθ' ὑῶν τὸν ἄριστον, ἵνα ξείνῳ ἱερεύσω
415 τηλεδαπῷ· πρὸς δ' αὐτοὶ ὀνησόμεθ', οἵ περ ὀϊζὺν
δὴν ἔχομεν πάσχοντες ὑῶν ἕνεκ' ἀργιοδόντων·
ἄλλοι δ' ἡμέτερον κάματον νήποινον ἔδουσιν ».
ὣς ἄρα φωνήσας κέασε ξύλα νηλέϊ χαλκῷ·
οἱ δ' ὗν εἰσῆγον μάλα πίονα πενταέτηρον.
420 τὸν μὲν ἔπειτ' ἔστησαν ἐπ' ἐσχάρῃ· οὐδὲ συβώτης
λήθετ' ἄρ' ἀθανάτων· φρεσὶ γὰρ κέχρητ' ἀγαθῇσιν·
ἀλλ' ὅ γ' ἀπαρχόμενος κεφαλῆς τρίχας ἐν πυρὶ βάλλεν
ἀργιόδοντος ὑὸς καὶ ἐπεύχετο πᾶσι θεοῖσι
νοστῆσαι Ὀδυσῆα πολύφρονα ὅνδε δόμονδε.
425 κόψε δ' ἀνασχόμενος σχίζῃ δρυός, ἣν λίπε κείων·
τὸν δ' ἔλιπε ψυχή. τοὶ δ' ἔσφαξάν τε καὶ εὗσαν,
αἶψα δέ μιν διέχευαν· ὁ δ' ὠμοθετεῖτο συβώτης,
πάντων ἀρχόμενος μελέων, ἐς πίονα δημόν.
καὶ τὰ μὲν ἐν πυρὶ βάλλε, παλύνας ἀλφίτου ἀκτήν,
430 μίστυλλόν τ' ἄρα τἆλλα καὶ ἀμφ' ὀβελοῖσιν ἔπειρον
ὤπτησάν τε περιφραδέως ἐρύσαντό τε πάντα,
βάλλον δ' εἰν ἐλεοῖσιν ἀολλέα. ἂν δὲ συβώτης
ἵστατο δαιτρεύσων· περὶ γὰρ φρεσὶν αἴσιμα ᾔδη.
καὶ τὰ μὲν ἔπταχα πάντα διεμοιρᾶτο δαΐζων·

Rispondendo gli disse il chiaro mandriano:
« Ospite, così avrei veramente tra gli uomini
fama e valore, subito e in avvenire,
se dopo averti condotto nella capanna e ospitato,
405 poi ti uccidessi e ti togliessi la vita:
così offenderei di proposito Zeus Cronide!
Ma adesso è ora di cena: oh se i compagni rientrassero
presto, per preparare una cena gustosa nella capanna ».
Essi dunque facevano questi discorsi tra loro,
410 e arrivarono intanto le scrofe e i mandriani.
Le chiusero nei loro porcili a dormire:
e dalle scrofe rinchiuse sorse uno strepito immenso.
Poi egli ordinò ai compagni, il chiaro mandriano:
« Portate il maiale migliore, perché lo ammazzi per l'ospite
415 venuto da fuori: ne trarremo profitto anche noi, che peniamo
da sempre affannandoci per i porci dalle bianche zanne:
e gli altri divorano il nostro lavoro senza fatica ».
Detto così, spaccò la legna col bronzo spietato:
essi portarono un porco di cinque anni, assai grasso.
420 Al focolare lo tennero ritto, e il porcaro
non trascurò gli immortali, perché aveva un animo pio.
Ma, cominciando, gettò nel fuoco peli del capo
del porco dalle bianche zanne e invocò da tutti gli dei
che il saggio Odisseo tornasse nella sua casa.
425 Lo colpì, sollevatosi, con una scheggia di quercia lasciata
da parte: l'anima lo abbandonò. Lo scannarono e abbrustolirono,
lo squartarono subito: il porcaro dispose su pingue grasso
i pezzi crudi presi per primi da tutte le membra.
Li gettava nel fuoco dopo avervi cosparsa farina di orzo:
430 spezzettarono gli altri e li infilzarono in spiedi,
li arrostirono e sfilarono tutti con attenzione
e li gettarono nei taglieri in un mucchio. Il porcaro
si alzò per spartire: perché conosceva la retta maniera.
E, spartendo, divise tutto in sette porzioni:

435 τὴν μὲν ἴαν Νύμφῃσι καὶ Ἑρμῇ, Μαιάδος υἷι,
θῆκεν ἐπευξάμενος, τὰς δ' ἄλλας νεῖμεν ἑκάστῳ·
νώτοισιν δ' Ὀδυσῆα διηνεκέεσσι γέραιρεν
ἀργιόδοντος ὑός, κύδαινε δὲ θυμὸν ἄνακτος.
καί μιν φωνήσας προσέφη πολύμητις Ὀδυσσεύς·
440 «αἴθ' οὕτως, Εὔμαιε, φίλος Διὶ πατρὶ γένοιο
ὡς ἐμοί, ὅττι με τοῖον ἐόντ' ἀγαθοῖσι γεραίρεις».
τὸν δ' ἀπαμειβόμενος προσέφης, Εὔμαιε συβῶτα·
«ἔσθιε, δαιμόνιε ξείνων, καὶ τέρπεο τοῖσδε,
οἷα πάρεστι· θεὸς δὲ τὸ μὲν δώσει, τὸ δ' ἐάσει,
445 ὅττι κεν ᾧ θυμῷ ἐθέλῃ· δύναται γὰρ ἅπαντα».
ἦ ῥα, καὶ ἄργματα θῦσε θεοῖς αἰειγενέτῃσι,
σπείσας δ' αἴθοπα οἶνον Ὀδυσσῆϊ πτολιπόρθῳ
ἐν χείρεσσιν ἔθηκεν· ὁ δ' ἕζετο ᾗ παρὰ μοίρῃ.
σῖτον δέ σφιν ἔνειμε Μεσαύλιος, ὅν ῥα συβώτης
450 αὐτὸς κτήσατο οἶος ἀποιχομένοιο ἄνακτος,
νόσφιν δεσποίνης καὶ Λαέρταο γέροντος·
πὰρ δ' ἄρα μιν Ταφίων πρίατο κτεάτεσσιν ἑοῖσιν.
οἱ δ' ἐπ' ὀνείαθ' ἑτοῖμα προκείμενα χεῖρας ἴαλλον.
αὐτὰρ ἐπεὶ πόσιος καὶ ἐδητύος ἐξ ἔρον ἕντο,
455 σῖτον μέν σφιν ἀφεῖλε Μεσαύλιος, οἱ δ' ἐπὶ κοῖτον,
σίτου καὶ κρειῶν κεκορημένοι, ἐσσεύοντο.
νὺξ δ' ἄρ' ἐπῆλθε κακὴ σκοτομήνιος· ὗε δ' ἄρα Ζεὺς
πάννυχος, αὐτὰρ ἄη ζέφυρος μέγας αἰὲν ἔφυδρος.
τοῖς δ' Ὀδυσεὺς μετέειπε, συβώτεω πειρητίζων,
460 εἴ πώς οἱ ἐκδὺς χλαῖναν πόροι ἤ τιν' ἑταίρων
ἄλλον ἐποτρύνειεν, ἐπεί ἑο κήδετο λίην·
«κέκλυθι νῦν, Εὔμαιε καὶ ἄλλοι πάντες εταῖροι,
εὐξάμενός τι ἔπος ἐρέω· οἶνος γὰρ ἀνώγει,
ἠλεός, ὅς τ' ἐφέηκε πολύφρονά περ μάλ' ἀεῖσαι
465 καί θ' ἁπαλὸν γελάσαι καί τ' ὀρχήσασθαι ἀνῆκε,
καί τι ἔπος προέηκεν, ὅ πέρ τ' ἄρρητον ἄμεινον.
ἀλλ' ἐπεὶ οὖν τὸ πρῶτον ἀνέκραγον, οὐκ ἐπικεύσω.
εἴθ' ὣς ἡβώοιμι βίη τέ μοι ἔμπεδος εἴη,

435 ne offrì una alle Ninfe e ad Ermete, il figlio di Maia,
pregando; distribuì le altre a ciascuno;
onorò Odisseo con l'intiera schiena
del porco dalle bianche zanne; e rallegrò l'animo del suo signore.
Cominciò a parlare e gli disse l'astuto Odisseo:
440 « Eumeo, possa tu essere caro al padre Zeus come sei caro
a me, poiché mi onori, così misero, con buone cose ».
E tu rispondendo, o porcaro Eumeo, gli dicesti:
« Mangia e godi di quello che c'è,
sventurato straniero. Il dio darà questo e lascerà quello,
445 come nel suo animo vuole: perché egli può tutto ».
Disse così ed offrì le primizie agli dei eterni
e avendo libato pose nelle mani di Odisseo distruttore di città
scuro vino: ed egli sedeva, con accanto la propria porzione.
Distribuì il pane ad essi Mesaulio, che il porcaro
450 aveva comprato da solo, partito il padrone,
senza ordine della padrona e del vecchio Laerte:
l'aveva comprato dai Tafi con i suoi mezzi.
Ed essi sui cibi pronti, imbanditi, le mani tendevano.
Poi, quando ebbero scacciata la voglia di bere e di cibo,
455 Mesaulio portò via il pane, ed essi volevano andare
a dormire, sazi di pane e di carne.
Ma venne una notte brutta, buia, senza luna. Zeus piovve
per tutta la notte: soffiò un gran zefiro, sempre piovoso.
E Odisseo parlò tra essi, per vedere alla prova il porcaro,
460 se gli avrebbe offerto il mantello, togliendoselo, o avrebbe spinto
qualche altro compagno, visto che tanto s'occupava di lui:
« Ascoltami ora, Eumeo, e tutti voi altri compagni.
Con vanteria narrerò un episodio: il vino mi eccita,
che rende folli e spinge anche il savio a cantare
465 e a ridere stolidamente e lo scioglie alla danza
e ispira parole che sarebbe anche meglio non dire.
Ma poiché ormai chiacchiero, non voglio nasconderlo.
Oh fossi giovane e avessi tanto vigore

ὡς ὅθ' ὑπὸ Τροίην λόχον ἤγομεν ἀρτύναντες.
470 ἡγείσθην δ' Ὀδυσεύς τε καὶ Ἀτρεΐδης Μενέλαος,
τοῖσι δ' ἅμα τρίτος ἦρχον ἐγών· αὐτοὶ γὰρ ἄνωγον.
ἀλλ' ὅτε δή ῥ' ἱκόμεσθα ποτὶ πτόλιν αἰπύ τε τεῖχος,
ἡμεῖς μὲν περὶ ἄστυ κατὰ ῥωπήϊα πυκνά,
ἂν δόνακας καὶ ἕλος, ὑπὸ τεύχεσι πεπτηῶτες
475 κείμεθα, νὺξ δ' ἄρ' ἐπῆλθε κακὴ βορέαο πεσόντος,
πηγυλίς· αὐτὰρ ὕπερθε χιὼν γένετ' ἠΰτε πάχνη,
ψυχρή, καὶ σακέεσσι περιτρέφετο κρύσταλλος.
ἔνθ' ἄλλοι πάντες χλαίνας ἔχον ἠδὲ χιτῶνας,
εὗδον δ' εὔκηλοι, σάκεσιν εἰλυμένοι ὤμους·
480 αὐτὰρ ἐγὼ χλαῖναν μὲν ἰὼν ἑτάροισιν ἔλειπον
ἀφραδίῃ, ἐπεὶ οὐκ ἐφάμην ῥιγωσέμεν ἔμπης,
ἀλλ' ἑπόμην σάκος οἶον ἔχων καὶ ζῶμα φαεινόν.
ἀλλ' ὅτε δὴ τρίχα νυκτὸς ἔην, μετὰ δ' ἄστρα βεβήκει,
καὶ τότ' ἐγὼν Ὀδυσῆα προσηύδων ἐγγὺς ἐόντα
485 ἀγκῶνι νύξας· ὁ δ' ἄρ' ἐμμαπέως ὑπάκουσε·
" διογενὲς Λαερτιάδη, πολυμήχαν' Ὀδυσσεῦ,
οὔ τοι ἔτι ζωοῖσι μετέσσομαι, ἀλλά με χεῖμα
δάμναται· οὐ γὰρ ἔχω χλαῖναν· παρά μ' ἤπαφε δαίμων
οἰοχίτων' ἔμεναι· νῦν δ' οὐκέτι φυκτὰ πέλονται".
490 ὣς ἐφάμην, ὁ δ' ἔπειτα νόον σχέθε τόνδ' ἐνὶ θυμῷ,
οἷος κεῖνος ἔην βουλευέμεν ἠδὲ μάχεσθαι·
φθεγξάμενος δ' ὀλίγῃ ὀπί με πρὸς μῦθον ἔειπε·
" σίγα νῦν, μή τίς σευ Ἀχαιῶν ἄλλος ἀκούσῃ".
ἦ, καὶ ἐπ' ἀγκῶνος κεφαλὴν σχέθεν εἶπέ τε μῦθον·
495 " κλῦτε, φίλοι· θεῖός μοι ἐνύπνιον ἦλθεν ὄνειρος.
λίην γὰρ νηῶν ἑκὰς ἤλθομεν· ἀλλά τις εἴη
εἰπεῖν Ἀτρεΐδῃ Ἀγαμέμνονι, ποιμένι λαῶν,
εἰ πλέονας παρὰ ναῦφιν ἐποτρύνειε νέεσθαι".
ὣς ἔφατ', ὦρτο δ' ἔπειτα Θόας, Ἀνδραίμονος υἱός,
500 καρπαλίμως, ἀπὸ δὲ χλαῖναν βάλε φοινικόεσσαν,
βῆ δὲ θέειν ἐπὶ νῆας· ἐγὼ δ' ἐνὶ εἵματι κείνου
κείμην ἀσπασίως, φάε δὲ χρυσόθρονος Ἠώς.

come quando ordimmo e guidammo sotto Troia un agguato!
470 Lo comandavano Odisseo e il figlio di Atreo, Menelao,
e terzo con essi ero capo anche io: mi invitarono loro.
Allorché fummo a Troia e al ripido muro,
noi ci acquattammo tra i fitti cespugli
nei pressi della città, dietro canne e acquitrini,
475 sotto gli scudi. Cadde la tramontana, e scese maligna una notte
di gelo; poi venne dall'alto la neve, come una brina,
fredda, e sugli scudi cominciò a crescere il ghiaccio.
Tutti gli altri avevano un mantello e una tunica:
dormivano placidi, con le spalle riparate da scudi.
480 Ma partendo io avevo lasciato ai compagni il mantello,
stupidamente, perché non pensavo che avrebbe gelato,
ma li avevo seguiti con solo lo scudo e la splendida fascia.
Restava un terzo di notte ed eran trascorse le stelle,
quando io mi rivolsi ad Odisseo, che mi stava vicino,
485 lo urtai con il gomito, lui subito stette a sentirmi:
"Divino figlio di Laerte, Odisseo pieno di astuzie,
non sarò più tra i vivi, ma il gelo
mi uccide: perché il mantello non ho. Un dio mi illuse
a restare con solo la tunica: adesso non c'è più scampo".
490 Disse così, ed egli nella mente ebbe questo pensiero,
bravo come era a pensare e a combattere;
parlandomi a bassa voce mi disse:
"Sta' ora zitto, non ti senta alcun altro Acheo".
Alzò poi la testa sul gomito e disse:
495 "Sentite, amici; dormendo m'è venuto un sogno divino:
dalle navi siamo troppo lontani; vada qualcuno
a dire all'Atride Agamennone, pastore di genti,
se può ordinare che dalle navi vengano altri".
Disse così e subito Toante, figlio di Andremone,
500 s'alzò, gettò il mantello purpureo,
si diresse di corsa alle navi. Mi coricai con piacere
nel suo indumento: e apparve Aurora dall'aureo trono.

ὣς νῦν ἡβώοιμι βίη τέ μοι ἔμπεδος εἴη·
δοίη κέν τις χλαῖναν ἐνὶ σταθμοῖσι συφορβῶν,
505 ἀμφότερον, φιλότητι καὶ αἰδόϊ φωτὸς ἑῆος·
νῦν δέ μ' ἀτιμάζουσι κακὰ χροῒ εἵματ' ἔχοντα ».
τὸν δ' ἀπαμειβόμενος προσέφης, Εὔμαιε συβῶτα·
« ὦ γέρον, αἶνος μέν τοι ἀμύμων, ὃν κατέλεξας,
οὐδέ τί πω παρὰ μοῖραν ἔπος νηκερδὲς ἔειπες·
510 τῶ οὔτ' ἐσθῆτος δευήσεαι οὔτε τευ ἄλλου,
ὧν ἐπέοιχ' ἱκέτην ταλαπείριον ἀντιάσαντα,
νῦν· ἀτὰρ ἠῶθέν γε τὰ σὰ ῥάκεα δνοπαλίξεις.
οὐ γὰρ πολλαὶ χλαῖναι ἐπημοιβοί τε χιτῶνες
ἐνθάδε ἕννυσθαι, μία δ' οἴη φωτὶ ἑκάστῳ.
515 αὐτὰρ ἐπὴν ἔλθησιν Ὀδυσσῆος φίλος υἱός,
αὐτός τοι χλαῖνάν τε χιτῶνά τε εἵματα δώσει,
πέμψει δ' ὅππη σε κραδίη θυμός τε κελεύει ».
ὣς εἰπὼν ἀνόρουσε, τίθει δ' ἄρα οἱ πυρὸς ἐγγὺς
εὐνήν, ἐν δ' οἰῶν τε καὶ αἰγῶν δέρματ' ἔβαλλεν.
520 ἔνθ' Ὀδυσεὺς κατέλεκτ'. ἐπὶ δὲ χλαῖναν βάλεν αὐτῷ
πυκνὴν καὶ μεγάλην, ἥ οἱ παρακέσκετ' ἀμοιβὰς
ἕννυσθαι, ὅτε τις χειμὼν ἔκπαγλος ὄροιτο.
ὣς ὁ μὲν ἔνθ' Ὀδυσεὺς κοιμήσατο, τοὶ δὲ παρ' αὐτὸν
ἄνδρες κοιμήσαντο νεηνίαι. οὐδὲ συβώτῃ
525 ἥνδανεν αὐτόθι κοῖτος, ὑῶν ἄπο κοιμηθῆναι,
ἀλλ' ὅ γ' ἄρ' ἔξω ἰὼν ὁπλίζετο· χαῖρε δ' Ὀδυσσεύς,
ὅττι ῥά οἱ βιότου περικήδετο νόσφιν ἐόντος.
πρῶτον μὲν ξίφος ὀξὺ περὶ στιβαροῖς βάλετ' ὤμοις,
ἀμφὶ δὲ χλαῖναν ἐέσσατ' ἀλεξάνεμον, μάλα πυκνήν,
530 ἂν δὲ νάκην ἕλετ' αἰγὸς ἐϋτρεφέος μεγάλοιο,
εἵλετο δ' ὀξὺν ἄκοντα, κυνῶν ἀλκτῆρα καὶ ἀνδρῶν.
βῆ δ' ἴμεναι κείων, ὅθι περ σύες ἀργιόδοντες
πέτρῃ ὕπο γλαφυρῇ εὗδον, βορέω ὑπ' ἰωγῇ.

Oh fossi giovane, ora, e avessi tanto vigore!
per due ragioni qualche porcaro nelle stalle mi darebbe
505 un mantello: per simpatia, e per rispetto di un uomo forte.
Invece mi spregiano, ora, perché vesto miseri panni».
E tu rispondendo, o porcaro Eumeo, gli dicesti:
«Vecchio, la storia che hai raccontato è perfetta,
e non hai detto a casaccio parole vane:
510 a te, dunque, non mancherà una veste o cos'altro
è giusto ottenere arrivando da supplice sventurato,
per ora. Domani però vestirai i tuoi cenci.
Perché di ricambio non ci sono molti mantelli e vestiti
qui da indossare, ma uno soltanto per ciascun uomo.
515 Ma quando verrà il caro figlio di Odisseo,
ti darà lui dei vestiti, un mantello e una tunica,
e ti invierà dove il cuore e la mente ti spinge».
Così dicendo si alzò, e presso al fuoco gli fece
un giaciglio, e vi pose pelli di pecore e capre.
520 Odisseo si coricò: Eumeo gettò su di lui un mantello
spesso e grande, che teneva come ricambio
da mettere quando sorgeva qualche bufera terribile.
Così Odisseo lì riposò, e accanto a lui
riposarono i giovani. Ma il riposo lì
525 non piaceva al porcaro, coricato lontano dai porci,
ma s'apprestava ad uscire: e Odisseo gioiva
che gli curasse la roba mentre era lontano.
Prima s'appese l'aguzza spada alle spalle robuste,
indossò un mantello assai spesso, che lo proteggesse,
530 prese la pelle di un capro grasso e grande,
prese un'aguzza picca a difesa dai cani e dagli uomini.
S'avviò per andare a dormire dove i porci dalle bianche zanne
dormivano, sotto la roccia cava, al riparo da borea.

O

Ἡ δ' εἰς εὐρύχορον Λακεδαίμονα Παλλὰς Ἀθήνη
ᾤχετ', Ὀδυσσῆος μεγαθύμου φαίδιμον υἱὸν
νόστου ὑπομνήσουσα καὶ ὀτρυνέουσα νέεσθαι.
εὗρε δὲ Τηλέμαχον καὶ Νέστορος ἀγλαὸν υἱὸν
5 εὕδοντ' ἐν προδόμῳ Μενελάου κυδαλίμοιο,
ἦ τοι Νεστορίδην μαλακῷ δεδμημένον ὕπνῳ,
Τηλέμαχον δ' οὐχ ὕπνος ἔχε γλυκύς, ἀλλ' ἐνὶ θυμῷ
νύκτα δι' ἀμβροσίην μελεδήματα πατρὸς ἔγειρεν.
ἀγχοῦ δ' ἱσταμένη προσέφη γλαυκῶπις Ἀθήνη·
10 «Τηλέμαχ', οὐκέτι καλὰ δόμων ἄπο τῆλ' ἀλάλησαι,
κτήματά τε προλιπὼν ἄνδρας τ' ἐν σοῖσι δόμοισιν
οὕτω ὑπερφιάλους· μή τοι κατὰ πάντα φάγωσι
κτήματα δασσάμενοι, σὺ δὲ τηϋσίην ὁδὸν ἔλθῃς.
ἀλλ' ὄτρυνε τάχιστα βοὴν ἀγαθὸν Μενέλαον
15 πεμπέμεν, ὄφρ' ἔτι οἴκοι ἀμύμονα μητέρα τέτμῃς.
ἤδη γάρ ῥα πατήρ τε κασίγνητοί τε κέλονται
Εὐρυμάχῳ γήμασθαι· ὁ γὰρ περιβάλλει ἅπαντας
μνηστῆρας δώροισι καὶ ἐξώφελλεν ἔεδνα·
μή νύ τι σεῦ ἀέκητι δόμων ἐκ κτῆμα φέρηται.
20 οἶσθα γὰρ οἷος θυμὸς ἐνὶ στήθεσσι γυναικός·
κείνου βούλεται οἶκον ὀφέλλειν, ὅς κεν ὀπυίῃ,
παίδων δὲ προτέρων καὶ κουριδίοιο φίλοιο
οὐκέτι μέμνηται τεθνηότος οὐδὲ μεταλλᾷ.
ἀλλὰ σύ γ' ἐλθὼν αὐτὸς ἐπιτρέψειας ἕκαστα,
25 δμῳάων ἥ τίς τοι ἀρίστη φαίνεται εἶναι,
εἰς ὅ κέ τοι φήνωσι θεοὶ κυδρὴν παράκοιτιν.

LIBRO QUINDICESIMO

Andò nella vasta Lacedemone Pallade Atena,
per ricordare il ritorno all'illustre figlio
del magnanimo Odisseo, e indurlo a partire.
Trovò Telemaco e il figlio famoso di Nestore
5 coricati nell'atrio di Menelao glorioso,
il figlio di Nestore vinto da molle sonno,
Telemaco che il dolce sonno non visitava: lo teneva sveglio
nella notte divina il pensiero del padre nell'animo.
Accostatasi, la glaucopide Atena gli disse:
10 « Telemaco, non è giusto vagare ancora lontano da casa,
se hai lasciato gli averi e uomini così prepotenti
nella tua casa: che, divisi i tuoi beni,
non divorino tutto e tu compia invano il viaggio.
Ma induci presto Menelao dal grido possente
15 a farti partire, per trovare ancora in casa la nobile madre.
Il padre e i fratelli le dicono ormai
di sposare Eurimaco: tutti i proci egli supera
coi suoi regali e offre sempre doni nuziali.
Che non si porti da casa qualcosa, contro la tua volontà.
20 Tu sai com'è l'animo di una donna nel petto:
vuole arricchire la casa di colui che la sposa,
non si ricorda e non chiede più dei suoi figli
di prima e del proprio marito defunto.
Ma tu, quando arrivi, affida ogni cosa
25 all'ancella che ti pare migliore di tutte,
finché gli dei non ti svelano un'illustre compagna.

ἄλλο δέ τοί τι ἔπος ἐρέω, σὺ δὲ σύνθεο θυμῷ.
μνηστήρων σ' ἐπιτηδὲς ἀριστῆες λοχόωσιν
ἐν πορθμῷ Ἰθάκης τε Σάμοιό τε παιπαλοέσσης
30 ἱέμενοι κτεῖναι, πρὶν πατρίδα γαῖαν ἱκέσθαι.
ἀλλὰ τά γ' οὐκ ὀΐω· πρὶν καί τινα γαῖα καθέξει
ἀνδρῶν μνηστήρων, οἵ τοι βίοτον κατέδουσιν.
ἀλλὰ ἑκὰς νήσων ἀπέχειν εὐεργέα νῆα,
νυκτὶ δ' ὁμῶς πλείειν· πέμψει δέ τοι οὖρον ὄπισθεν
35 ἀθανάτων ὅς τίς σε φυλάσσει τε ῥύεταί τε.
αὐτὰρ ἐπὴν πρώτην ἀκτὴν Ἰθάκης ἀφίκηαι,
νῆα μὲν ἐς πόλιν ὀτρῦναι καὶ πάντας ἑταίρους,
αὐτὸς δὲ πρώτιστα συβώτην εἰσαφικέσθαι,
ὅς τοι ὑῶν ἐπίουρος, ὁμῶς δέ τοι ἤπια οἶδεν.
40 ἔνθα δὲ νύκτ' ἀέσαι· τὸν δ' ὀτρῦναι πόλιν εἴσω
ἀγγελίην ἐρέοντα περίφρονι Πηνελοπείῃ,
οὕνεκά οἱ σῶς ἐσσι καὶ ἐκ Πύλου εἰλήλουθας ».
ἡ μὲν ἄρ' ὣς εἰποῦσ' ἀπέβη πρὸς μακρὸν Ὄλυμπον,
αὐτὰρ ὁ Νεστορίδην ἐξ ἡδέος ὕπνου ἔγειρε
45 λὰξ ποδὶ κινήσας, καί μιν πρὸς μῦθον ἔειπεν·
« ἔγρεο, Νεστορίδη Πεισίστρατε, μώνυχας ἵππους
ζεῦξον ὑφ' ἅρματ' ἄγων, ὄφρα πρήσσωμεν ὁδοῖο ».
τὸν δ' αὖ Νεστορίδης Πεισίστρατος ἀντίον ηὔδα·
« Τηλέμαχ', οὔ πως ἔστιν, ἐπειγομένους περ ὁδοῖο,
50 νύκτα διὰ δνοφερὴν ἐλάαν· τάχα δ' ἔσσεται ἠώς.
ἀλλὰ μέν', εἰς ὅ κε δῶρα φέρων ἐπιδίφρια θήῃ
ἥρως Ἀτρεΐδης, δουρικλειτὸς Μενέλαος,
καὶ μύθοις ἀγανοῖσι παραυδήσας ἀποπέμψῃ.
τοῦ γάρ τε ξεῖνος μιμνήσκεται ἤματα πάντα
55 ἀνδρὸς ξεινοδόκου, ὅς κεν φιλότητα παράσχῃ ».
ὣς ἔφατ', αὐτίκα δὲ χρυσόθρονος ἤλυθεν Ἠώς.
ἀγχίμολον δέ σφ' ἦλθε βοὴν ἀγαθὸς Μενέλαος,
ἀνστὰς ἐξ εὐνῆς, Ἑλένης πάρα καλλικόμοιο.
τὸν δ' ὡς οὖν ἐνόησεν Ὀδυσσῆος φίλος υἱός,
60 σπερχόμενός ῥα χιτῶνα περὶ χροῒ σιγαλόεντα

E ti dirò un'altra cosa e tu tienila a mente.
I pretendenti più forti ti aspettano al varco
nello stretto tra Itaca e Samo rocciosa,
30 bramosi di ucciderti prima che torni in patria.
Ma io non lo credo: prima la terra avrà qualcuno
di quei pretendenti che ti divorano i beni.
Tieni lontano dalle isole la nave ben costruita,
naviga anche di notte: dietro ti manderà il vento
35 chi ti guarda e protegge tra gli immortali.
E quando sarai al primo promontorio di Itaca,
manda in città la nave e tutti i compagni,
e in primo luogo tu va' dal porcaro, dal guardiano
dei tuoi maiali, che ha affetto immutato per te.
40 Lì trascorri la notte: invia costui in città
a dare l'annunzio alla saggia Penelope,
che sei salvo e sei arrivato da Pilo».

Detto così partì per l'alto Olimpo:
egli allora destò dal dolce sonno il figlio di Nestore,
45 smuovendolo con il calcagno del piede, e gli disse:

«Svégliati, Pisistrato figlio di Nestore: porta e aggioga
al carro i cavalli dall'unico zoccolo, per finire il viaggio».

Gli rispose allora Pisistrato figlio di Nestore:
«Telemaco, nella notte buia non possiamo guidare,
50 benché ci prema il viaggio: ma presto sarà l'aurora.
Aspetta che porti e ponga sul carro i doni
l'eroe figlio di Atreo, Menelao famoso con l'asta,
e ci congedi dicendo parole d'augurio.
Perché l'ospite si ricorda per sempre
55 dell'uomo ospitale, che gli offre amicizia».

Disse così, e subito venne Aurora dall'aureo trono
e arrivò Menelao dal grido possente
che s'era alzato dal letto, accanto ad Elena dai bei capelli.
Appena lo vide il caro figlio di Odisseo
60 indossò in fretta la veste splendente,

δῦνεν καὶ μέγα φᾶρος ἐπὶ στιβαροῖς βάλετ' ὤμοις
ἥρως, βῆ δὲ θύραζε, παριστάμενος δὲ προσηύδα
Τηλέμαχος, φίλος υἱὸς 'Οδυσσῆος θείοιο·
« 'Ατρεΐδη Μενέλαε διοτρεφές, ὄρχαμε λαῶν,
65 ἤδη νῦν μ' ἀπόπεμπε φίλην ἐς πατρίδα γαῖαν·
ἤδη γάρ μοι θυμὸς ἐέλδεται οἴκαδ' ἱκέσθαι ».
τὸν δ' ἠμείβετ' ἔπειτα βοὴν ἀγαθὸς Μενέλαος·
« Τηλέμαχ', οὔ τί σ' ἐγώ γε πολὺν χρόνον ἐνθάδ' ἐρύξω
ἱέμενον νόστοιο· νεμεσσῶμαι δὲ καὶ ἄλλῳ
70 ἀνδρὶ ξεινοδόκῳ, ὅς κ' ἔξοχα μὲν φιλέησιν,
ἔξοχα δ' ἐχθαίρησιν· ἀμείνω δ' αἴσιμα πάντα.
ἶσόν τοι κακόν ἐσθ', ὅς τ' οὐκ ἐθέλοντα νέεσθαι
ξεῖνον ἐποτρύνῃ καὶ ὃς ἐσσύμενον κατερύκῃ.
χρὴ ξεῖνον παρεόντα φιλεῖν, ἐθέλοντα δὲ πέμπειν.
75 ἀλλὰ μέν', εἰς ὅ κε δῶρα φέρων ἐπιδίφρια θείω
καλά, σὺ δ' ὀφθαλμοῖσιν ἴδῃς, εἴπω δὲ γυναιξὶ
δεῖπνον ἐνὶ μεγάροις τετυκεῖν ἅλις ἔνδον ἐόντων.
ἀμφότερον, κῦδός τε καὶ ἀγλαΐη καὶ ὄνειαρ,
δειπνήσαντας ἴμεν πολλὴν ἐπ' ἀπείρονα γαῖαν.
80 εἰ δ' ἐθέλεις τραφθῆναι ἀν' 'Ελλάδα καὶ μέσον Ἄργος,
ὄφρα τοι αὐτὸς ἕπωμαι, ὑποζεύξω δέ τοι ἵππους,
ἄστεα δ' ἀνθρώπων ἡγήσομαι· οὐδέ τις ἡμέας
αὔτως ἀππέμψει, δώσει δέ τε ἕν γε φέρεσθαι,
ἠέ τινα τριπόδων εὐχάλκων ἠὲ λεβήτων
85 ἠὲ δύ' ἡμιόνους ἠὲ χρύσειον ἄλεισον ».
τὸν δ' αὖ Τηλέμαχος πεπνυμένος ἀντίον ηὔδα·
« 'Ατρεΐδη Μενέλαε διοτρεφές, ὄρχαμε λαῶν,
βούλομαι ἤδη νεῖσθαι ἐφ' ἡμέτερ'· οὐ γὰρ ὄπισθεν
οὖρον ἰὼν κατέλειπον ἐπὶ κτεάτεσσιν ἐμοῖσι·
90 μὴ πατέρ' ἀντίθεον διζήμενος αὐτὸς ὄλωμαι,
ἤ τί μοι ἐκ μεγάρων κειμήλιον ἐσθλὸν ὄληται ».
αὐτὰρ ἐπεὶ τό γ' ἄκουσε βοὴν ἀγαθὸς Μενέλαος,
αὐτίκ' ἄρ' ᾗ ἀλόχῳ ἠδὲ δμῳῇσι κέλευσε
δεῖπνον ἐνὶ μεγάροις τετυκεῖν ἅλις ἔνδον ἐόντων.

mise il grande mantello sulle spalle robuste,
uscì dalla porta e standogli accanto parlò, l'eroe
Telemaco, il caro figlio del divino Odisseo:
«Figlio di Atreo, Menelao allevato da Zeus, capo di popoli,
65 ora rimandami nella cara terra patria,
perché ormai il mio animo agogna andare a casa».
Gli rispose allora Menelao dal grido possente:
«Telemaco, non voglio tenerti qui a lungo,
se brami tornare: disapproverei anche un altro
70 uomo che avesse per l'ospite troppa premura
o troppa impazienza. Ogni cosa misurata è migliore.
Fa male ugualmente chi sollecita l'ospite
che non vuole partire, e chi lo trattiene se ha fretta.
L'ospite occorre accudirlo se resta, congedarlo se vuole.
75 Aspetta che porti e ponga sul carro i doni
belli, che tu li veda con gli occhi, e io dica alle donne
di preparare in casa il pasto con ciò che dentro abbonda.
È gloria ed onore ed è insieme un vantaggio,
quando avrete pranzato, percorrere tanta terra infinita.
80 E se desideri volgerti verso l'Ellade ed Argo,
aggiogherò per seguirti i cavalli,
ti guiderò alle città degli uomini; e nessuno lascerà
che partiamo così, ma ci darà un dono da portare con noi,
o un tripode d'ottimo bronzo o un lebete
85 o due mule o una tazza d'oro».
Gli rispose allora giudiziosamente Telemaco:
«Figlio di Atreo, Menelao allevato da Zeus, capo di popoli,
voglio tornare a casa, ormai: perché partendo
non ho lasciato sui miei beni un guardiano:
90 che io non muoia mentre cerco mio padre pari a un dio,
o da casa non mi vada perduto un oggetto prezioso».
Appena udì questo, Menelao dal grido possente
ordinò alla sposa e alle ancelle
di apprestare in casa il pasto con ciò che dentro abbondava.

95 ἀγχίμολον δέ οἱ ἦλθε Βοηθοΐδης Ἐτεωνεύς,
ἀνστὰς ἐξ εὐνῆς, ἐπεὶ οὐ πολὺ ναῖεν ἀπ' αὐτοῦ
τὸν πῦρ κῆαι ἄνωγε βοὴν ἀγαθὸς Μενέλαος
ὀπτῆσαί τε κρεῶν· ὁ δ' ἄρ' οὐκ ἀπίθησεν ἀκούσας.
αὐτὸς δ' ἐς θάλαμον κατεβήσετο κηώεντα,
100 οὐκ οἶος, ἅμα τῷ γ' Ἑλένη κίε καὶ Μεγαπένθης.
ἀλλ' ὅτε δή ῥ' ἵκανον ὅθι κειμήλια κεῖτο,
Ἀτρεΐδης μὲν ἔπειτα δέπας λάβεν ἀμφικύπελλον,
υἱὸν δὲ κρητῆρα φέρειν Μεγαπένθε' ἄνωγεν
ἀργύρεον· Ἑλένη δὲ παρίστατο φωριαμοῖσιν,
105 ἔνθ' ἔσαν οἱ πέπλοι παμποίκιλοι, οὓς κάμεν αὐτή.
τῶν ἕν' ἀειραμένη Ἑλένη φέρε, δῖα γυναικῶν,
ὃς κάλλιστος ἔην ποικίλμασιν ἠδὲ μέγιστος,
ἀστὴρ δ' ὣς ἀπέλαμπεν· ἔκειτο δὲ νείατος ἄλλων.
βὰν δ' ἰέναι προτέρω διὰ δώματος, ἧος ἵκοντο
110 Τηλέμαχον· τὸν δὲ προσέφη ξανθὸς Μενέλαος·
« Τηλέμαχ', ἦ τοι νόστον, ὅπως φρεσὶ σῇσι μενοινᾷς,
ὥς τοι Ζεὺς τελέσειεν, ἐρίγδουπος πόσις Ἥρης.
δώρων δ', ὅσσ' ἐν ἐμῷ οἴκῳ κειμήλια κεῖται,
δώσω ὃ κάλλιστον καὶ τιμηέστατόν ἐστι.
115 δώσω τοι κρητῆρα τετυγμένον· ἀργύρεος δὲ
ἔστιν ἅπας, χρυσῷ δ' ἐπὶ χείλεα κεκράανται,
ἔργον δ' Ἡφαίστοιο· πόρεν δέ ἑ Φαίδιμος ἥρως,
Σιδονίων βασιλεύς, ὅθ' ἑὸς δόμος ἀμφεκάλυψε
κεῖσέ με νοστήσαντα· τεῒν δ' ἐθέλω τόδ' ὀπάσσαι ».
120 ὣς εἰπὼν ἐν χερσὶ τίθει δέπας ἀμφικύπελλον
ἥρως Ἀτρεΐδης· ὁ δ' ἄρα κρητῆρα φαεινὸν
θῆκ' αὐτοῦ προπάροιθε φέρων κρατερὸς Μεγαπένθης,
ἀργύρεον· Ἑλένη δὲ παρίστατο καλλιπάρῃος
πέπλον ἔχουσ' ἐν χερσίν, ἔπος τ' ἔφατ' ἔκ τ' ὀνόμαζε·
125 « δῶρόν τοι καὶ ἐγώ, τέκνον φίλε, τοῦτο δίδωμι,
μνῆμ' Ἑλένης χειρῶν, πολυηράτου ἐς γάμου ὥρην,
σῇ ἀλόχῳ φορέειν· τῆος δὲ φίλῃ παρὰ μητρὶ
κεῖσθαι ἐνὶ μεγάρῳ. σὺ δέ μοι χαίρων ἀφίκοιο

95 Subito venne da lui Eteòneo figlio di Boètoo,
che s'era alzato dal letto, poiché non abitava lontano:
Menelao dal grido possente gli ordinò di accendere il fuoco
e di arrostire le carni: e questi ascoltò e ubbidì.
Poi egli stesso scese nella dispensa odorosa,
100 non solo: con lui andò Elena e Megapente.
Quando giunsero dove giacevano gli oggetti preziosi,
l'Atride prese una tazza a due anse
e al figlio Megapente ordinò di portare un cratere
d'argento: Elena si fermò davanti alle casse
105 dove erano i pepli adorni che aveva tessuto ella stessa.
Elena, chiara fra le donne, uno ne scelse e prese
che era il più bello, per gli ornamenti, e il più grande:
luceva come una stella, giaceva sotto gli altri, per ultimo.
Andarono oltre, attraverso il palazzo, finché giunsero
110 presso Telemaco. A lui disse il biondo Menelao:
«Telemaco, come nel tuo animo brami, così Zeus
ti conceda il ritorno, il tonante sposo di Era.
Dei doni che ho in casa e sono oggetti preziosi
ti darò quello che è il più bello e pregiato:
115 ti darò un cratere sbalzato. È tutto
d'argento, e sono rifiniti in oro i suoi bordi.
Un lavoro di Efesto! l'eroe Fedimo me lo donò,
il re dei Sidoni, quando la sua casa mi accolse
lì nel ritorno: questo ti voglio donare».
120 Detto così, l'eroe figlio di Atreo gli diede
la tazza a due anse: poi egli, il forte Megapente,
portò e depose lì davanti il cratere splendente
d'argento. S'accostò Elena bellissima in volto
col peplo sopra le braccia, gli rivolse la parola, gli disse:
125 «Un dono ti dò anche io, figlio caro, questo,
un ricordo delle mani di Elena, per l'ora delle amabili nozze,
da portare alla sposa: fino allora stia da tua madre,
nella tua casa. Che tu possa tornare felicemente

οἶκον ἐϋκτίμενον καὶ σὴν ἐς πατρίδα γαῖαν ».

130 ὣς εἰποῦσ' ἐν χερσὶ τίθει, ὁ δ' ἐδέξατο χαίρων.
καὶ τὰ μὲν ἐς πείρινθα τίθει Πεισίστρατος ἥρως
δεξάμενος, καὶ πάντα ἑῷ θηήσατο θυμῷ·
τοὺς δ' ἦγε πρὸς δῶμα κάρη ξανθὸς Μενέλαος.
ἑζέσθην δ' ἄρ' ἔπειτα κατὰ κλισμούς τε θρόνους τε.
135 χέρνιβα δ' ἀμφίπολος προχόῳ ἐπέχευε φέρουσα
καλῇ χρυσείῃ, ὑπὲρ ἀργυρέοιο λέβητος,
νίψασθαι· παρὰ δὲ ξεστὴν ἐτάνυσσε τράπεζαν.
σῖτον δ' αἰδοίη ταμίη παρέθηκε φέρουσα,
εἴδατα πόλλ' ἐπιθεῖσα, χαριζομένη παρεόντων·
140 πὰρ δὲ Βοηθοΐδης κρέα δαίετο καὶ νέμε μοίρας·
οἰνοχόει δ' υἱὸς Μενελάου κυδαλίμοιο.
οἱ δ' ἐπ' ὀνείαθ' ἑτοῖμα προκείμενα χεῖρας ἴαλλον.
αὐτὰρ ἐπεὶ πόσιος καὶ ἐδητύος ἐξ ἔρον ἕντο,
δὴ τότε Τηλέμαχος καὶ Νέστορος ἀγλαὸς υἱὸς
145 ἵππους τ' ἐζεύγνυντ' ἀνά θ' ἅρματα ποικίλ' ἔβαινον,
ἐκ δ' ἔλασαν προθύροιο καὶ αἰθούσης ἐριδούπου.
τοὺς δὲ μετ' Ἀτρεΐδης ἔκιε ξανθὸς Μενέλαος,
οἶνον ἔχων ἐν χειρὶ μελίφρονα δεξιτερῆφι,
ἐν δέπαϊ χρυσέῳ, ὄφρα λείψαντε κιοίτην.
150 στῆ δ' ἵππων προπάροιθε, δεδισκόμενος δὲ προσηύδα·
« χαίρετον, ὦ κούρω, καὶ Νέστορι ποιμένι λαῶν
εἰπεῖν· ἦ γὰρ ἐμοί γε πατὴρ ὣς ἤπιος ἦεν,
ἧος ἐνὶ Τροίῃ πολεμίζομεν υἷες Ἀχαιῶν ».
τὸν δ' αὖ Τηλέμαχος πεπνυμένος ἀντίον ηὔδα·
155 « καὶ λίην κείνῳ γε, διοτρεφές, ὡς ἀγορεύεις,
πάντα τάδ' ἐλθόντες καταλέξομεν. αἲ γὰρ ἐγὼν ὣς
νοστήσας Ἰθάκηνδε κιχὼν Ὀδυσῆ' ἐνὶ οἴκῳ
εἴποιμ', ὡς παρὰ σεῖο τυχὼν φιλότητος ἁπάσης
ἔρχομαι, αὐτὰρ ἄγω κειμήλια πολλὰ καὶ ἐσθλά ».
160 ὣς ἄρα οἱ εἰπόντι ἐπέπτατο δεξιὸς ὄρνις,
αἰετὸς ἀργὴν χῆνα φέρων ὀνύχεσσι πέλωρον,
ἥμερον ἐξ αὐλῆς· οἱ δ' ἰΰζοντες ἕποντο

nella casa ben costruita e nella terra dei padri».
130 Così dicendo glielo porgeva ed egli lo prese con gioia.
L'eroe Pisistrato prese e depose anche questi
nel cesto, e tutto ammirò nel suo animo.
Menelao dai biondi capelli li guidò nel palazzo,
ed essi sedettero sulle sedie e sui troni.
135 Un'ancella venne a versare dell'acqua da una brocca
bella, d'oro, in un bacile d'argento,
perché si lavassero: vicino stese una tavola liscia.
La riverita dispensiera recò e pose il cibo,
imbandendo molte vivande, generosa di quello che c'era.
140 Il figlio di Boètoo spartiva le carni e assegnava le parti:
versava il vino il figlio di Menelao glorioso.
Ed essi sui cibi pronti, imbanditi, le mani tendevano.
Poi, quando ebbero scacciata la voglia di bere e di cibo,
allora Telemaco e il figlio illustre di Nestore,
145 aggiogati i cavalli, salirono sul carro di vari colori
e lasciarono il portico e il rumoroso loggiato.
Andò con loro l'Atride, il biondo Menelao,
tenendo nella destra il dolce vino
in una tazza d'oro, perché prima di partire libassero.
150 Si fermò davanti ai cavalli e salutandoli disse:
«Salute, o giovani, e a Nestore pastore di genti
dite salute: con me come un padre era mite,
finché a Troia combattemmo noi figli di Achei».
Gli rispose allora giudiziosamente Telemaco:
155 «Sì, certo, o allevato da Zeus, gli diremo
tutto questo appena arrivati. Oh se tornato a Itaca,
trovando Odisseo a casa, potessi io dirgli
così, che arrivo avendo ottenuto ogni affetto
da te, e che porto molti oggetti preziosi!».
160 Mentre diceva così, gli volò a destra un uccello,
un'aquila che negli artigli reggeva una candida oca,
enorme, domestica, tolta a un cortile: l'inseguivano urlando

ἀνέρες ἠδὲ γυναῖκες· ὁ δέ σφισιν ἐγγύθεν ἐλθὼν
δεξιὸς ἤϊξε πρόσθ' ἵππων. οἱ δὲ ἰδόντες
165 γήθησαν, καὶ πᾶσιν ἐνὶ φρεσὶ θυμὸς ἰάνθη.
τοῖσι δὲ Νεστορίδης Πεισίστρατος ἤρχετο μύθων·
« φράζεο δή, Μενέλαε διοτρεφές, ὄρχαμε λαῶν,
ἢ νῶϊν τόδ' ἔφηνε θεὸς τέρας ἦε σοὶ αὐτῷ ».
ὣς φάτο, μερμήριξε δ' ἀρηΐφιλος Μενέλαος,
170 ὅππως οἱ κατὰ μοῖραν ὑποκρίναιτο νοήσας.
τὸν δ' Ἑλένη τανύπεπλος ὑποφθαμένη φάτο μῦθον·
« κλῦτέ μευ· αὐτὰρ ἐγὼ μαντεύσομαι, ὡς ἐνὶ θυμῷ
ἀθάνατοι βάλλουσι καὶ ὡς τελέεσθαι ὀΐω.
ὡς ὅδε χῆν' ἥρπαξ' ἀτιταλλομένην ἐνὶ οἴκῳ
175 ἐλθὼν ἐξ ὄρεος, ὅθι οἱ γενεή τε τόκος τε,
ὣς Ὀδυσεὺς κακὰ πολλὰ παθὼν καὶ πόλλ' ἐπαληθεὶς
οἴκαδε νοστήσει καὶ τίσεται· ἠὲ καὶ ἤδη
οἴκοι, ἀτὰρ μνηστῆρσι κακὸν πάντεσσι φυτεύει ».
τὴν δ' αὖ Τηλέμαχος πεπνυμένος ἀντίον ηὔδα·
180 « οὕτω νῦν Ζεὺς θείη, ἐρίγδουπος πόσις Ἥρης·
τῶ κέν τοι καὶ κεῖθι θεῷ ὣς εὐχετοῴμην ».
ἦ, καὶ ἐφ' ἵπποιϊν μάστιν βάλε· τοὶ δὲ μάλ' ὦκα
ἤϊξαν πεδίονδε διὰ πτόλιος μεμαῶτες.
οἱ δὲ πανημέριοι σεῖον ζυγὸν ἀμφὶς ἔχοντες.
185 δύσετό τ' ἠέλιος σκιόωντό τε πᾶσαι ἀγυιαί·
ἐς Φηρὰς δ' ἵκοντο Διοκλῆος ποτὶ δῶμα,
υἱέος Ὀρτιλόχοιο, τὸν Ἀλφειὸς τέκε παῖδα.
ἔνθα δὲ νύκτ' ἄεσαν, ὁ δὲ τοῖς πὰρ ξείνια θῆκεν.
ἦμος δ' ἠριγένεια φάνη ῥοδοδάκτυλος Ἠώς,
190 ἵππους τ' ἐζεύγνυντ' ἀνά θ' ἅρματα ποικίλ' ἔβαινον,
ἐκ δ' ἔλασαν προθύροιο καὶ αἰθούσης ἐριδούπου·
μάστιξεν δ' ἐλάαν, τὼ δ' οὐκ ἀέκοντε πετέσθην.
αἶψα δ' ἔπειθ' ἵκοντο Πύλου αἰπὺ πτολίεθρον·
καὶ τότε Τηλέμαχος προσεφώνεε Νέστορος υἱόν·
195 « Νεστορίδη, πῶς κέν μοι ὑποσχόμενος τελέσειας
μῦθον ἐμόν; ξεῖνοι δὲ διαμπερὲς εὐχόμεθ' εἶναι

uomini e donne. Essa, appressandosi a loro,
si slanciò, a destra, davanti ai cavalli. Gioirono
165 quando la videro e a tutti nel petto si rallegrò l'animo.
Pisistrato, figlio di Nestore, cominciò a dire tra loro:
« Spiegaci, o Menelao allevato da Zeus, capo di popoli,
se il dio ha mostrato questo prodigio per noi o per te ».
Disse così, e Menelao caro ad Ares era esitante
170 su cosa pensare e rispondergli in modo giusto.
Ma Elena dal peplo fluente lo prevenne e parlò:
« Ascoltatemi! lo dirò io il senso, come gli immortali
me lo gettano in animo e come penso che si avvererà.
Come ha ghermito l'oca allevata in casa quest'aquila
175 venuta dal monte, dove ha la sua razza e la prole,
così Odisseo dopo tanto soffrire e tanto vagare
tornerà a casa e si vendicherà: oppure è già
ritornato e a tutti i proci pianta sciagure ».
Gli rispose allora giudiziosamente Telemaco:
180 « Voglia così ora Zeus, il tonante sposo di Era;
allora ti venererei anche lì come dea ».
Disse e colpì con la frusta i cavalli: essi velocemente
si mossero diretti per la città alla pianura.
Tutto il giorno scossero il giogo che avevano addosso.
185 Il sole calò e tutte le strade s'ombravano:
e giunsero a Fere, nella casa di Diocle,
dal figlio di Ortiloco generato da Alfeo.
La notte la trascorsero lì: li ospitò lui.
Quando mattutina apparve Aurora dalle rosee dita,
190 aggiogati i cavalli, salirono sul carro di vari colori,
e lasciarono il portico e il rumoroso loggiato.
Li frustò che partissero ed essi con foga volarono.
Arrivarono presto alla rocca scoscesa di Pilo;
allora Telemaco si volse al figlio di Nestore:
195 « Figlio di Nestore, potresti impegnandoti adempiere
un mio desiderio? Da sempre noi siamo ospiti, e ce ne vantiamo,

ἐκ πατέρων φιλότητος, ἀτὰρ καὶ ὁμήλικές εἰμεν·
ἥδε δ' ὁδὸς καὶ μᾶλλον ὁμοφροσύνῃσιν ἐνήσει.
μή με παρὲξ ἄγε νῆα, διοτρεφές, ἀλλὰ λίπ' αὐτοῦ,
200 μή μ' ὁ γέρων ἀέκοντα κατάσχῃ ᾧ ἐνὶ οἴκῳ
ἱέμενος φιλέειν· ἐμὲ δὲ χρεὼ θᾶσσον ἱκέσθαι ».
ὣς φάτο, Νεστορίδης δ' ἄρ' ἑῷ συμφράσσατο θυμῷ,
ὅππως οἱ κατὰ μοῖραν ὑποσχόμενος τελέσειεν.
ὧδε δέ οἱ φρονέοντι δοάσσατο κέρδιον εἶναι·
205 στρέψ' ἵππους ἐπὶ νῆα θοὴν καὶ θῖνα θαλάσσης,
νηῒ δ' ἐνὶ πρυμνῇ ἐξαίνυτο κάλλιμα δῶρα,
ἐσθῆτα χρυσόν τε, τά οἱ Μενέλαος ἔδωκε·
καί μιν ἐποτρύνων ἔπεα πτερόεντα προσηύδα·
« σπουδῇ νῦν ἀνάβαινε κέλευέ τε πάντας ἑταίρους,
210 πρὶν ἐμὲ οἴκαδ' ἱκέσθαι ἀπαγγεῖλαί τε γέροντι.
εὖ γὰρ ἐγὼ τόδε οἶδα κατὰ φρένα καὶ κατὰ θυμόν·
οἷος κείνου θυμὸς ὑπέρβιος, οὔ σε μεθήσει,
ἀλλ' αὐτὸς καλέων δεῦρ' εἴσεται, οὐδέ ἕ φημι
ἂψ ἰέναι κενεόν· μάλα γὰρ κεχολώσεται ἔμπης ».
215 ὣς ἄρα φωνήσας ἔλασεν καλλίτριχας ἵππους
ἂψ Πυλίων εἰς ἄστυ, θοῶς δ' ἄρα δώμαθ' ἵκανε.
Τηλέμαχος δ' ἑτάροισιν ἐποτρύνων ἐκέλευσεν·
« ἐγκοσμεῖτε τὰ τεύχε', ἑταῖροι, νηῒ μελαίνῃ,
αὐτοί τ' ἀμβαίνωμεν, ἵνα πρήσσωμεν ὁδοῖο ».
220 ὣς ἔφαθ', οἱ δ' ἄρα τοῦ μάλα μὲν κλύον ἠδ' ἐπίθοντο,
αἶψα δ' ἄρ' εἴσβαινον καὶ ἐπὶ κληῖσι καθῖζον.
ἦ τοι ὁ μὲν τὰ πονεῖτο καὶ εὔχετο, θῦε δ' Ἀθήνῃ
νηῒ πάρα πρυμνῇ· σχεδόθεν δέ οἱ ἤλυθεν ἀνὴρ
τηλεδαπός, φεύγων ἐξ Ἄργεος ἄνδρα κατακτάς,
225 μάντις· ἀτὰρ γενεήν γε Μελάμποδος ἔκγονος ἦεν,
ὃς πρὶν μέν ποτ' ἔναιε Πύλῳ ἔνι, μητέρι μήλων,
ἀφνειὸς Πυλίοισι μέγ' ἔξοχα δώματα ναίων·
δὴ τότε γ' ἄλλων δῆμον ἀφίκετο, πατρίδα φεύγων
Νηλέα τε μεγάθυμον, ἀγαυότατον ζωόντων,
230 ὅς οἱ χρήματα πολλὰ τελεσφόρον εἰς ἐνιαυτὸν

per amicizia discesa dai padri, e abbiamo anche la stessa età:
questo viaggio ci indurrà ad un'intesa maggiore.
Non portarmi oltre la nave, o allevato da Zeus, ma lasciami qui:
200 che il vecchio non mi trattenga, nolente, nella sua casa
deciso a ospitarmi. Bisogna che io torni al più presto».
Disse così, il figlio di Nestore si consigliò col suo animo
come impegnandosi adempiere il desiderio, in modo giusto.
E mentre pensava, gli parve meglio così:
205 volse i cavalli alla nave veloce e alla riva del mare,
scaricò presso la nave, a poppa, i bei doni,
le vesti e l'oro che Menelao gli aveva donato,
e incitandolo gli rivolse alate parole:
« Ora imbarcati in fretta, e da' gli ordini a tutti i compagni,
210 prima che io sia a casa e lo annunzi al vegliardo.
Perché lo so bene nella mente e nell'animo:
prepotente com'è il suo animo, non lascerà che tu parta,
ma verrà qui a chiamarti egli stesso, e penso non tornerà
a mani vuote; si adirerà molto comunque».
215 Detto così, volse i cavalli dalla bella criniera
verso la rocca dei Pilii, e arrivò a casa rapidamente.
Telemaco, incitando i compagni, ordinò:
« Compagni, preparate e armate la nera nave
e imbarchiamoci per compiere il viaggio».
220 Disse così ed essi gli diedero ascolto e ubbidirono,
subito si imbarcarono e presero posto agli scalmi.
Preparava tutto e pregava, sacrificava ad Atena
presso la nave, a poppa. Ed ecco accostarsi
un uomo d'un paese lontano, che aveva ucciso e fuggiva da Argo:
225 un veggente. Discendeva da Melampo per stirpe,
che un tempo abitava a Pilo madre di mandrie,
ricco tra i Pilii eccezionalmente, abitando un palazzo.
Ma poi era andato in terra straniera, fuggendo la patria
e il magnanimo Neleo, il più illustre dei vivi,
230 che con la forza, per tutto un anno, gli tolse

εἶχε βίη. ὁ δὲ τέως μὲν ἐνὶ μεγάροις Φυλάκοιο
δεσμῷ ἐν ἀργαλέῳ δέδετο, κρατέρ' ἄλγεα πάσχων
εἵνεκα Νηλῆος κούρης ἄτης τε βαρείης,
τήν οἱ ἐπὶ φρεσὶ θῆκε θεὰ δασπλῆτις Ἐρινύς.
235 ἀλλ' ὁ μὲν ἔκφυγε κῆρα καὶ ἤλασε βοῦς ἐριμύκους
ἐς Πύλον ἐκ Φυλάκης καὶ ἐτίσατο ἔργον ἀεικὲς
ἀντίθεον Νηλῆα, κασιγνήτῳ δὲ γυναῖκα
ἠγάγετο πρὸς δώμαθ'· ὁ δ' ἄλλων ἵκετο δῆμον,
Ἄργος ἐς ἱππόβοτον· τόθι γάρ νύ οἱ αἴσιμον ἦεν
240 ναιέμεναι πολλοῖσιν ἀνάσσοντ' Ἀργείοισιν.
ἔνθα δ' ἔγημε γυναῖκα καὶ ὑψερεφὲς θέτο δῶμα,
γείνατο δ' Ἀντιφάτην καὶ Μάντιον, υἷε κραταιώ.
Ἀντιφάτης μὲν τίκτεν Ὀϊκλῆα μεγάθυμον,
αὐτὰρ Ὀϊκλῆης λαοσσόον Ἀμφιάρηον,
245 ὃν περὶ κῆρι φίλει Ζεύς τ' αἰγίοχος καὶ Ἀπόλλων
παντοίην φιλότητ'· οὐδ' ἵκετο γήραος οὐδόν,
ἀλλ' ὄλετ' ἐν Θήβησι γυναίων εἵνεκα δώρων.
τοῦ υἱεῖς ἐγένοντ' Ἀλκμάων Ἀμφίλοχός τε.
Μάντιος αὖ τέκετο Πολυφείδεά τε Κλεῖτόν τε·
250 ἀλλ' ἦ τοι Κλεῖτον χρυσόθρονος ἥρπασεν Ἠὼς
κάλλεος εἵνεκα οἷο, ἵν' ἀθανάτοισι μετείη·
αὐτὰρ ὑπέρθυμον Πολυφείδεα μάντιν Ἀπόλλων
θῆκε βροτῶν ὄχ' ἄριστον, ἐπεὶ θάνεν Ἀμφιάρηος·
ὅς ῥ' Ὑπερησίηνδ' ἀπενάσσατο πατρὶ χολωθείς,
255 ἔνθ' ὅ γε ναιετάων μαντεύετο πᾶσι βροτοῖσι.
τοῦ μὲν ἄρ' υἱὸς ἐπῆλθε, Θεοκλύμενος δ' ὄνομ' ἦεν,
ὃς τότε Τηλεμάχου πέλας ἵστατο· τὸν δ' ἐκίχανε
σπένδοντ' εὐχόμενόν τε θοῇ παρὰ νηῒ μελαίνῃ,
καί μιν φωνήσας ἔπεα πτερόεντα προσηύδα·
260 «ὦ φίλ', ἐπεί σε θύοντα κιχάνω τῷδ' ἐνὶ χώρῳ,
λίσσομ' ὑπὲρ θυέων καὶ δαίμονος, αὐτὰρ ἔπειτα
σῆς τ' αὐτοῦ κεφαλῆς καὶ ἑταίρων, οἵ τοι ἕπονται,
εἰπέ μοι εἰρομένῳ νημερτέα μηδ' ἐπικεύσῃς·
τίς πόθεν εἰς ἀνδρῶν; πόθι τοι πόλις ἠδὲ τοκῆες;».

molte ricchezze. In ceppi dolorosi prima fu avvinto
in casa di Filaco, soffrendo pene crudeli
a causa della figlia di Neleo e della gravosa follia
che gli mise la dea nella mente, la spaventevole Erinni.
235 Ma egli eluse la morte e guidò le vacche mugghianti
da Filaca a Pilo e fece pagare il suo turpe misfatto
a Neleo pari a un dio, e portò a casa al fratello
una donna. Egli poi si recò in terra straniera,
ad Argo che pasce cavalli: era destino per lui abitare
240 in quel luogo, regnando su molti Argivi.
Lì prese moglie e pose la casa dall'alto soffitto,
generò Antifate e Mantio, due figli possenti.
Antifate generò il magnanimo Oicle;
Oicle poi Anfiarao, incitatore di popoli,
245 che in cuore Zeus egìoco e Apollo amarono
con ogni affetto: ma non raggiunse la soglia della vecchiaia
e perì a Tebe per colpa dei doni dati a una donna.
Di lui furono figli Alcmaone ed Anfiloco.
Invece Mantio generò Polifido e Clito:
250 Clito lo rapì Aurora dall'aureo trono,
grazie alla sua bellezza, perché stesse tra gli immortali;
mentre Apollo fece l'ardito Polifido
veggente di spicco tra gli uomini, quando morì Anfiarao.
Costui, adirato col padre, emigrò a Iperesia,
255 e abitando colà largiva responsi a tutti i mortali.
Arrivò dunque suo figlio, Teoclimeno era il suo nome,
che in quel momento stava accanto a Telemaco. Lo trovò
che libava e pregava, presso la nera nave veloce,
e parlando gli rivolse alate parole:
260 «O caro, poiché in questo luogo ti trovo mentre sacrifichi,
ti supplico per i sacrifici ed il dio, e anche
per la tua testa e per quella dei compagni al tuo seguito,
di' a me che domando, sinceramente e senza celarmelo,
chi sei, di che stirpe? dove hai la città e i genitori?».

265 τὸν δ' αὖ Τηλέμαχος πεπνυμένος ἀντίον ηὔδα·
« τοιγὰρ ἐγώ τοι, ξεῖνε, μάλ' ἀτρεκέως ἀγορεύσω.
ἐξ Ἰθάκης γένος εἰμί, πατὴρ δέ μοί ἐστιν Ὀδυσσεύς,
εἴ ποτ' ἔην· νῦν δ' ἤδη ἀπέφθιτο λυγρῷ ὀλέθρῳ.
τοὔνεκα νῦν ἑτάρους τε λαβὼν καὶ νῆα μέλαιναν
270 ἦλθον πευσόμενος πατρὸς δὴν οἰχομένοιο ».
τὸν δ' αὖτε προσέειπε Θεοκλύμενος θεοειδής·
« οὕτω τοι καὶ ἐγὼν ἐκ πατρίδος, ἄνδρα κατακτὰς
ἔμφυλον· πολλοὶ δὲ κασίγνητοί τε ἔται τε
Ἄργος ἀν' ἱππόβοτον, μέγα δὲ κρατέουσιν Ἀχαιῶν·
275 τῶν ὑπαλευάμενος θάνατον καὶ κῆρα μέλαιναν
φεύγω, ἐπεί νύ μοι αἶσα κατ' ἀνθρώπους ἀλάλησθαι.
ἀλλά με νηὸς ἔφεσσαι, ἐπεί σε φυγὼν ἱκέτευσα,
μή με κατακτείνωσι· διωκέμεναι γὰρ ὀΐω ».
τὸν δ' αὖ Τηλέμαχος πεπνυμένος ἀντίον ηὔδα·
280 « οὐ μὲν δή σ' ἐθέλοντά γ' ἀπώσω νηὸς ἐΐσης,
ἀλλ' ἕπευ· αὐτὰρ κεῖθι φιλήσεαι, οἷά κ' ἔχωμεν ».
ὣς ἄρα φωνήσας οἱ ἐδέξατο χάλκεον ἔγχος·
καὶ τό γ' ἐπ' ἰκριόφιν τάνυσεν νεὸς ἀμφιελίσσης,
ἂν δὲ καὶ αὐτὸς νηὸς ἐβήσετο ποντοπόροιο.
285 ἐν πρύμνῃ δ' ἄρ' ἔπειτα καθέζετο, πὰρ δὲ οἷ αὐτῷ
εἷσε Θεοκλύμενον· τοὶ δὲ πρυμνήσι' ἔλυσαν.
Τηλέμαχος δ' ἑτάροισιν ἐποτρύνων ἐκέλευσεν
ὅπλων ἅπτεσθαι· τοὶ δ' ἐσσυμένως ἐπίθοντο.
ἱστὸν δ' εἰλάτινον κοίλης ἔντοσθε μεσόδμης
290 στῆσαν ἀείραντες, κατὰ δὲ προτόνοισιν ἔδησαν,
ἕλκον δ' ἱστία λευκὰ ἐϋστρέπτοισι βοεῦσι.
τοῖσιν δ' ἴκμενον οὖρον ἵει γλαυκῶπις Ἀθήνη,
λάβρον ἐπαιγίζοντα δι' αἰθέρος, ὄφρα τάχιστα
νηῦς ἀνύσειε θέουσα θαλάσσης ἁλμυρὸν ὕδωρ.
295 βὰν δὲ παρὰ Κρουνοὺς καὶ Χαλκίδα καλλιρέεθρον,
δύσετό τ' ἠέλιος σκιόωντό τε πᾶσαι ἀγυιαί·
ἡ δὲ Φεὰς ἐπέβαλλεν ἐπειγομένη Διὸς οὔρῳ,
ἠδὲ παρ' Ἤλιδα δῖαν, ὅθι κρατέουσιν Ἐπειοί.

265 Gli rispose allora giudiziosamente Telemaco:
«Ma certo, straniero, te lo dirò con tutta franchezza.
Per stirpe sono di Itaca, e mio padre è Odisseo,
se mai egli visse: ma ormai egli è morto di morte luttuosa.
Per questo ora, presi i compagni e la nera nave,
270 andai a domandare del padre partito da tempo».
Gli disse allora Teoclimeno simile a un dio:
«Sono così anche io, via dalla patria, perché uccisi un uomo
della tribù: molti i fratelli di lui e i congiunti
ad Argo che pasce cavalli, e tra gli Achei hanno grande potere.
275 Evitando la morte e il loro nero destino
fuggo, poiché è mia sorte errare tra gli uomini.
Ma prendimi a bordo, poiché da fuggiasco ti supplico,
che non mi uccidano: credo che mi inseguano, infatti».
Gli rispose allora giudiziosamente Telemaco:
280 «Tu lo desideri e io non ti respingo dalla nave librata,
ma seguimi: sarai ben accolto, con quello che abbiamo».
Così dicendo si fece dare l'asta di bronzo
e la depose sul ponte della nave veloce a virare;
salì anche egli sulla nave marina,
285 poi a poppa sedette, e accanto a sé
fece sedere Teoclimeno; essi sciolsero a poppa le gomene.
Telemaco, incitando i compagni, ordinò
di applicarsi agli attrezzi: ed essi con slancio ubbidirono.
Sollevatolo, rizzarono l'albero di legno d'abete
290 dentro la mastra incavata, con stralli lo strinsero;
issarono le bianche vele con ritorte drizze di cuoio.
La glaucopide Atena inviò un vento propizio
che soffiava impetuoso per l'aria, perché al più presto
la nave percorresse veloce l'acqua salsa del mare.
295 Superarono il Cruni e il Calcide dalla bella corrente.
Il sole calò e tutte le strade s'ombravano.
Sospinta dal vento di Zeus, la nave puntò verso Fea
e lungo l'Elide chiara, dove hanno potere gli Epei.

ἔνθεν δ' αὖ νήσοισιν ἐπιπροέηκε θοῇσιν,
300 ὁρμαίνων, ἤ κεν θάνατον φύγοι ἦ κεν ἁλώῃ.
τὼ δ' αὖτ' ἐν κλισίῃ Ὀδυσεὺς καὶ δῖος ὑφορβὸς
δορπείτην· παρὰ δέ σφιν ἐδόρπεον ἀνέρες ἄλλοι.
αὐτὰρ ἐπεὶ πόσιος καὶ ἐδητύος ἐξ ἔρον ἕντο,
τοῖς δ' Ὀδυσεὺς μετέειπε, συβώτεω πειρητίζων,
305 ἤ μιν ἔτ' ἐνδυκέως φιλέοι μεῖναί τε κελεύοι
αὐτοῦ ἐνὶ σταθμῷ ἦ ὀτρύνειε πόλινδε·
« κέκλυθι νῦν, Εὔμαιε, καὶ ἄλλοι πάντες ἑταῖροι·
ἠῶθεν προτὶ ἄστυ λιλαίομαι ἀπονέεσθαι
πτωχεύσων, ἵνα μή σε κατατρύχω καὶ ἑταίρους.
310 ἀλλά μοι εὖ θ' ὑπόθευ καὶ ἅμ' ἡγεμόν' ἐσθλὸν ὄπασσον,
ὅς κέ με κεῖσ' ἀγάγῃ· κατὰ δὲ πτόλιν αὐτὸς ἀνάγκῃ
πλάγξομαι, αἴ κέν τις κοτύλην καὶ πύρνον ὀρέξῃ.
καί κ' ἐλθὼν πρὸς δώματ' Ὀδυσσῆος θείοιο
ἀγγελίην εἴποιμι περίφρονι Πηνελοπείῃ,
315 καί κε μνηστήρεσσιν ὑπερφιάλοισι μιγείην,
εἴ μοι δεῖπνον δοῖεν ὀνείατα μυρί' ἔχοντες.
αἶψά κεν εὖ δρώοιμι μετὰ σφίσιν, ὅττι θέλοιεν.
ἐκ γάρ τοι ἐρέω, σὺ δὲ σύνθεο καί μευ ἄκουσον·
Ἑρμείαο ἕκητι διακτόρου, ὅς ῥά τε πάντων
320 ἀνθρώπων ἔργοισι χάριν καὶ κῦδος ὀπάζει,
δρηστοσύνῃ οὐκ ἄν μοι ἐρίσσειε βροτὸς ἄλλος,
πῦρ τ' εὖ νηῆσαι διά τε ξύλα δανὰ κεάσσαι,
δαιτρεῦσαί τε καὶ ὀπτῆσαι καὶ οἰνοχοῆσαι,
οἷά τε τοῖς ἀγαθοῖσι παραδρώωσι χέρηες ».
325 τὸν δὲ μέγ' ὀχθήσας προσέφης, Εὔμαιε συβῶτα·
« ὤ μοι, ξεῖνε, τίη τοι ἐνὶ φρεσὶ τοῦτο νόημα
ἔπλετο; ἦ σύ γε πάγχυ λιλαίεαι αὐτόθ' ὀλέσθαι,
εἰ δὴ μνηστήρων ἐθέλεις καταδῦναι ὅμιλον,
τῶν ὕβρις τε βίη τε σιδήρεον οὐρανὸν ἵκει.
330 οὔ τοι τοιοίδ' εἰσὶν ὑποδρηστῆρες ἐκείνων,
ἀλλὰ νέοι, χλαίνας εὖ εἱμένοι ἠδὲ χιτῶνας,
αἰεὶ δὲ λιπαροὶ κεφαλὰς καὶ καλὰ πρόσωπα,

Poi la diresse alle isole rapide, chiedendosi
300 se avrebbe evitato la morte o ne sarebbe stato afferrato.
Intanto quei due, Odisseo e il chiaro mandriano, cenavano
nella capanna; e accanto ad essi cenavano gli altri.
Poi, quando ebbero scacciata la voglia di bere e di cibo,
Odisseo parlò tra essi, per vedere alla prova il porcaro,
305 se gentilmente lo avrebbe accolto e invitato a restare
lì nelle stalle, o se l'avrebbe spinto in città.
«Ascolta ora, Eumeo, e tutti voi altri compagni.
Domattina voglio andare in città
a mendicare: non voglio sfinirvi, te e i compagni.
310 Spiegami bene e dammi una valida guida,
che mi conduca laggiù: dovrò vagare per forza da solo
in città, semmai qualcuno mi offrisse una ciotola o un pane.
E andando a casa del divino Odisseo,
potrei dare l'annunzio alla saggia Penelope
315 e starmene tra i pretendenti oltraggiosi,
semmai, avendo infinite vivande, mi dessero un pasto.
Presto farei bene per loro qualunque lavoro volessero.
Perché voglio dirtelo, e tu comprendi ed ascoltami:
per volontà di Ermete, il messaggero, che alle azioni
320 di tutti gli uomini concede fascino e gloria,
nessun mortale può gareggiare con me nel servizio,
accatastare il fuoco con cura, spaccare la legna secca,
fare le parti, cucinare e mescere il vino,
tutti i servizi che fanno gli umili ai nobili».
325 Pieno di sdegno, o porcaro Eumeo, gli dicesti:
«Ahimè, o straniero, perché ti è venuto in mente
questo pensiero? desideri proprio perire del tutto,
se vuoi mescolarti alla folla dei pretendenti,
la cui superbia e la cui violenza arriva al cielo di ferro.
330 I loro attendenti non sono così:
sono giovani, vestiti bene con mantelli e con tuniche,
hanno il capo e i bei volti sempre splendenti,

οἵ σφιν ὑποδρώωσιν· ἐΰξεστοι δὲ τράπεζαι
σίτου καὶ κρειῶν ἠδ' οἴνου βεβρίθασιν.
335 ἀλλὰ μέν'· οὐ γάρ τίς τοι ἀνιᾶται παρεόντι,
οὔτ' ἐγὼ οὔτε τις ἄλλος ἑταίρων, οἵ μοι ἔασιν.
αὐτὰρ ἐπὴν ἔλθησιν Ὀδυσσῆος φίλος υἱός,
κεῖνός σε χλαῖνάν τε χιτῶνά τε εἵματα ἕσσει,
πέμψει δ' ὅππῃ σε κραδίη θυμός τε κελεύει ».
340 τὸν δ' ἠμείβετ' ἔπειτα πολύτλας δῖος Ὀδυσσεύς·
« αἴθ' οὕτως, Εὔμαιε, φίλος Διὶ πατρὶ γένοιο
ὡς ἐμοί, ὅττι μ' ἔπαυσας ἄλης καὶ ὀϊζύος αἰνῆς.
πλαγκτοσύνης δ' οὐκ ἔστι κακώτερον ἄλλο βροτοῖσιν·
ἀλλ' ἕνεκ' οὐλομένης γαστρὸς κακὰ κήδε' ἔχουσιν
345 ἀνέρες, ὅν τιν' ἵκηται ἄλη καὶ πῆμα καὶ ἄλγος.
νῦν δ' ἐπεὶ ἰσχανάᾳς μεῖναί τέ με κεῖνον ἄνωγας,
εἴπ' ἄγε μοι περὶ μητρὸς Ὀδυσσῆος θείοιο
πατρός θ', ὃν κατέλειπεν ἰὼν ἐπὶ γήραος οὐδῷ,
ἤ που ἔτι ζώουσιν ὑπ' αὐγὰς ἠελίοιο,
350 ἦ ἤδη τεθνᾶσι καὶ εἰν Ἀΐδαο δόμοισι ».
τὸν δ' αὖτε προσέειπε συβώτης, ὄρχαμος ἀνδρῶν·
« τοιγὰρ ἐγώ τοι, ξεῖνε, μάλ' ἀτρεκέως ἀγορεύσω.
Λαέρτης μὲν ἔτι ζώει, Διὶ δ' εὔχεται αἰεὶ
θυμὸν ἀπὸ μελέων φθίσθαι οἷς ἐν μεγάροισιν·
355 ἐκπάγλως γὰρ παιδὸς ὀδύρεται οἰχομένοιο
κουριδίης τ' ἀλόχοιο δαΐφρονος, ἥ ἑ μάλιστα
ἤκαχ' ἀποφθιμένη καὶ ἐν ὠμῷ γήραϊ θῆκεν.
ἡ δ' ἄχεϊ οὗ παιδὸς ἀπέφθιτο κυδαλίμοιο,
λευγαλέῳ θανάτῳ· ὡς μὴ θάνοι ὅς τις ἐμοί γε
360 ἐνθάδε ναιετάων φίλος εἴη καὶ φίλα ἔρδοι.
ὄφρα μὲν οὖν δὴ κείνη ἔην, ἀχέουσά περ ἔμπης,
τόφρα τί μοι φίλον ἔσκε μεταλλῆσαι καὶ ἐρέσθαι,
οὕνεκά μ' αὐτὴ θρέψεν ἅμα Κτιμένῃ τανυπέπλῳ,
θυγατέρ' ἰφθίμῃ, τὴν ὁπλοτάτην τέκε παίδων.
365 τῇ ὁμοῦ ἐτρεφόμην, ὀλίγον δέ τί μ' ἧσσον ἐτίμα.
αὐτὰρ ἐπεὶ ῥ' ἥβην πολυήρατον ἱκόμεθ' ἄμφω,

quelli che stanno al loro servizio. Le loro mense ben levigate
sono cariche di pane e di carni e di vino.
335 Rimani, la tua presenza non dà fastidio a nessuno,
né a me né ai compagni che stanno con me.
Ma quando verrà il caro figlio di Odisseo,
ti darà lui dei vestiti, un mantello e una tunica,
e ti invierà dove il cuore e la mente ti spinge».
340 Gli rispose allora il paziente, chiaro Odisseo:
«Eumeo, possa tu essere caro al padre Zeus come sei caro
a me: al vagabondaggio e ad un'atroce miseria mi togli.
Non v'è cosa peggiore della vita raminga per i mortali:
per il ventre funesto soffrono miserabili pene
345 gli uomini ai quali tocchi vagabondaggio, pena e dolore.
Ora, poiché mi trattieni e mi esorti ad attenderlo,
dimmi, orsù, della madre del divino Odisseo
e del padre, che partendo lasciò sulla soglia della vecchiaia,
se vivono ancora sotto i raggi del sole,
350 o sono già morti e sono nelle case di Ade».
Gli rispose allora il porcaro, capo di uomini:
«Ospite, te lo dirò con tutta franchezza:
Laerte vive ancora, ma invoca sempre da Zeus
che l'anima dilegui dal corpo, nella sua casa;
355 geme terribilmente per il figlio partito
e per la savia legittima moglie, che morendo
lo ha tanto angosciato e ridotto ad acerba vecchiaia.
Lei invece s'è spenta per la pena del figlio glorioso,
di morte tristissima: possa non morire così
360 chi vivendo qui mi è amico ed agisce da amico.
Finché ella visse, pur essendo sempre angosciata,
qualcosa m'era caro chiederle e domandarle,
perché fu lei che mi crebbe, con Ctimene dal peplo fluente,
la figlia valente e più giovane dei figli che generò.
365 Con lei fui cresciuto, quasi come lei mi trattava.
Quando noi due arrivammo alla giovinezza agognata,

τὴν μὲν ἔπειτα Σάμηνδ' ἔδοσαν καὶ μυρί' ἕλοντο,
αὐτὰρ ἐμὲ χλαῖνάν τε χιτῶνά τε εἵματ' ἐκείνη
καλὰ μάλ' ἀμφιέσασα ποσίν θ' ὑποδήματα δοῦσα
370 ἀγρόνδε προΐαλλε· φίλει δέ με κηρόθι μᾶλλον.
νῦν δ' ἤδη τούτων ἐπιδεύομαι· ἀλλά μοι αὐτῷ
ἔργον ἀέξουσιν μάκαρες θεοί, ᾧ ἐπιμίμνω·
τῶν ἔφαγόν τ' ἔπιόν τε καὶ αἰδοίοισιν ἔδωκα.
ἐκ δ' ἄρα δεσποίνης οὐ μείλιχον ἔστιν ἀκοῦσαι
375 οὔτ' ἔπος οὔτε τι ἔργον, ἐπεὶ κακὸν ἔμπεσεν οἴκῳ,
ἄνδρες ὑπερφίαλοι· μέγα δὲ δμῶες χατέουσιν
ἀντία δεσποίνης φάσθαι καὶ ἕκαστα πυθέσθαι
καὶ φαγέμεν πιέμεν τε, ἔπειτα δὲ καί τι φέρεσθαι
ἀγρόνδ', οἷά τε θυμὸν ἀεὶ δμώεσσιν ἰαίνει ».
380 τὸν δ' ἀπαμειβόμενος προσέφη πολύμητις Ὀδυσσεύς
« ὢ πόποι, ὡς ἄρα τυτθὸς ἐών, Εὔμαιε συβῶτα,
πολλὸν ἀπεπλάγχθης σῆς πατρίδος ἠδὲ τοκήων.
ἀλλ' ἄγε μοι τόδε εἰπὲ καὶ ἀτρεκέως κατάλεξον,
ἠὲ διεπράθετο πτόλις ἀνδρῶν εὐρυάγυια,
385 ᾗ ἔνι ναιετάασκε πατὴρ καὶ πότνια μήτηρ,
ἦ σέ γε μουνωθέντα παρ' οἴεσιν ἢ παρὰ βουσὶν
ἄνδρες δυσμενέες νηυσὶν λάβον ἠδ' ἐπέρασσαν
τοῦδ' ἀνδρὸς πρὸς δώμαθ', ὁ δ' ἄξιον ὦνον ἔδωκε ».
τὸν δ' αὖτε προσέειπε συβώτης, ὄρχαμος ἀνδρῶν·
390 « ξεῖν', ἐπεὶ ἂρ δὴ ταῦτά μ' ἀνείρεαι ἠδὲ μεταλλᾷς,
σιγῇ νῦν ξυνίει καὶ τέρπεο πῖνέ τε οἶνον,
ἥμενος. αἵδε δὲ νύκτες ἀθέσφατοι· ἔστι μὲν εὕδειν,
ἔστι δὲ τερπομένοισιν ἀκουέμεν· οὐδέ τί σε χρή,
πρὶν ὥρη, καταλέχθαι· ἀνίη καὶ πολὺς ὕπνος.
395 τῶν δ' ἄλλων ὅτινα κραδίη καὶ θυμὸς ἀνώγει,
εὑδέτω ἐξελθών· ἅμα δ' ἠοῖ φαινομένηφι
δειπνήσας ἅμ' ὕεσσιν ἀνακτορίῃσιν ἐπέσθω.
νῶϊ δ' ἐνὶ κλισίῃ πίνοντέ τε δαινυμένω τε
κήδεσιν ἀλλήλων τερπώμεθα λευγαλέοισι
400 μνωομένω· μετὰ γάρ τε καὶ ἄλγεσι τέρπεται ἀνήρ,

la maritarono a Same e s'ebbero doni infiniti,
e lei mi mandò in campagna, dopo avermi coperto di vesti
belle, un mantello e una tunica, e messo
370 dei sandali ai piedi: e nel cuore mi amava di più.
Ormai queste cose mi mancano, ma gli dei beati
mi rendono prospero il lavoro in cui duro:
di questo io mangio e bevo e dono a chi va rispettato.
Dalla padrona non si può più sentire una buona
375 parola o un gesto, dacché la sventura s'abbatté sulla casa:
gli uomini prepotenti. I servi hanno grande bisogno
di parlare con la padrona, di sapere ogni cosa,
di mangiare e di bere da lei, di portarsi anche un dono
in campagna, di quelli che rallegrano sempre l'animo ai servi».
380 Rispondendo gli disse l'astuto Odisseo:
«Che sventura che tu ancora piccolo, o porcaro Eumeo,
fosti spinto così lontano dalla patria e dai genitori.
Ma dimmi una cosa e dilla con tutta franchezza,
se fu distrutta la spaziosa città dei vostri uomini,
385 dove abitava tuo padre e la madre augusta,
o se mentre eri solo, con le pecore o i buoi,
uomini ostili con le navi ti presero e ti vendettero
in casa di codest'uomo ed egli pagò il giusto prezzo».
Gli rispose allora il porcaro, capo di uomini:
390 «Ospite, poiché proprio questo mi chiedi e domandi,
ascoltami ora in silenzio, godi e bevi il tuo vino,
seduto. Queste notti sono lunghissime: puoi dormire,
e puoi, se ti piace, ascoltare. Non è bene mettersi a letto
prima del tempo: il molto sonno è anche un fastidio.
395 Chi degli altri il cuore e l'animo spinge a dormire,
esca e si corichi: con la prima aurora,
dopo mangiato, segua le scrofe del nostro padrone.
Tu ed io, bevendo e mangiando nella capanna,
dilettiamoci insieme con le nostre dolorose sventure,
400 ricordandole: perché anche delle sue pene si diletta

ὅς τις δὴ μάλα πολλὰ πάθῃ καὶ πόλλ' ἐπαληθῇ.
τοῦτο δέ τοι ἐρέω, ὅ μ' ἀνείρεαι ἠδὲ μεταλλᾷς.
νῆσός τις Συρίη κικλήσκεται, εἴ που ἀκούεις,
Ὀρτυγίης καθύπερθεν, ὅθι τροπαὶ ἠελίοιο,
405 οὔ τι περιπληθὴς λίην τόσον, ἀλλ' ἀγαθὴ μέν,
εὔβοτος εὔμηλος, οἰνοπληθὴς πολύπυρος.
πείνη δ' οὔ ποτε δῆμον ἐσέρχεται, οὐδέ τις ἄλλη
νοῦσος ἐπὶ στυγερὴ πέλεται δειλοῖσι βροτοῖσιν·
ἀλλ' ὅτε γηράσκωσι πόλιν κάτα φῦλ' ἀνθρώπων,
410 ἐλθὼν ἀργυρότοξος Ἀπόλλων Ἀρτέμιδι ξύν,
οἷς ἀγανοῖσι βέλεσσιν ἐποιχόμενος κατέπεφνεν.
ἔνθα δύω πόλιες, δίχα δέ σφισι πάντα δέδασται·
τῇσιν δ' ἀμφοτέρῃσι πατὴρ ἐμὸς ἐμβασίλευε,
Κτήσιος Ὀρμενίδης, ἐπιείκελος ἀθανάτοισιν.
415 ἔνθα δὲ Φοίνικες ναυσίκλυτοι ἤλυθον ἄνδρες,
τρῶκται, μυρί' ἄγοντες ἀθύρματα νηῒ μελαίνῃ.
ἔσκε δὲ πατρὸς ἐμοῖο γυνὴ Φοίνισσ' ἐνὶ οἴκῳ,
καλή τε μεγάλη τε καὶ ἀγλαὰ ἔργα ἰδυῖα·
τὴν δ' ἄρα Φοίνικες πολυπαίπαλοι ἠπερόπευον.
420 πλυνούσῃ τις πρῶτα μίγη κοίλῃ παρὰ νηῒ
εὐνῇ καὶ φιλότητι, τά τε φρένας ἠπεροπεύει
θηλυτέρῃσι γυναιξί, καὶ ἥ κ' εὐεργὸς ἔῃσιν.
εἰρώτα δὴ ἔπειτα, τίς εἴη καὶ πόθεν ἔλθοι·
ἡ δὲ μάλ' αὐτίκα πατρὸς ἐπέφραδεν ὑψερεφὲς δῶ·
425 "ἐκ μὲν Σιδῶνος πολυχάλκου εὔχομαι εἶναι,
κούρη δ' εἴμ' Ἀρύβαντος ἐγὼ ῥυδὸν ἀφνειοῖο·
ἀλλά μ' ἀνήρπαξαν Τάφιοι ληΐστορες ἄνδρες
ἀγρόθεν ἐρχομένην, πέρασαν δέ με δεῦρ' ἀγαγόντες
τοῦδ' ἀνδρὸς πρὸς δώμαθ'· ὁ δ' ἄξιον ὦνον ἔδωκε".
430 τὴν δ' αὖτε προσέειπεν ἀνήρ, ὃς ἐμίσγετο λάθρῃ·
"ἦ ῥά κε νῦν πάλιν αὖτις ἅμ' ἡμῖν οἴκαδ' ἕποιο,
ὄφρα ἴδῃ πατρὸς καὶ μητέρος ὑψερεφὲς δῶ
αὐτούς τ'; ἦ γὰρ ἔτ' εἰσὶ καὶ ἀφνειοὶ καλέονται".
τὸν δ' αὖτε προσέειπε γυνὴ καὶ ἀμείβετο μύθῳ·

chi ha sofferto tantissimo e tanto vagato.
Ti dirò quello che mi chiedi e domandi.
C'è un'isola che chiamano Siria, se mai ne hai sentito,
al di sopra di Ortigia, dove sono i solstizi del sole:
405 non è troppo abitata, ma è buona,
ricca di pascoli e greggi, di vino e frumento.
La fame non entra mai nel paese e non capita
alcun altro odioso flagello agli infelici mortali:
ma quando nella città le folle degli uomini invecchiano,
410 Apollo dall'arco d'argento venendo insieme ad Artemide
li uccide colpendoli con i suoi miti dardi.
Vi sono lì due città e tutto tra loro è diviso in due,
e su entrambe regnava mio padre
Ctesio figlio di Ormeno, simile agli immortali.
415 Arrivarono lì dei Fenici, navigatori famosi,
avidi, che portavano innumerevoli ninnoli con la nera nave.
In casa di mio padre c'era una donna fenicia,
bella e alta ed esperta di splendide opere:
gli astuti Fenici costei la sedussero.
420 Prima, mentre lavava, uno s'unì con lei, presso la nave incavata,
nel letto e in amore: e questo travia la mente
alle deboli donne, anche a colei che è onesta.
Poi le chiese chi fosse e donde venisse,
e subito ella indicò l'alta casa del padre mio:
425 "Mi vanto d'essere nata a Sidone piena di bronzo,
e sono figlia, io, di Aribante ricco a fiumi;
ma mi rapirono alcuni predoni di Tafo
mentre tornavo dai campi, e portatami qui mi vendettero
in casa di codest'uomo ed egli pagò il giusto prezzo".
430 Le rispose quell'uomo, che furtivo s'era unito con lei:
"Ma ora, vorresti tornare in patria con noi,
per vedere l'alta casa di tuo padre e tua madre
e anche loro? Perché vivono ancora e hanno fama di ricchi".
Gli rispose la donna e parlò a sua volta:

435 " εἴη κεν καὶ τοῦτ', εἴ μοι ἐθέλοιτέ γε, ναῦται,
ὅρκῳ πιστωθῆναι ἀπήμονά μ' οἴκαδ' ἀπάξειν".
ὣς ἔφαθ', οἱ δ' ἄρα πάντες ἐπώμνυον, ὡς ἐκέλευεν.
αὐτὰρ ἐπεί ῥ' ὄμοσάν τε τελεύτησάν τε τὸν ὅρκον,
τοῖς δ' αὖτις μετέειπε γυνὴ καὶ ἀμείβετο μύθῳ·
440 " σιγῇ νῦν· μή τίς με προσαυδάτω ἐπέεσσιν
ὑμετέρων ἑτάρων ξυμβλήμενος ἢ ἐν ἀγυιῇ
ἤ που ἐπὶ κρήνῃ· μή τις ποτὶ δῶμα γέροντι
ἐλθὼν ἐξείπῃ, ὁ δ' ὀϊσσάμενος καταδήσῃ
δεσμῷ ἐν ἀργαλέῳ, ὑμῖν δ' ἐπιφράσσετ' ὄλεθρον.
445 ἀλλ' ἔχετ' ἐν φρεσὶ μῦθον, ἐπείγετε δ' ὦνον ὁδαίων.
ἀλλ' ὅτε κεν δὴ νηῦς πλείη βιότοιο γένηται,
ἀγγελίη μοι ἔπειτα θοῶς πρὸς δώμαθ' ἱκέσθω·
οἴσω γὰρ καὶ χρυσόν, ὅτις χ' ὑποχείριος ἔλθῃ.
καὶ δέ κεν ἄλλ' ἐπίβαθρον ἐγὼν ἐθέλουσά γε δοίην·
450 παῖδα γὰρ ἀνδρὸς ἐῆος ἐνὶ μεγάροις ἀτιτάλλω,
κερδαλέον δὴ τοῖον, ἅμα τροχόωντα θύραζε·
τόν κεν ἄγοιμ' ἐπὶ νηός, ὁ δ' ὑμῖν μυρίον ὦνον
ἄλφοι, ὅπῃ περάσητε κατ' ἀλλοθρόους ἀνθρώπους".
ἡ μὲν ἄρ' ὣς εἰποῦσ' ἀπέβη πρὸς δώματα καλά·
455 οἱ δ' ἐνιαυτὸν ἅπαντα παρ' ἡμῖν αὖθι μένοντες
ἐν νηῒ γλαφυρῇ βίοτον πολὺν ἐμπολόωντο.
ἀλλ' ὅτε δὴ κοίλη νηῦς ἤχθετο τοῖσι νέεσθαι,
καὶ τότ' ἄρ' ἄγγελον ἧκαν, ὃς ἀγγείλειε γυναικί.
ἤλυθ' ἀνὴρ πολύϊδρις ἐμοῦ πρὸς δώματα πατρὸς
460 χρύσεον ὅρμον ἔχων, μετὰ δ' ἠλέκτροισιν ἔερτο.
τὸν μὲν ἄρ' ἐν μεγάρῳ δμῳαὶ καὶ πότνια μήτηρ
χερσίν τ' ἀμφαφόωντο καὶ ὀφθαλμοῖσιν ὁρῶντο,
ὦνον ὑπισχόμεναι· ὁ δὲ τῇ κατένευσε σιωπῇ.
ἦ τοι ὁ καννεύσας κοίλην ἐπὶ νῆα βεβήκει,
465 ἡ δ' ἐμὲ χειρὸς ἑλοῦσα δόμων ἐξῆγε θύραζε.
εὗρε δ' ἐνὶ προδόμῳ ἠμὲν δέπα' ἠδὲ τραπέζας
ἀνδρῶν δαιτυμόνων, οἵ μευ πατέρ' ἀμφεπένοντο.
οἱ μὲν ἄρ' ἐς θῶκον πρόμολον δήμιό τε φῆμιν,

435 “Proprio questo sarebbe possibile, o marinai, se voleste
promettere con giuramento di portarmi incolume a casa”.
Disse così, ed essi giurarono tutti come esigeva.
Poi, dopo che ebbero giurato e finito quel giuramento,
rispose loro la donna e parlò a sua volta:
440 “Ora silenzio! non mi rivolga la parola nessuno
dei vostri compagni, incontrandomi in strada
o alla fonte; che non vada qualcuno a casa
del vecchio e glielo racconti, e insospettito egli mi leghi
con dolorose catene e mediti per voi la rovina.
445 Tenetevi il patto nell’animo, affrettate l’acquisto di merci.
Quando la nave sarà ricolma di viveri,
me ne giunga notizia subito in casa:
porterò infatti anche l’oro che mi verrà sottomano.
E potrei darvi, volendo, anche un altro compenso.
450 Nelle case del forte uomo allevo un bambino,
uno assai sveglio, che dietro mi corre fuori di casa;
lo porterei sulla nave: vi può fruttare
infinito guadagno, ovunque voi lo vendiate presso stranieri”.
Detto così se ne andò alla volta del bel palazzo.
455 Da noi costoro rimasero lì tutto un anno
e ammassarono molte ricchezze nella nave ben cava.
Quando la nave incavata fu carica da ripartire,
mandarono un nunzio che lo annunziasse alla donna.
In casa di mio padre arrivò un uomo astuto,
460 che aveva una collana d’oro: era adorna di ambra.
Nel salone le ancelle e la madre augusta
la tenevano in mano e con gli occhi la contemplavano,
proponendo un prezzo: e lui le annuì in silenzio.
Le fece il cenno, ed era tornato alla nave incavata:
465 lei mi prese per mano e condusse fuori di casa.
Nel vestibolo trovò le tazze e le mense
dei convitati, che davano aiuto a mio padre.
Erano andati al consesso e al parlamento del popolo:

ἡ δ' αἶψα τρί' ἄλεισα κατακρύψασ' ὑπὸ κόλπῳ
470 ἔκφερεν· αὐτὰρ ἐγὼν ἑπόμην ἀεσιφροσύνῃσι.
δύσετό τ' ἠέλιος σκιόωντό τε πᾶσαι ἀγυιαί·
ἡμεῖς δ' ἐς λιμένα κλυτὸν ἤλθομεν ὦκα κιόντες,
ἔνθ' ἄρα Φοινίκων ἀνδρῶν ἦν ὠκύαλος νηῦς.
οἱ μὲν ἔπειτ' ἀναβάντες ἐπέπλεον ὑγρὰ κέλευθα,
475 νὼ ἀναβησάμενοι· ἐπὶ δὲ Ζεὺς οὖρον ἴαλλεν.
ἑξῆμαρ μὲν ὁμῶς πλέομεν νύκτας τε καὶ ἦμαρ·
ἀλλ' ὅτε δὴ ἕβδομον ἦμαρ ἐπὶ Ζεὺς θῆκε Κρονίων,
τὴν μὲν ἔπειτα γυναῖκα βάλ' Ἄρτεμις ἰοχέαιρα,
ἄντλῳ δ' ἐνδούπησε πεσοῦσ' ὡς εἰναλίη κήξ.
480 καὶ τὴν μὲν φώκῃσι καὶ ἰχθύσι κύρμα γενέσθαι
ἔκβαλον· αὐτὰρ ἐγὼ λιπόμην ἀκαχήμενος ἦτορ.
τοὺς δ' Ἰθάκῃ ἐπέλασσε φέρων ἄνεμός τε καὶ ὕδωρ,
ἔνθα με Λαέρτης πρίατο κτεάτεσσιν ἑοῖσιν.
οὕτω τήνδε τε γαῖαν ἐγὼν ἴδον ὀφθαλμοῖσι ».
485 τὸν δ' αὖ διογενὴς Ὀδυσεὺς ἠμείβετο μύθῳ·
« Εὔμαι', ἦ μάλα δή μοι ἐνὶ φρεσὶ θυμὸν ὄρινας
ταῦτα ἕκαστα λέγων, ὅσα δὴ πάθες ἄλγεα θυμῷ.
ἀλλ' ἦ τοι σοὶ μὲν παρὰ καὶ κακῷ ἐσθλὸν ἔθηκε
Ζεύς, ἐπεὶ ἀνδρὸς δώματ' ἀφίκεο πολλὰ μογήσας
490 ἠπίου, ὃς δή τοι παρέχει βρῶσίν τε πόσιν τε
ἐνδυκέως, ζώεις δ' ἀγαθὸν βίον· αὐτὰρ ἐγώ γε
πολλὰ βροτῶν ἐπὶ ἄστε' ἀλώμενος ἐνθάδ' ἱκάνω ».
ὣς οἱ μὲν τοιαῦτα πρὸς ἀλλήλους ἀγόρευον,
καδδραθέτην δ' οὐ πολλὸν ἐπὶ χρόνον, ἀλλὰ μίνυνθα.
495 αἶψα γὰρ Ἠὼς ἦλθεν ἐΰθρονος. οἱ δ' ἐπὶ χέρσου
Τηλεμάχου ἕταροι λύον ἱστία, κὰδ δ' ἕλον ἱστὸν
καρπαλίμως, τὴν δ' εἰς ὅρμον προέρεσσαν ἐρετμοῖς.
ἐκ δ' εὐνὰς ἔβαλον, κατὰ δὲ πρυμνήσι' ἔδησαν·
ἐκ δὲ καὶ αὐτοὶ βαῖνον ἐπὶ ῥηγμῖνι θαλάσσης
500 δεῖπνόν τ' ἐντύνοντο κερῶντό τε αἴθοπα οἶνον.
αὐτὰρ ἐπεὶ πόσιος καὶ ἐδητύος ἐξ ἔρον ἕντο,
τοῖσι δὲ Τηλέμαχος πεπνυμένος ἤρχετο μύθων·

subito essa nascose in seno tre tazze
470 e se le portò; io la seguivo senza capire.
Il sole calò e tutte le strade s'ombravano.
Muovendoci in fretta, arrivammo al porto famoso
dove era la nave veloce della gente fenicia.
Ed essi imbarcatisi navigavano per le liquide vie,
475 dopo averci imbarcato: mandò Zeus il vento.
Navigammo sei giorni, di notte e di giorno.
Ma quando Zeus Cronide aggiunse il settimo giorno,
allora Artemide saettatrice colpì quella donna
e con un tonfo essa cadde nella sentina, come una sterna.
480 La gettarono in pasto alle foche e ai pesci
nel mare: e io restai solo, col cuore angosciato.
Il vento e l'acqua li spinse portandoli ad Itaca,
e qui coi suoi averi Laerte mi comperò.
Così io ho visto questa terra cogli occhi».
485 Gli rispose allora il divino Odisseo:
«Eumeo, il mio animo hai molto commosso nel petto,
narrando per filo quante pene hai sofferto nell'animo.
Ma accanto al male Zeus ha posto anche il bene
per te, perché dopo tanto soffrire sei giunto in casa
490 d'un uomo mite, che ti assicura cibo e bevanda
di cuore, e tu vivi una buona esistenza: ma io
arrivo qui errando per molte città di mortali».
Essi dunque facevano questi discorsi tra loro:
non dormirono molto, ma solo per poco,
495 e presto venne Aurora sul trono. Intanto vicino alla riva
i compagni di Telemaco scioglievano le vele, tolsero l'albero
con rapidità, e coi remi spinsero la nave all'ormeggio.
Gettarono le pietre dell'ancora, legarono a poppa le gomene:
essi stessi sbarcarono sulla riva del mare,
500 prepararono il pasto e mischiarono il vino scuro.
Poi, quando ebbero scacciata la voglia di bere e di cibo,
tra essi Telemaco cominciò giudiziosamente a parlare:

« ὑμεῖς μὲν νῦν ἄστυδ' ἐλαύνετε νῆα μέλαιναν,
αὐτὰρ ἐγὼν ἀγροὺς ἐπιείσομαι ἠδὲ βοτῆρας·
505 ἑσπέριος δ' εἰς ἄστυ ἰδὼν ἐμὰ ἔργα κάτειμι.
ἠῶθεν δέ κεν ὔμμιν ὁδοιπόριον παραθείμην,
δαῖτ' ἀγαθὴν κρειῶν τε καὶ οἴνου ἡδυπότοιο ».
τὸν δ' αὖτε προσέειπε Θεοκλύμενος θεοειδής·
« πῇ γὰρ ἐγώ, φίλε τέκνον, ἴω; τεῦ δώμαθ' ἵκωμαι
510 ἀνδρῶν, οἳ κραναὴν Ἰθάκην κάτα κοιρανέουσιν;
ἦ ἰθὺς σῆς μητρὸς ἴω καὶ σοῖο δόμοιο; ».
τὸν δ' αὖ Τηλέμαχος πεπνυμένος ἀντίον ηὔδα·
« ἄλλως μέν σ' ἂν ἐγώ γε καὶ ἡμέτερόνδε κελοίμην
ἔρχεσθ'· οὐ γάρ τι ξενίων ποθή· ἀλλὰ σοὶ αὐτῷ
515 χεῖρον, ἐπεί τοι ἐγὼ μὲν ἀπέσσομαι, οὐδέ σε μήτηρ
ὄψεται· οὐ μὲν γάρ τι θαμὰ μνηστῆρσ' ἐνὶ οἴκῳ
φαίνεται, ἀλλ' ἀπὸ τῶν ὑπερωΐῳ ἱστὸν ὑφαίνει.
ἀλλά τοι ἄλλον φῶτα πιφαύσκομαι, ὅν κεν ἵκοιο,
Εὐρύμαχον, Πολύβοιο δαΐφρονος ἀγλαὸν υἱόν,
520 τὸν νῦν ἶσα θεῷ Ἰθακήσιοι εἰσορόωσι·
καὶ γὰρ πολλὸν ἄριστος ἀνὴρ μέμονέν τε μάλιστα
μητέρ' ἐμὴν γαμέειν καὶ Ὀδυσσῆος γέρας ἕξειν.
ἀλλὰ τά γε Ζεὺς οἶδεν Ὀλύμπιος, αἰθέρι ναίων,
εἴ κέ σφι πρὸ γάμοιο τελευτήσει κακὸν ἦμαρ ».
525 ὣς ἄρα οἱ εἰπόντι ἐπέπτατο δεξιὸς ὄρνις,
κίρκος, Ἀπόλλωνος ταχὺς ἄγγελος· ἐν δὲ πόδεσσι
τίλλε πέλειαν ἔχων, κατὰ δὲ πτερὰ χεῦεν ἔραζε
μεσσηγὺς νηός τε καὶ αὐτοῦ Τηλεμάχοιο.
τὸν δὲ Θεοκλύμενος ἑτάρων ἀπονόσφι καλέσσας
530 ἔν τ' ἄρα οἱ φῦ χειρὶ ἔπος τ' ἔφατ' ἔκ τ' ὀνόμαζε·
« Τηλέμαχ', οὔ τοι ἄνευ θεοῦ ἤλυθε δεξιὸς ὄρνις·
ἔγνων γάρ μιν ἐσάντα ἰδὼν οἰωνὸν ἐόντα.
ὑμετέρου δ' οὐκ ἔστι γένευς βασιλεύτερον ἄλλο
ἐν δήμῳ Ἰθάκης, ἀλλ' ὑμεῖς καρτεροὶ αἰεί ».
535 τὸν δ' αὖ Τηλέμαχος πεπνυμένος ἀντίον ηὔδα·
« αἲ γὰρ τοῦτο, ξεῖνε, ἔπος τετελεσμένον εἴη·

« Voi ora spingete in città la nera nave:
io invece andrò in campagna presso i pastori;
505 scenderò questa sera in città, dopo aver visto i miei beni.
Domani, a compenso del viaggio, voglio offrirvi
un buon pasto con carni e con vino di dolce sapore ».
Gli disse allora Teoclimeno simile a un dio:
« E io dove andrò, figlio caro? vado a casa di uno
510 degli uomini che governano a Itaca irta di rocce?
O diritto andrò da tua madre e nella tua casa? ».
Gli rispose allora giudiziosamente Telemaco:
« Un'altra volta ti inviterei a venire anche a casa
da noi: l'ospitalità non vi manca. Ma sarebbe peggio
515 per te, perché io sarò assente, e mia madre non ti
vedrà: raramente si mostra tra i pretendenti
in casa; ma di sopra, lontano da essi, tesse al telaio.
Ma ti indico un altro signore da cui puoi andare,
Eurimaco, l'illustre figlio del savio Polibo,
520 a cui gli Itacesi ora guardano come a un dio:
egli è l'uomo più nobile e che più brama
sposare mia madre ed avere il posto di Odisseo.
Ma lo sa Zeus Olimpio che abita l'etere,
se non darà loro, prima che nozze, il giorno funesto ».
525 Mentre diceva così, gli volò a destra un uccello,
un falcone, il celere nunzio di Apollo: negli artigli
serrava un colombo, lo spennava e spargeva
a terra le penne, tra la nave e lo stesso Telemaco.
Allora Teoclimeno, chiamandolo a parte dei compagni,
530 gli strinse la mano, gli rivolse la parola, gli disse:
« Telemaco, non senza un dio è volato da destra l'uccello:
ho capito, a vedermelo in faccia, che è augurale.
Altra stirpe più regale della vostra non c'è
tra il popolo di Itaca, ma sempre voi siete i più forti ».
535 Gli rispose allora giudiziosamente Telemaco:
« Oh se questa profezia si compisse, o straniero!

τῷ κε τάχα γνοίης φιλότητά τε πολλά τε δῶρα
ἐξ ἐμεῦ, ὡς ἄν τίς σε συναντόμενος μακαρίζοι ».
ἦ, καὶ Πείραιον προσεφώνεε, πιστὸν ἑταῖρον·
540 « Πείραιε Κλυτίδη, σὺ δέ μοι τά περ ἄλλα μάλιστα
πείθῃ ἐμῶν ἑτάρων, οἵ μοι Πύλον εἱς ἅμ' ἕποντο·
καὶ νῦν μοι τὸν ξεῖνον ἄγων ἐν δώμασι σοῖσιν
ἐνδυκέως φιλέειν καὶ τιέμεν, εἰς ὅ κεν ἔλθω ».
τὸν δ' αὖ Πείραιος δουρικλυτὸς ἀντίον ηὔδα·
545 « Τηλέμαχ', εἰ γάρ κεν σὺ πολὺν χρόνον ἐνθάδε μίμνοις,
τόνδε τ' ἐγὼ κομιῶ, ξενίων δέ οἱ οὐ ποθὴ ἔσται ».
ὣς εἰπὼν ἐπὶ νηὸς ἔβη, ἐκέλευσε δ' ἑταίρους
αὐτούς τ' ἀμβαίνειν ἀνά τε πρυμνήσια λῦσαι.
οἱ δ' αἶψ' εἴσβαινον καὶ ἐπὶ κληῖσι καθῖζον.
550 Τηλέμαχος δ' ὑπὸ ποσσὶν ἐδήσατο καλὰ πέδιλα,
εἵλετο δ' ἄλκιμον ἔγχος, ἀκαχμένον ὀξέϊ χαλκῷ,
νηὸς ἀπ' ἰκριόφιν· τοὶ δὲ πρυμνήσι' ἔλυσαν.
οἱ μὲν ἀνώσαντες πλέον ἐς πόλιν, ὡς ἐκέλευσε
Τηλέμαχος, φίλος υἱὸς Ὀδυσσῆος θείοιο·
555 τὸν δ' ὦκα προβιβῶντα πόδες φέρον, ὄφρ' ἵκετ' αὐλήν,
ἔνθα οἱ ἦσαν ὕες μάλα μυρίαι, ᾗσι συβώτης
ἐσθλὸς ἐὼν ἐνίαυεν, ἀνάκτεσιν ἤπια εἰδώς.

Subito avresti amicizia e molti regali
da me, sicché uno ti direbbe beato incontrandoti ».
Disse e si volse a Pireo, il fedele compagno:
540 « Pireo figlio di Clitio, anche in altro tu mi obbedisci
di più tra i compagni che mi seguivano a Pilo:
e così ora portami a casa tua lo straniero,
accoglilo con gentilezza ed onoralo, fintantoché torno ».
Gli rispose allora Pireo famoso con l'asta:
545 « Telemaco, anche se tu volessi fermarti lì molto tempo,
avrò io cura di lui, e dell'accoglienza sarà soddisfatto ».
Detto così salì sulla nave, comandò ai compagni
di imbarcarsi anche loro e di sciogliere a poppa le gomene.
Subito essi salirono e presero posto agli scalmi.
550 Telemaco legò ai piedi i bei sandali,
prese l'asta guerriera, acuminata d'aguzzo bronzo,
dal ponte della nave; loro sciolsero a poppa le gomene.
La spinsero coi remi in città, come aveva ordinato
Telemaco, il caro figlio del divino Odisseo:
555 i piedi lo portavano a rapidi passi, finché giunse alla stalla,
dove aveva scrofe a migliaia, tra le quali dormiva
il bravo porcaro devoto ai padroni.

Π

Τὼ δ' αὖτ' ἐν κλισίῃ Ὀδυσεὺς καὶ δῖος ὑφορβὸς
ἐντύνοντ' ἄριστον ἅμ' ἠόϊ, κηαμένω πῦρ,
ἔκπεμψάν τε νομῆας ἅμ' ἀγρομένοισι σύεσσι.
Τηλέμαχον δὲ περίσσαινον κύνες ὑλακόμωροι,
5 οὐδ' ὕλαον προσιόντα· νόησε δὲ δῖος Ὀδυσσεὺς
σαίνοντάς τε κύνας, περί τε κτύπος ἦλθε ποδοῖϊν.
αἶψα δ' ἄρ' Εὔμαιον ἔπεα πτερόεντα προσηύδα·
« Εὔμαι', ἦ μάλα τίς τοι ἐλεύσεται ἐνθάδ' ἑταῖρος
ἢ καὶ γνώριμος ἄλλος, ἐπεὶ κύνες οὐχ ὑλάουσιν,
10 ἀλλὰ περισσαίνουσι· ποδῶν δ' ὑπὸ δοῦπον ἀκούω ».
οὔ πω πᾶν εἴρητο ἔπος, ὅτε οἱ φίλος υἱὸς
ἔστη ἐνὶ προθύροισι. ταφὼν δ' ἀνόρουσε συβώτης,
ἐκ δ' ἄρα οἱ χειρῶν πέσον ἄγγεα, τοῖς ἐπονεῖτο
κιρνὰς αἴθοπα οἶνον. ὁ δ' ἀντίος ἤλυθ' ἄνακτος,
15 κύσσε δέ μιν κεφαλήν τε καὶ ἄμφω φάεα καλὰ
χεῖράς τ' ἀμφοτέρας· θαλερὸν δέ οἱ ἔκπεσε δάκρυ.
ὡς δὲ πατὴρ ὃν παῖδα φίλα φρονέων ἀγαπάζῃ
ἐλθόντ' ἐξ ἀπίης γαίης δεκάτῳ ἐνιαυτῷ,
μοῦνον τηλύγετον, τῷ ἐπ' ἄλγεα πολλὰ μογήσῃ,
20 ὣς τότε Τηλέμαχον θεοειδέα δῖος ὑφορβὸς
πάντα κύσεν περιφύς, ὡς ἐκ θανάτοιο φυγόντα·
καί ῥ' ὀλοφυρόμενος ἔπεα πτερόεντα προσηύδα·
« ἦλθες, Τηλέμαχε, γλυκερὸν φάος; οὔ σ' ἔτ' ἐγώ γε
ὄψεσθαι ἐφάμην, ἐπεὶ ᾤχεο νηῒ Πύλονδε.
25 ἀλλ' ἄγε νῦν εἴσελθε, φίλον τέκος, ὄφρα σε θυμῷ
τέρψομαι εἰσορόων νέον ἄλλοθεν ἔνδον ἐόντα.

LIBRO SEDICESIMO

Intanto, nella capanna, Odisseo e il chiaro mandriano
con la prima aurora, acceso del fuoco, preparavano il pasto
e mandarono fuori i mandriani coi maiali in branco.
E i cani latranti scodinzolavano, senza abbaiare,
5 a Telemaco mentre avanzava. Il chiaro Odisseo s'accorse
dei cani che scodinzolavano, gli giunse il rumore dei piedi.
Subito rivolse a Eumeo alate parole:
«Eumeo, ti viene a far visita, certo, un compagno
o qualche altro tuo conoscente, perché non abbaiano i cani,
10 ma scodinzolano: e sento un rumore di piedi».
Non aveva finito di dire, che il suo caro figlio
fu davanti alla porta. Il porcaro s'alzò stupefatto,
dalle mani gli caddero i vasi coi quali stava
mescendo lo scuro vino. Andò incontro al signore,
15 gli baciò il capo e i due occhi belli
ed entrambe le mani: copioso gli sgorgò il pianto.
Come un padre affettuoso accoglie suo figlio
che torna da una terra lontana al decimo anno,
l'unico figlio diletto, per cui patì tanti dolori,
20 così il chiaro mandriano baciò allora Telemaco simile a un dio
abbracciandolo stretto, quasi fosse scampato alla morte;
e piangendo gli rivolse alate parole:
«Sei tornato, Telemaco, mia dolce luce. Io non credevo
di rivederti, dopoché con la nave partisti per Pilo.
25 Ma su, figlio caro, ora entra, perché abbia la gioia
di guardarti appena tornato a casa da fuori.

οὐ μὲν γάρ τι θάμ' ἀγρὸν ἐπέρχεαι οὐδὲ νομῆας,
ἀλλ' ἐπιδημεύεις· ὣς γάρ νύ τοι εὔαδε θυμῷ,
ἀνδρῶν μνηστήρων ἐσορᾶν ἀΐδηλον ὅμιλον ».
30 τὸν δ' αὖ Τηλέμαχος πεπνυμένος ἀντίον ηὔδα·
« ἔσσεται οὕτως, ἄττα· σέθεν δ' ἕνεκ' ἐνθάδ' ἱκάνω,
ὄφρα σέ τ' ὀφθαλμοῖσιν ἴδω καὶ μῦθον ἀκούσω,
ἤ μοι ἔτ' ἐν μεγάροις μήτηρ μένει, ἦέ τις ἤδη
ἀνδρῶν ἄλλος ἔγημεν, 'Οδυσσῆος δέ που εὐνὴ
35 χήτει ἐνευναίων κάκ' ἀράχνια κεῖται ἔχουσα ».
τὸν δ' αὖτε προσέειπε συβώτης, ὄρχαμος ἀνδρῶν·
« καὶ λίην κείνη γε μένει τετληότι θυμῷ
σοῖσιν ἐνὶ μεγάροισιν· ὀϊζυραὶ δέ οἱ αἰεὶ
φθίνουσιν νύκτες τε καὶ ἤματα δάκρυ χεούσῃ ».
40 ὣς ἄρα φωνήσας οἱ ἐδέξατο χάλκεον ἔγχος·
αὐτὰρ ὅ γ' εἴσω ἴεν καὶ ὑπέρβη λάϊνον οὐδόν.
τῷ δ' ἕδρης ἐπιόντι πατὴρ ὑπόειξεν 'Οδυσσεύς,
Τηλέμαχος δ' ἑτέρωθεν ἐρήτυε φώνησέν τε·
« ἧσο, ξεῖν'. ἡμεῖς δὲ καὶ ἄλλοθι δήομεν ἕδρην
45 σταθμῷ ἐν ἡμετέρῳ· πάρα δ' ἀνήρ, ὃς καταθήσει ».
ὣς φάθ', ὁ δ' αὖτις ἰὼν κατ' ἄρ' ἕζετο· τῷ δὲ συβώτης
χεῦεν ὕπο χλωρὰς ῥῶπας καὶ κῶας ὕπερθεν·
ἔνθα καθέζετ' ἔπειτα 'Οδυσσῆος φίλος υἱός.
τοῖσιν δὲ κρειῶν πίνακας παρέθηκε συβώτης
50 ὀπταλέων, ἅ ῥα τῇ προτέρῃ ὑπέλειπον ἔδοντες,
σῖτον δ' ἐσσυμένως παρενήεεν ἐν κανέοισιν,
ἐν δ' ἄρα κισσυβίῳ κίρνη μελιηδέα οἶνον·
αὐτὸς δ' ἀντίον ἷζεν 'Οδυσσῆος θείοιο.
οἱ δ' ἐπ' ὀνείαθ' ἑτοῖμα προκείμενα χεῖρας ἴαλλον.
55 αὐτὰρ ἐπεὶ πόσιος καὶ ἐδητύος ἐξ ἔρον ἕντο,
δὴ τότε Τηλέμαχος προσεφώνεε δῖον ὑφορβόν·
« ἄττα, πόθεν τοι ξεῖνος ὅδ' ἵκετο; πῶς δέ ἑ ναῦται
ἤγαγον εἰς 'Ιθάκην; τίνες ἔμμεναι εὐχετόωντο;
οὐ μὲν γάρ τί ἑ πεζὸν ὀΐομαι ἐνθάδ' ἱκέσθαι ».
60 τὸν δ' ἀπαμειβόμενος προσέφης, Εὔμαιε συβῶτα·

Tu infatti non vieni sovente in campagna, né tra i pastori,
ma stai tra la gente: così tanto ti piace nell'animo
guardare la folla funesta dei pretendenti».

30 Gli rispose allora giudiziosamente Telemaco:
« Va bene, nonnetto, per te sono qui,
per vederti con gli occhi e sentire
se, in casa, mia madre aspetta ancora, o se già
l'ha sposata qualche altro, e forse il letto di Odisseo
35 giace deserto ed è pieno di infauste ragne».

Gli rispose allora il porcaro, capo di uomini:
« Certo che ella aspetta con animo fermo
nelle tue case! tristi le si consumano
sempre le notti e i giorni, versando lacrime».

40 Detto così, si fece dare l'asta di bronzo;
allora egli entrò e varcò la soglia di pietra.
Al suo ingresso il padre Odisseo s'alzò dal suo posto,
ma lo trattenne Telemaco dall'altro lato e gli disse:

« Siedi, straniero: troveremo anche altrove un posto a sedere
45 nella nostra stalla; ecco l'uomo che me lo farà».

Disse così, ed egli tornò a sedere. Il porcaro per lui
fece un mucchio di verdi frasche con sopra dei velli:
e il caro figlio di Odisseo sedette lì sopra.
Accanto a loro il porcaro mise dei piatti di carne
50 arrostita, che il giorno prima avevano lasciato mangiando,
portò sveltamente del pane in cesti ricolmi,
mescé in una ciotola vino dolcissimo.
Lui stesso sedette di fronte al divino Odisseo.
Ed essi sui cibi pronti, imbanditi, le mani tendevano.
55 Poi, quando ebbero scacciata la voglia di bere e di cibo,
allora Telemaco si volse al chiaro mandriano:

« Nonnetto, donde ti viene quest'ospite? Come i marinai
lo portarono a Itaca? chi dicevano d'essere?
Perché certo non credo sia giunto qui a piedi».

60 E tu rispondendo, o porcaro Eumeo, gli dicesti:

« τοιγὰρ ἐγώ τοι, τέκνον, ἀληθέα πάντ' ἀγορεύσω.
ἐκ μὲν Κρητάων γένος εὔχεται εὐρειάων,
φησὶ δὲ πολλὰ βροτῶν ἐπὶ ἄστεα δινηθῆναι
πλαζόμενος· ὣς γάρ οἱ ἐπέκλωσεν τά γε δαίμων.
65 νῦν αὖ Θεσπρωτῶν ἀνδρῶν παρὰ νηὸς ἀποδρὰς
ἤλυθ' ἐμὸν πρὸς σταθμόν, ἐγὼ δέ τοι ἐγγυαλίξω.
ἔρξον ὅπως ἐθέλεις· ἱκέτης δέ τοι εὔχεται εἶναι ».
τὸν δ' αὖ Τηλέμαχος πεπνυμένος ἀντίον ηὔδα·
« Εὔμαι', ἦ μάλα τοῦτο ἔπος θυμαλγὲς ἔειπες.
70 πῶς γὰρ δὴ τὸν ξεῖνον ἐγὼν ὑποδέξομαι οἴκῳ;
αὐτὸς μὲν νέος εἰμὶ καὶ οὔ πω χερσὶ πέποιθα
ἄνδρ' ἀπαμύνασθαι, ὅτε τις πρότερος χαλεπήνῃ·
μητρὶ δ' ἐμῇ δίχα θυμὸς ἐνὶ φρεσὶ μερμηρίζει,
ἢ αὐτοῦ παρ' ἐμοί τε μένῃ καὶ δῶμα κομίζῃ,
75 εὐνήν τ' αἰδομένη πόσιος δήμοιό τε φῆμιν,
ἦ ἤδη ἅμ' ἕπηται, Ἀχαιῶν ὅς τις ἄριστος
μνᾶται ἐνὶ μεγάροισιν ἀνὴρ καὶ πλεῖστα πόρῃσιν.
ἀλλ' ἦ τοι τὸν ξεῖνον, ἐπεὶ τεὸν ἵκετο δῶμα,
ἕσσω μιν χλαῖνάν τε χιτῶνά τε εἵματα καλά,
80 δώσω δὲ ξίφος ἄμφηκες καὶ ποσσὶ πέδιλα,
πέμψω δ', ὅππῃ μιν κραδίη θυμός τε κελεύει.
εἰ δ' ἐθέλεις, σὺ κόμισσον ἐνὶ σταθμοῖσιν ἐρύξας·
εἵματα δ' ἐνθάδ' ἐγὼ πέμψω καὶ σῖτον ἅπαντα
ἔδμεναι, ὡς ἂν μή σε κατατρύχῃ καὶ ἑταίρους.
85 κεῖσε δ' ἂν οὔ μιν ἐγώ γε μετὰ μνηστῆρας ἐῷμι
ἔρχεσθαι – λίην γὰρ ἀτάσθαλον ὕβριν ἔχουσι –
μή μιν κερτομέωσιν· ἐμοὶ δ' ἄχος ἔσσεται αἰνόν.
πρῆξαι δ' ἀργαλέον τι μετὰ πλεόνεσσιν ἐόντα
ἄνδρα καὶ ἴφθιμον, ἐπεὶ ἦ πολὺ φέρτεροί εἰσι ».
90 τὸν δ' αὖτε προσέειπε πολύτλας δῖος Ὀδυσσεύς·
« ὦ φίλ', ἐπεί θήν μοι καὶ ἀμείψασθαι θέμις ἐστίν,
ἦ μάλα μευ καταδάπτετ' ἀκούοντος φίλον ἦτορ,
οἷά φατε μνηστῆρας ἀτάσθαλα μηχανάασθαι
ἐν μεγάροις, ἀέκητι σέθεν τοιούτου ἐόντος.

« Certo, figliuolo, sinceramente ti dirò ogni cosa.
Per stirpe dichiara che viene dall'ampia Creta,
e dice che ha girato per molte città di mortali,
ramingo: questa sorte gli filò così un dio.
65 E ora, fuggito dalla nave di certi Tesproti,
è giunto nella mia stalla: io te lo affido.
Fa' come vuoi! si dice tuo supplice ».
Gli rispose allora giudiziosamente Telemaco:
« Eumeo, è assai doloroso quello che hai detto.
70 Come posso accogliere l'ospite in casa?
Io sono giovane e non mi fido delle mie mani
per respingere un uomo, se per primo mi offende;
mia madre ha l'animo incerto tra due pensieri,
se qui da me rimanere e curare la casa,
75 rispettando il letto nuziale e la voce del popolo,
o seguire ormai il più nobile degli Achei,
che in casa la chieda e le offra più doni.
Ma all'ospite, poiché è venuto da te,
darò un mantello e una tunica, dei bei vestiti,
80 darò una spada a due tagli e per i piedi dei sandali,
lo manderò dove il cuore e la mente lo spinge.
Se vuoi, abbi tu cura di lui, trattenendolo nelle stalle:
io manderò qui le vesti e tutto il cibo
per farlo mangiare, perché non consumi te e i compagni.
85 Tra i pretendenti, laggiù, non vorrei
che venisse, perché hanno troppo insolente arroganza.
Che non lo ingiurino: sarebbe per me una pena terribile.
Per un uomo, anche prode, è difficile fare qualcosa
se si trova tra molti, perché sono molto più forti ».
90 Gli disse allora il paziente chiaro Odisseo:
« O caro, poiché certo mi è concesso parlare a mia volta,
mi si strazia il cuore a sentire
quali scelleratezze voi dite che compiono i proci
dentro il palazzo, a dispetto di un uomo quale tu sei.

95 εἰπέ μοι, ἠὲ ἑκὼν ὑποδάμνασαι, ἦ σέ γε λαοὶ
ἐχθαίρουσ' ἀνὰ δῆμον ἐπισπόμενοι θεοῦ ὀμφῇ·
ἦ τι κασιγνήτοις ἐπιμέμφεαι, οἷσί περ ἀνὴρ
μαρναμένοισι πέποιθε, καὶ εἰ μέγα νεῖκος ὄρηται,
αἲ γὰρ ἐγὼν οὕτω νέος εἴην τῷδ' ἐπὶ θυμῷ,
100 ἢ παῖς ἐξ Ὀδυσῆος ἀμύμονος ἠὲ καὶ αὐτὸς
ἔλθοι ἀλητεύων· ἔτι γὰρ καὶ ἐλπίδος αἶσα·
αὐτίκ' ἔπειτ' ἀπ' ἐμεῖο κάρη τάμοι ἀλλότριος φώς,
εἰ μὴ ἐγὼ κείνοισι κακὸν πάντεσσι γενοίμην
ἐλθὼν ἐς μέγαρον Λαερτιάδεω Ὀδυσῆος.
105 εἰ δ' αὖ με πληθυῖ δαμασαίατο μοῦνον ἐόντα,
βουλοίμην κ' ἐν ἐμοῖσι κατακτάμενος μεγάροισι
τεθνάμεν ἢ τάδε γ' αἰὲν ἀεικέα ἔργ' ὁράασθαι,
ξείνους τε στυφελιζομένους δμῳάς τε γυναῖκας
ῥυστάζοντας ἀεικελίως κατὰ δώματα καλά,
110 καὶ οἶνον διαφυσσόμενον, καὶ σῖτον ἔδοντας
μὰψ αὔτως ἀτέλεστον, ἀνηνύστῳ ἐπὶ ἔργῳ ».
τὸν δ' αὖ Τηλέμαχος πεπνυμένος ἀντίον ηὔδα·
« τοιγὰρ ἐγώ τοι, ξεῖνε, μάλ' ἀτρεκέως ἀγορεύσω.
οὔτε τί μοι πᾶς δῆμος ἀπεχθόμενος χαλεπαίνει,
115 οὔτε κασιγνήτοις ἐπιμέμφομαι, οἷσί περ ἀνὴρ
μαρναμένοισι πέποιθε, καὶ εἰ μέγα νεῖκος ὄρηται.
ὧδε γὰρ ἡμετέρην γενεὴν μούνωσε Κρονίων·
μοῦνον Λαέρτην Ἀρκείσιος υἱὸν ἔτικτε,
μοῦνον δ' αὖτ' Ὀδυσῆα πατὴρ τέκεν· αὐτὰρ Ὀδυσσεὺς
120 μοῦνον ἔμ' ἐν μεγάροισι τεκὼν λίπεν, οὐδ' ἀπόνητο.
τῷ νῦν δυσμενέες μάλα μυρίοι εἴσ' ἐνὶ οἴκῳ.
ὅσσοι γὰρ νήσοισιν ἐπικρατέουσιν ἄριστοι,
Δουλιχίῳ τε Σάμῃ τε καὶ ὑλήεντι Ζακύνθῳ,
ἠδ' ὅσσοι κραναὴν Ἰθάκην κάτα κοιρανέουσι,
125 τόσσοι μητέρ' ἐμὴν μνῶνται, τρύχουσι δὲ οἶκον.
ἡ δ' οὔτ' ἀρνεῖται στυγερὸν γάμον οὔτε τελευτὴν
ποιῆσαι δύναται· τοὶ δὲ φθινύθουσιν ἔδοντες
οἶκον ἐμόν· τάχα δή με διαρραίσουσι καὶ αὐτόν.

95 Ma dimmi se ti sei spontaneamente piegato o se il popolo
ti è ostile in paese, seguendo la voce di un dio,
o se dài la colpa ai fratelli in cui uno confida
quando si battono, anche se sorge una grande contesa.
Ah se io fossi giovane come tu sei, con questo mio animo,
100 o fossi figlio del nobile Odisseo, o arrivasse
lui stesso errabondo, perché c'è ancora speranza:
possa all'istante spiccarmi un estraneo la testa,
se non dessi la morte a tutti costoro
entrando nella sala di Odisseo figlio di Laerte.
105 Se poi dovessero vincermi, essendo solo, col numero,
preferirei esser morto nelle mie case,
ucciso, che vedere sempre queste ignobili azioni:
gli ospiti offesi e chi ignobilmente trascina
per le belle stanze le ancelle,
110 il vino attinto ed essi che divorano cibi
stolidamente, così, senza fine, per uno scopo vano».
Gli rispose allora giudiziosamente Telemaco:
«Ospite, te lo dirò con tutta franchezza.
Né tutto il popolo mi è ostile e mi avversa,
15 né io incolpo i fratelli, in cui uno confida
quando si battono, anche se sorge una grande contesa.
Figli unici, infatti, diede il Cronide alla nostra famiglia:
Archisio generò un solo figlio, Laerte;
lui come padre generò il solo Odisseo; e Odisseo
120 generò e lasciò solo me nel palazzo, e non mi godette.
E così nella casa i nemici sono ora migliaia.
Tutti i nobili che hanno potere sulle isole,
su Dulichio e su Same e sulla selvosa Zacinto,
e che governano ad Itaca irta di rocce,
125 tutti fanno la corte a mia madre, e la casa distruggono.
Lei né rifiuta le nozze aborrite né è capace
di farle: e quelli mi consumano banchettando
la casa; e presto distruggeranno anche me.

ἀλλ' ἦ τοι μὲν ταῦτα θεῶν ἐν γούνασι κεῖται·
130 ἄττα, σὺ δ' ἔρχεο θᾶσσον, ἐχέφρονι Πηνελοπείῃ
εἴφ', ὅτι οἱ σῶς εἰμι καὶ ἐκ Πύλου εἰλήλουθα.
αὐτὰρ ἐγὼν αὐτοῦ μενέω, σὺ δὲ δεῦρο νέεσθαι
οἴῃ ἀπαγγείλας· τῶν δ' ἄλλων μή τις Ἀχαιῶν
πευθέσθω· πολλοὶ γὰρ ἐμοὶ κακὰ μηχανόωνται ».
135 τὸν δ' ἀπαμειβόμενος προσέφης, Εὔμαιε συβῶτα·
« γινώσκω, φρονέω· τά γε δὴ νοέοντι κελεύεις.
ἀλλ' ἄγε μοι τόδε εἰπὲ καὶ ἀτρεκέως κατάλεξον,
εἰ καὶ Λαέρτῃ αὐτὴν ὁδὸν ἄγγελος ἔλθω
δυσμόρῳ, ὃς τῆος μὲν Ὀδυσσῆος μέγ' ἀχεύων
140 ἔργα τ' ἐποπτεύεσκε μετὰ δμώων τ' ἐνὶ οἴκῳ
πῖνε καὶ ἦσθ', ὅτε θυμὸς ἐνὶ στήθεσσιν ἀνώγοι·
αὐτὰρ νῦν, ἐξ οὗ σύ γε ᾤχεο νηῒ Πύλονδε,
οὔ πώ μίν φασιν φαγέμεν καὶ πιέμεν αὔτως,
οὐδ' ἐπὶ ἔργα ἰδεῖν, ἀλλὰ στοναχῇ τε γόῳ τε
145 ἧσται ὀδυρόμενος, φθινύθει δ' ἀμφ' ὀστεόφι χρώς ».
τὸν δ' αὖ Τηλέμαχος πεπνυμένος ἀντίον ηὔδα·
« ἄλγιον, ἀλλ' ἔμπης μιν ἐάσομεν, ἀχνύμενοί περ.
εἰ γάρ πως εἴη αὐτάγρετα πάντα βροτοῖσι,
πρῶτόν κεν τοῦ πατρὸς ἑλοίμεθα νόστιμον ἦμαρ.
150 ἀλλὰ σύ γ' ἀγγείλας ὀπίσω κίε, μηδὲ κατ' ἀγροὺς
πλάζεσθαι μετ' ἐκεῖνον· ἀτὰρ πρὸς μητέρα εἰπεῖν
ἀμφίπολον ταμίην ὀτρυνέμεν ὅττι τάχιστα
κρύβδην· κείνη γάρ κεν ἀπαγγείλειε γέροντι ».
ἦ ῥα, καὶ ὦρσε συφορβόν· ὁ δ' εἵλετο χερσὶ πέδιλα,
155 δησάμενος δ' ὑπὸ ποσσὶ πόλινδ' ἴεν. οὐδ' ἄρ' Ἀθήνην
λῆθεν ἀπὸ σταθμοῖο κιὼν Εὔμαιος ὑφορβός,
ἀλλ' ἥ γε σχεδὸν ἦλθε· δέμας δ' ἤϊκτο γυναικὶ
καλῇ τε μεγάλῃ τε καὶ ἀγλαὰ ἔργα ἰδυίῃ.
στῆ δὲ κατ' ἀντίθυρον κλισίης Ὀδυσῆϊ φανεῖσα·
160 οὐδ' ἄρα Τηλέμαχος ἴδεν ἀντίον οὐδ' ἐνόησεν –
οὐ γάρ πως πάντεσσι θεοὶ φαίνονται ἐναργεῖς –
ἀλλ' Ὀδυσεύς τε κύνες τε ἴδον, καί ῥ' οὐχ ὑλάοντο,

Ma sulle ginocchia degli dei questo giace.
130 Nonnetto, tu va' presto; alla saggia Penelope
di' che io sono salvo e sono tornato da Pilo.
Io aspetterò qui e tu, dopo averlo detto a lei sola,
ritorna; degli altri Achei non deve saperlo
nessuno, perché molti tramano insidie contro di me».
135 E tu rispondendo, o porcaro Eumeo, gli dicesti:
«Lo so, comprendo: lo ordini a chi lo capisce.
Ma dimmi una cosa, e dilla con tutta franchezza,
se con lo stesso viaggio lo annunzio anche a Laerte,
l'infelice, che pur molto afflitto per la sorte di Odisseo,
140 guardava sempre i lavori e beveva e mangiava
in casa tra i servi, quando l'animo nel petto voleva;
mentre ora, dacché sei partito con la nave per Pilo,
dicono che più non mangi e non beva così,
e non vada a vedere i lavori, ma con sospiri e lamenti
145 sieda gemendo e sulle ossa gli si consumi la carne».
Gli rispose allora giudiziosamente Telemaco:
«Cosa più triste! ma tuttavia lasciamolo, benché addolorati.
Se ai mortali fosse possibile scegliere tutto da sé,
sceglieremmo per primo il dì del ritorno del padre.
150 Ma tu riferisci e ritorna, senza vagare
dietro a lui per i campi, e di' a mia madre
di mandargli al più presto l'ancella della dispensa,
in segreto: al vecchio può darla lei la notizia».
Disse e incitò il porcaro: lui prese i sandali in mano
155 e legatili ai piedi s'avviò alla città. E ad Atena
non sfuggì che il porcaro Eumeo lasciava la stalla,
ma andò lì: per l'aspetto somigliava a una donna
bella e alta ed esperta di splendide opere.
Apparve ad Odisseo ritta all'entrata della capanna:
160 non la vide Telemaco davanti a sé né la scorse –
perché gli dei non appaiono a tutti visibilmente –
ma Odisseo la vide, la videro i cani e non abbaiarono,

κνυζηθμῷ δ' ἑτέρωσε διὰ σταθμοῖο φόβηθεν.
ἡ δ' ἄρ' ἐπ' ὀφρύσι νεῦσε· νόησε δὲ δῖος Ὀδυσσεύς,
165 ἐκ δ' ἦλθεν μεγάροιο παρὲκ μέγα τειχίον αὐλῆς,
στῆ δὲ πάροιθ' αὐτῆς. τὸν δὲ προσέειπεν Ἀθήνη·
« διογενὲς Λαερτιάδη, πολυμήχαν' Ὀδυσσεῦ,
ἤδη νῦν σῷ παιδὶ ἔπος φάο μηδ' ἐπίκευθε,
ὡς ἂν μνηστῆρσιν θάνατον καὶ κῆρ' ἀραρόντε
170 ἔρχησθον προτὶ ἄστυ περικλυτόν· οὐδ' ἐγὼ αὐτὴ
δηρὸν ἀπὸ σφῶϊν ἔσομαι μεμαυῖα μάχεσθαι ».
ἦ, καὶ χρυσείῃ ῥάβδῳ ἐπεμάσσατ' Ἀθήνη.
φᾶρος μέν οἱ πρῶτον ἐϋπλυνὲς ἠδὲ χιτῶνα
θῆκ' ἀμφὶ στήθεσφι, δέμας δ' ὤφελλε καὶ ἥβην.
175 ἂψ δὲ μελαγχροιὴς γένετο, γναθμοὶ δ' ἐτάνυσθεν,
κυάνεαι δ' ἐγένοντο γενειάδες ἀμφὶ γένειον.
ἡ μὲν ἄρ' ὣς ἔρξασα πάλιν κίεν· αὐτὰρ Ὀδυσσεὺς
ἤϊεν ἐς κλισίην. θάμβησε δέ μιν φίλος υἱός,
ταρβήσας δ' ἑτέρωσε βάλ' ὄμματα, μὴ θεὸς εἴη,
180 καί μιν φωνήσας ἔπεα πτερόεντα προσηύδα·
« ἀλλοῖός μοι, ξεῖνε, φάνης νέον ἠὲ πάροιθεν,
ἄλλα δὲ εἵματ' ἔχεις καί τοι χρὼς οὐκέθ' ὁμοῖος.
ἦ μάλα τις θεός ἐσσι, τοὶ οὐρανὸν εὐρὺν ἔχουσιν·
ἀλλ' ἵληθ', ἵνα τοι κεχαρισμένα δώομεν ἱρὰ
185 ἠδὲ χρύσεα δῶρα, τετυγμένα· φείδεο δ' ἡμέων ».
τὸν δ' ἠμείβετ' ἔπειτα πολύτλας δῖος Ὀδυσσεύς·
« οὔ τίς τοι θεός εἰμι· τί μ' ἀθανάτοισιν ἐΐσκεις;
ἀλλὰ πατὴρ τεός εἰμι, τοῦ εἵνεκα σὺ στεναχίζων
πάσχεις ἄλγεα πολλά, βίας ὑποδέγμενος ἀνδρῶν ».
190 ὣς ἄρα φωνήσας υἱὸν κύσε, κὰδ δὲ παρειῶν
δάκρυον ἧκε χαμᾶζε· πάρος δ' ἔχε νωλεμὲς αἰεί.
Τηλέμαχος δ' – οὐ γάρ πω ἐπείθετο ὃν πατέρ' εἶναι –
ἐξαῦτίς μιν ἔπεσσιν ἀμειβόμενος προσέειπεν·
« οὐ σύ γ' Ὀδυσσεύς ἐσσι πατὴρ ἐμός, ἀλλά με δαίμων
195 θέλγει, ὄφρ' ἔτι μᾶλλον ὀδυρόμενος στεναχίζω.
οὐ γάρ πως ἂν θνητὸς ἀνὴρ τάδε μηχανόῳτο

ma fuggirono dall'altra parte uggiolando attraverso la stalla.
Coi sopraccigli lei fece un cenno: lo notò il chiaro Odisseo,
165 uscì dalla stalla lungo il gran muro dell'atrio,
le stette di fronte. E Atena gli disse:
«Divino figlio di Laerte, Odisseo pieno di astuzie,
parla ormai a tuo figlio e non ti nascondere più,
perché ordita ai proci la morte e il destino,
170 andiate nell'illustre città. Io non starò
lontana da voi, ardendo combattere».
Atena disse, e lo toccò con la verga d'oro.
Un lindo mantello e una tunica gli pose
prima sul corpo, ne elevò la statura e il vigore:
175 il suo colorito di nuovo fu bruno, le guance si stesero,
la barba diventò nero-azzurra sul mento.
Dopo aver operato così andò via, e Odisseo
entrò nella stalla. Lo guardò con stupore suo figlio,
impaurito volse altrove lo sguardo, che non fosse un dio,
180 e rivoltosi a lui gli disse alate parole:
«Mi sei apparso or ora diverso da prima, o straniero!
hai altri vestiti, la tua pelle non è più la stessa.
Certo sei qualche dio: essi hanno il vasto cielo.
Sii propizio! ti offriremo sacrifici graditi
185 e doni d'oro, ben lavorati: risparmiaci».
Gli rispose allora il paziente chiaro Odisseo:
«Non sono un dio: perché mi eguagli agli dei?
Ma sono tuo padre, per il quale tu soffri
gemendo tanti dolori, subendo gli insulti degli uomini».
190 Dopo aver detto così, baciò il figlio e dalle guance
versò pianto a terra: prima lo tratteneva sempre, costantemente.
Ma Telemaco – poiché non credeva che fosse suo padre –
rispondendo gli disse di nuovo:
«Non sei Odisseo, tu, mio padre, ma un demone
195 mi sta incantando, perché pianga ancora di più, gemendo.
Un uomo mortale non potrebbe mai fare questi prodigi

ᾧ αὐτοῦ γε νόῳ, ὅτε μὴ θεὸς αὐτὸς ἐπελθὼν
ῥηϊδίως ἐθέλων θείη νέον ἠδὲ γέροντα.
ἦ γάρ τοι νέον ἦσθα γέρων καὶ ἀεικέα ἕσσο·
200 νῦν δὲ θεοῖσιν ἔοικας, οἳ οὐρανὸν εὐρὺν ἔχουσι ».
τὸν δ' ἀπαμειβόμενος προσέφη πολύμητις Ὀδυσσεύς·
« Τηλέμαχ', οὔ σε ἔοικε φίλον πατέρ' ἔνδον ἐόντα
οὔτε τι θαυμάζειν περιώσιον οὔτ' ἀγάασθαι·
οὐ μὲν γάρ τοι ἔτ' ἄλλος ἐλεύσεται ἐνθάδ' Ὀδυσσεύς,
205 ἀλλ' ὅδ' ἐγὼ τοιόσδε, παθὼν κακά, πολλὰ δ' ἀληθείς,
ἤλυθον εἰκοστῷ ἔτεϊ ἐς πατρίδα γαῖαν.
αὐτάρ τοι τόδε ἔργον Ἀθηναίης ἀγελείης,
ἥ τέ με τοῖον ἔθηκεν ὅπως ἐθέλει, δύναται γάρ,
ἄλλοτε μὲν πτωχῷ ἐναλίγκιον, ἄλλοτε δ' αὖτε
210 ἀνδρὶ νέῳ καὶ καλὰ περὶ χροῒ εἵματ' ἔχοντι.
ῥηΐδιον δὲ θεοῖσι, τοὶ οὐρανὸν εὐρὺν ἔχουσιν,
ἠμὲν κυδῆναι θνητὸν βροτὸν ἠδὲ κακῶσαι ».
ὣς ἄρα φωνήσας κατ' ἄρ' ἕζετο, Τηλέμαχος δὲ
ἀμφιχυθεὶς πατέρ' ἐσθλὸν ὀδύρετο δάκρυα λείβων.
215 ἀμφοτέροισι δὲ τοῖσιν ὑφ' ἵμερος ὦρτο γόοιο·
κλαῖον δὲ λιγέως, ἀδινώτερον ἤ τ' οἰωνοί,
φῆναι ἢ αἰγυπιοὶ γαμψώνυχες, οἷσί τε τέκνα
ἀγρόται ἐξείλοντο πάρος πετεηνὰ γενέσθαι·
ὣς ἄρα τοί γ' ἐλεεινὸν ὑπ' ὀφρύσι δάκρυον εἶβον.
220 καί νύ κ' ὀδυρομένοισιν ἔδυ φάος ἠελίοιο,
εἰ μὴ Τηλέμαχος προσεφώνεεν ὃν πατέρ' αἶψα·
« ποίῃ γὰρ νῦν δεῦρο, πάτερ φίλε, νηΐ σε ναῦται
ἤγαγον εἰς Ἰθάκην; τίνες ἔμμεναι εὐχετόωντο;
οὐ μὲν γάρ τί σε πεζὸν ὀΐομαι ἐνθάδ' ἱκέσθαι ».
225 τὸν δ' αὖτε προσέειπε πολύτλας δῖος Ὀδυσσεύς·
« τοιγὰρ ἐγώ τοι, τέκνον, ἀληθείην καταλέξω.
Φαίηκές μ' ἄγαγον ναυσίκλυτοι, οἵ τε καὶ ἄλλους
ἀνθρώπους πέμπουσιν, ὅτις σφέας εἰσαφίκηται·
καί μ' εὕδοντ' ἐν νηΐ θοῇ ἐπὶ πόντον ἄγοντες
230 κάτθεσαν εἰν Ἰθάκῃ, ἔπορον δέ μοι ἀγλαὰ δῶρα,

con la sua mente, se un dio venendo lui stesso
non lo facesse giovane o vecchio, facilmente volendolo.
Poco fa eri un vecchio e vestivi poveramente;
200 ora somigli agli dei, che hanno il vasto cielo».
Rispondendo gli disse l'astuto Odisseo:
«Telemaco, non è da te stupirti eccessivamente
e meravigliarti che tuo padre sia a casa.
Mai più ti verrà un altro Odisseo qui,
205 ma sono io quello, che soffrendo sventure e molto vagando
sono giunto al ventesimo anno nella terra dei padri.
Ed è opera di Atena predatrice codesta:
ella mi ha fatto così come vuole – lo può –,
una volta somigliante a un pitocco e un'altra
210 ad un uomo ancor giovane e che ha belle vesti sul corpo.
È facile, per gli dei che hanno il vasto cielo,
sia esaltare un uomo mortale sia umiliarlo».
Dopo aver detto così sedette, e Telemaco
abbracciando il padre valoroso singhiozzava piangendo.
215 Un desiderio di pianto era sorto in entrambi.
Singhiozzavano acutamente, più fittamente di uccelli,
di vulturi o di artigliati avvoltoi, ai quali i villani
tolsero i piccoli prima che fossero alati.
Così essi, sotto le ciglia, spargevano pianto straziante.
220 La luce del sole sarebbe calata che ancora piangevano,
se a un tratto Telemaco non domandava a suo padre:
«Con che nave, o padre caro, i marinai
ti portarono a Itaca? chi dicevano d'essere?
Perché certo non credo sei giunto qui a piedi».
225 Gli disse allora il paziente chiaro Odisseo:
«A te dirò dunque la verità, o figlio.
Mi portarono i famosi navigatori Feaci, che scortano
anche altri uomini, chiunque arrivi da loro:
e guidandomi in mare, assopito nella nave veloce,
230 mi sbarcarono a Itaca, mi diedero splendidi doni,

χαλκόν τε χρυσόν τε ἅλις ἐσθῆτά θ' ὑφαντήν.
καὶ τὰ μὲν ἐν σπείεσσι θεῶν ἰότητι κέονται·
νῦν αὖ δεῦρ' ἱκόμην ὑποθημοσύνῃσιν 'Αθήνης,
ὄφρα κε δυσμενέεσσι φόνου πέρι βουλεύσωμεν.
235 ἀλλ' ἄγε μοι μνηστῆρας ἀριθμήσας κατάλεξον,
ὄφρ' εἰδέω, ὅσσοι τε καὶ οἵ τινες ἀνέρες εἰσί·
καί κεν ἐμὸν κατὰ θυμὸν ἀμύμονα μερμηρίξας
φράσσομαι, ἤ κεν νῶϊ δυνησόμεθ' ἀντιφέρεσθαι
μούνω ἄνευθ' ἄλλων, ἦ καὶ διζησόμεθ' ἄλλους ».
240 τὸν δ' αὖ Τηλέμαχος πεπνυμένος ἀντίον ηὔδα·
« ὦ πάτερ, ἦ τοι σεῖο μέγα κλέος αἰὲν ἄκουον,
χεῖράς τ' αἰχμητὴν ἔμεναι καὶ ἐπίφρονα βουλήν·
ἀλλὰ λίην μέγα εἶπες· ἄγη μ' ἔχει· οὐδέ κεν εἴη
ἄνδρε δύω πολλοῖσι καὶ ἰφθίμοισι μάχεσθαι.
245 μνηστήρων δ' οὔτ' ἂρ δεκὰς ἀτρεκὲς οὔτε δύ' οἶαι,
ἀλλὰ πολὺ πλέονες· τάχα δ' εἴσεαι ἐνθάδ' ἀριθμόν.
ἐκ μὲν Δουλιχίοιο δύω καὶ πεντήκοντα
κοῦροι κεκριμένοι, ἓξ δὲ δρηστῆρες ἕπονται·
ἐκ δὲ Σάμης πίσυρές τε καὶ εἴκοσι φῶτες ἔασιν,
250 ἐκ δὲ Ζακύνθου ἔασιν ἐείκοσι κοῦροι 'Αχαιῶν,
ἐκ δ' αὐτῆς 'Ιθάκης δυοκαίδεκα πάντες ἄριστοι,
καί σφιν ἅμ' ἐστὶ Μέδων κῆρυξ καὶ θεῖος ἀοιδὸς
καὶ δοιὼ θεράποντε, δαήμονε δαιτροσυνάων.
τῶν εἴ κεν πάντων ἀντήσομεν ἔνδον ἐόντων,
255 μὴ πολύπικρα καὶ αἰνὰ βίας ἀποτίσεαι ἐλθών.
ἀλλὰ σύ γ', εἰ δύνασαί τιν' ἀμύντορα μερμηρίξαι,
φράζευ, ὅ κέν τις νῶϊν ἀμύνοι πρόφρονι θυμῷ ».
τὸν δ' αὖτε προσέειπε πολύτλας δῖος 'Οδυσσεύς·
« τοιγὰρ ἐγὼν ἐρέω, σὺ δὲ σύνθεο καί μευ ἄκουσον,
260 καὶ φράσαι, ἤ κεν νῶϊν 'Αθήνη σὺν Διὶ πατρὶ
ἀρκέσει, ἦέ τιν' ἄλλον ἀμύντορα μερμηρίξω ».
τὸν δ' αὖ Τηλέμαχος πεπνυμένος ἀντίον ηὔδα·
« ἐσθλώ τοι τούτω γ' ἐπαμύντορε, τοὺς ἀγορεύεις,
ὕψι περ ἐν νεφέεσσι καθημένω· ὥ τε καὶ ἄλλοις

bronzo e oro in gran copia e vesti intessute.
Per volontà degli dei essi giacciono dentro spelonche;
e sono venuto ora qui per consiglio di Atena,
per ordire la strage ai nemici.
235 Enumera, dunque, e descrivimi i pretendenti,
perché sappia quanti essi sono e che uomini sono;
e ponderando nel mio valido animo
possa vedere se noi due potremo affrontarli
da soli, senza altri, o se dobbiamo cercare degli altri».
240 Gli rispose allora giudiziosamente Telemaco:
« Padre, ho sempre udito di te grandi lodi,
che sei guerriero di braccia e accorto di mente:
ma troppo gran cosa dicesti, mi prende stupore! due uomini
non possono opporsi a molti e forti avversari.
245 Di pretendenti non ve n'è solo dieci o solo il doppio,
ma molti di più: ne saprai qui subito il numero.
Cinquantadue giovani scelti
di Dulichio, e li seguono sei servitori;
ventiquattro uomini sono di Same;
250 sono di Zacinto venti figli di Achei;
dodici di Itaca stessa, tutti i più nobili,
e con loro è l'araldo Medonte e il divino cantore
e due servi, scalchi espertissimi.
Se costoro li affrontassimo tutti là dentro, bada,
255 tornando, di non punirne gli oltraggi a prezzo amaro e atroce.
Ma pensa se tu puoi scoprire
un soccorritore, che ci aiuti con animo pronto».
Gli disse allora il paziente chiaro Odisseo:
« E dunque io ti dirò, ma tu comprendi ed ascoltami,
260 e pensa se a noi basterà Atena, col padre Zeus,
o se devo scoprire qualche altro soccorritore».
Gli rispose allora giudiziosamente Telemaco:
« Soccorritori valenti sono questi che dici,
benché stiano tra le nuvole in alto: anche tra gli altri

265 ἀνδράσι τε κρατέουσι καὶ ἀθανάτοισι θεοῖσι ».
τὸν δ' αὖτε προσέειπε πολύτλας δῖος Ὀδυσσεύς·
« οὐ μέν τοι κείνω γε πολὺν χρόνον ἀμφὶς ἔσεσθον
φυλόπιδος κρατερῆς, ὁπότε μνηστῆρσι καὶ ἡμῖν
ἐν μεγάροισιν ἐμοῖσι μένος κρίνηται Ἄρηος.
270 ἀλλὰ σὺ μὲν νῦν ἔρχευ ἅμ' ἠόϊ φαινομένηφι
οἴκαδε καὶ μνηστῆρσιν ὑπερφιάλοισιν ὁμίλει·
αὐτὰρ ἐμὲ προτὶ ἄστυ συβώτης ὕστερον ἄξει
πτωχῷ λευγαλέῳ ἐναλίγκιον ἠδὲ γέροντι.
εἰ δέ μ' ἀτιμήσουσι δόμον κάτα, σὸν δὲ φίλον κῆρ
275 τετλάτω ἐν στήθεσσι κακῶς πάσχοντος ἐμεῖο,
ἤν περ καὶ διὰ δῶμα ποδῶν ἕλκωσι θύραζε
ἢ βέλεσιν βάλλωσι· σὺ δ' εἰσορόων ἀνέχεσθαι.
ἀλλ' ἦ τοι παύεσθαι ἀνωγέμεν ἀφροσυνάων,
μειλιχίοις ἐπέεσσι παραυδῶν· οἱ δέ τοι οὔ τι
280 πείσονται· δὴ γάρ σφι παρίσταται αἴσιμον ἦμαρ.
ἄλλο δέ τοι ἐρέω, σὺ δ' ἐνὶ φρεσὶ βάλλεο σῇσιν·
ὁππότε κεν πολύβουλος ἐνὶ φρεσὶ θῇσιν Ἀθήνη,
νεύσω μέν τοι ἐγὼ κεφαλῇ, σὺ δ' ἔπειτα νοήσας,
ὅσσα τοι ἐν μεγάροισιν ἀρήϊα τεύχεα κεῖται,
285 ἐς μυχὸν ὑψηλοῦ θαλάμου καταθεῖναι ἀείρας
πάντα μάλ'· αὐτὰρ μνηστῆρας μαλακοῖς ἐπέεσσι
παρφάσθαι, ὅτε κέν σε μεταλλῶσιν ποθέοντες·
"ἐκ καπνοῦ κατέθηκ', ἐπεὶ οὐκέτι τοῖσιν ἐῴκει,
οἷά ποτε Τροίηνδε κιὼν κατέλειπεν Ὀδυσσεύς,
290 ἀλλὰ κατῄκισται, ὅσσον πυρὸς ἵκετ' ἀϋτμή.
πρὸς δ' ἔτι καὶ τόδε μεῖζον ἐνὶ φρεσὶ θῆκε Κρονίων,
μή πως οἰνωθέντες, ἔριν στήσαντες ἐν ὑμῖν,
ἀλλήλους τρώσητε καταισχύνητέ τε δαῖτα
καὶ μνηστύν· αὐτὸς γὰρ ἐφέλκεται ἄνδρα σίδηρος".
295 νῶϊν δ' οἴοισιν δύο φάσγανα καὶ δύο δοῦρε
καλλιπέειν καὶ δοιὰ βοάγρια χερσὶν ἑλέσθαι,
ὡς ἂν ἐπιθύσαντες ἑλοίμεθα· τοὺς δέ κ' ἔπειτα
Παλλὰς Ἀθηναίη θέλξει καὶ μητίετα Ζεύς.

265 essi dominano, tra gli uomini e tra i numi immortali».
Gli disse allora il paziente chiaro Odisseo:
«Quei due non staranno a lungo lontani
dalla mischia violenta, quando tra i proci e noi
sarà la furia di Ares a decidere nelle mie case.
270 Ma tu ora torna, con la prima aurora,
a casa, e stattene coi pretendenti oltraggiosi;
più tardi poi il porcaro mi condurrà in città,
somigliante a un mendico miserabile e vecchio.
E se dentro casa mi ingiurieranno, il tuo cuore
275 sopporti nel petto, pur soffrendo io atrocemente,
anche se per i piedi mi tirano fuori attraverso la casa
o mi colpiscono: tu guarda e sopporta.
Ma invitali a desistere dalle loro follie,
esortandoli con blande parole: essi non vorranno
280 ascoltarti, perché già li sovrasta il giorno fatale.
E ti dirò un'altra cosa e tu tienila a mente.
Quando Atena dai molti consigli me lo suggerirà,
ti farò un cenno col capo e tu appena lo noti
prendi le armi di guerra che giacciono in casa
285 e riponile in fondo al talamo dall'alto soffitto,
tutte; ai pretendenti racconta con parole garbate
una scusa, se volendole ti domandassero:
"Le ho tolte dal fumo, perché non parevano quelle
che Odisseo un tempo lasciò partendo per Troia,
290 ma sono guaste dovunque le ha colte il fiato del fuoco.
Il Cronide poi m'ha ispirato anche questo timore più grave,
che ubriacativi, suscitata una lite tra voi,
vi feriate l'un l'altro e insozziate il banchetto
e il corteggiamento: perché il ferro attira a sé l'uomo".
295 Per noi due soli lascia due spade e due aste
e due scudi di pelle di bue a portata di mano,
per afferrarli quando vogliamo: loro li incanterà
poi Pallade Atena e il saggio Zeus.

ἄλλο δέ τοι ἐρέω, σὺ δ' ἐνὶ φρεσὶ βάλλεο σῇσιν·
300 εἰ ἐτεόν γ' ἐμός ἐσσι καὶ αἵματος ἡμετέροιο,
μή τις ἔπειτ' Ὀδυσῆος ἀκουσάτω ἔνδον ἐόντος·
μήτ' οὖν Λαέρτης ἴστω τό γε μήτε συβώτης
μήτε τις οἰκήων μήτ' αὐτὴ Πηνελόπεια,
ἀλλ' οἶοι σύ τ' ἐγώ τε γυναικῶν γνώομεν ἰθύν.
305 καί κέ τεο δμώων ἀνδρῶν ἔτι πειρηθεῖμεν,
ἠμὲν ὅ πού τις νῶϊ τίει καὶ δείδιε θυμῷ,
ἠδ' ὅτις οὐκ ἀλέγει, σὲ δ' ἀτιμᾷ τοῖον ἐόντα ».
τὸν δ' ἀπαμειβόμενος προσεφώνεε φαίδιμος υἱός·
« ὦ πάτερ, ἦ τοι ἐμὸν θυμὸν καὶ ἔπειτά γ', ὀΐω,
310 γνώσεαι· οὐ μὲν γάρ τι χαλιφροσύναι γέ μ' ἔχουσιν·
ἀλλ' οὔ τοι τόδε κέρδος ἐγὼν ἔσσεσθαι ὀΐω
ἡμῖν ἀμφοτέροισι· σὲ δὲ φράζεσθαι ἄνωγα.
δηθὰ γὰρ αὔτως εἴσῃ ἑκάστου πειρητίζων,
ἔργα μετερχόμενος· τοὶ δ' ἐν μεγάροισιν ἕκηλοι
315 κτήματα δαρδάπτουσιν ὑπέρβιον, οὐδ' ἔπι φειδώ.
ἀλλ' ἦ τοί σε γυναῖκας ἐγὼ δεδάασθαι ἄνωγα,
αἵ τέ σ' ἀτιμάζουσι καὶ αἳ νηλείτιδές εἰσιν·
ἀνδρῶν δ' οὐκ ἂν ἐγώ γε κατὰ σταθμοὺς ἐθέλοιμι
ἡμέας πειράζειν, ἀλλ' ὕστερα ταῦτα πένεσθαι,
320 εἰ ἐτεόν γέ τι οἶσθα Διὸς τέρας αἰγιόχοιο ».
ὣς οἱ μὲν τοιαῦτα πρὸς ἀλλήλους ἀγόρευον,
ἡ δ' ἄρ' ἔπειτ' Ἰθάκηνδε κατήγετο νηῦς ἐϋεργής,
ἣ φέρε Τηλέμαχον Πυλόθεν καὶ πάντας ἑταίρους.
οἱ δ' ὅτε δὴ λιμένος πολυβενθέος ἐντὸς ἵκοντο,
325 νῆα μὲν οἵ γε μέλαιναν ἐπ' ἠπείροιο ἔρυσσαν,
τεύχεα δέ σφ' ἀπένεικαν ὑπέρθυμοι θεράποντες,
αὐτίκα δ' ἐς Κλυτίοιο φέρον περικαλλέα δῶρα.
αὐτὰρ κήρυκα πρόεσαν δόμον εἰς Ὀδυσῆος,
ἀγγελίην ἐρέοντα περίφρονι Πηνελοπείῃ,
330 οὕνεκα Τηλέμαχος μὲν ἐπ' ἀγροῦ, νῆα δ' ἀνώγει
ἄστυδ' ἀποπλείειν, ἵνα μὴ δείσασ' ἐνὶ θυμῷ
ἰφθίμη βασίλεια τέρεν κατὰ δάκρυον εἴβοι

E ti dirò un'altra cosa e tu tienila a mente:
300 se veramente sei mio o del nostro sangue,
nessuno poi oda che Odisseo è a casa.
Dunque non lo sappia Laerte e neppure il porcaro,
nessuno dei servi né la stessa Penelope,
ma esploriamo l'affetto delle donne soli tu ed io.
305 Potremo anche saggiare qualcuno dei servi,
sia chi ci onora e ci teme nell'animo,
sia chi ci ignora e ti spregia, così quale sei».
Rispondendo l'illustre figlio gli disse:
«Padre, conoscerai il mio animo, penso,
310 anche dopo: non sono oppresso da debolezze.
Io non credo però che così sarebbe per noi
un vantaggio: ti esorto a riflettere.
Così tu andrai a lungo a provare ciascuno
cercando sui campi: e questi in casa tranquilli
315 divorano a forza la roba, senza risparmio.
Ma io ti esorto a saggiare le donne;
quali ti spregiano e quali non sono colpevoli.
Gli uomini non vorrei che noi li provassimo
stalla per stalla, ma che facessimo questo lavoro più tardi,
320 se veramente conosci un segno di Zeus egloco».
Essi dunque facevano questi discorsi tra loro,
e poi nel porto di Itaca giunse la solida nave
che aveva portato da Pilo Telemaco e tutti i compagni.
Quando costoro arrivarono nel porto profondo,
325 trassero la nera nave sopra la riva;
gli arditi scudieri portarono loro le armi
e trasferirono subito i bellissimi doni da Clitio.
A casa di Odisseo mandarono poi un araldo
ad annunziare alla saggia Penelope
330 che Telemaco era in campagna e aveva ordinato alla nave
di salpare per la città, perché la valente regina,
temendo, non spargesse tenero pianto.

τὼ δὲ συναντήτην κῆρυξ καὶ δῖος ὑφορβὸς
τῆς αὐτῆς ἕνεκ' ἀγγελίης, ἐρέοντε γυναικί.
335 ἀλλ' ὅτε δή ῥ' ἵκοντο δόμον θείου βασιλῆος,
κῆρυξ μέν ῥα μέσῃσι μετὰ δμῳῇσιν ἔειπεν·
« ἤδη τοι, βασίλεια, φίλος πάϊς εἰλήλουθε ».
Πηνελοπείῃ δ' εἶπε συβώτης ἄγχι παραστὰς
πάνθ' ὅσα οἱ φίλος υἱὸς ἀνώγει μυθήσασθαι.
340 αὐτὰρ ἐπεὶ δὴ πᾶσαν ἐφημοσύνην ἀπέειπε,
βῆ ῥ' ἴμεναι μεθ' ὕας, λίπε δ' ἕρκεά τε μέγαρόν τε.
μνηστῆρες δ' ἀκάχοντο κατήφησάν τ' ἐνὶ θυμῷ,
ἐκ δ' ἦλθον μεγάροιο παρὲκ μέγα τειχίον αὐλῆς,
αὐτοῦ δὲ προπάροιθε θυράων ἑδριόωντο.
345 τοῖσιν δ' Εὐρύμαχος, Πολύβου πάϊς, ἦρχ' ἀγορεύειν·
« ὦ φίλοι, ἦ μέγα ἔργον ὑπερφιάλως ἐτελέσθη
Τηλεμάχῳ ὁδὸς ἥδε· φάμεν δέ οἱ οὐ τελέεσθαι.
ἀλλ' ἄγε νῆα μέλαιναν ἐρύσσομεν, ἥ τις ἀρίστη,
ἐς δ' ἐρέτας ἁλιῆας ἀγείρομεν, οἵ κε τάχιστα
350 κείνοις ἀγγείλωσι θοῶς οἶκόνδε νέεσθαι ».
οὔ πω πᾶν εἴρηθ', ὅτ' ἄρ' Ἀμφίνομος ἴδε νῆα,
στρεφθεὶς ἐκ χώρης, λιμένος πολυβενθέος ἐντός,
ἱστία τε στέλλοντας ἐρετμά τε χερσὶν ἔχοντας.
ἡδὺ δ' ἄρ' ἐκγελάσας μετεφώνεεν οἷς ἑτάροισι·
355 « μή τιν' ἔτ' ἀγγελίην ὀτρύνομεν· οἵδε γὰρ ἔνδον.
ἤ τίς σφιν τόδ' ἔειπε θεῶν ἢ εἴσιδον αὐτοὶ
νῆα παρερχομένην, τὴν δ' οὐκ ἐδύναντο κιχῆναι ».
ὣς ἔφαθ', οἱ δ' ἀνστάντες ἔβαν ἐπὶ θῖνα θαλάσσης,
αἶψα δὲ νῆα μέλαιναν ἐπ' ἠπείροιο ἔρυσσαν,
360 τεύχεα δέ σφ' ἀπένεικαν ὑπέρθυμοι θεράποντες.
αὐτοὶ δ' εἰς ἀγορὴν κίον ἀθρόοι, οὐδέ τιν' ἄλλον
εἴων οὔτε νέων μεταΐζειν οὔτε γερόντων.
τοῖσιν δ' Ἀντίνοος μετέφη, Εὐπείθεος υἱός·
« ὢ πόποι, ὡς τόνδ' ἄνδρα θεοὶ κακότητος ἔλυσαν.
365 ἤματα μὲν σκοποὶ ἷζον ἐπ' ἄκριας ἠνεμοέσσας
αἰὲν ἐπασσύτεροι· ἅμα δ' ἠελίῳ καταδύντι

Si incontrarono i due, l'araldo e l'illustre porcaro,
per il medesimo annunzio, per dirlo alla donna.
335 E quando arrivarono in casa del re divino,
l'araldo disse in mezzo alle ancelle:
«Regina, è già arrivato tuo figlio».
Invece il porcaro, stando accanto a Penelope, disse
ogni cosa che suo figlio gli aveva ordinato di dire.
340 Dopoché eseguì tutto l'ordine,
s'avviò per tornare tra i porci, lasciò il cortile e la sala.
Ma i pretendenti, contrariati e abbattuti nell'animo,
uscirono dalla gran sala, lungo il gran muro dell'atrio,
e sedettero davanti alle porte.
345 E tra essi iniziò a parlare Eurimaco, figlio di Polibo:
«Amici, un gran fatto ha compiuto Telemaco, audacemente,
con questo viaggio: e pensavamo non sarebbe riuscito!
Su dunque, tiriamo una nera nave, la migliore che c'è,
raduniamo dei rematori di mare, che al più presto
350 dicano agli altri di ritornare rapidamente».
Non aveva finito di dire, che Anfinomo vide la nave,
voltandosi dal proprio posto, dentro il porto profondo,
e l'equipaggio che toglieva la vela e prendeva in mano i remi.
Ruppe in un'allegra risata e disse tra i suoi compagni:
355 «Non mandiamo più alcun messaggio: sono rientrati.
O un dio glielo ha detto o si sono accorti da sé
che la nave passava, ma non poterono coglierla».
Disse così ed essi levatisi andarono alla riva del mare;
subito trassero la nera nave sopra la riva,
360 gli arditi scudieri portarono loro le armi.
Tutti insieme andarono in piazza, e non lasciarono
che sedesse con loro alcun altro, giovane o vecchio.
Disse tra loro Antinoo, figlio di Eupite:
«Ahi, come gli dei salvarono da morte quest'uomo!
365 Le scolte sono rimaste per giorni sui picchi ventosi,
sempre, senza intervallo; al calare del sole

οὔ ποτ' ἐπ' ἠπείρου νύκτ' ἄσαμεν, ἀλλ' ἐνὶ πόντῳ
νηῒ θοῇ πλείοντες ἐμίμνομεν Ἠῶ δῖαν,
Τηλέμαχον λοχόωντες, ἵνα φθίσωμεν ἑλόντες
370 αὐτοῦ· τὸν δ' ἄρα τέως μὲν ἀπήγαγεν οἴκαδε δαίμων.
ἡμεῖς δ' ἐνθάδε οἱ φραζώμεθα λυγρὸν ὄλεθρον,
Τηλεμάχῳ, μηδ' ἧμας ὑπεκφύγοι· οὐ γὰρ ὀΐω
τούτου γε ζώοντος ἀνύσσεσθαι τάδε ἔργα.
αὐτὸς μὲν γὰρ ἐπιστήμων βουλῇ τε νόῳ τε,
375 λαοὶ δ' οὐκέτι πάμπαν ἐφ' ἡμῖν ἦρα φέρουσιν.
ἀλλ' ἄγετε, πρὶν κεῖνον ὁμηγυρίσασθαι Ἀχαιοὺς
εἰς ἀγορήν· οὐ γάρ τι μεθησέμεναί μιν ὀΐω,
ἀλλ' ἀπομηνίσει, ἐρέει δ' ἐν πᾶσιν ἀναστάς,
οὕνεκά οἱ φόνον αἰπὺν ἐράπτομεν οὐδ' ἐκίχημεν·
380 οἱ δ' οὐκ αἰνήσουσιν ἀκούοντες κακὰ ἔργα·
μή τι κακὸν ῥέξωσι καὶ ἡμέας ἐξελάσωσι
γαίης ἡμετέρης, ἄλλων δ' ἀφικώμεθα δῆμον.
ἀλλὰ φθέωμεν ἑλόντες ἐπ' ἀγροῦ νόσφι πόληος
ἢ ἐν ὁδῷ· βίοτον δ' αὐτοὶ καὶ κτήματ' ἔχωμεν,
385 δασσάμενοι κατὰ μοῖραν ἐφ' ἡμέας, οἰκία δ' αὖτε
κείνου μητέρι δοῖμεν ἔχειν ἠδ' ὅς τις ὀπυίοι.
εἰ δ' ὔμιν ὅδε μῦθος ἀφανδάνει, ἀλλὰ βόλεσθε
αὐτόν τε ζώειν καὶ ἔχειν πατρώϊα πάντα,
μή οἱ χρήματ' ἔπειτα ἅλις θυμηδέ' ἔδωμεν
390 ἐνθάδ' ἀγειρόμενοι, ἀλλ' ἐκ μεγάροιο ἕκαστος
μνάσθω ἐέδνοισιν διζήμενος· ἡ δέ κ' ἔπειτα
γήμαιθ' ὅς κε πλεῖστα πόροι καὶ μόρσιμος ἔλθοι ».
ὣς ἔφαθ', οἱ δ' ἄρα πάντες ἀκὴν ἐγένοντο σιωπῇ.
τοῖσιν δ' Ἀμφίνομος ἀγορήσατο καὶ μετέειπε,
395 Νίσου φαίδιμος υἱός, Ἀρητιάδαο ἄνακτος,
ὅς ῥ' ἐκ Δουλιχίου πολυπύρου ποιήεντος
ἡγεῖτο μνηστῆρσι, μάλιστα δὲ Πηνελοπείῃ
ἥνδανε μύθοισι· φρεσὶ γὰρ κέχρητ' ἀγαθῇσιν·
ὅ σφιν ἐῢ φρονέων ἀγορήσατο καὶ μετέειπεν·
400 « ὦ φίλοι, οὐκ ἂν ἐγώ γε κατακτείνειν ἐθέλοιμι

non abbiamo dormito a terra la notte, ma aspettavamo
sul mare con la nera nave la chiara Aurora,
tendendo l'agguato a Telemaco, per prenderlo e ucciderlo
370 lì: e un dio nel frattempo lo ha riportato a casa.
Ordiamogli qui la fine luttuosa,
a Telemaco, e non deve sfuggirci: perché penso
che non riuscirà questa impresa, finché egli vive.
Perché egli è saggio di consiglio e di senno
375 e ormai le genti non sono del tutto favorevoli a noi.
Muovetevi, prima che egli raduni in piazza
gli Achei: perché, penso, non lascerà andare,
ma sarà in collera, e alzandosi tra tutti dirà
che gli ordivamo la ripida morte e non lo cogliemmo;
380 e loro, sentendolo, non loderanno la perfida azione.
Che non vogliano farci del male e cacciarci
dalla nostra terra, e dobbiamo fuggire nel paese di altri.
Preveniamolo, prendendolo fuori città, in campagna,
o per strada; teniamoci la roba e gli averi,
385 spartendoli in modo giusto, mentre daremo
le case a sua madre e a chi se la sposi.
Se questa proposta vi spiace, ma volete
che viva e possegga tutti gli averi paterni,
non mangiamogli oltre a mucchi i beni diletti,
390 affollandoci qui, ma ciascuno faccia la corte
da casa, cercando di averla con doni, ed essa
poi sposi chi le offre di più e le è destinato».
Disse così: immobili erano tutti, in silenzio.
E tra essi prese la parola e parlò Anfinomo,
395 l'illustre figlio di Niso, del signore Aretiade,
che da Dulichio ricca di grano ed erbosa
guidava dei pretendenti e piaceva tanto
a Penelope per i discorsi: infatti era d'animo buono.
Tra essi con mente saggia prese la parola e parlò:
400 «Amici, non vorrei assassinare Telemaco,

Τηλέμαχον· δεινὸν δὲ γένος βασιλήϊόν ἐστι
κτείνειν· ἀλλὰ πρῶτα θεῶν εἰρώμεθα βουλάς.
εἰ μέν κ' αἰνήσωσι Διὸς μεγάλοιο θέμιστες,
αὐτός τε κτενέω τούς τ' ἄλλους πάντας ἀνώξω·
405 εἰ δέ κ' ἀποτρωπῶσι θεοί, παύσασθαι ἄνωγα ».
ὣς ἔφατ' Ἀμφίνομος, τοῖσιν δ' ἐπιήνδανε μῦθος.
αὐτίκ' ἔπειτ' ἀνστάντες ἔβαν δόμον εἰς Ὀδυσῆος,
ἐλθόντες δὲ καθῖζον ἐπὶ ξεστοῖσι θρόνοισιν.
ἡ δ' αὖτ' ἄλλ' ἐνόησε περίφρων Πηνελόπεια,
410 μνηστήρεσσι φανῆναι ὑπέρβιον ὕβριν ἔχουσι.
πεύθετο γὰρ οὗ παιδὸς ἐνὶ μεγάροισιν ὄλεθρον·
κῆρυξ γάρ οἱ ἔειπε Μέδων, ὃς ἐπεύθετο βουλάς.
βῆ δ' ἰέναι μέγαρόνδε σὺν ἀμφιπόλοισι γυναιξίν.
ἀλλ' ὅτε δὴ μνηστῆρας ἀφίκετο δῖα γυναικῶν,
415 στῆ ῥα παρὰ σταθμὸν τέγεος πύκα ποιητοῖο,
ἄντα παρειάων σχομένη λιπαρὰ κρήδεμνα,
Ἀντίνοον δ' ἐνένιπεν ἔπος τ' ἔφατ' ἔκ τ' ὀνόμαζεν·
« Ἀντίνο', ὕβριν ἔχων, κακομήχανε, καὶ δέ σέ φασιν
ἐν δήμῳ Ἰθάκης μεθ' ὁμήλικας ἔμμεν ἄριστον
420 βουλῇ καὶ μύθοισι· σὺ δ' οὐκ ἄρα τοῖος ἔησθα.
μάργε, τίη δὲ σὺ Τηλεμάχῳ θάνατόν τε μόρον τε
ῥάπτεις, οὐδ' ἱκέτας ἐμπάζεαι, οἷσιν ἄρα Ζεὺς
μάρτυρος; οὐδ' ὁσίη κακὰ ῥάπτειν ἀλλήλοισιν.
ἦ οὐκ οἶσθ' ὅτε δεῦρο πατὴρ τεὸς ἵκετο φεύγων,
425 δῆμον ὑποδδείσας; δὴ γὰρ κεχολώατο λίην,
οὕνεκα ληϊστῆρσιν ἐπισπόμενος Ταφίοισιν
ἤκαχε Θεσπρωτούς· οἱ δ' ἡμῖν ἄρθμιοι ἦσαν.
τόν ῥ' ἔθελον φθῖσαι καὶ ἀπορραῖσαι φίλον ἦτορ
ἠδὲ κατὰ ζωὴν φαγέειν μενοεικέα πολλήν·
430 ἀλλ' Ὀδυσεὺς κατέρυκε καὶ ἔσχεθεν ἱεμένους περ.
τοῦ νῦν οἶκον ἄτιμον ἔδεις, μνάᾳ δὲ γυναῖκα
παῖδά τ' ἀποκτείνεις, ἐμὲ δὲ μεγάλως ἀκαχίζεις·
ἀλλά σε παύεσθαι κέλομαι καὶ ἀνωγέμεν ἄλλους ».
τὴν δ' αὖτ' Εὐρύμαχος, Πολύβου πάϊς, ἀντίον ηὔδα·

io: è orribile uccidere la stirpe
di un re; prima consultiamo gli dei.
Se i responsi del grande Zeus approvano,
l'ucciderò io stesso e istigherò tutti gli altri;
405 ma se gli dei dissuadono, vi esorto a desistere».
Così Anfinomo disse e ad essi il discorso piacque.
Subito alzatisi andarono a casa di Odisseo
e arrivati sedettero sui troni politi.
Ed ecco pensò un'altra cosa, la saggia Penelope,
410 di apparire tra i pretendenti che avevano smisurata arroganza.
Aveva saputo in casa della morte ordita a suo figlio:
glielo disse l'araldo Medonte, che apprese i loro disegni.
Si diresse verso la sala con le donne sue ancelle.
Ma quando giunse tra i proci, chiara fra le donne,
415 si fermò vicino a un pilastro del solido tetto,
tenendo davanti alle guance il lucido scialle,
redarguì Antinoo, gli rivolse la parola e gli disse:
«Antinoo, arrogante, malefico! e poi dicono
che sei nel paese di Itaca tra i coetanei il migliore
420 per consiglio e parola. Tu non fosti mai tale.
Pazzo, perché trami la morte e il destino
a Telemaco, né ti curi dei supplici, di cui Zeus
è il testimone? È empio tramarsi il male l'un l'altro.
Non sai forse, quando qui arrivò fuggiasco tuo padre
425 temendo la gente? era davvero adirata,
perché egli, seguendo i pirati di Tafo,
aveva danneggiato i Tesproti che erano nostri alleati.
Volevano ucciderlo, strappargli via il cuore,
divorargli la roba a lui cara, copiosa;
430 ma Odisseo li tenne e fermò, quantunque bramosi.
E ora gli mangi a ufo la casa, corteggi sua moglie,
vuoi ucciderne il figlio, e mi arrechi gran pena.
Ma ti dico di smettere e di ingiungerlo agli altri».
Le replicò allora Eurimaco, figlio di Polibo:

435 « κούρη Ἰκαρίοιο, περίφρον Πηνελόπεια,
θάρσει· μή τοι ταῦτα μετὰ φρεσὶ σῇσι μελόντων.
οὐκ ἔσθ' οὗτος ἀνὴρ οὐδ' ἔσσεται οὐδὲ γένηται,
ὅς κεν Τηλεμάχῳ, σῷ υἱέϊ, χεῖρας ἐποίσει
ζώοντός γ' ἐμέθεν καὶ ἐπὶ χθονὶ δερκομένοιο.
440 ὧδε γὰρ ἐξερέω, καὶ μὴν τετελεσμένον ἔσται·
αἶψά οἱ αἷμα κελαινὸν ἐρωήσει περὶ δουρὶ
ἡμετέρῳ, ἐπεὶ ἦ καὶ ἐμὲ πτολίπορθος Ὀδυσσεὺς
πολλάκι γούνασιν οἷσιν ἐφεσσάμενος κρέας ὀπτὸν
ἐν χείρεσσιν ἔθηκεν ἐπέσχε τε οἶνον ἐρυθρόν.
445 τῶ μοι Τηλέμαχος πάντων πολὺ φίλτατός ἐστιν
ἀνδρῶν, οὐδέ τί μιν θάνατον τρομέεσθαι ἄνωγα
ἔκ γε μνηστήρων· θεόθεν δ' οὐκ ἔστ' ἀλέασθαι ».
ὣς φάτο θαρσύνων, τῷ δ' ἤρτυεν αὐτὸς ὄλεθρον.
ἡ μὲν ἄρ' εἰσαναβᾶσ' ὑπερώϊα σιγαλόεντα
450 κλαῖεν ἔπειτ' Ὀδυσῆα φίλον πόσιν, ὄφρα οἱ ὕπνον
ἡδὺν ἐπὶ βλεφάροισι βάλε γλαυκῶπις Ἀθήνη.
ἑσπέριος δ' Ὀδυσῆϊ καὶ υἱέϊ δῖος ὑφορβὸς
ἤλυθεν· οἱ δ' ἄρα δόρπον ἐπισταδὸν ὁπλίζοντο,
σῦν ἱερεύσαντες ἐνιαύσιον. αὐτὰρ Ἀθήνη
455 ἄγχι παρισταμένη Λαερτιάδην Ὀδυσῆα
ῥάβδῳ πεπληγυῖα πάλιν ποίησε γέροντα,
λυγρὰ δὲ εἵματα ἕσσε περὶ χροΐ, μή ἑ συβώτης
γνοίη ἐσάντα ἰδὼν καὶ ἐχέφρονι Πηνελοπείῃ
ἔλθοι ἀπαγγέλλων μηδὲ φρεσὶν εἰρύσσαιτο.
460 τὸν καὶ Τηλέμαχος πρότερος πρὸς μῦθον ἔειπεν·
« ἦλθες, δῖ' Εὔμαιε· τί δὴ κλέος ἔστ' ἀνὰ ἄστυ;
ἦ ῥ' ἤδη μνηστῆρες ἀγήνορες ἔνδον ἔασιν
ἐκ λόχου, ἦ ἔτι μ' αὖθ' εἰρύαται οἴκαδ' ἰόντα; ».
τὸν δ' ἀπαμειβόμενος προσέφης, Εὔμαιε συβῶτα·
465 « οὐκ ἔμελέν μοι ταῦτα μεταλλῆσαι καὶ ἐρέσθαι
ἄστυ καταβλώσκοντα· τάχιστά με θυμὸς ἀνώγει
ἀγγελίην εἰπόντα πάλιν δεῦρ' ἀπονέεσθαι.
ὡμήρησε δέ μοι παρ' ἑταίρων ἄγγελος ὠκύς,

435 « Figlia di Icario, saggia Penelope,
coraggio: nel tuo animo non ti preoccupi questo.
Non c'è e non ci sarà, né può esserci un uomo,
che metterà su Telemaco, su tuo figlio, le mani,
finché io sono vivo e guardo sopra la terra.
440 Perché così io ti dico e così di sicuro sarà:
il fosco sangue di lui spruzzerà la nostra
lancia, perché il distruttore di città Odisseo, spesso
tenendo anche me sui ginocchi, mi diede
carne arrostita e mi porse rosso vino.
445 Ecco perché Telemaco mi è molto più caro di tutti
gli uomini, e dico che non deve temere la morte
dai pretendenti: ma dal dio non si può evitarla ».
Disse così, rincuorandola, e proprio lui gli ordiva la morte.
Lei, salita alle stanze splendenti di sopra,
450 piangeva Odisseo, il marito, finché la glaucopide Atena
le pose un dolce sonno sugli occhi.
Verso sera il chiaro mandriano arrivò da Odisseo
e dal figlio: essi apprestavano, intenti, la cena
e avevano ucciso un maiale di un anno. Ma Atena,
455 stando accanto ad Odisseo figlio di Laerte,
lo toccò con la verga e lo fece vecchio di nuovo,
lo rivestì di misere vesti: che il porcaro,
guardandolo, non lo riconoscesse e andasse a dirlo
alla saggia Penelope, anziché custodirlo nell'animo.
460 Per primo gli rivolse la parola Telemaco:
« Sei tornato, illustre Eumeo. Quale voce corre in città?
Dall'agguato i pretendenti superbi
sono rientrati, o aspettano lì che io torni a casa? ».
E tu rispondendo, o porcaro Eumeo, gli dicesti:
465 « Non m'importava domandare e chiedere questo
scendendo in città: l'animo mi spingeva a tornare
al più presto qui, appena dato l'annunzio.
A me si unì un messaggero dei tuoi compagni:

κῆρυξ, ὅς δὴ πρῶτος ἔπος σῇ μητρὶ ἔειπεν.
470 ἄλλο δέ τοι τόδε οἶδα· τὸ γὰρ ἴδον ὀφθαλμοῖσιν·
ἤδη ὑπὲρ πόλιος, ὅθι Ἑρμαῖος λόφος ἐστίν,
ἦα κιών, ὅτε νῆα θοὴν ἰδόμην κατιοῦσαν
ἐς λιμέν' ἡμέτερον· πολλοὶ δ' ἔσαν ἄνδρες ἐν αὐτῇ.
βεβρίθει δὲ σάκεσσι καὶ ἔγχεσιν ἀμφιγύοισι·
475 καί σφεας ὠΐσθην τοὺς ἔμμεναι, οὐδέ τι οἶδα ».
ὣς φάτο, μείδησεν δ' ἱερὴ ἲς Τηλεμάχοιο
ἐς πατέρ' ὀφθαλμοῖσιν ἰδών, ἀλέεινε δ' ὑφορβόν.
οἱ δ' ἐπεὶ οὖν παύσαντο πόνου τετύκοντό τε δαῖτα,
δαίνυντ', οὐδέ τι θυμὸς ἐδεύετο δαιτὸς ἐΐσης.
480 αὐτὰρ ἐπεὶ πόσιος καὶ ἐδητύος ἐξ ἔρον ἕντο,
κοίτου τε μνήσαντο καὶ ὕπνου δῶρον ἕλοντο.

un araldo che disse a tua madre la notizia per primo.
470 Ma so quest'altro per te, che ho visto con gli occhi:
ormai nel mio andare ero alto sulla città,
dov'è il mucchio di Ermete, quando scorsi una nave veloce
entrare nel nostro porto; molti uomini erano a bordo,
ed era gravata di scudi e di aste a due tagli.
475 E ho pensato che fossero loro, ma non sono sicuro».
Disse così, e il sacro vigore di Telemaco, guardando
il padre con gli occhi, sorrise: ma evitava il porcaro.
Quando ebbero finito il lavoro e apprestato la cena
mangiarono, e al loro animo non mancò la giusta porzione.
480 Poi, quando ebbero scacciata la voglia di bere e di cibo,
pensarono al letto e colsero il dono del sonno.

P

Ἦμος δ' ἠριγένεια φάνη ῥοδοδάκτυλος Ἠώς,
δὴ τότ' ἔπειθ' ὑπὸ ποσσὶν ἐδήσατο καλὰ πέδιλα
Τηλέμαχος, φίλος υἱὸς Ὀδυσσῆος θείοιο,
εἵλετο δ' ἄλκιμον ἔγχος, ὅ οἱ παλάμηφιν ἀρήρει,
5 ἄστυδε ἱέμενος, καὶ ἑὸν προσέειπε συβώτην
«ἄττ', ἦ τοι μὲν ἐγὼν εἶμ' ἐς πόλιν, ὄφρα με μήτηρ
ὄψεται· οὐ γάρ μιν πρόσθεν παύσεσθαι ὀΐω
κλαυθμοῦ τε στυγεροῖο γόοιό τε δακρυόεντος,
πρίν γ' αὐτόν με ἴδηται· ἀτὰρ σοί γ' ὧδ' ἐπιτέλλω·
10 τὸν ξεῖνον δύστηνον ἄγ' ἐς πόλιν, ὄφρ' ἂν ἐκεῖθι
δαῖτα πτωχεύῃ· δώσει δέ οἱ ὅς κ' ἐθέλῃσι,
πύρνον καὶ κοτύλην· ἐμὲ δ' οὔ πως ἔστιν ἅπαντας
ἀνθρώπους ἀνέχεσθαι, ἔχοντά περ ἄλγεα θυμῷ.
ὁ ξεῖνος δ' εἴ περ μάλα μηνίει, ἄλγιον αὐτῷ
15 ἔσσεται· ἦ γὰρ ἐμοὶ φίλ' ἀληθέα μυθήσασθαι».
τὸν δ' ἀπαμειβόμενος προσέφη πολύμητις Ὀδυσσεύς·
«ὦ φίλος, οὐδέ τοι αὐτὸς ἐρύκεσθαι μενεαίνω.
πτωχῷ βέλτερόν ἐστι κατὰ πτόλιν ἠὲ κατ' ἀγροὺς
δαῖτα πτωχεύειν· δώσει δέ μοι ὅς κ' ἐθέλῃσιν.
20 οὐ γὰρ ἐπὶ σταθμοῖσι μένειν ἔτι τηλίκος εἰμί,
ὥς τ' ἐπιτειλαμένῳ σημάντορι πάντα πιθέσθαι.
ἀλλ' ἔρχευ· ἐμὲ δ' ἄξει ἀνὴρ ὅδε, τὸν σὺ κελεύεις,
αὐτίκ' ἐπεί κε πυρὸς θερέω ἀλέη τε γένηται.
αἰνῶς γὰρ τάδε εἵματ' ἔχω κακά· μή με δαμάσσῃ
25 στίβη ὑπηοίη· ἕκαθεν δέ τε ἄστυ φάτ' εἶναι».

LIBRO DICIASSETTESIMO

Quando mattutina apparve Aurora dalle rosee dita,
allora legò ai piedi i bei sandali
Telemaco, il caro figlio del divino Odisseo,
prese l'asta guerriera, che in mano gli si adattava,
5 deciso ad andare in città, e disse al proprio porcaro:
« Nonnetto, io vado in città, perché mia madre
mi veda: poiché penso che non smetterà
di gemere miseramente e di lamentarsi piangendo,
se prima non mi rivede. Ma questo ti raccomando:
10 porta in città l'infelice straniero, che mendichi
il suo vitto laggiù: gli darà chi vorrà
un pane e una ciotola. Mantenere tutti
non posso, io che ho dolore nell'animo.
E se questo straniero s'adira, tanto peggio
15 per lui: a me piace parlare sinceramente ».
Rispondendo gli disse l'astuto Odisseo:
« Neanche io, o caro, voglio restare:
per un mendico è meglio accattare il vitto
in città che in campagna. Mi darà chi vorrà.
20 Ormai non ho gli anni per restare alla stalla
a obbedire in tutto al fattore che ordina.
Va' dunque: mi condurrà quest'uomo al quale l'hai detto,
appena mi sia riscaldato al fuoco e l'aria sia tiepida.
Ho indosso queste misere vesti: che non mi fiacchi
25 la brina dell'alba. La città, voi dite, è lontana ».

ὣς φάτο, Τηλέμαχος δὲ διὰ σταθμοῖο βεβήκει,
κραιπνὰ ποσὶ προβιβάς, κακὰ δὲ μνηστῆρσι φύτευεν.
αὐτὰρ ἐπεί ῥ' ἵκανε δόμους εὖ ναιετάοντας,
ἔγχος μέν ῥ' ἔστησε φέρων πρὸς κίονα μακρήν,
30 αὐτὸς δ' εἴσω ἴεν καὶ ὑπέρβη λάϊνον οὐδόν.
τὸν δὲ πολὺ πρώτη εἶδε τροφὸς Εὐρύκλεια,
κώεα καστορνῦσα θρόνοισ' ἔνι δαιδαλέοισι,
δακρύσασα δ' ἔπειτ' ἰθὺς κίεν· ἀμφὶ δ' ἄρ' ἄλλαι
δμῳαὶ Ὀδυσσῆος ταλασίφρονος ἠγερέθοντο
35 καὶ κύνεον ἀγαπαζόμεναι κεφαλήν τε καὶ ὤμους.
ἡ δ' ἴεν ἐκ θαλάμοιο περίφρων Πηνελόπεια,
Ἀρτέμιδι ἰκέλη ἠὲ χρυσῇ Ἀφροδίτῃ,
ἀμφὶ δὲ παιδὶ φίλῳ βάλε πήχεε δακρύσασα,
κύσσε δέ μιν κεφαλήν τε καὶ ἄμφω φάεα καλά,
40 καί ῥ' ὀλοφυρομένη ἔπεα πτερόεντα προσηύδα·
« ἦλθες, Τηλέμαχε, γλυκερὸν φάος· οὔ σ' ἔτ' ἐγώ γε
ὄψεσθαι ἐφάμην, ἐπεὶ ᾤχεο νηῒ Πύλονδε
λάθρῃ, ἐμεῦ ἀέκητι, φίλου μετὰ πατρὸς ἀκουήν.
ἀλλ' ἄγε μοι κατάλεξον, ὅπως ἤντησας ὀπωπῆς ».
45 τὴν δ' αὖ Τηλέμαχος πεπνυμένος ἀντίον ηὔδα·
« μῆτερ ἐμή, μή μοι γόον ὄρνυθι μηδέ μοι ἦτορ
ἐν στήθεσσιν ὄρινε φυγόντι περ αἰπὺν ὄλεθρον·
ἀλλ' ὑδρηναμένη, καθαρὰ χροῒ εἵμαθ' ἑλοῦσα,
εἰς ὑπερῷ' ἀναβᾶσα σὺν ἀμφιπόλοισι γυναιξὶν
50 εὔχεο πᾶσι θεοῖσι τεληέσσας ἑκατόμβας
ῥέξειν, αἴ κέ ποθι Ζεὺς ἄντιτα ἔργα τελέσσῃ.
αὐτὰρ ἐγὼν ἀγορὴν ἐσελεύσομαι, ὄφρα καλέσσω
ξεῖνον, ὅτις μοι κεῖθεν ἅμ' ἕσπετο δεῦρο κιόντι.
τὸν μὲν ἐγὼ προὔπεμψα σὺν ἀντιθέοισ' ἑτάροισι,
55 Πείραιον δέ μιν ἠνώγεα προτὶ οἶκον ἄγοντα
ἐνδυκέως φιλέειν καὶ τιέμεν, εἰς ὅ κεν ἔλθω ».
ὣς ἄρ' ἐφώνησεν, τῇ δ' ἄπτερος ἔπλετο μῦθος.
ἡ δ' ὑδρηναμένη, καθαρὰ χροῒ εἵμαθ' ἑλοῦσα,
εὔχετο πᾶσι θεοῖσι τεληέσσας ἑκατόμβας

Disse così, e Telemaco aveva lasciato la stalla
andando a rapidi passi: ai pretendenti piantava sventure.
Quando arrivò nella casa ben situata,
portò e poggiò la lancia ritta a una grande colonna,
30 ed egli stesso entrò e varcò la soglia di pietra.
Lo vide, primissima, la nutrice Euriclea,
intenta a stendere i velli sui troni adorni:
piangendo gli corse incontro; s'affollarono intorno
le altre ancelle dell'intrepido Odisseo
35 e lo baciarono al capo e agli omeri con tenerezza.
E venne dal talamo lei, la saggia Penelope,
somigliante ad Artemide o alla dorata Afrodite:
gettò intorno al figlio le braccia, piangendo,
gli baciò il capo e i due occhi belli,
40 e singhiozzando gli rivolse alate parole:
« Se' tornato, Telemaco, mia dolce luce! Io non credevo
di rivederti, dopoché con la nave partisti per Pilo,
in segreto, senza il mio assenso, per avere notizie del padre.
Ma su, raccontami, come ti capitò di vedere ».
45 Le rispose allora giudiziosamente Telemaco:
« Madre mia, non mi piangere, non turbare
il mio cuore nel petto: perché scampai alla ripida morte;
ma lavati, indossa una veste pulita,
sali sopra con le donne tue ancelle
50 e prometti perfette ecatombi a tutti
gli dei, semmai Zeus compisse vendetta riparatrice.
Io invece andrò in piazza, a chiamare
quello straniero che m'ha seguito fin qui.
Avanti io l'ho inviato, coi compagni pari agli dei,
55 e a Pireo ho raccomandato di condurlo a casa,
gentilmente ospitarlo e onorarlo fino al mio arrivo ».
Disse così e per lei il discorso fu alato:
si lavò, indossò una veste pulita
e promise perfette ecatombi a tutti

60 ῥέξειν, αἴ κέ ποθι Ζεὺς ἄντιτα ἔργα τελέσσῃ.
Τηλέμαχος δ' ἄρ' ἔπειτα διὲκ μεγάροιο βεβήκει
ἔγχος ἔχων· ἅμα τῷ γε κύνες πόδας ἀργοὶ ἕποντο.
θεσπεσίην δ' ἄρα τῷ γε χάριν κατέχευεν Ἀθήνη·
τὸν δ' ἄρα πάντες λαοὶ ἐπερχόμενον θηεῦντο.
65 ἀμφὶ δέ μιν μνηστῆρες ἀγήνορες ἠγερέθοντο
ἔσθλ' ἀγορεύοντες, κακὰ δὲ φρεσὶ βυσσοδόμευον.
αὐτὰρ ὁ τῶν μὲν ἔπειτα ἀλεύατο πουλὺν ὅμιλον,
ἀλλ' ἵνα Μέντωρ ἧστο καὶ Ἄντιφος ἠδ' Ἁλιθέρσης,
οἵ τέ οἱ ἐξ ἀρχῆς πατρώϊοι ἦσαν ἑταῖροι,
70 ἔνθα καθέζετ' ἰών· τοὶ δ' ἐξερέεινον ἕκαστα.
τοῖσι δὲ Πείραιος δουρικλυτὸς ἐγγύθεν ἦλθε
ξεῖνον ἄγων ἀγορήνδε διὰ πτόλιν· οὐδ' ἄρ' ἔτι δὴν
Τηλέμαχος ξείνοιο ἑκὰς τράπετ', ἀλλὰ παρέστη.
τὸν καὶ Πείραιος πρότερος πρὸς μῦθον ἔειπε·
75 « Τηλέμαχ', αἶψ' ὄτρυνον ἐμὸν ποτὶ δῶμα γυναῖκας,
ὥς τοι δῶρ' ἀποπέμψω, ἅ τοι Μενέλαος ἔδωκε ».
τὸν δ' αὖ Τηλέμαχος πεπνυμένος ἀντίον ηὔδα·
« Πείραι', οὐ γάρ τ' ἴδμεν, ὅπως ἔσται τάδε ἔργα.
εἴ κεν ἐμὲ μνηστῆρες ἀγήνορες ἐν μεγάροισι
80 λάθρῃ κτείναντες πατρώϊα πάντα δάσωνται,
αὐτὸν ἔχοντα σὲ βούλομ' ἐπαυρέμεν ἤ τινα τῶνδε·
εἰ δέ κ' ἐγὼ τούτοισι φόνον καὶ κῆρα φυτεύσω,
δὴ τότε μοι χαίροντι φέρειν πρὸς δώματα χαίρων ».
ὣς εἰπὼν ξεῖνον ταλαπείριον ἦγεν ἐς οἶκον.
85 αὐτὰρ ἐπεί ῥ' ἵκοντο δόμους εὖ ναιετάοντας,
χλαίνας μὲν κατέθεντο κατὰ κλισμούς τε θρόνους τε,
ἐς δ' ἀσαμίνθους βάντες ἐϋξέστας λούσαντο.
τοὺς δ' ἐπεὶ οὖν δμωαὶ λοῦσαν καὶ χρῖσαν ἐλαίῳ,
ἀμφὶ δ' ἄρα χλαίνας οὔλας βάλον ἠδὲ χιτῶνας,
90 ἔκ ῥ' ἀσαμίνθων βάντες ἐπὶ κλισμοῖσι καθῖζον.
χέρνιβα δ' ἀμφίπολος προχόῳ ἐπέχευε φέρουσα
καλῇ χρυσείῃ, ὑπὲρ ἀργυρέοιο λέβητος,
νίψασθαι· παρὰ δὲ ξεστὴν ἐτάνυσσε τράπεζαν.

60 gli dei, semmai Zeus compisse vendetta riparatrice.
Poi Telemaco uscì, traversando la sala,
stringendo la lancia: lo seguivano, insieme, cani veloci.
Atena versò su di lui una grazia divina:
tutto il popolo lo guardava venire ammirato.
65 Intorno gli s'affollarono i pretendenti superbi
con parole gentili, e sventure covavano in animo.
Ma egli evitò la turba numerosa di questi,
e dove sedevano Mentore e Antifo e Aliterse,
che erano compagni del padre da tempo antico,
70 andò a sedere: ed essi chiedevano notizie di tutto.
S'accostò ad essi Pireo, famoso con l'asta,
per la città guidando l'ospite in piazza: Telemaco
non restò a lungo lontano dall'ospite, ma subito l'avvicinò.
Per primo gli rivolse la parola Pireo:
75 « Telemaco, manda presto in casa mia delle donne,
perché ti ridia i regali che ti donò Menelao ».
Gli rispose allora giudiziosamente Telemaco:
« Pireo, noi non sappiamo che cosa avverrà:
se i pretendenti superbi in casa m'uccideranno,
80 a tradimento, e si spartiranno tutti i beni paterni,
preferisco sia tu ad averli e goderli, che non uno di loro;
ma se io pianterò a costoro strage e rovina,
allora tu, lieto, portali in casa da me, lieto ».
Detto così condusse il misero ospite in casa.
85 Quando furono nella casa ben situata,
deposero i manti sulle sedie e sui troni,
entrarono dentro le vasche ben levigate e fecero il bagno.
Dopoché, dunque, le serve li lavarono e unsero d'olio,
gli gettarono un morbido manto e una tunica indosso:
90 ed essi, lasciate le vasche, sulle sedie sedettero.
Un'ancella venne a versare dell'acqua, da una brocca
bella, d'oro, in un bacile d'argento,
perché si lavassero: vicino stese una tavola liscia.

σῖτον δ' αἰδοίη ταμίη παρέθηκε φέρουσα,
95 εἴδατα πόλλ' ἐπιθεῖσα, χαριζομένη παρεόντων.
μήτηρ δ' ἀντίον ἷζε παρὰ σταθμὸν μεγάροιο
κλισμῷ κεκλιμένη, λέπτ' ἠλάκατα στρωφῶσα.
οἱ δ' ἐπ' ὀνείαθ' ἑτοῖμα προκείμενα χεῖρας ἴαλλον.
αὐτὰρ ἐπεὶ πόσιος καὶ ἐδητύος ἐξ ἔρον ἕντο,
100 τοῖσι δὲ μύθων ἦρχε περίφρων Πηνελόπεια·
« Τηλέμαχ', ἦ τοι ἐγὼν ὑπερώϊον εἰσαναβᾶσα
λέξομαι εἰς εὐνήν, ἥ μοι στονόεσσα τέτυκται,
αἰεὶ δάκρυσ' ἐμοῖσι πεφυρμένη, ἐξ οὗ Ὀδυσσεὺς
ᾤχεθ' ἅμ' Ἀτρεΐδῃσιν ἐς Ἴλιον· οὐδέ μοι ἔτλης,
105 πρὶν ἐλθεῖν μνηστῆρας ἀγήνορας ἐς τόδε δῶμα,
νόστον σοῦ πατρὸς σάφα εἰπέμεν, εἴ που ἄκουσας ».
τὴν δ' αὖ Τηλέμαχος πεπνυμένος ἀντίον ηὔδα·
« τοιγὰρ ἐγώ τοι, μῆτερ, ἀληθείην καταλέξω.
ᾠχόμεθ' ἔς τε Πύλον καὶ Νέστορα, ποιμένα λαῶν·
110 δεξάμενος δέ με κεῖνος ἐν ὑψηλοῖσι δόμοισιν
ἐνδυκέως ἐφίλει, ὡς εἴ τε πατὴρ ἑὸν υἷα
ἐλθόντα χρόνιον νέον ἄλλοθεν· ὣς ἐμὲ κεῖνος
ἐνδυκέως ἐκόμιζε σὺν υἱάσι κυδαλίμοισιν.
αὐτὰρ Ὀδυσσῆος ταλασίφρονος οὔ ποτ' ἔφασκε
115 ζωοῦ οὐδὲ θανόντος ἐπιχθονίων τευ ἀκοῦσαι,
ἀλλά μ' ἐς Ἀτρεΐδην, δουρικλειτὸν Μενέλαον,
ἵπποισι προὔπεμψε καὶ ἅρμασι κολλητοῖσιν.
ἔνθ' ἴδον Ἀργείην Ἑλένην, ἧς εἵνεκα πολλὰ
Ἀργεῖοι Τρῶές τε θεῶν ἰότητι μόγησαν.
120 εἴρετο δ' αὐτίκ' ἔπειτα βοὴν ἀγαθὸς Μενέλαος,
ὅττευ χρηΐζων ἱκόμην Λακεδαίμονα δῖαν·
αὐτὰρ ἐγὼ τῷ πᾶσαν ἀληθείην κατέλεξα.
καὶ τότε δή μ' ἐπέεσσιν ἀμειβόμενος προσέειπεν·
" ὢ πόποι, ἦ μάλα δὴ κρατερόφρονος ἀνδρὸς ἐν εὐνῇ
125 ἤθελον εὐνηθῆναι, ἀνάλκιδες αὐτοὶ ἐόντες.
ὡς δ' ὁπότ' ἐν ξυλόχῳ ἔλαφος κρατεροῖο λέοντος
νεβροὺς κοιμήσασα νεηγενέας γαλαθηνοὺς

La riverita dispensiera recò e pose il cibo,
95 imbandendo molte vivande, generosa di quello che c'era.
La madre sedeva di fronte, appoggiata con la sedia
al pilastro della gran sala, filando stami sottili.
Ed essi sui cibi pronti, imbanditi, le mani tendevano.
Poi, quand'ebbero scacciata la voglia di bere e di cibo,
100 fra essi iniziò a parlare la saggia Penelope:
« Telemaco, voglio salire di sopra
e sdraiarmi sul letto a me costruito per piangere,
che è intriso sempre delle mie lacrime, da quando Odisseo
partì cogli Atridi per Ilio; tu non vuoi,
105 prima che arrivino qui i pretendenti superbi,
riferirmi il ritorno del padre, se hai sentito qualcosa? ».
Le rispose allora, giudiziosamente, Telemaco:
« A te dirò dunque la verità, o madre.
Andammo a Pilo e da Nestore, pastore di genti;
110 ricevendomi egli nelle alte dimore
gentilmente mi accolse, come un padre suo figlio
appena arrivato dopo molto da fuori: così
mi ospitò, gentilmente, coi suoi figli gloriosi.
Non mi disse, dell'intrepido Odisseo,
115 d'aver sentito da alcuno se è vivo o è morto,
ma mi inviò dal figlio di Atreo,
da Menelao famoso con l'asta, coi cavalli e col solido carro.
Lì vidi Elena Argiva, per cui tanto
soffrirono Argivi e Troiani, per volontà degli dei.
120 Subito poi Menelao dal grido possente
mi chiese per quale bisogno venissi a Lacedemone illustre:
e tutta la verità io gli dissi.
E allora rispondendo esclamò:
" Ma no! e dunque volevano giacere nel letto
125 di un uomo intrepido, essi che sono vigliacchi!
Come quando una cerva, messi a cuccia nella tana
di un forte leone i cerbiatti nati da poco, lattanti,

κνημοὺς ἐξερέῃσι καὶ ἄγκεα ποιήεντα
βοσκομένη, ὁ δ' ἔπειτα ἑὴν εἰσήλυθεν εὐνήν,
130 ἀμφοτέροισι δὲ τοῖσιν ἀεικέα πότμον ἐφῆκεν,
ὣς Ὀδυσεὺς κείνοισιν ἀεικέα πότμον ἐφήσει.
αἲ γάρ, Ζεῦ τε πάτερ καὶ Ἀθηναίη καὶ Ἄπολλον,
τοῖος ἐὼν οἷός ποτ' ἐϋκτιμένῃ ἐνὶ Λέσβῳ
ἐξ ἔριδος Φιλομηλεΐδῃ ἐπάλαισεν ἀναστάς,
135 κὰδ δ' ἔβαλε κρατερῶς, κεχάροντο δὲ πάντες Ἀχαιοί,
τοῖος ἐὼν μνηστῆρσιν ὁμιλήσειεν Ὀδυσσεύς·
πάντες κ' ὠκύμοροί τε γενοίατο πικρόγαμοί τε.
ταῦτα δ' ἅ μ' εἰρωτᾷς καὶ λίσσεαι, οὐκ ἂν ἐγώ γε
ἄλλα παρὲξ εἴποιμι παρακλιδὸν οὐδ' ἀπατήσω·
140 ἀλλὰ τὰ μέν μοι ἔειπε γέρων ἅλιος νημερτής,
τῶν οὐδέν τοι ἐγὼ κρύψω ἔπος οὐδ' ἐπικεύσω.
φῆ μιν ὅ γ' ἐν νήσῳ ἰδέειν κρατέρ' ἄλγε' ἔχοντα,
νύμφης ἐν μεγάροισι Καλυψοῦς, ἥ μιν ἀνάγκῃ
ἴσχει· ὁ δ' οὐ δύναται ἣν πατρίδα γαῖαν ἱκέσθαι·
145 οὐ γάρ οἱ πάρα νῆες ἐπήρετμοι καὶ ἑταῖροι,
οἵ κέν μιν πέμποιεν ἐπ' εὐρέα νῶτα θαλάσσης".
ὣς ἔφατ' Ἀτρεΐδης, δουρικλειτὸς Μενέλαος.
ταῦτα τελευτήσας νεόμην· ἔδοσαν δέ μοι οὖρον
ἀθάνατοι, τοί μ' ὦκα φίλην ἐς πατρίδ' ἔπεμψαν ».
150 ὣς φάτο, τῇ δ' ἄρα θυμὸν ἐνὶ στήθεσσιν ὄρινε.
τοῖσι δὲ καὶ μετέειπε Θεοκλύμενος θεοειδής·
« ὦ γύναι αἰδοίη Λαερτιάδεω Ὀδυσῆος,
ἦ τοι ὅ γ' οὐ σάφα οἶδεν, ἐμεῖο δὲ σύνθεο μῦθον·
ἀτρεκέως γάρ τοι μαντεύσομαι οὐδ' ἐπικεύσω.
155 ἴστω νῦν Ζεὺς πρῶτα θεῶν ξενίη τε τράπεζα
ἱστίη τ' Ὀδυσῆος ἀμύμονος, ἣν ἀφικάνω,
ὡς ἦ τοι Ὀδυσεὺς ἤδη ἐν πατρίδι γαίῃ,
ἥμενος ἢ ἕρπων, τάδε πευθόμενος κακὰ ἔργα,
ἔστιν, ἀτὰρ μνηστῆρσι κακὸν πάντεσσι φυτεύει,
160 οἷον ἐγὼν οἰωνὸν ἐϋσσέλμου ἐπὶ νηὸς
ἥμενος ἐφρασάμην καὶ Τηλεμάχῳ ἐγεγώνευν ».

cerca le balze e le valli erbose
pascendo, ed egli va poi nel suo covo
130 e dà a quei due un'orribile morte,
così Odisseo a quelli darà un'orribile morte.
O padre Zeus e Atena e Apollo, magari
essendo così come quando alzatosi a Lesbo
ben costruita lottò per sfida con Filomelide,
135 lo atterrò con la forza e tutti gli Achei esultarono,
magari, essendo così, Odisseo arrivasse tra i pretendenti:
essi avrebbero tutti rapida morte e nozze amare.
Questo di cui mi chiedi e scongiuri non voglio
dirtelo diversamente, per sotterfugi, non ti ingannerò.
140 Ma di quello che il veridico vecchio del mare mi disse,
non nasconderò né celerò a te una parola.
Disse d'averlo veduto su un'isola soffrire aspri tormenti,
in casa della ninfa Calipso, che lo forza
a restare: e non può arrivare in patria.
145 Non ha navi coi remi e compagni
che lo scortino sul dorso vasto del mare ".
Così disse il figlio di Atreo, Menelao famoso con l'asta.
Compiuti questi atti, tornai: gli immortali mi concessero
il vento e celermente mi scortarono in patria ».
150 Disse così e commosse nel petto il suo animo.
Parlò anche, tra loro, Teoclimeno simile a un dio:
« O donna onorata di Odisseo figlio di Laerte,
egli non sa chiaramente; ascolta il mio annunzio;
con tutta franchezza te lo dirò e senza celarlo.
155 Anzitutto lo sappia, tra gli dei, ora Zeus e la mensa ospitale
e il focolare del nobile Odisseo, presso cui sono giunto,
che Odisseo è già nella terra dei padri,
in un luogo o in giro, informato di questi misfatti,
e pianta a tutti i pretendenti sciagure.
160 Da un uccello ho appreso tale presagio, mentre io sedevo
nella nave ben costruita, e lo dissi a Telemaco ».

τὸν δ' αὖτε προσέειπε περίφρων Πηνελόπεια·
« αἲ γὰρ τοῦτο, ξεῖνε, ἔπος τετελεσμένον εἴη·
τῶ κε τάχα γνοίης φιλότητά τε πολλά τε δῶρα
165 ἐξ ἐμεῦ, ὥς κέν τίς σε συναντόμενος μακαρίζοι ».
ὣς οἱ μὲν τοιαῦτα πρὸς ἀλλήλους ἀγόρευον·
μνηστῆρες δὲ πάροιθεν Ὀδυσσῆος μεγάροιο
δίσκοισιν τέρποντο καὶ αἰγανέῃσιν ἱέντες
ἐν τυκτῷ δαπέδῳ, ὅθι περ πάρος, ὕβριν ἔχοντες.
170 ἀλλ' ὅτε δὴ δείπνηστος ἔην καὶ ἐπήλυθε μῆλα
πάντοθεν ἐξ ἀγρῶν, οἱ δ' ἤγαγον οἳ τὸ πάρος περ,
καὶ τότε δή σφιν ἔειπε Μέδων· ὃς γάρ ῥα μάλιστα
ἥνδανε κηρύκων καί σφιν παρεγίνετο δαιτί·
« κοῦροι, ἐπεὶ δὴ πάντες ἐτέρφθητε φρέν' ἀέθλοις,
175 ἔρχεσθε πρὸς δώμαθ', ἵν' ἐντυνώμεθα δαῖτα·
οὐ μὲν γάρ τι χέρειον ἐν ὥρῃ δεῖπνον ἑλέσθαι ».
ὣς ἔφαθ', οἱ δ' ἀνστάντες ἔβαν πείθοντό τε μύθῳ.
αὐτὰρ ἐπεί ῥ' ἵκοντο δόμους ἐῢ ναιετάοντας,
χλαίνας μὲν κατέθεντο κατὰ κλισμούς τε θρόνους τε,
180 οἱ δ' ἱέρευον ὄϊς μεγάλους καὶ πίονας αἶγας,
ἵρευον δὲ σύας σιάλους καὶ βοῦν ἀγελαίην,
δαῖτ' ἐντυνόμενοι. τοὶ δ' ἐξ ἀγροῖο πόλινδε
ὠτρύνοντ' Ὀδυσεύς τ' ἰέναι καὶ δῖος ὑφορβός.
τοῖσι δὲ μύθων ἦρχε συβώτης, ὄρχαμος ἀνδρῶν·
185 « ξεῖν', ἐπεὶ ἂρ δὴ ἔπειτα πόλινδ' ἰέναι μενεαίνεις
σήμερον, ὡς ἐπέτελλεν ἄναξ ἐμός· – ἦ σ' ἂν ἐγώ γε
αὐτοῦ βουλοίμην σταθμῶν ῥυτῆρα λιπέσθαι·
ἀλλὰ τὸν αἰδέομαι καὶ δείδια, μή μοι ὀπίσσω
νεικείῃ· χαλεπαὶ δέ τ' ἀνάκτων εἰσὶν ὁμοκλαί· –
190 ἀλλ' ἄγε νῦν ἴομεν· δὴ γὰρ μέμβλωκε μάλιστα
ἦμαρ, ἀτὰρ τάχα τοι ποτὶ ἕσπερα ῥίγιον ἔσται ».
τὸν δ' ἀπαμειβόμενος προσέφη πολύμητις Ὀδυσσεύς·
« γινώσκω, φρονέω· τά γε δὴ νοέοντι κελεύεις.
ἀλλ' ἴομεν, σὺ δ' ἔπειτα διαμπερὲς ἡγεμόνευε.
195 δὸς δέ μοι, εἴ ποθί τοι ῥόπαλον τετμημένον ἐστί,

Gli rispose allora la saggia Penelope:
« Oh se questa profezia si compisse, o straniero!
Subito avresti amicizia e molti regali
165 da me, sicché uno ti direbbe beato, incontrandoti ».
Essi dunque facevano questi discorsi tra loro,
e intanto, davanti alla casa di Odisseo, i pretendenti
si divertivano a tirare coi dischi e coi giavellotti,
sullo spiazzo ben fatto, come in passato, con arroganza.
170 Ma quando fu l'ora di cena, e d'ogni parte dai campi
arrivarono i greggi – li guidavano gli stessi di prima –,
allora ad essi parlò Medonte, che era tra gli araldi
il più accetto e stava a banchetto con loro:
« O giovani, ora che tutti siete sazi di gare,
175 andate in casa, perché prepariamo la cena:
non è sgradevole prendere il pasto a suo tempo ».
Disse così ed essi, levatisi, andarono e gli diedero ascolto.
Quando poi furono nella casa ben situata,
deposero i manti sulle sedie e sui troni,
180 uccisero grandi arieti e grasse capre,
uccisero grassi maiali e una mucca di mandria,
preparando il banchetto. S'apprestavano gli altri,
Odisseo e il chiaro mandriano, a recarsi dai campi in città.
E fra essi iniziò a parlare il porcaro, capo di uomini:
185 « Straniero, poiché brami andare in città
oggi stesso, come ha ordinato il padrone – io invece
avrei preferito restassi a guardare le stalle;
ma ho rispetto per lui e temo che poi
mi rimproveri; e dai padroni i rimproveri pesano –,
190 orsù, ora andiamo: buona parte del giorno
è trascorsa e presto sarà, verso sera, più fresco ».
Rispondendo gli disse l'astuto Odisseo:
« Lo so, comprendo; lo ordini a chi lo capisce.
Ma andiamo, e tu va' sempre per primo.
195 Se hai tagliato e possiedi un bastone, dammelo

σκηρίπτεσθ', ἐπεὶ ἦ φατ' ἀρισφαλέ' ἔμμεναι οὐδόν».
ἦ ῥα, καὶ ἀμφ' ὤμοισιν ἀεικέα βάλλετο πήρην,
πυκνὰ ῥωγαλέην, ἐν δὲ στρόφος ἦεν ἀορτήρ·
Εὔμαιος δ' ἄρα οἱ σκῆπτρον θυμαρὲς ἔδωκε.
200 τὼ βήτην, σταθμὸν δὲ κύνες καὶ βώτορες ἄνδρες
ῥύατ' ὄπισθε μένοντες. ὁ δ' ἐς πόλιν ἦγεν ἄνακτα
πτωχῷ λευγαλέῳ ἐναλίγκιον ἠδὲ γέροντι,
σκηπτόμενον· τὰ δὲ λυγρὰ περὶ χροῒ εἵματα ἕστο.
ἀλλ' ὅτε δὴ στείχοντες ὁδὸν κάτα παιπαλόεσσαν
205 ἄστεος ἐγγὺς ἔσαν καὶ ἐπὶ κρήνην ἀφίκοντο
τυκτὴν καλλίροον, ὅθεν ὑδρεύοντο πολῖται,
τὴν ποίησ' Ἴθακος καὶ Νήριτος ἠδὲ Πολύκτωρ·
ἀμφὶ δ' ἄρ' αἰγείρων ὑδατοτρεφέων ἦν ἄλσος,
πάντοσε κυκλοτερές, κατὰ δὲ ψυχρὸν ῥέεν ὕδωρ
210 ὑψόθεν ἐκ πέτρης· βωμὸς δ' ἐφύπερθε τέτυκτο
Νυμφάων, ὅθι πάντες ἐπιρρέζεσκον ὁδῖται·
ἔνθα σφέας ἐκίχανεν υἱὸς Δολίοιο Μελανθεύς
αἶγας ἄγων, αἳ πᾶσι μετέπρεπον αἰπολίοισι,
δεῖπνον μνηστήρεσσι· δύω δ' ἅμ' ἕποντο νομῆες.
215 τοὺς δὲ ἰδὼν νείκεσσεν ἔπος τ' ἔφατ' ἔκ τ' ὀνόμαζεν
ἔκπαγλον καὶ ἀεικές· ὄρινε δὲ κῆρ Ὀδυσῆος·
«νῦν μὲν δὴ μάλα πάγχυ κακὸς κακὸν ἡγηλάζει,
ὡς αἰεὶ τὸν ὁμοῖον ἄγει θεὸς ἐς τὸν ὁμοῖον.
πῇ δὴ τόνδε μολοβρὸν ἄγεις, ἀμέγαρτε συβῶτα,
220 πτωχὸν ἀνιηρόν, δαιτῶν ἀπολυμαντῆρα;
ὃς πολλῇς φλιῇσι παραστὰς φλίψεται ὤμους,
αἰτίζων ἀκόλους, οὐκ ἄορά γ' οὐδὲ λέβητας.
τόν κ' εἴ μοι δοίης σταθμῶν ῥυτῆρα γενέσθαι
σηκοκόρον τ' ἔμεναι θαλλόν τ' ἐρίφοισι φορῆναι,
225 καί κεν ὀρὸν πίνων μεγάλην ἐπιγουνίδα θεῖτο.
ἀλλ' ἐπεὶ οὖν δὴ ἔργα κάκ' ἔμμαθεν, οὐκ ἐθελήσει
ἔργον ἐποίχεσθαι, ἀλλὰ πτώσσων κατὰ δῆμον
βούλεται αἰτίζων βόσκειν ἣν γαστέρ' ἄναλτον.
ἀλλ' ἔκ τοι ἐρέω, τὸ δὲ καὶ τετελεσμένον ἔσται·

per appoggiarmi, poiché è scivolosa, come dite, la strada».

Così egli disse e gettò sulle spalle una brutta bisaccia,
tutta lacera: ne era tracolla una corda.
Eumeo gli diede un gradito bastone.
200 Ambedue s'avviarono: a guardare la corte
restarono i cani e i mandriani. Guidava in città il padrone
somigliante a un mendico miserabile e vecchio,
appoggiato a un bastone: vestiva quelle misere vesti.

Ma quando, scendendo la strada sassosa,
205 furon vicini al paese, e alla fonte dalla bella corrente
arrivarono. a cui i cittadini attingevano –
la fecero Itaco e Nèrito insieme a Polìttore,
e intorno era un bosco di acquatici pioppi,
ad anello, e l'acqua scorreva gelata dall'alto
210 giù dalla roccia, e un altare di Ninfe
era sopra, sul quale immolavano tutti i viandanti –,
ecco laggiù incontrarli Melanzio, il figlio di Dolio,
che ai pretendenti portava come pasto le capre
migliori di tutte le greggi: aveva con sé due pastori.
215 Vedendoli si mise a ingiuriarli, a chiamarli
in modo violento e volgare; sconvolse il cuore di Odisseo:

« Ora sì che un gran miserabile mena un gran miserabile:
come il dio porta sempre il simile al simile!
Dove porti questo ingozzone, sciagurato porcaro,
220 questo accattone molesto, pulitore di mense?
Consumerà le sue spalle appoggiandosi a molti stipiti,
chiedendo tozzi di pane, non certo spade o lebeti.
Se me lo dessi per farne un guardiano alle stalle,
ripulire gli stabbi e portare la frasca ai capretti,
225 potrebbe, bevendo siero, irrobustirsi la coscia.
Ma poiché è esperto di sole ignominie, non vorrà
badare a un lavoro, ma curvo in mezzo alla gente
preferisce nutrire, accattando, il ventre ingordo.
Ma io ti dico una cosa e così di sicuro sarà:

230 αἴ κ' ἔλθῃ πρὸς δώματ' Ὀδυσσῆος θείοιο,
πολλά οἱ ἀμφὶ κάρη σφέλα ἀνδρῶν ἐκ παλαμάων
πλευραὶ ἀποτρίψουσι δόμον κάτα βαλλομένοιο ».
ὣς φάτο, καὶ παριὼν λὰξ ἔνθορεν ἀφραδίῃσιν
ἰσχίῳ· οὐδέ μιν ἐκτὸς ἀταρπιτοῦ ἐστυφέλιξεν,
235 ἀλλ' ἔμεν' ἀσφαλέως. ὁ δὲ μερμήριξεν Ὀδυσσεύς,
ἠὲ μεταΐξας ῥοπάλῳ ἐκ θυμὸν ἕλοιτο
ἦ πρὸς γῆν ἐλάσειε κάρη ἀμφουδὶς ἀείρας·
ἀλλ' ἐπετόλμησε, φρεσὶ δ' ἔσχετο. τὸν δὲ συβώτης
νείκεσ' ἐσάντα ἰδών, μέγα δ' εὔξατο χεῖρας ἀνασχών·
240 « Νύμφαι κρηναῖαι, κοῦραι Διός, εἴ ποτ' Ὀδυσσεὺς
ὔμμ' ἐπὶ μηρί' ἔκηε, καλύψας πίονι δημῷ,
ἀρνῶν ἠδ' ἐρίφων, τόδε μοι κρηήνατ' ἐέλδωρ,
ὡς ἔλθοι μὲν κεῖνος ἀνήρ, ἀγάγοι δέ ἑ δαίμων.
τῷ κέ τοι ἀγλαΐας γε διασκεδάσειεν ἁπάσας,
245 τὰς νῦν ὑβρίζων φορέεις, ἀλαλήμενος αἰεὶ
ἄστυ κάτ'· αὐτὰρ μῆλα κακοὶ φθείρουσι νομῆες ».
τὸν δ' αὖτε προσέειπε Μελάνθιος, αἰπόλος αἰγῶν·
« ὢ πόποι, οἷον ἔειπε κύων ὀλοφώϊα εἰδώς,
τόν ποτ' ἐγὼν ἐπὶ νηὸς ἐϋσσέλμοιο μελαίνης
250 ἄξω τῆλ' Ἰθάκης, ἵνα μοι βίοτον πολὺν ἄλφοι.
αἲ γὰρ Τηλέμαχον βάλοι ἀργυρότοξος Ἀπόλλων
σήμερον ἐν μεγάροισ', ἢ ὑπὸ μνηστῆρσι δαμείη,
ὡς Ὀδυσῆΐ γε τηλοῦ ἀπώλετο νόστιμον ἦμαρ ».
ὣς εἰπὼν τοὺς μὲν λίπεν αὐτόθι ἦκα κιόντας,
255 αὐτὰρ ὁ βῆ, μάλα δ' ὦκα δόμους ἵκανεν ἄνακτος.
αὐτίκα δ' εἴσω ἴεν, μετὰ δὲ μνηστῆρσι καθῖζεν,
ἀντίον Εὐρυμάχου· τὸν γὰρ φιλέεσκε μάλιστα.
τῷ πάρα μὲν κρειῶν μοῖραν θέσαν οἳ πονέοντο,
σῖτον δ' αἰδοίη ταμίη παρέθηκε φέρουσα
260 ἔδμεναι. ἀγχίμολον δ' Ὀδυσεὺς καὶ δῖος ὑφορβὸς
στήτην ἐρχομένω, περὶ δέ σφεας ἤλυθ' ἰωὴ
φόρμιγγος γλαφυρῆς· ἀνὰ γάρ σφισι βάλλετ' ἀείδειν
Φήμιος. αὐτὰρ ὁ χειρὸς ἑλὼν προσέειπε συβώτην·

230 qualora egli andasse in casa del divino Odisseo,
molti sgabelli tiratigli in testa dagli ospiti
sfascerà coi suoi fianchi, bersagliato per casa».

Disse così e passando gli sferrò un calcio sull'anca,
stolidamente: non riuscì però a smuoverlo.
235 Restò immobile Odisseo, senza scomporsi, e fu incerto
se aggredirlo e levargli col bastone la vita;
o afferrarlo e sbattergli al suolo la testa:
ma sopportò, si contenne. Lo redarguì il porcaro,
guardandolo fisso, e alzando le mani gridò una preghiera:
240 «Ninfe del fonte, figlie di Zeus, semmai Odisseo
vi arse cosci di agnelli e capretti
avvolti in morbido grasso, esaudite questo mio voto:
possa quell'uomo tornare, possa un dio ricondurlo.
Certo disperderebbe tutta la boria
245 che ora insultando tu ostenti, girando sempre
in città: mentre i pastori cattivi rovinano i greggi».

Gli rispose allora Melanzio, pastore di capre:
«Ohi ohi! cosa ha detto il furbissimo cane!
Costui lo voglio portare lontano da Itaca, un giorno,
250 su una nera nave ben costruita, per cavarne guadagno.
Possa Apollo dall'arco d'argento colpire oggi stesso
Telemaco in casa o possano ucciderlo i proci,
come ad Odisseo il dì del ritorno è svanito lontano».

Detto così li lasciò in quel punto, che andavano piano,
255 lui proseguì e ben presto arrivò alle case del re.
Subito entrò, sedette fra i pretendenti,
di fronte a Eurimaco, che gli voleva un gran bene.
I servi imbandirono a lui un pezzo di carne,
la riverita dispensiera portò e mise in tavola il cibo
260 da mangiare. E giunsero Odisseo e il chiaro mandriano.
Stavano fuori e li avvolse il suono
della concava cetra: un canto Femio intonava
tra loro. Ed egli, prendendo la mano al porcaro, gli disse:

« Εὔμαι', ἦ μάλα δὴ τάδε δώματα κάλ' Ὀδυσῆος·
265 ῥεῖα δ' ἀρίγνωτ' ἐστὶ καὶ ἐν πολλοῖσιν ἰδέσθαι.
ἐξ ἑτέρων ἕτερ' ἐστίν, ἐπήσκηται δέ οἱ αὐλὴ
τοίχῳ καὶ θριγκοῖσι, θύραι δ' εὐερκέες εἰσὶ
δικλίδες· οὐκ ἄν τίς μιν ἀνὴρ ὑπεροπλίσσαιτο.
γινώσκω δ', ὅτι πολλοὶ ἐν αὐτῷ δαῖτα τίθενται
270 ἄνδρες, ἐπεὶ κνίση μὲν ἀνήνοθεν, ἐν δέ τε φόρμιγξ
ἠπύει, ἣν ἄρα δαιτὶ θεοὶ ποίησαν ἑταίρην ».
τὸν δ' ἀπαμειβόμενος προσέφης, Εὔμαιε συβῶτα·
« ῥεῖ' ἔγνως, ἐπεὶ οὐδὲ τά τ' ἄλλα πέρ ἐσσ' ἀνοήμων.
ἀλλ' ἄγε δὴ φραζώμεθ', ὅπως ἔσται τάδε ἔργα.
275 ἠὲ σὺ πρῶτος ἔσελθε δόμους εὖ ναιετάοντας,
δύσεο δὲ μνηστῆρας, ἐγὼ δ' ὑπολείψομαι αὐτοῦ·
εἰ δ' ἐθέλεις, ἐπίμεινον, ἐγὼ δ' εἶμι προπάροιθεν.
μηδὲ σὺ δηθύνειν, μή τίς σ' ἔκτοσθε νοήσας
ἢ βάλῃ ἢ ἐλάσῃ· τὰ δέ σε φράζεσθαι ἄνωγα ».
280 τὸν δ' ἠμείβετ' ἔπειτα πολύτλας δῖος Ὀδυσσεύς·
« γινώσκω, φρονέω· τά γε δὴ νοέοντι κελεύεις.
ἀλλ' ἔρχευ προπάροιθεν, ἐγὼ δ' ὑπολείψομαι αὐτοῦ.
οὐ γάρ τι πληγέων ἀδαήμων οὐδὲ βολάων·
τολμήεις μοι θυμός, ἐπεὶ κακὰ πολλὰ πέπονθα
285 κύμασι καὶ πολέμῳ· μετὰ καὶ τόδε τοῖσι γενέσθω.
γαστέρα δ' οὔ πως ἔστιν ἀποκρύψαι μεμαυῖαν,
οὐλομένην, ἣ πολλὰ κάκ' ἀνθρώποισι δίδωσι·
τῆς ἕνεκεν καὶ νῆες ἐΰζυγοι ὁπλίζονται
πόντον ἐπ' ἀτρύγετον κακὰ δυσμενέεσσι φέρουσαι ».
290 ὣς οἱ μὲν τοιαῦτα πρὸς ἀλλήλους ἀγόρευον·
ἂν δὲ κύων κεφαλήν τε καὶ οὔατα κείμενος ἔσχεν,
Ἄργος, Ὀδυσσῆος ταλασίφρονος, ὅν ῥά ποτ' αὐτὸς
θρέψε μέν, οὐδ' ἀπόνητο, πάρος δ' εἰς Ἴλιον ἱρὴν
ᾤχετο. τὸν δὲ πάροιθεν ἀγίνεσκον νέοι ἄνδρες
295 αἶγας ἐπ' ἀγροτέρας ἠδὲ πρόκας ἠδὲ λαγωούς·
δὴ τότε κεῖτ' ἀπόθεστος ἀποιχομένοιο ἄνακτος
ἐν πολλῇ κόπρῳ, ἥ οἱ προπάροιθε θυράων

« Eumeo, questa è certo la bella dimora di Odisseo:
265 si può riconoscerla anche tra molte, vedendola.
A una parte ne segue un'altra, vi è costruito un cortile
con muro e cornici, le porte hanno saldi
battenti: nessun uomo le supererebbe.
Molti uomini vedo che in essa stanno
270 a banchetto, perché un fumo vi aleggia, e risuona
la cetra, che gli dei hanno fatto compagna del pasto ».
E tu rispondendo, o porcaro Eumeo, gli dicesti:
« Facilmente hai capito: anche in altro non sei uno sciocco.
Ma pensiamo come agire in questa occasione.
275 O éntri tu nella casa ben situata, per primo,
ti mescoli ai proci, e io resto qui;
ma se vuoi resta tu e andrò prima io.
Ma non indugiare, che qualcuno vedendoti fuori
non ti bersagli e ti batta. Ti esorto a pensarci ».
280 Gli rispose allora il paziente chiaro Odisseo:
« Lo so, comprendo: lo ordini a chi lo capisce.
Va' avanti tu, qui aspetterò io.
Non sono nuovo a percosse e a tiri.
È paziente il mio animo, perché tante sventure ho sofferto
285 tra le onde e in guerra: sia con esse anche questa.
Non si può nascondere il ventre bramoso,
funesto, che agli uomini dà tante sciagure,
per il quale anche navi dai solidi banchi si armano
che arrecano danni ai nemici sul mare infecondo ».
290 Essi dunque facevano questi discorsi tra loro.
E un cane, che era sdraiato, sollevò il capo e le orecchie,
Argo, il cane dell'intrepido Odisseo, che egli stesso
s'era allevato, ma non goduto: andò prima
alla sacra Ilio. Con lui i giovani un tempo cacciavano
295 capre selvatiche, daini e lepri:
ma ora, partito il padrone, giaceva in disparte
sul molto letame di muli e di buoi

ἡμιόνων τε βοῶν τε ἅλις κέχυτ', ὄφρ' ἂν ἄγοιεν
δμῶες Ὀδυσσῆος τέμενος μέγα κοπρίσσοντες·
300 ἔνθα κύων κεῖτ' Ἄργος ἐνίπλειος κυνοραιστέων.
δὴ τότε γ', ὡς ἐνόησεν Ὀδυσσέα ἐγγὺς ἐόντα,
οὐρῇ μέν ῥ' ὅ γ' ἔσηνε καὶ οὔατα κάββαλεν ἄμφω,
ἄσσον δ' οὐκέτ' ἔπειτα δυνήσατο οἷο ἄνακτος
ἐλθέμεν· αὐτὰρ ὁ νόσφιν ἰδὼν ἀπομόρξατο δάκρυ,
305 ῥεῖα λαθὼν Εὔμαιον, ἄφαρ δ' ἐρεείνετο μύθῳ·
« Εὔμαι', ἦ μάλα θαῦμα κύων ὅδε κεῖτ' ἐνὶ κόπρῳ.
καλὸς μὲν δέμας ἐστίν, ἀτὰρ τόδε γ' οὐ σάφα οἶδα,
εἰ δὴ καὶ ταχὺς ἔσκε θέειν ἐπὶ εἴδεϊ τῷδε,
ἦ αὔτως οἷοί τε τραπεζῆες κύνες ἀνδρῶν
310 γίνοντ', ἀγλαΐης δ' ἕνεκεν κομέουσιν ἄνακτες ».
τὸν δ' ἀπαμειβόμενος προσέφης, Εὔμαιε συβῶτα·
« καὶ λίην ἀνδρός γε κύων ὅδε τῆλε θανόντος
εἰ τοιόσδ' εἴη ἠμὲν δέμας ἠδὲ καὶ ἔργα,
οἷόν μιν Τροίηνδε κιὼν κατέλειπεν Ὀδυσσεύς,
315 αἶψά κε θηήσαιο ἰδὼν ταχυτῆτα καὶ ἀλκήν.
οὐ μὲν γάρ τι φύγεσκε βαθείης βένθεσιν ὕλης
κνώδαλον, ὅττι δίοιτο· καὶ ἴχνεσι γὰρ περιήδη.
νῦν δ' ἔχεται κακότητι, ἄναξ δέ οἱ ἄλλοθι πάτρης
ὤλετο, τὸν δὲ γυναῖκες ἀκηδέες οὐ κομέουσι.
320 δμῶες δ', εὖτ' ἂν μηκέτ' ἐπικρατέωσιν ἄνακτες,
οὐκέτ' ἔπειτ' ἐθέλουσιν ἐναίσιμα ἐργάζεσθαι·
ἥμισυ γάρ τ' ἀρετῆς ἀποαίνυται εὐρύοπα Ζεὺς
ἀνέρος, εὖτ' ἄν μιν κατὰ δούλιον ἦμαρ ἕλῃσιν ».
ὣς εἰπὼν εἰσῆλθε δόμους εὖ ναιετάοντας,
325 βῆ δ' ἰθὺς μεγάροιο μετὰ μνηστῆρας ἀγαυούς.
Ἄργον δ' αὖ κατὰ μοῖρ' ἔλαβεν μέλανος θανάτοιο,
αὐτίκ' ἰδόντ' Ὀδυσῆα ἐεικοστῷ ἐνιαυτῷ.
τὸν δὲ πολὺ πρῶτος ἴδε Τηλέμαχος θεοειδὴς
ἐρχόμενον κατὰ δῶμα συβώτην, ὦκα δ' ἔπειτα
330 νεῦσ' ἐπὶ οἷ καλέσας· ὁ δὲ παπτήνας ἕλε δίφρον
κείμενον, ἔνθα τε δαιτρὸς ἐφίζεσκε κρέα πολλὰ

che stava ammucchiato davanti alle porte, finché lo toglievano
i servi di Odisseo, per concimare il grande podere.
300 Giaceva il cane su di esso, Argo, pieno di zecche.
Allorché vide Odisseo accanto,
scodinzolò e piegò entrambe le orecchie,
ma al proprio padrone non poté
avvicinarsi. Questi distolse lo sguardo e si terse una lacrima,
305 facilmente eludendo Eumeo; poi domandò:
« Eumeo, che meraviglia, questo cane sopra il letame!
È bello il suo aspetto, ma non so chiaramente
se era anche celere con questa figura,
o se era come sono i cani da mensa
310 degli uomini: li allevano per lusso i padroni ».
E tu rispondendo, o porcaro Eumeo, gli dicesti:
« Oh sì, questo è il cane di un uomo che è morto lontano:
se per l'aspetto e l'azione fosse così
come quando Odisseo, partendo per Troia, lo lasciò,
315 subito ne ammireresti la celerità e la forza.
Nei recessi della selva profonda non gli sfuggiva
una fiera che egli inseguisse: eccelleva nel seguire le peste.
Ma ora è in miseria: il padrone gli è morto lontano
da casa e le donne, incuranti, non l'accudiscono.
320 Quando i padroni non ordinano, i servi
non vogliono più lavorare a dovere.
Zeus dalla voce possente toglie metà del valore
ad un uomo, appena lo umilia il servaggio ».
Detto così, entrò nella casa ben situata
325 e si diresse nella gran sala, tra i pretendenti egregi.
E subito il fato della nera morte colse Argo,
quando ebbe visto Odisseo dopo venti anni.
Per primo Telemaco simile a un dio vide
il porcaro venire attraverso la sala, e subito
330 lo chiamò con un cenno. Egli guardò, e prese una sedia
che stava lì, sulla quale lo scalco sedeva quando spartiva

δαιόμενος μνηστῆρσι δόμον κάτα δαινυμένοισι·
τὸν κατέθηκε φέρων πρὸς Τηλεμάχοιο τράπεζαν
ἀντίον, ἔνθα δ' ἄρ' αὐτὸς ἐφέζετο· τῷ δ' ἄρα κῆρυξ
335 μοῖραν ἑλὼν ἐτίθει κανέου τ' ἐκ σῖτον ἀείρας.
ἀγχίμολον δὲ μετ' αὐτὸν ἐδύσετο δώματ' Ὀδυσσεύς,
πτωχῷ λευγαλέῳ ἐναλίγκιος ἠδὲ γέροντι,
σκηπτόμενος· τὰ δὲ λυγρὰ περὶ χροῒ εἵματα ἕστο.
ἷζε δ' ἐπὶ μελίνου οὐδοῦ ἔντοσθε θυράων
340 κλινάμενος σταθμῷ κυπαρισσίνῳ, ὅν ποτε τέκτων
ξέσσεν ἐπισταμένως καὶ ἐπὶ στάθμην ἴθυνε.
Τηλέμαχος δ' ἐπὶ οἷ καλέσας προσέειπε συβώτην,
ἄρτον τ' οὖλον ἑλὼν περικαλλέος ἐκ κανέοιο
καὶ κρέας, ὥς οἱ χεῖρες ἐχάνδανον ἀμφιβαλόντι·
345 «δὸς τῷ ξείνῳ ταῦτα φέρων αὐτόν τε κέλευε
αἰτίζειν μάλα πάντας ἐποιχόμενον μνηστῆρας·
αἰδὼς δ' οὐκ ἀγαθὴ κεχρημένῳ ἀνδρὶ παρεῖναι».
ὣς φάτο, βῆ δὲ συφορβός, ἐπεὶ τὸν μῦθον ἄκουσεν,
ἀγχοῦ δ' ἱστάμενος ἔπεα πτερόεντα προσηύδα·
350 «Τηλέμαχός τοι, ξεῖνε, διδοῖ τάδε καί σε κελεύει
αἰτίζειν μάλα πάντας ἐποιχόμενον μνηστῆρας·
αἰδῶ δ' οὐκ ἀγαθήν φησ' ἔμμεναι ἀνδρὶ προΐκτῃ».
τὸν δ' ἀπαμειβόμενος προσέφη πολύμητις Ὀδυσσεύς·
«Ζεῦ ἄνα, Τηλέμαχόν μοι ἐν ἀνδράσιν ὄλβιον εἶναι,
355 καί οἱ πάντα γένοιτο, ὅσα φρεσὶν ᾗσι μενοινᾷ».
ἦ ῥα, καὶ ἀμφοτέρῃσιν ἐδέξατο καὶ κατέθηκεν
αὖθι ποδῶν προπάροιθεν, ἀεικελίης ἐπὶ πήρης,
ἤσθιε δ' ἧος ἀοιδὸς ἐνὶ μεγάροισιν ἄειδεν.
εὖθ' ὁ δεδειπνήκειν, ὁ δ' ἐπαύετο θεῖος ἀοιδός,
360 μνηστῆρες δ' ὁμάδησαν ἀνὰ μέγαρ'· αὐτὰρ Ἀθήνη
ἄγχι παρισταμένη Λαερτιάδην Ὀδυσῆα
ὤτρυν', ὡς ἂν πύρνα κατὰ μνηστῆρας ἀγείροι
γνοίη θ' οἵ τινές εἰσιν ἐναίσιμοι οἵ τ' ἀθέμιστοι·
ἀλλ' οὐδ' ὧς τιν' ἔμελλ' ἀπαλεξήσειν κακότητος.
365 βῆ δ' ἴμεν αἰτήσων ἐνδέξια φῶτα ἕκαστον,

le molte carni ai pretendenti che mangiavano in casa:
la portò e pose vicino alla tavola, di fronte
a Telemaco, e si sedette. Preso un pezzo di pane,
335 l'araldo lo tolse dal cesto e glielo servì.
Dopo di lui entrò subito Odisseo in casa,
somigliante a un mendico miserabile e vecchio,
con il bastone: indosso vestiva quelle misere vesti.
Sedette sulla soglia di frassino, oltre la porta,
340 appoggiato allo stipite che da un cipresso il mastro un tempo
spianò a regola d'arte e fece diritto col filo.
E Telemaco disse al porcaro, dopo averlo chiamato
e aver tolto da un cesto bellissimo un pane intero
e quanta carne le sue mani riuscivano a stringere:
345 « Porta e da' all'ospite questo e digli
di chiedere in giro a tutti i pretendenti:
all'uomo indigente non s'addice il ritegno ».
Disse così. Appena sentì, il porcaro si mosse
e standogli accanto gli rivolse alate parole:
350 « Telemaco ti dà questo cibo, o straniero, e ti dice
di chiedere in giro a tutti i pretendenti:
al mendico, egli pensa, non s'addice il ritegno ».
Rispondendo gli disse l'astuto Odisseo:
« Zeus sovrano, sia Telemaco felice tra gli uomini
355 e si compia per lui tutto ciò che medita in animo ».
Disse, e con entrambe le mani prese e depose
ai suoi piedi la roba, lì, sulla sconcia bisaccia;
e finché nella sala l'aedo cantava, mangiò.
Quando finì, l'aedo divino cessò di cantare:
360 nella sala i pretendenti vociarono. E Atena,
stando accanto ad Odisseo figlio di Laerte,
lo spinse a raccogliere i pezzi di pane tra i proci
e a conoscere quelli che erano retti e i malvagi:
ma anche così non ne avrebbe sottratto alla morte nessuno.
365 Si avviò verso destra per chiedere a ognuno,

πάντοσε χεῖρ' ὀρέγων, ὡς εἰ πτωχὸς πάλαι εἴη.
οἱ δ' ἐλεαίροντες δίδοσαν καὶ ἐθάμβεον αὐτὸν
ἀλλήλους τ' εἴροντο, τίς εἴη καὶ πόθεν ἔλθοι.
τοῖσι δὲ καὶ μετέειπε Μελάνθιος, αἰπόλος αἰγῶν·
370 « κέκλυτέ μευ, μνηστῆρες ἀγακλειτῆς βασιλείης,
τοῦδε περὶ ξείνου· ἦ γὰρ πρόσθεν μιν ὄπωπα.
ἦ τοι μέν οἱ δεῦρο συβώτης ἡγεμόνευεν,
αὐτὸν δ' οὐ σάφα οἶδα, πόθεν γένος εὔχεται εἶναι ».
ὣς ἔφατ', Ἀντίνοος δ' ἔπεσιν νείκεσσε συβώτην·
375 « ὦ ἀρίγνωτε συβῶτα, τίη δὲ σὺ τόνδε πόλινδε
ἤγαγες; ἦ οὐχ ἅλις ἧμιν ἀλήμονές εἰσι καὶ ἄλλοι,
πτωχοὶ ἀνιηροί, δαιτῶν ἀπολυμαντῆρες;
ἦ ὄνοσαι, ὅτι τοι βίοτον κατέδουσιν ἄνακτος
ἐνθάδ' ἀγειρόμενοι, σὺ δὲ καί ποθι τόνδ' ἐκάλεσσας; ».
380 τὸν δ' ἀπαμειβόμενος προσέφης, Εὔμαιε συβῶτα·
« Ἀντίνο', οὐ μὲν καλὰ καὶ ἐσθλὸς ἐὼν ἀγορεύεις·
τίς γὰρ δὴ ξεῖνον καλεῖ ἄλλοθεν αὐτὸς ἐπελθὼν
ἄλλον γ', εἰ μὴ τῶν, οἳ δημιοεργοὶ ἔασι;
μάντιν ἢ ἰητῆρα κακῶν ἢ τέκτονα δούρων,
385 ἢ καὶ θέσπιν ἀοιδόν, ὅ κεν τέρπῃσιν ἀείδων.
οὗτοι γὰρ κλητοί γε βροτῶν ἐπ' ἀπείρονα γαῖαν·
πτωχὸν δ' οὐκ ἄν τις καλέοι τρύξοντα ἓ αὐτόν.
ἀλλ' αἰεὶ χαλεπὸς περὶ πάντων εἰς μνηστήρων
δμωσὶν Ὀδυσσῆος, περὶ δ' αὖτ' ἐμοί· αὐτὰρ ἐγώ γε
390 οὐκ ἀλέγω, ἧός μοι ἐχέφρων Πηνελόπεια
ζώει ἐνὶ μεγάροις καὶ Τηλέμαχος θεοειδής ».
τὸν δ' αὖ Τηλέμαχος πεπνυμένος ἀντίον ηὔδα·
« σίγα, μή μοι τοῦτον ἀμείβεο πόλλ' ἐπέεσσιν·
Ἀντίνοος δ' εἴωθε κακῶς ἐρεθιζέμεν αἰεὶ
395 μύθοισιν χαλεποῖσιν, ἐποτρύνει δὲ καὶ ἄλλους ».
ἦ ῥα, καὶ Ἀντίνοον ἔπεα πτερόεντα προσηύδα·
« Ἀντίνο', ἦ μευ καλὰ πατὴρ ὣς κήδεαι υἷος,
ὃς τὸν ξεῖνον ἄνωγας ἀπὸ μεγάροιο δίεσθαι
μύθῳ ἀναγκαίῳ· μὴ τοῦτο θεὸς τελέσειε.

ovunque tendendo la mano, come fosse da tempo un mendico.
Impietositi essi diedero, e lo guardavano meravigliati,
e l'uno all'altro chiedeva chi fosse e donde venisse.
Anche Melanzio, pastore di capre, tra essi parlò:
370 « Ascoltatemi, pretendenti dell'illustre regina,
su questo straniero: perché l'ho visto anche prima.
Lo ha guidato il porcaro fin qui,
ma di lui non so bene, donde vanta la stirpe ».
Disse così, e Antinoo cominciò a redarguire il porcaro:
375 « Infame porcaro, perché hai condotto costui
in città? vagabondi non ne abbiamo abbastanza anche altri,
accattoni molesti, pulitori di mense?
o biasimi che mangino i beni al padrone
gli uomini qui riuniti, e tu chiami anche costui? ».
380 E tu rispondendo, o porcaro Eumeo, gli dicesti:
« Antinoo, non fai bei discorsi, pur essendo valente:
chi va lui stesso a chiamare un estraneo da un luogo,
un altro da un altro, se non tra coloro che sono artigiani?
un indovino od un medico od un falegname,
385 o anche un cantore ispirato, che rallegri cantando.
Sono queste le persone richieste sulla terra infinita:
non chiamerebbe nessuno un mendico che lo rovina.
Tra tutti i proci però sei sempre il più duro
coi servi di Odisseo, soprattutto con me. Ma a me
390 non importa, finché vive in casa per me
la saggia Penelope e Telemaco simile a un dio ».
Gli rispose allora, giudiziosamente, Telemaco:
« Taci, non stare a rispondere molto a costui.
Antinoo è solito sempre irritare con dure parole,
395 malignamente, e aizza anche gli altri ».
Disse così e rivolse ad Antinoo alate parole:
« Antinoo, ti curi bene di me, come un padre del figlio,
ordinando che questo straniero sia cacciato dalla gran sala,
con parole imperiose: che il dio non lo faccia!

400 δός οἱ ἑλών· οὔ τοι φθονέω· κέλομαι γὰρ ἐγώ γε.
μήτ' οὖν μητέρ' ἐμὴν ἅζευ τό γε μήτε τιν' ἄλλον
δμώων, οἳ κατὰ δώματ' Ὀδυσσῆος θείοιο.
ἀλλ' οὔ τοι τοιοῦτον ἐνὶ στήθεσσι νόημα·
αὐτὸς γὰρ φαγέμεν πολὺ βούλεαι ἢ δόμεν ἄλλῳ ».
405 τὸν δ' αὖτ' Ἀντίνοος ἀπαμειβόμενος προσέειπε·
« Τηλέμαχ' ὑψαγόρη, μένος ἄσχετε, ποῖον ἔειπες.
εἴ οἱ τόσσον πάντες ὀρέξειαν μνηστῆρες,
καί κέν μιν τρεῖς μῆνας ἀπόπροθεν οἶκος ἐρύκοι ».
ὣς ἄρ' ἔφη, καὶ θρῆνυν ἑλὼν ὑπέφηνε τραπέζης
410 κείμενον, ᾧ ῥ' ἔπεχεν λιπαροὺς πόδας εἰλαπινάζων.
οἱ δ' ἄλλοι πάντες δίδοσαν, πλῆσαν δ' ἄρα πήρην
σίτου καὶ κρειῶν. τάχα δὴ καὶ ἔμελλεν Ὀδυσσεὺς
αὖτις ἐπ' οὐδὸν ἰὼν προικὸς γεύσεσθαι Ἀχαιῶν·
στῆ δὲ παρ' Ἀντίνοον καί μιν πρὸς μῦθον ἔειπε·
415 « δός, φίλος· οὐ μέν μοι δοκέεις ὁ κάκιστος Ἀχαιῶν
ἔμμεναι, ἀλλ' ὤριστος, ἐπεὶ βασιλῆϊ ἔοικας.
τῶ σε χρὴ δόμεναι καὶ λώϊον ἠέ περ ἄλλοι
σίτου· ἐγὼ δέ κέ σε κλείω κατ' ἀπείρονα γαῖαν.
καὶ γὰρ ἐγώ ποτε οἶκον ἐν ἀνθρώποισιν ἔναιον
420 ὄλβιος ἀφνειὸν καὶ πολλάκι δόσκον ἀλήτῃ
τοίῳ, ὁποῖος ἔοι καὶ ὅτευ κεχρημένος ἔλθοι·
ἦσαν δὲ δμῶες μάλα μυρίοι ἄλλα τε πολλά,
οἷσίν τ' εὖ ζώουσι καὶ ἀφνειοὶ καλέονται.
ἀλλὰ Ζεὺς ἀλάπαξε Κρονίων – ἤθελε γάρ που –
425 ὅς μ' ἅμα ληϊστῆρσι πολυπλάγκτοισιν ἀνῆκεν
Αἴγυπτόνδ' ἰέναι, δολιχὴν ὁδόν, ὄφρ' ἀπολοίμην.
στῆσα δ' ἐν Αἰγύπτῳ ποταμῷ νέας ἀμφιελίσσας.
ἔνθ' ἦ τοι μὲν ἐγὼ κελόμην ἐρίηρας ἑταίρους
αὐτοῦ πὰρ νήεσσι μένειν καὶ νῆας ἔρυσθαι,
430 ὀπτῆρας δὲ κατὰ σκοπιὰς ὤτρυνα νέεσθαι.
οἱ δ' ὕβρει εἴξαντες, ἐπισπόμενοι μένεϊ σφῷ,
αἶψα μάλ' Αἰγυπτίων ἀνδρῶν περικαλλέας ἀγροὺς
πόρθεον, ἐκ δὲ γυναῖκας ἄγον καὶ νήπια τέκνα

400 Prendi e dagli: non sono contrario, ma te ne prego.
Non aver riguardo, in questo, a mia madre e a nessuno
dei servi, che sono in casa del divino Odisseo.
Ma non hai nel petto un tale pensiero:
preferisci mangiare tu molto, che dare ad un altro ».

405 Rispondendo Antinoo gli disse:
« Telemaco, grande oratore, impetuoso, cosa hai detto?
Se tutti i proci gli offrissero tanto,
la casa lo terrebbe lontano tre mesi ».

Disse così e, afferratolo, mostrò lo sgabello posato
410 sotto la tavola, su cui banchettando poggiava i lucidi piedi.
Tutti gli altri gli diedero, la bisaccia gli empirono
di pane e di carne. E Odisseo avrebbe gustato
il dono tra poco, tornando alla soglia,
ma si fermò vicino ad Antinoo e gli disse:

415 « Da', caro! tra gli Achei non mi sembri
il più umile, ma il più nobile, perché sembri un sovrano.
Perciò devi dare del cibo anche meglio
degli altri: ti celebrerei per la terra infinita.
Un tempo abitavo anche io, felice, una casa
420 ricca tra gli uomini, e ad un vagabondo ho dato sovente,
così come era e come veniva, bisognoso d'aiuto:
avevo servi a migliaia e molte altre cose
con cui si vive beati e si è detti ricchi.
Ma Zeus, il figlio di Crono, tutto distrusse: volle così.
425 Mi spinse ad andare in Egitto, un lungo viaggio,
insieme ad erranti pirati, perché rovinassi.
Nel fiume Egitto fermai le navi veloci a virare.
Allora ordinai ai fedeli compagni
di restare vicino alle navi e difenderle,
430 e spinsi gli esploratori ad andare in vedetta:
ma datisi alla violenza, mossi dal loro furore,
devastavano, subito, i campi bellissimi
degli uomini egizi, le donne rapivano, e i figli bambini,

αὐτούς τ' ἔκτεινον· τάχα δ' ἐς πόλιν ἵκετ' ἀϋτή.
435 οἱ δὲ βοῆς ἀΐοντες ἅμ' ἠόϊ φαινομένηφι
ἦλθον· πλῆτο δὲ πᾶν πεδίον πεζῶν τε καὶ ἵππων
χαλκοῦ τε στεροπῆς. ἐν δὲ Ζεὺς τερπικέραυνος
φύζαν ἐμοῖσ' ἑτάροισι κακὴν βάλεν, οὐδέ τις ἔτλη
στῆναι ἐναντίβιον· περὶ γὰρ κακὰ πάντοθεν ἔστη.
440 ἔνθ' ἡμέων πολλοὺς μὲν ἀπέκτανον ὀξέϊ χαλκῷ,
τοὺς δ' ἄναγον ζωούς, σφίσιν ἐργάζεσθαι ἀνάγκη.
αὐτὰρ ἔμ' ἐς Κύπρον ξείνῳ δόσαν ἀντιάσαντι,
Δμήτορι Ἰασίδῃ, ὃς Κύπρου ἶφι ἄνασσεν.
ἔνθεν δὴ νῦν δεῦρο τόδ' ἵκω πήματα πάσχων ».
445 τὸν δ' αὖτ' Ἀντίνοος ἀπαμείβετο φώνησέν τε·
« τίς δαίμων τόδε πῆμα προσήγαγε, δαιτὸς ἀνίην;
στῆθ' οὕτως ἐς μέσσον, ἐμῆς ἀπάνευθε τραπέζης,
μὴ τάχα πικρὴν Αἴγυπτον καὶ Κύπρον ἵκηαι·
ὥς τις θαρσαλέος καὶ ἀναιδής ἐσσι προΐκτης.
450 ἑξείης πάντεσσι παρίστασαι· οἱ δὲ διδοῦσι
μαψιδίως, ἐπεὶ οὔ τις ἐπίσχεσις οὐδ' ἐλεητὺς
ἀλλοτρίων χαρίσασθαι, ἐπεὶ πάρα πολλὰ ἑκάστῳ ».
τὸν δ' ἀναχωρήσας προσέφη πολύμητις Ὀδυσσεύς·
« ὢ πόποι, οὐκ ἄρα σοί γ' ἐπὶ εἴδεϊ καὶ φρένες ἦσαν.
455 οὐ σύ γ' ἂν ἐξ οἴκου σῷ ἐπιστάτῃ οὐδ' ἅλα δοίης,
ὃς νῦν ἀλλοτρίοισι παρήμενος οὔ τί μοι ἔτλης
σίτου ἀποπροελὼν δόμεναι· τὰ δὲ πολλὰ πάρεστιν ».
ὣς ἔφατ', Ἀντίνοος δὲ χολώσατο κηρόθι μᾶλλον
καί μιν ὑπόδρα ἰδὼν ἔπεα πτερόεντα προσηύδα·
460 « νῦν δή σ' οὐκέτι καλὰ διὲκ μεγάροιό γ' ὀΐω
ἂψ ἀναχωρήσειν, ὅτε δὴ καὶ ὀνείδεα βάζεις ».
ὣς ἄρ' ἔφη, καὶ θρῆνυν ἑλὼν βάλε δεξιὸν ὦμον,
πρυμνότατον κατὰ νῶτον. ὁ δ' ἐστάθη ἠΰτε πέτρη
ἔμπεδον, οὐδ' ἄρα μιν σφῆλεν βέλος Ἀντινόοιο,
465 ἀλλ' ἀκέων κίνησε κάρη, κακὰ βυσσοδομεύων.
ἂψ δ' ὅ γ' ἐπ' οὐδὸν ἰὼν κατ' ἄρ' ἕζετο, κὰδ δ' ἄρα πήρην
θῆκεν ἐΰπλείην, μετὰ δὲ μνηστῆρσιν ἔειπε·

uccidevano gli uomini: presto l'allarme giunse in città.
435 E quelli, sentendo il grido, con la prima Aurora
arrivarono: tutta la pianura era colma di fanti e cavalli,
del lampeggiare del bronzo. Zeus lieto del fulmine
gettò un funesto scompiglio tra i miei compagni, nessuno ardì
affrontare lo scontro: d'ogni intorno s'ergevano guai.
440 Allora uccisero molti di noi con l'aguzzo bronzo,
e altri trascinarono vivi, perché lavorassero a forza per loro.
Mi destinarono a Cipro, ad un ospite lì capitato,
a Dmetore, figlio di Iaso, che dominava su Cipro.
Da lì sono ora arrivato soffrendo sventure».
445 Rispondendo Antinoo gli disse:
«Quale dio portò questo danno, rovina del pasto?
Sta' nel mezzo così, discosto dalla mia tavola,
che tu presto non veda un Egitto e una Cipro amari:
che audace e impudente mendico tu sei!
450 Vai da tutti, uno a uno, e loro stoltamente
ti danno, perché non v'è remora o pena
a largire di cuore l'altrui, poiché ognuno dispone di molto».
Indietreggiando gli disse l'astuto Odisseo:
«Ahimè, con l'aspetto non hai anche il senno.
455 Di tuo non daresti un granello di sale ad un supplice,
se ora, tra roba non tua, non riesci a prendere
e a darmi un pezzo di pane: eppure c'è tanto».
Disse così, e Antinoo s'adirò nel cuore di più
e guardandolo bieco gli disse alate parole:
460 «Non credo che tu dalla sala andrai via
a tuo agio, ora che blateri anche insolenze».
Disse così, afferrò lo sgabello e glielo scagliò in fondo
all'omero destro, alla schiena. Come una roccia egli stette,
immobile, non lo smosse il colpo di Antinoo,
465 ma scosse il capo in silenzio, covando sventure.
Ritornò alla soglia e sedette, depose
la bisaccia ricolma, tra i pretendenti parlò:

« κέκλυτέ μευ, μνηστῆρες ἀγακλειτῆς βασιλείης,
ὄφρ' εἴπω τά με θυμὸς ἐνὶ στήθεσσι κελεύει.
470 οὐ μὰν οὔτ' ἄχος ἐστὶ μετὰ φρεσὶν οὔτε τι πένθος,
ὁππότ' ἀνὴρ περὶ οἷσι μαχειόμενος κτεάτεσσι
βλήεται ἢ περὶ βουσὶν ἢ ἀργεννῇσ' ὀΐεσσιν·
αὐτὰρ ἔμ' Ἀντίνοος βάλε γαστέρος εἵνεκα λυγρῆς,
οὐλομένης, ἣ πολλὰ κάκ' ἀνθρώποισι δίδωσιν.
475 ἀλλ' εἴ που πτωχῶν γε θεοὶ καὶ ἐρινύες εἰσίν,
Ἀντίνοον πρὸ γάμοιο τέλος θανάτοιο κιχείη ».
τὸν δ' αὖτ' Ἀντίνοος προσέφη, Εὐπείθεος υἱός·
« ἔσθι' ἕκηλος, ξεῖνε, καθήμενος, ἢ ἄπιθ' ἄλλῃ,
μή σε νέοι διὰ δώματ' ἐρύσσωσ', οἷ' ἀγορεύεις,
480 ἢ ποδὸς ἢ καὶ χειρός, ἀποδρύψωσι δὲ πάντα ».
ὣς ἔφαθ', οἱ δ' ἄρα πάντες ὑπερφιάλως νεμέσησαν·
ὧδε δέ τις εἴπεσκε νέων ὑπερηνορεόντων·
« Ἀντίνο', οὐ μὲν κάλ' ἔβαλες δύστηνον ἀλήτην.
οὐλόμεν', εἰ δή πού τις ἐπουράνιος θεός ἐστι·
485 καί τε θεοὶ ξείνοισιν ἐοικότες ἀλλοδαποῖσι,
παντοῖοι τελέθοντες, ἐπιστρωφῶσι πόληας,
ἀνθρώπων ὕβριν τε καὶ εὐνομίην ἐφορῶντες ».
ὣς ἄρ' ἔφαν μνηστῆρες, ὁ δ' οὐκ ἐμπάζετο μύθων.
Τηλέμαχος δ' ἐν μὲν κραδίῃ μέγα πένθος ἄεξε
490 βλημένου, οὐδ' ἄρα δάκρυ χαμαὶ βάλεν ἐκ βλεφάροιϊν,
ἀλλ' ἀκέων κίνησε κάρη, κακὰ βυσσοδομεύων.
τοῦ δ' ὡς οὖν ἤκουσε περίφρων Πηνελόπεια
βλημένου ἐν μεγάρῳ, μετ' ἄρα δμῳῇσιν ἔειπεν·
« αἴθ' οὕτως αὐτόν σε βάλοι κλυτότοξος Ἀπόλλων »
495 τὴν δ' αὖτ' Εὐρυνόμη ταμίη πρὸς μῦθον ἔειπεν·
« εἰ γὰρ ἐπ' ἀρῇσιν τέλος ἡμετέρῃσι γένοιτο·
οὐκ ἄν τις τούτων γε ἐΰθρονον Ἠῶ ἵκοιτο ».
τὴν δ' αὖτε προσέειπε περίφρων Πηνελόπεια·
« μαῖ', ἐχθροὶ μὲν πάντες, ἐπεὶ κακὰ μηχανόωνται·
500 Ἀντίνοος δὲ μάλιστα μελαίνῃ κηρὶ ἔοικε.
ξεῖνός τις δύστηνος ἀλητεύει κατὰ δῶμα

« Ascoltatemi, pretendenti dell'illustre regina,
che dica quel che l'animo nel petto mi impone.
470 Non c'è pena o dolore nell'animo,
se un uomo è colpito mentre si batte
per i suoi beni, per i buoi o le candide pecore:
Antinoo però mi ha colpito per il misero ventre,
funesto, che dà agli uomini tante sciagure.
475 Ma se esistono numi ed erinni dei mendicanti,
possa la morte cogliere Antinoo prima che sposi ».
Gli disse allora Antinoo, figlio di Eupite:
« Siedi e mangia tranquillo, straniero, o vattene altrove,
che i giovani non ti trascinino attraverso la casa,
480 per ciò che dici, per un piede o una mano, e ti spellino tutto ».
Disse così, e fieramente si sdegnarono tutti.
E qualcuno dei giovani alteri diceva così:
« Antinoo, un vagabondo infelice hai colpito, ed è male.
Disgraziato, e se è qualche nume celeste!
485 Anche i numi, somiglianti a stranieri d'altri paesi,
apparendo in vari sembianti, s'aggirano per la città,
per notare se gli uomini vivono con violenza o giustizia ».
Così i proci dicevano, ma lui non degnò quei discorsi.
A Telemaco crebbe nel cuore la pena del padre
490 colpito, ma dalle palpebre non versò a terra una lacrima:
scosse il capo in silenzio, covando sventure.
Appena la saggia Penelope udì dell'uomo
colpito nella gran sala, esclamò tra le ancelle:
« Possa colpire te a questo modo l'arciere famoso Apollo ».
495 Allora le disse Eurinome, la dispensiera:
« Oh se le nostre preghiere potessero compiersi!
Nessuno di questi vedrebbe Aurora sul trono ».
Le rispose allora la saggia Penelope:
« Odiosi son tutti, balia, perché bramano mali,
500 ma più degli altri è Antinoo come una nera morte.
Un infelice straniero s'aggira per casa

ἀνέρας αἰτίζων· ἀχρημοσύνη γὰρ ἀνώγει·
ἔνθ' ἄλλοι μὲν πάντες ἐνέπλησάν τ' ἔδοσάν τε,
οὗτος δὲ θρήνυι πρυμνὸν βάλε δεξιὸν ὦμον ».
505 ἡ μὲν ἄρ' ὣς ἀγόρευε μετὰ δμῳῇσι γυναιξὶν
ἡμένη ἐν θαλάμῳ· ὁ δ' ἐδείπνει δῖος Ὀδυσσεύς.
ἡ δ' ἐπὶ οἷ καλέσασα προσηύδα δῖον ὑφορβόν·
« ἔρχεο, δῖ' Εὔμαιε, κιὼν τὸν ξεῖνον ἄνωχθι
ἐλθέμεν, ὄφρα τί μιν προσπτύξομαι ἠδ' ἐρέωμαι,
510 εἴ που Ὀδυσσῆος ταλασίφρονος ἠὲ πέπυσται
ἢ ἴδεν ὀφθαλμοῖσι· πολυπλάγκτῳ γὰρ ἔοικε ».
τὴν δ' ἀπαμειβόμενος προσέφης, Εὔμαιε συβῶτα·
« εἰ γάρ τοι, βασίλεια, σιωπήσειαν Ἀχαιοί·
οἷ' ὅ γε μυθεῖται, θέλγοιτό κέ τοι φίλον ἦτορ.
515 τρεῖς γὰρ δή μιν νύκτας ἔχον, τρία δ' ἤματ' ἔρυξα
ἐν κλισίῃ· πρῶτον γὰρ ἔμ' ἵκετο νηὸς ἀποδράς·
ἀλλ' οὔ πω κακότητα διήνυσεν ἣν ἀγορεύων.
ὡς δ' ὅτ' ἀοιδὸν ἀνὴρ ποτιδέρκεται, ὅς τε θεῶν ἐξ
ἀείδῃ δεδαὼς ἔπε' ἱμερόεντα βροτοῖσι,
520 τοῦ δ' ἄμοτον μεμάασιν ἀκουέμεν, ὁππότ' ἀείδῃ·
ὣς ἐμὲ κεῖνος ἔθελγε παρήμενος ἐν μεγάροισι.
φησὶ δ' Ὀδυσσῆος ξεῖνος πατρώϊος εἶναι,
Κρήτῃ ναιετάων, ὅθι Μίνωος γένος ἐστίν.
ἔνθεν δὴ νῦν δεῦρο τόδ' ἵκετο πήματα πάσχων
525 προπροκυλινδόμενος· στεῦται δ' Ὀδυσῆος ἀκοῦσαι
ἀγχοῦ, Θεσπρωτῶν ἀνδρῶν ἐν πίονι δήμῳ,
ζωοῦ· πολλὰ δ' ἄγει κειμήλια ὅνδε δόμονδε ».
τὸν δ' αὖτε προσέειπε περίφρων Πηνελόπεια·
« ἔρχεο, δεῦρο κάλεσσον, ἵν' ἀντίον αὐτὸς ἐνίσπῃ.
530 οὗτοι δ' ἠὲ θύρῃσι καθήμενοι ἑψιαάσθων
ἢ αὐτοῦ κατὰ δώματ', ἐπεί σφισι θυμὸς ἐΰφρων.
αὐτῶν μὲν γὰρ κτήματ' ἀκήρατα κεῖτ' ἐνὶ οἴκῳ,
σῖτος καὶ μέθυ ἡδύ· τὰ μέν τ' οἰκῆες ἔδουσιν,
οἱ δ' εἰς ἡμετέρου πωλεύμενοι ἤματα πάντα,
535 βοῦς ἱερεύοντες καὶ ὄϊς καὶ πίονας αἶγας,

accattando dagli uomini, perché la miseria lo spinge;
allora tutti gli altri lo colmano e danno,
ma lui lo colpisce, in fondo all'omero destro, con uno sgabello ».

505 Così ella disse in mezzo alle donne sue ancelle,
seduta nel talamo: e il chiaro Odisseo mangiava.
Poi chiamò a sé il chiaro mandriano e gli disse:
« Va', chiaro Eumeo, e andando di' allo straniero
di venire da me, perché io lo saluti e gli chieda
510 se ha saputo qualcosa dell'intrepido Odisseo,
o l'ha visto con gli occhi: sembra uno che ha molto girato ».

E tu rispondendo, o porcaro Eumeo, le dicesti:
« Ah, se gli Achei, o regina, tacessero!
Fa tali racconti: affascinerebbe il tuo cuore.
515 L'ho avuto tre notti e tenuto tre giorni
nella capanna – venne da me appena fuggì dalla nave –
ma non finì di narrare le proprie sventure.
Come un uomo fissa un aedo che canta,
istruito dai numi, racconti graditi ai mortali,
520 e quando canta essi bramano sempre ascoltarlo,
così costui mi incantava, seduto nella mia casa.
Dice d'essere un ospite paterno di Odisseo
e che abita a Creta, dove è la stirpe minoica.
Da lì è ora arrivato, soffrendo sventure,
525 sospinto da un luogo in un altro, e dice d'aver sentito
qui presso, nel paese opulento delle genti tesprote,
che Odisseo è vivo, e porta a casa molti regali ».

Gli rispose allora la saggia Penelope:
« Vai, chiamalo qui, perché me lo dica davanti lui stesso.
530 E costoro si divertano pure, seduti là fuori
o in casa, poiché hanno l'animo allegro.
I loro beni, in casa, giacciono intatti,
il cibo e il dolce vino: solo li mangiano i servi.
Costoro ci arrivano in casa ogni giorno:
535 immolano buoi e pecore e grasse capre,

εἰλαπινάζουσιν πίνουσί τε αἴθοπα οἶνον
μαψιδίως· τὰ δὲ πολλὰ κατάνεται· οὐ γὰρ ἔπ' ἀνήρ,
οἷος Ὀδυσσεὺς ἔσκεν, ἀρὴν ἀπὸ οἴκου ἀμῦναι.
εἰ δ' Ὀδυσεὺς ἔλθοι καὶ ἵκοιτ' ἐς πατρίδα γαῖαν,
540 αἶψά κε σὺν ᾧ παιδὶ βίας ἀποτείσεται ἀνδρῶν ».
ὣς φάτο, Τηλέμαχος δὲ μέγ' ἔπταρεν, ἀμφὶ δὲ δῶμα
σμερδαλέον κονάβησε· γέλασσε δὲ Πηνελόπεια,
αἶψα δ' ἄρ' Εὔμαιον ἔπεα πτερόεντα προσηύδα·
« ἔρχεό μοι, τὸν ξεῖνον ἐναντίον ὧδε κάλεσσον.
545 οὐχ ὁράᾳς, ὅ μοι υἱὸς ἐπέπταρε πᾶσιν ἔπεσσι;
τῷ κε καὶ οὐκ ἀτελὴς θάνατος μνηστῆρσι γένοιτο
πᾶσι μάλ', οὐδέ κέ τις θάνατον καὶ κῆρας ἀλύξει.
ἄλλο δέ τοι ἐρέω, σὺ δ' ἐνὶ φρεσὶ βάλλεο σῇσιν·
αἴ κ' αὐτὸν γνώω νημερτέα πάντ' ἐνέποντα,
550 ἕσσω μιν χλαῖνάν τε χιτῶνά τε, εἵματα καλά ».
ὣς φάτο, βῆ δὲ συφορβός, ἐπεὶ τὸν μῦθον ἄκουσεν,
ἀγχοῦ δ' ἱστάμενος ἔπεα πτερόεντα προσηύδα·
« ξεῖνε πάτερ, καλέει σε περίφρων Πηνελόπεια,
μήτηρ Τηλεμάχοιο· μεταλλῆσαί τί ἑ θυμὸς
555 ἀμφὶ πόσει κέλεται, καὶ κήδεά περ πεπαθυίῃ.
εἰ δέ κέ σε γνώῃ νημερτέα πάντ' ἐνέποντα,
ἕσσει σε χλαῖνάν τε χιτῶνά τε, τῶν σὺ μάλιστα
χρηΐζεις· σῖτον δὲ καὶ αἰτίζων κατὰ δῆμον
γαστέρα βοσκήσεις· δώσει δέ τοι ὅς κ' ἐθέλῃσι ».
560 τὸν δ' αὖτε προσέειπε πολύτλας δῖος Ὀδυσσεύς·
« Εὔμαι', αἶψά κ' ἐγὼ νημερτέα πάντ' ἐνέποιμι
κούρῃ Ἰκαρίοιο, περίφρονι Πηνελοπείῃ·
οἶδα γὰρ εὖ περὶ κείνου, ὁμὴν δ' ἀνεδέγμεθ' ὀϊζύν.
ἀλλὰ μνηστήρων χαλεπῶν ὑποδείδι' ὅμιλον,
565 τῶν ὕβρις τε βίη τε σιδήρεον οὐρανὸν ἵκει.
καὶ γὰρ νῦν, ὅτε μ' οὗτος ἀνὴρ κατὰ δῶμα κιόντα
οὔ τι κακὸν ῥέξαντα βαλὼν ὀδύνῃσιν ἔδωκεν,
οὔτε τι Τηλέμαχος τό γ' ἐπήρκεσεν οὔτε τις ἄλλος.
τῷ νῦν Πηνελόπειαν ἐνὶ μεγάροισιν ἄνωχθι

banchettano e bevono scuro vino,
stupidamente. Roba ne consumano tanta. Perché non c'è un uomo,
come era Odisseo, per stornare la sciagura da casa.
Se Odisseo venisse e arrivasse nella terra dei padri,
540 subito insieme a suo figlio punirebbe le loro violenze».
Disse così, e Telemaco sternutì forte, la casa
ne rintronò da metter paura. Rise Penelope
e subito disse a Eumeo alate parole:
«Va' dunque, chiamami qui lo straniero:
545 non vedi che ad ogni parola ha sternutito mio figlio?
Così a tutti i proci accadesse una morte
infallibile, e nessuno sfuggisse alla morte e al destino.
E ti dirò un'altra cosa e tu tienila a mente:
se noto che egli racconta ogni cosa veracemente,
550 gli darò un mantello e una tunica, dei bei vestiti».
Disse così e il porcaro, appena udì l'ordine, andò
e stando al suo fianco gli disse alate parole:
«Padre straniero, ti chiama la saggia Penelope,
la madre di Telemaco: l'animo la spinge a chiederti
555 qualcosa del marito, pur avendo sofferto dolori.
E se nota che tu racconti ogni cosa veracemente,
ti darà un mantello e una tunica, di cui tanto
hai bisogno, e chiedendo cibo in paese
nutrirai il tuo ventre: ti darà chi vorrà».
560 Gli disse allora il paziente chiaro Odisseo:
«Eumeo, subito io narrerei ogni cosa veracemente
alla figlia di Icario, alla saggia Penelope:
perché ho notizie di lui, avemmo la stessa sventura.
Ma temo la folla dei proci crudeli:
565 la tracotanza e la loro violenza arriva al cielo di ferro.
Anche ora che costui m'ha colpito, mentre andavo
girando senza fare alcun male, e mi ha inferto dolore,
né Telemaco né un altro lo ha affatto impedito.
Perciò ora a Penelope di' di aspettare

570 μεῖναι, ἐπειγομένην περ, ἐς ἠέλιον καταδύντα·
καὶ τότε μ' εἰρέσθω πόσιος πέρι νόστιμον ἦμαρ
ἀσσοτέρω καθίσασα παραὶ πυρί· εἵματα γάρ τοι
λύγρ' ἔχω· οἶσθα καὶ αὐτός, ἐπεί σε πρῶθ' ἱκέτευσα ».
ὣς φάτο, βῆ δὲ συφορβός, ἐπεὶ τὸν μῦθον ἄκουσε.
575 τὸν δ' ὑπὲρ οὐδοῦ βάντα προσηύδα Πηνελόπεια·
« οὐ σύ γ' ἄγεις, Εὔμαιε; τί τοῦτ' ἐνόησεν ἀλήτης;
ἤ τινά που δείσας ἐξαίσιον ἦε καὶ ἄλλως
αἰδεῖται κατὰ δῶμα; κακὸς δ' αἰδοῖος ἀλήτης ».
τὴν δ' ἀπαμειβόμενος προσέφης, Εὔμαιε συβῶτα·
580 « μυθεῖται κατὰ μοῖραν, ἅ πέρ κ' οἴοιτο καὶ ἄλλος,
ὕβριν ἀλυσκάζων ἀνδρῶν ὑπερηνορεόντων·
ἀλλά σε μεῖναι ἄνωγεν ἐς ἠέλιον καταδύντα.
καὶ δὲ σοὶ ὧδ' αὐτῇ πολὺ κάλλιον, ὦ βασίλεια,
οἴην πρὸς ξεῖνον φάσθαι ἔπος ἠδ' ἐπακοῦσαι ».
585 τὸν δ' αὖτε προσέειπε περίφρων Πηνελόπεια·
« οὐκ ἄφρων ὁ ξεῖνος ὀΐεται, ὥς περ ἂν εἴη·
οὐ γάρ πώ τινες ὧδε καταθνητῶν ἀνθρώπων
ἀνέρες ὑβρίζοντες ἀτάσθαλα μηχανόωνται ».
ἡ μὲν ἄρ' ὣς ἀγόρευεν, ὁ δ' ᾤχετο δῖος ὑφορβὸς
590 μνηστήρων ἐς ὅμιλον, ἐπεὶ διεπέφραδε πάντα.
αἶψα δὲ Τηλέμαχον ἔπεα πτερόεντα προσηύδα,
ἄγχι σχὼν κεφαλήν, ἵνα μὴ πευθοίαθ' οἱ ἄλλοι·
« ὦ φίλ', ἐγὼ μὲν ἄπειμι σύας καὶ κεῖνα φυλάξων,
σὸν καὶ ἐμὸν βίοτον· σοὶ δ' ἐνθάδε πάντα μελόντων.
595 αὐτὸν μὲν σὲ πρῶτα σάω, καὶ φράζεο θυμῷ,
μή τι πάθῃς· πολλοὶ δὲ κακὰ φρονέουσιν Ἀχαιῶν,
τοὺς Ζεὺς ἐξολέσειε πρὶν ἥμιν πῆμα γενέσθαι ».
τὸν δ' αὖ Τηλέμαχος πεπνυμένος ἀντίον ηὔδα·
« ἔσσεται οὕτως, ἄττα· σὺ δ' ἔρχεο δειελιήσας·
600 ἠῶθεν δ' ἰέναι καὶ ἄγειν ἱερήϊα καλά.
αὐτὰρ ἐμοὶ τάδε πάντα καὶ ἀθανάτοισι μελήσει ».
ὣς φάθ', ὁ δ' αὖτις ἄρ' ἕζετ' ἐϋξέστου ἐπὶ δίφρου.
πλησάμενος δ' ἄρα θυμὸν ἐδητύος ἠδὲ ποτῆτος

570 nelle sue stanze, benché impaziente, fino al tramonto.
Mi interroghi allora su suo marito, sul suo ritorno,
lasciando che segga vicinissimo al fuoco: perché ho misere
vesti. Lo sai anche tu: son venuto prima da te come supplice ».
Disse così e il porcaro, udito il discorso, andò via.
575 E mentre varcava la soglia, Penelope gli domandò:
« Non lo porti, Eumeo? Cosa intende con ciò il vagabondo?
In casa ha forse ritegno, perché teme oltremodo qualcuno
o anche per altri motivi? Un vagabondo ritroso è un vile ».
E tu rispondendo, o porcaro Eumeo, le dicesti:
580 « Parla a proposito, come penserebbe anche un altro
che scansa la violenza di uomini troppo arroganti.
Invece ti esorta ad attendere fino al tramonto.
Anche per te è assai meglio così, o regina,
che da sola tu parli con lo straniero e l'ascolti ».
585 Gli disse allora la saggia Penelope:
« Non da stolto codesto straniero immagina cosa accadrebbe:
perché tra i mortali nessuno, in questo modo
oltraggiando, trama scelleratezze ».
Così ella disse, e il chiaro mandriano andò via
590 tra la folla dei proci, dopoché le spiegò ogni cosa.
E subito disse a Telemaco alate parole,
accostando la testa, perché non capissero gli altri:
« O caro, io vado a badare ai maiali e a quei beni,
alla roba tua e alla mia: curati tu d'ogni cosa quaggiù.
595 Salva anzitutto te stesso e bada nell'animo
che nulla ti accada: molti Achei pensano mali.
Possa annientarli Zeus, prima che siano un danno per noi ».
Gli rispose allora, giudiziosamente, Telemaco:
« Va bene, nonnetto; tu va', dopo aver mangiato;
600 ma torna domani mattina e porta delle belle vittime.
Qui tutto sarà mia cura e cura degli immortali ».
Così disse, ed egli sedette di nuovo sul levigato sgabello.
Appagato il suo animo di cibo e bevanda,

βῆ ῥ' ἴμεναι μεθ' ὕας, λίπε δ' ἕρκεά τε μέγαρόν τε
605 πλεῖον δαιτυμόνων· οἱ δ' ὀρχηστυῖ καὶ ἀοιδῇ
τέρποντ'· ἤδη γὰρ καὶ ἐπήλυθε δείελον ἦμαρ.

s'avviò dai maiali, lasciò il cortile e la sala
605 colma di convitati: con la danza e col canto
si divertivano. Era già calata la sera.

Σ

Ἦλθε δ' ἐπὶ πτωχὸς πανδήμιος, ὃς κατὰ ἄστυ
πτωχεύεσκ' Ἰθάκης, μετὰ δ' ἔπρεπε γαστέρι μάργῃ
ἀζηχὲς φαγέμεν καὶ πιέμεν· οὐδέ οἱ ἦν ἲς
οὐδὲ βίη, εἶδος δὲ μάλα μέγας ἦν ὁράασθαι.
5 Ἀρναῖος δ' ὄνομ' ἔσκε· τὸ γὰρ θέτο πότνια μήτηρ
ἐκ γενετῆς· Ἶρον δὲ νέοι κίκλησκον ἅπαντες,
οὕνεκ' ἀπαγγέλλεσκε κιών, ὅτε πού τις ἀνώγοι.
ὅς ῥ' ἐλθὼν Ὀδυσῆα διώκετο οἷο δόμοιο,
καί μιν νεικείων ἔπεα πτερόεντα προσηύδα·
10 « εἶκε, γέρον, προθύρου, μὴ δὴ τάχα καὶ ποδὸς ἕλκῃ.
οὐκ ἀΐεις, ὅτι δή μοι ἐπιλλίζουσιν ἅπαντες,
ἑλκέμεναι δὲ κέλονται; ἐγὼ δ' αἰσχύνομαι ἔμπης.
ἀλλ' ἄνα, μὴ τάχα νῶϊν ἔρις καὶ χερσὶ γένηται ».
τὸν δ' ἄρ' ὑπόδρα ἰδὼν προσέφη πολύμητις Ὀδυσσεύς·
15 « δαιμόνι', οὔτε τί σε ῥέζω κακὸν οὔτ' ἀγορεύω,
οὔτε τινὰ φθονέω δόμεναι καὶ πόλλ' ἀνελόντα.
οὐδὸς δ' ἀμφοτέρους ὅδε χείσεται, οὐδέ τί σε χρὴ
ἀλλοτρίων φθονέειν· δοκέεις δέ μοι εἶναι ἀλήτης
ὥς περ ἐγών, ὄλβον δὲ θεοὶ μέλλουσιν ὀπάζειν.
20 χερσὶ δὲ μή τι λίην προκαλίζεο, μή με χολώσῃς,
μή σε γέρων περ ἐὼν στῆθος καὶ χείλεα φύρσω
αἵματος· ἡσυχίη δ' ἂν ἐμοὶ καὶ μᾶλλον ἔτ' εἴη
αὔριον· οὐ μὲν γάρ τί σ' ὑποστρέψεσθαι ὀΐω
δεύτερον ἐς μέγαρον Λαερτιάδεω Ὀδυσῆος ».
25 τὸν δὲ χολωσάμενος προσεφώνεεν Ἶρος ἀλήτης·
« ὢ πόποι, ὡς ὁ μολοβρὸς ἐπιτροχάδην ἀγορεύει,

LIBRO DICIOTTESIMO

E venne un mendico del luogo, che ad Itaca,
in città, mendicava e spiccava per il ventre mai sazio
di mangiare e di bere smodatamente: costui non aveva vigore
né forza, ma era a vedersi assai grosso di corporatura.
5 Il suo nome era Arneo: glielo impose la madre augusta
alla nascita, ma tutti lo chiamavano Iro, i giovani,
perché faceva ambasciate, se uno glielo ordinava.
Costui, appena arrivato, voleva scacciare Odisseo dalla sua casa
e ingiuriandolo gli rivolse alate parole:
10 « Vecchio, via dalla soglia, o ti trarrò per un piede.
Non vedi che tutti con gli occhi mi ammiccano
e mi aizzano a trascinarti? Io però ho ritegno.
Via, che presto tra noi non si venga anche alle mani ».
Guardandolo bieco gli disse l'astuto Odisseo:
15 « Disgraziato, nessun male ti faccio e ti dico,
né impedisco ad alcuno di prendere e darti anche molto.
Questa soglia può accoglierci entrambi, e non è necessario
che invidi la roba degli altri: mi sembri un girovago
come sono io, e la ricchezza la danno gli dei.
20 Non provocarmi troppo alle mani, non irritarmi;
che non ti insozzi il petto e le labbra di sangue,
pur essendo io vecchio: starei ancor più tranquillo
domani, perché credo che non torneresti
di nuovo nella casa di Odisseo figlio di Laerte ».
25 Incollerito, il girovago Iro gli disse:
« Ohi ohi, l'ingozzone, come parla spedito,

γρηῒ καμινοῖ ἶσος· ὃν ἂν κακὰ μητισαίμην
κόπτων ἀμφοτέρῃσι, χαμαὶ δ' ἐκ πάντας ὀδόντας
γναθμῶν ἐξελάσαιμι συὸς ὣς ληϊβοτείρης.
30 ζῶσαι νῦν, ἵνα πάντες ἐπιγνώωσι καὶ οἵδε
μαρναμένους· πῶς δ' ἂν σὺ νεωτέρῳ ἀνδρὶ μάχοιο; ».
ὣς οἱ μὲν προπάροιθε θυράων ὑψηλάων
οὐδοῦ ἔπι ξεστοῦ πανθυμαδὸν ὀκριόωντο.
τοῖϊν δὲ ξυνέηχ' ἱερὸν μένος 'Αντινόοιο,
35 ἡδὺ δ' ἄρ' ἐκγελάσας μετεφώνει μνηστήρεσσιν·
« ὦ φίλοι, οὐ μέν πώ τι πάρος τοιοῦτον ἐτύχθη,
οἵην τερπωλὴν θεὸς ἤγαγεν ἐς τόδε δῶμα·
ὁ ξεῖνός τε καὶ Ἶρος ἐρίζετον ἀλλήλοϊϊν
χερσὶ μαχέσσασθαι· ἀλλὰ ξυνελάσσομεν ὦκα ».
40 ὣς ἔφαθ', οἱ δ' ἄρα πάντες ἀνήϊξαν γελόωντες,
ἀμφὶ δ' ἄρα πτωχοὺς κακοείμονας ἠγερέθοντο.
τοῖσιν δ' 'Αντίνοος μετέφη, Εὐπείθεος υἱός·
« κέκλυτέ μευ, μνηστῆρες ἀγήνορες, ὄφρα τι εἴπω.
γαστέρες αἵδ' αἰγῶν κέατ' ἐν πυρί, τὰς ἐπὶ δόρπῳ
45 κατθέμεθα κνίσης τε καὶ αἵματος ἐμπλήσαντες.
ὁππότερος δέ κε νικήσῃ κρείσσων τε γένηται,
τάων ἥν κ' ἐθέλῃσιν ἀναστὰς αὐτὸς ἑλέσθω·
αἰεὶ δ' αὖθ' ἧμιν μεταδαίσεται, οὐδέ τιν' ἄλλον
πτωχὸν ἔσω μίσγεσθαι ἐάσομεν αἰτήσοντα ».
50 ὣς ἔφατ' 'Αντίνοος, τοῖσιν δ' ἐπιήνδανε μῦθος.
τοῖς δὲ δολοφρονέων μετέφη πολύμητις 'Οδυσσεύς·
« ὦ φίλοι, οὔ πως ἔστι νεωτέρῳ ἀνδρὶ μάχεσθαι
ἄνδρα γέροντα δύῃ ἀρημένον· ἀλλά με γαστὴρ
ὀτρύνει κακοεργός, ἵνα πληγῇσι δαμείω.
55 ἀλλ' ἄγε νῦν μοι πάντες ὀμόσσατε καρτερὸν ὅρκον,
μή τις ἐπ' Ἴρῳ ἦρα φέρων ἐμὲ χειρὶ βαρείῃ
πλήξῃ ἀτασθάλλων, τούτῳ δέ με ἶφι δαμάσσῃ ».
ὣς ἔφαθ', οἱ δ' ἄρα πάντες ἐπώμνυον, ὡς ἐκέλευεν.
αὐτὰρ ἐπεί ῥ' ὄμοσάν τε τελεύτησάν τε τὸν ὅρκον,
60 τοῖς δ' αὖτις μετέειφ' ἱερὴ ἲς Τηλεμάχοιο·

pare una vecchia fornaia: gli darei dei guai
picchiandolo con le mie mani, gli caccerei tutti i denti
dalle mascelle a terra, come a una scrofa che guasta il raccolto.
30 Tira alla cinta la veste, ora, perché anche questi ci vedano tutti
lottare: come farai a lottare con uno più giovane? ».

Davanti all'altissima porta, sulla soglia piallata,
si incollerivano essi così, con tutta l'anima loro.
Li intese il sacro vigore di Antinoo.
35 E allegramente ridendo disse ai corteggiatori:

« Amici, prima non è mai capitata una cosa così,
il diletto che ha portato un dio in questa casa.
Il forestiero e Iro si provocano l'uno con l'altro
a battersi a pugni: presto, aizziamoli contro ».

40 Disse così e ridendo si alzarono tutti
e si strinsero attorno ai cenciosi accattoni.
Parlò Antinoo ad essi, il figlio di Eupìte:

« Uditemi, pretendenti superbi, che vi dico una cosa:
sulla brace ci sono questi budelli di capra, che vi ponemmo
45 per cena, ripieni di grasso e di sangue.
Chi dei due vincerà e sarà superiore,
si alzi e tra essi scelga da sé quel che vuole.
Mangerà sempre qui, insieme a noi, e non lasceremo
che alcun altro accattone entri e mendichi ».

50 Così Antinoo disse, e ad essi il discorso piacque.
E tra loro, con pensiero ingannevole, disse l'astuto Odisseo:

« O cari, lottare con un uomo più giovane non è possibile
a un vecchio, consunto dalla miseria: ma il ventre
maligno mi spinge, perché ai colpi soccomba.
55 Ma giuratemi tutti un giuramento potente:
che nessuno, per simpatia di Iro, iniquamente mi batta
con la mano pesante e mi pieghi a lui con la forza ».

Disse così ed essi giurarono tutti come voleva.
Dopo che fu giurato e finito quel giuramento,
60 ad essi il sacro vigore di Telemaco disse:

« ξεῖν', εἴ σ' ὀτρύνει κραδίη καὶ θυμὸς ἀγήνωρ
τοῦτον ἀλέξασθαι, τῶν δ' ἄλλων μή τιν' Ἀχαιῶν
δείδιθ', ἐπεὶ πλεόνεσσι μαχήσεται ὅς κέ σε θείνη.
ξεινοδόκος μὲν ἐγών, ἐπὶ δ' αἰνεῖτον βασιλῆε,
65 Εὐρύμαχός τε καὶ Ἀντίνοος, πεπνυμένω ἄμφω ».
ὣς ἔφαθ', οἱ δ' ἄρα πάντες ἐπήνεον. αὐτὰρ Ὀδυσσεὺς
ζώσατο μὲν ῥάκεσιν περὶ μήδεα, φαῖνε δὲ μηροὺς
καλούς τε μεγάλους τε, φάνεν δέ οἱ εὐρέες ὦμοι
στήθεά τε στιβαροί τε βραχίονες· αὐτὰρ Ἀθήνη
70 ἄγχι παρισταμένη μέλε' ἤλδανε ποιμένι λαῶν.
μνηστῆρες δ' ἄρα πάντες ὑπερφιάλως ἀγάσαντο·
ὧδε δέ τις εἴπεσκεν ἰδὼν ἐς πλησίον ἄλλον·
« ἦ τάχα Ἶρος Ἄϊρος ἐπίσπαστον κακὸν ἕξει,
οἵην ἐκ ῥακέων ὁ γέρων ἐπιγουνίδα φαίνει ».
75 ὣς ἄρ' ἔφαν, Ἴρῳ δὲ κακῶς ὠρίνετο θυμός.
ἀλλὰ καὶ ὣς δρηστῆρες ἄγον ζώσαντες ἀνάγκη
δειδιότα· σάρκες δὲ περιτρομέοντο μέλεσσιν.
Ἀντίνοος δ' ἐνένιπεν ἔπος τ' ἔφατ' ἔκ τ' ὀνόμαζε·
« νῦν μὲν μήτ' εἴης, βουγάϊε, μήτε γένοιο,
80 εἰ δὴ τοῦτόν γε τρομέεις καὶ δείδιας αἰνῶς,
ἄνδρα γέροντα δύη ἀρημένον, ἥ μιν ἱκάνει.
ἀλλ' ἔκ τοι ἐρέω, τὸ δὲ καὶ τετελεσμένον ἔσται·
αἴ κέν σ' οὗτος νικήση κρείσσων τε γένηται,
πέμψω σ' ἤπειρόνδε, βαλὼν ἐν νηῒ μελαίνη,
85 εἰς Ἔχετον βασιλῆα, βροτῶν δηλήμονα πάντων,
ὅς κ' ἀπὸ ῥῖνα τάμησι καὶ οὔατα νηλέϊ χαλκῷ
μήδεά τ' ἐξερύσας δώη κυσὶν ὠμὰ δάσασθαι ».
ὣς φάτο, τῷ δ' ἔτι μᾶλλον ὑπὸ τρόμος ἔλλαβε γυῖα.
ἐς μέσσον δ' ἄναγον· τὼ δ' ἄμφω χεῖρας ἀνέσχον.
90 δὴ τότε μερμήριξε πολύτλας δῖος Ὀδυσσεύς,
ἢ ἐλάσει', ὥς μιν ψυχὴ λίποι αὖθι πεσόντα,
ἦέ μιν ἦκ' ἐλάσειε τανύσσειέν τ' ἐπὶ γαίη.
ὧδε δέ οἱ φρονέοντι δοάσσατο κέρδιον εἶναι,
ἦκ' ἐλάσαι, ἵνα μή μιν ἐπιφρασσαίατ' Ἀχαιοί.

« Straniero, se il cuore e l'animo altero ti spinge,
difenditi pure da lui. Degli Achei non temere
nessuno: perché con molti combatterà chi volesse colpirti.
Sono io il padrone di casa, e con me concordano
65 i principi, Antinoo ed Eurimaco, entrambi assennati ».
Disse così, ed essi approvarono tutti. Allora Odisseo
sollevò gli stracci sull'inguine e rivelò cosce
solide e grandi: apparvero le sue larghe spalle,
il petto e le braccia robuste. E Atena,
70 standogli accanto, rinvigorì al pastore di genti le membra.
I pretendenti lo guardavano tutti oltremodo stupiti,
e qualcuno diceva così rivolto al vicino:
« Iro, il Fu-Iro, avrà presto i guai cercati:
quale coscia mostra quel vecchio fuori dai cenci! ».
75 Così dicevano, e l'animo di Iro s'agitò malamente.
Ma anche così i servi, succintolo, lo spingevano a forza,
atterrito: sugli arti gli tremava la carne.
Lo redarguì Antinoo, gli rivolse la parola, gli disse:
« Sbruffone, ora dovresti non vivere e non essere nato,
80 se tremi davanti a costui e ne hai una grande paura:
paura di un vecchio consunto dalla miseria che gli è capitata.
Ma io ti dico una cosa e così di sicuro sarà:
se costui vincerà e sarà superiore,
ti manderò in terraferma, gettato dentro una nave,
85 dal re Echeto che tutti massacra,
il quale col bronzo spietato ti taglierà naso e orecchie,
ti strapperà le vergogne e le darà da mangiare crude ai cani ».
Disse così e il tremito lo prese alle gambe ancora di più.
Lo spinsero in mezzo: alzarono entrambi le braccia.
90 Allora fu incerto, il paziente chiaro Odisseo,
se picchiare tanto che l'altro, caduto, perdesse la vita
all'istante, o piano picchiare e stenderlo a terra.
E mentre pensava, gli parve meglio così:
picchiare piano, che gli Achei non l'identificassero.

95 δὴ τότ' ἀνασχομένω ὁ μὲν ἤλασε δεξιὸν ὦμον
Ἶρος, ὁ δ' αὐχέν' ἔλασσεν ὑπ' οὔατος, ὀστέα δ' εἴσω
ἔθλασεν· αὐτίκα δ' ἦλθε κατὰ στόμα φοίνιον αἷμα,
κὰδ δ' ἔπεσ' ἐν κονίῃσι μακών, σὺν δ' ἤλασ' ὀδόντας
λακτίζων ποσὶ γαῖαν· ἀτὰρ μνηστῆρες ἀγαυοὶ
100 χεῖρας ἀνασχόμενοι γέλῳ ἔκθανον. αὐτὰρ Ὀδυσσεὺς
ἕλκε διὲκ προθύροιο λαβὼν ποδός, ὄφρ' ἵκετ' αὐλὴν
αἰθούσης τε θύρας· καί μιν ποτὶ ἑρκίον αὐλῆς
εἷσεν ἀνακλίνας, σκῆπτρον δέ οἱ ἔμβαλε χειρί,
καί μιν φωνήσας ἔπεα πτερόεντα προσηύδα·
105 « ἐνταυθοῖ νῦν ἧσο κύνας τε σύας τ' ἀπερύκων,
μηδὲ σύ γε ξείνων καὶ πτωχῶν κοίρανος εἶναι
λυγρὸς ἐών, μή πού τι κακὸν καὶ μεῖζον ἐπαύρῃς ».
ἦ ῥα, καὶ ἀμφ' ὤμοισιν ἀεικέα βάλλετο πήρην,
πυκνὰ ῥωγαλέην, ἐν δὲ στρόφος ἦεν ἀορτήρ.
110 ἂψ δ' ὅ γ' ἐπ' οὐδὸν ἰὼν κατ' ἄρ' ἕζετο· τοὶ δ' ἴσαν εἴσω
ἡδὺ γελώοντες καὶ δεικανόωντ' ἐπέεσσι·
« Ζεύς τοι δοίη, ξεῖνε, καὶ ἀθάνατοι θεοὶ ἄλλοι,
ὅττι μάλιστ' ἐθέλεις καί τοι φίλον ἔπλετο θυμῷ,
ὃς τοῦτον τὸν ἄναλτον ἀλητεύειν ἀπέπαυσας
115 ἐν δήμῳ· τάχα γάρ μιν ἀνάξομεν ἤπειρόνδε
εἰς Ἔχετον βασιλῆα, βροτῶν δηλήμονα πάντων ».
ὣς ἄρ' ἔφαν, χαῖρεν δὲ κλεηδόνι δῖος Ὀδυσσεύς.
Ἀντίνοος δ' ἄρα οἱ μεγάλην παρὰ γαστέρα θῆκεν,
ἐμπλείην κνίσης τε καὶ αἵματος· Ἀμφίνομος δὲ
120 ἄρτους ἐκ κανέοιο δύω παρέθηκεν ἀείρας
καὶ δέπαϊ χρυσέῳ δειδίσκετο φώνησέν τε·
« χαῖρε, πάτερ ὦ ξεῖνε· γένοιτό τοι ἔς περ ὀπίσσω
ὄλβος· ἀτὰρ μὲν νῦν γε κακοῖσ' ἔχεαι πολέεσσι »
τὸν δ' ἀπαμειβόμενος προσέφη πολύμητις Ὀδυσσεύς·
125 « Ἀμφίνομ', ἦ μάλα μοι δοκέεις πεπνυμένος εἶναι·
τοίου γὰρ καὶ πατρός, ἐπεὶ κλέος ἐσθλὸν ἄκουον,
Νῖσον Δουλιχιῆα ἐΰν τ' ἔμεν ἀφνειόν τε·
τοῦ σ' ἔκ φασι γενέσθαι, ἐπητῇ δ' ἀνδρὶ ἔοικας.

95 Alzate entrambi le braccia, Iro colpì alla spalla
destra, l'altro sotto l'orecchio, al collo, e dentro gli ruppe
le ossa: subito colò rosso sangue dalla sua bocca,
gemendo piombò nella polvere, digrignò i denti,
scalciando la terra coi piedi. Gli egregi pretendenti
100 morivano dalle risate alzando le mani. E Odisseo,
afferratogli un piede, lo tirò dal vestibolo finché giunse in cortile
e alle porte del porticato: lo mise a sedere appoggiato
al muro che cingeva il cortile, gli mise in mano il bastone,
e parlando gli rivolse alate parole:
105 « Siedi ora qui, e scaccia i cani e i maiali;
non fare il capo di stranieri e accattoni,
miserabile come tu sei: che non ti procuri un guaio più grosso ».
Parlò e si gettò sulle spalle la brutta bisaccia,
tutta lacera: ne era tracolla una corda.
110 Ritornò sulla soglia e sedette: essi entravano,
allegramente ridendo, e lo salutavano:
« Zeus ti conceda, straniero, con gli altri dei immortali,
ciò che più tu desideri ed è caro al tuo cuore;
tu hai fatto cessare costui, questo ingordo, di vagare
115 in paese: sul continente lo porteremo assai presto,
dal re Echeto, che tutti massacra ».
Così dissero e il chiaro Odisseo gioì per l'augurio.
Antinoo gli pose accanto un grosso budello
ripieno di grasso e di sangue; Anfinomo
120 gli pose accanto due pani tolti da un cesto,
lo salutò con la coppa d'oro e gli disse:
« Salute, padre straniero! la fortuna t'arrida
almeno in futuro: ora sei stretto da molte miserie ».
Rispondendo gli disse l'astuto Odisseo:
125 « Anfinomo, mi sembri assai giudizioso.
E infatti sei di tal padre, poiché udii la nobile voce
che Niso di Dulichio è prode ed è ricco.
Ti dicono figlio di lui e sembri un uomo educato.

τοὔνεκά τοι ἐρέω, σὺ δὲ σύνθεο καί μευ ἄκουσον·
130 οὐδὲν ἀκιδνότερον γαῖα τρέφει ἀνθρώποιο
πάντων, ὅσσα τε γαῖαν ἔπι πνείει τε καὶ ἕρπει.
οὐ μὲν γάρ ποτέ φησι κακὸν πείσεσθαι ὀπίσσω,
ὄφρ' ἀρετὴν παρέχωσι θεοὶ καὶ γούνατ' ὀρώρῃ·
ἀλλ' ὅτε δὴ καὶ λυγρὰ θεοὶ μάκαρες τελέωσι,
135 καὶ τὰ φέρει ἀεκαζόμενος τετληότι θυμῷ.
τοῖος γὰρ νόος ἐστὶν ἐπιχθονίων ἀνθρώπων,
οἷον ἐπ' ἦμαρ ἄγῃσι πατὴρ ἀνδρῶν τε θεῶν τε.
καὶ γὰρ ἐγώ ποτ' ἔμελλον ἐν ἀνδράσιν ὄλβιος εἶναι,
πολλὰ δ' ἀτάσθαλ' ἔρεξα βίῃ καὶ κάρτεϊ εἴκων,
140 πατρί τ' ἐμῷ πίσυνος καὶ ἐμοῖσι κασιγνήτοισι.
τῷ μή τίς ποτε πάμπαν ἀνὴρ ἀθεμίστιος εἴη,
ἀλλ' ὅ γε σιγῇ δῶρα θεῶν ἔχοι, ὅττι διδοῖεν.
οἷ' ὁρόω μνηστῆρας ἀτάσθαλα μηχανόωντας,
κτήματα κείροντας καὶ ἀτιμάζοντας ἄκοιτιν
145 ἀνδρός, ὃν οὐκέτι φημὶ φίλων καὶ πατρίδος αἴης
δηρὸν ἀπέσσεσθαι· μάλα δὲ σχεδόν. ἀλλά σε δαίμων
οἴκαδ' ὑπεξαγάγοι, μηδ' ἀντιάσειας ἐκείνῳ,
ὁππότε νοστήσειε φίλην ἐς πατρίδα γαῖαν·
οὐ γὰρ ἀναιμωτί γε διακρινέεσθαι ὀΐω
150 μνηστῆρας καὶ κεῖνον, ἐπεί κε μέλαθρον ὑπέλθῃ ».
ὣς φάτο, καὶ σπείσας ἔπιεν μελιηδέα οἶνον,
ἂψ δ' ἐν χερσὶν ἔθηκε δέπας κοσμήτορι λαῶν.
αὐτὰρ ὁ βῆ κατὰ δῶμα φίλον τετιημένος ἦτορ,
νευστάζων κεφαλῇ· δὴ γὰρ κακὸν ὄσσετο θυμῷ.
155 ἀλλ' οὐδ' ὣς φύγε κῆρα· πέδησε δὲ καὶ τὸν Ἀθήνη
Τηλεμάχου ὑπὸ χερσὶ καὶ ἔγχεϊ ἶφι δαμῆναι.
ἂψ δ' αὖτις κατ' ἄρ' ἕζετ' ἐπὶ θρόνου ἔνθεν ἀνέστη.
τῇ δ' ἄρ' ἐπὶ φρεσὶ θῆκε θεὰ γλαυκῶπις Ἀθήνη,
κούρῃ Ἰκαρίοιο, περίφρονι Πηνελοπείῃ,
160 μνηστήρεσσι φανῆναι, ὅπως πετάσειε μάλιστα
θυμὸν μνηστήρων ἰδὲ τιμήεσσα γένοιτο
μᾶλλον πρὸς πόσιός τε καὶ υἱέος ἢ πάρος ἦεν.

Perciò ti dirò una cosa, e tu comprendi ed ascoltami.
130 Nessun essere nutre la terra più meschino dell'uomo,
tra quanti respirano e si aggirano in terra.
Pensa che mai soffrirà alcun male in futuro,
finché gli dei gli danno valore e i ginocchi si muovono.
Ma appena gli dei beati gli danno anche lutti,
135 nolente sopporta anche questi, con cuore paziente.
Tale è infatti la mente degli uomini in terra,
quale il giorno che manda il padre di uomini e dei.
Anche io potevo essere un tempo felice tra gli uomini,
ma compii molti abusi, cedendo alla forza e al potere,
140 fidando in mio padre e nei miei fratelli.
Perciò nessun uomo sia iniquo, in nessuna occasione,
ma si tenga in silenzio quei doni che gli danno gli dei.
Quali misfatti vedo che compiono i proci,
falciando gli averi e oltraggiando la sposa
145 di un uomo, che, penso, non starà a lungo lontano
dai cari e dalla sua patria. Anzi è vicino. Che a casa un dio
ti conduca e tu non ti imbatta in lui
quando torna nella cara terra dei padri.
perché, penso, non senza sangue i proci e lui
150 saranno divisi, quando entrerà sotto il tetto».

Così disse e, avendo libato, bevve il vino dolcissimo,
poi rimise la coppa in mano al capo di genti.
E questi andò per la sala col cuore avvilito,
scuotendo la testa: nell'animo vedeva sventure.
155 Ma neanche così scampò al destino: Atena inceppò anche lui,
e Telemaco con le mani e la lancia lo vinse con la violenza.
Tornò a sedere sul trono da cui s'era alzato.

E la dea glaucopide Atena mise in animo a lei,
alla figlia di Icario, alla saggia Penelope,
160 di mostrarsi tra i proci per schiudere
il cuore dei proci e apparire onorata,
più di quanto era prima, al marito e al figlio.

ἀχρεῖον δ' ἐγέλασσεν ἔπος τ' ἔφατ' ἔκ τ' ὀνόμαζεν·
« Εὐρυνόμη, θυμός μοι ἐέλδεται, οὔ τι πάρος γε,
165 μνηστήρεσσι φανῆναι, ἀπεχθομένοισί περ ἔμπης·
παιδὶ δέ κεν εἴποιμι ἔπος, τό κε κέρδιον εἴη,
μὴ πάντα μνηστῆρσιν ὑπερφιάλοισιν ὁμιλεῖν,
οἵ τ' εὖ μὲν βάζουσι, κακῶς δ' ὄπιθεν φρονέουσι ».
τὴν δ' αὖτ' Εὐρυνόμη ταμίη πρὸς μῦθον ἔειπε·
170 « ναὶ δὴ ταῦτά γε πάντα, τέκος, κατὰ μοῖραν ἔειπες.
ἀλλ' ἴθι καὶ σῷ παιδὶ ἔπος φάο μηδ' ἐπίκευθε,
χρῶτ' ἀπονιψαμένη καὶ ἐπιχρίσασα παρειάς,
μηδ' οὕτω δακρύοισι πεφυρμένη ἀμφὶ πρόσωπα
ἔρχευ, ἐπεὶ κάκιον πενθήμεναι ἄκριτον αἰεί.
175 ἤδη μὲν γάρ τοι παῖς τηλίκος, ὃν σὺ μάλιστα
ἠρῶ ἀθανάτοισι γενειήσαντα ἰδέσθαι ».
τὴν δ' αὖτε προσέειπε περίφρων Πηνελόπεια·
« Εὐρυνόμη, μὴ ταῦτα παραύδα, κηδομένη περ,
χρῶτ' ἀπονίπτεσθαι καὶ ἐπιχρίεσθαι ἀλοιφῇ·
180 ἀγλαΐην γὰρ ἐμοί γε θεοί, τοὶ Ὄλυμπον ἔχουσιν,
ὤλεσαν, ἐξ οὗ κεῖνος ἔβη κοίλῃσ' ἐνὶ νηυσίν.
ἀλλά μοι Αὐτονόην τε καὶ Ἱπποδάμειαν ἄνωχθι
ἐλθέμεν, ὄφρα κέ μοι παρστήετον ἐν μεγάροισιν·
οἴη δ' οὐκ εἴσειμι μετ' ἀνέρας· αἰδέομαι γάρ ».
185 ὣς ἄρ' ἔφη, γρηῢς δὲ διὲκ μεγάροιο βεβήκει
ἀγγελέουσα γυναιξὶ καὶ ὀτρυνέουσα νέεσθαι.
ἔνθ' αὖτ' ἄλλ' ἐνόησε θεὰ γλαυκῶπις Ἀθήνη·
κούρῃ Ἰκαρίοιο κατὰ γλυκὺν ὕπνον ἔχευεν,
εὗδε δ' ἀνακλινθεῖσα, λύθεν δέ οἱ ἅψεα πάντα
190 αὐτοῦ ἐνὶ κλιντῆρι· τέως δ' ἄρα δῖα θεάων
ἄμβροτα δῶρα δίδου, ἵνα μιν θησαίατ' Ἀχαιοί.
κάλλεϊ μέν οἱ πρῶτα προσώπατα καλὰ κάθηρεν
ἀμβροσίῳ, οἵῳ περ ἐϋστέφανος Κυθέρεια
χρίεται, εὖτ' ἂν ἴῃ Χαρίτων χορὸν ἱμερόεντα·
195 καί μιν μακροτέρην καὶ πάσσονα θῆκεν ἰδέσθαι,
λευκοτέρην δ' ἄρα μιν θῆκε πριστοῦ ἐλέφαντος.

Rise senza ragione, cominciò a parlare e disse:
« Eurinome, l'animo, come mai prima, mi invoglia
165 a mostrarmi tra i proci, benché tanto odiati;
direi una parola a mio figlio, che sarebbe più utile
di non starsene sempre coi pretendenti superbi,
che cianciano bene e di dietro pensano male ».
Allora le disse Eurinome, la dispensiera:
170 « Sì, figlia, tutto questo l'hai detto in modo giusto.
Va' e di' una parola a tuo figlio, non nasconderla;
ma prima lavati il corpo e ungi le gote:
non andare così, col viso imbrattato
di lacrime, perché è peggio soffrire sempre incessantemente.
175 È già grande tuo figlio, per il quale tu tanto
pregavi gli eterni, di vedergli al mento la barba ».
Le rispose allora la saggia Penelope:
« Eurinome, benché premurosa, non m'indurre
a lavarmi e ad ungermi il corpo di unguento:
180 gli dei che hanno l'Olimpo a me la bellezza
la spensero, quando quell'uomo partì sulle navi incavate.
Ma comanda per me ad Autónoe ed Ippodamìa
di venire, per stare al mio fianco dentro la sala.
Sola non vado tra gli uomini, perché mi vergogno ».
185 Disse così, dalla stanza la vecchia era uscita
per dirlo alle donne e ordinare che andassero.
Ed ecco la dea glaucopide Atena pensò un'altra cosa.
Sulla figlia di Icario versò dolce sonno:
dormì reclinata, le giunture le si sciolsero tutte,
190 là sulla sedia: intanto, chiara fra le dee,
le largiva doni immortali, perché gli Achei l'ammirassero.
Puro le fece prima il bel viso, con quel belletto
divino con cui Citerea dalle belle corone
si unge, quando va all'incantevole danza delle Cariti,
195 e la fece più alta e robusta a vedersi,
e poi la fece più bianca dell'avorio tagliato.

ἡ μὲν ἄρ' ὣς ἔρξασ' ἀπεβήσετο δῖα θεάων·
ἦλθον δ' ἀμφίπολοι λευκώλενοι ἐκ μεγάροιο
φθόγγῳ ἐπερχόμεναι· τὴν δὲ γλυκὺς ὕπνος ἀνῆκε,
200 καί ῥ' ἀπομόρξατο χερσὶ παρειὰς φώνησέν τε·
« ἦ με μάλ' αἰνοπαθῆ μαλακὸν περὶ κῶμ' ἐκάλυψεν.
αἴθε μοι ὣς μαλακὸν θάνατον πόροι Ἄρτεμις ἁγνὴ
αὐτίκα νῦν, ἵνα μηκέτ' ὀδυρομένη κατὰ θυμὸν
αἰῶνα φθινύθω, πόσιος ποθέουσα φίλοιο
205 παντοίην ἀρετήν, ἐπεὶ ἔξοχος ἦεν Ἀχαιῶν ».
ὣς φαμένη κατέβαιν' ὑπερώϊα σιγαλόεντα,
οὐκ οἴη, ἅμα τῇ γε καὶ ἀμφίπολοι δύ' ἕποντο.
ἡ δ' ὅτε δὴ μνηστῆρας ἀφίκετο δῖα γυναικῶν,
στῆ ῥα παρὰ σταθμὸν τέγεος πύκα ποιητοῖο
210 ἄντα παρειάων σχομένη λιπαρὰ κρήδεμνα·
ἀμφίπολος δ' ἄρα οἱ κεδνὴ ἑκάτερθε παρέστη.
τῶν δ' αὐτοῦ λύτο γούνατ', ἔρῳ δ' ἄρα θυμὸν ἔθελχθεν,
πάντες δ' ἠρήσαντο παραὶ λεχέεσσι κλιθῆναι.
ἡ δ' αὖ Τηλέμαχον προσεφώνεεν, ὃν φίλον υἱόν·
215 « Τηλέμαχ', οὐκέτι τοι φρένες ἔμπεδοι οὐδὲ νόημα.
παῖς ἔτ' ἐὼν καὶ μᾶλλον ἐνὶ φρεσὶ κέρδε' ἐνώμας·
νῦν δ', ὅτε δὴ μέγας ἐσσὶ καὶ ἥβης μέτρον ἱκάνεις,
καί κέν τις φαίη γόνον ἔμμεναι ὀλβίου ἀνδρὸς
ἐς μέγεθος καὶ κάλλος ὁρώμενος, ἀλλότριος φώς,
220 οὐκέτι τοι φρένες εἰσὶν ἐναίσιμοι οὐδὲ νόημα.
οἷον δὴ τόδε ἔργον ἐνὶ μεγάροισιν ἐτύχθη,
ὃς τὸν ξεῖνον ἔασας ἀεικισθήμεναι οὕτω.
πῶς νῦν, εἴ τι ξεῖνος ἐν ἡμετέροισι δόμοισιν
ἥμενος ὧδε πάθοι ῥυστακτύος ἐξ ἀλεγεινῆς;
225 σοί κ' αἶσχος λώβη τε μετ' ἀνθρώποισι πέλοιτο ».
τὴν δ' αὖ Τηλέμαχος πεπνυμένος ἀντίον ηὔδα·
« μῆτερ ἐμή, τὸ μὲν οὔ σε νεμεσσῶμαι κεχολῶσθαι·
αὐτὰρ ἐγὼ θυμῷ νοέω καὶ οἶδα ἕκαστα,
ἐσθλά τε καὶ τὰ χέρεια· πάρος δ' ἔτι νήπιος ἦα.
230 ἀλλά τοι οὐ δύναμαι πεπνυμένα πάντα νοῆσαι·

Dopo aver operato così andò via, chiara fra le dee.
Vennero dalla gran sala le ancelle dalle candide braccia
arrivando tra grida. La lasciò il dolce sonno,
200 si sfregò con le mani le gote e disse:
« Un mite sopore mi ha avvolta, me tanto infelice.
Oh se una morte così mite la pura Artemide subito
ora mi desse, perché io non consumi ancora la vita
con animo afflitto, rimpiangendo le tante virtù
205 del caro marito, perché tra gli Achei eccelleva ».
Disse così e lasciò le stanze splendenti di sopra,
non sola, con lei andavano anche due ancelle.
E quando giunse dai pretendenti, chiara fra le donne,
si fermò vicino a un pilastro del solido tetto,
210 tenendo davanti alle guance il lucido scialle:
da ciascun lato le era accanto un'ancella fedele.
Ed ecco i ginocchi dei proci si sciolsero, furono sedotti da amore:
bramarono tutti giacere al suo fianco nel letto.
Lei si rivolse al suo caro figlio Telemaco:
215 « Telemaco, non hai più saldi la mente e il senno.
Giudizio ne avevi da piccolo anche di più nell'animo:
ora che tu sei grande e arrivato alla piena giovinezza,
e uno, un uomo straniero, considerando statura e bellezza,
potrebbe dire di te che sei figlio d'un uomo ricco,
220 ecco che non hai più in ordine la mente e il senno.
Quale azione è stata commessa dentro la casa,
tu che hai lasciato offendere questo straniero così.
E se il forestiero trovandosi in casa da noi
pativa un danno così, per la crudele aggressione?
225 Disonore e vergogna te ne veniva tra gli uomini ».
Le rispose allora, giudiziosamente, Telemaco:
« Madre mia, non m'adombro che ti indigni per questo:
io nell'animo noto e conosco ogni azione,
le nobili e queste più vili: prima ero ancora un bambino.
230 Ma non posso pensare con senno a ogni cosa:

ἐκ γάρ με πλήσσουσι παρήμενοι ἄλλοθεν ἄλλος
οἵδε κακὰ φρονέοντες, ἐμοὶ δ' οὐκ εἰσὶν ἀρωγοί.
οὐ μέν τοι ξείνου γε καὶ Ἴρου μῶλος ἐτύχθη
μνηστήρων ἰότητι, βίῃ δ' ὅ γε φέρτερος ἦεν.
235 αἲ γάρ, Ζεῦ τε πάτερ καὶ Ἀθηναίη καὶ Ἄπολλον,
οὕτω νῦν μνηστῆρες ἐν ἡμετέροισι δόμοισι
νεύοιεν κεφαλὰς δεδμημένοι, οἱ μὲν ἐν αὐλῇ,
οἱ δ' ἔντοσθε δόμοιο, λελῦτο δὲ γυῖα ἑκάστου,
ὡς νῦν Ἶρος ἐκεῖνος ἐπ' αὐλείῃσι θύρῃσιν
240 ἧσται νευστάζων κεφαλῇ, μεθύοντι ἐοικώς,
οὐδ' ὀρθὸς στῆναι δύναται ποσὶν οὐδὲ νέεσθαι
οἴκαδ', ὅπῃ οἱ νόστος, ἐπεὶ φίλα γυῖα λέλυνται ».
ὣς οἱ μὲν τοιαῦτα πρὸς ἀλλήλους ἀγόρευον·
Εὐρύμαχος δ' ἐπέεσσι προσηύδα Πηνελόπειαν·
245 « κούρη Ἰκαρίοιο, περίφρον Πηνελόπεια,
εἰ πάντες σε ἴδοιεν ἀν' Ἴασον Ἄργος Ἀχαιοί,
πλέονές κε μνηστῆρες ἐν ὑμετέροισι δόμοισιν
ἠῶθεν δαινύατ', ἐπεὶ περίεσσι γυναικῶν
εἶδός τε μέγεθός τε ἰδὲ φρένας ἔνδον ἐΐσας ».
250 τὸν δ' ἠμείβετ' ἔπειτα περίφρων Πηνελόπεια·
« Εὐρύμαχ', ἦ τοι ἐμὴν ἀρετὴν εἶδός τε δέμας τε
ὤλεσαν ἀθάνατοι, ὅτε Ἴλιον εἰσανέβαινον
Ἀργεῖοι, μετὰ τοῖσι δ' ἐμὸς πόσις ἦεν Ὀδυσσεύς.
εἰ κεῖνός γ' ἐλθὼν τὸν ἐμὸν βίον ἀμφιπολεύοι,
255 μεῖζόν κε κλέος εἴη ἐμὸν καὶ κάλλιον οὕτω.
νῦν δ' ἄχομαι· τόσα γάρ μοι ἐπέσσευεν κακὰ δαίμων.
ἦ μὲν δὴ ὅτε τ' ᾖε λιπὼν κάτα πατρίδα γαῖαν,
δεξιτερὴν ἐπὶ καρπῷ ἑλὼν ἐμὲ χεῖρα προσηύδα·
" ὦ γύναι, οὐ γὰρ ὀΐω ἐϋκνήμιδας Ἀχαιοὺς
260 ἐκ Τροίης εὖ πάντας ἀπήμονας ἀπονέεσθαι·
καὶ γὰρ Τρῶάς φασι μαχητὰς ἔμμεναι ἄνδρας,
ἠμὲν ἀκοντιστὰς ἠδὲ ῥυτῆρας ὀϊστῶν
ἵππων τ' ὠκυπόδων ἐπιβήτορας, οἵ τε τάχιστα
ἔκριναν μέγα νεῖκος ὁμοιΐου πολέμοιο.

mi premono questi, che mi stanno alle costole,
coi loro maligni propositi: ed io non ho chi mi salvi.
Tra il forestiero ed Iro la lotta non fu sostenuta
per volere dei proci, e il più forte fu lui.
235 O padre Zeus e Atena e Apollo, magari
ciondolassero i proci la testa ora così
in casa nostra, prostrati, alcuni in cortile
e altri entro casa, e a ciascuno si fossero sciolti gli arti,
come ora quell'Iro sulla porta dell'atrio
240 è seduto ciondolando la testa, simile a un ebbro,
e non si può reggere in piedi né andarsene
a casa, dove suole tornare, perché sono sciolti i suoi arti».
Essi dunque facevano questi discorsi tra loro;
ed Eurimaco si rivolse a Penelope:
245 «Figlia di Icario, saggia Penelope,
se tutti gli Achei ti vedessero nella ionia Argo,
domani nella vostra dimora banchetterebbero
più pretendenti, perché sulle donne tu eccelli
nel volto e nella statura, e per la mente assennata».
250 Gli rispose allora la saggia Penelope:
«Eurimaco, il mio valore, la beltà, la figura,
gli immortali li spensero quando gli Argivi per Ilio
salparono ed era con loro il mio sposo Odisseo.
Se egli tornasse e curasse questa mia vita,
255 la mia fama sarebbe più grande e tanto più bella.
Ora son triste: tali sventure un dio aizzò su di me!
E proprio quando partiva lasciando la terra dei padri,
prendendomi al polso la destra mi disse:
"Donna, gli Achei dai saldi schinieri non credo
260 che proprio tutti torneranno illesi da Troia:
perché dicono che anche i Troiani son bravi in battaglia,
sia con le aste sia a tirare le frecce,
e coi cavalli dai piedi veloci, che rapidamente
decidono la grande mischia della guerra imparziale.

265 τῶ οὐκ οἶδ', ἤ κέν μ' ἀνέσει θεός, ἦ κεν ἁλώω
αὐτοῦ ἐνὶ Τροίῃ· σοὶ δ' ἐνθάδε πάντα μελόντων·
μεμνῆσθαι πατρὸς καὶ μητέρος ἐν μεγάροισιν
ὡς νῦν, ἢ ἔτι μᾶλλον, ἐμεῦ ἀπονόσφιν ἐόντος·
αὐτὰρ ἐπὴν δὴ παῖδα γενειήσαντα ἴδηαι,
270 γήμασθ' ᾧ κ' ἐθέλησθα, τεὸν κατὰ δῶμα λιποῦσα".
κεῖνος τὼς ἀγόρευε· τὰ δὴ νῦν πάντα τελεῖται.
νὺξ δ' ἔσται, ὅτε δὴ στυγερὸς γάμος ἀντιβολήσει
οὐλομένης ἐμέθεν, τῆς τε Ζεὺς ὄλβον ἀπηύρα.
ἀλλὰ τόδ' αἰνὸν ἄχος κραδίην καὶ θυμὸν ἱκάνει·
275 μνηστήρων οὐχ ἥδε δίκη τὸ πάροιθε τέτυκτο,
οἵ τ' ἀγαθήν τε γυναῖκα καὶ ἀφνειοῖο θύγατρα
μνηστεύειν ἐθέλωσι καὶ ἀλλήλοισ' ἐρίσωσιν·
αὐτοὶ τοί γ' ἀπάγουσι βόας καὶ ἴφια μῆλα
κούρης δαῖτα φίλοισι, καὶ ἀγλαὰ δῶρα διδοῦσιν·
280 ἀλλ' οὐκ ἀλλότριον βίοτον νήποινον ἔδουσιν ».
ὣς φάτο, γήθησεν δὲ πολύτλας δῖος Ὀδυσσεύς,
οὕνεκα τῶν μὲν δῶρα παρέλκετο, θέλγε δὲ θυμὸν
μειλιχίοισ' ἐπέεσσι, νόος δέ οἱ ἄλλα μενοίνα.
τὴν δ' αὖτ' Ἀντίνοος προσέφη, Εὐπείθεος υἱός·
285 « κούρη Ἰκαρίοιο, περίφρον Πηνελόπεια,
δῶρα μὲν ὅς κ' ἐθέλῃσιν Ἀχαιῶν ἐνθάδ' ἐνεῖκαι,
δέξασθ'· οὐ γὰρ καλὸν ἀνήνασθαι δόσιν ἐστίν·
ἡμεῖς δ' οὔτ' ἐπὶ ἔργα πάρος γ' ἴμεν οὔτε πῃ ἄλλῃ,
πρίν γέ σε τῷ γήμασθαι Ἀχαιῶν, ὅς τις ἄριστος ».
290 ὣς ἔφατ' Ἀντίνοος, τοῖσιν δ' ἐπιήνδανε μῦθος.
δῶρα δ' ἄρ' οἰσέμεναι πρόεσαν κήρυκα ἕκαστος.
Ἀντινόῳ μὲν ἔνεικε μέγαν περικαλλέα πέπλον,
ποικίλον· ἐν δ' ἄρ' ἔσαν περόναι δυοκαίδεκα πᾶσαι
χρύσειαι, κληῖσιν ἐϋγνάμπτοισ' ἀραρυῖαι·
295 ὅρμον δ' Εὐρυμάχῳ πολυδαίδαλον αὐτίκ' ἔνεικε,
χρύσεον, ἠλέκτροισιν ἐερμένον, ἠέλιον ὥς·
ἕρματα δ' Εὐρυδάμαντι δύω θεράποντες ἔνεικαν
τρίγληνα μορόεντα, χάρις δ' ἀπελάμπετο πολλή·

265 Non so, dunque, se il dio mi risparmia o se sarò ucciso
a Troia, laggiù: curati tu d'ogni cosa costì.
Di mio padre e mia madre ricordati, in casa,
come ora, o anche di più, mentre sono lontano;
e quando vedi spuntare la barba al ragazzo,
270 sposa chi vuoi, lasciando questa tua casa".
Così mi diceva: e ora tutto si compie.
Notte verrà in cui nozze odiose mi toccheranno,
me sventurata, a cui Zeus tolse ogni bene.
E ora questo dolore terribile coglie il mio cuore e il mio animo:
275 non era questo una volta il costume dei pretendenti,
che volevano fare la corte a una donna di nobile stirpe
e figlia di un ricco, e tra loro competere;
sono loro che portano i buoi e le pecore grasse
ai parenti della fanciulla per il convito, e danno splendidi doni:
280 ma non mangiano senza compenso la roba di un altro».

Così disse e il paziente chiaro Odisseo si rallegrò,
perché ad essi cavava doni e seduceva l'animo,
con parole gentili, ma la sua mente mirava ad altro.

Le disse allora Antinoo, figlio d'Eupìte:
285 «Figlia di Icario, saggia Penelope,
i doni, chi degli Achei qui voglia portarne,
tu accettali; perché non è bello rifiutare un regalo.
Ma noi non andremo né al nostro lavoro né altrove,
se tu tra gli Achei non sposi, prima, il migliore».

290 Così Antinoo disse e ad essi il discorso piacque.
Ciascuno mandò un araldo a prendere i doni.
Ad Antinoo egli portò un gran peplo bellissimo,
adorno: v'erano in tutto dodici spille
d'oro, chiuse con ganci ricurvi.
295 Ad Eurimaco portò subito un artistico vezzo,
d'oro, guarnito di grani d'ambra, simile al sole.
Ad Euridamante i servi portarono un paio d'orecchini
con tre perle come le more: molta grazia irraggiavano.

ἐκ δ' ἄρα Πεισάνδροιο Πολυκτορίδαο ἄνακτος
300 ἴσθμιον ἤνεικεν θεράπων, περικαλλὲς ἄγαλμα·
ἄλλο δ' ἄρ' ἄλλος δῶρον Ἀχαιῶν καλὸν ἔνεικεν.
ἡ μὲν ἔπειτ' ἀνέβαιν' ὑπερώϊα δῖα γυναικῶν,
τῇ δ' ἄρ' ἅμ' ἀμφίπολοι ἔφερον περικαλλέα δῶρα·
οἱ δ' εἰς ὀρχηστύν τε καὶ ἱμερόεσσαν ἀοιδὴν
305 τρεψάμενοι τέρποντο, μένον δ' ἐπὶ ἕσπερον ἐλθεῖν.
τοῖσι δὲ τερπομένοισι μέλας ἐπὶ ἕσπερος ἦλθεν·
αὐτίκα λαμπτῆρας τρεῖς ἵστασαν ἐν μεγάροισιν,
ὄφρα φαείνοιεν· περὶ δὲ ξύλα κάγκανα θῆκαν,
αὖα πάλαι, περίκηλα, νέον κεκεασμένα χαλκῷ,
310 καὶ δαΐδας μετέμισγον· ἀμοιβηδὶς δ' ἀνέφαινον
δμῳαὶ Ὀδυσσῆος ταλασίφρονος. αὐτὰρ ὁ τῇσιν
αὐτὸς διογενὴς μετέφη πολύμητις Ὀδυσσεύς·
« δμῳαὶ Ὀδυσσῆος, δὴν οἰχομένοιο ἄνακτος,
ἔρχεσθε πρὸς δώμαθ', ἵν' αἰδοίη βασίλεια·
315 τῇ δὲ παρ' ἠλάκατα στροφαλίζετε, τέρπετε δ' αὐτὴν
ἥμεναι ἐν μεγάρῳ, ἢ εἴρια πείκετε χερσίν·
αὐτὰρ ἐγὼ τούτοισι φάος πάντεσσι παρέξω.
εἴ περ γάρ κ' ἐθέλωσιν ἐΰθρονον Ἠῶ μίμνειν,
οὔ τί με νικήσουσι· πολυτλήμων δὲ μάλ' εἰμί ».
320 ὣς ἔφαθ', αἱ δ' ἐγέλασσαν, ἐς ἀλλήλας δὲ ἴδοντο.
τὸν δ' αἰσχρῶς ἐνένιπε Μελανθὼ καλλιπάρηος,
τὴν Δολίος μὲν ἔτικτε, κόμισσε δὲ Πηνελόπεια,
παῖδα δὲ ὣς ἀτίταλλε, δίδου δ' ἄρ' ἀθύρματα θυμῷ·
ἀλλ' οὐδ' ὣς ἔχε πένθος ἐνὶ φρεσὶ Πηνελοπείης,
325 ἀλλ' ἥ γ' Εὐρυμάχῳ μισγέσκετο καὶ φιλέεσκεν.
ἥ ῥ' Ὀδυσῆ' ἐνένιπεν ὀνειδείοισ' ἐπέεσσι·
« ξεῖνε τάλαν, σύ γέ τις φρένας ἐκπεπαταγμένος ἐσσί,
οὐδ' ἐθέλεις εὕδειν χαλκήϊον ἐς δόμον ἐλθὼν
ἠέ που ἐς λέσχην, ἀλλ' ἐνθάδε πόλλ' ἀγορεύεις
330 θαρσαλέως πολλοῖσι μετ' ἀνδράσιν, οὐδέ τι θυμῷ
ταρβεῖς· ἦ ῥά σε οἶνος ἔχει φρένας, ἤ νύ τοι αἰεὶ
τοιοῦτος νόος ἐστίν, ὃ καὶ μεταμώνια βάζεις.

Dalla casa del Polittoride signore Pisandro
300 il servo portò un collare, un monile bellissimo.
Degli Achei chi portò un bel dono e chi un altro.
Ella salì poi di sopra, chiara fra le donne,
e dietro a lei le donne portavano i bellissimi doni.
Essi, voltisi al ballo e al canto leggiadro,
305 si divertivano e aspettavano che venisse la sera;
e mentre si divertivano sopraggiunse la buia sera.
Tre bracieri rizzarono subito nella gran sala,
per fare luce; intorno disposero legna da ardere,
secca da tempo, assai stagionata, spaccata da poco con l'ascia,
310 e vi mischiarono schegge di pino: li attizzarono a turno
le ancelle dell'intrepido Odisseo. E disse loro
egli stesso, il divino astuto Odisseo:
« Ancelle di Odisseo, del signore partito da tempo,
nelle stanze recatevi, dov'è l'augusta regina;
315 volgete il fuso al suo fianco, rallegratela,
sedute nella sua stanza, o pettinate con le mani la lana:
a tutti costoro provvederò io la luce.
Se anche volessero attendere Aurora sul trono,
non mi supereranno: sono molto paziente ».
320 Disse così, esse risero e si guardarono.
E Melantò, bellissima in volto, lo redarguì ignobilmente:
la generò Dolio, costei, ma Penelope l'aveva cresciuta
e allevata come una figlia, le aveva dato giocattoli.
Ma neanche così aveva pietà di Penelope,
325 ma s'univa con Eurimaco e lo amava.
Costei redarguì Odisseo con parole insultanti:
« Sciagurato straniero, tu sei uno tocco di mente:
non vuoi andare a dormire nella casa d'un fabbro
o in qualche loggia, ma cianci qui molto,
330 impavidamente, tra tanti uomini, senza temere
nell'animo. Certo il vino ti inebria, o la tua mente
è sempre così, che dici anche chiacchiere vane.

ἦ ἀλύεις ὅτι Ἶρον ἐνίκησας τὸν ἀλήτην;
μή τίς τοι τάχα Ἴρου ἀμείνων ἄλλος ἀναστῇ,
335 ὅς τίς σ' ἀμφὶ κάρη κεκοπὼς χερσὶ στιβαρῇσι
δώματος ἐκπέμψῃσι φορύξας αἵματι πολλῷ ».
τὴν δ' ἄρ' ὑπόδρα ἰδὼν προσέφη πολύμητις Ὀδυσσεύς·
« ἦ τάχα Τηλεμάχῳ ἐρέω, κύον, οἷ' ἀγορεύεις,
κεῖσ' ἐλθών, ἵνα σ' αὖθι διὰ μελεϊστὶ τάμῃσιν ».
340 ὣς εἰπὼν ἐπέεσσι διεπτοίησε γυναῖκας.
βὰν δ' ἴμεναι διὰ δῶμα, λύθεν δ' ὑπὸ γυῖα ἑκάστης
ταρβοσύνῃ· φὰν γάρ μιν ἀληθέα μυθήσασθαι.
αὐτὰρ ὁ πὰρ λαμπτῆρσι φαείνων αἰθομένοισιν
ἑστήκειν ἐς πάντας ὁρώμενος· ἄλλα δέ οἱ κῆρ
345 ὥρμαινε φρεσὶν ᾗσιν, ἅ ῥ' οὐκ ἀτέλεστα γένοντο.
μνηστῆρας δ' οὐ πάμπαν ἀγήνορας εἴα Ἀθήνη
λώβης ἴσχεσθαι θυμαλγέος, ὄφρ' ἔτι μᾶλλον
δύη ἄχος κραδίην Λαερτιάδεω Ὀδυσῆος.
τοῖσιν δ' Εὐρύμαχος, Πολύβου πάϊς, ἦρχ' ἀγορεύειν
350 κερτομέων Ὀδυσῆα· γέλω δ' ἑτάροισιν ἔτευχε·
« κέκλυτέ μευ, μνηστῆρες ἀγακλειτῆς βασιλείης,
ὄφρ' εἴπω, τά με θυμὸς ἐνὶ στήθεσσι κελεύει.
οὐκ ἀθεεὶ ὅδ' ἀνὴρ Ὀδυσήϊον ἐς δόμον ἵκει·
ἔμπης μοι δοκέει δαΐδων σέλας ἔμμεναι αὐτοῦ
355 κὰκ κεφαλῆς, ἐπεὶ οὔ οἱ ἔνι τρίχες οὐδ' ἠβαιαί ».
ἦ ῥ', ἅμα τε προσέειπεν Ὀδυσσῆα πτολίπορθον·
« ξεῖν', ἦ ἄρ κ' ἐθέλοις θητευέμεν, εἴ σ' ἀνελοίμην,
ἀγροῦ ἐπ' ἐσχατιῆς – μισθὸς δέ τοι ἄρκιος ἔσται –,
αἱμασιάς τε λέγων καὶ δένδρεα μακρὰ φυτεύων;
360 ἔνθα κ' ἐγὼ σῖτον μὲν ἐπηετανὸν παρέχοιμι,
εἵματα δ' ἀμφιέσαιμι ποσίν θ' ὑποδήματα δοίην.
ἀλλ' ἐπεὶ οὖν δὴ ἔργα κάκ' ἔμμαθες, οὐκ ἐθελήσεις
ἔργον ἐποίχεσθαι, ἀλλὰ πτώσσειν κατὰ δῆμον
βούλεαι, ὄφρ' ἂν ἔχῃς βόσκειν σὴν γαστέρ' ἄναλτον ».
365 τὸν δ' ἀπαμειβόμενος προσέφη πολύμητις Ὀδυσσεύς·
« Εὐρύμαχ', εἰ γὰρ νῶϊν ἔρις ἔργοιο γένοιτο

Esulti per aver vinto quel vagabondo di Iro?
Bada che presto non s'alzi qualche altro meglio di Iro,
335 uno che al capo ti picchi con mani pesanti
e ti cacci fuori di qui imbrattato di molto sangue ».

Guardandola bieco le disse l'astuto Odisseo:
« Andrò subito a dirlo a Telemaco, cagna,
come tu parli, perché ti faccia subito a pezzi ».

340 Così dicendo con le parole sconvolse le donne:
s'avviarono attraverso la sala, gli arti di ognuna si sciolsero
per la paura, credettero che parlasse sul serio.
Ed egli stette ritto ai bracieri che ardevano,
facendo luce, guardando tutti: ma altro pensava
345 il suo cuore nel petto, che non sarebbe rimasto incompiuto.

Non lasciava Atena desistere i proci superbi
da ogni oltraggio crudele, perché penetrasse
ancora di più lo sdegno nel cuore di Odisseo figlio di Laerte.
E tra essi iniziò a parlare Eurimaco, figlio di Polibo,
350 schernendo Odisseo; suscitò nei compagni il riso:

« Ascoltatemi, pretendenti dell'illustre regina,
che dica quel che l'animo nel petto mi impone.
Non senza un dio è arrivato quest'uomo in casa di Odisseo:
davvero mi sembra che erompa dalla sua testa un bagliore
355 di fiaccole: perché non possiede affatto capelli ».

Disse e insieme parlò al distruttore di città Odisseo:
« Straniero, non vorresti, se ti prendessi, lavorare
in un campo lontano – la tua paga sarà sufficiente –
a raccogliere pietre e a piantare alti alberi?
360 Ti offrirei, tutto il tempo, del cibo laggiù,
di vestiti ti vestirei, e calzari ti darei per i piedi.
Ma poiché sei esperto di sole ignominie, non vorrai
badare a un lavoro, ma curvo in mezzo alla gente
preferisci nutrire accattando il ventre ingordo ».

365 Rispondendogli disse l'astuto Odisseo:
« Eurimaco, oh sorgesse una gara tra noi, di lavoro,

ὥρῃ ἐν εἰαρινῇ, ὅτε τ' ἤματα μακρὰ πέλονται,
ἐν ποίῃ, δρέπανον μὲν ἐγὼν εὐκαμπὲς ἔχοιμι,
καὶ δὲ σὺ τοῖον ἔχοις, ἵνα πειρησαίμεθα ἔργου
370 νήστιες ἄχρι μάλα κνέφαος, ποίη δὲ παρείη.
εἰ δ' αὖ καὶ βόες εἶεν ἐλαυνέμεν, οἵ περ ἄριστοι,
αἴθωνες μεγάλοι, ἄμφω κεκορηότε ποίης,
ἥλικες ἰσοφόροι, τῶν τε σθένος οὐκ ἀλαπαδνόν,
τετράγυον δ' εἴη, εἴκοι δ' ὑπὸ βῶλος ἀρότρῳ·
375 τῶ κέ μ' ἴδοις, εἰ ὦλκα διηνεκέα προταμοίμην.
εἰ δ' αὖ καὶ πόλεμόν ποθεν ὁρμήσειε Κρονίων
σήμερον, αὐτὰρ ἐμοὶ σάκος εἴη καὶ δύο δοῦρε
καὶ κυνέη πάγχαλκος ἐπὶ κροτάφοισ' ἀραρυῖα,
τῶ κέ μ' ἴδοις πρώτοισιν ἐνὶ προμάχοισι μιγέντα,
380 οὐδ' ἄν μοι τὴν γαστέρ' ὀνειδίζων ἀγορεύοις.
ἀλλὰ μάλ' ὑβρίζεις καί τοι νόος ἐστὶν ἀπηνής·
καί πού τις δοκέεις μέγας ἔμμεναι ἠδὲ κραταιός,
οὕνεκα πὰρ παύροισι καὶ οὐκ ἀγαθοῖσιν ὁμιλεῖς.
εἰ δ' Ὀδυσεὺς ἔλθοι καὶ ἵκοιτ' ἐς πατρίδα γαῖαν,
385 αἶψά κέ τοι τὰ θύρετρα, καὶ εὐρέα περ μάλ' ἐόντα,
φεύγοντι στείνοιτο διὲκ προθύροιο θύραζε ».
ὣς ἔφατ', Εὐρύμαχος δὲ χολώσατο κηρόθι μᾶλλον
καί μιν ὑπόδρα ἰδὼν ἔπεα πτερόεντα προσηύδα·
« ἆ δείλ', ἦ τάχα τοι τελέω κακόν, οἷ' ἀγορεύεις
390 θαρσαλέως πολλοῖσι μετ' ἀνδράσιν, οὐδέ τι θυμῷ
ταρβεῖς· ἦ ῥά σε οἶνος ἔχει φρένας, ἤ νύ τοι αἰεὶ
τοιοῦτος νόος ἐστίν, ὃ καὶ μεταμώνια βάζεις.
ἦ ἀλύεις, ὅτι Ἶρον ἐνίκησας τὸν ἀλήτην; ».
ὣς ἄρα φωνήσας σφέλας ἔλλαβεν· αὐτὰρ Ὀδυσσεὺς
395 Ἀμφινόμου πρὸς γοῦνα καθέζετο Δουλιχιῆος,
Εὐρύμαχον δείσας. ὁ δ' ἄρ' οἰνοχόον βάλε χεῖρα
δεξιτερήν· πρόχοος δὲ χαμαὶ βόμβησε πεσοῦσα,
αὐτὰρ ὅ γ' οἰμώξας πέσεν ὕπτιος ἐν κονίῃσι.
μνηστῆρες δ' ὁμάδησαν ἀνὰ μέγαρα σκιόεντα,
400 ὧδε δέ τις εἴπεσκεν ἰδὼν ἐς πλησίον ἄλλον·

nella stagione novella, quando i giorni volgono lunghi,
in un prato, e io avessi una falce ricurva
e una ne avessi anche tu, per provarci al lavoro,
370 digiuni, fino alla tenebra, ed erba ci fosse;
o ci fossero buoi da guidare, i migliori,
bruni e grandi, entrambi sazi di erba,
pari di età e di forze, e avessero forte vigore,
e ci fosse un campo di quattro misure, e la zolla cedesse all'aratro:
375 allora vedresti se il solco lo traccerei ininterrotto!
E se anche il Cronide eccitasse da un luogo una guerra
oggi stesso, e io avessi uno scudo e due lance
ed un elmo di bronzo massiccio, aderente alle tempie,
allora potresti vedermi nella mischia tra i primi guerrieri
380 e non parleresti incolpando questo mio ventre.
Ma sei troppo arrogante ed è rozzo il tuo senno:
e ti pare d'esser qualcuno grande e potente,
perché ti trovi tra pochi e neppure valenti.
Se Odisseo venisse e arrivasse nella terra dei padri,
385 le porte, che sono assai larghe, sarebbero
subito strette per te nella fuga dall'atrio ».

Disse così, e di più s'adirò nel cuore Eurimaco,
e guardandolo bieco gli disse alate parole:

« Ah miserabile, ti darò presto un castigo, per come parli
390 impavidamente, tra tanti uomini, senza temere
nell'animo. Certo il vino ti inebria, o la tua mente
è sempre così, che dici anche chiacchiere vane.
Esulti per aver vinto quel vagabondo di Iro? ».

Detto così afferrò lo sgabello: ma Odisseo
395 s'acquattò ai ginocchi di Anfinomo Dulichiese,
temendo Eurimaco. Ed egli colpì il coppiere alla mano
diritta: risonò la brocca cadendo a terra,
e gemendo egli cadde supino al suolo.
Nella sala ombrosa i pretendenti vociavano
400 e qualcuno diceva così rivolto al vicino:

« αἴθ' ὤφελλ' ὁ ξεῖνος ἀλώμενος ἄλλοθ' ὀλέσθαι
πρὶν ἐλθεῖν· τῷ κ' οὔ τι τόσον κέλαδον μεθέηκε.
νῦν δὲ περὶ πτωχῶν ἐριδαίνομεν, οὐδέ τι δαιτὸς
ἐσθλῆς ἔσσεται ἦδος, ἐπεὶ τὰ χερείονα νικᾷ ».
405 τοῖσι δὲ καὶ μετέειφ' ἱερὴ ἲς Τηλεμάχοιο·
« δαιμόνιοι, μαίνεσθε καὶ οὐκέτι κεύθετε θυμῷ
βρωτὺν οὐδὲ ποτῆτα· θεῶν νύ τις ὔμμ' ὀροθύνει.
ἀλλ' εὖ δαισάμενοι κατακείετε οἴκαδ' ἰόντες,
ὁππότε θυμὸς ἄνωγε· διώκω δ' οὔ τιν' ἐγώ γε ».
410 ὣς ἔφαθ', οἱ δ' ἄρα πάντες ὀδὰξ ἐν χείλεσι φύντες
Τηλέμαχον θαύμαζον, ὃ θαρσαλέως ἀγόρευε.
τοῖσιν δ' Ἀμφίνομος ἀγορήσατο καὶ μετέειπε
Νίσου φαίδιμος υἱός, Ἀρητιάδαο ἄνακτος·
« ὦ φίλοι, οὐκ ἂν δή τις ἐπὶ ῥηθέντι δικαίῳ
415 ἀντιβίοισ' ἐπέεσσι καθαπτόμενος χαλεπαίνοι·
μήτε τι τὸν ξεῖνον στυφελίζετε μήτε τιν' ἄλλον
δμώων, οἳ κατὰ δώματ' Ὀδυσσῆος θείοιο.
ἀλλ' ἄγετ', οἰνοχόος μὲν ἐπαρξάσθω δεπάεσσιν,
ὄφρα σπείσαντες κατακείομεν οἴκαδ' ἰόντες·
420 τὸν ξεῖνον δὲ ἐῶμεν ἐνὶ μεγάροισ' Ὀδυσῆος
Τηλεμάχῳ μελέμεν· τοῦ γὰρ φίλον ἵκετο δῶμα ».
ὣς φάτο, τοῖσι δὲ πᾶσιν ἑαδότα μῦθον ἔειπε.
τοῖσιν δὲ κρητῆρα κεράσσατο Μούλιος ἥρως,
κῆρυξ Δουλιχιεύς· θεράπων δ' ἦν Ἀμφινόμοιο·
425 νώμησεν δ' ἄρα πᾶσιν ἐπισταδόν· οἱ δὲ θεοῖσι
λείψαντες μακάρεσσι πίον μελιηδέα οἶνον.
αὐτὰρ ἐπεὶ σπεῖσάν τε πίον θ' ὅσον ἤθελε θυμός,
βάν ῥ' ἴμεναι κείοντες ἑὰ πρὸς δώμαθ' ἕκαστος.

« Fosse perito altrove questo straniero, vagando,
prima di giungere: non avrebbe eccitato tanto rumore.
Litighiamo per degli accattoni, ora, e per il lauto pasto
non ci sarà alcuna gioia, perché vince questa miseria ».
405 E ad essi il sacro vigore di Telemaco disse:
« Sciagurati, siete impazziti e non nascondete nell'animo
che avete mangiato e bevuto: un dio certo vi aizza.
Avete cenato lautamente: e andrete a casa a dormire,
quando ve l'ordina l'animo, io non inseguo nessuno ».
410 Disse così ed essi, mordendosi tutti le labbra,
stupivano udendo Telemaco parlare impavidamente.
E tra essi prese a parlare Anfinomo,
l'illustre figlio di Niso, del signore Aretiade:
« Amici, per un discorso opportuno nessuno
415 può impermalirsi ricorrendo a parole nemiche:
non maltrattate questo straniero e nessun altro
dei servi che sono in casa del divino Odisseo.
Orsù, cominci con le tazze il coppiere,
perché libiamo e andiamo a casa a dormire.
420 Dello straniero lasciamo si curi Telemaco
in casa di Odisseo: perché in casa sua è arrivato ».
Così parlò, e fece un discorso gradito a tutti.
Mescé ad essi un cratere l'eroe Mulio,
araldo dulichiese: era servo di Anfinomo;
425 distribuì il vino a tutti, uno a uno, ed essi libarono
ai numi beati e bevvero il vino dolcissimo.
Poi, dopo aver libato e bevuto quanto l'animo volle,
andarono via a dormire, ognuno nella sua casa.

Τ

Αὐτὰρ ὁ ἐν μεγάρῳ ὑπελείπετο δῖος Ὀδυσσεύς,
μνηστήρεσσι φόνον σὺν Ἀθήνῃ μερμηρίζων.
αἶψα δὲ Τηλέμαχον ἔπεα πτερόεντα προσηύδα·
« Τηλέμαχε, χρὴ τεύχε' ἀρήϊα κατθέμεν εἴσω
5 πάντα μάλ', αὐτὰρ μνηστῆρας μαλακοῖσ' ἐπέεσσι
παρφάσθαι, ὅτε κέν σε μεταλλῶσιν ποθέοντες·
" ἐκ καπνοῦ κατέθηκ', ἐπεὶ οὐκέτι τοῖσιν ἐῴκει,
οἷά ποτε Τροίηνδε κιὼν κατέλειπεν Ὀδυσσεύς,
ἀλλὰ κατῄκισται, ὅσσον πυρὸς ἵκετ' ἀϋτμή.
10 πρὸς δ' ἔτι καὶ τόδε μεῖζον ἐνὶ φρεσὶν ἔμβαλε δαίμων·
μή πως οἰνωθέντες, ἔριν στήσαντες ἐν ὑμῖν,
ἀλλήλους τρώσητε καταισχύνητέ τε δαῖτα
καὶ μνηστύν· αὐτὸς γὰρ ἐφέλκεται ἄνδρα σίδηρος " ».
ὣς φάτο, Τηλέμαχος δὲ φίλῳ ἐπεπείθετο πατρί,
15 ἐκ δὲ καλεσσάμενος προσέφη τροφὸν Εὐρύκλειαν·
« μαῖ', ἄγε δή μοι ἔρυξον ἐνὶ μεγάροισι γυναῖκας,
ὄφρα κεν ἐς θάλαμον καταθείομαι ἔντεα πατρός,
καλά, τά μοι κατὰ οἶκον ἀκηδέα καπνὸς ἀμέρδει
πατρὸς ἀποιχομένοιο· ἐγὼ δ' ἔτι νήπιος ἦα·
20 νῦν δ' ἐθέλω καταθέσθαι, ἵν' οὐ πυρὸς ἵξετ' ἀϋτμή ».
τὸν δ' αὖτε προσέειπε φίλη τροφὸς Εὐρύκλεια·
« αἳ γὰρ δή ποτε, τέκνον, ἐπιφροσύνας ἀνέλοιο
οἴκου κήδεσθαι καὶ κτήματα πάντα φυλάσσειν.
ἀλλ' ἄγε, τίς τοι ἔπειτα μετοιχομένη φάος οἴσει;
25 δμῳὰς δ' οὐκ εἴας προβλωσκέμεν, αἵ κεν ἔφαινον ».
τὴν δ' αὖ Τηλέμαχος πεπνυμένος ἀντίον ηὔδα·
« ξεῖνος ὅδ'· οὐ γὰρ ἀεργὸν ἀνέξομαι, ὅς κεν ἐμῆς γε

LIBRO DICIANNOVESIMO

Ma egli restò nella sala, il chiaro Odisseo,
macchinando con Atena la morte ai pretendenti.
E a un tratto disse a Telemaco alate parole:
« Telemaco, le armi di guerra occorre riporle tutte
5 all'interno; ai pretendenti racconta con parole garbate
una scusa – se volendole ti interpellassero –:
" Le ho tolte dal fumo, perché non parevano quelle
che Odisseo un tempo lasciò partendo per Troia,
ma sono sfregiate dovunque le ha colte il fiato del fuoco.
10 E un dio mi ha ispirato anche questo pensiero più grave,
che, ubriacativi, suscitata una lite tra voi,
vi feriate l'un l'altro e insozziate il banchetto
e il corteggiamento: perché il ferro attira a sé l'uomo " ».
Disse così e Telemaco ubbidì al caro padre
15 e chiamata la nutrice Euriclea le parlò:
« Orsù balia, tieni nelle stanze le donne,
finché riponiamo nel talamo le belle armi
del padre: il fumo le sciupa, trascurate per casa,
dopoché mio padre è partito: io ero ancora un bambino,
20 ma ora voglio riporle, dove non giunge il fiato del fuoco ».
Gli disse allora la cara nutrice Euriclea:
« Ah se alfine, figliuolo, mettessi giudizio,
da curare la casa e difendere tutti i tuoi beni.
Orsù, chi ti terrà il lume venendo con te?
25 Vieti di venire alle serve, che potrebbero farti luce ».
Le rispose allora, giudiziosamente, Telemaco:
« Questo straniero! non lascerò inoperoso chi attinge

χοίνικος ἅπτηται, καὶ τηλόθεν εἰληλουθώς ».

ὣς ἄρ' ἐφώνησεν, τῇ δ' ἄπτερος ἔπλετο μῦθος·
30 κλήϊσεν δὲ θύρας μεγάρων εὖ ναιεταόντων.
τὼ δ' ἄρ' ἀναΐξαντ' Ὀδυσεὺς καὶ φαίδιμος υἱὸς
ἐσφόρεον κόρυθάς τε καὶ ἀσπίδας ὀμφαλοέσσας
ἔγχεά τ' ὀξυόεντα· πάροιθε δὲ Παλλὰς Ἀθήνη
χρύσεον λύχνον ἔχουσα φάος περικαλλὲς ἐποίει.
35 δὴ τότε Τηλέμαχος προσεφώνεεν ὃν πατέρ' αἶψα·

« ὦ πάτερ, ἦ μέγα θαῦμα τόδ' ὀφθαλμοῖσιν ὁρῶμαι·
ἔμπης μοι τοῖχοι μεγάρων καλαί τε μεσόδμαι
εἰλάτιναί τε δοκοὶ καὶ κίονες ὑψόσ' ἔχοντες
φαίνοντ' ὀφθαλμοῖσ' ὡς εἰ πυρὸς αἰθομένοιο.
40 ἦ μάλα τις θεὸς ἔνδον, οἳ οὐρανὸν εὐρὺν ἔχουσι ».

τὸν δ' ἀπαμειβόμενος προσέφη πολύμητις Ὀδυσσεύς·
« σίγα καὶ κατὰ σὸν νόον ἴσχανε μηδ' ἐρέεινε·
αὕτη τοι δίκη ἐστὶ θεῶν, οἳ Ὄλυμπον ἔχουσιν.
ἀλλὰ σὺ μὲν κατάλεξαι, ἐγὼ δ' ὑπολείψομαι αὐτοῦ,
45 ὄφρα κ' ἔτι δμῳὰς καὶ μητέρα σὴν ἐρεθίζω·
ἡ δέ μ' ὀδυρομένη εἰρήσεται ἀμφὶ ἕκαστα ».

ὣς φάτο, Τηλέμαχος δὲ διὲκ μεγάροιο βεβήκει
κείων ἐς θάλαμον δαΐδων ὕπο λαμπομενάων,
ἔνθα πάρος κοιμᾶθ', ὅτε μιν γλυκὺς ὕπνος ἱκάνοι·
50 ἔνθ' ἄρα καὶ τότ' ἔλεκτο καὶ Ἠῶ δῖαν ἔμιμνεν.
αὐτὰρ ὁ ἐν μεγάρῳ ὑπελείπετο δῖος Ὀδυσσεὺς
μνηστήρεσσι φόνον σὺν Ἀθήνῃ μερμηρίζων.

ἡ δ' ἴεν ἐκ θαλάμοιο περίφρων Πηνελόπεια,
Ἀρτέμιδι ἰκέλη ἠὲ χρυσῇ Ἀφροδίτῃ.
55 τῇ παρὰ μὲν κλισίην πυρὶ κάτθεσαν, ἔνθ' ἄρ' ἐφῖζε,
δινωτὴν ἐλέφαντι καὶ ἀργύρῳ, ἥν ποτε τέκτων
ποίησ' Ἰκμάλιος καὶ ὑπὸ θρῆνυν ποσὶν ἧκε
προσφυέ' ἐξ αὐτῆς, ὅθ' ἐπὶ μέγα βάλλετο κῶας.
ἔνθα καθέζετ' ἔπειτα περίφρων Πηνελόπεια.
60 ἦλθον δὲ δμῳαὶ λευκώλενοι ἐκ μεγάροιο.
αἱ δ' ἀπὸ μὲν σῖτον πολὺν ᾕρεον ἠδὲ τραπέζας

al mio grano, anche se giunto da terre lontane».

Disse così e per lei il discorso fu alato:

30 serrò le porte delle sale assai frequentate.
Alzatisi entrambi, Odisseo e l'illustre suo figlio,
trasportarono gli elmi, gli scudi umbonati,
le aste di faggio: Pallade Atena davanti
faceva una luce bellissima, reggendo una lampada d'oro.
35 Allora Telemaco disse, a un tratto, a suo padre:

«Padre, gran prodigio è questo che vedo con gli occhi.
I muri di casa, le belle campate,
le travi di pino, le alte colonne, ugualmente
mi appaiono, agli occhi, come v'ardesse un fuoco.
40 Dentro v'è un dio: essi hanno il vasto cielo».

Rispondendogli disse l'astuto Odisseo:
«Taci, tieni in te il tuo pensiero e non chiedere:
è questo il modo dei numi che hanno l'Olimpo.
Ma tu còricati, resterò io qui,
45 per saggiare le ancelle e tua madre:
ella mi interrogherà su ogni cosa, gemendo».

Disse così e Telemaco uscì, traversando la sala,
per coricarsi nella sua stanza, sotto le fiaccole ardenti,
dove sempre giaceva allorché il dolce sonno veniva:
50 lì anche allora si giacque e attese la chiara Aurora.
Ma egli restò nella sala, il chiaro Odisseo,
macchinando con Atena la morte ai pretendenti.

E venne dal talamo lei, la saggia Penelope,
somigliante ad Artemide o alla dorata Afrodite.
55 Le accostarono al fuoco la sedia, su cui soleva sedere,
intarsiata d'avorio e d'argento, che un tempo il fabbro
Icmalio le fece e sotto inserì lo sgabello pei piedi
saldato con essa, dove un gran vello era aggiunto.
Sedette su di essa la saggia Penelope.
60 Vennero dalla gran sala le serve dalle candide braccia.
Esse tolsero il molto pane, le mense

καὶ δέπα, ἔνθεν ἄρ' ἄνδρες ὑπερμενέοντες ἔπινον·
πῦρ δ' ἀπὸ λαμπτήρων χαμάδις βάλον, ἄλλα δ' ἐπ' αὐτῶν
νήησαν ξύλα πολλά, φόως ἔμεν ἠδὲ θέρεσθαι.
65 ἡ δ' Ὀδυσῆ' ἐνένιπε Μελανθὼ δεύτερον αὖτις·
« ξεῖν', ἔτι καὶ νῦν ἐνθάδ' ἀνιήσεις διὰ νύκτα
δινεύων κατὰ οἶκον, ὀπιπεύσεις δὲ γυναῖκας;
ἀλλ' ἔξελθε θύραζε, τάλαν, καὶ δαιτὸς ὄνησο·
ἢ τάχα καὶ δαλῷ βεβλημένος εἶσθα θύραζε ».
70 τὴν δ' ἄρ' ὑπόδρα ἰδὼν προσέφη πολύμητις Ὀδυσσεύς·
« δαιμονίη, τί μοι ὧδ' ἐπέχεις κεκοτηότι θυμῷ;
ἦ ὅτι δὴ ῥυπόω, κακὰ δὲ χροῒ εἵματα εἷμαι,
πτωχεύω δ' ἀνὰ δῆμον; ἀναγκαίη γὰρ ἐπείγει.
τοιοῦτοι πτωχοὶ καὶ ἀλήμονες ἄνδρες ἔασι.
75 καὶ γὰρ ἐγώ ποτε οἶκον ἐν ἀνθρώποισιν ἔναιον
ὄλβιος ἀφνειὸν καὶ πολλάκι δόσκον ἀλήτῃ
τοίῳ, ὁποῖος ἔοι καὶ ὅτευ κεχρημένος ἔλθοι·
ἦσαν δὲ δμῶες μάλα μυρίοι ἄλλα τε πολλά,
οἷσίν τ' εὖ ζώουσι καὶ ἀφνειοὶ καλέονται.
80 ἀλλὰ Ζεὺς ἀλάπαξε Κρονίων· ἤθελε γάρ που.
τῶ νῦν μή ποτε καὶ σύ, γύναι, ἀπὸ πᾶσαν ὀλέσσῃς
ἀγλαΐην, τῇ νῦν γε μετὰ δμῳῇσι κέκασσαι,
μή πώς τοι δέσποινα κοτεσσαμένη χαλεπήνῃ
ἢ Ὀδυσεὺς ἔλθῃ· ἔτι γὰρ καὶ ἐλπίδος αἶσα.
85 εἰ δ' ὁ μὲν ὣς ἀπόλωλε καὶ οὐκέτι νόστιμός ἐστιν,
ἀλλ' ἤδη παῖς τοῖος Ἀπόλλωνός γε ἕκητι,
Τηλέμαχος· τὸν δ' οὔ τις ἐνὶ μεγάροισι γυναικῶν
λήθει ἀτασθάλλουσ', ἐπεὶ οὐκέτι τηλίκος ἐστίν ».
ὣς φάτο, τοῦ δ' ἤκουσε περίφρων Πηνελόπεια,
90 ἀμφίπολον δ' ἐνένιπεν ἔπος τ' ἔφατ' ἔκ τ' ὀνόμαζε·
« πάντως, θαρσαλέη, κύον ἀδεές, οὔ τί με λήθεις
ἔρδουσα μέγα ἔργον, ὃ σῇ κεφαλῇ ἀναμάξεις.
πάντα γὰρ εὖ ᾔδησθ', ἐπεὶ ἐξ ἐμεῦ ἔκλυες αὐτῆς,
ὡς τὸν ξεῖνον ἔμελλον ἐνὶ μεγάροισιν ἐμοῖσιν
95 ἀμφὶ πόσει εἴρεσθαι, ἐπεὶ πυκινῶς ἀκάχημαι ».

e le coppe, da cui gli uomini potenti bevevano;
dai bracieri gettarono a terra il fuoco, e su di essi
ammucchiarono molta altra legna, per far luce e scaldare.
65 E Melantò redarguì Odisseo ancora una volta:
« Straniero, disturberai qui anche la notte
girando per casa? spierai voglioso le donne?
Ma esci, va' miserabile, e goditi il pasto,
o uscirai tra poco colpito anche da un tizzo! ».
70 Guardandola bieco le disse l'astuto Odisseo:
« Disgraziata, perché mi aggredisci così con animo irato?
Forse perché sono sporco, ho indosso misere vesti,
vo mendicando in paese? Il bisogno mi spinge.
Sono così i mendichi, così i vagabondi.
75 Un tempo abitavo anche io, felice, una casa
ricca tra gli uomini, e ad un vagabondo ho dato sovente,
così come era e come veniva, bisognoso d'aiuto:
avevo servi a migliaia e molte altre cose
con cui si vive beati e si è detti ricchi.
80 Ma Zeus, il figlio di Crono, tutto distrusse: volle così.
Così ora, donna, bada anche tu di non perdere tutto
il fulgore, per cui tra le serve ora spicchi,
se la padrona, adirata, si infuria con te
o arriva Odisseo: perché c'è ancora un po' di speranza.
85 E se egli è finito così e più non sarà di ritorno,
c'è ormai tale figlio, per volere di Apollo,
Telemaco: a lui in casa non sfugge una donna
che agisce male, perché non è più un bambino ».
Disse così e l'udì la saggia Penelope,
90 redarguì l'ancella, le rivolse la parola, le disse:
« Sfacciata, cagna impudente, non mi sfugge
che hai fatto un'azione enorme, che pulirai con la testa.
Sapevi bene ogni cosa, perché da me stessa l'hai udito,
che al forestiero volevo chiedere di mio marito
95 nelle mie stanze, perché sono sempre angosciata ».

ἦ ῥα, καὶ Εὐρυνόμην ταμίην πρὸς μῦθον ἔειπεν·
« Εὐρυνόμη, φέρε δὴ δίφρον καὶ κῶας ἐπ' αὐτοῦ,
ὄφρα καθεζόμενος εἴπῃ ἔπος ἠδ' ἐπακούσῃ
ὁ ξεῖνος ἐμέθεν· ἐθέλω δέ μιν ἐξερέεσθαι ».
100 ὣς ἔφαθ', ἡ δὲ μάλ' ὀτραλέως κατέθηκε φέρουσα
δίφρον ἐΰξεστον καὶ ἐπ' αὐτῷ κῶας ἔβαλλεν·
ἔνθα καθέζετ' ἔπειτα πολύτλας δῖος Ὀδυσσεύς.
τοῖσι δὲ μύθων ἦρχε περίφρων Πηνελόπεια·
« ξεῖνε, τὸ μέν σε πρῶτον ἐγὼν εἰρήσομαι αὐτή·
105 τίς πόθεν εἰς ἀνδρῶν; πόθι τοι πόλις ἠδὲ τοκῆες; ».
τὴν δ' ἀπαμειβόμενος προσέφη πολύμητις Ὀδυσσεύς·
« ὦ γύναι, οὐκ ἄν τίς σε βροτῶν ἐπ' ἀπείρονα γαῖαν
νεικέοι· ἦ γάρ σευ κλέος οὐρανὸν εὐρὺν ἱκάνει,
ὥς τέ τευ ἢ βασιλῆος ἀμύμονος, ὅς τε θεουδὴς
110 ἀνδράσιν ἐν πολλοῖσι καὶ ἰφθίμοισιν ἀνάσσων
εὐδικίας ἀνέχῃσι, φέρῃσι δὲ γαῖα μέλαινα
πυροὺς καὶ κριθάς, βρίθῃσι δὲ δένδρεα καρπῷ,
τίκτῃ δ' ἔμπεδα μῆλα, θάλασσα δὲ παρέχῃ ἰχθῦς
ἐξ εὐηγεσίης, ἀρετῶσι δὲ λαοὶ ὑπ' αὐτοῦ.
115 τῶ ἐμὲ νῦν τὰ μὲν ἄλλα μετάλλα σῷ ἐνὶ οἴκῳ,
μηδ' ἐμὸν ἐξερέεινε γένος καὶ πατρίδα γαῖαν,
μή μοι μᾶλλον θυμὸν ἐνιπλήσῃς ὀδυνάων
μνησαμένῳ· μάλα δ' εἰμὶ πολύστονος· οὐδέ τί με χρὴ
οἴκῳ ἐν ἀλλοτρίῳ γοόωντά τε μυρόμενόν τε
120 ἧσθαι, ἐπεὶ κάκιον πενθήμεναι ἄκριτον αἰεί·
μή τίς μοι δμῳῶν νεμεσήσεται ἠὲ σύ γ' αὐτή,
φῇ δὲ δακρυπλώειν βεβαρηότα με φρένας οἴνῳ ».
τὸν δ' ἠμείβετ' ἔπειτα περίφρων Πηνελόπεια·
« ξεῖν', ἦ τοι μὲν ἐμὴν ἀρετὴν εἶδός τε δέμας τε
125 ὤλεσαν ἀθάνατοι, ὅτε Ἴλιον εἰσανέβαινον
Ἀργεῖοι, μετὰ τοῖσι δ' ἐμὸς πόσις ᾖεν Ὀδυσσεύς.
εἰ κεῖνός γ' ἐλθὼν τὸν ἐμὸν βίον ἀμφιπολεύοι,
μεῖζόν κε κλέος εἴη ἐμὸν καὶ κάλλιον οὕτω.
νῦν δ' ἄχομαι· τόσα γάρ μοι ἐπέσσευεν κακὰ δαίμων.

Disse e parlò ad Eurinome, la dispensiera:
« Eurinome, porta una sedia ed un vello sopra,
perché sedutosi parli e mi ascolti
questo straniero: voglio fargli domande ».
100 Disse così e lei prontamente portò e pose
una sedia ben levigata e sopra vi mise un vello:
lì dunque sedeva il paziente chiaro Odisseo.
Fra essi iniziò a parlare la saggia Penelope:
« Straniero, prima io stessa ti chiederò questo:
105 chi sei, di che stirpe? dove hai città e genitori? ».
Rispondendole disse l'astuto Odisseo:
« Donna, nessun mortale sulla terra infinita
ti può biasimare: la tua fama va al vasto cielo,
come di un nobile re, il quale, timorato dei numi,
110 regnando su molti e fortissimi uomini,
tiene alte le opere giuste; e la terra bruna produce
frumento e orzo, gli alberi son colmi di frutti,
le greggi figliano sempre, il mare offre pesci,
col suo buon governo, e i popoli prosperano sotto di lui
115 Perciò ora chiedimi d'altro nella tua casa,
ma non domandarmi la stirpe e la patria,
per non colmare di più il mio animo, mentre ricordo,
di sofferenze: ho molti dolori. Non c'è alcun bisogno
che io sieda gemendo e piangendo in casa
120 di un altro, perché è peggio soffrire sempre incessantemente
Che non si adiri con me qualche ancella o tu stessa
e dica che nuoto nel pianto perché appesantito dal vino ».
Gli rispose allora la saggia Penelope:
« Straniero, il mio valore, la beltà, la figura,
125 gli immortali li spensero quando gli Argivi per Ilio
salparono, ed era con loro il mio sposo Odisseo.
Se egli tornasse e curasse questa mia vita,
la mia fama sarebbe più grande e tanto più bella.
Ora son triste: tali sventure un dio aizzò su di me.

130 ὅσσοι γὰρ νήσοισιν ἐπικρατέουσιν ἄριστοι,
Δουλιχίῳ τε Σάμῃ τε καὶ ὑλήεντι Ζακύνθῳ,
οἵ τ' αὐτὴν Ἰθάκην εὐδείελον ἀμφινέμονται,
οἵ μ' ἀεκαζομένην μνῶνται, τρύχουσι δὲ οἶκον.
τῶ οὔτε ξείνων ἐμπάζομαι οὔθ' ἱκετάων
135 οὔτε τι κηρύκων, οἳ δημιοεργοὶ ἔασιν·
ἀλλ' Ὀδυσῆ ποθέουσα φίλον κατατήκομαι ἦτορ.
οἱ δὲ γάμον σπεύδουσιν· ἐγὼ δὲ δόλους τολυπεύω.
φᾶρος μέν μοι πρῶτον ἐνέπνευσε φρεσὶ δαίμων
στησαμένῃ μέγαν ἱστὸν ἐνὶ μεγάροισιν ὑφαίνειν,
140 λεπτὸν καὶ περίμετρον· ἄφαρ δ' αὐτοῖς μετέειπον·
“ κοῦροι, ἐμοὶ μνηστῆρες, ἐπεὶ θάνε δῖος Ὀδυσσεύς,
μίμνετ' ἐπειγόμενοι τὸν ἐμὸν γάμον, εἰς ὅ κε φᾶρος
ἐκτελέσω, μή μοι μεταμώνια νήματ' ὄληται,
Λαέρτῃ ἥρωϊ ταφήϊον, εἰς ὅτε κέν μιν
145 μοῖρ' ὀλοὴ καθέλῃσι τανηλεγέος θανάτοιο·
μή τίς μοι κατὰ δῆμον Ἀχαιϊάδων νεμεσήσῃ,
αἴ κεν ἄτερ σπείρου κεῖται πολλὰ κτεατίσσας ”.
ὣς ἐφάμην, τοῖσιν δ' ἐπεπείθετο θυμὸς ἀγήνωρ.
ἔνθα καὶ ἠματίη μὲν ὑφαίνεσκον μέγαν ἱστόν,
150 νύκτας δ' ἀλλύεσκον, ἐπὴν δαΐδας παραθείμην.
ὣς τρίετες μὲν ἔληθον ἐγὼ καὶ ἔπειθον Ἀχαιούς·
ἀλλ' ὅτε τέτρατον ἦλθεν ἔτος καὶ ἐπήλυθον ὧραι,
μηνῶν φθινόντων, περὶ δ' ἤματα πόλλ' ἐτελέσθη,
καὶ τότε δή με διὰ δμῳάς, κύνας οὐκ ἀλεγούσας,
155 εἷλον ἐπελθόντες καὶ ὁμόκλησαν ἐπέεσσιν.
ὣς τὸ μὲν ἐξετέλεσσα καὶ οὐκ ἐθέλουσ', ὑπ' ἀνάγκης·
νῦν δ' οὔτ' ἐκφυγέειν δύναμαι γάμον οὔτε τιν' ἄλλην
μῆτιν ἔθ' εὑρίσκω· μάλα δ' ὀτρύνουσι τοκῆες
γήμασθ', ἀσχαλάᾳ δὲ πάϊς βίοτον κατεδόντων,
160 γιγνώσκων· ἤδη γὰρ ἀνὴρ οἷός τε μάλιστα
οἴκου κήδεσθαι, τῷ τε Ζεὺς ὄλβον ὀπάζει.
ἀλλὰ καὶ ὧς μοι εἰπὲ τεὸν γένος, ὁππόθεν ἐσσί·
οὐ γὰρ ἀπὸ δρυός ἐσσι παλαιφάτου οὐδ' ἀπὸ πέτρης »

130 Tutti i nobili che hanno potere sulle isole,
su Dulichio e su Same e sulla selvosa Zacinto,
e che abitano la stessa Itaca chiara nel sole,
mi fanno la corte, a me che non voglio, e la casa distruggono.
Perciò non dò retta a stranieri ed a supplici
135 e neppure agli araldi che sono artigiani:
ma nel cuore mi struggo pensando ad Odisseo.
Essi chiedono nozze, ed io aggomitolo inganni.
Prima un dio mi ispirò di rizzare
un grande telaio nella casa e di tessere un drappo
140 sottile e assai ampio; e ad essi dicevo senza esitare:
" Giovani miei pretendenti, poiché il chiaro Odisseo è morto,
aspettate, pur bramando le nozze, che finisca
il lenzuolo – che i fili non si sperdano al vento –,
il sudario per l'eroe Laerte, per quando
145 lo coglie il funesto destino della morte spietata,
perché nessuna delle Achee tra la gente mi biasimi,
se giace senza un lenzuolo un uomo che tanto possiede ".
Dissi così, e fu convinto il loro animo altero.
Ma io di giorno tessevo il gran telo
150 e di notte, con le fiaccole a lato, lo disfacevo.
Così per tre anni io elusi e convinsi gli Achei:
ma quando giunse il quarto anno e tornò primavera,
consumatisi i mesi, e trascorsi molti giorni,
ecco che grazie alle serve, alle cagne infingarde,
155 essi di sorpresa mi colsero e mi minacciarono.
Così l'ho finito, benché controvoglia, per forza.
Ora non posso sfuggire alle nozze e non trovo
alcun altro espediente. I genitori mi spingono
a prender marito: mio figlio si cruccia che mangiano i beni,
160 capendo: perché è già un uomo in grado
di curare la casa, uno a cui Zeus dà la ricchezza.
Ma anche così, di' la tua stirpe, di dove sei:
certo non sei dalla quercia o dal sasso della leggenda».

τὴν δ' ἀπαμειβόμενος προσέφη πολύμητις Ὀδυσσεύς·

165 « ὦ γύναι αἰδοίη Λαερτιάδεω Ὀδυσῆος,
οὐκέτ' ἀπολλήξεις τὸν ἐμὸν γόνον ἐξερέουσα;
ἀλλ' ἔκ τοι ἐρέω. ἦ μέν μ' ἀχέεσσί γε δώσεις
πλείοσιν ἢ ἔχομαι· ἡ γὰρ δίκη, ὁππότε πάτρης
ἧς ἀπέῃσιν ἀνὴρ τόσσον χρόνον ὅσσον ἐγὼ νῦν,
170 πολλὰ βροτῶν ἐπὶ ἄστε' ἀλώμενος, ἄλγεα πάσχων.
ἀλλὰ καὶ ὣς ἐρέω ὅ μ' ἀνείρεαι ἠδὲ μεταλλᾷς.
Κρήτη τις γαῖ' ἔστι μέσῳ ἐνὶ οἴνοπι πόντῳ,
καλὴ καὶ πίειρα, περίρρυτος· ἐν δ' ἄνθρωποι
πολλοὶ ἀπειρέσιοι, καὶ ἐννήκοντα πόληες –
175 ἄλλη δ' ἄλλων γλῶσσα μεμιγμένη· ἐν μὲν Ἀχαιοί,
ἐν δ' Ἐτεόκρητες μεγαλήτορες, ἐν δὲ Κύδωνες
Δωριέες τε τριχάϊκες δῖοί τε Πελασγοί –·
τῇσι δ' ἐνὶ Κνωσός, μεγάλη πόλις, ἔνθα τε Μίνως
ἐννέωρος βασίλευε Διὸς μεγάλου ὀαριστής,
180 πατρὸς ἐμοῖο πατήρ, μεγαθύμου Δευκαλίωνος.
Δευκαλίων δ' ἐμὲ τίκτε καὶ Ἰδομενῆα ἄνακτα·
ἀλλ' ὁ μὲν ἐν νήεσσι κορωνίσιν Ἴλιον εἴσω
ᾤχεθ' ἅμ' Ἀτρεΐδῃσιν· ἐμοὶ δ' ὄνομα κλυτὸν Αἴθων,
ὁπλότερος γενεῇ· ὁ δ' ἄρα πρότερος καὶ ἀρείων.
185 ἔνθ' Ὀδυσῆα ἐγὼν ἰδόμην καὶ ξείνια δῶκα.
καὶ γὰρ τὸν Κρήτηνδε κατήγαγεν ἲς ἀνέμοιο
ἱέμενον Τροίηνδε, παραπλάγξασα Μαλειῶν·
στῆσε δ' ἐν Ἀμνισῷ, ὅθι τε σπέος Εἰλειθυίης,
ἐν λιμέσιν χαλεποῖσι, μόγις δ' ὑπάλυξεν ἀέλλας.
190 αὐτίκα δ' Ἰδομενῆα μετάλλα ἄστυδ' ἀνελθών·
ξεῖνον γάρ οἱ ἔφασκε φίλον τ' ἔμεν αἰδοῖόν τε.
τῷ δ' ἤδη δεκάτη ἢ ἑνδεκάτη πέλεν ἠὼς
οἰχομένῳ σὺν νηυσὶ κορωνίσιν Ἴλιον εἴσω.
τὸν μὲν ἐγὼ πρὸς δώματ' ἄγων ἐῢ ἐξείνισσα,
195 ἐνδυκέως φιλέων, πολλῶν κατὰ οἶκον ἐόντων·
καί οἱ τοῖς ἄλλοισ' ἑτάροισ', οἳ ἅμ' αὐτῷ ἕποντο,
δημόθεν ἄλφιτα δῶκα καὶ αἴθοπα οἶνον ἀγείρας

Rispondendo le disse l'astuto Odisseo:
165 «O donna onorata di Odisseo figlio di Laerte,
non cesserai più di chiedere questa mia stirpe?
E dunque te la dirò. Mi farai però prigioniero di pene
più numerose di adesso: è la norma, quando dalla patria
si manca per tanto tempo, quanto io ora,
170 ramingo per molte città di mortali, soffrendo dolori.
Ma anche così ti dirò quel che chiedi e domandi.
C'è una terra nel mare scuro come vino, Creta,
bella e ferace, circondata dall'acqua: molti uomini
in essa vi sono, infiniti, e novanta città.
175 Chi ha una parlata, chi un'altra, un miscuglio: Achei
ed Eteocretesi magnanimi, Cidoni
e Doriesi con tre tribù, e chiari Pelasgi.
Tra esse è Cnosso, una grande città, nella quale regnava
nove anni Minosse, confidente del grande Zeus
180 e padre del padre mio, il magnanimo Deucalione.
Deucalione generò me e il sovrano Idomeneo:
ma egli con le navi ricurve andò con gli Atridi
a Ilio. Il mio illustre nome è Etone,
e sono il minore d'età; il primo e il più forte è lui.
185 Là vidi Odisseo e l'ospitai:
la forza del vento sospinse a Creta anche lui,
mentre puntava su Troia, deviandolo da Capo Malea.
Si fermò ad Amniso, dove è una grotta di Ilizia,
in approdi difficili, e a stento sfuggì alle tempeste.
190 Salito in città, chiese subito di Idomeneo:
diceva che era suo ospite, amico e onorato.
E per lui era già la decima o undecima aurora,
dacché con le navi ricurve era salpato per Ilio.
Lo ospitai con cura, conducendolo a casa,
195 gentilmente accogliendolo: c'era molto in casa.
Per gli altri compagni, che lo seguivano,
gli diedi orzo e scuro vino, raccolti tra il popolo,

καὶ βοῦς ἱρεύσασθαι, ἵνα πλησαίατο θυμόν.
ἔνθα δυώδεκα μὲν μένον ἤματα δῖοι Ἀχαιοί·
200 εἶλει γὰρ βορέης ἄνεμος μέγας οὐδ' ἐπὶ γαίῃ
εἴα ἵστασθαι, χαλεπὸς δέ τις ὤρορε δαίμων·
τῇ τρεισκαιδεκάτῃ δ' ἄνεμος πέσε, τοὶ δ' ἀνάγοντο ».
ἴσκε ψεύδεα πολλὰ λέγων ἐτύμοισιν ὁμοῖα·
τῆς δ' ἄρ' ἀκουούσης ῥέε δάκρυα, τήκετο δὲ χρώς.
205 ὡς δὲ χιὼν κατατήκετ' ἐν ἀκροπόλοισιν ὄρεσσιν,
ἥν τ' εὖρος κατέτηξεν, ἐπὴν ζέφυρος καταχεύῃ,
τηκομένης δ' ἄρα τῆς ποταμοὶ πλήθουσι ῥέοντες·
ὣς τῆς τήκετο καλὰ παρήϊα δάκρυ χεούσης,
κλαιούσης ἑὸν ἄνδρα, παρήμενον. αὐτὰρ Ὀδυσσεὺς
210 θυμῷ μὲν γοόωσαν ἑὴν ἐλέαιρε γυναῖκα,
ὀφθαλμοὶ δ' ὡς εἰ κέρα ἕστασαν ἠὲ σίδηρος
ἀτρέμας ἐν βλεφάροισι· δόλῳ δ' ὅ γε δάκρυα κεῦθεν.
ἡ δ' ἐπεὶ οὖν τάρφθη πολυδακρύτοιο γόοιο,
ἐξαῦτίς μιν ἔπεσσιν ἀμειβομένη προσέειπε·
215 « νῦν μὲν δή σευ ξεῖνέ γ' ὀίω πειρήσεσθαι,
εἰ ἐτεὸν δὴ κεῖθι σὺν ἀντιθέοισ' ἑτάροισι
ξείνισας ἐν μεγάροισιν ἐμὸν πόσιν, ὡς ἀγορεύεις.
εἰπέ μοι, ὁπποῖ' ἄσσα περὶ χροῒ εἵματα ἕστο,
αὐτός θ' οἷος ἔην, καὶ ἑταίρους, οἵ οἱ ἕποντο ».
220 τὴν δ' ἀπαμειβόμενος προσέφη πολύμητις Ὀδυσσεύς·
« ὦ γύναι, ἀργαλέον τόσσον χρόνον ἀμφὶς ἐόντα
εἰπέμεν· ἤδη γάρ μοι ἐεικοστὸν ἔτος ἐστίν,
ἐξ οὗ κεῖθεν ἔβη καὶ ἐμῆς ἀπελήλυθε πάτρης·
αὐτάρ τοι ἐρέω, ὥς μοι ἰνδάλλεται ἦτορ.
225 χλαῖναν πορφυρέην οὔλην ἔχε δῖος Ὀδυσσεύς,
διπλῆν· ἐν δ' ἄρα οἱ περόνη χρυσοῖο τέτυκτο
αὐλοῖσιν διδύμοισι· πάροιθε δὲ δαίδαλον ἦεν·
ἐν προτέροισι πόδεσσι κύων ἔχε ποικίλον ἐλλόν,
ἀσπαίροντα λάων· τὸ δὲ θαυμάζεσκον ἅπαντες,
230 ὡς οἱ χρύσεοι ἐόντες ὁ μὲν λάε νεβρὸν ἀπάγχων,
αὐτὰρ ὁ ἐκφυγέειν μεμαὼς ἤσπαιρε πόδεσσι.

e buoi da immolare, perché si saziassero.
Dodici giorni gli illustri Achei restarono lì:
200 li serrava una gran tramontana e non li lasciava
star ritti neppure a terra. Un dio crudele l'aveva eccitata.
Al tredicesimo il vento cessò e presero il largo ».
Fingeva dicendo molte menzogne simili al vero:
lei ascoltando piangeva, la pelle le si scioglieva.
205 Come si scioglie sui monti eccelsi la neve,
che Euro sciolse e Zefiro aveva ammucchiata,
e mentre si scioglie i fiumi s'ingrossano,
così le si sciolsero le belle gote piangendo,
gemendo per il suo sposo, seduto vicino. E Odisseo
210 commiserava sua moglie che singhiozzava,
ma i suoi occhi, quasi fossero corno o ferro, restarono
nelle palpebre immobili: nascondeva con astuzia le lacrime.
Quando fu sazia di piangere e gemere,
parlando di nuovo gli disse:
215 « Penso, ora, o straniero, che ti porrò alla prova,
se veramente laggiù coi compagni pari agli dei
in casa ospitasti il mio sposo, come racconti.
Dimmi di quali vestiti sulla persona vestiva
e come egli era: dimmi i compagni che lo seguivano ».
220 Rispondendo le disse l'astuto Odisseo:
« O donna, è difficile dirlo, essendo lontano
da moltissimo tempo: è già il ventesimo anno, codesto,
da quando partì e dalla mia patria andò via.
Ma ti dirò, come nel cuore il ricordo m'appare.
225 Un mantello purpureo, di lana, il chiaro Odisseo aveva,
doppio; e in esso gli era forgiato un fermaglio d'oro,
con doppia scanalatura, e v'era un cesello davanti:
nelle zampe anteriori, un cane teneva un cerbiatto screziato
e lo guardava dibattersi. E tutti ammiravano,
230 come, essendo essi d'oro, l'uno guatasse, strozzandolo, il cervo
e questo, bramando scappare, scalciasse coi piedi.

τὸν δὲ χιτῶν' ἐνόησα περὶ χροῒ σιγαλόεντα,
οἷόν τε κρομύοιο λοπὸν κάτα ἰσχαλέοιο·
τὼς μὲν ἔην μαλακός, λαμπρὸς δ' ἦν ἠέλιος ὥς.
235 ἦ μὲν πολλαί γ' αὐτὸν ἐθηήσαντο γυναῖκες.
ἄλλο δέ τοι ἐρέω, σὺ δ' ἐνὶ φρεσὶ βάλλεο σῇσιν·
οὐκ οἶδ', ἢ τάδε ἕστο περὶ χροῒ οἴκοθ' Ὀδυσσεύς,
ἦ τις ἑταίρων δῶκε θοῆς ἐπὶ νηὸς ἰόντι
ἤ τίς που καὶ ξεῖνος, ἐπεὶ πολλοῖσιν Ὀδυσσεὺς
240 ἔσκε φίλος· παῦροι γὰρ Ἀχαιῶν ἦσαν ὁμοῖοι.
καί οἱ ἐγὼ χάλκειον ἄορ καὶ δίπλακα δῶκα
καλὴν πορφυρέην καὶ τερμιόεντα χιτῶνα,
αἰδοίως δ' ἀπέπεμπον ἐϋσσέλμου ἐπὶ νηός.
καὶ μέν οἱ κῆρυξ ὀλίγον προγενέστερος αὐτοῦ
245 εἵπετο· καὶ τόν τοι μυθήσομαι, οἷος ἔην περ·
γυρὸς ἐν ὤμοισιν, μελανόχροος, οὐλοκάρηνος,
Εὐρυβάτης δ' ὄνομ' ἔσκε· τίεν δέ μιν ἔξοχον ἄλλων
ὧν ἑτάρων Ὀδυσεύς, ὅτι οἱ φρεσὶν ἄρτια ᾔδη ».

ὣς φάτο, τῇ δ' ἔτι μᾶλλον ὑφ' ἵμερον ὦρσε γόοιο
250 σήματ' ἀναγνούσῃ, τά οἱ ἔμπεδα πέφραδ' Ὀδυσσεύς.
ἡ δ' ἐπεὶ οὖν τάρφθη πολυδακρύτοιο γόοιο,
καὶ τότε μιν μύθοισιν ἀμειβομένη προσέειπε·

« νῦν μὲν δή μοι, ξεῖνε, πάρος περ ἐὼν ἐλεεινός,
ἐν μεγάροισιν ἐμοῖσι φίλος τ' ἔσῃ αἰδοῖός τε·
255 αὐτὴ γὰρ τάδε εἵματ' ἐγὼ πόρον, οἷ' ἀγορεύεις,
πτύξασ' ἐκ θαλάμου, περόνην τ' ἐπέθηκα φαεινὴν
κείνῳ ἄγαλμ' ἔμεναι. τὸν δ' οὐχ ὑποδέξομαι αὖτις
οἴκαδε νοστήσαντα φίλην ἐς πατρίδα γαῖαν.
τῶ ῥα κακῇ αἴσῃ κοίλης ἐπὶ νηὸς Ὀδυσσεὺς
260 ᾤχετ' ἐποψόμενος Κακοΐλιον οὐκ ὀνομαστήν ».

τὴν δ' ἀπαμειβόμενος προσέφη πολύμητις Ὀδυσσεύς·
« ὦ γύναι αἰδοίη Λαερτιάδεω Ὀδυσῆος,
μηκέτι νῦν χρόα καλὸν ἐναίρεο μηδέ τι θυμὸν
τῆκε πόσιν γοόωσα. νεμεσσῶμαί γε μὲν οὐδέν·
265 καὶ γάρ τίς τ' ἀλλοῖον ὀδύρεται ἄνδρ' ὀλέσασα

E notai la sua tunica, che sulla persona splendeva
come un velo di cipolla secca:
era delicata così, e come il sole era lucente.
235 E veramente l'ammirarono moltissime donne.
Ma ti dirò un'altra cosa e tu tienila a mente:
non so se Odisseo vestiva queste vesti già a casa,
o gliele diede un compagno partendo sulla nave veloce,
oppure un suo ospite, perché Odisseo era amico
240 di molti: come lui tra gli Achei ce n'erano pochi.
Gli diedi anch'io una spada di bronzo e un mantello
doppio, bello, purpureo e una tunica orlata;
lo scortai con onore alla nave ben costruita.
E lo seguiva un araldo un poco più anziano
245 di lui. Anche questi ti dirò come era:
era curvo di spalle, bruno di pelle, ricciuto.
Eurìbate era il suo nome: Odisseo lo onorava
più degli altri compagni, perché aveva i suoi stessi pensieri ».

Disse così e di più in lei suscitò desiderio di pianto,
250 nel riconoscere i segni che Odisseo le rivelò, sicuri.
Quando fu sazia di piangere e gemere,
parlando di nuovo gli disse:

« Ora, o straniero, che prima eri già miserando,
a me sarai caro e onorato nella mia casa.
255 Le diedi io stessa queste vesti che dici,
tolte e piegate dal talamo, e aggiunsi il fermaglio lucente
perché lo adornasse. Lui non l'accoglierò più,
di ritorno a casa e nella cara terra patria.
Così, sulla nave incavata, con sorte maligna Odisseo
260 partì, per andare a vedere la nefanda Mal-ilio ».

Rispondendo le disse l'astuto Odisseo:
« O donna onorata di Odisseo figlio di Laerte,
non sciupare la pelle bella e non struggerti l'animo
ora piangendo lo sposo. Non ti rimprovero affatto:
265 perché chi ha perduto lo sposo legittimo, col quale unita

κουρίδιον, τῷ τέκνα τέκῃ φιλότητι μιγεῖσα,
ἢ Ὀδυσῆ', ὅν φασι θεοῖσ' ἐναλίγκιον εἶναι.
ἀλλὰ γόου μὲν παῦσαι, ἐμεῖο δὲ σύνθεο μῦθον·
νημερτέως γάρ τοι μυθήσομαι οὐδ' ἐπικεύσω,
270 ὡς ἤδη Ὀδυσῆος ἐγὼ περὶ νόστου ἄκουσα
ἀγχοῦ, Θεσπρωτῶν ἀνδρῶν ἐν πίονι δήμῳ,
ζωοῦ· αὐτὰρ ἄγει κειμήλια πολλὰ καὶ ἐσθλά,
αἰτίζων ἀνὰ δῆμον. ἀτὰρ ἐρίηρας ἑταίρους
ὤλεσε καὶ νῆα γλαφυρὴν ἐνὶ οἴνοπι πόντῳ,
275 Θρινακίης ἄπο νήσου ἰών· ὀδύσαντο γὰρ αὐτῷ
Ζεύς τε καὶ Ἠέλιος· τοῦ γὰρ βόας ἔκταν ἑταῖροι.
οἱ μὲν πάντες ὄλοντο πολυκλύστῳ ἐνὶ πόντῳ·
τὸν δ' ἄρ' ἐπὶ τρόπιος νηὸς βάλε κῦμ' ἐπὶ χέρσου,
Φαιήκων ἐς γαῖαν, οἳ ἀγχίθεοι γεγάασιν·
280 οἳ δή μιν περὶ κῆρι θεὸν ὣς τιμήσαντο
καί οἱ πολλὰ δόσαν πέμπειν τέ μιν ἤθελον αὐτοὶ
οἴκαδ' ἀπήμαντον. καί κεν πάλαι ἐνθάδ' Ὀδυσσεὺς
ἤην· ἀλλ' ἄρα οἱ τό γε κέρδιον εἴσατο θυμῷ,
χρήματ' ἀγυρτάζειν πολλὴν ἐπὶ γαῖαν ἰόντι·
285 ὣς περὶ κέρδεα πολλὰ καταθνητῶν ἀνθρώπων
οἶδ' Ὀδυσεύς, οὐδ' ἄν τις ἐρίσσειε βροτὸς ἄλλος.
ὥς μοι Θεσπρωτῶν βασιλεὺς μυθήσατο Φείδων·
ὤμνυε δὲ πρὸς ἔμ' αὐτόν, ἀποσπένδων ἐνὶ οἴκῳ,
νῆα κατειρύσθαι καὶ ἐπαρτέας ἔμμεν ἑταίρους,
290 οἳ δή μιν πέμψουσι φίλην ἐς πατρίδα γαῖαν.
ἀλλ' ἐμὲ πρὶν ἀπέπεμψε· τύχησε γὰρ ἐρχομένη νηῦς
ἀνδρῶν Θεσπρωτῶν ἐς Δουλίχιον πολύπυρον.
καί μοι κτήματ' ἔδειξεν, ὅσα ξυναγείρατ' Ὀδυσσεύς·
καί νύ κεν ἐς δεκάτην γενεὴν ἕτερόν γ' ἔτι βόσκοι·
295 τόσσα οἱ ἐν μεγάροις κειμήλια κεῖτο ἄνακτος.
τὸν δ' ἐς Δωδώνην φάτο βήμεναι, ὄφρα θεοῖο
ἐκ δρυὸς ὑψικόμοιο Διὸς βουλὴν ἐπακούσαι,
ὅππως νοστήσειε φίλην ἐς πατρίδα γαῖαν,
ἤδη δὴν ἀπεών, ἢ ἀμφαδὸν ἦε κρυφηδόν.

in amore ebbe figli, lo piange anche quando è inferiore
ad Odisseo, che dicono somigliasse agli dei.
Ma smetti di piangere e intendi il mio dire.
Ti dirò senza inganno e senza celarlo,
270 che io ho già udito di Odisseo, del suo ritorno,
qui presso, nel pingue paese della gente tesprota,
che è vivo: e porta molti e preziosi tesori,
chiedendoli per il paese. Ma i fedeli compagni
e la nave ben cava li perdette sul mare scuro come vino,
275 venendo dall'isola della Trinachia: lo avevano in odio
Zeus e il Sole, di cui i compagni uccisero i buoi.
Essi perirono tutti nel mare molto ondoso,
e lui, sulla chiglia della sua nave, un'onda gettò sulla riva
presso i Feaci, che sono vicini agli dei.
280 Essi di cuore gli resero gli onori di un dio,
gli diedero molto e volevano scortarlo a casa
essi stessi, illeso. E sarebbe qui Odisseo
da tempo: ma nell'animo gli parve più utile
ammassare ricchezze viaggiando per molta terra.
285 Così tanti vantaggi Odisseo conosce meglio
degli uomini: nessun altro mortale potrebbe competere.
Così mi diceva Fidone, il re dei Tesproti:
e a me stesso giurò, mentre in casa libava,
che era già tratta la nave e già pronti i compagni
290 che lo porteranno nella cara terra patria.
Congedò prima me: per caso una nave tesprota
andava a Dulichio ricca di grano.
E mi mostrò le ricchezze che Odisseo aveva ammassate:
manterrebbero un uomo fino alla decima generazione,
295 tanti tesori egli aveva nella casa del re.
Disse che egli era andato a Dodona, a sentire
dalla quercia divina d'alte fronde il volere di Zeus,
come dovesse tornare nel pingue paese di Itaca,
da cui era assente da tanto, se alla scoperta o in segreto.

300 ὡς ὁ μὲν οὕτως ἐστὶ σόος καὶ ἐλεύσεται ἤδη
ἄγχι μάλ', οὐδ' ἔτι τῆλε φίλων καὶ πατρίδος αἴης
δηρὸν ἀπεσσεῖται· ἔμπης δέ τοι ὅρκια δώσω.
ἴστω νῦν Ζεὺς πρῶτα, θεῶν ὕπατος καὶ ἄριστος,
ἱστίη τ' Ὀδυσῆος ἀμύμονος, ἣν ἀφικάνω·
305 ἦ μέν τοι τάδε πάντα τελείεται ὡς ἀγορεύω.
τοῦδ' αὐτοῦ λυκάβαντος ἐλεύσεται ἐνθάδ' Ὀδυσσεύς,
τοῦ μὲν φθίνοντος μηνός, τοῦ δ' ἱσταμένοιο ».
τὸν δ' αὖτε προσέειπε περίφρων Πηνελόπεια·
« αἲ γὰρ τοῦτο, ξεῖνε, ἔπος τετελεσμένον εἴη·
310 τῷ κε τάχα γνοίης φιλότητά τε πολλά τε δῶρα
ἐξ ἐμεῦ, ὡς ἄν τίς σε συναντόμενος μακαρίζοι.
ἀλλά μοι ὧδ' ἀνὰ θυμὸν ὀΐεται, ὡς ἔσεταί περ·
οὔτ' Ὀδυσεὺς ἔτι οἶκον ἐλεύσεται, οὔτε σὺ πομπῆς
τεύξῃ, ἐπεὶ οὐ τοῖοι σημάντορές εἰσ' ἐνὶ οἴκῳ,
315 οἷος Ὀδυσσεὺς ἔσκε μετ' ἀνδράσιν, εἴ ποτ' ἔην γε,
ξείνους αἰδοίους ἀποπεμπέμεν ἠδὲ δέχεσθαι.
ἀλλά μιν, ἀμφίπολοι, ἀπονίψατε, κάτθετε δ' εὐνήν,
δέμνια καὶ χλαίνας καὶ ῥήγεα σιγαλόεντα,
ὥς κ' εὖ θαλπιόων χρυσόθρονον Ἠῶ ἵκηται.
320 ἠῶθεν δὲ μάλ' ἦρι λοέσσαι τε χρῖσαί τε,
ὥς κ' ἔνδον παρὰ Τηλεμάχῳ δείπνοιο μέδηται
ἥμενος ἐν μεγάρῳ. τῷ δ' ἄλγιον, ὅς κεν ἐκείνων
τοῦτον ἀνιάζῃ θυμοφθόρος· οὐδέ τι ἔργον
ἐνθάδ' ἔτι πρήξει, μάλα περ κεχολωμένος αἰνῶς.
325 πῶς γὰρ ἐμεῦ σύ, ξεῖνε, δαήσεαι, εἴ τι γυναικῶν
ἀλλάων περίειμι νόον καὶ ἐπίφρονα μῆτιν,
εἴ κεν ἀϋσταλέος, κακὰ εἱμένος ἐν μεγάροισι
δαινύῃ; ἄνθρωποι δὲ μινυνθάδιοι τελέθουσιν.
ὃς μὲν ἀπηνὴς αὐτὸς ἔῃ καὶ ἀπηνέα εἰδῇ,
330 τῷ δὲ καταρῶνται πάντες βροτοὶ ἄλγε' ὀπίσσω
ζωῷ, ἀτὰρ τεθνεῶτί γ' ἐφεψιόωνται ἅπαντες·
ὃς δ' ἂν ἀμύμων αὐτὸς ἔῃ καὶ ἀμύμονα εἰδῇ,
τοῦ μέν τε κλέος εὐρὺ διὰ ξεῖνοι φορέουσι

300 Così egli è salvo e assai presto ormai
tornerà e non starà a lungo lontano dai suoi
e dalla terra dei padri: e ti farò un giuramento.
Anzitutto lo sappia, tra gli dei, ora Zeus e la mensa ospitale
e il focolare del nobile Odisseo, presso cui sono giunto:
305 tutto questo si avvererà come dico.
Odisseo verrà in questo stesso giro di tempo,
quando una luna finisce e l'altra comincia ».

Gli rispose allora la saggia Penelope:
« Oh, se questa profezia si compisse, o straniero!
310 Subito avresti amicizia e molti regali
da me, sicché uno ti direbbe beato, incontrandoti.
Ma nell'animo prevedo così, come pure sarà:
né verrà Odisseo a casa, né tu otterrai
una scorta, perché non vi sono in casa dei capi così,
315 quale era tra gli uomini Odisseo, se mai egli fu,
nel congedare o accogliere i riveriti stranieri.
Ma, ancelle, lavatelo, preparate un giaciglio,
letto e coltri e coperte lucenti,
che arrivi ben riscaldato all'Aurora dall'aureo trono.
320 Domani prestissimo lavatelo e ungetelo,
perché, dentro, vicino a Telemaco, pensi al banchetto
seduto nella gran sala. Guai a chi di essi,
mordace, lo molestasse: non avrà più nulla
a che fare costì, se anche s'adira terribilmente.
325 Come sapresti, o straniero, se supero
le altre donne per senno e accorto giudizio,
se tu, sordido, miseramente vestito, nella casa
mangiassi? Gli uomini sono di breve durata.
Per chi è maligno e pensa malignamente,
330 invocano tutti i mortali da vivo dolori
in futuro, e da morto tutti lo ingiuriano;
di chi è magnanimo e pensa magnanimamente,
gli stranieri diffondono ampia la fama

πάντας ἐπ' ἀνθρώπους, πολλοί τέ μιν ἐσθλὸν ἔειπον ».

335 τὴν δ' ἀπαμειβόμενος προσέφη πολύμητις Ὀδυσσεύς·
« ὦ γύναι αἰδοίη Λαερτιάδεω Ὀδυσῆος,
ἦ τοι ἐμοὶ χλαῖναι καὶ ῥήγεα σιγαλόεντα
ἤχθεθ', ὅτε πρῶτον Κρήτης ὄρεα νιφόεντα
νοσφισάμην ἐπὶ νηὸς ἰὼν δολιχηρέτμοιο·
340 κείω δ' ὡς τὸ πάρος περ ἀΰπνους νύκτας ἴαυον.
πολλὰς γὰρ δὴ νύκτας ἀεικελίῳ ἐνὶ κοίτῃ
ἄεσα καί τ' ἀνέμεινα ἐΰθρονον Ἠῶ δῖαν.
οὐδέ τί μοι ποδάνιπτρα ποδῶν ἐπιήρανα θυμῷ
γίνεται· οὐδὲ γυνὴ ποδὸς ἅψεται ἡμετέροιο
345 τάων, αἵ τοι δῶμα κάτα δρήστειραι ἔασιν,
εἰ μή τις γρηῦς ἐστι παλαιή, κεδνὰ ἰδυῖα,
ἥ τις δὴ τέτληκε τόσα φρεσὶν ὅσσα τ' ἐγώ περ·
τῇ δ' οὐκ ἂν φθονέοιμι ποδῶν ἅψασθαι ἐμεῖο ».

τὸν δ' αὖτε προσέειπε περίφρων Πηνελόπεια·
350 « ξεῖνε φίλ'· οὐ γάρ πώ τις ἀνὴρ πεπνυμένος ὧδε
ξείνων τηλεδαπῶν φιλίων ἐμὸν ἵκετο δῶμα,
ὡς σὺ μάλ' εὐφραδέως πεπνυμένα πάντ' ἀγορεύεις·
ἔστι δέ μοι γρηῢς πυκινὰ φρεσὶ μήδε' ἔχουσα,
ἣ κεῖνον δύστηνον ἐῢ τρέφεν ἠδ' ἀτίταλλε
355 δεξαμένη χείρεσσ', ὅτε μιν πρῶτον τέκε μήτηρ·
ἥ σε πόδας νίψει, ὀλιγηπελέουσά περ ἔμπης.
ἀλλ' ἄγε νῦν ἀνστᾶσα, περίφρων Εὐρύκλεια,
νίψον σοῖο ἄνακτος ὁμήλικα· καί που Ὀδυσσεὺς
ἤδη τοιόσδ' ἐστὶ πόδας τοιόσδε τε χεῖρας·
360 αἶψα γὰρ ἐν κακότητι βροτοὶ καταγηράσκουσιν ».

ὣς ἄρ' ἔφη, γρηῢς δὲ κατέσχετο χερσὶ πρόσωπα,
δάκρυα δ' ἔκβαλε θερμά, ἔπος δ' ὀλοφυδνὸν ἔειπεν·
« ὤ μοι ἐγὼ σέο, τέκνον, ἀμήχανος· ἦ σε περὶ Ζεὺς
ἀνθρώπων ἤχθηρε θεουδέα θυμὸν ἔχοντα.
365 οὐ γάρ πώ τις τόσσα βροτῶν Διὶ τερπικεραύνῳ
πίονα μηρί' ἔκη' οὐδ' ἐξαίτους ἑκατόμβας,
ὅσσα σὺ τῷ ἐδίδους ἀρώμενος, ἧος ἵκοιο

tra tutti gli uomini e in molti lo dicono egregio».
335 Rispondendo le disse l'astuto Odisseo:
«O donna onorata di Odisseo figlio di Laerte,
veramente coltri e coperte lucenti
mi sono odiose, da quando lasciai i monti nevosi
di Creta, andando lontano sulla nave dai lunghi remi;
340 voglio giacere come prima ho trascorso le notti insonni.
Perché su un meschino giaciglio parecchie notti
ho dormito e ho atteso la chiara Aurora sul trono.
E nell'animo non m'è gradito un lavacro
dei piedi: nessuna donna toccherà il nostro piede
345 di queste, che sono tue serve in casa,
se non c'è qualche annosa vegliarda, solerte,
che ha tanto sofferto nell'animo quanto io pure.
A costei non vieterei di toccare i miei piedi».
Gli rispose allora la saggia Penelope:
350 «Ospite caro, tra i forestieri di paesi lontani
mai è arrivato più caro nella mia casa un uomo così avveduto,
come sei tu che dici ogni cosa in modo chiaro e assennato.
C'è una vecchia con me, ed ha nella mente connessi pensieri,
che crebbe e allevò con affetto quel misero,
355 accogliendolo nelle sue braccia, appena la madre lo partorì:
ti laverà i piedi costei, anche se è molto debole.
Dunque ora alzati, saggia Euriclea,
e lava un coetaneo del tuo signore: Odisseo certo
ha ormai i piedi e le mani ridotte così,
360 perché i mortali invecchiano subito nella sventura».
Disse così, e la vecchia si coprì con le mani la faccia,
versò calde lacrime, pronunciò lamentose parole:
«Per te, o figlio, m'accoro, impotente: tra gli uomini
Zeus odiò te di più, che avevi un animo pio.
365 Nessuno bruciò tra i mortali a Zeus lieto del fulmine
cosci grassi e scelte ecatombi così numerosi,
quanti ne desti tu a lui, pregando di poter arrivare

γῆράς τε λιπαρὸν θρέψαιό τε φαίδιμον υἱόν·
νῦν δέ τοι οἴῳ πάμπαν ἀφείλετο νόστιμον ἦμαρ.
370 οὕτω που καὶ κείνῳ ἐφεψιόωντο γυναῖκες
ξείνων τηλεδαπῶν, ὅτε τευ κλυτὰ δώμαθ' ἵκοιτο,
ὡς σέθεν αἱ κύνες αἵδε καθεψιόωνται ἅπασαι,
τάων νῦν λώβην τε καὶ αἴσχεα πόλλ' ἀλεείνων
οὐκ ἐάᾳς νίζειν· ἐμὲ δ' οὐκ ἀέκουσαν ἄνωγε
375 κούρη Ἰκαρίοιο, περίφρων Πηνελόπεια.
τῶ σε πόδας νίψω ἅμα τ' αὐτῆς Πηνελοπείης
καὶ σέθεν εἵνεκ', ἐπεί μοι ὀρώρεται ἔνδοθι θυμὸς
κήδεσιν. ἀλλ' ἄγε νῦν ξυνίει ἔπος, ὅττι κεν εἴπω·
πολλοὶ δὴ ξεῖνοι ταλαπείριοι ἐνθάδ' ἵκοντο,
380 ἀλλ' οὔ πώ τινά φημι ἐοικότα ὧδε ἰδέσθαι
ὡς σὺ δέμας φωνήν τε πόδας τ' Ὀδυσῆϊ ἔοικας ».
τὴν δ' ἀπαμειβόμενος προσέφη πολύμητις Ὀδυσσεύς·
« ὦ γρηῦ, οὕτω φασὶν ὅσοι ἴδον ὀφθαλμοῖσιν
ἡμέας ἀμφοτέρους, μάλα εἰκέλω ἀλλήλοιϊν
385 ἔμμεναι, ὡς σύ περ αὐτὴ ἐπιφρονέουσ' ἀγορεύεις ».
ὣς ἄρ' ἔφη, γρηῢς δὲ λέβηθ' ἕλε παμφανόωντα,
τῷ πόδας ἐξαπένιζεν, ὕδωρ δ' ἐνεχεύατο πολλόν,
ψυχρόν, ἔπειτα δὲ θερμὸν ἐπήφυσεν. αὐτὰρ Ὀδυσσεὺς
ἷζεν ἐπ' ἐσχαρόφιν, ποτὶ δὲ σκότον ἐτράπετ' αἶψα·
390 αὐτίκα γὰρ κατὰ θυμὸν ὀΐσατο, μή ἑ λαβοῦσα
οὐλὴν ἀμφράσσαιτο καὶ ἀμφαδὰ ἔργα γένοιτο.
νίζε δ' ἄρ' ἆσσον ἰοῦσα ἄναχθ' ἑόν· αὐτίκα δ' ἔγνω
οὐλήν, τήν ποτέ μιν σῦς ἤλασε λευκῷ ὀδόντι
Παρνησόνδ' ἐλθόντα μετ' Αὐτόλυκόν τε καὶ υἷας,
395 μητρὸς ἑῆς πατέρ' ἐσθλόν, ὃς ἀνθρώπους ἐκέκαστο
κλεπτοσύνῃ θ' ὅρκῳ τε· θεὸς δέ οἱ αὐτὸς ἔδωκεν
Ἑρμείας· τῷ γὰρ κεχαρισμένα μηρία καῖεν
ἀρνῶν ἠδ' ἐρίφων· ὁ δέ οἱ πρόφρων ἅμ' ὀπήδει.
Αὐτόλυκος δ' ἐλθὼν Ἰθάκης ἐς πίονα δῆμον
400 παῖδα νέον γεγαῶτα κιχήσατο θυγατέρος ἧς·
τόν ῥά οἱ Εὐρύκλεια φίλοισ' ἐπὶ γούνασι θῆκε

ad una splendente vecchiezza e crescere il figlio illustre:
ed ora a te solo tolse del tutto il dì del ritorno.
370 Forse le donne dei forestieri di paesi lontani irridevano
così anche lui, quando arrivava nella casa illustre di uno,
come irridono te queste cagne, tutte;
ed ora, per evitarne l'oltraggio e le molte infamie,
non le lasci lavarti; e l'ha ordinato a me, consenziente,
375 la figlia di Icario, la saggia Penelope.
Ti laverò dunque i piedi, per riguardo a Penelope
e a te, perché il mio animo, dentro, è mosso
da compassione. Ma ora ascolta la parola che dico:
molti stranieri qui sono giunti, provati dalla sventura,
380 ma nessuno, dico, a vederlo somigliava tanto
ad Odisseo, come tu gli somigli, nell'aspetto, la voce, i piedi».
Rispondendo le disse l'astuto Odisseo:
«O vecchia, così dicono quanti con gli occhi ci videro
entrambi, che siamo assai somiglianti
385 tra noi, come affermi con senno anche tu».
Disse così, e la vecchia prese il bacile lucente,
in cui lavava i piedi, vi versò molta acqua
fredda e aggiunse poi quella calda. Odisseo
sedeva discosto dal focolare, e d'un tratto si volse alla tenebra:
390 subito temette nell'animo che nel toccarlo
notasse la sua cicatrice e si scoprisse ogni cosa.
Lavava il padrone accostandosi e riconobbe all'istante
la ferita che gli inferse il cinghiale col bianco dente,
quando andò sul Parnaso, da Autolico e i figli,
395 dal nobile nonno materno, che spiccava tra gli uomini
per ladrocinio e spergiuro: glieli diede il dio stesso
Ermete, al quale bruciava cosci graditi
di agnelli e capretti, e che lo scortava benevolo.
Arrivando nel ricco paese di Itaca, Autolico
400 aveva trovato il figlio neonato di sua figlia;
sui ginocchi Euriclea glielo pose,

παυομένῳ δόρποιο, ἔπος τ' ἔφατ' ἔκ τ' ὀνόμαζεν·
«Αὐτόλυκ', αὐτὸς νῦν ὄνομ' εὕρεο, ὅττι κε θεῖαι
παιδὸς παιδὶ φίλῳ· πολυάρητος δέ τοί ἐστι».
405 τὴν δ' αὖτ' Αὐτόλυκος ἀπαμείβετο φώνησέν τε·
«γαμβρὸς ἐμὸς θύγατέρ τε, τίθεσθ' ὄνομ', ὅττι κεν εἴπω·
πολλοῖσιν γὰρ ἐγώ γε ὀδυσσάμενος τόδ' ἱκάνω,
ἀνδράσιν ἠδὲ γυναιξὶν ἀνὰ χθόνα πουλυβότειραν·
τῷ δ' Ὀδυσεὺς ὄνομ' ἔστω ἐπώνυμον. αὐτὰρ ἐγώ γε,
410 ὁππότ' ἂν ἡβήσας μητρώϊον ἐς μέγα δῶμα
ἔλθῃ Παρνησόνδ', ὅθι πού μοι κτήματ' ἔασι,
τῶν οἱ ἐγὼ δώσω καί μιν χαίροντ' ἀποπέμψω».
τῶν ἕνεκ' ἦλθ' Ὀδυσεύς, ἵνα οἱ πόροι ἀγλαὰ δῶρα.
τὸν μὲν ἄρ' Αὐτόλυκός τε καὶ υἱέες Αὐτολύκοιο
415 χερσίν τ' ἠσπάζοντο ἔπεσσί τε μειλιχίοισι·
μήτηρ δ' Ἀμφιθέη μητρὸς περιφῦσ' Ὀδυσῆϊ
κύσσ' ἄρα μιν κεφαλήν τε καὶ ἄμφω φάεα καλά.
Αὐτόλυκος δ' υἱοῖσιν ἐκέκλετο κυδαλίμοισι
δεῖπνον ἐφοπλίσσαι· τοὶ δ' ὀτρύνοντος ἄκουσαν.
420 αὐτίκα δ' εἰσάγαγον βοῦν ἄρσενα πενταέτηρον·
τὸν δέρον ἀμφί θ' ἕπον καί μιν διέχευαν ἅπαντα
μίστυλλόν τ' ἄρ' ἐπισταμένως πεῖράν τ' ὀβελοῖσιν
ὤπτησάν τε περιφραδέως δάσσαντό τε μοίρας.
ὣς τότε μὲν πρόπαν ἦμαρ ἐς ἠέλιον καταδύντα
425 δαίνυντ', οὐδέ τι θυμὸς ἐδεύετο δαιτὸς ἐΐσης·
ἦμος δ' ἠέλιος κατέδυ καὶ ἐπὶ κνέφας ἦλθε,
δὴ τότε κοιμήσαντο καὶ ὕπνου δῶρον ἕλοντο.
ἦμος δ' ἠριγένεια φάνη ῥοδοδάκτυλος Ἠώς,
βάν ῥ' ἴμεν ἐς θήρην, ἠμὲν κύνες ἠδὲ καὶ αὐτοὶ
430 υἱέες Αὐτολύκου· μετὰ τοῖσι δὲ δῖος Ὀδυσσεὺς
ἤϊεν· αἰπὺ δ' ὄρος προσέβαν καταειμένον ὕλῃ
Παρνησοῦ, τάχα δ' ἵκανον πτύχας ἠνεμοέσσας.
Ἠέλιος μὲν ἔπειτα νέον προσέβαλλεν ἀρούρας
ἐξ ἀκαλαρρείταο βαθυρρόου Ὠκεανοῖο,
435 οἱ δ' ἐς βῆσσαν ἵκανον ἐπακτῆρες· πρὸ δ' ἄρ' αὐτῶν

quando egli finì la sua cena, gli rivolse la parola, gli disse:
« Autolico, trova ora tu un nome da imporre
al figlio caro di tua figlia: fu tanto agognato da te ».
405 Le rispose allora Autolico e disse:
« Genero mio, figlia mia, mettetegli il nome che dico:
io vengo qui con *odio* per molti,
uomini e donne sulla terra molto ferace,
e dunque si chiami *Odisseo* di nome. Ed io,
410 allorché cresciuto verrà sul Parnaso,
nel palazzo materno dove sono i miei beni,
a lui ne darò mandandolo a casa contento ».
Per questi Odisseo andò, per avere gli splendidi doni.
Autolico e i figli di Autolico
415 l'accolsero con abbracci e parole gentili;
Anfitea, la nonna materna, strinse Odisseo,
gli baciò il capo e i due occhi belli.
Autolico ordinò ai suoi figli gloriosi
di preparare il pranzo: essi ubbidirono all'ordine.
420 Subito portarono un bue di cinque anni,
lo scuoiarono e prepararono, lo squartarono tutto,
lo spezzettarono con maestria, l'infilzarono in spiedi,
l'arrostirono con attenzione e le parti divisero.
Così tutto il giorno, fino al tramonto,
425 mangiarono, e al loro animo non mancò la giusta porzione;
appena il sole calò e sopraggiunse la tenebra,
allora si coricarono e colsero il dono del sonno.
Quando mattutina apparve Aurora dalle rosee dita,
per la caccia partirono, sia i cani sia loro,
430 i figli di Autolico; il chiaro Odisseo andava
con essi. Salirono il ripido monte vestito di boschi,
il monte Parnaso, e presto arrivarono in gole ventose.
Il sole colpiva da poco i campi
fuori dal calmo e profondo Oceano fluente,
435 e i cacciatori arrivarono in una valletta: davanti ad essi

ἴχνι' ἐρευνῶντες κύνες ἤϊσαν, αὐτὰρ ὄπισθεν
υἱέες Αὐτολύκου· μετὰ τοῖσι δὲ δῖος Ὀδυσσεὺς
ἤϊεν ἄγχι κυνῶν, κραδάων δολιχόσκιον ἔγχος.
ἔνθα δ' ἄρ' ἐν λόχμη πυκινῆ κατέκειτο μέγας σῦς·
440 τὴν μὲν ἄρ' οὔτ' ἀνέμων διάη μένος ὑγρὸν ἀέντων,
οὔτε μιν ἠέλιος φαέθων ἀκτῖσιν ἔβαλλεν,
οὔτ' ὄμβρος περάασκε διαμπερές· ὣς ἄρα πυκνὴ
ἦεν, ἀτὰρ φύλλων ἐνέην χύσις ἤλιθα πολλή.
τὸν δ' ἀνδρῶν τε κυνῶν τε περὶ κτύπος ἦλθε ποδοῖϊν,
445 ὡς ἐπάγοντες ἐπῆσαν· ὁ δ' ἀντίος ἐκ ξυλόχοιο,
φρίξας εὖ λοφιήν, πῦρ δ' ὀφθαλμοῖσι δεδορκώς,
στῆ ῥ' αὐτῶν σχεδόθεν. ὁ δ' ἄρα πρώτιστος Ὀδυσσεὺς
ἔσσυτ' ἀνασχόμενος δολιχὸν δόρυ χειρὶ παχείη,
οὐτάμεναι μεμαώς· ὁ δέ μιν φθάμενος ἔλασεν σῦς
450 γουνὸς ὕπερ, πολλὸν δὲ διήφυσε σαρκὸς ὀδόντι
λικριφὶς ἀΐξας, οὐδ' ὀστέον ἵκετο φωτός.
τὸν δ' Ὀδυσεὺς οὔτησε τυχὼν κατὰ δεξιὸν ὦμον,
ἀντικρὺ δὲ διῆλθε φαεινοῦ δουρὸς ἀκωκή·
κὰδ δ' ἔπεσ' ἐν κονίησι μακών, ἀπὸ δ' ἔπτατο θυμός.
455 τὸν μὲν ἄρ' Αὐτολύκου παῖδες φίλοι ἀμφεπένοντο,
ὠτειλὴν δ' Ὀδυσῆος ἀμύμονος ἀντιθέοιο
δῆσαν ἐπισταμένως, ἐπαοιδῆ δ' αἷμα κελαινὸν
ἔσχεθον, αἶψα δ' ἵκοντο φίλου πρὸς δώματα πατρός.
τὸν μὲν ἄρ' Αὐτόλυκός τε καὶ υἱέες Αὐτολύκοιο
460 εὖ ἰησάμενοι ἠδ' ἀγλαὰ δῶρα πορόντες
καρπαλίμως χαίροντα φίλως χαίροντες ἔπεμπον
εἰς Ἰθάκην. τῷ μέν ῥα πατὴρ καὶ πότνια μήτηρ
χαῖρον νοστήσαντι καὶ ἐξερέεινον ἕκαστα,
οὐλὴν ὅττι πάθοι· ὁ δ' ἄρα σφίσιν εὖ κατέλεξεν,
465 ὥς μιν θηρεύοντ' ἔλασεν σῦς λευκῷ ὀδόντι
Παρνησόνδ' ἐλθόντα σὺν υἱάσιν Αὐτολύκοιο.
τὴν γρηῢς χείρεσσι καταπρηνέσσι λαβοῦσα
γνῶ ῥ' ἐπιμασσαμένη, πόδα δὲ προέηκε φέρεσθαι·
ἐν δὲ λέβητι πέσε κνήμη, κανάχησε δὲ χαλκός,

andavano i cani, cercando le tracce, e dietro
i figli di Autolico; il chiaro Odisseo andava
con essi, accosto ai cani, agitando la lancia dalla lunga ombra.
Lì, nella folta macchia, era acquattato un grosso cinghiale;
440 non la penetrava il vigore dei venti che spirano umidi,
né mai il sole lucente la colpiva coi raggi,
e neppure vi filtrava la pioggia: così fitta
essa era, e c'era un mucchio enorme di foglie.
Gli giunse il rumore dei piedi degli uomini e quello dei cani,
445 come cacciando avanzavano: sbucò loro incontro dal covo,
irto di setole, spirando fuoco dagli occhi,
e s'arrestò innanzi ad essi. S'avventò Odisseo
per primo, alzando la lunga lancia con la mano robusta,
bramoso di ucciderlo; lo prevenne il cinghiale, lo percosse
450 sopra il ginocchio, gli cavò molta carne col dente,
di fianco avventandosi, ma senza giungere all'osso dell'uomo.
Odisseo lo colse e ferì alla spalla diritta,
la punta dell'asta lucente lo passò parte a parte:
nella polvere cadde, stridendo, gli volò via la vita.
455 Gli prestarono aiuto i cari figli di Autolico:
legarono con abilità la ferita
del nobile Odisseo pari a un dio, arrestarono il fosco sangue
con un incantesimo e subito giunsero alla casa del padre.
Autolico e i figli di Autolico,
460 dopo averlo ben guarito, offertigli splendidi doni,
lietamente lo mandarono a Itaca, lieto,
rapidamente. Il padre e la madre augusta gioirono
che fosse tornato e gli chiesero in ogni punto
perché subì la ferita: e ad essi egli spiegò
465 che a caccia lo aveva aggredito un cinghiale col bianco dente,
quando egli andò sul Parnaso coi figli di Autolico.

Questa ferita la vecchia toccò con le palme
e al tatto la riconobbe: abbandonò il piede.
Piombò nel bacile la gamba, risuonò il bronzo,

470 ἂψ δ' ἑτέρωσ' ἐκλίθη· τὸ δ' ἐπὶ χθονὸς ἐξέχυθ' ὕδωρ.
τὴν δ' ἅμα χάρμα καὶ ἄλγος ἕλε φρένα, τὼ δέ οἱ ὄσσε
δακρυόφιν πλῆσθεν, θαλερὴ δέ οἱ ἔσχετο φωνή.
ἁψαμένη δὲ γενείου Ὀδυσσῆα προσέειπεν·
« ἦ μάλ' Ὀδυσσεύς ἐσσι, φίλον τέκος· οὐδέ σ' ἐγώ γε
47. πρὶν ἔγνων, πρὶν πάντα ἄνακτ' ἐμὸν ἀμφαφάασθαι ».
ἦ, καὶ Πηνελόπειαν ἐσέδρακεν ὀφθαλμοῖσι,
πεφραδέειν ἐθέλουσα φίλον πόσιν ἔνδον ἐόντα.
ἡ δ' οὔτ' ἀθρῆσαι δύνατ' ἀντίη οὔτε νοῆσαι·
τῇ γὰρ Ἀθηναίη νόον ἔτραπεν. αὐτὰρ Ὀδυσσεὺς
48 χείρ' ἐπιμασσάμενος φάρυγος λάβε δεξιτερῆφι,
τῇ δ' ἑτέρῃ ἔθεν ἄσσον ἐρύσσατο φώνησέν τε·
« μαῖα, τίη μ' ἐθέλεις ὀλέσαι; σὺ δέ μ' ἔτρεφες αὐτὴ
τῷ σῷ ἐπὶ μαζῷ· νῦν δ' ἄλγεα πολλὰ μογήσας
ἤλυθον εἰκοστῷ ἔτεϊ ἐς πατρίδα γαῖαν.
48 ἀλλ' ἐπεὶ ἐφράσθης καί τοι θεὸς ἔμβαλε θυμῷ,
σίγα, μή τίς τ' ἄλλος ἐνὶ μεγάροισι πύθηται.
ὧδε γὰρ ἐξερέω, καὶ μὴν τετελεσμένον ἔσται·
εἴ χ' ὑπ' ἐμοί γε θεὸς δαμάσῃ μνηστῆρας ἀγαυούς,
οὐδὲ τροφοῦ οὔσης σεῦ ἀφέξομαι, ὁππότ' ἂν ἄλλας
490 δμῳὰς ἐν μεγάροισιν ἐμοῖς κτείνωμι γυναῖκας ».
τὸν δ' αὖτε προσέειπε περίφρων Εὐρύκλεια·
« τέκνον ἐμόν, ποῖόν σε ἔπος φύγεν ἕρκος ὀδόντων.
οἶσθα μέν, οἷον ἐμὸν μένος ἔμπεδον οὐδ' ἐπιεικτόν·
ἕξω δ' ὡς ὅτε τις στερεὴ λίθος ἠὲ σίδηρος.
495 ἄλλο δέ τοι ἐρέω, σὺ δ' ἐνὶ φρεσὶ βάλλεο σῇσιν·
εἴ χ' ὑπὸ σοί γε θεὸς δαμάσῃ μνηστῆρας ἀγαυούς,
δὴ τότε τοι καταλέξω ἐνὶ μεγάροισι γυναῖκας,
αἵ τέ σ' ἀτιμάζουσι καὶ αἳ νηλίτιδές εἰσι ».
τὴν δ' ἀπαμειβόμενος προσέφη πολύμητις Ὀδυσσεύς·
500 « μαῖα, τίη δὲ σὺ τὰς μυθήσεαι; οὐδέ τί σε χρή·
εὖ νυ καὶ αὐτὸς ἐγὼ φράσομαι καὶ εἴσομ' ἑκάστην.
ἀλλ' ἔχε σιγῇ μῦθον, ἐπίτρεψον δὲ θεοῖσιν ».

470 s'inchinò dalla parte opposta, l'acqua si versò a terra.
Gioia e dolore a un tempo la colsero al cuore, le si empirono
gli occhi di lacrime, le si arrestò la voce fiorente.
Toccandogli il mento disse ad Odisseo:
« Ma tu, figlio caro, sei Odisseo: ed io prima
475 non t'ho ravvisato, prima d'aver tutto palpato il mio signore ».
Disse e guardò con gli occhi Penelope,
volendo mostrarle che il caro sposo era in casa.
Ma lei non poteva vederla in faccia e capire:
le distolse Atena la mente. Ma Odisseo
480 le prese e afferrò con la destra la gola,
con l'altra la trasse a sé e le disse:
« Balia, perché mi vuoi perdere? Mi hai nutrito tu stessa
al tuo seno! dopo tanti dolori sofferti,
sono ora tornato, al ventesimo anno, nella terra dei padri.
485 Ma poiché hai scoperto e un dio te l'ha posto nell'animo,
taci! nessun altro in casa lo sappia.
Perché così io ti dico e così di sicuro sarà:
se un dio abbatterà per mia mano gli egregi corteggiatori,
non rispetterò te, che pur sei la mia balia, qualora le altre
490 ancelle uccidessi nella mia casa, le donne ».
Gli disse allora la saggia Euriclea:
« Figlio mio, che parola ti sfuggì dal recinto dei denti.
Lo sai, come è salda e non cede la mia volontà:
come una solida roccia starò, come il ferro.
495 Ma ti dirò un'altra cosa e tu tienila a mente.
Se un dio per tua mano abbattesse gli egregi corteggiatori,
allora ti enumererò quali sono in casa le donne
che non ti rispettano e quelle che sono innocenti ».
Rispondendo le disse l'astuto Odisseo:
500 « Balia, perché vuoi dirmele tu? non è necessario.
Da me noterò e saprò di ciascuna perfettamente.
Mantieni il silenzio e fa' agire gli dei ».

ὣς ἄρ᾽ ἔφη, γρηῢς δὲ διὲκ μεγάροιο βεβήκει
οἰσομένη ποδάνιπτρα· τὰ γὰρ πρότερ᾽ ἔκχυτο πάντα.
505 αὐτὰρ ἐπεὶ νίψεν τε καὶ ἤλειψεν λίπ᾽ ἐλαίῳ,
αὖτις ἄρ᾽ ἀσσοτέρω πυρὸς ἕλκετο δίφρον Ὀδυσσεὺς
θερσόμενος, οὐλὴν δὲ κατὰ ῥακέεσσι κάλυψε.
τοῖσι δὲ μύθων ἦρχε περίφρων Πηνελόπεια·
« ξεῖνε, τὸ μέν σ᾽ ἔτι τυτθὸν ἐγὼν εἰρήσομαι αὐτή·
510 καὶ γὰρ δὴ κοίτοιο τάχ᾽ ἔσσεται ἡδέος ὥρη,
ὅν τινά γ᾽ ὕπνος ἕλῃ γλυκερὸς καὶ κηδόμενόν περ.
αὐτὰρ ἐμοὶ καὶ πένθος ἀμέτρητον πόρε δαίμων·
ἤματα μὲν γὰρ τέρπομ᾽ ὀδυρομένη γοόωσα,
ἔς τ᾽ ἐμὰ ἔργ᾽ ὁρόωσα καὶ ἀμφιπόλων ἐνὶ οἴκῳ·
515 αὐτὰρ ἐπὴν νὺξ ἔλθῃ, ἕλῃσί τε κοῖτος ἅπαντας,
κεῖμαι ἐνὶ λέκτρῳ, πυκιναὶ δέ μοι ἀμφ᾽ ἀδινὸν κῆρ
ὀξεῖαι μελεδῶναι ὀδυρομένην ἐρέθουσιν.
ὡς δ᾽ ὅτε Πανδαρέου κούρη, χλωρηῒς ἀηδών,
καλὸν ἀείδησιν ἔαρος νέον ἱσταμένοιο,
520 δενδρέων ἐν πετάλοισι καθεζομένη πυκινοῖσιν,
ἥ τε θαμὰ τρωπῶσα χέει πολυηχέα φωνήν,
παῖδ᾽ ὀλοφυρομένη Ἴτυλον φίλον, ὅν ποτε χαλκῷ
κτεῖνε δι᾽ ἀφραδίας, κοῦρον Ζήθοιο ἄνακτος·
ὣς καὶ ἐμοὶ δίχα θυμὸς ὀρώρεται ἔνθα καὶ ἔνθα,
525 ἠὲ μένω παρὰ παιδὶ καὶ ἔμπεδα πάντα φυλάσσω,
κτῆσιν ἐμήν, δμῳάς τε καὶ ὑψερεφὲς μέγα δῶμα,
εὐνήν τ᾽ αἰδομένη πόσιος δήμοιό τε φῆμιν,
ἦ ἤδη ἅμ᾽ ἕπωμαι, Ἀχαιῶν ὅς τις ἄριστος
μνᾶται ἐνὶ μεγάροισι, πορὼν ἀπερείσια ἕδνα.
530 παῖς δ᾽ ἐμὸς ἕως μὲν ἔην ἔτι νήπιος ἠδὲ χαλίφρων,
γήμασθ᾽ οὔ μ᾽ εἴα πόσιος κατὰ δῶμα λιποῦσαν·
νῦν δ᾽ ὅτε δὴ μέγας ἐστὶ καὶ ἥβης μέτρον ἱκάνει,
καὶ δή μ᾽ ἀρᾶται πάλιν ἐλθέμεν ἐκ μεγάροιο,
κτήσιος ἀσχαλόων, τὴν οἱ κατέδουσιν Ἀχαιοί.
535 ἀλλ᾽ ἄγε μοι τὸν ὄνειρον ὑπόκριναι καὶ ἄκουσον.
χῆνές μοι κατὰ οἶκον ἐείκοσι πυρὸν ἔδουσιν

Disse così e la vecchia uscì dalla stanza,
per portare l'acqua dei piedi: la prima s'era tutta versata.
505 E quando l'ebbe lavato e unto con olio, copiosamente,
Odisseo di nuovo accostò al fuoco la sedia,
per riscaldarsi, e coi suoi cenci coprì la ferita.
Fra essi iniziò a parlare la saggia Penelope:
« Straniero, ti farò ancora questa breve domanda:
510 e infatti sarà l'ora del dolce riposo, tra poco,
per chi il dolce sonno lo prende, anche se afflitto.
Ma un dio a me diede anche un immenso dolore:
perché di giorno mi sazio piangendo tra gemiti,
vedendo in casa il lavoro mio e delle ancelle,
515 ma quando viene la notte e il sonno prende tutti,
giaccio nel letto, e intorno al cuore oppresso, fitte
e acute ansie mi straziano in lacrime.
Come la figlia di Pandareo, l'usignolo della verzura,
canta armoniosamente, quando è primavera di nuovo,
520 sedendo tra il fitto fogliame degli alberi,
e spesso, variandolo, versa canto sonoro,
piangendo suo figlio Itilo, che un tempo col bronzo
uccise per follia, il figlio di Zeto sovrano;
così il mio animo è spinto qua e là per due vie,
525 se restare accanto a mio figlio e serbare saldamente ogni cosa,
i miei beni, le serve e la grande dimora dall'alto soffitto,
rispettando il letto nuziale e la voce del popolo,
o seguire, ormai, tra gli Achei, il migliore
che in casa, offrendo doni infiniti, mi chiede.
530 Mio figlio, finché era ancora bambino e senza giudizio,
non mi faceva sposare e lasciare la casa nuziale.
Ma ora che è grande ed è giunto alla piena giovinezza,
persino mi prega di lasciare la casa,
angustiato dai beni che gli Achei gli divorano.
535 Ma spiegami, orsù, questo sogno, ed ascolta:
in casa mi beccano il grano venti oche,

ἐξ ὕδατος, καί τέ σφιν ἰαίνομαι εἰσορόωσα·
ἐλθὼν δ' ἐξ ὄρεος μέγας αἰετὸς ἀγκυλοχείλης
πᾶσι κατ' αὐχένας ἧξε καὶ ἔκτανεν· οἱ δ' ἐκέχυντο
540 ἀθρόοι ἐν μεγάροισ', ὁ δ' ἐς αἰθέρα δῖαν ἀέρθη.
αὐτὰρ ἐγὼ κλαῖον καὶ ἐκώκυον ἔν περ ὀνείρῳ,
ἀμφὶ δέ μ' ἠγερέθοντο ἐϋπλοκαμῖδες 'Αχαιαί,
οἴκτρ' ὀλοφυρομένην, ὅ μοι αἰετὸς ἔκτανε χῆνας.
ἂψ δ' ἐλθὼν κατ' ἄρ' ἔζετ' ἐπὶ προὔχοντι μελάθρῳ,
545 φωνῇ δὲ βροτέῃ κατερήτυε φώνησέν τε·
" θάρσει, 'Ικαρίου κούρη τηλεκλειτοῖο·
οὐκ ὄναρ, ἀλλ' ὕπαρ ἐσθλόν, ὅ τοι τετελεσμένον ἔσται.
χῆνες μὲν μνηστῆρες, ἐγὼ δέ τοι αἰετὸς ὄρνις
ἦα πάρος, νῦν αὖτε τεὸς πόσις εἰλήλουθα,
550 ὃς πᾶσι μνηστῆρσιν ἀεικέα πότμον ἐφήσω".
ὣς ἔφατ', αὐτὰρ ἐμὲ μελιηδὴς ὕπνος ἀνῆκε·
παπτήνασα δὲ χῆνας ἐνὶ μεγάροισ' ἐνόησα
πυρὸν ἐρεπτομένους παρὰ πύελον, ἧχι πάρος περ ».
τὴν δ' ἀπαμειβόμενος προσέφη πολύμητις 'Οδυσσεύς·
555 « ὦ γύναι, οὔ πως ἔστιν ὑποκρίνασθαι ὄνειρον
ἄλλῃ ἀποκλίναντ', ἐπεὶ ἦ ῥά τοι αὐτὸς 'Οδυσσεὺς
πέφραδ', ὅπως τελέει· μνηστῆρσι δὲ φαίνετ' ὄλεθρος
πᾶσι μάλ', οὐδέ κέ τις θάνατον καὶ κῆρας ἀλύξει ».
τὸν δ' αὖτε προσέειπε περίφρων Πηνελόπεια·
560 « ξεῖν', ἦ τοι μὲν ὄνειροι ἀμήχανοι ἀκριτόμυθοι
γίνοντ', οὐδέ τι πάντα τελείεται ἀνθρώποισι.
δοιαὶ γάρ τε πύλαι ἀμενηνῶν εἰσὶν ὀνείρων·
αἱ μὲν γὰρ κεράεσσι τετεύχαται, αἱ δ' ἐλέφαντι.
τῶν οἳ μέν κ' ἔλθωσι διὰ πριστοῦ ἐλέφαντος,
565 οἵ ῥ' ἐλεφαίρονται, ἔπε' ἀκράαντα φέροντες·
οἳ δὲ διὰ ξεστῶν κεράων ἔλθωσι θύραζε,
οἵ ῥ' ἔτυμα κραίνουσι, βροτῶν ὅτε κέν τις ἴδηται.
ἀλλ' ἐμοὶ οὐκ ἐντεῦθεν ὀΐομαι αἰνὸν ὄνειρον
ἐλθέμεν· ἦ κ' ἀσπαστὸν ἐμοὶ καὶ παιδὶ γένοιτο.
570 ἄλλο δέ τοι ἐρέω, σὺ δ' ἐνὶ φρεσὶ βάλλεο σῇσιν·

fuori dall'acqua, ed io mi rallegro a vederle:
un'aquila grande, col becco adunco, venuta dal monte,
spezzò il collo a tutte e le uccise: giacevano in casa
540 riverse in un mucchio, e lei si levò nell'etere chiaro.
Nel sogno io piangevo, e mi lamentavo,
e le Achee dai riccioli belli mi s'affollavano intorno,
che miseramente gemevo, perché l'aquila m'uccise le oche.
Ma poi, tornata, si posava sul tetto sporgente,
545 con voce umana mi tratteneva e mi disse:
" Coraggio, figlia del famosissimo Icario,
non è un sogno, ma una visione verace che si compirà.
Sono i proci le oche, ed io ero un'aquila
prima per te, e come tuo sposo ora sono tornato,
550 e a tutti i proci darò un'orribile morte ".
Così disse e mi lasciò il dolce sonno,
e guardando scorsi in casa le oche
beccare il grano presso la vasca, nel luogo di prima ».
    Rispondendo le disse l'astuto Odisseo:
555 « Donna, non si può intendere il sogno
volgendolo altrove, perché t'ha mostrato lo stesso Odisseo
come l'attuerà: per i proci spunta la morte,
per tutti; non sfuggirà nessuno alla morte e al destino ».
    Gli rispose allora la saggia Penelope:
560 « Straniero, sono inspiegabili e ambigui i sogni,
e non tutto si attua per gli uomini.
Perché sono due le porte dei sogni incorporei:
le une son fatte di corno e le altre d'avorio.
I sogni che vengono dall'avorio segato,
565 recando parole infruttuose danneggiano;
quelli che escono dal liscio corno,
qualora un mortale li veda, s'avverano.
Ma non credo che l'orrido sogno mi sia venuto
da qui: sarebbe una gioia per me e mio figlio.
570 Ma ti dirò un'altra cosa e tu tienila a mente.

ἥδε δὴ ἠὼς εἶσι δυσώνυμος, ἥ μ' Ὀδυσῆος
οἴκου ἀποσχήσει· νῦν γὰρ καταθήσω ἄεθλον,
τοὺς πελέκεας, τοὺς κεῖνος ἐνὶ μεγάροισιν ἑοῖσιν
ἵστασχ' ἑξείης, δρυόχους ὥς, δώδεκα πάντας·
575 στὰς δ' ὅ γε πολλὸν ἄνευθε διαρρίπτασκεν ὀϊστόν.
νῦν δὲ μνηστήρεσσιν ἄεθλον τοῦτον ἐφήσω·
ὃς δέ κε ῥηΐτατ' ἐντανύσῃ βιὸν ἐν παλάμῃσι
καὶ διοϊστεύσῃ πελέκεων δυοκαίδεκα πάντων,
τῷ κεν ἅμ' ἑσποίμην, νοσφισσαμένη τόδε δῶμα
580 κουρίδιον, μάλα καλόν, ἐνίπλειον βιότοιο,
τοῦ ποτε μεμνήσεσθαι ὀΐομαι ἔν περ ὀνείρῳ ».
τὴν δ' ἀπαμειβόμενος προσέφη πολύμητις Ὀδυσσεύς·
« ὦ γύναι αἰδοίη Λαερτιάδεω Ὀδυσῆος,
μηκέτι νῦν ἀνάβαλλε δόμοισ' ἔνι τοῦτον ἄεθλον·
585 πρὶν γάρ τοι πολύμητις ἐλεύσεται ἐνθάδ' Ὀδυσσεύς,
πρὶν τούτους τόδε τόξον ἐΰξοον ἀμφαφόωντας
νευρήν τ' ἐντανύσαι διοϊστεῦσαί τε σιδήρου ».
τὸν δ' αὖτε προσέειπε περίφρων Πηνελόπεια·
« εἴ κ' ἐθέλοις μοι, ξεῖνε, παρήμενος ἐν μεγάροισι
590 τέρπειν, οὔ κέ μοι ὕπνος ἐπὶ βλεφάροισι χυθείη.
ἀλλ' οὐ γάρ πως ἔστιν ἀΰπνους ἔμμεναι αἰὲν
ἀνθρώπους· ἐπὶ γάρ τοι ἑκάστῳ μοῖραν ἔθηκαν
ἀθάνατοι θνητοῖσιν ἐπὶ ζείδωρον ἄρουραν.
ἀλλ' ἦ τοι μὲν ἐγὼν ὑπερώϊον εἰσαναβᾶσα
595 λέξομαι εἰς εὐνήν, ἥ μοι στονόεσσα τέτυκται,
αἰεὶ δάκρυσ' ἐμοῖσι πεφυρμένη, ἐξ οὗ Ὀδυσσεὺς
ᾤχετ' ἐποψόμενος Κακοΐλιον οὐκ ὀνομαστήν.
ἔνθα κε λεξαίμην· σὺ δὲ λέξεο τῷδ' ἐνὶ οἴκῳ,
ἢ χαμάδις στορέσας, ἤ τοι κατὰ δέμνια θέντων ».
600 ὣς εἰποῦσ' ἀνέβαιν' ὑπερώϊα σιγαλόεντα,
οὐκ οἴη, ἅμα τῇ γε καὶ ἀμφίπολοι κίον ἄλλαι.
ἐς δ' ὑπερῷ' ἀναβᾶσα σὺν ἀμφιπόλοισι γυναιξὶ
κλαῖεν ἔπειτ' Ὀδυσῆα φίλον πόσιν, ὄφρα οἱ ὕπνον
ἡδὺν ἐπὶ βλεφάροισι βάλε γλαυκῶπις Ἀθήνη.

Viene già l'aurora esecrabile che mi torrà
dalla casa di Odisseo: perché ora porrò come gara
le scuri che egli soleva piantare
in fila come puntelli, tutte e dodici, nella sua casa;
575 ed egli con una freccia le attraversava da molto lontano.
Imporrò questa gara ora ai proci:
e chi con la mano tenderà l'arco più facilmente,
e infilerà con la freccia tutte le dodici scuri,
lo seguirei, separandomi da questa casa
580 nuziale, così bella, ricolma di beni,
che credo ricorderò sempre, fosse anche in sogno».
Rispondendo le disse l'astuto Odisseo:
«O donna onorata di Odisseo figlio di Laerte,
non rimandare più questa gara, ora, in casa:
585 l'astuto Odisseo arriverà qui,
prima che essi, impugnando quest'arco ben levigato,
ne tendano il nervo e traversino il ferro col dardo».
Gli rispose allora la saggia Penelope:
«Se tu, o straniero, sedendomi accanto in casa, volessi
590 darmi conforto, non calerebbe mai sulle mie palpebre il sonno.
Ma è impossibile agli uomini essere sempre
insonni, perché in ogni cosa imposero un limite
gli immortali ai mortali sulla terra che dona le biade.
Ma ecco, io voglio salire di sopra,
595 e sdraiarmi sul letto a me costruito per piangere,
che è intriso sempre delle mie lacrime, da quando Odisseo
partì per andare a vedere la nefanda Mal-ilio.
Lì mi coricherei: in questa sala tu còricati,
o stendendoti a terra o ti mettano un letto».
600 Detto così, salì alle stanze splendenti di sopra,
non sola, con lei andavano anche le ancelle.
E salita di sopra con le donne sue ancelle,
piangeva Odisseo, il marito, finché la glaucopide Atena
le gettò sulle palpebre un dolce sonno.

Υ

Αὐτὰρ ὁ ἐν προδόμῳ εὐνάζετο δῖος Ὀδυσσεύς·
κὰμ μὲν ἀδέψητον βοέην στόρεσ', αὐτὰρ ὕπερθεν
κώεα πόλλ' ὀΐων, τοὺς ἱρεύεσκον Ἀχαιοί·
Εὐρυνόμη δ' ἄρ' ἐπὶ χλαῖναν βάλε κοιμηθέντι.
5 ἔνθ' Ὀδυσεὺς μνηστῆρσι κακὰ φρονέων ἐνὶ θυμῷ
κεῖτ' ἐγρηγορόων· ταὶ δ' ἐκ μεγάροιο γυναῖκες
ἤϊσαν, αἳ μνηστῆρσιν ἐμισγέσκοντο πάρος περ,
ἀλλήλῃσι γέλω τε καὶ εὐφροσύνην παρέχουσαι.
τοῦ δ' ὠρίνετο θυμὸς ἐνὶ στήθεσσι φίλοισι·
10 πολλὰ δὲ μερμήριζε κατὰ φρένα καὶ κατὰ θυμόν,
ἠὲ μεταΐξας θάνατον τεύξειεν ἑκάστῃ,
ἦ ἔτ' ἐῷ μνηστῆρσιν ὑπερφιάλοισι μιγῆναι
ὕστατα καὶ πύματα· κραδίη δέ οἱ ἔνδον ὑλάκτει.
ὡς δὲ κύων ἀμαλῇσι περὶ σκυλάκεσσι βεβῶσα
15 ἄνδρ' ἀγνοιήσασ' ὑλάει μέμονέν τε μάχεσθαι,
ὥς ῥα τοῦ ἔνδον ὑλάκτει ἀγαιομένου κακὰ ἔργα.
στῆθος δὲ πλήξας κραδίην ἠνίπαπε μύθῳ·
« τέτλαθι δή, κραδίη· καὶ κύντερον ἄλλο ποτ' ἔτλης,
ἤματι τῷ, ὅτε μοι μένος ἄσχετος ἤσθιε Κύκλωψ
20 ἰφθίμους ἑτάρους· σὺ δ' ἐτόλμας, ὄφρα σε μῆτις
ἐξάγαγ' ἐξ ἄντροιο ὀϊόμενον θανέεσθαι ».
ὣς ἔφατ', ἐν στήθεσσι καθαπτόμενος φίλον ἦτορ·
τῷ δὲ μάλ' ἐν πείσῃ κραδίη μένε τετληυῖα
νωλεμέως· ἀτὰρ αὐτὸς ἑλίσσετο ἔνθα καὶ ἔνθα.
25 ὡς δ' ὅτε γαστέρ' ἀνὴρ πολέος πυρὸς αἰθομένοιο,
ἐμπλείην κνίσης τε καὶ αἵματος, ἔνθα καὶ ἔνθα

LIBRO VENTESIMO

Il chiaro Odisseo, invece, si coricò nel vestibolo,
stese una pelle di bue non conciata e, sopra,
molte pelli di pecore, quelle che gli Achei macellavano:
si sdraiò, ed Eurinome lo coprì d'un mantello.
5 Là Odisseo giaceva, meditando sventure ai proci,
sveglio: e vennero dalla gran sala
le donne, che si univano ai proci anche prima,
provocandosi al riso e alla gioia.
Si agitò il suo animo nel caro petto,
10 e molto fu incerto nella mente e nell'animo
se dare a ciascuna la morte, avventandosi,
o lasciare che si unissero ancora ai pretendenti oltraggiosi,
per l'estrema ed ultima volta: il suo cuore dentro latrava.
Come una cagna, schermendo i teneri cuccioli,
15 ignara dell'uomo, abbaia ed è pronta a combattere,
così latrava dentro di lui, sdegnato per le azioni cattive.
E battendosi il petto, redarguiva il suo cuore:
« Cuore, sopporta! sopportasti ben altra vergogna,
quando il Ciclope mangiava, con furia implacabile,
20 i forti compagni; e tu sopportasti, finché l'astuzia
ti trasse dall'antro, quando credevi già di morire ».
Disse così, assalendo il suo cuore nel petto:
e si acquietò il suo cuore, ubbidiente, sopportando
pazientemente; ma lui si girava da una parte e dall'altra.
25 Come un uomo, su molto fuoco che arde, rigira
un budello ripieno di grasso e di sangue

αἰόλλῃ, μάλα δ' ὦκα λιλαίεται ὀπτηθῆναι,
ὣς ἄρ' ὅ γ' ἔνθα καὶ ἔνθα ἑλίσσετο μερμηρίζων,
ὅππως δὴ μνηστῆρσιν ἀναιδέσι χεῖρας ἐφήσει,
30 μοῦνος ἐὼν πολέσι. σχεδόθεν δέ οἱ ἦλθεν Ἀθήνη
οὐρανόθεν καταβᾶσα, δέμας δ' ἤϊκτο γυναικί·
στῆ δ' ἄρ' ὑπὲρ κεφαλῆς καί μιν πρὸς μῦθον ἔειπε·
« τίπτ' αὖτ' ἐγρήσσεις, πάντων περὶ κάμμορε φωτῶν;
οἶκος μέν τοι ὅδ' ἐστί, γυνὴ δέ τοι ἥδ' ἐνὶ οἴκῳ
35 καὶ πάϊς, οἷόν πού τις ἐέλδεται ἔμμεναι υἷα ».
τὴν δ' ἀπαμειβόμενος προσέφη πολύμητις Ὀδυσσεύς·
« ναὶ δὴ ταῦτά γε πάντα, θεά, κατὰ μοῖραν ἔειπες·
ἀλλά τί μοι τόδε θυμὸς ἐνὶ φρεσὶ μερμηρίζει,
ὅππως δὴ μνηστῆρσιν ἀναιδέσι χεῖρας ἐφήσω,
40 μοῦνος ἐών· οἱ δ' αἰὲν ἀολλέες ἔνδον ἔασι.
πρὸς δ' ἔτι καὶ τόδε μεῖζον ἐνὶ φρεσὶ μερμηρίζω·
εἴ περ γὰρ κτείναιμι Διός τε σέθεν τε ἕκητι,
πῇ κεν ὑπεκπροφύγοιμι; τά σε φράζεσθαι ἄνωγα ».
τὸν δ' αὖτε προσέειπε θεὰ γλαυκῶπις Ἀθήνη·
45 « σχέτλιε, καὶ μέν τίς τε χερείονι πείθεθ' ἑταίρῳ,
ὅς περ θνητός τ' ἐστὶ καὶ οὐ τόσα μήδεα οἶδεν·
αὐτὰρ ἐγὼ θεός εἰμι, διαμπερὲς ἥ σε φυλάσσω
ἐν πάντεσσι πόνοισ'. ἐρέω δέ τοι ἐξαναφανδόν·
εἴ περ πεντήκοντα λόχοι μερόπων ἀνθρώπων
50 νῶϊ περισταῖεν, κτεῖναι μεμαῶτες Ἄρηϊ,
καί κεν τῶν ἐλάσαιο βόας καὶ ἴφια μῆλα.
ἀλλ' ἑλέτω σε καὶ ὕπνος· ἀνίη καὶ τὸ φυλάσσειν
πάννυχον ἐγρήσσοντα, κακῶν δ' ὑποδύσεαι ἤδη ».
ὣς φάτο, καί ῥά οἱ ὕπνον ἐπὶ βλεφάροισιν ἔχευεν,
55 αὐτὴ δ' ἂψ ἐς Ὄλυμπον ἀπέστιχε δῖα θεάων.
εὖτε τὸν ὕπνος ἔμαρπτε, λύων μελεδήματα θυμοῦ,
λυσιμελής, ἄλοχος δ' ἄρ' ἐπέγρετο κεδνὰ ἰδυῖα,
κλαῖε δ' ἄρ' ἐν λέκτροισι καθεζομένη μαλακοῖσιν.
αὐτὰρ ἐπεὶ κλαίουσα κορέσσατο ὃν κατὰ θυμόν,
60 Ἀρτέμιδι πρώτιστον ἐπεύξατο δῖα γυναικῶν·

da una parte e dall'altra e desidera che presto sia cotto,
così egli si girava da una parte e dall'altra, pensando
come avrebbe aggredito i proci impudenti,
30 che erano molti, da solo. E arrivò Atena al suo fianco,
scesa dal cielo. Somigliava nell'aspetto a una donna.
Si fermò sul suo capo e gli disse:
« Perché vegli ancora, il più misero di tutti gli uomini?
Questa casa è la tua, costei dentro casa è tua moglie,
35 e v'è un figlio, come uno desidera che un figlio sia ».
Rispondendo le disse l'astuto Odisseo:
« Sì, dea, tutto questo l'hai detto in modo giusto.
Ma nella mente il mio animo ha un dubbio,
come aggredire i proci impudenti,
40 io solo: sono sempre insieme in casa.
E poi nella mente ho anche un dubbio più grande:
se anche potessi ucciderli, con l'aiuto di Zeus e tuo,
dove potrei fuggire? Ti esorto a pensarci ».
Gli rispose allora la dea glaucopide Atena:
45 « Ostinato! ci si fida persino d'un compagno più debole,
che è pure mortale e non sa tanti accorti pensieri;
ed invece io sono la dea, che sempre veglio su te
in tutti i travagli. Ma ti dirò apertamente:
ci accerchiassero pure cinquanta drappelli
50 di uomini splendidi, bramosi d'ucciderci in guerra,
torresti anche ad essi i buoi e le pecore grasse.
Ma il sonno ti colga: anche questa è una pena, vegliare,
desto per tutta la notte; uscirai presto dai mali ».
Disse così e gli versò sulle palpebre il sonno
55 e di nuovo, chiara fra le dee, partì per l'Olimpo.
Quando il sonno già lo ghermiva, sciogliendo le cure dell'animo,
il sonno che scioglie le membra, ecco la sposa solerte destarsi
e piangere, seduta nel morbido letto.
E quando fu nel suo animo sazia di piangere,
60 subito, chiara fra le donne, supplicò Artemide:

« Ἄρτεμι, πότνα θεά, θύγατερ Διός, αἴθε μοι ἤδη
ἰὸν ἐνὶ στήθεσσι βαλοῦσ' ἐκ θυμὸν ἕλοιο
αὐτίκα νῦν, ἢ ἔπειτά μ' ἀναρπάξασα θύελλα
οἴχοιτο προφέρουσα κατ' ἠερόεντα κέλευθα,
65 ἐν προχοῇς δὲ βάλοι ἀψορρόου Ὠκεανοῖο.
ὡς δ' ὅτε Πανδαρέου κούρας ἀνέλοντο θύελλαι·
τῇσι τοκῆας μὲν φθεῖσαν θεοί, αἱ δ' ἐλίποντο
ὀρφαναὶ ἐν μεγάροισι, κόμισσε δὲ δῖ' Ἀφροδίτη
τυρῷ καὶ μέλιτι γλυκερῷ καὶ ἡδέϊ οἴνῳ·
70 Ἥρη δ' αὐτῇσιν περὶ πασέων δῶκε γυναικῶν
εἶδος καὶ πινυτήν, μῆκος δ' ἔπορ' Ἄρτεμις ἁγνή,
ἔργα δ' Ἀθηναίη δέδαε κλυτὰ ἐργάζεσθαι.
εὖτ' Ἀφροδίτη δῖα προσέστιχε μακρὸν Ὄλυμπον,
κούρῃσ' αἰτήσουσα τέλος θαλεροῖο γάμοιο,
75 ἐς Δία τερπικέραυνον – ὁ γάρ τ' ἐῢ οἶδεν ἅπαντα,
μοῖράν τ' ἀμμορίην τε καταθνητῶν ἀνθρώπων –,
τόφρα δὲ τὰς κούρας Ἅρπυιαι ἀνηρέψαντο
καί ῥ' ἔδοσαν στυγερῇσιν Ἐρινύσιν ἀμφιπολεύειν·
ὣς ἔμ' ἀϊστώσειαν Ὀλύμπια δώματ' ἔχοντες,
80 ἠέ μ' ἐϋπλόκαμος βάλοι Ἄρτεμις, ὄφρ' Ὀδυσῆα
ὀσσομένη καὶ γαῖαν ὕπο στυγερὴν ἀφικοίμην,
μηδέ τι χείρονος ἀνδρὸς ἐϋφραίνοιμι νόημα.
ἀλλὰ τὸ μὲν καὶ ἀνεκτὸν ἔχει κακόν, ὁππότε κέν τις
ἤματα μὲν κλαίῃ, πυκινῶς ἀκαχήμενος ἦτορ,
85 νύκτας δ' ὕπνος ἔχῃσιν – ὁ γάρ τ' ἐπέλησεν ἁπάντων,
ἐσθλῶν ἠδὲ κακῶν, ἐπεὶ ἆρ βλέφαρ' ἀμφικαλύψῃ –·
αὐτὰρ ἐμοὶ καὶ ὀνείρατ' ἐπέσσευεν κακὰ δαίμων.
τῇδε γὰρ αὖ μοι νυκτὶ παρέδραθεν εἴκελος αὐτῷ,
τοῖος ἐών, οἷος ᾖεν ἅμα στρατῷ· αὐτὰρ ἐμὸν κῆρ
90 χαῖρ', ἐπεὶ οὐκ ἐφάμην ὄναρ ἔμμεναι, ἀλλ' ὕπαρ ἤδη ».
ὣς ἔφατ', αὐτίκα δὲ χρυσόθρονος ἤλυθεν Ἠώς.
τῆς δ' ἄρα κλαιούσης ὄπα σύνθετο δῖος Ὀδυσσεύς·
μερμήριξε δ' ἔπειτα, δόκησε δέ οἱ κατὰ θυμὸν
ἤδη γινώσκουσα παρεστάμεναι κεφαλῆφι.

« Artemide, dea possente, figlia di Zeus, oh se ormai
mi togliessi la vita, lanciandomi al petto una freccia,
subito ora, o, altrimenti, un uragano rapendomi
mi spingesse sui sentieri nebbiosi
65 e gettasse alle foci di Oceano in sé rifluente!
Nel modo in cui gli uragani rapirono le Pandareidi:
uccisero loro i genitori gli dei, ed esse rimasero
orfane in casa; provvide la chiara Afrodite
con cacio e con dolce miele e amabile vino.
70 Più che a tutte le donne, Era concesse loro
aspetto e giudizio, la pura Artemide diede l'altezza,
Atena insegnò a eseguire famosi lavori.
Mentre la chiara Afrodite saliva all'alto Olimpo
a chiedere per le fanciulle floride nozze
75 a Zeus lieto del fulmine – egli conosce ogni cosa,
la sorte felice e infelice degli umani mortali –,
ecco le Arpie sollevare in un turbine quelle fanciulle
e darle alle orribili Erinni perché ne fossero serve:
così mi annientassero quelli che hanno l'Olimpo
80 o mi colpisse Artemide dai riccioli belli, perché con Odisseo
negli occhi io scenda nell'orrida terra
e non allieti la mente d'un uomo inferiore.
Ma pure è un sopportabile male, quando di giorno
uno piange, col cuore fittamente angosciato,
85 ma di notte lo domina il sonno, perché fa obliare ogni cosa,
buona e cattiva, appena esso avvolge le palpebre:
mentre a me, il dio ha inviato anche sogni cattivi.
Anche stanotte si giacque al mio fianco, simile a lui,
ed era così come quando partì con l'esercito: il mio cuore
90 gioiva, perché non credevo che fosse un sogno, ma già realtà ».
Disse così e subito venne Aurora dall'aureo trono.
Sentì, il chiaro Odisseo, la voce di lei che piangeva,
poi rifletté e gli parve nell'animo
che, ravvisatolo, essa stesse vicino al suo capo.

95 χλαῖναν μὲν συνελὼν καὶ κώεα, τοῖσιν ἐνεῦδεν,
ἐς μέγαρον κατέθηκεν ἐπὶ θρόνου, ἐκ δὲ βοείην
θῆκε θύραζε φέρων, Διὶ δ' εὔξατο χεῖρας ἀνασχών·
« Ζεῦ πάτερ, εἴ μ' ἐθέλοντες ἐπὶ τραφερήν τε καὶ ὑγρὴν
ἤγετ' ἐμὴν ἐς γαῖαν, ἐπεί μ' ἐκακώσατε λίην,
100 φήμην τίς μοι φάσθω ἐγειρομένων ἀνθρώπων
ἔνδοθεν, ἔκτοσθεν δὲ Διὸς τέρας ἄλλο φανήτω ».
ὣς ἔφατ' εὐχόμενος· τοῦ δ' ἔκλυε μητίετα Ζεύς,
αὐτίκα δ' ἐβρόντησεν ἀπ' αἰγλήεντος Ὀλύμπου,
ὑψόθεν ἐκ νεφέων· γήθησε δὲ δῖος Ὀδυσσεύς.
105 φήμην δ' ἐξ οἴκοιο γυνὴ προέηκεν ἀλετρὶς
πλησίον, ἔνθ' ἄρα οἱ μύλαι εἵατο ποιμένι λαῶν.
τῇσιν δώδεκα πᾶσαι ἐπερρώοντο γυναῖκες
ἄλφιτα τεύχουσαι καὶ ἀλείατα, μυελὸν ἀνδρῶν·
αἱ μὲν ἄρ' ἄλλαι εὗδον, ἐπεὶ κατὰ πυρὸν ἄλεσσαν,
110 ἡ δὲ μί' οὔ πω παύετ', ἀφαυροτάτη δὲ τέτυκτο·
ἥ ῥα μύλην στήσασα ἔπος φάτο, σῆμα ἄνακτι·
« Ζεῦ πάτερ, ὅς τε θεοῖσι καὶ ἀνθρώποισιν ἀνάσσεις,
ἦ μεγάλ' ἐβρόντησας ἀπ' οὐρανοῦ ἀστερόεντος,
οὐδέ ποθι νέφος ἐστί· τέρας νύ τεῳ τόδε φαίνεις.
115 κρῆνον νῦν καὶ ἐμοὶ δειλῇ ἔπος, ὅττι κεν εἴπω·
μνηστῆρες πύματόν τε καὶ ὕστατον ἤματι τῷδε
ἐν μεγάροισ' Ὀδυσῆος ἑλοίατο δαῖτ' ἐρατεινήν,
οἳ δή μοι καμάτῳ θυμαλγέϊ γούνατ' ἔλυσαν
ἄλφιτα τευχούσῃ· νῦν ὕστατα δειπνήσειαν ».
120 ὣς ἄρ' ἔφη, χαῖρεν δὲ κλεηδόνι δῖος Ὀδυσσεὺς
Ζηνός τε βροντῇ· φάτο γὰρ τείσασθαι ἀλείτας.
αἱ δ' ἄλλαι δμῳαὶ κατὰ δώματα κάλ' Ὀδυσῆος
ἐγρόμεναι ἀνέκαιον ἐπ' ἐσχάρῃ ἀκάματον πῦρ.
Τηλέμαχος δ' εὐνῆθεν ἀνίστατο, ἰσόθεος φώς,
125 εἵματα ἑσσάμενος, περὶ δὲ ξίφος ὀξὺ θέτ' ὤμῳ,
ποσσὶ δ' ὑπὸ λιπαροῖσιν ἐδήσατο καλὰ πέδιλα,
εἵλετο δ' ἄλκιμον ἔγχος ἀκαχμένον ὀξέϊ χαλκῷ.
στῆ δ' ἄρ' ἐπ' οὐδὸν ἰών, πρὸς δ' Εὐρύκλειαν ἔειπε·

95 Raccolti il mantello e le pelli di pecora, sulle quali dormiva,
li mise dentro la sala, su un trono; fuori
portò e distese la pelle di bue e, alzando le mani, supplicò Zeus:
« Padre Zeus, se mi avete portato per terra e per mare
nella mia terra volendolo, dopo avermi tanto nociuto,
100 mi dica un presagio qualcuno degli uomini svegli
là dentro, e appaia qui fuori un prodigio da Zeus ».
Disse così, pregando; il saggio Zeus l'udì
e subito, dall'Olimpo splendente, tuonò
tra le nuvole, in alto: si rallegrò il chiaro Odisseo.
105 Il presagio lo disse in casa una donna alla mola
lì presso, dove il pastore di popoli aveva le macine.
Vi lavoravano in tutto dodici donne
per fare farina di orzo e di grano, midollo degli uomini:
le altre, macinato il frumento, dormivano;
110 ma quell'una non aveva cessato, era di fibra più debole;
costei, arrestata la mola, parlò, un segno al padrone:
« Padre Zeus, che regni sui numi e sugli uomini,
davvero forte hai tuonato dal cielo stellato,
eppure non c'è una nuvola: mostri così un presagio a qualcuno.
115 Ora compi anche a me, infelice, il voto che dico:
possano i proci quest'oggi per l'estrema ed ultima volta
prendere l'amabile pasto in casa di Odisseo,
essi che m'hanno fiaccato i ginocchi con penosa fatica
a fare farina: cenino ora per l'ultima volta ».
120 Disse così e il chiaro Odisseo fu lieto del voto
e del tuono di Zeus: credeva che avrebbe punito i malvagi.
Le altre serve nella bella dimora di Odisseo,
destate, accendevano il fuoco instancabile nel focolare.
Telemaco s'alzava dal letto, giovane simile a un dio:
125 indossate le vesti, pose la spada aguzza a tracolla,
legò ai lucidi piedi i bei sandali,
prese l'asta guerriera, acuminata d'aguzzo bronzo.
Avviatosi, si fermò sulla soglia e disse a Euriclea:

«μαῖα φίλη, πῶς ξεῖνον ἐτιμήσασθ' ἐνὶ οἴκῳ
130 εὐνῇ καὶ σίτῳ, ἦ αὔτως κεῖται ἀκηδής;
τοιαύτη γὰρ ἐμὴ μήτηρ, πινυτή περ ἐοῦσα·
ἐμπλήγδην ἕτερόν γε τίει μερόπων ἀνθρώπων
χείρονα, τὸν δέ τ' ἀρείον' ἀτιμήσασ' ἀποπέμπει».
τὸν δ' αὖτε προσέειπε περίφρων Εὐρύκλεια·
135 «οὐκ ἄν μιν νῦν, τέκνον, ἀναίτιον αἰτιόῳο.
οἶνον μὲν γὰρ πῖνε καθήμενος, ὄφρ' ἔθελ' αὐτός,
σίτου δ' οὐκέτ' ἔφη πεινήμεναι· εἴρετο γάρ μιν.
ἀλλ' ὅτε δὴ κοίτοιο καὶ ὕπνου μιμνήσκοιτο,
ἡ μὲν δέμνι' ἄνωγεν ὑποστορέσαι δμῳῇσιν,
140 αὐτὰρ ὅ γ', ὥς τις πάμπαν ὀϊζυρὸς καὶ ἄποτμος,
οὐκ ἔθελ' ἐν λέκτροισι καὶ ἐν ῥήγεσσι καθεύδειν,
ἀλλ' ἐν ἀδεψήτῳ βοέῃ καὶ κώεσιν οἰῶν
ἔδραθ' ἐνὶ προδόμῳ· χλαῖναν δ' ἐπιέσσαμεν ἡμεῖς».
ὣς φάτο, Τηλέμαχος δὲ διὲκ μεγάροιο βεβήκει
145 ἔγχος ἔχων· ἅμα τῷ γε κύνες πόδας ἀργοὶ ἕποντο.
βῆ δ' ἴμεν εἰς ἀγορὴν μετ' ἐϋκνήμιδας Ἀχαιούς
ἡ δ' αὖτε δμῳῇσιν ἐκέκλετο δῖα γυναικῶν,
Εὐρύκλει', Ὦπος θυγάτηρ Πεισηνορίδαο·
«ἄγρειθ', αἱ μὲν δῶμα κορήσατε ποιπνύσασαι
150 ῥάσσατέ τ' ἔν τε θρόνοισ' εὐποιήτοισι τάπητας
βάλλετε πορφυρέους· αἱ δὲ σπόγγοισι τραπέζας
πάσας ἀμφιμάσασθε, καθήρατε δὲ κρητῆρας
καὶ δέπα ἀμφικύπελλα τετυγμένα· ταὶ δὲ μεθ' ὕδωρ
ἔρχεσθε κρήνηνδε καὶ οἴσετε θᾶσσον ἰοῦσαι.
155 οὐ γὰρ δὴν μνηστῆρες ἀπέσσονται μεγάροιο,
ἀλλὰ μάλ' ἦρι νέονται, ἐπεὶ καὶ πᾶσιν ἑορτή».
ὣς ἔφαθ', αἱ δ' ἄρα τῆς μάλα μὲν κλύον ἠδ' ἐπίθοντο.
αἱ μὲν ἐείκοσι βῆσαν ἐπὶ κρήνην μελάνυδρον,
αἱ δ' αὐτοῦ κατὰ δώματ' ἐπισταμένως πονέοντο.
160 ἐς δ' ἦλθον δρηστῆρες ἀγήνορες· οἱ μὲν ἔπειτα
εὖ καὶ ἐπισταμένως κέασαν ξύλα, ταὶ δὲ γυναῖκες
ἦλθον ἀπὸ κρήνης. ἐπὶ δέ σφισιν ἦλθε συβώτης

« Balia cara, come avete onorato l'ospite in casa,
130 con un letto e del cibo, o giace così, trascurato?
Perché mia madre è così, benché giudiziosa:
onora a caso, tra gli uomini splendidi, un altro
più vile, e senza riguardi congeda il migliore ».
Gli disse allora la saggia Euriclea:
135 « Figlio, non incolparla ora innocente.
Sedutosi bevve del vino, finché egli volle,
e non disse d'aver bisogno di cibo, perché lei glielo chiese.
E quando al letto egli pensò ed al sonno,
ella ordinò alle ancelle di stendergli un letto,
140 ma lui, come un uomo assai misero e sventurato,
non volle dormire in un letto e tra coltri;
ma su una pelle di bue non conciata e su pelli di pecora
si coricò, nel vestibolo: lo coprimmo noi d'un mantello ».
Disse così e Telemaco uscì traversando la sala,
145 stringendo la lancia: lo seguivano, insieme, cani veloci.
S'avviò al consiglio, tra gli Achei dai saldi schinieri.
Lei invece ordinò alle ancelle, chiara fra le donne,
Euriclea, figlia di Opi Pisenoride:
« Suvvia, spazzate svelte la casa, voi,
150 innaffiate per terra, gettate sui troni ben fatti
dei drappi purpurei; voi altre nettate con spugne
le tavole, tutte; pulite i crateri
e le tazze a due anse; voi altre andate
per l'acqua alla fonte e portatela presto.
155 Non staranno lontani per molto i proci,
ma di buon'ora verranno, perché è festa per tutti ».
Disse così ed esse le diedero ascolto e ubbidirono.
Venti di loro andarono al fonte dell'acqua scura,
le altre lavoravano in casa espertamente.
160 Vennero dei lavoranti robusti: costoro
spaccarono bene e con arte la legna. Le donne
tornarono dalla fontana. Dopo di loro venne il porcaro

τρεῖς σιάλους κατάγων, οἳ ἔσαν μετὰ πᾶσιν ἄριστοι.
καὶ τοὺς μέν ῥ' εἴασε καθ' ἕρκεα καλὰ νέμεσθαι,
165 αὐτὸς δ' αὖτ' Ὀδυσῆα προσηύδα μειλιχίοισι·
« ξεῖν', ἦ ἄρ τί σε μᾶλλον Ἀχαιοὶ εἰσορόωσιν,
ἦέ σ' ἀτιμάζουσι κατὰ μέγαρ' ὡς τὸ πάρος περ; ».
τὸν δ' ἀπαμειβόμενος προσέφη πολύμητις Ὀδυσσεύς·
« αἲ γὰρ δή, Εὔμαιε, θεοὶ τεισαίατο λώβην,
170 ἣν οἵδ' ὑβρίζοντες ἀτάσθαλα μηχανόωνται
οἴκῳ ἐν ἀλλοτρίῳ, οὐδ' αἰδοῦς μοῖραν ἔχουσιν ».
ὣς οἱ μὲν τοιαῦτα πρὸς ἀλλήλους ἀγόρευον·
ἀγχίμολον δέ σφ' ἦλθε Μελάνθιος, αἰπόλος αἰγῶν,
αἶγας ἄγων, αἳ πᾶσι μετέπρεπον αἰπολίοισι,
175 δεῖπνον μνηστήρεσσι· δύω δ' ἅμ' ἕποντο νομῆες.
καὶ τὰς μὲν κατέδησαν ὑπ' αἰθούσῃ ἐριδούπῳ,
αὐτὸς δ' αὖτ' Ὀδυσῆα προσηύδα κερτομίοισι·
« ξεῖν', ἔτι καὶ νῦν ἐνθάδ' ἀνιήσεις κατὰ δῶμα
ἀνέρας αἰτίζων, ἀτὰρ οὐκ ἔξεισθα θύραζε;
180 πάντως οὐκέτι νῶϊ διακρινέεσθαι ὀΐω
πρὶν χειρῶν γεύσασθαι, ἐπεὶ σύ περ οὐ κατὰ κόσμον
αἰτίζεις· εἰσὶν δὲ καὶ ἄλλοθι δαῖτες Ἀχαιῶν ».
ὣς φάτο, τὸν δ' οὔ τι προσέφη πολύμητις Ὀδυσσεύς,
ἀλλ' ἀκέων κίνησε κάρη, κακὰ βυσσοδομεύων.
185 τοῖσι δ' ἐπὶ τρίτος ἦλθε Φιλοίτιος, ὄρχαμος ἀνδρῶν,
βοῦν στεῖραν μνηστῆρσιν ἄγων καὶ πίονας αἶγας.
πορθμῆες δ' ἄρα τούς γε διήγαγον, οἵ τε καὶ ἄλλους
ἀνθρώπους πέμπουσιν, ὅτις σφέας εἰσαφίκηται.
καὶ τὰ μὲν εὖ κατέδησεν ὑπ' αἰθούσῃ ἐριδούπῳ,
190 αὐτὸς δ' αὖτ' ἐρέεινε συβώτην ἄγχι παραστάς·
« τίς δὴ ὅδε ξεῖνος νέον εἰλήλουθε, συβῶτα,
ἡμέτερον πρὸς δῶμα; τέων δ' ἐξ εὔχεται εἶναι
ἀνδρῶν; ποῦ δέ νύ οἱ γενεὴ καὶ πατρὶς ἄρουρα;
δύσμορος, ἦ τε ἔοικε δέμας βασιλῆϊ ἄνακτι·
195 ἀλλὰ θεοὶ δυόωσι πολυπλάγκτους ἀνθρώπους,
ὁππότε καὶ βασιλεῦσιν ἐπικλώσωνται ὀϊζύν ».

spingendo tre grassi maiali, che erano tra tutti i migliori.
Li lasciò andare liberi nei bei recinti,
165 poi si rivolse gentilmente ad Odisseo:
« Ospite, hanno per te più riguardo gli Achei,
o ti offendono in casa come in passato? ».
Rispondendo gli disse l'astuto Odisseo:
« Eumeo, possano gli dei punire l'oltraggio
170 con cui essi ordiscono scelleratezze
in casa d'un altro, senza avere vergogna ».
Essi dunque facevano questi discorsi tra loro,
e s'accostò loro Melanzio, pastore di capre,
guidando capre, che spiccavano tra tutte le greggi,
175 per il pasto dei proci: due pastori l'accompagnavano.
Le legarono nel rumoroso loggiato
e lui si rivolse di nuovo con parole taglienti ad Odisseo:
« Straniero, disturberai qui ancora per casa,
accattando dagli uomini? non te ne vai fuori?
180 Non credo affatto che saremo divisi noi due,
prima che tu abbia assaggiato le mani, perché non mendichi
in modo garbato: vi sono anche altrove conviti di Achei ».
Disse così e a lui non rispose l'astuto Odisseo,
ma scosse il capo, covando sventure.
185 Terzo arrivò tra essi Filezio, capo di uomini,
portando ai proci una mucca sterile e grasse capre.
Li traghettarono i battellieri che scortano
anche altri uomini, chi arrivi da loro.
Le legò nel rumoroso loggiato, ben salde,
190 e poi accostatosi chiese al porcaro:
« Porcaro, codesto straniero da poco arrivato da noi,
chi è? da quali uomini si vanta
discendere? dove ha la famiglia e la terra degli avi?
Infelice! nella figura somiglia ad un re sovrano:
195 ma gli dei gettano nella miseria chi va molto ramingo,
quando filano sventura anche ai re ».

ἦ, καὶ δεξιτερῇ δειδίσκετο χειρὶ παραστὰς
καί μιν φωνήσας ἔπεα πτερόεντα προσηύδα·
« χαῖρε, πάτερ ὦ ξεῖνε· γένοιτό τοι ἔς περ ὀπίσσω
200 ὄλβος· ἀτὰρ μὲν νῦν γε κακοῖσ' ἔχεαι πολέεσσι.
Ζεῦ πάτερ, οὔ τις σεῖο θεῶν ὀλοώτερος ἄλλος·
οὐκ ἐλεαίρεις ἄνδρας, ἐπὴν δὴ γείνεαι αὐτός,
μισγέμεναι κακότητι καὶ ἄλγεσι λευγαλέοισιν.
ἴδιον, ὡς ἐνόησα, δεδάκρυνται δέ μοι ὄσσε
205 μνησαμένῳ Ὀδυσῆος, ἐπεὶ καὶ κεῖνον ὀΐω
τοιάδε λαίφε' ἔχοντα κατ' ἀνθρώπους ἀλάλησθαι,
εἴ που ἔτι ζώει καὶ ὁρᾷ φάος ἠελίοιο.
εἰ δ' ἤδη τέθνηκε καὶ εἰν Ἀΐδαο δόμοισιν,
ὤ μοι ἔπειτ' Ὀδυσῆος ἀμύμονος, ὅς μ' ἐπὶ βουσὶν
210 εἷσ' ἔτι τυτθὸν ἐόντα Κεφαλλήνων ἐνὶ δήμῳ.
νῦν δ' αἱ μὲν γίνονται ἀθέσφατοι, οὐδέ κεν ἄλλως
ἀνδρί γ' ὑποσταχύοιτο βοῶν γένος εὐρυμετώπων·
τὰς δ' ἄλλοι με κέλονται ἀγινέμεναι σφίσιν αὐτοῖς
ἔδμεναι· οὐδέ τι παιδὸς ἐνὶ μεγάροισ' ἀλέγουσιν,
215 οὐδ' ὄπιδα τρομέουσι θεῶν· μεμάασι γὰρ ἤδη
κτήματα δάσσασθαι δὴν οἰχομένοιο ἄνακτος.
αὐτὰρ ἐμοὶ τόδε θυμὸς ἐνὶ στήθεσσι φίλοισι
πόλλ' ἐπιδινεῖται· μάλα μὲν κακὸν υἷος ἐόντος
ἄλλων δῆμον ἱκέσθαι ἰόντ' αὐτῇσι βόεσσιν
220 ἄνδρας ἐς ἀλλοδαπούς· τὸ δὲ ῥίγιον αὖθι μένοντα
βουσὶν ἐπ' ἀλλοτρίῃσι καθήμενον ἄλγεα πάσχειν.
καί κεν δὴ πάλαι ἄλλον ὑπερμενέων βασιλήων
ἐξικόμην φεύγων, ἐπεὶ οὐκέτ' ἀνεκτὰ πέλονται·
ἀλλ' ἔτι τὸν δύστηνον ὀΐομαι, εἴ ποθεν ἐλθὼν
225 ἀνδρῶν μνηστήρων σκέδασιν κατὰ δώματα θείη ».
τὸν δ' ἀπαμειβόμενος προσέφη πολύμητις Ὀδυσσεύς·
« βουκόλ', ἐπεὶ οὔτε κακῷ οὔτ' ἄφρονι φωτὶ ἔοικας,
γινώσκω δὲ καὶ αὐτός, ὅ τοι πινυτὴ φρένας ἵκει,
τοὔνεκά τοι ἐρέω καὶ ἐπὶ μέγαν ὅρκον ὀμοῦμαι·
230 ἴστω νῦν Ζεὺς πρῶτα, θεῶν ξενίη τε τράπεζα,

Disse e accostatosi lo salutò con la destra
e parlando gli rivolse alate parole:
« Salute, padre straniero: la fortuna t'arrida
200 almeno in futuro; ora sei stretto da molte miserie.
Padre Zeus, nessuno più funesto di te tra gli dei:
gli uomini non hai pietà, dopoché tu li generi,
di unirli con la sventura e con tormentosi dolori.
Sudavo quando ti scorsi, gli occhi mi si sono empiti
205 di lacrime pensando ad Odisseo, perché anche lui penso
che vaghi tra gli uomini con stracci simili ai tuoi,
se vive ancora e vede la luce del sole.
Ma se è ormai morto ed è nelle case di Ade,
ahimè per il nobile Odisseo, che a guardare le mucche
210 mi pose, nel paese dei Cefalleni, quando ero ancora bambino.
Sono infinite ora quelle: meglio non potrebbe spigare
ad un uomo una stirpe di mucche dall'ampia fronte.
Altri però mi comandano di portare a loro le mucche
per divorarle: e ignorano in casa il ragazzo,
215 non temono l'ira divina, e pensano già
di dividersi i beni del re partito da tempo.
E spesso nel petto mi turbina l'animo
in questo pensiero: è molto male, finché c'è il ragazzo,
andare in terra di altri, partendo con tutte le mucche,
220 da uomini d'altri paesi; ma questo è più duro, soffrire dolori
restando costì a guardare le mucche di estranei.
E sarei da tempo partito, fuggendo da un altro
sovrano potente, perché ormai questo non è sopportabile;
ma penso ancora a quel misero, se mai tornando
225 ordinasse la cacciata dei proci da casa ».
Rispondendo gli disse l'astuto Odisseo:
« Bovaro, poiché non somigli a un misero o a un pazzo,
e anche da me riconosco che nella tua mente v'è senno,
voglio dirti e giurare un gran giuramento.
230 Anzitutto lo sappia, tra gli dei, ora Zeus e la mensa ospitale

ἱστίη τ' Ὀδυσῆος ἀμύμονος, ἣν ἀφικάνω·
ἦ σέθεν ἐνθάδ' ἐόντος ἐλεύσεται οἴκαδ' Ὀδυσσεύς·
σοῖσιν δ' ὀφθαλμοῖσιν ἐπόψεαι, αἴ κ' ἐθέλῃσθα,
κτεινομένους μνηστῆρας, οἳ ἐνθάδε κοιρανέουσι ».
235 τὸν δ' αὖτε προσέειπε βοῶν ἐπιβουκόλος ἀνήρ·
« αἲ γὰρ τοῦτο, ξεῖνε, ἔπος τελέσειε Κρονίων·
γνοίης χ', οἵη ἐμὴ δύναμις καὶ χεῖρες ἕπονται ».
ὣς δ' αὔτως Εὔμαιος ἐπεύξατο πᾶσι θεοῖσι
νοστῆσαι Ὀδυσῆα πολύφρονα ὅνδε δόμονδε.
240 ὣς οἱ μὲν τοιαῦτα πρὸς ἀλλήλους ἀγόρευον.
μνηστῆρες δ' ἄρα Τηλεμάχῳ θάνατόν τε μόρον τε
ἤρτυον· αὐτὰρ ὁ τοῖσιν ἀριστερὸς ἤλυθεν ὄρνις,
αἰετὸς ὑψιπέτης, ἔχε δὲ τρήρωνα πέλειαν.
τοῖσιν δ' Ἀμφίνομος ἀγορήσατο καὶ μετέειπεν·
245 « ὦ φίλοι, οὐχ ἥμιν συνθεύσεται ἥδε γε βουλή,
Τηλεμάχοιο φόνος· ἀλλὰ μνησώμεθα δαιτός ».
ὣς ἔφατ' Ἀμφίνομος, τοῖσιν δ' ἐπιήνδανε μῦθος.
ἐλθόντες δ' ἐς δώματ' Ὀδυσσῆος θείοιο
χλαίνας μὲν κατέθεντο κατὰ κλισμούς τε θρόνους τε,
250 οἱ δ' ἱέρευον ὄϊς μεγάλους καὶ πίονας αἶγας,
ἵρευον δὲ σύας σιάλους καὶ βοῦν ἀγελαίην·
σπλάγχνα δ' ἄρ' ὀπτήσαντες ἐνώμων, ἐν δέ τε οἶνον
κρητῆρσιν κερόωντο· κύπελλα δὲ νεῖμε συβώτης.
σῖτον δέ σφ' ἐπένειμε Φιλοίτιος, ὄρχαμος ἀνδρῶν,
255 καλοῖσ' ἐν κανέοισιν, ἐοινοχόει δὲ Μελανθεύς.
οἱ δ' ἐπ' ὀνείαθ' ἑτοῖμα προκείμενα χεῖρας ἴαλλον.
Τηλέμαχος δ' Ὀδυσῆα καθίδρυε, κέρδεα νωμῶν,
ἐντὸς ἐϋσταθέος μεγάρου, παρὰ λάϊνον οὐδόν,
δίφρον ἀεικέλιον καταθεὶς ὀλίγην τε τράπεζαν·
260 πὰρ δ' ἐτίθει σπλάγχνων μοίρας, ἐν δ' οἶνον ἔχευεν
ἐν δέπαϊ χρυσέῳ, καί μιν πρὸς μῦθον ἔειπεν·
« ἐνταυθοῖ νῦν ἧσο μετ' ἀνδράσιν οἰνοποτάζων·
κερτομίας δέ τοι αὐτὸς ἐγὼ καὶ χεῖρας ἀφέξω
πάντων μνηστήρων, ἐπεὶ οὔ τοι δήμιός ἐστιν

e il focolare del nobile Odisseo, presso cui sono giunto:
mentre tu sei qui, verrà Odisseo a casa
e vedrai coi tuoi occhi, se vuoi,
i proci che qui spadroneggiano, uccisi ».

235 Gli disse allora il bovaro guardiano dei buoi:
« Magari, o straniero, compisse questo il Cronide:
conosceresti qual è la mia forza, quali le mani ».

Così pure implorò Eumeo da tutti gli dei
che il saggio Odisseo tornasse nella sua casa.

240 Essi, dunque, facevano questi discorsi tra loro:
e la morte e il destino ordivano i proci
a Telemaco; ma da sinistra giunse loro un uccello,
un'aquila dal volo sublime: una trepida colomba stringeva.
Anfinomo tra essi prese la parola e disse:

245 « Amici, non ci riuscirà questo piano,
d'annientare Telemaco: ma pensiamo al convito ».

Così Anfinomo disse, e ad essi il discorso piacque.
Entrati in casa del divino Odisseo,
deposero i manti sulle sedie e sui troni,
250 uccisero grandi arieti e grasse capre,
uccisero grassi maiali e una mucca di mandria;
spartirono i visceri dopo averli arrostiti, nei crateri
mescerono il vino: distribuì le coppe il porcaro.
Filezio, capo di uomini, spartì loro il pane
255 in bei canestri, Melanzio versò il vino.
Ed essi sui cibi pronti, imbanditi, le mani tendevano.

Telemaco, sfruttando il vantaggio, mise Odisseo
dentro la sala ben costruita, presso la soglia di pietra,
ponendo un rozzo sgabello e un piccolo desco;
260 gli mise innanzi pezzi di visceri, gli versò il vino
nella coppa d'oro, e gli disse:

« Siedi qui ora a bere tra gli uomini;
terrò io stesso lontani da te gli insulti e le mani
di tutti i proci, perché non è pubblica

265 οἶκος ὅδ', ἀλλ' Ὀδυσῆος, ἐμοὶ δ' ἐκτήσατο κεῖνος.
ὑμεῖς δέ, μνηστῆρες, ἐπίσχετε θυμὸν ἐνιπῆς
καὶ χειρῶν, ἵνα μή τις ἔρις καὶ νεῖκος ὄρηται ».
ὣς ἔφαθ', οἱ δ' ἄρα πάντες ὀδὰξ ἐν χείλεσι φύντες
Τηλέμαχον θαύμαζον, ὃ θαρσαλέως ἀγόρευε.
270 τοῖσιν δ' Ἀντίνοος μετέφη, Εὐπείθεος υἱός·
« καὶ χαλεπόν περ ἐόντα δεχώμεθα μῦθον, Ἀχαιοί,
Τηλεμάχου· μάλα δ' ἧμιν ἀπειλήσας ἀγορεύει.
οὐ γὰρ Ζεὺς εἴασε Κρονίων· τῶ κέ μιν ἤδη
παύσαμεν ἐν μεγάροισι, λιγύν περ ἐόντ' ἀγορητήν ».
275 ὣς ἔφατ' Ἀντίνοος· ὁ δ' ἄρ' οὐκ ἐμπάζετο μύθων.
κήρυκες δ' ἀνὰ ἄστυ θεῶν ἱερὴν ἑκατόμβην
ἦγον· τοὶ δ' ἀγέροντο κάρη κομόωντες Ἀχαιοὶ
ἄλσος ὕπο σκιερὸν ἑκατηβόλου Ἀπόλλωνος.
οἱ δ' ἐπεὶ ὤπτησαν κρέ' ὑπέρτερα καὶ ἐρύσαντο,
280 μοίρας δασσάμενοι δαίνυντ' ἐρικυδέα δαῖτα.
πὰρ δ' ἄρ' Ὀδυσσῆϊ μοῖραν θέσαν, οἳ πονέοντο,
ἴσην, ὡς αὐτοί περ ἐλάγχανον· ὣς γὰρ ἀνώγει
Τηλέμαχος, φίλος υἱὸς Ὀδυσσῆος θείοιο.
μνηστῆρας δ' οὐ πάμπαν ἀγήνορας εἴα Ἀθήνη
285 λώβης ἴσχεσθαι θυμαλγέος, ὄφρ' ἔτι μᾶλλον
δύη ἄχος κραδίην Λαερτιάδεω Ὀδυσῆος.
ἦν δέ τις ἐν μνηστῆρσιν ἀνὴρ ἀθεμίστια εἰδώς,
Κτήσιππος δ' ὄνομ' ἔσκε, Σάμῃ δ' ἐνὶ οἰκία ναῖεν·
ὃς δή τοι κτεάτεσσι πεποιθὼς πατρὸς ἑοῖο
290 μνάσκετ' Ὀδυσσῆος δὴν οἰχομένοιο δάμαρτα.
ὅς ῥα τότε μνηστῆρσιν ὑπερφιάλοισι μετηύδα·
« κέκλυτέ μευ, μνηστῆρες ἀγήνορες, ὄφρα τι εἴπω·
μοῖραν μὲν δὴ ξεῖνος ἔχει πάλαι, ὡς ἐπέοικεν,
ἴσην· οὐ γὰρ καλὸν ἀτέμβειν οὐδὲ δίκαιον
295 ξείνους Τηλεμάχου, ὅς κεν τάδε δώμαθ' ἵκηται.
ἀλλ' ἄγε οἱ καὶ ἐγὼ δῶ ξείνιον, ὄφρα καὶ αὐτὸς
ἠὲ λοετροχόῳ δώῃ γέρας ἠέ τῳ ἄλλῳ
δμώων, οἳ κατὰ δώματ' Ὀδυσσῆος θείοιο ».

265 questa dimora, ma è di Odisseo: e per me l'acquistò.
E voi pretendenti, frenate l'animo da minacce
e percosse, che non sorga una lite e una rissa ».
Disse così, ed essi mordendosi tutti le labbra
stupivano udendo Telemaco parlare impavidamente.
270 E parlò Antinoo ad essi, il figlio di Eupite:
« Accogliamo l'invito di Telemaco, o Achei,
anche se è aspro: ci parla assai minaccioso.
Perché Zeus Cronide non volle: in casa già
lo avremmo altrimenti zittito, benché sia squillante oratore ».
275 Così Antinoo diceva, ma lui non degnò quei discorsi.
Gli araldi guidavano l'ecatombe sacra agli dei
in città: gli Achei dai lunghi capelli s'adunavano
nel bosco ombroso del lungisaettante Apollo.
Quando ebbero cotte e sfilate le terga,
280 divise le parti, consumarono lo splendido pasto.
Ad Odisseo imbandirono i servi una parte
uguale, come l'ebbero loro: ingiunse così
Telemaco, il caro figlio del divino Odisseo.
Non lasciava Atena desistere i proci superbi
285 da ogni oltraggio crudele, perché penetrasse
ancora di più lo sdegno nel cuore di Odisseo figlio di Laerte.
V'era un uomo tra i pretendenti, empio,
Ctesippo era il nome, e abitava una casa a Same:
costui, confidando nei beni del padre,
290 corteggiava la sposa di Odisseo partito da tempo.
Questi si rivolse, allora, ai pretendenti oltraggiosi:
« Uditemi, pretendenti superbi, che vi dico una cosa:
l'ospite, come s'addice, ha una parte uguale
da tempo, perché non è bello né giusto maltrattare
295 chi Telemaco ospita, chi venga in questa dimora.
Suvvia, gli dò anche io un dono ospitale, perché anche lui
possa darlo in regalo a chi versa il bagno o ad un altro
dei servi, che sono in casa del divino Odisseo ».

ὣς εἰπὼν ἔρριψε βοὸς πόδα χειρὶ παχείῃ,
300 κείμενον ἐκ κανέοιο λαβών· ὁ δ' ἀλεύατ' Ὀδυσσεὺς
ἦκα παρακλίνας κεφαλήν, μείδησε δὲ θυμῷ
σαρδάνιον μάλα τοῖον· ὁ δ' εὔδμητον βάλε τοῖχον.
Κτήσιππον δ' ἄρα Τηλέμαχος ἠνίπαπε μύθῳ·
« Κτήσιππ', ἦ μάλα τοι τόδε κέρδιον ἔπλετο θυμῷ·
305 οὐκ ἔβαλες τὸν ξεῖνον· ἀλεύατο γὰρ βέλος αὐτός.
ἦ γάρ κέν σε μέσον βάλον ἔγχεϊ ὀξυόεντι,
καί κέ τοι ἀντὶ γάμοιο πατὴρ τάφον ἀμφεπονεῖτο
ἐνθάδε. τῷ μή τίς μοι ἀεικείας ἐνὶ οἴκῳ
φαινέτω· ἤδη γὰρ νοέω καὶ οἶδα ἕκαστα,
310 ἐσθλά τε καὶ τὰ χέρεια· πάρος δ' ἔτι νήπιος ἦα.
ἀλλ' ἔμπης τάδε μὲν καὶ τέτλαμεν εἰσορόωντες,
μήλων σφαζομένων οἴνοιό τε πινομένοιο
καὶ σίτου· χαλεπὸν γὰρ ἐρυκακέειν ἕνα πολλούς.
ἀλλ' ἄγε μηκέτι μοι κακὰ ῥέζετε δυσμενέοντες·
315 εἰ δ' ἤδη μ' αὐτὸν κτεῖναι μενεαίνετε χαλκῷ,
καί κε τὸ βουλοίμην, καί κεν πολὺ κέρδιον εἴη
τεθνάμεν ἢ τάδε γ' αἰὲν ἀεικέα ἔργ' ὁράασθαι,
ξείνους τε στυφελιζομένους δμῳάς τε γυναῖκας
ῥυστάζοντας ἀεικελίως κατὰ δώματα καλά ».
320 ὣς ἔφαθ', οἱ δ' ἄρα πάντες ἀκὴν ἐγένοντο σιωπῇ.
ὀψὲ δὲ δὴ μετέειπε Δαμαστορίδης Ἀγέλαος·
« ὦ φίλοι, οὐκ ἂν δή τις ἐπὶ ῥηθέντι δικαίῳ
ἀντιβίοισ' ἐπέεσσι καθαπτόμενος χαλεπαίνοι·
μήτε τι τὸν ξεῖνον στυφελίζετε μήτε τιν' ἄλλον
325 δμώων, οἳ κατὰ δώματ' Ὀδυσσῆος θείοιο.
Τηλεμάχῳ δέ κε μῦθον ἐγὼ καὶ μητέρι φαίην
ἤπιον, εἴ σφωϊν κραδίῃ ἅδοι ἀμφοτέροιϊν.
ὄφρα μὲν ὕμιν θυμὸς ἐνὶ στήθεσσιν ἐώλπει
νοστῆσαι Ὀδυσῆα πολύφρονα ὅνδε δόμονδε,
330 τόφρ' οὔ τις νέμεσις μενέμεν τ' ἦν ἰσχέμεναί τε
μνηστῆρας κατὰ δώματ', ἐπεὶ τόδε κέρδιον ἦεν,
εἰ νόστησ' Ὀδυσεὺς καὶ ὑπότροπος ἵκετο δῶμα·

Disse così e preso con la mano robusta un piede di bue,
300 che era in un cesto, glielo lanciò: lo schivò Odisseo
chinando il capo rapidamente, rise di rabbia,
sardonico; e quello colpì la salda parete.
Allora Telemaco rimproverò Ctesippo:
« Ctesippo, è stato per te molto meglio così:
305 l'ospite non l'hai colpito, ha schivato il colpo da sé.
Altrimenti ti avrei colpito al petto con l'asta aguzza
e tuo padre, invece di nozze, ti avrebbe qui fatto
le esequie. E dunque nessuno mi mostri in casa
ignobili azioni: perché noto e conosco ogni azione,
310 le nobili e queste più vili: prima ero ancora un bambino.
Tuttavia sopportiamo la vista di queste vergogne,
le bestie sgozzate, e il vino bevuto,
e il cibo: frenare molti è difficile a un uomo solo.
Orsù, non fatemi più cattiverie, ostilmente;
315 se già pensate col bronzo d'uccidermi,
vorrei anche questo, e sarebbe assai meglio
esser morto, che veder sempre queste ignobili azioni,
gli ospiti offesi, e chi ignobilmente trascina
per le belle stanze le ancelle ».
320 Disse così: immobili erano tutti, in silenzio.
Alla fine parlò Agelao Damastoride:
« Amici, per un discorso opportuno nessuno
può impermalirsi ricorrendo a parole nemiche:
non maltrattate questo straniero e nessun altro
325 dei servi, che sono in casa del divino Odisseo.
A Telemaco come a sua madre io vorrei dare un equo
consiglio, se può piacere al cuore di entrambi.
Finché il vostro animo sperava nel petto
che nella sua casa tornasse l'astuto Odisseo,
330 non era motivo di sdegno aspettarlo e frenare
in casa i proci, perché era meglio così,
se Odisseo tornava e veniva reduce a casa:

νῦν δ' ἤδη τόδε δῆλον, ὅ τ' οὐκέτι νόστιμός ἐστιν.
ἀλλ' ἄγε σῇ τάδε μητρὶ παρεζόμενος κατάλεξον,
335 γήμασθ' ὅς τις ἄριστος ἀνὴρ καὶ πλεῖστα πόρῃσιν,
ὄφρα σὺ μὲν χαίρων πατρώϊα πάντα νέμηαι,
ἔσθων καὶ πίνων, ἡ δ' ἄλλου δῶμα κομίζῃ ».
τὸν δ' αὖ Τηλέμαχος πεπνυμένος ἀντίον ηὔδα·
« οὐ μὰ Ζῆν', Ἀγέλαε, καὶ ἄλγεα πατρὸς ἐμοῖο,
340 ὅς που τῆλ' Ἰθάκης ἢ ἔφθιται ἢ ἀλάληται,
οὔ τι διατρίβω μητρὸς γάμον, ἀλλὰ κελεύω
γήμασθ' ᾧ κ' ἐθέλῃ, ποτὶ δ' ἄσπετα δῶρα δίδωμι·
αἰδέομαι δ' ἀέκουσαν ἀπὸ μεγάροιο δίεσθαι
μύθῳ ἀναγκαίῳ· μὴ τοῦτο θεὸς τελέσειεν ».
345 ὣς φάτο Τηλέμαχος· μνηστῆρσι δὲ Παλλὰς Ἀθήνη
ἄσβεστον γέλω ὦρσε, παρέπλαγξεν δὲ νόημα.
οἱ δ' ἤδη γναθμοῖσι γελώων ἀλλοτρίοισιν,
αἱμοφόρυκτα δὲ δὴ κρέα ἤσθιον· ὄσσε δ' ἄρα σφέων
δακρυόφιν πίμπλαντο, γόον δ' ὠΐετο θυμός.
350 τοῖσι δὲ καὶ μετέειπε Θεοκλύμενος θεοειδής·
« ἆ δειλοί, τί κακὸν τόδε πάσχετε; νυκτὶ μὲν ὑμέων
εἰλύαται κεφαλαί τε πρόσωπά τε νέρθε τε γοῦνα,
οἰμωγὴ δὲ δέδηε, δεδάκρυνται δὲ παρειαί,
αἵματι δ' ἐρράδαται τοῖχοι καλαί τε μεσόδμαι·
355 εἰδώλων δὲ πλέον πρόθυρον, πλείη δὲ καὶ αὐλή,
ἱεμένων Ἔρεβόσδε ὑπὸ ζόφον· ἠέλιος δὲ
οὐρανοῦ ἐξαπόλωλε, κακὴ δ' ἐπιδέδρομεν ἀχλύς ».
ὣς ἔφαθ', οἱ δ' ἄρα πάντες ἐπ' αὐτῷ ἡδὺ γέλασσαν.
τοῖσιν δ' Εὐρύμαχος, Πολύβου πάϊς, ἦρχ' ἀγορεύειν·
360 « ἀφραίνει ξεῖνος νέον ἄλλοθεν εἰληλουθώς.
ἀλλά μιν αἶψα, νέοι, δόμου ἐκπέμψασθε θύραζε
εἰς ἀγορὴν ἔρχεσθαι, ἐπεὶ τάδε νυκτὶ ἐΐσκει ».
τὸν δ' αὖτε προσέειπε Θεοκλύμενος θεοειδής·
« Εὐρύμαχ', οὔ τί σ' ἄνωγα ἐμοὶ πομπῆας ὀπάζειν.
365 εἰσί μοι ὀφθαλμοί τε καὶ οὔατα καὶ πόδες ἄμφω
καὶ νόος ἐν στήθεσσι τετυγμένος, οὐδὲν ἀεικής·

ma ormai questo è chiaro, che non può più tornare.
Ma su, siedi accanto a tua madre e dille
335 che sposi l'uomo migliore e che offre di più,
sicché tu lieto amministri i beni paterni,
mangiando e bevendo, ed ella curi la casa d'un altro».
Gli rispose allora giudiziosamente Telemaco:
«No, Agelao, per Zeus e per le pene del padre mio
340 che forse è morto o erra lontano da Itaca,
non ostacolo affatto le nozze materne, ma l'invito
a sposare chi vuole e dò anche doni infiniti.
Ma ho ritegno a cacciarla nolente da casa
con parole imperiose: che il dio non lo faccia».
345 Telemaco disse così: e Pallade Atena ispirò
ai proci inestinguibile riso, gli travolse la mente.
Essi ridevano ormai con strane mascelle,
mangiavano carne intrisa di sangue; i loro occhi
eran pieni di lacrime, l'animo aveva voglia di pianto.
350 E parlò anche, tra essi, Teoclimeno simile a un dio:
«Ah infelici! che sciagura v'ha colto? la notte
vi avviluppa la testa e il volto e, giù, le ginocchia;
avvampa il lamento, sono intrise di pianto le gote;
i muri e i begli architravi sono aspersi di sangue,
355 il portico è pieno di spettri, ne è piena la corte,
e muovono all'Erebo, al cupo; il sole
è sparito dal cielo, è calata una brutta caligine».
Disse così e risero tutti di lui, allegramente.
E tra essi iniziò a parlare Eurimaco, figlio di Polibo:
360 «È pazzo l'ospite arrivato da poco da fuori.
Giovani, scortatelo subito fuori di casa,
perché vada in piazza, se giudica questa una notte».
Gli disse allora Teoclimeno simile a un dio:
«Eurimaco, non ti chiedo di darmi una scorta.
365 Ho gli occhi e le orecchie ed entrambi i miei piedi,
e la mente è sana nel petto, non è menomata:

τοῖσ' ἔξειμι θύραζε, ἐπεὶ νοέω κακὸν ὔμμιν
ἐρχόμενον, τό κεν οὔ τις ὑπεκφύγοι οὐδ' ἀλέαιτο
μνηστήρων, οἳ δῶμα κατ' ἀντιθέου Ὀδυσῆος
370 ἀνέρας ὑβρίζοντες ἀτάσθαλα μηχανάασθε ».
ὣς εἰπὼν ἐξῆλθε δόμων εὖ ναιετάοντων,
ἵκετο δ' ἐς Πείραιον, ὅ μιν πρόφρων ὑπέδεκτο.
μνηστῆρες δ' ἄρα πάντες ἐς ἀλλήλους ὁρόωντες
Τηλέμαχον ἐρέθιζον, ἐπὶ ξείνοις γελόωντες.
375 ὧδε δέ τις εἴπεσκε νέων ὑπερηνορεόντων·
« Τηλέμαχ', οὔ τις σεῖο κακοξεινώτερος ἄλλος,
οἷον μέν τινα τοῦτον ἔχεις ἐπίμαστον ἀλήτην,
σίτου καὶ οἴνου κεχρημένον, οὐδέ τι ἔργων
ἔμπαιον οὐδὲ βίης, ἀλλ' αὔτως ἄχθος ἀρούρης·
380 ἄλλος δ' αὖτέ τις οὗτος ἀνέστη μαντεύεσθαι.
ἀλλ' εἴ μοί τι πίθοιο, τό κεν πολὺ κέρδιον εἴη·
τοὺς ξείνους ἐν νηῒ πολυκληῗδι βαλόντες
ἐς Σικελοὺς πέμψωμεν, ὅθεν κέ τοι ἄξιον ἄλφοι ».
ὣς ἔφασαν μνηστῆρες· ὁ δ' οὐκ ἐμπάζετο μύθων,
385 ἀλλ' ἀκέων πατέρα προσεδέρκετο, δέγμενος αἰεί,
ὁππότε δὴ μνηστῆρσιν ἀναιδέσι χεῖρας ἐφήσει.
ἡ δὲ κατ' ἄντηστιν θεμένη περικαλλέα δίφρον
κούρη Ἰκαρίοιο, περίφρων Πηνελόπεια,
ἀνδρῶν ἐν μεγάροισιν ἑκάστου μῦθον ἄκουε.
390 δεῖπνον μὲν γὰρ τοί γε γελώοντες τετύκοντο
ἡδύ τε καὶ μενοεικές, ἐπεὶ μάλα πόλλ' ἱέρευσαν·
δόρπου δ' οὐκ ἄν πως ἀχαρίστερον ἄλλο γένοιτο,
οἷον δὴ τάχ' ἔμελλε θεὰ καὶ καρτερὸς ἀνὴρ
θησέμεναι· πρότεροι γὰρ ἀεικέα μηχανόωντο.

esco fuori con essi, perché vedo giungere un male
tra voi, al quale nessuno potrà sfuggire o sottrarsi
di voi pretendenti che in casa di Odisseo pari a un dio,
370 oltraggiando, ordite scelleratezze ».

Disse così ed uscì dalla casa ben situata
e andò da Pireo, che premurosamente l'accolse.
I pretendenti, guardandosi tutti l'un l'altro,
provocavano, ridendo degli ospiti, Telemaco.
375 E tra i giovani alteri qualcuno diceva così:

« Telemaco, nessun altro di te più infelice con gli ospiti,
come questo tale che hai, accattone girovago,
bramoso di cibo e di vino, inetto ai lavori
e agli sforzi, ma solo un peso alla terra;
380 e anche quest'altro, che s'alzò a far profezie.
Ma se mi dessi un po' retta, sarebbe meglio così:
gettiamo questi stranieri su una nave fitta di scalmi,
e spediamoli ai Siculi, donde trarresti adeguato guadagno ».

Così i proci dicevano, ma lui non degnò quei discorsi,
385 ma guardava in silenzio suo padre, aspettando sempre,
quando avrebbe aggredito i proci impudenti.

Ma lei, posta di fronte una sedia bellissima,
la figlia di Icario, la saggia Penelope,
ascoltava i discorsi di ogni uomo nella gran sala.
390 Essi avevano, allegri, apprestato un banchetto
gradito e abbondante: avevano ucciso moltissime bestie.
Ma niente altro sarebbe riuscito sgradito più della cena
che la dea e l'eroe animoso dovevano presto
imbandire: per primi, infatti, commisero infamie.

Φ

Τῇ δ' ἄρ' ἐπὶ φρεσὶ θῆκε θεὰ γλαυκῶπις Ἀθήνη,
κούρῃ Ἰκαρίοιο, περίφρονι Πηνελοπείῃ,
τόξον μνηστήρεσσι θέμεν πολιόν τε σίδηρον
ἐν μεγάροισ' Ὀδυσῆος, ἀέθλια καὶ φόνου ἀρχήν.
5 κλίμακα δ' ὑψηλὴν προσεβήσετο οἷο δόμοιο,
εἵλετο δὲ κληῗδ' εὐκαμπέα χειρὶ παχείῃ,
καλὴν χαλκείην· κώπη δ' ἐλέφαντος ἐπῆεν.
βῆ δ' ἴμεναι θάλαμόνδε σὺν ἀμφιπόλοισι γυναιξὶν
ἔσχατον· ἔνθα δέ οἱ κειμήλια κεῖτο ἄνακτος,
10 χαλκός τε χρυσός τε πολύκμητός τε σίδηρος.
ἔνθα δὲ τόξον κεῖτο παλίντονον ἠδὲ φαρέτρη
ἰοδόκος, πολλοὶ δ' ἔνεσαν στονόεντες ὀϊστοί,
δῶρα τά οἱ ξεῖνος Λακεδαίμονι δῶκε τυχήσας
Ἴφιτος Εὐρυτίδης, ἐπιείκελος ἀθανάτοισι.
15 τὼ δ' ἐν Μεσσήνῃ ξυμβλήτην ἀλλήλοιϊν
οἴκῳ ἐν Ὀρτιλόχοιο δαΐφρονος. ἦ τοι Ὀδυσσεὺς
ἦλθε μετὰ χρεῖος, τό ῥά οἱ πᾶς δῆμος ὄφελλε·
μῆλα γὰρ ἐξ Ἰθάκης Μεσσήνιοι ἄνδρες ἄειραν
νηυσὶ πολυκλήϊσι τριηκόσι' ἠδὲ νομῆας.
20 τῶν ἕνεκ' ἐξεσίην πολλὴν ὁδὸν ἦλθεν Ὀδυσσεύς,
παιδνὸς ἐών· πρὸ γὰρ ἧκε πατὴρ ἄλλοι τε γέροντες·
Ἴφιτος αὖθ' ἵππους διζήμενος, αἵ οἱ ὄλοντο
δώδεκα θήλειαι, ὑπὸ δ' ἡμίονοι ταλαεργοί·
αἳ δή οἱ καὶ ἔπειτα φόνος καὶ μοῖρα γένοντο,
25 ἐπεὶ δὴ Διὸς υἱὸν ἀφίκετο καρτερόθυμον,
φῶθ' Ἡρακλῆα, μεγάλων ἐπιίστορα ἔργων,

LIBRO VENTUNESIMO

La dea glaucopide Atena mise in animo a lei,
alla figlia di Icario, alla saggia Penelope,
di proporre ai proci l'arco e il ferro canuto,
nella casa di Odisseo, strumenti e inizio di strage.
5 L'alta scala raggiunse della sua camera,
prese con la mano robusta la chiave ricurva,
bella, di bronzo: il manico era d'avorio.
Con le donne sue ancelle s'avviò verso l'ultima
stanza: vi teneva i tesori del re,
10 bronzo, oro e ferro lavorato con molta fatica;
v'erano l'arco flessibile e la faretra
portasaette con molte frecce funeste:
glieli donò un suo ospite che lo incontrò a Lacedemone,
Ifito figlio di Eurito, simile agli immortali.
15 Si eran trovati l'un l'altro a Messene,
in casa del savio Ortiloco. Odisseo vi andò
per un debito che aveva con lui tutto il popolo.
Infatti alcuni Messeni avevano preso da Itaca trecento
pecore e i loro pastori, sulle navi fitte di scalmi.
20 Per questi Odisseo andò in missione, un lungo viaggio,
essendo ancora ragazzo: l'inviarono il padre e gli anziani.
Ifito, invece, cercava le cavalle smarrite,
dodici femmine con sotto dei muli robusti,
che per lui poi divennero morte e destino,
25 quando andò dal figlio animoso di Zeus,
l'eroe Eracle, esperto di opere immani,

ὅς μιν ξεῖνον ἐόντα κατέκτανεν ᾧ ἐνὶ οἴκῳ,
σχέτλιος, οὐδὲ θεῶν ὄπιν αἰδέσατ' οὐδὲ τράπεζαν,
τὴν ἥν οἱ παρέθηκεν· ἔπειτα δὲ πέφνε καὶ αὐτόν,
30 ἵππους δ' αὐτὸς ἔχε κρατερώνυχας ἐν μεγάροισι.
τὰς ἐρέων Ὀδυσῆϊ συνήντετο, δῶκε δὲ τόξον,
τὸ πρὶν μέν ῥ' ἐφόρει μέγας Εὔρυτος, αὐτὰρ ὁ παιδὶ
κάλλιπ' ἀποθνήσκων ἐν δώμασιν ὑψηλοῖσι.
τῷ δ' Ὀδυσεὺς ξίφος ὀξὺ καὶ ἄλκιμον ἔγχος ἔδωκεν,
35 ἀρχὴν ξεινοσύνης προσκηδέος· οὐδὲ τραπέζῃ
γνώτην ἀλλήλων· πρὶν γὰρ Διὸς υἱὸς ἔπεφνεν
Ἴφιτον Εὐρυτίδην, ἐπιείκελον ἀθανάτοισιν,
ὅς οἱ τόξον ἔδωκε. τὸ δ' οὔ ποτε δῖος Ὀδυσσεὺς
ἐρχόμενος πόλεμόνδε μελαινάων ἐπὶ νηῶν
40 ᾕρειτ', ἀλλ' αὐτοῦ μνῆμα ξείνοιο φίλοιο
κέσκετ' ἐνὶ μεγάροισι, φόρει δέ μιν ἧς ἐπὶ γαίης.
 ἡ δ' ὅτε δὴ θάλαμον τὸν ἀφίκετο δῖα γυναικῶν
οὐδόν τε δρύϊνον προσεβήσετο, τόν ποτε τέκτων
ξέσσεν ἐπισταμένως καὶ στάθμην ἴθυνεν,
45 ἐν δὲ σταθμοὺς ἄρσε, θύρας δ' ἐπέθηκε φαεινάς,
αὐτίκ' ἄρ' ἥ γ' ἱμάντα θοῶς ἀπέλυσε κορώνης,
ἐν δὲ κληῖδ' ἧκε, θυρέων δ' ἀνέκοπτεν ὀχῆας
ἄντα τιτυσκομένη. τὰ δ' ἀνέβραχεν ἠΰτε ταῦρος
βοσκόμενος λειμῶνι· τόσ' ἔβραχε καλὰ θύρετρα
50 πληγέντα κληῖδι, πετάσθησαν δέ οἱ ὦκα.
ἡ δ' ἄρ' ἐφ' ὑψηλῆς σανίδος βῆ· ἔνθα δὲ χηλοὶ
ἕστασαν, ἐν δ' ἄρα τῇσι θυώδεα εἵματ' ἔκειτο.
ἔνθεν ὀρεξαμένη ἀπὸ πασσάλου αἴνυτο τόξον
αὐτῷ γωρυτῷ, ὅς οἱ περίκειτο φαεινός.
55 ἑζομένη δὲ κατ' αὖθι, φίλοισ' ἐπὶ γούνασι θεῖσα,
κλαῖε μάλα λιγέως, ἐκ δ' ᾕρεε τόξον ἄνακτος.
ἡ δ' ἐπεὶ οὖν τάρφθη πολυδακρύτοιο γόοιο,
βῆ ῥ' ἴμεναι μέγαρόνδε μετὰ μνηστῆρας ἀγαυοὺς
τόξον ἔχουσ' ἐν χειρὶ παλίντονον ἠδὲ φαρέτρην
60 ἰοδόκον· πολλοὶ δ' ἔνεσαν στονόεντες ὀϊστοί.

il quale l'uccise, pur essendo suo ospite, nella sua casa,
audace, e non ebbe riguardo agli dei e alla tavola
che gli aveva imbandita; ma anzi lo uccise
30 e in casa si tenne lui le cavalle dalle forti unghie.
Cercandole incontrò Odisseo e gli diede l'arco
che prima portava il grande Eurito: costui morente
lo aveva lasciato a suo figlio nelle alte dimore.
A lui Odisseo donò una spada aguzza e un'asta guerriera,
35 come inizio di stretta amicizia ospitale. Ma non si conobbero
a tavola: perché il figlio di Zeus uccise
l'Euritide Ifito simile agli immortali,
che a lui donò l'arco. Mai, andando alla guerra
sulle nere navi, il chiaro Odisseo
40 lo prendeva con sé, ma giaceva lì nella casa
a ricordo dell'ospite caro: lo portava nella sua terra.
Quando arrivò alla stanza, chiara fra le donne,
e raggiunse la soglia di quercia, che il falegname un giorno
spianò a regola d'arte e fece diritta col filo,
45 vi infisse gli stipiti e vi appose le porte lucenti,
subito sciolse la cinghia sveltamente dalla maniglia,
introdusse la chiave e spinse via i chiavistelli,
mirando diritto. La porta mugghiò come un toro
che pasce in un prato: così i bei battenti mugghiarono
50 al colpo di chiave, e rapidamente si aprirono.
Salì sull'alto soppalco: stavano lì
i cassettoni e giacevano in essi le vesti odorose.
Da lì si protese e tolse dal chiodo l'arco
col fodero stesso che, splendido, lo ravvolgeva.
55 E lì sedendo, posatolo sulle ginocchia,
gemeva stridulamente e trasse l'arco del re.
Quando fu sazia di piangere e gemere,
mosse verso la sala, tra i pretendenti egregi,
reggendo l'arco flessibile e la faretra
60 portasaette, con molte frecce funeste.

τῇ δ' ἄρ' ἅμ' ἀμφίπολοι φέρον ὄγκιον, ἔνθα σίδηρος
κεῖτο πολὺς καὶ χαλκός, ἀέθλια τοῖο ἄνακτος.
ἡ δ' ὅτε δὴ μνηστῆρας ἀφίκετο δῖα γυναικῶν,
στῆ ῥα παρὰ σταθμὸν τέγεος πύκα ποιητοῖο,
65 ἄντα παρειάων σχομένη λιπαρὰ κρήδεμνα·
ἀμφίπολος δ' ἄρα οἱ κεδνὴ ἑκάτερθε παρέστη.
αὐτίκα δὲ μνηστῆρσι μετηύδα καὶ φάτο μῦθον·
« κέκλυτέ μευ, μνηστῆρες ἀγήνορες, οἳ τόδε δῶμα
ἐχράετ' ἐσθιέμεν καὶ πινέμεν ἐμμενὲς αἰεὶ
70 ἀνδρὸς ἀποιχομένοιο πολὺν χρόνον, οὐδέ τιν' ἄλλην
μύθου ποιήσασθαι ἐπισχεσίην ἐδύνασθε,
ἀλλ' ἐμὲ ἱέμενοι γῆμαι θέσθαι τε γυναῖκα.
ἀλλ' ἄγετε, μνηστῆρες, ἐπεὶ τόδε φαίνετ' ἄεθλον·
θήσω γὰρ μέγα τόξον 'Οδυσσῆος θείοιο·
75 ὃς δέ κε ῥηΐτατ' ἐντανύσῃ βιὸν ἐν παλάμῃσι
καὶ διοϊστεύσῃ πελέκεων δυοκαίδεκα πάντων,
τῷ κεν ἅμ' ἑσποίμην, νοσφισσαμένη τόδε δῶμα
κουρίδιον, μάλα καλόν, ἐνίπλειον βιότοιο,
τοῦ ποτε μεμνήσεσθαι ὀΐομαι ἔν περ ὀνείρῳ ».
80 ὣς φάτο, καί ῥ' Εὔμαιον ἀνώγει, δῖον ὑφορβόν,
τόξον μνηστήρεσσι θέμεν πολιόν τε σίδηρον.
δακρύσας δ' Εὔμαιος ἐδέξατο καὶ κατέθηκε·
κλαῖε δὲ βουκόλος ἄλλοθ', ἐπεὶ ἴδε τόξον ἄνακτος.
'Αντίνοος δ' ἐνένιπεν ἔπος τ' ἔφατ' ἔκ τ' ὀνόμαζε·
85 « νήπιοι ἀγροιῶται, ἐφημέρια φρονέοντες,
ἆ δειλώ, τί νυ δάκρυ κατείβετον ἠδὲ γυναικὶ
θυμὸν ἐνὶ στήθεσσιν ὀρίνετον; ᾗ τε καὶ ἄλλως
κεῖται ἐν ἄλγεσι θυμός, ἐπεὶ φίλον ὤλεσ' ἀκοίτην.
ἀλλ' ἀκέων δαίνυσθε καθήμενοι, ἠὲ θύραζε
90 κλαίετον ἐξελθόντε κατ' αὐτόθι τόξα λιπόντε,
μνηστήρεσσιν ἄεθλον ἀάατον· οὐ γὰρ ὀΐω
ῥηϊδίως τόδε τόξον ἐΰξοον ἐντανύεσθαι.
οὐ γάρ τις μέτα τοῖος ἀνὴρ ἐν τοίσδεσι πᾶσιν,
οἷος 'Οδυσσεὺς ἔσκεν· ἐγὼ δέ μιν αὐτὸς ὄπωπα,

Le ancelle, con lei, portavano un cesto, in cui v'era
ferro, molto! e bronzo, strumenti di gara del re.
Quando giunse dai pretendenti, chiara fra le donne,
si fermò vicino a un pilastro del solido tetto,
65 tenendo davanti alle guance il lucido scialle:
da ciascun lato le era accanto un'ancella fedele.
Subito si rivolse ai proci e parlò:
« Uditemi, pretendenti superbi, che avete assalito
questa casa per mangiare e per bere senza pausa, sempre,
70 la casa d'un uomo da tempo lontano: e nessun altro
argomento poteste trovare a pretesto,
se non che volete sposarmi e prendere in moglie.
Ma su, pretendenti, ché in premio c'è questo:
proporrò il grande arco del divino Odisseo,
75 e chi con la mano tenderà l'arco più agevolmente
e infilerà con la freccia tutte le dodici scuri,
lo seguirei, separandomi da questa casa
nuziale, così bella, ricolma di beni,
che credo ricorderò sempre, fosse anche in sogno ».
80 Disse così e ordinò a Eumeo, al chiaro mandriano,
di proporre ai proci l'arco e il ferro canuto.
Eumeo piangendo lo prese e depose;
più in là piangeva il bovaro, vedendo l'arco del re.
Li redarguì Antinoo, gli rivolse la parola, gli disse:
85 « Sciocchi villani, che pensate ai casi d'un giorno,
miserabili, perché dunque piangete e turbate
l'animo nel petto alla donna? il suo animo
sta tra dolori, comunque, perché ha perduto il marito.
Ma sedete e mangiate in silenzio, o andate
90 a piangere fuori, lasciando qui l'arco,
gara funesta ai proci: perché penso
che quest'arco ben levigato non sarà facile tenderlo.
Non c'è tra tutti costoro un uomo così
come Odisseo – io stesso l'ho visto

95 καὶ γὰρ μνήμων εἰμί, πάϊς δ' ἔτι νήπιος ἦα ».
ὣς φάτο, τῷ δ' ἄρα θυμὸς ἐνὶ στήθεσσιν ἐώλπει
νευρὴν ἐντανύειν διοϊστεύσειν τε σιδήρου.
ἦ τοι ὀϊστοῦ γε πρῶτος γεύσασθαι ἔμελλεν
ἐκ χειρῶν Ὀδυσῆος ἀμύμονος, ὃν τότ' ἀτίμα
100 ἥμενον ἐν μεγάροισ', ἐπὶ δ' ὤρνυε πάντας ἑταίρους.
τοῖσι δὲ καὶ μετέειφ' ἱερὴ ἲς Τηλεμάχοιο·
« ὢ πόποι, ἦ μάλα με Ζεὺς ἄφρονα θῆκε Κρονίων·
μήτηρ μέν μοί φησι φίλη, πινυτή περ ἐοῦσα,
ἄλλῳ ἅμ' ἕψεσθαι νοσφισσαμένη τόδε δῶμα·
105 αὐτὰρ ἐγὼ γελόω καὶ τέρπομαι ἄφρονι θυμῷ.
ἀλλ' ἄγετε, μνηστῆρες, ἐπεὶ τόδε φαίνετ' ἄεθλον,
οἵη νῦν οὐκ ἔστι γυνὴ κατ' Ἀχαιΐδα γαῖαν,
οὔτε Πύλου ἱερῆς οὔτ' Ἄργεος οὔτε Μυκήνης,
οὔτ' αὐτῆς Ἰθάκης οὔτ' ἠπείροιο μελαίνης·
110 καὶ δ' αὐτοὶ τόδε ἴστε· τί με χρὴ μητέρος αἴνου;
ἀλλ' ἄγε μὴ μύνῃσι παρέλκετε μηδ' ἔτι τόξου
δηρὸν ἀποτρωπᾶσθε τανυστύος, ὄφρα ἴδωμεν.
καὶ δέ κεν αὐτὸς ἐγὼ τοῦ τόξου πειρησαίμην·
εἰ δέ κεν ἐντανύσω διοϊστεύσω τε σιδήρου,
115 οὔ κέ μοι ἀχνυμένῳ τάδε δώματα πότνια μήτηρ
λείποι ἅμ' ἄλλῳ ἰοῦσ', ὅτ' ἐγὼ κατόπισθε λιποίμην
οἷός τ' ἤδη πατρὸς ἀέθλια κάλ' ἀνελέσθαι ».
ἦ, καὶ ἀπ' ὤμοιϊν χλαῖναν θέτο φοινικόεσσαν
ὀρθὸς ἀναΐξας, ἀπὸ δὲ ξίφος ὀξὺ θέτ' ὤμων.
120 πρῶτον μὲν πελέκεας στῆσεν, διὰ τάφρον ὀρύξας
πᾶσι μίαν μακρήν, καὶ ἐπὶ στάθμην ἴθυνεν,
ἀμφὶ δὲ γαῖαν ἔναξε. τάφος δ' ἕλε πάντας ἰδόντας,
ὡς εὐκόσμως στῆσε· πάρος δ' οὔ πώ ποτ' ὀπώπει.
στῆ δ' ἄρ' ἐπ' οὐδὸν ἰὼν καὶ τόξου πειρήτιζε.
125 τρὶς μέν μιν πελέμιξεν ἐρύσσεσθαι μενεαίνων,
τρὶς δὲ μεθῆκε βίης, ἐπιελπόμενος τό γε θυμῷ,
νευρὴν ἐντανύειν διοϊστεύσειν τε σιδήρου.
καί νύ κε δὴ ἐτάνυσσε βίῃ τὸ τέταρτον ἀνέλκων,

95 e ne serbo memoria, ero ancora un piccolo bimbo ».
Disse così, e certo nel petto il suo cuore sperava
di tendere il nervo e infilare il dardo nel ferro.
E invece avrebbe assaggiato per primo la freccia
per mano del nobile Odisseo, che egli allora oltraggiava
100 seduto nella sua casa, e incitava tutti i compagni.
Ad essi poi il sacro vigore di Telemaco disse:
« Ahimè, Zeus Cronide mi ha reso pazzo davvero:
mi dice la madre cara, benché giudiziosa,
che seguirà un altro, staccandosi da questa casa;
105 ed io rido e godo con animo sciocco.
Ma su, pretendenti, ché in premio c'è questo:
una donna quale ora non vi è, nell'Acaide, un'altra,
né a Pilo sacra né ad Argo o a Micene
o ad Itaca stessa e neanche sul continente scuro.
110 Lo sapete anche voi: che bisogno ho di lodare mia madre?
non tardate con scuse, non stornate più a lungo
il tiro con l'arco, perché lo vediamo.
Proverò anche io con questo arco:
se lo tendo e infilo il dardo nel ferro,
115 non lascerà questa casa insieme ad un altro
la madre augusta, con mio dolore, mentre io resto qui
e sono ormai bravo a impugnare la bella panoplia del padre ».
Disse così e si tolse dagli omeri il manto purpureo,
alzandosi in piedi, si tolse la spada aguzza dagli omeri.
120 Mise ritte, anzitutto, le scuri, scavando per tutte
un solo gran solco, e le allineò a filo,
calcò ai lati la terra. Stupirono tutti vedendo
come le infisse con ordine: non lo aveva mai visto prima.
Andò sulla soglia e, ritto, tentava con l'arco.
125 Fece forza tre volte, bramoso di tenderlo,
e tre volte la forza mancò, benché lo sperasse nell'animo,
di tendere il nervo e infilare il dardo nel ferro.
E già lo tendeva, tirando di nuovo con forza,

ἀλλ' Ὀδυσεὺς ἀνένευε καὶ ἔσχεθεν ἱέμενόν περ.
130 τοῖς δ' αὖτις μετέειφ' ἱερὴ ἲς Τηλεμάχοιο·
« ὢ πόποι, ἦ καὶ ἔπειτα κακός τ' ἔσομαι καὶ ἄκικυς,
ἠὲ νεώτερός εἰμι καὶ οὔ πω χερσὶ πέποιθα
ἄνδρ' ἀπαμύνασθαι, ὅτε τις πρότερος χαλεπήνῃ.
ἀλλ' ἄγεθ', οἵ περ ἐμεῖο βίῃ προφερέστεροί ἐστε,
135 τόξου πειρήσασθε, καὶ ἐκτελέωμεν ἄεθλον ».
ὣς εἰπὼν τόξον μὲν ἀπὸ ἕο θῆκε χαμᾶζε,
κλίνας κολλητῇσιν ἐϋξέστῃς σανίδεσσιν,
αὐτοῦ δ' ὠκὺ βέλος καλῇ προσέκλινε κορώνῃ,
ἂψ δ' αὖτις κατ' ἄρ' ἕζετ' ἐπὶ θρόνου, ἔνθεν ἀνέστη.
140 τοῖσιν δ' Ἀντίνοος μετέφη, Εὐπείθεος υἱός·
« ὄρνυσθ' ἑξείης ἐπιδέξια πάντες ἑταῖροι,
ἀρξάμενοι τοῦ χώρου, ὅθεν τέ περ οἰνοχοεύει ».
ὣς ἔφατ' Ἀντίνοος, τοῖσιν δ' ἐπιήνδανε μῦθος.
Λειώδης δὲ πρῶτος ἀνίστατο, Ἤνοπος υἱός,
145 ὅ σφι θυοσκόος ἔσκε, παρὰ κρητῆρα δὲ καλὸν
ἷζε μυχοίτατος αἰεί· ἀτασθαλίαι δέ οἱ οἴῳ
ἐχθραὶ ἔσαν, πᾶσιν δὲ νεμέσσα μνηστήρεσσιν·
ὅς ῥα τότε πρῶτος τόξον λάβε καὶ βέλος ὠκύ.
στῆ δ' ἄρ' ἐπ' οὐδὸν ἰὼν καὶ τόξου πειρήτιζεν,
150 οὐδέ μιν ἐντάνυσε· πρὶν γὰρ κάμε χεῖρας ἀνέλκων
ἀτρίπτους ἁπαλάς. μετὰ δὲ μνηστῆρσιν ἔειπεν·
« ὦ φίλοι, οὐ μὲν ἐγὼ τανύω, λαβέτω δὲ καὶ ἄλλος.
πολλοὺς γὰρ τόδε τόξον ἀριστῆας κεκαδήσει
θυμοῦ καὶ ψυχῆς, ἐπεὶ ἦ πολὺ φέρτερόν ἐστι
155 τεθνάμεν ἢ ζώοντας ἁμαρτεῖν, οὗ θ' ἕνεκ' αἰεὶ
ἐνθάδ' ὁμιλέομεν, ποτιδέγμενοι ἤματα πάντα.
νῦν μέν τις καὶ ἔλπετ' ἐνὶ φρεσὶν ἠδὲ μενοινᾷ
γῆμαι Πηνελόπειαν, Ὀδυσσῆος παράκοιτιν·
αὐτὰρ ἐπὴν τόξου πειρήσεται ἠδὲ ἴδηται,
160 ἄλλην δή τιν' ἔπειτα Ἀχαιϊάδων εὐπέπλων
μνάσθω ἐέδνοισιν διζήμενος· ἡ δέ κ' ἔπειτα
γήμαιθ' ὅς κε πλεῖστα πόροι καὶ μόρσιμος ἔλθοι ».

ma Odisseo lo fermò con un cenno, per quanto smanioso.
130 Ad essi il sacro vigore di Telemaco disse:
« Ahimè, sarò anche in futuro debole e inetto,
o sono assai giovane e non mi fido delle mie mani
per respingere un uomo, se per primo mi offende.
Ma orsù, voi che siete più forti di me,
135 provate con l'arco e finiamo la gara ».
Così dicendo depose l'arco per terra,
poggiandolo ai saldi e lisci battenti,
appoggiò alla bella maniglia la freccia veloce
e tornò a sedere sul trono da cui s'era alzato.
140 E parlò Antinoo tra essi, il figlio d'Eupito:
« Compagni, alzatevi tutti in fila da destra,
iniziando da dove si inizia a mescere il vino ».
Così Antinoo disse e ad essi il discorso piacque:
s'alzò per primo Leode, il figlio di Enopo,
145 che era l'aruspice e sempre sedeva in fondo,
vicino al bel cratere: solo a lui erano odiose
le loro empietà e con tutti i proci era indignato;
prese costui per primo l'arco e la freccia veloce.
Andò sulla soglia e, ritto, tentava con l'arco,
150 ma non lo piegò: si stancò, tirando, le mani,
non allenate, molli. Ai pretendenti egli disse:
« Amici, io non riesco, lo prenda anche un altro.
Questo arco torrà a molti valenti
il coraggio e la vita, perché è molto meglio
155 esser morti che, vivi, fallire lo scopo per cui ci affolliamo
qui, tutti i giorni, sempre aspettando.
Ora qualcuno sperava anche, nell'animo, e brama
sposare Penelope, la moglie di Odisseo:
ma appena tenti con l'arco e veda –
160 allora faccia la corte, tra le Achee dal peplo fluente,
ad un'altra, cercando d'averla con doni, ed essa
poi sposi chi le offre di più e le è destinato ».

ὣς ἄρ' ἐφώνησεν καὶ ἀπὸ ἕο τόξον ἔθηκε,
κλίνας κολλητῇσιν ἐϋξέστῃς σανίδεσσιν,
165 αὐτοῦ δ' ὠκὺ βέλος καλῇ προσέκλινε κορώνῃ,
ἂψ δ' αὖτις κατ' ἄρ' ἕζετ' ἐπὶ θρόνου, ἔνθεν ἀνέστη.
Ἀντίνοος δ' ἐνένιπεν ἔπος τ' ἔφατ' ἔκ τ' ὀνόμαζε·
« Λειῶδες, ποῖόν σε ἔπος φύγεν ἕρκος ὀδόντων,
δεινόν τ' ἀργαλέον τε, νεμεσσῶμαι δέ τ' ἀκούων,
170 εἰ δὴ τοῦτό γε τόξον ἀριστῆας κεκαδήσει
θυμοῦ καὶ ψυχῆς, ἐπεὶ οὐ δύνασαι σὺ τανύσσαι.
οὐ γάρ τοι σέ γε τοῖον ἐγείνατο πότνια μήτηρ,
οἷόν τε ῥυτῆρα βιοῦ τ' ἔμεναι καὶ ὀϊστῶν·
ἀλλ' ἄλλοι τανύουσι τάχα μνηστῆρες ἀγαυοί ».
175 ὣς φάτο, καί ῥ' ἐκέλευσε Μελάνθιον, αἰπόλον αἰγῶν·
« ἄγρει δή, πῦρ κῆον ἐνὶ μεγάροισι, Μελανθεῦ,
πὰρ δὲ τίθει δίφρον τε μέγαν καὶ κῶας ἐπ' αὐτοῦ,
ἐκ δὲ στέατος ἔνεικε μέγαν τροχὸν ἔνδον ἐόντος,
ὄφρα νέοι θάλποντες, ἐπιχρίοντες ἀλοιφῇ,
180 τόξου πειρώμεσθα καὶ ἐκτελέωμεν ἄεθλον ».
ὣς φάθ', ὁ δ' αἶψ' ἀνέκαιε Μελάνθιος ἀκάματον πῦρ,
πὰρ δὲ φέρων δίφρον θῆκεν καὶ κῶας ἐπ' αὐτοῦ,
ἐκ δὲ στέατος ἔνεικε μέγαν τροχὸν ἔνδον ἐόντος.
τῷ ῥα νέοι θάλποντες ἐπειρῶντ', οὐδ' ἐδύναντο
185 ἐντανύσαι, πολλὸν δὲ βίης ἐπιδευέες ἦσαν.
Ἀντίνοος δ' ἔτ' ἐπεῖχε καὶ Εὐρύμαχος θεοειδής,
ἀρχοὶ μνηστήρων· ἀρετῇ δ' ἔσαν ἔξοχ' ἄριστοι.
τὼ δ' ἐξ οἴκου βῆσαν ὁμαρτήσαντες ἅμ' ἄμφω
βουκόλος ἠδὲ συφορβὸς Ὀδυσσῆος θείοιο·
190 ἐκ δ' αὐτὸς μετὰ τοὺς δόμου ἤλυθε δῖος Ὀδυσσεύς.
ἀλλ' ὅτε δή ῥ' ἐκτὸς θυρέων ἔσαν ἠδὲ καὶ αὐλῆς,
φθεγξάμενός σφ' ἐπέεσσι προσηύδα μειλιχίοισι·
« βουκόλε καὶ σύ, συφορβέ, ἔπος τί κε μυθησαίμην,
ἦ αὐτὸς κεύθω; φάσθαι δέ με θυμὸς ἀνώγει.
195 ποῖοί κ' εἶτ' Ὀδυσῆϊ ἀμυνέμεν, εἴ ποθεν ἔλθοι
ὧδε μάλ' ἐξαπίνης καί τις θεὸς αὐτὸν ἐνείκαι;

Disse così e depose l'arco lontano,
poggiandolo ai saldi e lisci battenti;
165 appoggiò alla bella maniglia la freccia veloce
e tornò a sedere sul trono da cui s'era alzato.
Lo redarguì Antinoo, gli rivolse la parola, gli disse:
« Leode, che parola ti sfuggì dal recinto dei denti.
Tremenda e sgradevole, mi sdegno sentendola,
170 se quest'arco torrà davvero ai valenti
il coraggio e la vita, sol perché non puoi tenderlo tu.
È che la madre augusta non t'ha generato
capace di essere un buon tiratore di arco e di frecce!
Ma presto riusciranno altri proci egregi ».
175 Disse così e ordinò a Melanzio, pastore di capre:
« Orsù, Melanzio, accendi nella sala il fuoco,
porta uno sgabello grande con delle pelli sopra
e prendi una gran forma del sego che c'è in casa,
perché noi giovani scaldandolo e ungendolo di grasso
180 proviamo con l'arco e finiamo la gara ».
Disse così e Melanzio accese subito il fuoco instancabile,
portò uno sgabello con delle pelli sopra
e prese una gran forma del sego che era in casa.
Scaldandolo con questo, i giovani provarono a tirare,
185 e non riuscivano: di forza gliene mancava molta.
Restava ancora Antinoo, ed Eurimaco simile a un dio,
capi dei pretendenti: per valore erano di gran lunga i migliori.
Essi intanto uscirono insieme di casa ad un tempo, ambedue,
il bovaro e il porcaro del divino Odisseo;
190 e dopo di loro uscì dalla casa anche lui, il chiaro Odisseo.
Quando furono oltre le porte e la corte,
egli parlò e gli disse con parole gentili:
« Bovaro e tu, o porcaro, voglio dirvi una cosa:
o la tengo per me? Ma l'animo mi spinge a parlare.
195 Sareste pronti a difendere Odisseo, se mai arrivasse,
così, all'improvviso, e un dio lo portasse?

ἤ κε μνηστήρεσσιν ἀμύνοιτ' ἦ 'Οδυσῆϊ;
εἴπαθ' ὅπως ὑμέας κραδίη θυμός τε κελεύει ».
τὸν δ' αὖτε προσέειπε βοῶν ἐπιβουκόλος ἀνήρ·
200 « Ζεῦ πάτερ, αἲ γὰρ τοῦτο τελευτήσειας ἐέλδωρ,
ὡς ἔλθοι μὲν κεῖνος ἀνήρ, ἀγάγοι δέ ἑ δαίμων·
γνοίης χ', οἵη ἐμὴ δύναμις καὶ χεῖρες ἕπονται ».
ὣς δ' αὔτως Εὔμαιος ἐπεύξατο πᾶσι θεοῖσι
νοστῆσαι 'Οδυσῆα πολύφρονα ὅνδε δόμονδε.
205 αὐτὰρ ἐπεὶ δὴ τῶν γε νόον νημερτέ' ἀνέγνω,
ἐξαῦτίς σφ' ἐπέεσσιν ἀμειβόμενος προσέειπεν·
« ἔνδον μὲν δὴ ὅδ' αὐτὸς ἐγώ, κακὰ πολλὰ μογήσας,
ἦλθον ἐεικοστῷ ἔτεϊ ἐς πατρίδα γαῖαν.
γινώσκω δ' ὡς σφῶϊν ἐελδομένοισιν ἱκάνω
210 οἴοισι δμώων· τῶν δ' ἄλλων οὔ τευ ἄκουσα
εὐξαμένου ἐμὲ αὖτις ὑπότροπον οἴκαδ' ἱκέσθαι.
σφῶϊν δ', ὡς ἔσεταί περ, ἀληθείην καταλέξω·
εἴ χ' ὑπ' ἐμοί γε θεὸς δαμάσῃ μνηστῆρας ἀγαυούς,
ἄξομαι ἀμφοτέροισ' ἀλόχους καὶ κτήματ' ὀπάσσω
215 οἰκία τ' ἐγγὺς ἐμεῖο τετυγμένα· καί μοι ἔπειτα
Τηλεμάχου ἑτάρω τε κασιγνήτω τε ἔσεσθον.
εἰ δ' ἄγε δὴ καὶ σῆμα ἀριφραδὲς ἄλλο τι δείξω,
ὄφρα μ' ἐῢ γνῶτον πιστωθῆτόν τ' ἐνὶ θυμῷ,
οὐλήν, τήν ποτέ με σῦς ἤλασε λευκῷ ὀδόντι
220 Παρνησόνδ' ἐλθόντα σὺν υἱάσιν Αὐτολύκοιο ».
ὣς εἰπὼν ῥάκεα μεγάλης ἀποέργαθεν οὐλῆς.
τὼ δ' ἐπεὶ εἰσιδέτην εὖ τ' ἐφράσσαντο ἕκαστα,
κλαῖον ἄρ' ἀμφ' 'Οδυσῆϊ δαΐφρονι χεῖρε βαλόντε
καὶ κύνεον ἀγαπαζόμενοι κεφαλήν τε καὶ ὤμους·
225 ὣς δ' αὔτως 'Οδυσεὺς κεφαλὰς καὶ χεῖρας ἔκυσσε.
καί νύ κ' ὀδυρομένοισιν ἔδυ φάος ἠελίοιο,
εἰ μὴ 'Οδυσσεὺς αὐτὸς ἐρύκακε φώνησέν τε·
« παύεσθον κλαυθμοῖο γόοιό τε, μή τις ἴδηται
ἐξελθὼν μεγάροιο, ἀτὰρ εἴπῃσι καὶ εἴσω.
230 ἀλλὰ προμνηστῖνοι ἐσέλθετε, μηδ' ἅμα πάντες,

Vi battereste a fianco dei proci o di Odisseo?
Ditelo, come il cuore e l'animo vi ordina ».

Gli disse allora il bovaro, guardiano dei buoi:
200 « Oh se tu, padre Zeus, compissi codesto voto!
magari quell'uomo venisse e un dio lo portasse!
conosceresti qual è la mia forza, quali le mani ».

Così pure Eumeo implorò da tutti gli dei,
che il saggio Odisseo tornasse nella sua casa.
205 Dopoché senza errore conobbe il loro pensiero,
rispondendo disse loro di nuovo:

« Ma è a casa, sono io: dopo molto soffrire
sono giunto al ventesimo anno nella terra dei padri.
Vedo che arrivo invocato, tra i servi,
210 solo da voi: di questi altri non ho sentito nessuno
invocare che io ritornassi reduce a casa.
E a voi dirò il vero, in che modo sarà:
se un dio abbatterà per mia mano gli egregi corteggiatori,
a voi due darò moglie e darò degli averi
215 e una casa vicino alla mia: e in futuro sarete
compagni e fratelli, per me, di Telemaco.
Suvvia, vi voglio mostrare anche un altro segno chiarissimo,
per potermi ben riconoscere ed esser convinti nell'animo:
la ferita che mi inferse il cinghiale col bianco dente,
220 quando andai sul Parnaso, con i figli di Autolico ».

Detto così, scostò gli stracci dalla grande ferita.
Quando essi videro e osservarono bene il padrone,
piansero abbracciando il valente Odisseo,
e lo baciavano al capo e agli omeri con tenerezza:
225 così pure Odisseo baciò loro il capo e le mani.
La luce del sole sarebbe calata che ancora piangevano,
se Odisseo stesso non li avesse frenati dicendo:

« Smettete di piangere e gemere, che non veda
qualcuno uscendo dalla gran sala, e lo dica anche dentro.
230 Ma entrate uno ad uno, non tutti insieme,

πρῶτος ἐγώ, μετὰ δ' ὔμμες. ἀτὰρ τόδε σῆμα τετύχθω·
ἄλλοι μὲν γὰρ πάντες, ὅσοι μνηστῆρες ἀγαυοί,
οὐκ ἐάσουσιν ἐμοὶ δόμεναι βιὸν ἠδὲ φαρέτρην·
ἀλλὰ σύ, δῖ' Εὔμαιε, φέρων ἀνὰ δώματα τόξον
235 ἐν χείρεσσιν ἐμοὶ θέμεναι, εἰπεῖν δὲ γυναιξὶ
κληῖσαι μεγάροιο θύρας πυκινῶς ἀραρυίας·
ἢν δέ τις ἢ στοναχῆς ἠὲ κτύπου ἔνδον ἀκούσῃ
ἀνδρῶν ἡμετέροισιν ἐν ἕρκεσι, μή τι θύραζε
προβλώσκειν, ἀλλ' αὐτοῦ ἀκὴν ἔμεναι παρὰ ἔργῳ.
240 σοὶ δέ, Φιλοίτιε δῖε, θύρας ἐπιτέλλομαι αὐλῆς
κληῖσαι κληῖδι, θοῶς δ' ἐπὶ δεσμὸν ἰῆλαι ».
ὣς εἰπὼν εἰσῆλθε δόμους εὖ ναιετάοντας·
ἕζετ' ἔπειτ' ἐπὶ δίφρον ἰών, ἔνθεν περ ἀνέστη.
ἐς δ' ἄρα καὶ τὼ δμῶε ἴτην θείου Ὀδυσῆος.
245 Εὐρύμαχος δ' ἤδη τόξον μετὰ χερσὶν ἐνώμα,
θάλπων ἔνθα καὶ ἔνθα σέλᾳ πυρός· ἀλλά μιν οὐδ' ὧς
ἐντανύσαι δύνατο, μέγα δ' ἔστενε κυδάλιμον κῆρ·
ὀχθήσας δ' ἄρα εἶπεν ἔπος τ' ἔφατ' ἔκ τ' ὀνόμαζεν·
« ὢ πόποι, ἦ μοι ἄχος περί τ' αὐτοῦ καὶ περὶ πάντων.
250 οὔ τι γάμου τοσσοῦτον ὀδύρομαι, ἀχνύμενός περ·
εἰσὶ καὶ ἄλλαι πολλαὶ Ἀχαιΐδες, αἱ μὲν ἐν αὐτῇ
ἀμφιάλῳ Ἰθάκῃ, αἱ δ' ἄλλῃσιν πολίεσσιν·
ἀλλ' εἰ δὴ τοσσόνδε βίης ἐπιδευέες εἰμὲν
ἀντιθέου Ὀδυσῆος, ὅ τ' οὐ δυνάμεσθα τανύσσαι
255 τόξον· ἐλεγχείη δὲ καὶ ἐσσομένοισι πυθέσθαι ».
τὸν δ' αὖτ' Ἀντίνοος προσέφη, Εὐπείθεος υἱός·
« Εὐρύμαχ', οὐχ οὕτως ἔσται· νοέεις δὲ καὶ αὐτός.
νῦν μὲν γὰρ κατὰ δῆμον ἑορτὴ τοῖο θεοῖο
ἁγνή· τίς δέ κε τόξα τιταίνοιτ'; ἀλλὰ ἕκηλοι
260 κάτθετ'. ἀτὰρ πελέκεάς γε καὶ εἴ κ' εἰῶμεν ἅπαντας
ἑστάμεν· οὐ μὲν γάρ τιν' ἀναιρήσεσθαι ὀΐω,
ἐλθόντ' ἐς μέγαρον Λαερτιάδεω Ὀδυσῆος.
ἀλλ' ἄγε, οἰνοχόος μὲν ἐπαρξάσθω δεπάεσσιν,
ὄφρα σπείσαντες καταθείομεν ἀγκύλα τόξα·

prima io e poi voi. E il segnale sia questo:
tutti gli altri, gli egregi pretendenti,
non mi faranno dare l'arco e la faretra;
ma tu, chiaro Eumeo, attraversa la sala con l'arco
235 e dammelo in mano, e di' alle donne
di chiudere, nella gran sala, le porte saldamente connesse,
e se dentro qualcuna sentisse gemito o strepito
di uomini, nei nostri ambienti, non esca fuori,
ma resti lì al lavoro, in silenzio.
240 Dò incarico a te, o chiaro Filezio, di chiudere col chiavistello
le porte dell'atrio e di annodarvi sveltamente una corda ».

Detto così, entrò nella casa ben situata,
e andò a sedere, dopo, sullo sgabello da cui s'era alzato.
Ed entrarono anche i due servi del divino Odisseo.
245 Eurimaco rigirava già nelle mani l'arco, scaldandolo
d'ogni parte alla vampa del fuoco; ma neppure così
poté tenderlo, e altamente gemeva nel cuore glorioso,
e sdegnato disse e parlò:

« Ahimè, che pena ho di me e di tutti.
250 E non tanto lamento le nozze, benché addolorato –
Achee ve ne sono anche altre, tantissime, alcune qui
ad Itaca cinta dal mare e altre in altre città –
ma che siamo tanto inferiori, per vigore,
ad Odisseo simile a un dio, da non poter tendere
255 l'arco: a sentirlo parrà un'infamia anche ai posteri ».

Gli disse allora Antinoo, figlio d'Eupite:
« Non sarà così, Eurimaco! Lo sai anche tu.
Nel paese c'è ora la festa del dio,
veneranda: chi potrebbe tendere un arco? Ma posatelo,
260 calmi. E tutte le scuri, se anche le lasciassimo
stare, nessuno le toglierà, credo,
entrando nella gran sala d'Odisseo figlio di Laerte.
Orsù, cominci con le tazze il coppiere,
perché, dopo aver libato, posiamo l'arco ricurvo:

265 ἠῶθεν δὲ κέλεσθε Μελάνθιον, αἰπόλον αἰγῶν,
αἶγας ἄγειν, αἳ πᾶσι μέγ' ἔξοχοι αἰπολίοισιν,
ὄφρ' ἐπὶ μηρία θέντες Ἀπόλλωνι κλυτοτόξῳ
τόξου πειρώμεσθα καὶ ἐκτελέωμεν ἄεθλον ».
ὣς ἔφατ' Ἀντίνοος, τοῖσιν δ' ἐπιήνδανε μῦθος.
270 τοῖσι δὲ κήρυκες μὲν ὕδωρ ἐπὶ χεῖρας ἔχευαν,
κοῦροι δὲ κρητῆρας ἐπεστέψαντο ποτοῖο,
νώμησαν δ' ἄρα πᾶσιν ἐπαρξάμενοι δεπάεσσιν.
οἱ δ' ἐπεὶ οὖν σπεῖσάν τε πίον θ', ὅσον ἤθελε θυμός,
τοῖς δὲ δολοφρονέων μετέφη πολύμητις Ὀδυσσεύς·
275 « κέκλυτέ μευ, μνηστῆρες ἀγακλειτῆς βασιλείης,
ὄφρ' εἴπω, τά με θυμὸς ἐνὶ στήθεσσι κελεύει·
Εὐρύμαχον δὲ μάλιστα καὶ Ἀντίνοον θεοειδέα
λίσσομ', ἐπεὶ καὶ τοῦτο ἔπος κατὰ μοῖραν ἔειπε,
νῦν μὲν παῦσαι τόξον, ἐπιτρέψαι δὲ θεοῖσιν·
280 ἠῶθεν δὲ θεὸς δώσει κράτος, ᾧ κ' ἐθέλῃσιν.
ἀλλ' ἄγ' ἐμοὶ δότε τόξον ἐΰξοον, ὄφρα μεθ' ὑμῖν
χειρῶν καὶ σθένεος πειρήσομαι, ἤ μοι ἔτ' ἐστὶν
ἴς, οἵη πάρος ἔσκεν ἐνὶ γναμπτοῖσι μέλεσσιν,
ἦ ἤδη μοι ὄλεσσεν ἄλη τ' ἀκομιστίη τε ».
285 ὣς ἔφαθ', οἱ δ' ἄρα πάντες ὑπερφιάλως νεμέσησαν,
δείσαντες μὴ τόξον ἐΰξοον ἐντανύσειεν.
Ἀντίνοος δ' ἐνένιπεν ἔπος τ' ἔφατ' ἔκ τ' ὀνόμαζεν·
« ἆ δειλὲ ξείνων, ἔνι τοι φρένες οὐδ' ἠβαιαί.
οὐκ ἀγαπᾷς, ὃ ἕκηλος ὑπερφιάλοισι μεθ' ἡμῖν
290 δαίνυσαι οὐδέ τι δαιτὸς ἀμέρδεαι, αὐτὰρ ἀκούεις
μύθων ἡμετέρων καὶ ῥήσιος; οὐδέ τις ἄλλος
ἡμετέρων μύθων ξεῖνος καὶ πτωχὸς ἀκούει.
οἶνός σε τρώει μελιηδής, ὅς τε καὶ ἄλλους
βλάπτει, ὃς ἄν μιν χανδὸν ἕλῃ μηδ' αἴσιμα πίνῃ.
295 οἶνος καὶ Κένταυρον, ἀγακλυτὸν Εὐρυτίωνα,
ἄασ' ἐνὶ μεγάρῳ μεγαθύμου Πειριθόοιο,
ἐς Λαπίθας ἐλθόνθ'· ὁ δ' ἐπεὶ φρένας ἄασεν οἴνῳ,
μαινόμενος κάκ' ἔρεξε δόμον κάτα Πειριθόοιο.

265 ordinate a Melanzio, pastore di capre, di portare
all'alba le capre che spiccano in tutte le greggi,
perché, offerti i cosci ad Apollo, arciere famoso,
tentiamo con l'arco e finiamo la gara ».

Così Antinoo disse e ad essi il discorso piacque.

270 Gli araldi gli versarono sulle mani dell'acqua,
i ragazzi empirono di bevanda fino all'orlo i crateri
e a tutti distribuirono nelle coppe la parte iniziale.
Dopo aver libato e bevuto quanto l'animo volle,
disse tra loro, con pensiero ingannevole, l'astuto Odisseo:

275 « Ascoltatemi, pretendenti dell'illustre regina,
che dica quel che l'animo nel petto mi impone.
Prego Eurimaco e Antinoo simile a un dio,
soprattutto, poiché anche questo ha detto in modo giusto,
di smettere adesso la gara dell'arco e affidarla agli dei:
280 domani il dio darà forza a chi vuole.
Ma datemi l'arco ben levigato, perché provi
tra voi le mani e il vigore, se in me c'è ancora
la forza che c'era una volta nelle membra flessibili
o se la vita raminga e l'incuria me l'ha già distrutta ».

285 Disse così ed erano tutti fieramente sdegnati,
temendo che egli tendesse l'arco ben levigato.
Lo redarguì Antinoo, gli rivolse la parola, gli disse:

« Ah sventurato straniero, non hai nessun senno.
Non ti basta che mangi tranquillo con noi
290 valorosi, che non manchi al banchetto, ma ascolti
le nostre parole e i discorsi? Nessun altro
straniero e accattone ascolta le nostre parole.
Ti ferisce il vino dolcissimo, che stravolge
anche altri, chi ne tracanni e ne beva senza misura.
295 Anche il Centauro traviò, l'insigne Eurizione,
nella casa dell'ardito Piritoo, il vino,
quando andò dai Lapiti: appena offese la mente col vino,
impazzito, compì male azioni presso Pirìtoo.

ἥρωας δ' ἄχος εἷλε, διὲκ προθύρου δὲ θύραζε
300 ἕλκον ἀναΐξαντες, ἀπ' οὔατα νηλέϊ χαλκῷ
ῥῖνάς τ' ἀμήσαντες· ὁ δὲ φρεσὶν ᾗσιν ἀασθεὶς
ᾔϊεν ἣν ἄτην ὀχέων ἀεσίφρονι θυμῷ.
ἐξ οὗ Κενταύροισι καὶ ἀνδράσι νεῖκος ἐτύχθη,
οἷ δ' αὐτῷ πρώτῳ κακὸν εὕρετο οἰνοβαρείων.
305 ὣς καὶ σοὶ μέγα πῆμα πιφαύσκομαι, αἴ κε τὸ τόξον
ἐντανύσῃς· οὐ γάρ τευ ἐπητύος ἀντιβολήσεις
ἡμετέρῳ ἐνὶ δήμῳ, ἄφαρ δέ σε νηῒ μελαίνῃ
εἰς Ἔχετον βασιλῆα, βροτῶν δηλήμονα πάντων,
πέμψομεν· ἔνθεν δ' οὔ τι σαώσεαι. ἀλλὰ ἕκηλος
310 πῖνε σὺ μηδ' ἐρίδαινε μετ' ἀνδράσι κουροτέροισι ».
τὸν δ' αὖτε προσέειπε περίφρων Πηνελόπεια·
« Ἀντίνο', οὐ μὲν καλὸν ἀτέμβειν οὐδὲ δίκαιον
ξείνους Τηλεμάχου, ὅς κεν τάδε δώμαθ' ἵκηται.
ἔλπεαι, αἴ χ' ὁ ξεῖνος Ὀδυσσῆος μέγα τόξον
315 ἐντανύσῃ χερσίν τε βίηφί τε ἧφι πιθήσας,
οἴκαδέ μ' ἄξεσθαι καὶ ἑὴν θήσεσθαι ἄκοιτιν;
οὐδ' αὐτός που τοῦτό γ' ἐνὶ στήθεσσιν ἔολπε·
μηδέ τις ὑμείων τοῦ γ' εἵνεκα θυμὸν ἀχεύων
ἐνθάδε δαινύσθω, ἐπεὶ οὐδὲ μὲν οὐδὲ ἔοικε ».
320 τὴν δ' αὖτ' Εὐρύμαχος, Πολύβου πάϊς, ἀντίον ηὔδα·
« κούρη Ἰκαρίοιο, περίφρον Πηνελόπεια,
οὔ τί σε τόνδ' ἄξεσθαι ὀΐομεθ', οὐδὲ ἔοικεν,
ἀλλ' αἰσχυνόμενοι φάτιν ἀνδρῶν ἠδὲ γυναικῶν,
μή ποτέ τις εἴπησι κακώτερος ἄλλος Ἀχαιῶν·
325 "ἦ πολὺ χείρονες ἄνδρες ἀμύμονος ἀνδρὸς ἄκοιτιν
μνῶνται, οὐδέ τι τόξον ἐΰξοον ἐντανύουσιν·
ἀλλ' ἄλλος τις πτωχὸς ἀνὴρ ἀλαλήμενος ἐλθὼν
ῥηϊδίως ἐτάνυσσε βιόν, διὰ δ' ἧκε σιδήρου".
ὣς ἐρέουσ', ἡμῖν δ' ἂν ἐλέγχεα ταῦτα γένοιτο ».
330 τὸν δ' αὖτε προσέειπε περίφρων Πηνελόπεια·
« Εὐρύμαχ', οὔ πως ἔστιν ἐϋκλεῖας κατὰ δῆμον
ἔμμεναι, οἳ δὴ οἶκον ἀτιμάζοντες ἔδουσιν

Sdegno prese gli eroi: l'assalirono, e trascinarono fuori
300 per l'atrio, gli recisero col bronzo spietato
le orecchie e il naso; ed egli col senno traviato
andava, portando nel cuore traviato il suo traviamento.
Sorse da lui la contesa tra i Centauri e gli eroi:
ma, ubriacandosi, causò la sventura per primo a se stesso.
305 Così anche a te predico un gran danno se tendi
quell'arco: perché non avrai nessuna accoglienza
nel nostro paese, ma ti invieremo su una nera nave
dal re Echeto che tutti massacra,
lontano: non avrai scampo laggiù. Ma bevi
310 tranquillo: non contendere con uomini giovani ».
Gli disse allora la saggia Penelope:
« Antinoo, non è né bello né giusto offendere
chi Telemaco ospita, chi venga in questa dimora.
Ti aspetti, se l'ospite tende il grande arco
315 di Odisseo, fidando nelle sue braccia e nella sua forza,
che mi conduca nella sua casa e faccia sua sposa?
Ma neanche lui se lo aspetta nel petto.
Nessuno di voi si affligga in cuore per questo,
mentre banchetta, perché, no, non è decoroso ».
320 Le replicò allora Eurimaco, figlio di Polibo:
« Figlia di Icario, saggia Penelope,
non pensiamo davvero ti porti con sé, non è decoroso:
ma con vergogna temiamo la voce di uomini e donne,
che un Acheo, un altro inferiore, non dica:
325 "Alla moglie di un nobile uomo aspirano uomini
molto da meno, che non riescono a tendere l'arco ben levigato,
mentre un altro, un mendico venuto ramingo,
ha teso l'arco con facilità e ha traversato le scuri di ferro".
Diranno così e questo sarebbe un'onta per noi ».
330 Gli disse allora la saggia Penelope:
« Eurimaco, è impossibile avere una buona nomea
nel paese, a chi divora con sprezzo la casa

ἀνδρὸς ἀριστῆος· τί δ' ἐλέγχεα ταῦτα τίθεσθε;
οὗτος δὲ ξεῖνος μάλα μὲν μέγας ἠδ' εὐπηγής,
335 πατρὸς δ' ἐξ ἀγαθοῦ γένος εὔχεται ἔμμεναι υἱός.
ἀλλ' ἄγε οἱ δότε τόξον ἐΰξοον, ὄφρα ἴδωμεν.
ὧδε γὰρ ἐξερέω, τὸ δὲ καὶ τετελεσμένον ἔσται·
εἴ κέ μιν ἐντανύσῃ, δώῃ δέ οἱ εὖχος Ἀπόλλων,
ἕσσω μιν χλαῖνάν τε χιτῶνά τε, εἵματα καλά,
340 δώσω δ' ὀξὺν ἄκοντα, κυνῶν ἀλκτῆρα καὶ ἀνδρῶν,
καὶ ξίφος ἄμφηκες· δώσω δ' ὑπὸ ποσσὶ πέδιλα,
πέμψω δ' ὅππῃ μιν κραδίη θυμός τε κελεύει ».
τὴν δ' αὖ Τηλέμαχος πεπνυμένος ἀντίον ηὔδα·
« μῆτερ ἐμή, τόξον μὲν Ἀχαιῶν οὔ τις ἐμεῖο
345 κρείσσων, ᾧ κ' ἐθέλω, δόμεναί τε καὶ ἀρνήσασθαι,
οὔθ' ὅσσοι κραναὴν Ἰθάκην κάτα κοιρανέουσιν,
οὔθ' ὅσσοι νήσοισι πρὸς Ἤλιδος ἱπποβότοιο·
τῶν οὔ τίς μ' ἀέκοντα βιήσεται, αἴ κ' ἐθέλωμι
καὶ καθάπαξ ξείνῳ δόμεναι τάδε τόξα φέρεσθαι.
350 ἀλλ' εἰς οἶκον ἰοῦσα τὰ σ' αὐτῆς ἔργα κόμιζε,
ἱστόν τ' ἠλακάτην τε, καὶ ἀμφιπόλοισι κέλευε
ἔργον ἐποίχεσθαι· τόξον δ' ἄνδρεσσι μελήσει
πᾶσι, μάλιστα δ' ἐμοί· τοῦ γὰρ κράτος ἔστ' ἐνὶ οἴκῳ ».
ἡ μὲν θαμβήσασα πάλιν οἶκόνδε βεβήκει·
355 παιδὸς γὰρ μῦθον πεπνυμένον ἔνθετο θυμῷ.
ἐς δ' ὑπερῷ' ἀναβᾶσα σὺν ἀμφιπόλοισι γυναιξὶ
κλαῖεν ἔπειτ' Ὀδυσῆα, φίλον πόσιν, ὄφρα οἱ ὕπνον
ἡδὺν ἐπὶ βλεφάροισι βάλε γλαυκῶπις Ἀθήνη.
αὐτὰρ ὁ τόξα λαβὼν φέρε καμπύλα δῖος ὑφορβός·
360 μνηστῆρες δ' ἄρα πάντες ὁμόκλεον ἐν μεγάροισιν·
ὧδε δέ τις εἴπεσκε νέων ὑπερηνορεόντων·
« πῇ δὴ καμπύλα τόξα φέρεις, ἀμέγαρτε συβῶτα,
πλαγκτέ; τάχ' αὖ σ' ἐφ' ὕεσσι κύνες ταχέες κατέδονται
οἶον ἀπ' ἀνθρώπων, οὓς ἔτρεφες, εἴ κεν Ἀπόλλων
365 ἡμῖν ἱλήκῃσι καὶ ἀθάνατοι θεοὶ ἄλλοι ».
ὣς φάσαν, αὐτὰρ ὁ θῆκε φέρων αὐτῇ ἐνὶ χώρῃ,

di un nobile: e dunque perché la credete un'infamia?
Codesto straniero è assai grande e ben solido
335 e, quanto a stirpe, si vanta d'essere figlio di nobile padre.
Orsù, dategli l'arco ben levigato, e vediamo.
Perché così io ti dico e così di sicuro sarà:
se lo tende e Apollo gli dà questo vanto,
gli darò un mantello e una tunica, dei bei vestiti,
340 gli darò un'aguzza picca, a difesa dai cani e dagli uomini,
e una spada a due tagli; gli darò per i piedi dei sandali,
e lo manderò dove il cuore e la mente lo spinge ».
Le rispose allora giudiziosamente Telemaco:
« Madre mia, tra gli Achei non v'è altri più padrone di me
345 di dare o negare l'arco a chi voglio,
di quanti governano ad Itaca irta di rocce,
o sulle isole innanzi all'Elide che pasce cavalli:
nessuno di essi mi impedirà con la forza, se allo straniero
voglio dare questo arco per portarselo anche per sempre.
350 Ma va' nella stanza tua, accudisci ai lavori tuoi,
il telaio, la conocchia, e comanda alle ancelle
di badare al lavoro: l'arco spetterà qui agli uomini,
a tutti e a me soprattutto, che ho il potere qui in casa ».
Lei era tornata, stupita, nella sua stanza:
355 s'era messa nell'animo l'assennata parola del figlio.
E salita di sopra con le donne sue ancelle
piangeva Odisseo, il proprio marito, finché la glaucopide Atena
le gettò sulle palpebre un dolce sonno.
Allora, preso l'arco ricurvo, glielo portò il chiaro mandriano;
360 i pretendenti nella sala gridavano tutti;
e qualcuno dei giovani alteri diceva così:
« Ma dove porti l'arco ricurvo, sciocco porcaro,
insensato? presto tra i porci, lontano dagli uomini, ti sbraneranno
i cani veloci che hai allevato, se Apollo
365 ci è favorevole e gli altri dei immortali ».
Così dicevano, ed egli lo riportò e depose allo stesso posto,

δείσας, οὕνεκα πολλοὶ ὁμόκλεον ἐν μεγάροισι.
Τηλέμαχος δ' ἑτέρωθεν ἀπειλήσας ἐγεγώνει·
« ἄττα, πρόσω φέρε τόξα· τάχ' οὐκ εὖ πᾶσι πιθήσεις·
370 μή σε καὶ ὁπλότερός περ ἐὼν ἀγρόνδε δίωμαι
βάλλων χερμαδίοισι· βίηφι δὲ φέρτερός εἰμι.
αἲ γὰρ πάντων τόσσον, ὅσοι κατὰ δώματ' ἔασι,
μνηστήρων χερσίν τε βίηφί τε φέρτερος εἴην·
τῶ κε τάχα στυγερῶς τιν' ἐγὼ πέμψαιμι νέεσθαι
375 ἡμετέρου ἐξ οἴκου, ἐπεὶ κακὰ μηχανόωνται ».
ὣς ἔφαθ', οἱ δ' ἄρα πάντες ἐπ' αὐτῷ ἡδὺ γέλασσαν
μνηστῆρες καὶ δὴ μέθιεν χαλεποῖο χόλοιο
Τηλεμάχῳ· τὰ δὲ τόξα φέρων ἀνὰ δῶμα συβώτης
ἐν χείρεσσ' Ὀδυσῆϊ δαΐφρονι θῆκε παραστάς.
380 ἐκ δὲ καλεσσάμενος προσέφη τροφὸν Εὐρύκλειαν·
« Τηλέμαχος κέλεταί σε, περίφρον Εὐρύκλεια,
κληῗσαι μεγάροιο θύρας πυκινῶς ἀραρυίας·
ἢν δέ τις ἢ στοναχῆς ἠὲ κτύπου ἔνδον ἀκούσῃ
ἀνδρῶν ἡμετέροισιν ἐν ἕρκεσι, μή τι θύραζε
385 προβλώσκειν, ἀλλ' αὐτοῦ ἀκὴν ἔμεναι παρὰ ἔργῳ ».
ὣς ἄρ' ἐφώνησεν, τῇ δ' ἄπτερος ἔπλετο μῦθος,
κλήϊσεν δὲ θύρας μεγάρων εὖ ναιεταόντων.
σιγῇ δ' ἐξ οἴκοιο Φιλοίτιος ἆλτο θύραζε,
κλήϊσεν δ' ἄρ' ἔπειτα θύρας εὐερκέος αὐλῆς.
390 κεῖτο δ' ὑπ' αἰθούσῃ ὅπλον νεὸς ἀμφιελίσσης
βύβλινον, ᾧ ῥ' ἐπέδησε θύρας, ἐς δ' ἤϊεν αὐτός·
ἕζετ' ἔπειτ' ἐπὶ δίφρον ἰών, ἔνθεν περ ἀνέστη,
εἰσορόων Ὀδυσῆα. ὁ δ' ἤδη τόξον ἐνώμα
πάντῃ ἀναστρωφῶν, πειρώμενος ἔνθα καὶ ἔνθα,
395 μὴ κέρα ἶπες ἔδοιεν ἀποιχομένοιο ἄνακτος.
ὧδε δέ τις εἴπεσκεν ἰδὼν ἐς πλησίον ἄλλον·
« ἦ τις θηητὴρ καὶ ἐπίκλοπος ἔπλετο τόξων·
ἤ ῥά νύ που τοιαῦτα καὶ αὐτῷ οἴκοθι κεῖται,
ἦ ὅ γ' ἐφορμᾶται ποιησέμεν, ὡς ἐνὶ χερσὶ
400 νωμᾷ ἔνθα καὶ ἔνθα κακῶν ἔμπαιος ἀλήτης ».

intimorito, perché nella sala molti gridavano.
Dall'altra parte minacciando urlava Telemaco:
« Porta l'arco, nonnetto! a tuo danno ubbidirai presto a tutti:
370 che non ti cacci in campagna, pur essendo più giovane,
tirandoti sassi. In vigore ti supero.
Magari superassi così tutti i proci
che si trovano in casa, con le braccia e la forza.
Subito caccerei miseramente qualcuno
375 da casa nostra, perché tramano mali ».
Disse così e risero tutti di lui, allegramente,
i proci; e smisero la grave collera
contro Telemaco. Il porcaro attraversò con l'arco la sala
e, avvicinatosi, lo pose in mano al valente Odisseo.
380 Chiamò a parte la nutrice Euriclea e le disse:
« Telemaco ti ordina, o saggia Euriclea,
di chiudere, nella gran sala, le porte saldamente connesse,
e se dentro qualcuna sentisse gemito o strepito
di uomini, nei nostri ambienti, non esca fuori,
385 ma resti lì al lavoro, in silenzio ».
Disse così e per lei il discorso fu alato,
e serrò le porte delle sale assai frequentate.
Filezio balzò in silenzio fuori di casa
e chiuse le porte dell'atrio ben recintato.
390 Sotto il portico c'era una fune di nave veloce a virare,
di fibra papirea: legò con essa le porte e poi rientrò;
sedette sullo sgabello da cui s'era alzato,
con lo sguardo su Odisseo. Questi impugnava già l'arco
rigirandolo tutto, d'ogni parte saggiando
395 se i tarli, assente il padrone, avessero roso il corno.
E qualcuno diceva così rivolto al vicino:
« Certo è uno che ha occhio e si intende di archi,
a casa possiede forse anche lui un'arma così,
o almeno desidera farsela, da come in mano lo gira
400 da tutte le parti, il vagabondo esperto di guai ».

ἄλλος δ' αὖτ' εἴπεσκε νέων ὑπερηνορεόντων·
« αἳ γὰρ δὴ τοσσοῦτον ὀνήσιος ἀντιάσειεν,
ὡς οὗτός ποτε τοῦτο δυνήσεται ἐντανύσασθαι ».
ὣς ἄρ' ἔφαν μνηστῆρες· ἀτὰρ πολύμητις Ὀδυσσεύς,
405 αὐτίκ' ἐπεὶ μέγα τόξον ἐβάστασε καὶ ἴδε πάντῃ,
ὡς ὅτ' ἀνὴρ φόρμιγγος ἐπιστάμενος καὶ ἀοιδῆς
ῥηϊδίως ἐτάνυσσε νέῳ περὶ κόλλοπι χορδήν,
ἅψας ἀμφοτέρωθεν ἐϋστρεφὲς ἔντερον οἰός,
ὣς ἄρ' ἄτερ σπουδῆς τάνυσεν μέγα τόξον Ὀδυσσεύς.
410 δεξιτερῇ δ' ἄρα χειρὶ λαβὼν πειρήσατο νευρῆς·
ἡ δ' ὑπὸ καλὸν ἄεισε, χελιδόνι εἰκέλη αὐδήν.
μνηστῆρσιν δ' ἄρ' ἄχος γένετο μέγα, πᾶσι δ' ἄρα χρὼς
ἐτράπετο. Ζεὺς δὲ μεγάλ' ἔκτυπε σήματα φαίνων·
γήθησέν τ' ἄρ' ἔπειτα πολύτλας δῖος Ὀδυσσεύς,
415 ὅττι ῥά οἱ τέρας ἧκε Κρόνου πάϊς ἀγκυλομήτεω.
εἵλετο δ' ὠκὺν ὀϊστόν, ὅ οἱ παρέκειτο τραπέζῃ
γυμνός· τοὶ δ' ἄλλοι κοίλης ἔντοσθε φαρέτρης
κείατο, τῶν τάχ' ἔμελλον Ἀχαιοὶ πειρήσεσθαι.
τόν ῥ' ἐπὶ πήχει ἑλὼν ἕλκεν νευρὴν γλυφίδας τε,
420 αὐτόθεν ἐκ δίφροιο καθήμενος, ἧκε δ' ὀϊστὸν
ἄντα τιτυσκόμενος, πελέκεων δ' οὐκ ἤμβροτε πάντων
πρώτης στειλειῆς, διὰ δ' ἀμπερὲς ἦλθε θύραζε
ἰὸς χαλκοβαρής. ὁ δὲ Τηλέμαχον προσέειπε·
« Τηλέμαχ', οὔ σ' ὁ ξεῖνος ἐνὶ μεγάροισιν ἐλέγχει
425 ἥμενος, οὐδέ τι τοῦ σκόπου ἤμβροτον οὐδέ τι τόξον
δὴν ἔκαμον τανύων· ἔτι μοι μένος ἔμπεδόν ἐστιν,
οὐχ ὥς με μνηστῆρες ἀτιμάζοντες ὄνονται.
νῦν δ' ὥρη καὶ δόρπον Ἀχαιοῖσιν τετυκέσθαι
ἐν φάει, αὐτὰρ ἔπειτα καὶ ἄλλως ἑψιάασθαι
430 μολπῇ καὶ φόρμιγγι· τὰ γάρ τ' ἀναθήματα δαιτός ».
ἦ, καὶ ἐπ' ὀφρύσι νεῦσεν· ὁ δ' ἀμφέθετο ξίφος ὀξὺ
Τηλέμαχος, φίλος υἱὸς Ὀδυσσῆος θείοιο,
ἀμφὶ δὲ χεῖρα φίλην βάλεν ἔγχεϊ, ἄγχι δ' ἄρ' αὐτοῦ
πὰρ θρόνον ἑστήκει κεκορυθμένος αἴθοπι χαλκῷ.

Un altro dei giovani arroganti invece diceva:
« Oh se costui avesse così poco successo,
quanto ne avrà nel tendere l'arco ».
Così i proci dicevano. L'astuto Odisseo, invece,
405 quando ebbe alzato e osservato in ogni sua parte il grande arco,
come un uomo esperto di cetra e di canto,
che senza sforzo tende la corda intorno al bischero nuovo,
attaccando ai due estremi il budello ritorto di pecora,
così, senza sforzo, Odisseo tese il grande arco.
410 Prese e saggiò con la destra la corda:
essa cantò pienamente, con voce simile a rondine.
Per i proci fu una gran pena: mutarono
tutti colore. Zeus tuonò con fragore, manifestando i suoi segni.
Allora gioì il paziente chiaro Odisseo,
415 perché gli inviò un prodigio il figlio di Crono tortuoso.
Prese una freccia veloce che gli stava vicino sul tavolo,
nuda: erano dentro la cava faretra
le altre, che avrebbero presto provate gli Achei.
Posta la freccia sul manico, tese la corda e la cocca,
420 lì dallo scanno, sedendo, e scoccò la saetta
mirando diritto: non fallì il primo foro
di tutte le scuri e, attraversatele, il dardo gravato di bronzo
uscì fuori. Ed egli disse a Telemaco:
« Telemaco, lo straniero non ti disonora sedendo
425 nelle tue sale: non ho fallito il bersaglio, non ho faticato
a lungo a tendere l'arco; ho ancora vigore,
non come i proci, insultando, mi accusano.
Ora è tempo, anche, d'apprestare la cena agli Achei,
con la luce del giorno, e poi di godersela anche altrimenti
430 col canto e la cetra, che sono ornamenti al banchetto ».
Disse e coi sopraccigli annuì: allora Telemaco cinse
la spada aguzza, il caro figlio del divino Odisseo,
strinse la mano sull'asta, stette vicino a lui
presso il trono, con l'elmo di bronzo fiammante.

X

Αὐτὰρ ὁ γυμνώθη ῥακέων πολύμητις Ὀδυσσεύς,
ἆλτο δ' ἐπὶ μέγαν οὐδὸν ἔχων βιὸν ἠδὲ φαρέτρην
ἰῶν ἐμπλείην, ταχέας δ' ἐκχεύατ' ὀϊστοὺς
αὐτοῦ πρόσθε ποδῶν, μετὰ δὲ μνηστῆρσιν ἔειπεν·
5 «οὗτος μὲν δὴ ἄεθλος ἀάατος ἐκτετέλεσται·
νῦν αὖτε σκοπὸν ἄλλον, ὃν οὔ πώ τις βάλεν ἀνήρ,
εἴσομαι, αἴ κε τύχωμι, πόρῃ δέ μοι εὖχος Ἀπόλλων».
ἦ, καὶ ἐπ' Ἀντινόῳ ἰθύνετο πικρὸν ὀϊστόν.
ἤ τοι ὁ καλὸν ἄλεισον ἀναιρήσεσθαι ἔμελλε,
10 χρύσεον ἄμφωτον, καὶ δὴ μετὰ χερσὶν ἐνώμα,
ὄφρα πίοι οἴνοιο· φόνος δέ οἱ οὐκ ἐνὶ θυμῷ
μέμβλετο. τίς κ' οἴοιτο μετ' ἀνδράσι δαιτυμόνεσσι
μοῦνον ἐνὶ πλεόνεσσι, καὶ εἰ μάλα καρτερὸς εἴη,
οἷ τεύξειν θάνατόν τε κακὸν καὶ κῆρα μέλαιναν;
15 τὸν δ' Ὀδυσεὺς κατὰ λαιμὸν ἐπισχόμενος βάλεν ἰῷ,
ἀντικρὺ δ' ἁπαλοῖο δι' αὐχένος ἤλυθ' ἀκωκή.
ἐκλίνθη δ' ἑτέρωσε, δέπας δέ οἱ ἔκπεσε χειρὸς
βλημένου, αὐτίκα δ' αὐλὸς ἀνὰ ῥῖνας παχὺς ἦλθεν
αἵματος ἀνδρομέοιο· θοῶς δ' ἀπὸ εἷο τράπεζαν
20 ὦσε ποδὶ πλήξας, ἀπὸ δ' εἴδατα χεῦεν ἔραζε·
σῖτός τε κρέα τ' ὀπτὰ φορύνετο. τοὶ δ' ὁμάδησαν
μνηστῆρες κατὰ δώμαθ', ὅπως ἴδον ἄνδρα πεσόντα,
ἐκ δὲ θρόνων ἀνόρουσαν ὀρινθέντες κατὰ δῶμα,
πάντοσε παπταίνοντες ἐϋδμήτους ποτὶ τοίχους·
25 οὐδέ που ἀσπὶς ἔην οὐδ' ἄλκιμον ἔγχος ἑλέσθαι.
νείκειον δ' Ὀδυσῆα χολωτοῖσιν ἐπέεσσι·

LIBRO VENTIDUESIMO

Egli si tolse gli stracci di dosso, l'astuto Odisseo,
balzò sulla grande soglia stringendo arco e faretra
piena di frecce, rovesciò le saette veloci
lì ai suoi piedi e disse tra i proci:
5 « Questa prova difficile è ormai superata
e cercherò adesso un altro bersaglio, che un uomo
non ha mai colpito, se lo colgo e Apollo me ne dà il vanto ».
Disse e puntò il dardo pungente su Antinoo.
Quello stava levando la bella coppa
10 d'oro a due anse e con le mani la rivolgeva
per bere del vino: non pensava alla morte
nell'animo. E chi avrebbe pensato che tra i convitati
un uomo, solo tra molti, anche se molto forte,
gli avrebbe inflitto una morte maligna e il nero destino?
15 Ma mirando alla gola, Odisseo lo colpì con la freccia:
la punta gli trapassò il morbido collo.
Colpito si ripiegò indietro, la tazza gli cadde
di mano, subito gli venne denso alle nari un fiotto
di sangue umano, spinse lontano da sé
20 con un calcio la mensa, rovesciò i cibi per terra:
pane e carni arrostite si insudiciarono. Gli altri
nella sala gridarono, come videro l'uomo caduto;
balzarono su dalle sedie per la sala eccitati,
gettando sguardi dovunque sui muri ben costruiti:
25 ma non v'era uno scudo da prendere, o un'asta guerriera.
Coprivano Odisseo di irosi improperi:

« ξεῖνε, κακῶς ἀνδρῶν τοξάζεαι· οὐκέτ' ἀέθλων
ἄλλων ἀντιάσεις· νῦν τοι σῶς αἰπὺς ὄλεθρος.
καὶ γὰρ δὴ νῦν φῶτα κατέκτανες, ὃς μέγ' ἄριστος
30 κούρων εἰν Ἰθάκῃ· τῶ σ' ἐνθάδε γῦπες ἔδονται ».
ἴσκεν ἕκαστος ἀνήρ, ἐπεὶ ἦ φάσαν οὐκ ἐθέλοντα
ἄνδρα κατακτεῖναι· τὸ δὲ νήπιοι οὐκ ἐνόησαν,
ὡς δή σφιν καὶ πᾶσιν ὀλέθρου πείρατ' ἐφῆπτο.
τοὺς δ' ἄρ' ὑπόδρα ἰδὼν προσέφη πολύμητις Ὀδυσσεύς·
35 « ὦ κύνες, οὔ μ' ἔτ' ἐφάσκεθ' ὑπότροπον οἴκαδε νεῖσθαι
δήμου ἄπο Τρώων, ὅτι μοι κατεκείρετε οἶκον,
δμῳῇσιν δὲ γυναιξὶ παρευνάζεσθε βιαίως
αὐτοῦ τε ζώοντος ὑπεμνάασθε γυναῖκα,
οὔτε θεοὺς δείσαντες, οἳ οὐρανὸν εὐρὺν ἔχουσιν,
40 οὔτε τιν' ἀνθρώπων νέμεσιν κατόπισθεν ἔσεσθαι.
νῦν ὔμιν καὶ πᾶσιν ὀλέθρου πείρατ' ἐφῆπται ».
ὣς φάτο, τοὺς δ' ἄρα πάντας ὑπὸ χλωρὸν δέος εἷλε·
πάπτηνεν δὲ ἕκαστος, ὅπῃ φύγοι αἰπὺν ὄλεθρον.
Εὐρύμαχος δέ μιν οἶος ἀμειβόμενος προσέειπεν·
45 « εἰ μὲν δὴ Ὀδυσεὺς Ἰθακήσιος εἰλήλουθας,
ταῦτα μὲν αἴσιμα εἶπες, ὅσα ῥέζεσκον Ἀχαιοί,
πολλὰ μὲν ἐν μεγάροισιν ἀτάσθαλα, πολλὰ δ' ἐπ' ἀγροῦ.
ἀλλ' ὁ μὲν ἤδη κεῖται, ὃς αἴτιος ἔπλετο πάντων,
Ἀντίνοος· οὗτος γὰρ ἐπίηλεν τάδε ἔργα,
50 οὔ τι γάμου τόσσον κεχρημένος οὐδὲ χατίζων,
ἀλλ' ἄλλα φρονέων, τά οἱ οὐκ ἐτέλεσσε Κρονίων,
ὄφρ' Ἰθάκης κατὰ δῆμον ἐϋκτιμένης βασιλεύοι
αὐτός, ἀτὰρ σὸν παῖδα κατακτείνειε λοχήσας.
νῦν δ' ὁ μὲν ἐν μοίρῃ πέφαται, σὺ δὲ φείδεο λαῶν
55 σῶν· ἀτὰρ ἄμμες ὄπισθεν ἀρεσσάμενοι κατὰ δῆμον,
ὅσσα τοι ἐκπέποται καὶ ἐδήδοται ἐν μεγάροισι,
τιμὴν ἀμφὶς ἄγοντες ἐεικοσάβοιον ἕκαστος,
χαλκόν τε χρυσόν τ' ἀποδώσομεν, εἰς ὅ κε σὸν κῆρ
ἰανθῇ· πρὶν δ' οὔ τι νεμεσσητὸν κεχολῶσθαι ».
60 τὸν δ' ἄρ' ὑπόδρα ἰδὼν προσέφη πολύμητις Ὀδυσσεύς·

« Straniero, è male che tiri su uomini! Non farai
altre gare: per te ora è certa la ripida morte.
Hai ucciso ora un uomo che era il più nobile
30 tra i giovani di Itaca: e qui gli avvoltoi ti divoreranno ».
Ciascuno parlava, perché ritenevano che avesse ucciso
quell'uomo senza volerlo: non avevano inteso gli sciocchi
che, tutti, essi erano avvinti dai lacci di morte.
Guardandoli bieco gli disse l'astuto Odisseo:
35 « Cani, non pensavate che sarei mai venuto reduce a casa
dalla terra di Troia, che m'avete saccheggiato la casa,
vi giacevate a forza con le donne mie ancelle,
corteggiavate mia moglie mentre io sono vivo,
senza temere gli dei che hanno il vasto cielo,
40 o che poi vi sarebbe stato uno sdegno degli uomini:
ora voi tutti siete avvinti dai lacci di morte ».
Disse così e prese tutti una pallida angoscia:
ciascuno guardava dove scampare alla ripida morte.
Solo Eurimaco rispondendo gli disse:
45 « Se davvero sei ritornato Odisseo d'Itaca,
queste cose che hanno fatto gli Achei giustamente le hai dette,
le molte insolenze in casa, le molte in campagna.
Ma ormai giace morto chi era di tutte la causa:
Antinoo. Perché queste azioni le provocò lui,
50 non per bisogno o voglia di nozze,
ma ad altro mirando, che il figlio di Crono non gli compì:
a regnare sul popolo d'Itaca ben costruita
egli stesso, e ad uccidere in agguato tuo figlio.
Ma ucciso è lui ora, a ragione; tu le tue genti
55 risparmiale: e noi, raccogliendo dopo tra il popolo,
per quel che ti è stato bevuto e mangiato in casa
ti renderemo, ciascuno portandolo a parte, un compenso
in bronzo e in oro di venti buoi, finché il tuo cuore
si plachi. Non si può biasimare che tu, prima, sia irato ».
60 Guardandolo bieco gli disse l'astuto Odisseo:

« Εὐρύμαχ', οὐδ' εἴ μοι πατρώϊα πάντ' ἀποδοῖτε,
ὅσσα τε νῦν ὔμμ' ἐστὶ καὶ εἴ ποθεν ἄλλ' ἐπιθεῖτε,
οὐδέ κεν ὣς ἔτι χεῖρας ἐμὰς λήξαιμι φόνοιο,
πρὶν πᾶσαν μνηστῆρας ὑπερβασίην ἀποτεῖσαι.
65 νῦν ὔμιν παράκειται ἐναντίον ἠὲ μάχεσθαι
ἢ φεύγειν, ὅς κεν θάνατον καὶ κῆρας ἀλύξῃ·
ἀλλά τιν' οὐ φεύξεσθαι ὀΐομαι αἰπὺν ὄλεθρον ».
ὣς φάτο, τῶν δ' αὐτοῦ λύτο γούνατα καὶ φίλον ἦτορ.
τοῖσιν δ' Εὐρύμαχος μετεφώνεε δεύτερον αὖτις·
70 « ὦ φίλοι, οὐ γὰρ σχήσει ἀνὴρ ὅδε χεῖρας ἀάπτους,
ἀλλ' ἐπεὶ ἔλλαβε τόξον ἐΰξοον ἠδὲ φαρέτρην,
οὐδοῦ ἄπο ξεστοῦ τοξάσσεται, εἰς ὅ κε πάντας
ἄμμε κατακτείνῃ. ἀλλὰ μνησώμεθα χάρμης·
φάσγανά τε σπάσσασθε καὶ ἀντίσχεσθε τραπέζας
75 ἰῶν ὠκυμόρων· ἐπὶ δ' αὐτῷ πάντες ἔχωμεν
ἁθρόοι, εἴ κέ μιν οὐδοῦ ἀπώσομεν ἠδὲ θυράων,
ἔλθωμεν δ' ἀνὰ ἄστυ, βοὴ δ' ὤκιστα γένηται·
τῷ κε τάχ' οὗτος ἀνὴρ νῦν ὕστατα τοξάσσαιτο ».
ὣς ἄρα φωνήσας εἰρύσσατο φάσγανον ὀξύ,
80 χάλκεον, ἀμφοτέρωθεν ἀκαχμένον, ἆλτο δ' ἐπ' αὐτῷ
σμερδαλέα ἰάχων· ὁ δ' ἁμαρτῇ δῖος Ὀδυσσεὺς
ἰὸν ἀποπροΐει, βάλε δὲ στῆθος παρὰ μαζόν,
ἐν δέ οἱ ἥπατι πῆξε θοὸν βέλος. ἐκ δ' ἄρα χειρὸς
φάσγανον ἧκε χαμᾶζε, περιρρηδὴς δὲ τραπέζῃ
85 κάππεσεν ἰδνωθείς, ἀπὸ δ' εἴδατα χεῦεν ἔραζε
καὶ δέπας ἀμφικύπελλον· ὁ δὲ χθόνα τύπτε μετώπῳ
θυμῷ ἀνιάζων, ποσὶ δὲ θρόνον ἀμφοτέροισι
λακτίζων ἐτίνασσε· κατ' ὀφθαλμῶν δ' ἔχυτ' ἀχλύς.
Ἀμφίνομος δ' Ὀδυσῆος ἐείσατο κυδαλίμοιο
90 ἀντίος ἀΐξας, εἴρυτο δὲ φάσγανον ὀξύ,
εἴ πώς οἱ εἴξειε θυράων. ἀλλ' ἄρα μιν φθῆ
Τηλέμαχος κατόπισθε βαλὼν χαλκήρεϊ δουρὶ
ὤμων μεσσηγύς, διὰ δὲ στήθεσφιν ἔλασσε·
δούπησεν δὲ πεσών, χθόνα δ' ἤλασε παντὶ μετώπῳ.

« Eurimaco, neppure se tutti i beni paterni mi deste,
che voi ora avete, e vi aggiungeste dell'altro da altrove,
neppure così fermerei le mie mani dallo sterminio,
se prima i proci non scontano tutta la loro arroganza.
65 Ora sta a voi o di battervi fronte a fronte
o fuggire, chi dovesse evitare la morte e il destino.
Ma non credo che scamperà nessuno alla ripida morte ».
Disse così e qui ad essi si sciolsero ginocchia e cuore.
E una seconda volta parlò tra loro Eurimaco:
70 « Amici, quest'uomo non fermerà le irresistibili mani,
ma poiché prese l'arco ben levigato con la faretra
tirerà frecce, dalla soglia piallata, finché non ci avrà uccisi
tutti: orsù, pensiamo a lottare.
Sguainate le spade e alle frecce di rapida morte
75 opponete le mense: stringiamoci tutti contro di lui,
semmai lo cacciassimo via dalla soglia e via dalle porte,
corressimo per la città e presto ci fosse l'allarme:
presto costui avrebbe tirato ora per l'ultima volta ».
Così dicendo trasse l'aguzza lama,
80 di bronzo, affilato a due tagli, e balzò su di lui
gridando da fare spavento. Ed ecco che il chiaro Odisseo
scoccava la freccia, ne colpì il petto vicino al capezzolo,
gli infisse la freccia veloce nel fegato. Dalla mano
gli cadde a terra la spada, s'abbatté curvo
85 inerte sul tavolo, rovesciò il cibo per terra
e una coppa a due anse. Con la fronte percosse il suolo,
penando; scuoteva il trono scalciando
coi piedi; sui suoi occhi dilagò la caligine.
Si slanciò sul glorioso Odisseo, balzandogli contro,
90 Anfinomo: aveva estratto l'aguzza lama,
semmai gli cedesse, lasciando la porta. Ma lo prevenne
di dietro Telemaco, con l'asta di bronzo colpendolo
in mezzo alle spalle: la spinse nel petto.
Con un tonfo egli cadde, batté il suolo con tutta la fronte.

95 Τηλέμαχος δ' ἀπόρουσε, λιπὼν δολιχόσκιον ἔγχος
αὐτοῦ ἐν Ἀμφινόμῳ· περὶ γὰρ δίε, μή τις Ἀχαιῶν
ἔγχος ἀνελκόμενον δολιχόσκιον ἢ ἐλάσειε
φασγάνῳ ἀΐξας ἠὲ προπρηνέα τύψας.
βῆ δὲ θέειν, μάλα δ' ὦκα φίλον πατέρ' εἰσαφίκανεν,
100 ἀγχοῦ δ' ἱστάμενος ἔπεα πτερόεντα προσηύδα·
« ὦ πάτερ, ἤδη τοι σάκος οἴσω καὶ δύο δοῦρε
καὶ κυνέην πάγχαλκον, ἐπὶ κροτάφοισ' ἀραρυῖαν,
αὐτός τ' ἀμφιβαλεῦμαι ἰών, δώσω δὲ συβώτῃ
καὶ τῷ βουκόλῳ ἄλλα· τετευχῆσθαι γὰρ ἄμεινον ».
105 τὸν δ' ἀπαμειβόμενος προσέφη πολύμητις Ὀδυσσεύς·
« οἶσε θέων, εἷός μοι ἀμύνεσθαι πάρ' ὀϊστοί,
μή μ' ἀποκινήσωσι θυράων μοῦνον ἐόντα ».
ὣς φάτο, Τηλέμαχος δὲ φίλῳ ἐπεπείθετο πατρί,
βῆ δ' ἴμεναι θάλαμόνδ', ὅθι οἱ κλυτὰ τεύχεα κεῖτο.
110 ἔνθεν τέσσαρα μὲν σάκε' εἵλετο, δούρατα δ' ὀκτὼ
καὶ πίσυρας κυνέας χαλκήρεας ἱπποδασείας·
βῆ δὲ φέρων, μάλα δ' ὦκα φίλον πατέρ' εἰσαφίκανεν.
αὐτὸς δὲ πρώτιστα περὶ χροῒ δύσετο χαλκόν·
ὣς δ' αὔτως τὼ δμῶε δυέσθην τεύχεα καλά,
115 ἔσταν δ' ἀμφ' Ὀδυσῆα δαΐφρονα ποικιλομήτην.
αὐτὰρ ὅ γ', ὄφρα μὲν αὐτῷ ἀμύνεσθαι ἔσαν ἰοί,
τόφρα μνηστήρων ἕνα γ' αἰεὶ ᾧ ἐνὶ οἴκῳ
βάλλε τιτυσκόμενος· τοὶ δ' ἀγχιστῖνοι ἔπιπτον.
αὐτὰρ ἐπεὶ λίπον ἰοὶ ὀϊστεύοντα ἄνακτα,
120 τόξον μὲν πρὸς σταθμὸν ἐϋσταθέος μεγάροιο
ἔκλιν' ἑστάμεναι, πρὸς ἐνώπια παμφανόωντα,
αὐτὸς δ' ἀμφ' ὤμοισι σάκος θέτο τετραθέλυμνον,
κρατὶ δ' ἐπ' ἰφθίμῳ κυνέην εὔτυκτον ἔθηκεν,
ἵππουριν, δεινὸν δὲ λόφος καθύπερθεν ἔνευεν·
125 εἵλετο δ' ἄλκιμα δοῦρε δύω κεκορυθμένα χαλκῷ.
ὀρσοθύρη δέ τις ἔσκεν ἐϋδμήτῳ ἐνὶ τοίχῳ,
ἀκρότατον δὲ παρ' οὐδὸν ἐϋσταθέος μεγάροιο
ἦν ὁδὸς ἐς λαύρην, σανίδες δ' ἔχον εὖ ἀραρυῖαι·

95 Telemaco corse, lasciando la lancia dalla lunga ombra
nel corpo di Anfinomo, perché paventava che nello strappare
la lancia dalla lunga ombra qualche Acheo lo ferisse,
con la lama slanciandosi o colpendolo mentre era chino.
Si mise a correre, raggiunse rapidissimamente suo padre
100 e standogli accanto gli rivolse alate parole:
« Padre, voglio portarti all'istante uno scudo e due aste
e un elmo di bronzo stretto alle tempie:
indosserò anche io, andando, altre armi e ne darò
al porcaro e al bovaro: è meglio essere armati ».
105 Rispondendo gli disse l'astuto Odisseo:
« Portali, svelto, finché ho frecce con me per tenerli lontani:
che non mi scaccino via dalle porte mentre son solo ».
Disse così, e Telemaco ubbidì a suo padre,
s'avviò verso il talamo, dove stavano le armi famose.
110 Prese da lì quattro scudi, otto lance
e quattro elmi di bronzo criniti:
li trasportò e raggiunse rapidissimamente suo padre.
Anzitutto lui stesso indossò il bronzo sul corpo:
quando ugualmente i due servi indossarono le belle armi,
115 si posero allato al valente astuto Odisseo.
Ed egli, finché ebbe frecce per tenerli lontani,
mirando colpiva sempre qualcuno dei proci
nella sua casa: quelli cadevano a mucchio.
Poiché al signore, scoccando, vennero meno le frecce,
120 appoggiò allo stipite della gran sala ben costruita
l'arco, perché stesse ritto, contro il muro lucente:
si mise a tracolla uno scudo di quattro strati,
pose sul forte capo un solido elmo
crinito, da cui il cimiero ondeggiava terribile:
125 afferrò due aste guerriere con teste di bronzo.
C'era una porta elevata nella salda parete,
e in fondo alla soglia della gran sala ben costruita
c'era un ingresso al passaggio, chiuso da porte serrate.

τὴν Ὀδυσεὺς φράζεσθαι ἀνώγει δῖον ὑφορβὸν
130 ἑσταότ' ἄγχ' αὐτῆς· μία δ' οἴη γίνετ' ἐφορμή.
τοῖς δ' Ἀγέλεως μετέειπεν ἔπος πάντεσσι πιφαύσκων·
« ὦ φίλοι, οὐκ ἂν δή τις ἀν' ὀρσοθύρην ἀναβαίη
καὶ εἴποι λαοῖσι, βοὴ δ' ὤκιστα γένοιτο;
τῶ κε τάχ' οὗτος ἀνὴρ νῦν ὕστατα τοξάσσαιτο ».
135 τὸν δ' αὖτε προσέειπε Μελάνθιος, αἰπόλος αἰγῶν·
« οὔ πως ἔστ', Ἀγέλαε διοτρεφές· ἄγχι γὰρ αἰνῶς
αὐλῆς καλὰ θύρετρα, καὶ ἀργαλέον στόμα λαύρης·
καί χ' εἷς πάντας ἐρύκοι ἀνήρ, ὅς τ' ἄλκιμος εἴη·
ἀλλ' ἄγεθ', ὑμῖν τεύχε' ἐνείκω θωρηχθῆναι
140 ἐκ θαλάμου· ἔνδον γάρ, ὀΐομαι, οὐδέ πῃ ἄλλῃ
τεύχεα κατθέσθην Ὀδυσεὺς καὶ φαίδιμος υἱός ».
ὣς εἰπὼν ἀνέβαινε Μελάνθιος, αἰπόλος αἰγῶν,
ἐς θαλάμους Ὀδυσῆος ἀνὰ ῥῶγας μεγάροιο.
ἔνθεν δώδεκα μὲν σάκε' ἔξελε, τόσσα δὲ δοῦρα
145 καὶ τόσσας κυνέας χαλκήρεας ἱπποδασείας·
βῆ δ' ἴμεναι, μάλα δ' ὦκα φέρων μνηστῆρσιν ἔδωκε.
καὶ τότ' Ὀδυσσῆος λύτο γούνατα καὶ φίλον ἦτορ,
ὡς περιβαλλομένους ἴδε τεύχεα χερσί τε δοῦρα
μακρὰ τινάσσοντας· μέγα δ' αὐτῷ φαίνετο ἔργον.
150 αἶψα δὲ Τηλέμαχον ἔπεα πτερόεντα προσηύδα·
« Τηλέμαχ', ἦ μάλα δή τις ἐνὶ μεγάροισι γυναικῶν
νῶϊν ἐποτρύνει πόλεμον κακὸν ἠὲ Μελανθεύς ».
τὸν δ' αὖ Τηλέμαχος πεπνυμένος ἀντίον ηὔδα·
« ὦ πάτερ, αὐτὸς ἐγὼ τόδε γ' ἤμβροτον – οὐδέ τις ἄλλος
155 αἴτιος –, ὃς θαλάμοιο θύρην πυκινῶς ἀραρυῖαν
κάλλιπον ἀγκλίνας· τῶν δὲ σκοπὸς ἦεν ἀμείνων.
ἀλλ' ἴθι, δῖ' Εὔμαιε, θύρην ἐπίθες θαλάμοιο,
καὶ φράσαι, ἤ τις ἄρ' ἐστὶ γυναικῶν, ἣ τάδε ῥέζει,
ἦ υἱὸς Δολίοιο Μελανθεύς, τόν περ ὀΐω ».
160 ὣς οἱ μὲν τοιαῦτα πρὸς ἀλλήλους ἀγόρευον.
βῆ δ' αὖτις θαλαμόνδε Μελάνθιος, αἰπόλος αἰγῶν,
οἴσων τεύχεα καλά· νόησε δὲ δῖος ὑφορβός,

Odisseo aveva ordinato al chiaro mandriano di fare la guardia,
130 mettendosi a lato di esso: la via per l'assalto era una soltanto.
E Agelao, rivolgendosi a tutti, disse tra loro:
« Amici, non salirebbe qualcuno alla porta elevata
e parlerebbe alla gente? ci sarebbe ben presto l'allarme!
Presto costui, ora, avrebbe tirato per l'ultima volta ».
135 Gli rispose allora Melanzio, pastore di capre:
« È impossibile, o Agelao allevato da Zeus: troppo vicina
la bella porta dell'atrio, e difficile l'entrata al passaggio:
anche un solo uomo potrebbe respingere tutti, purché valoroso.
Ma ecco, vi porto le armi dal talamo,
140 perché vi armiate: lì e non altrove, suppongo,
Odisseo e l'illustre figlio hanno riposto le armi ».
Detto così, Melanzio, pastore di capre, salì
alle stanze di Odisseo per il passaggio della gran sala.
Prese dodici scudi da lì, dodici lance
145 e dodici elmi di bronzo criniti.
S'avviò e, portandoli rapidissimamente, li diede ai proci.
E allora ad Odisseo le ginocchia e il cuore si sciolsero,
come li vide cingersi d'armi e nelle mani brandire
le lunghe aste: l'impresa gli parve grande.
150 E subito disse a Telemaco alate parole:
« Telemaco, certo in casa ci fa
una guerra maligna o una donna o Melanzio ».
Gli rispose allora, giudiziosamente, Telemaco:
« Padre, in questo io ho sbagliato – colpevole non è
155 nessun altro – perché la porta serrata del talamo
l'ho lasciata accostata: la loro guardia è stata migliore.
Ma va', o chiaro Eumeo, chiudi la porta del talamo
e vedi se a far questo è una donna
o è il figlio di Dolio, Melanzio, come suppongo ».
160 Essi, dunque, facevano questi discorsi tra loro.
E andò di nuovo nel talamo Melanzio, pastore di capre,
per portare le belle armi: lo scorse il chiaro mandriano

αἶψα δ' Ὀδυσσῆα προσεφώνεεν ἐγγὺς ἐόντα·
« διογενὲς Λαερτιάδη, πολυμήχαν' Ὀδυσσεῦ,
165 κεῖνος δὴ αὖτ' ἀΐδηλος ἀνήρ, ὃν ὀϊόμεθ' αὐτοί,
ἔρχεται ἐς θάλαμον· σὺ δέ μοι νημερτὲς ἐνίσπες,
ἤ μιν ἀποκτείνω, αἴ κε κρείσσων γε γένωμαι,
ἦέ σοι ἐνθάδ' ἄγω, ἵν' ὑπερβασίας ἀποτείσῃ
πολλάς, ὅσσας οὗτος ἐμήσατο σῷ ἐνὶ οἴκῳ ».
170 τὸν δ' ἀπαμειβόμενος προσέφη πολύμητις Ὀδυσσεύς·
« ἦ τοι ἐγὼ καὶ Τηλέμαχος μνηστῆρας ἀγαυοὺς
σχήσομεν ἔντοσθεν μεγάρων μάλα περ μεμαῶτας·
σφῶϊ δ' ἀποστρέψαντε πόδας καὶ χεῖρας ὕπερθεν
ἐς θάλαμον βαλέειν, σανίδας δ' ἐκδῆσαι ὄπισθε,
175 σειρὴν δὲ πλεκτὴν ἐξ αὐτοῦ πειρήναντε
κίον' ἀν' ὑψηλὴν ἐρύσαι πελάσαι τε δοκοῖσιν,
ὥς κεν δηθὰ ζωὸς ἐὼν χαλέπ' ἄλγεα πάσχῃ ».
ὣς ἔφαθ', οἱ δ' ἄρα τοῦ μάλα μὲν κλύον ἠδ' ἐπίθοντο,
βὰν δ' ἴμεν ἐς θάλαμον, λαθέτην δέ μιν ἔνδον ἐόντα.
180 ἦ τοι ὁ μὲν θαλάμοιο μυχὸν κάτα τεύχε' ἐρεύνα,
τὼ δ' ἔσταν ἑκάτερθε παρὰ σταθμοῖσι μένοντε.
εὖθ' ὑπὲρ οὐδὸν ἔβαινε Μελάνθιος, αἰπόλος αἰγῶν,
τῇ ἑτέρῃ μὲν χειρὶ φέρων καλὴν τρυφάλειαν,
τῇ δ' ἑτέρῃ σάκος εὐρὺ γέρον, πεπαλαγμένον ἄζῃ,
185 Λαέρτεω ἥρωος, ὃ κουρίζων φορέεσκε·
δὴ τότε γ' ἤδη κεῖτο, ῥαφαὶ δ' ἐλέλυντο ἱμάντων·
τὼ δ' ἄρ' ἐπαΐξανθ' ἑλέτην ἔρυσάν τέ μιν εἴσω
κουρίξ, ἐν δαπέδῳ δὲ χαμαὶ βάλον ἀχνύμενον κῆρ,
σὺν δὲ πόδας χεῖράς τε δέον θυμαλγέϊ δεσμῷ
190 εὖ μάλ' ἀποστρέψαντε διαμπερές, ὡς ἐκέλευσεν
υἱὸς Λαέρταο, πολύτλας δῖος Ὀδυσσεύς·
σειρὴν δὲ πλεκτὴν ἐξ αὐτοῦ πειρήναντε
κίον' ἀν' ὑψηλὴν ἔρυσαν πέλασάν τε δοκοῖσι.
τὸν δ' ἐπικερτομέων προσέφης, Εὔμαιε συβῶτα·
195 « νῦν μὲν δὴ μάλα πάγχυ, Μελάνθιε, νύκτα φυλάξεις,
εὐνῇ ἔνι μαλακῇ καταλέγμενος, ὥς σε ἔοικεν·

e subito disse a Odisseo che era vicino:
« Divino figlio di Laerte, Odisseo pieno di astuzie,
165 quell'uomo funesto, che noi sospettiamo, va ancora
nel talamo: dimmi sinceramente
se io devo ucciderlo, qualora lo vinca,
o devo portartelo qui, perché sconti i molti
eccessi, che ha ordito quello lì in casa tua ».
170 Rispondendo gli disse l'astuto Odisseo:
« Ebbene, io e Telemaco tratterremo dentro la sala
i nobili proci, anche se pieni di foga;
voi due torcetegli i piedi e le mani alla schiena,
lo gettate nel talamo, gli legate dietro le assi,
175 allacciate a lui una fune ritorta,
issatelo a un'alta colonna e tiratelo fino alle travi,
perché a lungo restando vivo patisca aspri tormenti ».
Disse così, ed essi gli diedero ascolto e ubbidirono:
s'avviarono al talamo, senza farsi notare da lui che era dentro.
180 Egli, nel fondo del talamo, cercava le armi
e i due aspettarono ai lati, ritti agli stipiti.
Mentre Melanzio, pastòre di capre, varcava la soglia
reggendo in mano un bell'elmo
e con l'altra uno scudo, ampio, vecchio, macchiato di secco,
185 che l'eroe Laerte imbracciava quand'era ragazzo –
ma giaceva lì ora, gli attacchi alle cinghie s'erano sciolti –
i due lo aggredirono e presero, per i capelli lo trassero
dentro, lo gettarono a terra sul suolo, col cuore angosciato;
con una fune straziante legarono i piedi e le mani,
190 torcendoli bene alla schiena completamente, come aveva ordinato
il figlio di Laerte, il paziente chiaro Odisseo.
Allacciata a lui una fune ritorta,
lo issarono a un'alta colonna e tirarono fino alle travi.
E tu con sarcasmo, o porcaro Eumeo, gli dicesti:
195 « Ora sì veglierai per tutta la notte, o Melanzio,
disteso su un morbido letto, come è degno di te:

οὐδὲ σέ γ' ἠριγένεια παρ' Ὠκεανοῖο ῥοάων
λήσει ἀνερχομένη χρυσόθρονος, ἡνίκ' ἀγινεῖς
αἶγας μνηστήρεσσι δόμον κάτα δαῖτα πένεσθαι ».
200 ὣς ὁ μὲν αὖθι λέλειπτο, ταθεὶς ὀλοῷ ἐνὶ δεσμῷ·
τὼ δ' ἐς τεύχεα δύντε, θύρην ἐπιθέντε φαεινήν,
βήτην εἰς Ὀδυσῆα δαΐφρονα ποικιλομήτην.
ἔνθα μένος πνείοντες ἐφέστασαν, οἱ μὲν ἐπ' οὐδοῦ
τέσσαρες, οἱ δ' ἔντοσθε δόμων πολέες τε καὶ ἐσθλοί.
205 τοῖσι δ' ἐπ' ἀγχίμολον θυγάτηρ Διὸς ἦλθεν Ἀθήνη
Μέντορι εἰδομένη ἠμὲν δέμας ἠδὲ καὶ αὐδήν.
τὴν δ' Ὀδυσεὺς γήθησεν ἰδὼν καὶ μῦθον ἔειπε·
« Μέντορ, ἄμυνον ἀρήν, μνῆσαι δ' ἑτάροιο φίλοιο,
ὅς σ' ἀγαθὰ ῥέζεσκον· ὁμηλικίη δέ μοί ἐσσι ».
210 ὣς φάτ', ὀϊόμενος λαοσσόον ἔμμεν' Ἀθήνην.
μνηστῆρες δ' ἑτέρωθεν ὁμόκλεον ἐν μεγάροισι·
πρῶτος τήν γ' ἐνένιπε Δαμαστορίδης Ἀγέλαος·
« Μέντορ, μή σ' ἐπέεσσι παραιπεπίθησιν Ὀδυσσεὺς
μνηστήρεσσι μάχεσθαι, ἀμυνέμεναι δὲ οἷ αὐτῷ.
215 ὧδε γὰρ ἡμέτερόν γε νόον τελέεσθαι ὀΐω·
ὁππότε κεν τούτους κτέωμεν, πατέρ' ἠδὲ καὶ υἱόν,
ἐν δὲ σὺ τοῖσιν ἔπειτα πεφήσεαι, οἷα μενοινᾷς
ἔρδειν ἐν μεγάροις· σῷ δ' αὐτοῦ κράατι τείσεις.
αὐτὰρ ἐπὴν ὑμέων γε βίας ἀφελώμεθα χαλκῷ,
220 κτήμαθ' ὁπόσσα τοί ἐστι, τά τ' ἔνδοθι καὶ τὰ θύρηφι,
τοῖσιν Ὀδυσσῆος μεταμείξομεν· οὐδέ τοι υἷας
ζώειν ἐν μεγάροισιν ἐάσομεν, οὐδὲ θύγατρας
οὐδ' ἄλοχον κεδνὴν Ἰθάκης κατὰ ἄστυ πολεύειν ».
ὣς φάτ', Ἀθηναίη δὲ χολώσατο κηρόθι μᾶλλον,
225 νείκεσσεν δ' Ὀδυσῆα χολωτοῖσιν ἐπέεσσιν·
« οὐκέτι σοί γ', Ὀδυσεῦ, μένος ἔμπεδον οὐδέ τις ἀλκή,
οἵη ὅτ' ἀμφ' Ἑλένῃ λευκωλένῳ εὐπατερείῃ
εἰνάετες Τρώεσσιν ἐμάρναο νωλεμὲς αἰεί,
πολλοὺς δ' ἄνδρας ἔπεφνες ἐν αἰνῇ δηϊοτῆτι,
230 σῇ δ' ἥλω βουλῇ Πριάμου πόλις εὐρυάγυια

non potrà sfuggirti colei che sorge al mattino sull'aureo trono
dalle correnti d'Oceano, quando tu porti
ai proci le capre per apprestare in casa il pasto ».

200 Dunque egli era stato lasciato lì, teso nel laccio crudele.
Loro, infilate le armi, chiusa la porta lucente,
andarono dal valente astuto Odisseo.
Là s'affrontarono, spirando furore: loro quattro
sopra la soglia, gli altri dentro la sala, forti e valenti.
205 E al loro fianco arrivò la figlia di Zeus, Atena,
simile a Mentore sia per l'aspetto e sia per la voce.
Vedendola, Odisseo gioì e le disse:

« Mentore, storna il malanno, ricorda il caro compagno,
perché ti facevo favori: sei pari a me per età ».

210 Disse così pensando ad Atena, l'incitatrice di popoli.
I pretendenti nella sala gridavano, dall'altra parte;
lo redarguì per primo Agelao Damastoride:

« Mentore, che Odisseo con le sue chiacchiere
non ti convinca a combattere i proci e a difendere lui.
215 Penso che il nostro piano si compirà in questo modo:
quando avremo ucciso costoro, padre e figlio,
sarai ucciso tu pure con essi, per quel che desideri
fare nella gran sala: pagherai con la tua propria testa.
E quando col bronzo vi avremo tolto le forze,
220 i beni che tu hai in casa e fuori città
li mischieremo a quelli di Odisseo: non lasceremo
vivere, in casa, i tuoi figli; né girare per Itaca,
nella città, le tue figlie e la sposa diletta ».

Disse così, e Atena s'incollerì nel cuore di più,
225 ingiuriò Odisseo con parole di ira:

« Odisseo, non hai più il costante furore, non hai più la forza
che avevi, quando sempre, per nove anni, ti opponevi senza sosta
ai Troiani, per Elena dalle candide braccia, di padre onorato;
ne uccidesti nella mischia terribile molti,
230 finché col tuo piano fu presa la città con vie larghe di Priamo.

πῶς δὴ νῦν, ὅτε σόν γε δόμον καὶ κτήμαθ' ἱκάνεις,
ἄντα μνηστήρων ὀλοφύρεαι ἄλκιμος εἶναι;
ἀλλ' ἄγε δεῦρο, πέπον, παρ' ἔμ' ἵστασο καὶ ἴδε ἔργον,
ὄφρα ἴδῃς, οἷός τοι ἐν ἀνδράσι δυσμενέεσσι
235 Μέντωρ 'Αλκιμίδης εὐεργεσίας ἀποτίνειν ».
ἦ ῥα, καὶ οὔ πω πάγχυ δίδου ἑτεραλκέα νίκην,
ἀλλ' ἔτ' ἄρα σθένεός τε καὶ ἀλκῆς πειρήτιζεν
ἠμὲν 'Οδυσσῆος ἠδ' υἱοῦ κυδαλίμοιο.
αὐτὴ δ' αἰθαλόεντος ἀνὰ μεγάροιο μέλαθρον
240 ἕζετ' ἀναΐξασα, χελιδόνι εἰκέλη ἄντην.
μνηστῆρας δ' ὤτρυνε Δαμαστορίδης 'Αγέλαος
Εὐρύνομός τε καὶ 'Αμφιμέδων Δημοπτόλεμός τε
Πείσανδρός τε Πολυκτορίδης Πόλυβός τε δαΐφρων·
οἱ γὰρ μνηστήρων ἀρετῇ ἔσαν ἔξοχ' ἄριστοι,
245 ὅσσοι ἔτ' ἔζωον περί τε ψυχέων ἐμάχοντο·
τοὺς δ' ἤδη ἐδάμασσε βιὸς καὶ ταρφέες ἰοί.
τοῖς δ' 'Αγέλεως μετέειπεν ἔπος πάντεσσι πιφαύσκων·
« ὦ φίλοι, ἤδη σχήσει ἀνὴρ ὅδε χεῖρας ἀάπτους·
καὶ δή οἱ Μέντωρ μὲν ἔβη κενὰ εὔγματα εἰπών,
250 οἱ δ' οἶοι λείπονται ἐπὶ πρώτῃσι θύρῃσι.
τῶ νῦν μὴ ἅμα πάντες ἐφίετε δούρατα μακρά,
ἀλλ' ἄγεθ' οἱ ἓξ πρῶτον ἀκοντίσατ', αἴ κέ ποθι Ζεὺς
δώῃ 'Οδυσσῆα βλῆσθαι καὶ κῦδος ἀρέσθαι.
τῶν δ' ἄλλων οὐ κῆδος, ἐπὴν οὗτός γε πέσῃσιν ».
255 ὣς ἔφαθ', οἱ δ' ἄρα πάντες ἀκόντισαν, ὡς ἐκέλευεν,
ἱέμενοι· τὰ δὲ πάντα ἐτώσια θῆκεν 'Αθήνη.
τῶν ἄλλος μὲν σταθμὸν ἐϋσταθέος μεγάροιο
βεβλήκειν, ἄλλος δὲ θύρην πυκινῶς ἀραρυῖαν·
ἄλλου δ' ἐν τοίχῳ μελίη πέσε χαλκοβάρεια.
260 αὐτὰρ ἐπεὶ δὴ δούρατ' ἀλεύαντο μνηστήρων,
τοῖσ' ἄρα μύθων ἦρχε πολύτλας δῖος 'Οδυσσεύς·
« ὦ φίλοι, ἤδη μέν κεν ἐγὼ εἴποιμι καὶ ἄμμι
μνηστήρων ἐς ὅμιλον ἀκοντίσαι, οἳ μεμάασιν
ἡμέας ἐξεναρίξαι ἐπὶ προτέροισι κακοῖσιν ».

Come mai, giunto a casa e tra i beni, ora,
lamenti davanti ai proci che devi essere forte?
Ma orsù, sta' al mio fianco, o caro, e guardami agire,
per vedere come ricambia i favori
235 tra uomini ostili Mentore Alcimide ».

Disse così, ma non dava la piena vittoria:
saggiava ancora la forza e il valore
e di Odisseo e del figlio glorioso.
Lei d'un balzo sedette sulla trave
240 della sala fumosa, simile in faccia a una rondine.

Guidava i proci Agelao Damastoride,
Eurinomo e Anfimedonte, Demottolemo,
Pisandro di Polittore e l'abile Polibo:
per valore essi erano di gran lunga i migliori dei proci,
245 che vivevano ancora e lottavano per salvare la vita:
gli altri li aveva domati l'arco e le fitte saette.
E Agelao, rivolgendosi a tutti, disse tra loro:

« Amici, ora quest'uomo fermerà le irresistibili mani:
Mentore, infatti, è partito dopo i suoi vani vanti
250 e loro sono rimasti soli sulla porta anteriore.
Perciò non lanciate, ora, tutti insieme le lunghe aste,
ma tirate prima voi sei, semmai Zeus
conceda che Odisseo sia colto e noi ne abbiamo la gloria.
Nessun pensiero degli altri, se cade costui ».

255 Disse così ed essi tirarono tutti come ordinava,
scagliandole: e Atena le rese vane tutte.
Uno aveva colpito lo stipite della gran sala ben costruita,
un altro di essi la porta serrata,
l'asta gravata di bronzo di un altro cadde sul muro.
260 Dopo avere evitato le aste dei proci,
iniziò tra essi a parlare il paziente chiaro Odisseo:

« Amici, io direi che anche per noi è tempo
di tirare nel mucchio dei proci, che bramano
ucciderci, in aggiunta ai torti di prima ».

265 ὣς ἔφαθ', οἱ δ' ἄρα πάντες ἀκόντισαν ὀξέα δοῦρα
ἄντα τιτυσκόμενοι· Δημοπτόλεμον μὲν Ὀδυσσεύς,
Εὐρυάδην δ' ἄρα Τηλέμαχος, Ἔλατον δὲ συβώτης,
Πείσανδρον δ' ἄρ' ἔπεφνε βοῶν ἐπιβουκόλος ἀνήρ.
οἱ μὲν ἔπειθ' ἅμα πάντες ὀδὰξ ἕλον ἄσπετον οὖδας,
270 μνηστῆρες δ' ἀνεχώρησαν μεγάροιο μυχόνδε·
τοὶ δ' ἄρ' ἐπήϊξαν, νεκύων δ' ἐξ ἔγχε' ἕλοντο.
αὖτις δὲ μνηστῆρες ἀκόντισαν ὀξέα δοῦρα
ἱέμενοι· τὰ δὲ πολλὰ ἐτώσια θῆκεν Ἀθήνη.
τῶν ἄλλος μὲν σταθμὸν ἐϋσταθέος μεγάροιο
275 βεβλήκειν, ἄλλος δὲ θύρην πυκινῶς ἀραρυῖαν·
ἄλλου δ' ἐν τοίχῳ μελίη πέσε χαλκοβάρεια.
Ἀμφιμέδων δ' ἄρα Τηλέμαχον βάλε χεῖρ' ἐπὶ καρπῷ
λίγδην, ἄκρην δὲ ῥινὸν δηλήσατο χαλκός.
Κτήσιππος δ' Εὔμαιον ὑπὲρ σάκος ἔγχεϊ μακρῷ
280 ὦμον ἐπέγραψεν· τὸ δ' ὑπέρπτατο, πῖπτε δ' ἔραζε.
τοὶ δ' αὖτ' ἀμφ' Ὀδυσῆα δαΐφρονα ποικιλομήτην
μνηστήρων ἐς ὅμιλον ἀκόντισαν ὀξέα δοῦρα.
ἔνθ' αὖτ' Εὐρυδάμαντα βάλε πτολίπορθος Ὀδυσσεύς,
Ἀμφιμέδοντα δὲ Τηλέμαχος, Πόλυβον δὲ συβώτης·
285 Κτήσιππον δ' ἄρ' ἔπειτα βοῶν ἐπιβουκόλος ἀνὴρ
βεβλήκει πρὸς στῆθος, ἐπευχόμενος δὲ προσηύδα·
« ὦ Πολυθερσεΐδη φιλοκέρτομε, μή ποτε πάμπαν
εἴκων ἀφραδίῃς μέγα εἰπεῖν, ἀλλὰ θεοῖσι
μῦθον ἐπιτρέψαι, ἐπεὶ ἦ πολὺ φέρτεροί εἰσι.
290 τοῦτό τοι ἀντὶ ποδὸς ξεινήϊον, ὅν ποτ' ἔδωκας
ἀντιθέῳ Ὀδυσῆϊ δόμον κάτ' ἀλητεύοντι ».
ἦ ῥα βοῶν ἑλίκων ἐπιβουκόλος· αὐτὰρ Ὀδυσσεὺς
οὖτα Δαμαστορίδην αὐτοσχεδὸν ἔγχεϊ μακρῷ·
Τηλέμαχος δ' Εὐηνορίδην Λειώκριτον οὖτα
295 δουρὶ μέσον κενεῶνα, διαπρὸ δὲ χαλκὸν ἔλασσεν·
ἤριπε δὲ πρηνής, χθόνα δ' ἤλασε παντὶ μετώπῳ.
δὴ τότ' Ἀθηναίη φθισίμβροτον αἰγίδ' ἀνέσχεν
ὑψόθεν ἐξ ὀροφῆς· τῶν δὲ φρένες ἐπτοίηθεν.

265 Disse così ed essi scagliarono tutti le aste appuntite,
mirando innanzi: Demottolemo fu ucciso
da Odisseo, Telemaco uccise Eurialo, Elato l'uccise il porcaro,
e il bovaro guardiano dei buoi uccise Pisandro.
E tutti insieme essi presero a morsi l'ampio suolo.
270 I proci arretrarono in fondo alla sala,
e allora quelli, d'un balzo, sfilarono le aste dai morti.
I proci lanciarono ancora le aste appuntite,
scagliandole: e Atena le rese vane tutte.
Uno aveva colpito lo stipite della gran sala ben costruita,
275 un altro di essi la porta serrata,
l'asta gravata di bronzo di un altro cadde sul muro.
Anfimedonte colpì alla mano Telemaco, al polso,
di striscio: il bronzo escoriò l'epidermide.
Ctesippo graffiò la spalla a Eumeo, sopra lo scudo,
280 con la gran lancia: ma volò oltre, e cadde a terra.
Di nuovo il valente astuto Odisseo e i suoi
scagliarono nel mucchio dei proci le aste appuntite.
Il distruttore di città Odisseo colpì Euridamante;
Telemaco, Anfimedonte; il porcaro colpì ora Polibo;
285 e poi il bovaro guardiano dei buoi colpì
Ctesippo al torace e gli disse esultante:
« Mordace Politerside, non parlare grosso
mai più, cedendo a stoltezza, ma lascia
agli dei la parola, poiché sono molto più forti.
290 Questo a te per la zampa che desti una volta
ad Odisseo pari a un dio, che mendicava per casa ».
Disse così il guardiano dei buoi con le corna ricurve. Odisseo
con la gran lancia colpiva, da presso, il Damastoride;
Telemaco colpiva nel ventre, con l'asta,
295 Leocrito figlio di Evenore e spinse a fondo il bronzo:
stramazzò prono, picchiò il suolo con tutta la fronte.
E allora Atena, in alto dal tetto, sollevò
l'egida che annienta i mortali, e il loro animo fu sconcertato.

οἱ δ' ἐφέβοντο κατὰ μέγαρον βόες ὣς ἀγελαῖαι·
300 τὰς μέν τ' αἰόλος οἶστρος ἐφορμηθεὶς ἐδόνησεν
ὥρῃ ἐν εἰαρινῇ, ὅτε τ' ἤματα μακρὰ πέλονται·
οἱ δ' ὥς τ' αἰγυπιοὶ γαμψώνυχες ἀγκυλοχῆλαι
ἐξ ὀρέων ἐλθόντες ἐπ' ὀρνίθεσσι θόρωσι.
ταὶ μέν τ' ἐν πεδίῳ νέφεα πτώσσουσαι ἵενται,
305 οἱ δέ τε τὰς ὀλέκουσιν ἐπάλμενοι, οὐδέ τις ἀλκὴ
γίνεται οὐδὲ φυγή· χαίρουσι δέ τ' ἀνέρες ἄγρῃ·
ὣς ἄρα τοὶ μνηστῆρας ἐπεσσύμενοι κατὰ δῶμα
τύπτον ἐπιστροφάδην· τῶν δὲ στόνος ὤρνυτ' ἀεικὴς
κράτων τυπτομένων, δάπεδον δ' ἅπαν αἵματι θῦεν.
310 Λειώδης δ' Ὀδυσῆος ἐπεσσύμενος λάβε γούνων
καί μιν λισσόμενος ἔπεα πτερόεντα προσηύδα·
« γουνοῦμαί σ', Ὀδυσεῦ· σὺ δέ μ' αἴδεο καί μ' ἐλέησον·
οὐ γάρ πώ τινά φημι γυναικῶν ἐν μεγάροισιν
εἰπεῖν οὐδέ τι ῥέξαι ἀτάσθαλον· ἀλλὰ καὶ ἄλλους
315 παύεσκον μνηστῆρας, ὅτις τοιαῦτά γε ῥέζοι.
ἀλλά μοι οὐ πείθοντο κακῶν ἄπο χεῖρας ἔχεσθαι·
τῶ καὶ ἀτασθαλίῃσιν ἀεικέα πότμον ἐπέσπον.
αὐτὰρ ἐγὼ μετὰ τοῖσι θυοσκόος οὐδὲν ἐοργὼς
κείσομαι, ὡς οὐκ ἔστι χάρις μετόπισθ' εὐεργέων ».
320 τὸν δ' ἄρ' ὑπόδρα ἰδὼν προσέφη πολύμητις Ὀδυσσεύς·
« εἰ μὲν δὴ μετὰ τοῖσι θυοσκόος εὔχεαι εἶναι,
πολλάκι που μέλλεις ἀρήμεναι ἐν μεγάροισι
τηλοῦ ἐμοὶ νόστοιο τέλος γλυκεροῖο γενέσθαι,
σοὶ δ' ἄλοχόν τε φίλην σπέσθαι καὶ τέκνα τεκέσθαι·
325 τῶ οὐκ ἂν θάνατόν γε δυσηλεγέα προφύγοισθα ».
ὣς ἄρα φωνήσας ξίφος εἵλετο χειρὶ παχείῃ
κείμενον, ὅ ῥ' Ἀγέλαος ἀποπροέηκε χαμᾶζε
κτεινόμενος· τῷ τόν γε κατ' αὐχένα μέσσον ἔλασσε·
φθεγγομένου δ' ἄρα τοῦ γε κάρη κονίῃσιν ἐμίχθη.
330 Τερπιάδης δ' ἔτ' ἀοιδὸς ἀλύσκανε κῆρα μέλαιναν,
Φήμιος, ὅς ῥ' ἤειδε μετὰ μνηστῆρσιν ἀνάγκῃ.
ἔστη δ' ἐν χείρεσσιν ἔχων φόρμιγγα λίγειαν

Sgomenti correvano per la gran sala, come mucche di mandria
300 che il tortuoso tafano avventandosi assilla
nel tempo che i giorni s'allungano, in primavera.
Gli altri, come avvoltoi con artigli e becco adunchi,
venuti dai monti, s'avventano contro gli uccelli,
e questi si lanciano per la pianura, fuggendo atterriti le nubi,
305 e quelli balzandogli addosso li uccidono, e non gli vale la forza
o la fuga, e della caccia gli uomini godono;
gli altri così, balzati sui proci nella gran sala,
colpivano in giro: il loro lamento saliva orribile
dai capi colpiti, tutto il suolo fumava di sangue.
310 Leode corse, afferrò le ginocchia di Odisseo,
e implorando gli disse alate parole:
« Ti supplico, Odisseo, abbi rispetto e pietà per me:
ti assicuro che non dissi o feci mai torto
a una donna in casa, ma frenavo anche gli altri
315 corteggiatori, se facevano un torto.
Ma non mi davano ascolto, non arrestavano le mani dal male,
e così, per le loro insolenze, han subito un indegno destino.
Ed io, un aruspice, senza aver fatto alcun male, giacerò
insieme a loro: per le opere buone dopo non c'è gratitudine ».
320 Guardandolo bieco gli disse l'astuto Odisseo:
« Se affermi che eri tra loro l'aruspice,
avrai pregato nella sala più volte
che stesse lontana da me la meta del dolce ritorno,
che ti seguisse mia moglie e ti desse dei figli:
325 perciò non devi scampare alla morte angosciosa ».
Detto così, con la mano robusta raccolse la spada,
che aveva lasciato cadere a terra Agelao,
quando fu ucciso. Lo percosse sul collo con essa, a metà,
e la testa, mentre egli parlava, finì nella polvere.
330 Voleva sfuggire al nero destino l'aedo Terpìade,
Femio, che cantava, costretto, tra i proci.
S'accostò, con in mano la cetra sonora,

ἄγχι παρ' ὀρσοθύρην· δίχα δὲ φρεσὶ μερμήριζεν,
ἢ ἐκδὺς μεγάροιο Διὸς μεγάλου ποτὶ βωμὸν
335 ἑρκείου ἵζοιτο τετυγμένον, ἔνθ' ἄρα πολλὰ
Λαέρτης Ὀδυσεύς τε βοῶν ἐπὶ μηρί' ἔκηαν,
ἦ γούνων λίσσοιτο προσαΐξας Ὀδυσῆα.
ὧδε δέ οἱ φρονέοντι δοάσσατο κέρδιον εἶναι,
γούνων ἅψασθαι Λαερτιάδεω Ὀδυσῆος.
340 ἤ τοι ὁ φόρμιγγα γλαφυρὴν κατέθηκε χαμᾶζε
μεσσηγὺς κρητῆρος ἰδὲ θρόνου ἀργυροήλου,
αὐτὸς δ' αὖτ' Ὀδυσῆα προσαΐξας λάβε γούνων
καί μιν λισσόμενος ἔπεα πτερόεντα προσηύδα·
« γουνοῦμαί σ', Ὀδυσεῦ· σὺ δέ μ' αἴδεο καί μ' ἐλέησον.
345 αὐτῷ τοι μετόπισθ' ἄχος ἔσσεται, εἴ κεν ἀοιδὸν
πέφνῃς, ὅς τε θεοῖσι καὶ ἀνθρώποισιν ἀείδω.
αὐτοδίδακτος δ' εἰμί, θεὸς δέ μοι ἐν φρεσὶν οἴμας
παντοίας ἐνέφυσεν· ἔοικα δέ τοι παραείδειν
ὥς τε θεῷ· τῶ μή με λιλαίεο δειροτομῆσαι.
350 καί κεν Τηλέμαχος τάδε γ' εἴποι, σὸς φίλος υἱός,
ὡς ἐγὼ οὔ τι ἑκὼν ἐς σὸν δόμον οὐδὲ χατίζων
πωλεύμην μνηστῆρσιν ἀεισόμενος μετὰ δαῖτας,
ἀλλὰ πολὺ πλέονες καὶ κρείσσονες ἦγον ἀνάγκῃ ».
ὣς φάτο, τοῦ δ' ἤκουσ' ἱερὴ ἲς Τηλεμάχοιο,
355 αἶψα δ' ἑὸν πατέρα προσεφώνεεν ἐγγὺς ἐόντα·
« ἴσχεο, μηδέ τι τοῦτον ἀναίτιον οὔταε χαλκῷ.
καὶ κήρυκα Μέδοντα σαώσομεν, ὅς τέ μευ αἰεὶ
οἴκῳ ἐν ἡμετέρῳ κηδέσκετο παιδὸς ἐόντος,
εἰ δὴ μή μιν ἔπεφνε Φιλοίτιος ἠὲ συβώτης,
360 ἠὲ σοὶ ἀντεβόλησεν ὀρινομένῳ κατὰ δῶμα ».
ὣς φάτο, τοῦ δ' ἤκουσε Μέδων πεπνυμένα εἰδώς·
πεπτηὼς γὰρ ἔκειτο ὑπὸ θρόνον, ἀμφὶ δὲ δέρμα
ἕστο βοὸς νεόδαρτον, ἀλύσκων κῆρα μέλαιναν.
αἶψα δ' ὑπὸ θρόνου ὦρτο, βοὸς δ' ἀπέδυνε βοείην,
365 Τηλέμαχον δ' ἄρ' ἔπειτα προσαΐξας λάβε γούνων
καί μιν λισσόμενος ἔπεα πτερόεντα προσηύδα·

alla porta elevata: era incerto tra due pensieri nell'animo,
se uscire dalla gran sala e sedere al solido altare
335 del grande Zeus domestico, su cui arrostirono
tanti cosci di buoi Laerte ed Odisseo,
o slanciarsi e implorare ai ginocchi Odisseo.
E mentre pensava, gli parve meglio così:
afferrare i ginocchi d'Odisseo figlio di Laerte.
340 E allora depose a terra la concava cetra,
tra un cratere ed un trono con le borchie d'argento,
si slanciò e afferrò i ginocchi ad Odisseo
e implorando gli disse alate parole:
« Ti supplico, Odisseo, abbi rispetto e pietà per me:
345 avrai poi rimorso, se uccidi me
aedo, che canto agli dei ed agli uomini.
Da me ho imparato, il dio m'ispirò ogni sorta
di canto nell'animo: mi pare di cantare da te
come da un dio. Non bramare di tagliarmi il collo.
350 Anche Telemaco, il tuo caro figlio, può dirlo,
che non mi recavo di mia volontà o con bramosia
a cantare tra i proci, nella tua casa, dopo i conviti,
ma mi guidavano in molti e più forti, per forza ».
Così disse e lo sentì il sacro vigore di Telemaco
355 e subito, standogli affianco, parlò a suo padre:
« Férmati, non colpire codesto innocente col bronzo.
Anche l'araldo Medonte salviamo, che si curava
sempre di me, in casa nostra, quand'ero bambino,
se già non l'ha ucciso Filezio o il porcaro,
360 o non capitò innanzi a te mentre in casa infuriavi ».
Così disse e Medonte, che aveva saggi pensieri, l'udì:
era lì sotto un trono, acquattato, con addosso
la pelle d'un bue scuoiata di fresco, per sfuggire al nero destino.
S'alzò subito da sotto il trono, sbucò dalla pelle di bue,
365 si slanciò e afferrò i ginocchi a Telemaco
e implorando gli disse alate parole:

« ὦ φίλ', ἐγὼ μὲν ὅδ' εἰμί, σὺ δ' ἴσχεο· εἰπὲ δὲ πατρί,
μή με περισθενέων δηλήσεται ὀξέϊ χαλκῷ,
ἀνδρῶν μνηστήρων κεχολωμένος, οἵ οἱ ἔκειρον
370 κτήματ' ἐνὶ μεγάροις, σὲ δὲ νήπιοι οὐδὲν ἔτιον ».
τὸν δ' ἐπιμειδήσας προσέφη πολύμητις 'Οδυσσεύς·
« θάρσει, ἐπεὶ δή σ' οὗτος ἐρύσατο καὶ ἐσάωσεν,
ὄφρα γνῷς κατὰ θυμόν, ἀτὰρ εἴπῃσθα καὶ ἄλλῳ,
ὡς κακοεργίης εὐεργεσίη μέγ' ἀμείνων.
375 ἀλλ' ἐξελθόντες μεγάρων ἕζεσθε θύραζε
ἐκ φόνου εἰς αὐλήν, σύ τε καὶ πολύφημος ἀοιδός,
ὄφρ' ἂν ἐγὼ κατὰ δῶμα πονήσομαι ὅττεό με χρή ».
ὣς φάτο, τὼ δ' ἔξω βήτην μεγάροιο κιόντε·
ἑζέσθην δ' ἄρα τώ γε Διὸς μεγάλου ποτὶ βωμόν,
380 πάντοσε παπταίνοντε, φόνον ποτιδεγμένω αἰεί.
πάπτηνεν δ' 'Οδυσεὺς καθ' ἑὸν δόμον, εἴ τις ἔτ' ἀνδρῶν
ζωὸς ὑποκλοπέοιτο, ἀλύσκων κῆρα μέλαιναν.
τοὺς δὲ ἴδεν μάλα πάντας ἐν αἵματι καὶ κονίῃσι
πεπτεῶτας πολλούς, ὥς τ' ἰχθύας, οὕς θ' ἁλιῆες
385 κοῖλον ἐς αἰγιαλὸν πολιῆς ἔκτοσθε θαλάσσης
δικτύῳ ἐξέρυσαν πολυωπῷ· οἱ δέ τε πάντες
κύμαθ' ἁλὸς ποθέοντες ἐπὶ ψαμάθοισι κέχυνται·
τῶν μέν τ' ἠέλιος φαέθων ἐξείλετο θυμόν·
ὣς τότ' ἄρα μνηστῆρες ἐπ' ἀλλήλοισι κέχυντο.
390 δὴ τότε Τηλέμαχον προσέφη πολύμητις 'Οδυσσεύς·
« Τηλέμαχ', εἰ δ' ἄγε μοι κάλεσον τροφὸν Εὐρύκλειαν,
ὄφρα ἔπος εἴπωμι, τό μοι καταθύμιόν ἐστιν ».
ὣς φάτο, Τηλέμαχος δὲ φίλῳ ἐπεπείθετο πατρί,
κινήσας δὲ θύρην προσέφη τροφὸν Εὐρύκλειαν·
395 « δεῦρο δὴ ὄρσο, γρηῦ παλαιγενές, ἥ τε γυναικῶν
δμῳάων σκοπός ἐσσι κατὰ μέγαρ' ἡμετεράων,
ἔρχεο· κικλήσκει σε πατὴρ ἐμός, ὄφρα τι εἴπῃ ».
ὣς ἄρ' ἐφώνησεν, τῇ δ' ἄπτερος ἔπλετο μῦθος,
ὤϊξεν δὲ θύρας μεγάρων εὖ ναιεταόντων,
400 βῆ δ' ἴμεν· αὐτὰρ Τηλέμαχος πρόσθ' ἡγεμόνευεν.

« O caro, ecco son io, tu férmati! di' a tuo padre
che, nel suo strapotere, non m'uccida con l'aguzzo bronzo,
furioso coi pretendenti che gli falciavano
370 in casa gli averi e, da stolti, non onoravano te ».
Sorridendo gli disse l'astuto Odisseo:
« Coraggio, già lui ti ha protetto e salvato,
perché tu sappia e lo dica anche ad altri,
che è molto meglio agir bene che male.
375 Ma uscite di casa e sedetevi fuori,
nell'atrio, via dalla strage, sia tu che il famoso cantore,
finché avrò fatto, in casa, quello che devo ».
Disse così e i due, avviandosi, uscirono dalla gran sala;
sedettero accanto all'altare del grande Zeus,
380 guardandosi intorno, aspettandosi sempre la morte.
Odisseo guardò nella casa se ancora qualcuno
era vivo e nascosto, per sfuggire al nero destino.
Ma li vide riversi tutti nel sangue
e nella polvere, tanti, come pesci che i pescatori
385 hanno tratto sul lido incavato, dal mare canuto,
con la rete dai mille fori, che stanno sulla sabbia
ammucchiati, tutti agognando le onde del mare,
e ad essi il sole splendente toglie la vita;
così stavano i proci allora, ammucchiati l'uno sull'altro.
390 Allora disse a Telemaco l'astuto Odisseo:
« Suvvia Telemaco, chiamami la nutrice Euriclea,
che le dico una cosa che mi pesa nell'animo ».
Disse così e Telemaco ubbidì al caro padre
e, mossa la porta, parlò alla nutrice Euriclea:
395 « Alzati, anziana vegliarda, che sei
sorvegliante delle nostre serve di casa,
vieni: ti chiama mio padre, per dirti una cosa ».
Disse così e per lei il discorso fu alato:
aprì le porte delle sale assai frequentate
400 e s'avviò; Telemaco la precedeva.

εὗρεν ἔπειτ' Ὀδυσῆα μετὰ κταμένοισι νέκυσσιν
αἵματι καὶ λύθρῳ πεπαλαγμένον ὥς τε λέοντα,
ὅς ῥά τε βεβρωκὼς βοὸς ἔρχεται ἀγραύλοιο·
πᾶν δ' ἄρα οἱ στῆθός τε παρήϊά τ' ἀμφοτέρωθεν
405 αἱματόεντα πέλει, δεινὸς δ' εἰς ὦπα ἰδέσθαι·
ὣς Ὀδυσεὺς πεπάλακτο πόδας καὶ χεῖρας ὕπερθεν.
ἡ δ' ὡς οὖν νέκυάς τε καὶ ἄσπετον εἴσιδεν αἷμα,
ἴθυσέν ῥ' ὀλολύξαι, ἐπεὶ μέγα εἴσιδεν ἔργον·
ἀλλ' Ὀδυσεὺς κατέρυκε καὶ ἔσχεθεν ἱεμένην περ
410 καί μιν φωνήσας ἔπεα πτερόεντα προσηύδα·
« ἐν θυμῷ, γρηῦ, χαῖρε καὶ ἴσχεο μηδ' ὀλόλυζε·
οὐχ ὁσίη κταμένοισιν ἐπ' ἀνδράσιν εὐχετάασθαι.
τούσδε δὲ μοῖρ' ἐδάμασσε θεῶν καὶ σχέτλια ἔργα·
οὔ τινα γὰρ τίεσκον ἐπιχθονίων ἀνθρώπων,
415 οὐ κακὸν οὐδὲ μὲν ἐσθλόν, ὅτίς σφεας εἰσαφίκοιτο·
τῶ καὶ ἀτασθαλίῃσιν ἀεικέα πότμον ἐπέσπον.
ἀλλ' ἄγε μοι σὺ γυναῖκας ἐνὶ μεγάροις κατάλεξον,
αἵ τέ μ' ἀτιμάζουσι καὶ αἳ νηλείτιδές εἰσι ».
τὸν δ' αὖτε προσέειπε φίλη τροφὸς Εὐρύκλεια·
420 « τοιγὰρ ἐγώ τοι, τέκνον, ἀληθείην καταλέξω.
πεντήκοντά τοί εἰσιν ἐνὶ μεγάροισι γυναῖκες
δμῳαί, τὰς μέν τ' ἔργα διδάξαμεν ἐργάζεσθαι,
εἴριά τε ξαίνειν καὶ δουλοσύνης ἀπέχεσθαι·
τάων δώδεκα πᾶσαι ἀναιδείης ἐπέβησαν,
425 οὔτ' ἐμὲ τίουσαι οὔτ' αὐτὴν Πηνελόπειαν.
Τηλέμαχος δὲ νέον μὲν ἀέξετο, οὐδέ ἑ μήτηρ
σημαίνειν εἴασκεν ἐπὶ δμῳῇσι γυναιξίν.
ἀλλ' ἄγ' ἐγὼν ἀναβᾶσ' ὑπερώϊα σιγαλόεντα
εἴπω σῇ ἀλόχῳ, τῇ τις θεὸς ὕπνον ἐπῶρσε ».
430 τὴν δ' ἀπαμειβόμενος προσέφη πολύμητις Ὀδυσσεύς·
« μή πω τήνδ' ἐπέγειρε· σὺ δ' ἐνθάδε εἰπὲ γυναιξὶν
ἐλθέμεν, αἵ περ πρόσθεν ἀεικέα μηχανόωντο ».
ὣς ἄρ' ἔφη, γρηῢς δὲ διὲκ μεγάροιο βεβήκει
ἀγγελέουσα γυναιξὶ καὶ ὀτρυνέουσα νέεσθαι.

Trovò poi Odisseo, tra i morti uccisi,
imbrattato di sangue e lordura come un leone
che s'allontana, dopo aver divorato un bove dei campi,
e tutto il suo petto e le guance da entrambe le parti
405 sono lorde di sangue ed è spaventoso a vedersi in faccia:
così imbrattati Odisseo aveva i piedi e le mani.
E quando essa vide i cadaveri e il sangue infinito,
fu lì per gridare, poiché vide una grande impresa:
ma Odisseo la trattenne e fermò, quantunque bramosa,
410 e parlando le rivolse alate parole:
« Vecchia, gioisci nell'animo e frénati, senza gridare!
È empio esultare su uomini uccisi.
Costoro li ha vinti la sorte divina e le azioni malvage:
non rispettavano, infatti, nessuno degli uomini in terra,
415 né vile né egregio, che fosse venuto tra loro;
e così, per le loro insolenze, han subito un indegno destino.
Dimmi ora, quali sono in casa le donne
che non mi rispettano e quelle che sono innocenti ».
Gli disse allora la cara nutrice Euriclea:
420 « A te dirò dunque la verità, o figlio.
Tu hai come serve in casa cinquanta
donne, che istruimmo a eseguire lavori,
a cardare la lana e ad evitare la schiavitù.
Dodici d'esse, in tutto, imboccarono la sfrontatezza,
425 non rispettando né me né la stessa Penelope:
Telemaco era cresciuto da poco e sua madre
non lasciava che ordinasse alle serve.
Suvvia, io salgo alle stanze splendenti di sopra,
per dirlo a tua moglie: il sonno un dio le infuse ».
430 Rispondendo le disse l'astuto Odisseo:
« Ancora non la svegliare: tu invece di' di venire
alle donne, che prima commisero infamie ».
Disse così e la vecchia uscì dalla sala
per riferire alle donne e incitarle a venire.

435 αὐτὰρ ὁ Τηλέμαχον καὶ βουκόλον ἠδὲ συβώτην
εἰς ἓ καλεσσάμενος ἔπεα πτερόεντα προσηύδα·
« ἄρχετε νῦν νέκυας φορέειν καὶ ἄνωχθε γυναῖκας·
αὐτὰρ ἔπειτα θρόνους περικαλλέας ἠδὲ τραπέζας
ὕδατι καὶ σπόγγοισι πολυτρήτοισι καθαίρειν.
440 αὐτὰρ ἐπὴν δὴ πάντα δόμον διακοσμήσησθε,
δμῳὰς ἐξαγαγόντες ἐϋσταθέος μεγάροιο,
μεσσηγύς τε θόλου καὶ ἀμύμονος ἕρκεος αὐλῆς,
θεινέμεναι ξίφεσιν τανυήκεσιν, εἰς ὅ κε πασέων
ψυχὰς ἐξαφέλησθε καὶ ἐκλελάθωντ' Ἀφροδίτης,
445 τὴν ἄρ' ὑπὸ μνηστῆρσιν ἔχον μίσγοντό τε λάθρῃ ».
ὣς ἔφαθ', αἱ δὲ γυναῖκες ἀολλέες ἦλθον ἅπασαι,
αἴν' ὀλοφυρόμεναι, θαλερὸν κατὰ δάκρυ χέουσαι.
πρῶτα μὲν οὖν νέκυας φόρεον κατατεθνηῶτας,
κὰδ δ' ἄρ' ὑπ' αἰθούσῃ τίθεσαν εὐερκέος αὐλῆς,
450 ἀλλήλοισιν ἐρείδουσαι· σήμαινε δ' Ὀδυσσεὺς
αὐτὸς ἐπισπέρχων· ταὶ δ' ἐκφόρεον καὶ ἀνάγκῃ.
αὐτὰρ ἔπειτα θρόνους περικαλλέας ἠδὲ τραπέζας
ὕδατι καὶ σπόγγοισι πολυτρήτοισι κάθαιρον.
αὐτὰρ Τηλέμαχος καὶ βουκόλος ἠδὲ συβώτης
455 λίστροισιν δάπεδον πύκα ποιητοῖο δόμοιο
ξῦον· ταὶ δ' ἐφόρεον δμῳαί, τίθεσαν δὲ θύραζε.
αὐτὰρ ἐπεὶ δὴ πᾶν μέγαρον διεκοσμήσαντο,
δμῳὰς ἐξαγαγόντες ἐϋσταθέος μεγάροιο,
μεσσηγύς τε θόλου καὶ ἀμύμονος ἕρκεος αὐλῆς,
460 εἴλεον ἐν στείνει, ὅθεν οὔ πως ἦεν ἀλύξαι.
τοῖσι δὲ Τηλέμαχος πεπνυμένος ἦρχ' ἀγορεύειν·
« μὴ μὲν δὴ καθαρῷ θανάτῳ ἀπὸ θυμὸν ἑλοίμην
τάων, αἳ δὴ ἐμῇ κεφαλῇ κατ' ὀνείδεα χεῦαν
μητέρι θ' ἡμετέρῃ, παρά τε μνηστῆρσιν ἴαυον ».
465 ὣς ἄρ' ἔφη, καὶ πεῖσμα νεὸς κυανοπρῴροιο
κίονος ἐξάψας μεγάλης περίβαλλε θόλοιο,
ὑψόσ' ἐπεντανύσας, μή τις ποσὶν οὖδας ἵκοιτο.
ὡς δ' ὅτ' ἂν ἢ κίχλαι τανυσίπτεροι ἠὲ πέλειαι

435 Egli, chiamato Telemaco, il bovaro
e il porcaro, gli rivolse alate parole:
« Cominciate ora a togliere i morti e alle donne ordinatelo:
ripuliscano, poi, i bellissimi troni e le mense
con acqua e con spugne porose.
440 Dopo che avrete ordinato tutta la casa
e dalla sala ben costruita avrete condotto le serve
tra la rotonda e il recinto perfetto dell'atrio,
colpitele con le spade affilate, finché avrete tolto
a tutte la vita e avranno obliato l'amore
445 che offrivano ai proci, unendosi loro in segreto ».
Disse così e le donne arrivarono tutte, in folla,
terribilmente gemendo, versando pianto copioso.
Prima, dunque, esse tolsero i morti defunti,
li deposero sotto il loggiato dell'atrio ben recintato,
450 appoggiandoli l'uno sull'altro: Odisseo stesso
indicava, spronandole, ed esse li portavano fuori, costrette.
Ripulirono poi i bellissimi troni e le mense
con acqua e con spugne porose.
Invece Telemaco, il bovaro e il porcaro
455 raschiavano il suolo della solida casa
con pale: le serve portavano fuori il terriccio.
Dopo aver ordinato tutta la sala,
e dalla sala ben costruita aver condotto le serve
tra la rotonda e il recinto perfetto dell'atrio,
460 le spinsero in una strettoia, donde era impossibile evadere.
E tra essi Telemaco cominciò giudiziosamente a parlare:
« Non voglio strappare la vita con una semplice morte
a queste, che rovesciarono infamie sulla mia testa
e su nostra madre, e passavano coi proci le notti ».
465 Disse così, e appesa una fune di nave dalla prora turchina
ad una colonna grande della rotonda, la girò intorno,
tendendola in alto, perché nessuna arrivasse al suolo coi piedi.
Come quando dei tordi con grandi ali o delle colombe

ἕρκει ἐνιπλήξωσι, τό θ' ἑστήκῃ ἐνὶ θάμνῳ,
470 αὖλιν ἐσιέμεναι, στυγερὸς δ' ὑπεδέξατο κοῖτος,
ὣς αἵ γ' ἑξείης κεφαλὰς ἔχον, ἀμφὶ δὲ πάσαις
δειρῇσι βρόχοι ἦσαν, ὅπως οἴκτιστα θάνοιεν.
ἤσπαιρον δὲ πόδεσσι μίνυνθά περ, οὔ τι μάλα δήν.
ἐκ δὲ Μελάνθιον ἦγον ἀνὰ πρόθυρόν τε καὶ αὐλήν·
475 τοῦ δ' ἀπὸ μὲν ῥῖνάς τε καὶ οὔατα νηλέϊ χαλκῷ
τάμνον μήδεά τ' ἐξέρυσαν, κυσὶν ὠμὰ δάσασθαι,
χεῖράς τ' ἠδὲ πόδας κόπτον κεκοτηότι θυμῷ.
οἱ μὲν ἔπειτ' ἀπονιψάμενοι χεῖράς τε πόδας τε
εἰς Ὀδυσῆα δόμονδε κίον, τετέλεστο δὲ ἔργον.
480 αὐτὰρ ὅ γε προσέειπε φίλην τροφὸν Εὐρύκλειαν·
« οἶσε θέειον, γρηῦ, κακῶν ἄκος, οἶσε δέ μοι πῦρ,
ὄφρα θεειώσω μέγαρον· σὺ δὲ Πηνελόπειαν
ἐλθεῖν ἐνθάδ' ἄνωχθι σὺν ἀμφιπόλοισι γυναιξί·
πάσας δ' ὄτρυνον δμῳὰς κατὰ δῶμα νέεσθαι ».
485 τὸν δ' αὖτε προσέειπε φίλη τροφὸς Εὐρύκλεια·
« ναὶ δὴ ταῦτά γε, τέκνον ἐμόν, κατὰ μοῖραν ἔειπες.
ἀλλ' ἄγε τοι χλαῖνάν τε χιτῶνά τε εἵματ' ἐνείκω,
μηδ' οὕτω ῥάκεσιν πεπυκασμένος εὐρέας ὤμους
ἕσταθ' ἐνὶ μεγάροισι· νεμεσσητὸν δέ κεν εἴη ».
490 τὴν δ' ἀπαμειβόμενος προσέφη πολύμητις Ὀδυσσεύς·
« πῦρ νῦν μοι πρώτιστον ἐνὶ μεγάροισι γενέσθω ».
ὣς ἔφατ', οὐδ' ἀπίθησε φίλη τροφὸς Εὐρύκλεια,
ἤνεικεν δ' ἄρα πῦρ καὶ θήϊον· αὐτὰρ Ὀδυσσεὺς
εὖ διεθείωσεν μέγαρον καὶ δῶμα καὶ αὐλήν.
495 γρηῢς δ' αὖτ' ἀπέβη διὰ δώματα κάλ' Ὀδυσῆος
ἀγγελέουσα γυναιξὶ καὶ ὀτρυνέουσα νέεσθαι·
αἱ δ' ἴσαν ἐκ μεγάροιο δάος μετὰ χερσὶν ἔχουσαι.
αἱ μὲν ἄρ' ἀμφεχέοντο καὶ ἠσπάζοντ' Ὀδυσῆα
καὶ κύνεον ἀγαπαζόμεναι κεφαλήν τε καὶ ὤμους
500 χεῖράς τ' αἰνύμεναι· τὸν δὲ γλυκὺς ἵμερος ᾕρει
κλαυθμοῦ καὶ στοναχῆς, γίνωσκε δ' ἄρα φρεσὶ πάσας.

si impigliano dentro una rete, che stia in un cespuglio,
470 mentre tornano al nido, e li accoglie un odioso giaciglio;
così esse tenevano in fila le teste, ed al collo
di tutte era un laccio, perché morissero d'odiosissima morte.
E per un po' con i piedi scalciarono, non molto a lungo.
Condussero fuori Melanzio, sul vestibolo e sul cortile,
475 gli recisero il naso e le orecchie col bronzo spietato,
gli strapparono i genitali, per i cani, da spartirseli crudi,
gli tagliarono mani e piedi con animo irato.
E dopo essersi lavate le mani e i piedi,
se n'andarono a casa, da Odisseo: il lavoro era fatto.
480 Ma egli parlò alla cara nutrice Euriclea:
« Porta lo zolfo, o vecchia, il rimedio dei mali; portami il fuoco:
voglio solfare la sala. E tu a Penelope
di' di venire qua con le ancelle,
e fa' venire tutte le serve di casa ».
485 Gli disse allora la cara nutrice Euriclea:
« Sì questo, o figlio mio, l'hai detto giusto.
Ma su, ti porto i vestiti, un mantello e una tunica;
non stare così nella sala, con le larghe spalle
coperte di stracci: sarebbe indegno ».
490 Rispondendo le disse l'astuto Odisseo:
« Prima io abbia ora il fuoco dentro le sale ».
Disse così e ubbidì la cara nutrice Euriclea,
e portò il fuoco e lo zolfo. Allora Odisseo
solforò con cura la sala, la casa e il cortile.
495 La vecchia, invece, andò per la casa bella di Odisseo
a dare la notizia alle donne, a incitarle a venire:
esse uscirono dalla gran sala tenendo in mano una fiaccola.
Attorniavano e abbracciavano Odisseo,
gli baciavano con affetto la testa e le spalle
500 e le mani, afferrandole: un dolce desiderio lo colse,
di piangere e gemere, riconosceva tutte nell'animo.

Ψ

Γρηῢς δ' εἰς ὑπερῷ' ἀνεβήσετο καγχαλόωσα,
δεσποίνῃ ἐρέουσα φίλον πόσιν ἔνδον ἐόντα·
γούνατα δ' ἐρρώσαντο, πόδες δ' ὑπερικταίνοντο·
στῆ δ' ἄρ' ὑπὲρ κεφαλῆς καί μιν πρὸς μῦθον ἔειπεν·
5 « ἔγρεο, Πηνελόπεια, φίλον τέκος, ὄφρα ἴδηαι
ὀφθαλμοῖσι τεοῖσι τά τ' ἔλδεαι ἤματα πάντα.
ἦλθ' Ὀδυσεὺς καὶ οἶκον ἱκάνεται, ὀψέ περ ἐλθών·
μνηστῆρας δ' ἔκτεινεν ἀγήνορας, οἵ θ' ἑὸν οἶκον
κήδεσκον καὶ κτήματ' ἔδον βιόωντό τε παῖδα ».
10 τὴν δ' αὖτε προσέειπε περίφρων Πηνελόπεια·
« μαῖα φίλη, μάργην σε θεοὶ θέσαν, οἵ τε δύνανται
ἄφρονα ποιῆσαι καὶ ἐπίφρονά περ μάλ' ἐόντα,
καί τε χαλιφρονέοντα σαοφροσύνης ἐπέβησαν·
οἵ σέ περ ἔβλαψαν· πρὶν δὲ φρένας αἰσίμη ἦσθα.
15 τίπτε με λωβεύεις πολυπενθέα θυμὸν ἔχουσαν
ταῦτα παρὲξ ἐρέουσα, καὶ ἐξ ὕπνου μ' ἀνεγείρεις
ἡδέος, ὅς μ' ἐπέδησε φίλα βλέφαρ' ἀμφικαλύψας;
οὐ γάρ πω τοιόνδε κατέδραθον, ἐξ οὗ Ὀδυσσεὺς
ᾤχετ' ἐποψόμενος Κακοΐλιον οὐκ ὀνομαστήν.
20 ἀλλ' ἄγε νῦν κατάβηθι καὶ ἂψ ἔρχευ μεγαρόνδε.
εἰ γάρ τίς μ' ἄλλη γε γυναικῶν, αἵ μοι ἔασι,
ταῦτ' ἐλθοῦσ' ἤγγειλε καὶ ἐξ ὕπνου ἀνέγειρε,
τῶ κε τάχα στυγερῶς μιν ἐγὼν ἀπέπεμψα νέεσθαι
αὖτις ἔσω μέγαρον· σὲ δὲ τοῦτό γε γῆρας ὀνήσει ».
25 τὴν δ' αὖτε προσέειπε φίλη τροφὸς Εὐρύκλεια·
« οὔ τί σε λωβεύω, τέκνον φίλον, ἀλλ' ἔτυμόν τοι

LIBRO VENTITREESIMO

La vecchia salì esultante alle stanze di sopra,
per dire alla sua padrona che il caro marito era in casa:
le ginocchia si mossero svelte, i piedi si affrettavano rapidi.
Si fermò sul suo capo e le disse:
5 « Penelope, svégliati cara figliola, per vedere
cogli stessi tuoi occhi quello che ogni giorno desideri.
Odisseo è arrivato ed è in casa: anche se tardi, è tornato
ed ha ucciso i proci superbi, che la sua casa
infestavano, ne mangiavano i beni e opprimevano il figlio ».
10 Le rispose allora la saggia Penelope:
« Balia cara, ti resero folle gli dei, che possono
togliere il senno anche a chi è molto assennato,
e avviarono già alla saggezza lo stolto?
Sono loro che ti hanno stravolto: prima eri savia.
15 Per quale motivo mi burli, che ho l'animo così addolorato,
per dirmi queste stoltezze, e mi svegli da un dolce
sonno, che m'ha incatenato avvolgendo le palpebre?
Così non avevo dormito da quando Odisseo
partì per andare a vedere la nefanda Mal-Ilio.
20 Ma scendi piuttosto e torna nella gran sala.
Se fosse venuta un'altra, delle donne che ho,
a darmi queste notizie, a svegliarmi dal sonno,
subito l'avrei rimandata miseramente
nella gran sala: in questo ti gioverà la vecchiaia ».
25 Le disse allora la cara nutrice Euriclea:
« Non mi burlo di te, cara figlia, ma Odisseo

ἦλθ' Ὀδυσεὺς καὶ οἶκον ἱκάνεται, ὡς ἀγορεύω,
ὁ ξεῖνος, τὸν πάντες ἀτίμων ἐν μεγάροισι.
Τηλέμαχος δ' ἄρα μιν πάλαι ᾔδεεν ἔνδον ἐόντα,
30 ἀλλὰ σαοφροσύνῃσι νοήματα πατρὸς ἔκευθεν,
ὄφρ' ἀνδρῶν τείσαιτο βίην ὑπερηνορεόντων ».
ὣς ἔφαθ', ἡ δ' ἐχάρη καὶ ἀπὸ λέκτροιο θοροῦσα
γρηῒ περιπλέχθη, βλεφάρων δ' ἀπὸ δάκρυον ἧκε,
καί μιν φωνήσασ' ἔπεα πτερόεντα προσηύδα·
35 « εἰ δ' ἄγε δή μοι, μαῖα φίλη, νημερτὲς ἐνίσπες,
εἰ ἐτεὸν δὴ οἶκον ἱκάνεται, ὡς ἀγορεύεις,
ὅππως δὴ μνηστῆρσιν ἀναιδέσι χεῖρας ἐφῆκε
μοῦνος ἐών, οἱ δ' αἰὲν ἀολλέες ἔνδον ἔμιμνον ».
τὴν δ' αὖτε προσέειπε φίλη τροφὸς Εὐρύκλεια·
40 « οὐκ ἴδον, οὐ πυθόμην, ἀλλὰ στόνον οἶον ἄκουσα
κτεινομένων· ἡμεῖς δὲ μυχῷ θαλάμων εὐπήκτων
ἥμεθ' ἀτυζόμεναι, σανίδες δ' ἔχον εὖ ἀραρυῖαι,
πρίν γ' ὅτε δή με σὸς υἱὸς ἀπὸ μεγάροιο κάλεσσε
Τηλέμαχος· τὸν γάρ ῥα πατὴρ προέηκε καλέσσαι.
45 εὗρον ἔπειτ' Ὀδυσῆα μετὰ κταμένοισι νέκυσσιν
ἑσταόθ'· οἱ δέ μιν ἀμφί, κραταίπεδον οὖδας ἔχοντες,
κείατ' ἐπ' ἀλλήλοισιν· ἰδοῦσά κε θυμὸν ἰάνθης
[αἵματι καὶ λύθρῳ πεπαλαγμένον ὥς τε λέοντα].
νῦν δ' οἱ μὲν δὴ πάντες ἐπ' αὐλείῃσι θύρῃσιν
50 ἀθρόοι, αὐτὰρ ὁ δῶμα θεειοῦται περικαλλές,
πῦρ μέγα κηάμενος· σὲ δέ με προέηκε καλέσσαι.
ἀλλ' ἕπευ, ὄφρα σφῶϊν ἐϋφροσύνης ἐπιβῆτον
ἀμφοτέρω φίλον ἦτορ, ἐπεὶ κακὰ πολλὰ πέποσθε.
νῦν δ' ἤδη τόδε μακρὸν ἐέλδωρ ἐκτετέλεσται·
55 ἦλθε μὲν αὐτὸς ζωὸς ἐφέστιος, εὗρε δὲ καὶ σὲ
καὶ παῖδ' ἐν μεγάροισι· κακῶς δ' οἵ πέρ μιν ἔρεζον
μνηστῆρες, τοὺς πάντας ἐτείσατο ᾧ ἐνὶ οἴκῳ ».
τὴν δ' αὖτε προσέειπε περίφρων Πηνελόπεια·
« μαῖα φίλη, μή πω μέγ' ἐπεύχεο καγχαλόωσα.
60 οἶσθα γὰρ ὥς κ' ἀσπαστὸς ἐνὶ μεγάροισι φανείη

è tornato davvero ed è in casa come io dico:
è lo straniero che tutti oltraggiavano nella gran sala.
Telemaco sapeva da tempo che egli era qui,
30 ma con giudizio ha celato i piani del padre,
finché ha punito l'oltraggio di quei tracotanti ».
Disse così ed essa gioì e, saltata dal letto,
abbracciò la vegliarda e pianse dalle palpebre lacrime,
e parlando le rivolse alate parole:
35 « Orsù, cara balia, racconta senza sbagliare:
se è veramente in casa, come tu dici,
come aggredì i proci impudenti
da solo? se ne stavano qui sempre insieme ».
Le disse allora la cara nutrice Euriclea:
40 « Non ho visto o saputo, ma ho solo sentito il lamento
di chi era ucciso. Noi stavamo, atterrite, nel cuore
delle solide stanze del talamo, chiuso da porte serrate,
finché mi chiamò dalla sala tuo figlio
Telemaco: lo mandò a chiamarmi suo padre.
45 E trovai Odisseo ritto in mezzo ai cadaveri
uccisi: giacevano, essi, all'intorno l'uno sull'altro
sul suolo massiccio; avresti gioito vedendolo
[lordo di sangue e di macchie come un leone].
Essi ora stanno ammucchiati davanti alla porta dell'atrio,
50 tutti, ed egli, acceso un gran fuoco,
dà zolfo alla casa bellissima: m'ha mandato a chiamarti.
Ma séguimi, per avviarvi alla gioia
ambedue, dopo tante sventure sofferte.
Questo lungo desiderio alfine è compiuto:
55 vivo è tornato al suo focolare, ha trovato te
e suo figlio in casa, e coloro che agirono male con lui,
i proci, li ha tutti puniti nella sua casa ».
Le rispose allora la saggia Penelope:
« Non gioire ancora esultando.
60 Sai bene che in casa apparirebbe a tutti

πᾶσι, μάλιστα δ' ἐμοί τε καὶ υἱέϊ, τὸν τεκόμεσθα·
ἀλλ' οὐκ ἔσθ' ὅδε μῦθος ἐτήτυμος, ὡς ἀγορεύεις,
ἀλλά τις ἀθανάτων κτεῖνε μνηστῆρας ἀγαυούς,
ὕβριν ἀγασσάμενος θυμαλγέα καὶ κακὰ ἔργα.
65 οὔ τινα γὰρ τίεσκον ἐπιχθονίων ἀνθρώπων,
οὐ κακὸν οὐδὲ μὲν ἐσθλόν, ὅτις σφέας εἰσαφίκοιτο·
τῶ δι' ἀτασθαλίας ἔπαθον κακόν. αὐτὰρ Ὀδυσσεὺς
ὤλεσε τηλοῦ νόστον Ἀχαιΐδος, ὤλετο δ' αὐτός ».
τὴν δ' ἠμείβετ' ἔπειτα φίλη τροφὸς Εὐρύκλεια·
70 « τέκνον ἐμόν, ποῖόν σε ἔπος φύγεν ἕρκος ὀδόντων,
ἣ πόσιν ἔνδον ἐόντα παρ' ἐσχάρῃ οὔ ποτε φῆσθα
οἴκαδ' ἐλεύσεσθαι· θυμὸς δέ τοι αἰὲν ἄπιστος.
ἀλλ' ἄγε τοι καὶ σῆμα ἀριφραδὲς ἄλλο τι εἴπω,
οὐλήν, τήν ποτέ μιν σῦς ἤλασε λευκῷ ὀδόντι·
75 τὴν ἀπονίζουσα φρασάμην, ἔθελον δὲ σοὶ αὐτῇ
εἰπέμεν· ἀλλά με κεῖνος ἑλὼν ἐπὶ μάστακα χερσὶν
οὐκ εἴα εἰπεῖν πολυκερδείῃσι νόοιο.
ἀλλ' ἕπευ· αὐτὰρ ἐγὼν ἐμέθεν περιδώσομαι αὐτῆς,
αἴ κέν σ' ἐξαπάφω, κτεῖναί μ' οἰκτίστῳ ὀλέθρῳ ».
80 τὴν δ' ἠμείβετ' ἔπειτα περίφρων Πηνελόπεια·
« μαῖα φίλη, χαλεπόν σε θεῶν αἰειγενετάων
δήνεα εἴρυσθαι, μάλα περ πολύϊδριν ἐοῦσαν·
ἀλλ' ἔμπης ἴομεν μετὰ παῖδ' ἐμόν, ὄφρα ἴδωμαι
ἄνδρας μνηστῆρας τεθνηότας, ἠδ' ὃς ἔπεφνεν ».
85 ὣς φαμένη κατέβαιν' ὑπερώϊα· πολλὰ δέ οἱ κῆρ
ὥρμαιν', ἢ ἀπάνευθε φίλον πόσιν ἐξερεείνοι,
ἢ παρστᾶσα κύσειε κάρη καὶ χεῖρε λαβοῦσα.
ἡ δ' ἐπεὶ εἰσῆλθεν καὶ ὑπέρβη λάϊνον οὐδόν,
ἕζετ' ἔπειτ' Ὀδυσῆος ἐναντίον, ἐν πυρὸς αὐγῇ,
90 τοίχου τοῦ ἑτέρου· ὁ δ' ἄρα πρὸς κίονα μακρὴν
ἧστο κάτω ὁρόων, ποτιδέγμενος εἴ τί μιν εἴποι
ἰφθίμη παράκοιτις, ἐπεὶ ἴδεν ὀφθαλμοῖσιν.
ἡ δ' ἄνεω δὴν ἧστο, τάφος δέ οἱ ἦτορ ἵκανεν·
ὄψει δ' ἄλλοτε μέν μιν ἐνωπαδίως ἐσίδεσκεν,

gradito, a me specialmente e al figlio che generammo.
Ma questo racconto che dici non è veritiero:
i nobili proci li ha uccisi qualcuno degli immortali,
irato per la loro dolorosa superbia e le azioni malvage.
65 Perché nessun uomo onoravano in terra
che andasse da loro, né vile né nobile:
così, per la loro arroganza finirono male. Ma Odisseo
perdé lontano da Acaia il ritorno e si perse egli pure ».
Le disse allora la cara nutrice Euriclea:
70 « Figlia mia, che parola ti sfuggì dal recinto dei denti,
che dici, benché tuo marito sia in casa al suo focolare,
che mai tornerà: tu hai sempre un animo incredulo.
Ma voglio dirti anche un altro segno chiarissimo:
la ferita che gli inferse il cinghiale col bianco dente;
75 la notai nel lavarlo e volevo anche dirtelo;
ma egli, afferratami con le mani alla bocca,
non lasciò che parlassi, perché è molto astuto ed accorto.
Ma séguimi: voglio mettere in gioco me stessa,
se ti inganno, da darmi la morte più odiosa ».
80 Le rispose allora la saggia Penelope:
« Cara balia, difficile per te penetrare i disegni
degli dei sempiterni, pur essendo assai saggia:
andiamo tuttavia da mio figlio, perché veda
i proci morti e colui che li ha uccisi ».
85 Disse così e discese dalle stanze di sopra: nel cuore
era incerta, se interrogare da lontano il marito
o, accostatasi, prendere e baciargli il capo e le mani.
Entrò e varcò la soglia di pietra,
poi sedette di fronte ad Odisseo, nel raggio del fuoco,
90 all'altra parete: egli, guardando in basso, sedeva
appoggiato ad un'alta colonna, aspettando se gli avrebbe parlato
la nobile sposa, dopo averlo veduto cogli occhi.
Lei sedeva a lungo in silenzio, lo stupore invadeva il suo cuore:
ora, cogli occhi, lo ravvisava nel viso,

95 ἄλλοτε δ' ἀγνώσασκε κακὰ χροῒ εἵματ' ἔχοντα.
Τηλέμαχος δ' ἐνένιπεν ἔπος τ' ἔφατ' ἔκ τ' ὀνόμαζε·
« μῆτερ ἐμή, δύσμητερ, ἀπηνέα θυμὸν ἔχουσα,
τίφθ' οὕτω πατρὸς νοσφίζεαι, οὐδὲ παρ' αὐτὸν
ἑζομένη μύθοισιν ἀνείρεαι οὐδὲ μεταλλᾷς;
100 οὐ μέν κ' ἄλλη γ' ὧδε γυνὴ τετληότι θυμῷ
ἀνδρὸς ἀποσταίη, ὅς οἱ κακὰ πολλὰ μογήσας
ἔλθοι ἐεικοστῷ ἔτεϊ ἐς πατρίδα γαῖαν·
σοὶ δ' αἰεὶ κραδίη στερεωτέρη ἐστὶ λίθοιο ».
τὸν δ' αὖτε προσέειπε περίφρων Πηνελόπεια·
105 « τέκνον ἐμόν, θυμός μοι ἐνὶ στήθεσσι τέθηπεν,
οὐδέ τι προσφάσθαι δύναμαι ἔπος οὐδ' ἐρέεσθαι
οὐδ' εἰς ὦπα ἰδέσθαι ἐναντίον. εἰ δ' ἐτεὸν δὴ
ἔστ' Ὀδυσεὺς καὶ οἶκον ἱκάνεται, ἦ μάλα νῶϊ
γνωσόμεθ' ἀλλήλω καὶ λώϊον· ἔστι γὰρ ἥμιν
110 σήμαθ', ἃ δὴ καὶ νῶϊ κεκρυμμένα ἴδμεν ἀπ' ἄλλων ».
ὣς φάτο, μείδησεν δὲ πολύτλας δῖος Ὀδυσσεύς,
αἶψα δὲ Τηλέμαχον ἔπεα πτερόεντα προσηύδα·
« Τηλέμαχ', ἤτοι μητέρ' ἐνὶ μεγάροισιν ἔασον
πειράζειν ἐμέθεν· τάχα δὲ φράσεται καὶ ἄρειον.
115 νῦν δ' ὅττι ῥυπόω, κακὰ δὲ χροῒ εἵματα εἷμαι,
τοὔνεκ' ἀτιμάζει με καὶ οὔ πώ φησι τὸν εἶναι.
ἡμεῖς δὲ φραζώμεθ', ὅπως ὄχ' ἄριστα γένηται.
καὶ γάρ τίς θ' ἕνα φῶτα κατακτείνας ἐνὶ δήμῳ,
ᾧ μὴ πολλοὶ ἔωσιν ἀοσσητῆρες ὀπίσσω,
120 φεύγει πηούς τε προλιπὼν καὶ πατρίδα γαῖαν·
ἡμεῖς δ' ἕρμα πόληος ἀπέκταμεν, οἳ μέγ' ἄριστοι
κούρων εἰν Ἰθάκῃ· τὰ δέ σε φράζεσθαι ἄνωγα ».
τὸν δ' αὖ Τηλέμαχος πεπνυμένος ἀντίον ηὔδα·
« αὐτὸς ταῦτά γε λεῦσσε, πάτερ φίλε· σὴν γὰρ ἀρίστην
125 μῆτιν ἐπ' ἀνθρώπους φάσ' ἔμμεναι, οὐδέ κέ τίς τοι
ἄλλος ἀνὴρ ἐρίσειε καταθνητῶν ἀνθρώπων.
[ἡμεῖς δὲ μεμαῶτες ἅμ' ἑψόμεθ', οὐδέ τί φημι
ἀλκῆς δευήσεσθαι, ὅση δύναμίς γε πάρεστι] ».

95 ora, per le sue misere vesti, non lo riconosceva.
La redarguì Telemaco, le rivolse la parola, le disse:
« Madre matrigna, che hai un cuore duro,
perché stai lontana così da mio padre, non ti siedi
al suo fianco e non chiedi e domandi?
100 Nessuna altra donna starebbe così, con cuore ostinato,
lontana dal proprio marito, che sofferti molti dolori
tornasse al ventesimo anno nella terra dei padri:
ma il tuo cuore è sempre più duro di un sasso ».
Gli rispose allora la saggia Penelope:
105 « Figlio mio, nel petto il mio animo è attonito
e non posso parlare né fare domande
o guardare diritto il suo volto. Se veramente
è Odisseo e a casa è tornato, certo noi due
ci riconosceremo anche meglio: perché anche noi
110 abbiamo dei segni, che noi soli sappiamo, nascosti agli estranei ».
Disse così, sorrise il paziente chiaro Odisseo,
e a Telemaco subito disse alate parole:
« Telemaco, lascia che in casa tua madre
mi metta alla prova: mi riconoscerà tra poco anche meglio.
115 Ora, perché sono sporco e ho indosso misere vesti,
perciò mi disprezza e dice che non sono lui.
Noi intanto vediamo quale è il modo migliore.
Perché, in un paese, chi uccide anche un sol uomo,
che dietro non abbia parecchi vendicatori,
120 fugge lasciando i parenti e la patria;
noi invece uccidemmo il sostegno della città, i giovani
più nobili d'Itaca: ti esorto a riflettere a questo ».
Gli rispose allora giudiziosamente Telemaco:
« Padre mio, vedi tu queste cose: tra gli uomini
125 dicono che la tua intelligenza sia grande e che non possa
alcun altro mortale gareggiare con te.
[Ti seguiremo entusiasti e, penso, non verrà meno
il nostro valore, per quanta forza è in noi] ».

τὸν δ' ἀπαμειβόμενος προσέφη πολύμητις Ὀδυσσεύς·
130 « τοιγὰρ ἐγὼν ἐρέω, ὥς μοι δοκεῖ εἶναι ἄριστα.
πρῶτα μὲν ἂρ λούσασθε καὶ ἀμφιέσασθε χιτῶνας,
δμῳὰς δ' ἐν μεγάροισιν ἀνώγετε εἵμαθ' ἑλέσθαι·
αὐτὰρ θεῖος ἀοιδὸς ἔχων φόρμιγγα λίγειαν
ὑμῖν ἡγείσθω πολυπαίγμονος ὀρχηθμοῖο,
135 ὥς κέν τις φαίη γάμον ἔμμεναι ἐκτὸς ἀκούων,
ἢ ἀν' ὁδὸν στείχων ἢ οἳ περιναιετάουσι·
μὴ πρόσθε κλέος εὐρὺ φόνου κατὰ ἄστυ γένηται
ἀνδρῶν μνηστήρων, πρίν γ' ἡμέας ἐλθέμεν ἔξω
ἀγρὸν ἐς ἡμέτερον πολυδένδρεον. ἔνθα δ' ἔπειτα
140 φρασσόμεθ', ὅττι κε κέρδος Ὀλύμπιος ἐγγυαλίξῃ ».
ὣς ἔφαθ', οἱ δ' ἄρα τοῦ μάλα μὲν κλύον ἠδ' ἐπίθοντο.
πρῶτα μὲν οὖν λούσαντο καὶ ἀμφιέσαντο χιτῶνας,
ὅπλισθεν δὲ γυναῖκες· ὁ δ' εἵλετο θεῖος ἀοιδὸς
φόρμιγγα γλαφυρήν, ἐν δέ σφισιν ἵμερον ὦρσε
145 μολπῆς τε γλυκερῆς καὶ ἀμύμονος ὀρχηθμοῖο.
τοῖσιν δὲ μέγα δῶμα περιστεναχίζετο ποσσὶν
ἀνδρῶν παιζόντων καλλιζώνων τε γυναικῶν.
ὧδε δέ τις εἴπεσκε δόμων ἔκτοσθεν ἀκούων·
« ἦ μάλα δή τις ἔγημε πολυμνήστην βασίλειαν·
150 σχετλίη, οὐδ' ἔτλη πόσιος οὗ κουριδίοιο
εἴρυσθαι μέγα δῶμα διαμπερές, εἷος ἵκοιτο ».
ὣς ἄρα τις εἴπεσκε, τὰ δ' οὐκ ἴσαν ὡς ἐτέτυκτο.
αὐτὰρ Ὀδυσσῆα μεγαλήτορα ᾧ ἐνὶ οἴκῳ
Εὐρυνόμη ταμίη λοῦσεν καὶ χρῖσεν ἐλαίῳ,
155 ἀμφὶ δέ μιν φᾶρος καλὸν βάλεν ἠδὲ χιτῶνα·
αὐτὰρ κὰκ κεφαλῆς χεῦεν πολὺ κάλλος Ἀθήνη
[μείζονά τ' εἰσιδέειν καὶ πάσσονα· κὰδ δὲ κάρητος
οὔλας ἧκε κόμας, ὑακινθίνῳ ἄνθει ὁμοίας.
ὡς δ' ὅτε τις χρυσὸν περιχεύεται ἀργύρῳ ἀνὴρ
160 ἴδρις, ὃν Ἥφαιστος δέδαεν καὶ Παλλὰς Ἀθήνη
τέχνην παντοίην, χαρίεντα δὲ ἔργα τελείει,
ὣς ἄρα τῷ κατέχευε χάριν κεφαλῇ τε καὶ ὤμοις].

Rispondendo gli disse l'astuto Odisseo:
130 « E dunque io ti dirò, come mi pare sia meglio.
Fate anzitutto il bagno e vestite le tuniche,
dite nella casa alle serve di mettere le loro vesti;
poi il divino cantore, con la cetra sonora,
guidi per noi una danza giocosa:
135 allora, udendo da fuori, dirà che c'è un matrimonio
chi passa per strada e chi abita intorno.
Non si diffonda l'annunzio dell'eccidio dei proci
in città, prima d'andarcene fuori
nella nostra alberata campagna: penseremo
140 poi lì che espediente ci offre l'Olimpio ».
Disse così, ed essi gli diedero ascolto e ubbidirono.
Anzitutto fecero il bagno, misero indosso le tuniche
e le donne si ornarono: il divino cantore prese
la cetra incavata e ispirò in essi vaghezza
145 di dolce canto e di nobile danza.
La grande dimora echeggiava dei piedi
di uomini intenti alla danza e di donne dalla bella cintura.
E qualcuno udendo da fuori diceva così:
« Certo qualcuno ha sposato ormai la regina tanto agognata.
150 Sciagurata! non seppe guardare la grande dimora
del proprio marito legittimo finché ritornava ».
Qualcuno diceva così, ma ignorava cosa era avvenuto.
La dispensiera Eurinome intanto lavò
il magnanimo Odisseo, nella sua casa, e l'unse con olio,
155 gli gettò un bel manto e una tunica indosso,
mentre Atena gli sparse dal capo molta bellezza
[d'aspetto più grande e robusto, e dal capo
gli fece scendere riccioli simili a fior di giacinto.
Come quando intorno all'argento versa dell'oro
160 un artefice, che Efesto e Pallade Atena istruirono
sui segreti dell'arte, e crea opere piene di grazia,
così gli infuse la grazia sul capo e sugli omeri].

ἐκ δ' ἀσαμίνθου βῆ δέμας ἀθανάτοισιν ὁμοῖος·
ἂψ δ' αὖτις κατ' ἄρ' ἕζετ' ἐπὶ θρόνου, ἔνθεν ἀνέστη,
165 ἀντίον ἧς ἀλόχου, καί μιν πρὸς μῦθον ἔειπε·
« δαιμονίη, περὶ σοί γε γυναικῶν θηλυτεράων
κῆρ ἀτέραμνον ἔθηκαν Ὀλύμπια δώματ' ἔχοντες·
οὐ μέν κ' ἄλλη γ' ὧδε γυνὴ τετληότι θυμῷ
ἀνδρὸς ἀποσταίη, ὅς οἱ κακὰ πολλὰ μογήσας
170 ἔλθοι ἐεικοστῷ ἔτεϊ ἐς πατρίδα γαῖαν.
ἀλλ' ἄγε μοι, μαῖα, στόρεσον λέχος, ὄφρα καὶ αὐτὸς
λέξομαι· ἦ γὰρ τῇ γε σιδήρεον ἐν φρεσὶν ἦτορ ».
τὸν δ' αὖτε προσέειπε περίφρων Πηνελόπεια·
« δαιμόνι', οὔτ' ἄρα τι μεγαλίζομαι οὔτ' ἀθερίζω
175 οὐδὲ λίην ἄγαμαι, μάλα δ' εὖ οἶδ' οἷος ἔησθα
ἐξ Ἰθάκης ἐπὶ νηὸς ἰὼν δολιχηρέτμοιο.
ἀλλ' ἄγε οἱ στόρεσον πυκινὸν λέχος, Εὐρύκλεια,
ἐκτὸς ἐϋσταθέος θαλάμου, τόν ῥ' αὐτὸς ἐποίει·
ἔνθα οἱ ἐκθεῖσαι πυκινὸν λέχος ἐμβάλετ' εὐνήν,
180 κώεα καὶ χλαίνας καὶ ῥήγεα σιγαλόεντα ».
ὣς ἄρ' ἔφη πόσιος πειρωμένη· αὐτὰρ Ὀδυσσεὺς
ὀχθήσας ἄλοχον προσεφώνεε κεδνὰ ἰδυῖαν·
« ὦ γύναι, ἦ μάλα τοῦτο ἔπος θυμαλγὲς ἔειπες.
τίς δέ μοι ἄλλοσε θῆκε λέχος; χαλεπὸν δέ κεν εἴη
185 καὶ μάλ' ἐπισταμένῳ, ὅτε μὴ θεὸς αὐτὸς ἐπελθὼν
ῥηϊδίως ἐθέλων θείη ἄλλῃ ἐνὶ χώρῃ.
ἀνδρῶν δ' οὔ κέν τις ζωὸς βροτός, οὐδὲ μάλ' ἡβῶν,
ῥεῖα μετοχλίσσειεν, ἐπεὶ μέγα σῆμα τέτυκται
ἐν λέχει ἀσκητῷ· τὸ δ' ἐγὼ κάμον οὐδέ τις ἄλλος.
190 θάμνος ἔφυ τανύφυλλος ἐλαίης ἕρκεος ἐντός,
ἀκμηνὸς θαλέθων· πάχετος δ' ἦν ἠΰτε κίων.
τῷ δ' ἐγὼ ἀμφιβαλὼν θάλαμον δέμον, ὄφρ' ἐτέλεσσα,
πυκνῇσιν λιθάδεσσι, καὶ εὖ καθύπερθεν ἔρεψα,
κολλητὰς δ' ἐπέθηκα θύρας, πυκινῶς ἀραρυίας.
195 καὶ τότ' ἔπειτ' ἀπέκοψα κόμην τανυφύλλου ἐλαίης,
κορμὸν δ' ἐκ ῥίζης προταμὼν ἀμφέξεσα χαλκῷ

Egli uscì dalla vasca simile agli immortali nel corpo;
di nuovo sedette sul trono da cui s'era alzato,
165 di fronte a sua moglie e le disse:
« Disgraziata! a te fecero il cuore molto più duro
che alle deboli donne quelli che hanno l'Olimpo.
Nessuna altra donna starebbe con cuore ostinato lontana
così dal marito, che avendo sofferto molte sventure
170 tornasse a lei, al ventesimo anno, nella terra dei padri.
Su, balia, stendimi il letto perché, anche solo,
mi corichi: costei ha nel petto un cuore di ferro ».
Gli disse allora la saggia Penelope:
« Sciagurato! non sono altezzosa o sprezzante
175 né sono attonita: so molto bene come eri
salpando da Itaca sopra la nave dai lunghi remi.
Orsù, Euriclea, stendigli il solido letto
fuori del talamo ben costruito che fece lui stesso;
portate fuori il solido letto e gettatevi sopra il giaciglio,
180 pelli e coltri e coperte lucenti ».
Disse così per provare il marito; e Odisseo,
sdegnato, disse alla moglie solerte:
« Donna, è assai doloroso quello che hai detto.
Chi mise altrove il mio letto? sarebbe difficile
185 anche a chi è accorto, se non viene e lo sposta,
volendolo, un dio in un luogo diverso, senza difficoltà.
Nessun uomo, vivo, mortale, neppure giovane e forte,
lo smuoverebbe con facilità: perché v'è un grande segreto
nel letto lavorato con arte; lo costruii io stesso, non altri.
190 Nel recinto cresceva un ulivo dalle foglie sottili,
rigoglioso, fiorente: come una colonna era grosso.
Intorno ad esso feci il mio talamo, finché lo finii
con pietre connesse, e coprii d'un buon tetto la stanza,
vi apposi una porta ben salda, fittamente connessa.
195 Dopo, recisi la chioma all'ulivo dalle foglie sottili:
sgrossai dalla base il suo tronco, lo piallai con il bronzo,

εὖ καὶ ἐπισταμένως καὶ ἐπὶ στάθμην ἴθυνα,
ἑρμῖν' ἀσκήσας, τέτρηνα δὲ πάντα τερέτρῳ.
ἐκ δὲ τοῦ ἀρχόμενος λέχος ἔξεον, ὄφρ' ἐτέλεσσα,
200 δαιδάλλων χρυσῷ τε καὶ ἀργύρῳ ἠδ' ἐλέφαντι·
ἐν δ' ἐτάνυσσ' ἱμάντα βοὸς φοίνικι φαεινόν.
οὕτω τοι τόδε σῆμα πιφαύσκομαι· οὐδέ τι οἶδα,
ἤ μοι ἔτ' ἔμπεδόν ἐστι, γύναι, λέχος, ἦέ τις ἤδη
ἀνδρῶν ἄλλοσε θῆκε, ταμὼν ὕπο πυθμέν' ἐλαίης ».
205 ὣς φάτο, τῆς δ' αὐτοῦ λύτο γούνατα καὶ φίλον ἦτορ,
σήματ' ἀναγνούσῃ, τά οἱ ἔμπεδα πέφραδ' Ὀδυσσεύς·
δακρύσασα δ' ἔπειτ' ἰθὺς κίεν, ἀμφὶ δὲ χεῖρας
δειρῇ βάλλ' Ὀδυσῆϊ, κάρη δ' ἔκυσ' ἠδὲ προσηύδα·
« μή μοι, Ὀδυσσεῦ, σκύζευ, ἐπεὶ τά περ ἄλλα μάλιστα
210 ἀνθρώπων πέπνυσο· θεοὶ δ' ὤπαζον ὀϊζύν,
οἳ νῶϊν ἀγάσαντο παρ' ἀλλήλοισι μένοντε
ἥβης ταρπῆναι καὶ γήραος οὐδὸν ἱκέσθαι.
αὐτὰρ μὴ νῦν μοι τόδε χώεο μηδὲ νεμέσσα,
οὕνεκά σ' οὐ τὸ πρῶτον, ἐπεὶ ἴδον, ὧδ' ἀγάπησα.
215 αἰεὶ γάρ μοι θυμὸς ἐνὶ στήθεσσι φίλοισιν
ἐρρίγει, μή τίς με βροτῶν ἀπάφοιτ' ἐπέεσσιν
ἐλθών· πολλοὶ γὰρ κακὰ κέρδεα βουλεύουσιν.
οὐδέ κεν Ἀργείη Ἑλένη, Διὸς ἐκγεγαυῖα,
ἀνδρὶ παρ' ἀλλοδαπῷ ἐμίγη φιλότητι καὶ εὐνῇ,
220 εἰ ᾔδη, ὅ μιν αὖτις ἀρήϊοι υἷες Ἀχαιῶν
ἀξέμεναι οἶκόνδε φίλην ἐς πατρίδ' ἔμελλον.
τὴν δ' ἤτοι ῥέξαι θεὸς ὤρορεν ἔργον ἀεικές·
τὴν δ' ἄτην οὐ πρόσθεν ἑῷ ἐγκάτθετο θυμῷ
λυγρήν, ἐξ ἧς πρῶτα καὶ ἡμέας ἵκετο πένθος.
225 νῦν δ', ἐπεὶ ἤδη σήματ' ἀριφραδέα κατέλεξας
εὐνῆς ἡμετέρης, τὴν οὐ βροτὸς ἄλλος ὀπώπει,
ἀλλ' οἶοι σύ τ' ἐγώ τε καὶ ἀμφίπολος μία μούνη,
Ἀκτορίς, ἥν μοι δῶκε πατὴρ ἔτι δεῦρο κιούσῃ,
ἣ νῶϊν εἴρυτο θύρας πυκινοῦ θαλάμοιο,
230 πείθεις δή μευ θυμόν, ἀπηνέα περ μάλ' ἐόντα ».

bene e con arte, e lo feci diritto col filo,
e ottenuto un piede di letto traforai tutto col trapano.
Iniziando da questo piallai la lettiera, finché la finii,
200 rabescandola d'oro e d'argento e d'avorio.
All'interno tesi le cinghie di bue, splendenti di porpora.
Ti rivelo, così, questo segno. Donna,
non so se il mio letto è fisso tuttora o se un uomo,
tagliato il tronco d'ulivo alla base, altrove lo mise ».
205 Disse così, e lì le si sciolsero ginocchia e cuore,
nel riconoscere i segni che Odisseo le rivelò, sicuri.
Piangendo gli corse incontro, gettò le braccia
al collo di Odisseo, gli baciò il capo e gli disse:
« Odisseo, non essere irato con me, dopoché anche in altro
210 fosti assai saggio tra gli uomini: ci diedero pene gli dei,
che a noi negarono di vivere insieme e insieme
goderci la giovinezza e toccare la soglia della vecchiaia.
Non essere, ora, adirato, non essere offeso
se non t'ho detto, appena ti vidi, il mio affetto.
215 Il mio animo aveva sempre timore
nel petto che qualche mortale venisse a ingannarmi
con chiacchiere: molti tramano, infatti, astuzie malvage.
Neanche Elena Argiva, nata da Zeus,
si sarebbe congiunta con uno straniero in amore e nel letto,
220 se avesse saputo che i bellicosi figli degli Achei
l'avrebbero portata di nuovo a casa e in patria.
Ma certo la spinse un dio a compiere l'ignobile azione:
non da prima ebbe chiaro nell'animo l'accecamento
funesto, da cui venne il primo dolore anche a noi.
225 Ma ora che hai elencato i segni chiarissimi
del nostro letto, che non ha veduto alcun altro mortale,
ma soli tu ed io e un'altra ancella,
Attoride, che mio padre mi diede allorché venni qui,
colei che a noi custodiva le porte del solido talamo,
230 ora hai convinto il mio animo, benché tanto duro ».

ὣς φάτο, τῷ δ' ἔτι μᾶλλον ὑφ' ἵμερον ὦρσε γόοιο·
κλαῖε δ' ἔχων ἄλοχον θυμαρέα, κεδνὰ ἰδυῖαν.
ὡς δ' ὅτ' ἂν ἀσπάσιος γῆ νηχομένοισι φανήῃ,
ὧν τε Ποσειδάων εὐεργέα νῆ' ἐνὶ πόντῳ
235 ῥαίσῃ, ἐπειγομένην ἀνέμῳ καὶ κύματι πηγῷ·
παῦροι δ' ἐξέφυγον πολιῆς ἁλὸς ἤπειρόνδε
νηχόμενοι, πολλὴ δὲ περὶ χροῒ τέτροφεν ἅλμη,
ἀσπάσιοι δ' ἐπέβαν γαίης, κακότητα φυγόντες·
ὣς ἄρα τῇ ἀσπαστὸς ἔην πόσις εἰσοροώσῃ,
240 δειρῆς δ' οὔ πω πάμπαν ἀφίετο πήχεε λευκώ.
καί νύ κ' ὀδυρομένοισι φάνη ῥοδοδάκτυλος Ἠώς,
εἰ μὴ ἄρ' ἄλλ' ἐνόησε θεὰ γλαυκῶπις Ἀθήνη.
νύκτα μὲν ἐν περάτῃ δολιχὴν σχέθεν, Ἠῶ δ' αὖτε
ῥύσατ' ἐπ' Ὠκεανῷ χρυσόθρονον οὐδ' ἔα ἵππους
245 ζεύγνυσθ' ὠκύποδας φάος ἀνθρώποισι φέροντας,
Λάμπον καὶ Φαέθονθ', οἵ τ' Ἠῶ πῶλοι ἄγουσι.
καὶ τότ' ἄρ' ἣν ἄλοχον προσέφη πολύμητις Ὀδυσσεύς·
« ὦ γύναι, οὐ γάρ πω πάντων ἐπὶ πείρατ' ἀέθλων
ἤλθομεν, ἀλλ' ἔτ' ὄπισθεν ἀμέτρητος πόνος ἔσται,
250 πολλὸς καὶ χαλεπός, τὸν ἐμὲ χρὴ πάντα τελέσσαι.
ὣς γάρ μοι ψυχὴ μαντεύσατο Τειρεσίαο
ἤματι τῷ, ὅτε δὴ κατέβην δόμον Ἄϊδος εἴσω,
νόστον ἑταίροισιν διζήμενος ἠδ' ἐμοὶ αὐτῷ.
ἀλλ' ἔρχευ, λέκτρονδ' ἴομεν, γύναι, ὄφρα καὶ ἤδη
255 ὕπνῳ ὕπο γλυκερῷ ταρπώμεθα κοιμηθέντες ».
τὸν δ' αὖτε προσέειπε περίφρων Πηνελόπεια·
« εὐνὴ μὲν δὴ σοί γε τότ' ἔσσεται, ὁππότε θυμῷ
σῷ ἐθέλῃς, ἐπεὶ ἄρ σε θεοὶ ποίησαν ἱκέσθαι
οἶκον ἐϋκτίμενον καὶ σὴν ἐς πατρίδα γαῖαν·
260 ἀλλ' ἐπεὶ ἐφράσθης καί τοι θεὸς ἔμβαλε θυμῷ,
εἴπ' ἄγε μοι τὸν ἄεθλον, ἐπεὶ καὶ ὄπισθεν, ὀΐω,
πεύσομαι, αὐτίκα δ' ἐστὶ δαήμεναι οὔ τι χέρειον ».
τὴν δ' ἀπαμειβόμενος προσέφη πολύμητις Ὀδυσσεύς·
« δαιμονίη, τί τ' ἄρ' αὖ με μάλ' ὀτρύνουσα κελεύεις

Disse così e in lui suscitò ancor più la voglia di piangere:
piangeva stringendo la sposa diletta, accorta.
Come appare gradita la terra a coloro che nuotano
e di cui Posidone spezzò la solida nave,
235 sul mare, stretta dal vento e dal duro maroso:
e pochi sfuggirono all'acqua canuta nuotando
alla riva, e la salsedine s'è incrostata copiosa sul corpo,
e toccano terra con gioia, scampati al pericolo;
così le era caro lo sposo, guardandolo.
240 Non gli staccava più le candide braccia dal collo.
Aurora dalle rosee dita sarebbe spuntata che ancora piangevano,
se la dea glaucopide Atena non avesse pensato altre cose:
fece lunga alla fine la notte, trattenne
Aurora dall'aureo trono vicino all'Oceano, non le fece aggiogare
245 i cavalli dai piedi veloci che portano agli uomini il giorno,
Lampo e Fetonte, i puledri che portano Aurora.
Disse allora a sua moglie l'astuto Odisseo:
« Donna, non siamo al termine ancora di tutte le prove,
ma vi sarà in futuro una prova senza misura,
250 lunga e difficile, che occorre io compia tutta.
Così mi predisse l'anima di Tiresia,
il giorno in cui penetrai nella casa di Ade
agognando ai compagni e a me il ritorno.
Ma vieni, andiamo a letto, o donna, per coricarci
255 e ormai godere, avvolti dal dolce sonno ».
Gli disse allora la saggia Penelope:
« Certo il letto per te sarà pronto ogni volta che vuoi
nel tuo animo, poiché gli dei disposero che tu ritornassi
nella casa ben costruita e nella terra dei padri.
260 Ma poiché ci hai pensato e un dio te l'ha posto nell'animo,
dimmi, orsù, questa prova; perché la saprò, io penso, lo stesso
in futuro: e peggio, certo, non è conoscerla subito ».
Rispondendo le disse l'astuto Odisseo:
« Disgraziata! perché di nuovo mi spingi e mi inciti

265 εἰπέμεν; αὐτὰρ ἐγὼ μυθήσομαι οὐδ' ἐπικεύσω.
οὐ μέν τοι θυμὸς κεχαρήσεται· οὐδὲ γὰρ αὐτὸς
χαίρω, ἐπεὶ μάλα πολλὰ βροτῶν ἐπὶ ἄστε' ἄνωγεν
ἐλθεῖν, ἐν χείρεσσιν ἔχοντ' εὐῆρες ἐρετμόν,
εἰς ὅ κε τοὺς ἀφίκωμαι, οἳ οὐκ ἴσασι θάλασσαν
270 ἀνέρες οὐδέ θ' ἅλεσσι μεμιγμένον εἶδαρ ἔδουσιν·
οὐδ' ἄρα τοὶ ἴσασι νέας φοινικοπαρήους
οὐδ' εὐήρε' ἐρετμά, τά τε πτερὰ νηυσὶ πέλονται.
σῆμα δέ μοι τόδ' ἔειπεν ἀριφραδές, οὐδέ σε κεύσω·
ὁππότε κεν δή μοι ξυμβλήμενος ἄλλος ὁδίτης
275 φήῃ ἀθηρηλοιγὸν ἔχειν ἀνὰ φαιδίμῳ ὤμῳ,
καὶ τότε μ' ἐν γαίῃ πήξαντ' ἐκέλευσεν ἐρετμόν,
ἔρξανθ' ἱερὰ καλὰ Ποσειδάωνι ἄνακτι,
ἀρνειὸν ταῦρόν τε συῶν τ' ἐπιβήτορα κάπρον,
οἴκαδ' ἀποστείχειν ἔρδειν θ' ἱερὰς ἑκατόμβας
280 ἀθανάτοισι θεοῖσι, τοὶ οὐρανὸν εὐρὺν ἔχουσι,
πᾶσι μάλ' ἑξείης· θάνατος δέ μοι ἐξ ἁλὸς αὐτῷ
ἀβληχρὸς μάλα τοῖος ἐλεύσεται, ὅς κέ με πέφνῃ
γήραι ὕπο λιπαρῷ ἀρημένον· ἀμφὶ δὲ λαοὶ
ὄλβιοι ἔσσονται. τὰ δέ μοι φάτο πάντα τελεῖσθαι ».
285 τὸν δ' αὖτε προσέειπε περίφρων Πηνελόπεια·
« εἰ μὲν δὴ γῆράς γε θεοὶ τελέουσιν ἄρειον,
ἐλπωρή τοι ἔπειτα κακῶν ὑπάλυξιν ἔσεσθαι ».
ὣς οἱ μὲν τοιαῦτα πρὸς ἀλλήλους ἀγόρευον·
τόφρα δ' ἄρ' Εὐρυνόμη τε ἰδὲ τροφὸς ἔντυον εὐνὴν
290 ἐσθῆτος μαλακῆς δαΐδων ὕπο λαμπομενάων.
αὐτὰρ ἐπεὶ στόρεσαν πυκινὸν λέχος ἐγκονέουσαι,
γρηῢς μὲν κείουσα πάλιν οἶκόνδε βεβήκει,
τοῖσιν δ' Εὐρυνόμη θαλαμηπόλος ἡγεμόνευεν
ἐρχομένοισι λέχοσδε δάος μετὰ χερσὶν ἔχουσα·
295 ἐς θάλαμον δ' ἀγαγοῦσα πάλιν κίεν. οἱ μὲν ἔπειτα
ἀσπάσιοι λέκτροιο παλαιοῦ θεσμὸν ἵκοντο·
αὐτὰρ Τηλέμαχος καὶ βουκόλος ἠδὲ συβώτης
παῦσαν ἄρ' ὀρχηθμοῖο πόδας, παῦσαν δὲ γυναῖκας,

265 a raccontare? ma io ti dirò, e senza celarlo.
Il tuo animo non ne avrà gioia: non ne godo
io stesso, perché mi ordinò d'andare in molte città
di mortali, stringendo il maneggevole remo,
finché arriverò da uomini che non sanno
270 del mare, che non mangiano cibi conditi col sale,
che non conoscono navi dalle gote purpuree
né i maneggevoli remi che sono per le navi le ali.
E mi disse questo segno chiarissimo, non te lo celo.
Quando un altro viandante, incontrandomi,
275 dirà che ho un ventilabro sull'illustre spalla,
allora m'ordinò di configgere a terra il remo
e offerti bei sacrifici a Posidone signore,
un ariete, un toro e un verro che monta le scrofe,
di tornare a casa e immolare sacre ecatombi
280 agli dei immortali che hanno il vasto cielo,
a tutti con ordine. Per me la morte verrà
fuori dal mare, così serenamente da cogliermi
consunto da splendente vecchiezza: intorno avrò
popoli ricchi. E tutto questo, disse, si sarebbe compiuto ».
285 Gli disse allora la saggia Penelope:
« Se almeno la vecchiaia ti faranno migliore gli dei,
puoi sperare in futuro uno scampo dai mali ».
Essi dunque facevano questi discorsi tra loro:
e intanto Eurinome e la nutrice allestivano il letto
290 con morbide coltri alla luce di fiaccole ardenti.
Quando sollecite stesero il solido letto,
la vecchia andò nella casa a dormire,
invece Eurinome, l'ancella del talamo, li guidò
che andavano a letto reggendo in mano una fiaccola.
295 Li condusse nel talamo e tornò indietro: ed essi,
felici, andarono al luogo del letto antico.
Telemaco, intanto, il bovaro e il porcaro
fermarono i piedi e la danza, fermarono anche le donne,

αὐτοὶ δ' εὐνάζοντο κατὰ μέγαρα σκιόεντα.
300 τὼ δ' ἐπεὶ οὖν φιλότητος ἐταρπήτην ἐρατεινῆς,
τερπέσθην μύθοισι, πρὸς ἀλλήλους ἐνέποντες,
ἡ μὲν ὅσ' ἐν μεγάροισιν ἀνέσχετο δῖα γυναικῶν
ἀνδρῶν μνηστήρων ἐσορῶσ' ἀΐδηλον ὅμιλον,
οἳ ἕθεν εἵνεκα πολλά, βόας καὶ ἴφια μῆλα,
305 ἔσφαζον, πολλὸς δὲ πίθων ἠφύσσετο οἶνος·
αὐτὰρ διογενὴς Ὀδυσεύς, ὅσα κήδε' ἔθηκεν
ἀνθρώποισ' ὅσα τ' αὐτὸς ὀϊζύσας ἐμόγησε,
πάντ' ἔλεγ'· ἡ δ' ἄρα τέρπετ' ἀκούουσ', οὐδέ οἱ ὕπνος
πῖπτεν ἐπὶ βλεφάροισι πάρος καταλέξαι ἅπαντα.
310 ἤρξατο δ', ὡς πρῶτον Κίκονας δάμασ', αὐτὰρ ἔπειτα
ἦλθεν Λωτοφάγων ἀνδρῶν πίειραν ἄρουραν·
ἠδ' ὅσα Κύκλωψ ἔρξε, καὶ ὡς ἀπετείσατο ποινὴν
ἰφθίμων ἑτάρων, οὓς ἤσθιεν οὐδ' ἐλέαιρεν·
ἠδ' ὡς Αἴολον ἵκεθ', ὅ μιν πρόφρων ὑπέδεκτο
315 καὶ πέμπ', οὐδέ πω αἶσα φίλην ἐς πατρίδ' ἱκέσθαι
ἤην, ἀλλά μιν αὖτις ἀναρπάξασα θύελλα
πόντον ἐπ' ἰχθυόεντα φέρεν βαρέα στενάχοντα·
ἠδ' ὡς Τηλέπυλον Λαιστρυγονίην ἀφίκανεν,
319 οἳ νῆάς τ' ὄλεσαν καὶ ἐϋκνήμιδας ἑταίρους.
321 καὶ Κίρκης κατέλεξε δόλον πολυμηχανίην τε,
ἠδ' ὡς εἰς Ἀΐδεω δόμον ἤλυθεν εὐρώεντα
ψυχῇ χρησόμενος Θηβαίου Τειρεσίαο
νηῒ πολυκλήϊδι, καὶ εἴσιδε πάντας ἑταίρους
325 μητέρα θ', ἥ μιν ἔτικτε καὶ ἔτρεφε τυτθὸν ἐόντα·
ἠδ' ὡς Σειρήνων ἀδινάων φθόγγον ἄκουσεν,
ὥς θ' ἵκετο Πλαγκτὰς πέτρας δεινήν τε Χάρυβδιν
Σκύλλην θ', ἣν οὔ πώ ποτ' ἀκήριοι ἄνδρες ἄλυξαν·
ἠδ' ὡς Ἠελίοιο βόας κατέπεφνον ἑταῖροι·
330 ἠδ' ὡς νῆα θοὴν ἔβαλε ψολόεντι κεραυνῷ
Ζεὺς ὑψιβρεμέτης, ἀπὸ δ' ἔφθιθεν ἐσθλοὶ ἑταῖροι
πάντες ὁμῶς, αὐτὸς δὲ κακὰς ὑπὸ κῆρας ἄλυξεν·
ὥς θ' ἵκετ' Ὠγυγίην νῆσον νύμφην τε Καλυψώ,

e andarono anch'essi nelle camere ombrose a dormire.
300 Quando quei due si saziarono con l'amore desiderato,
godettero ai loro racconti, narrando l'un l'altra:
lei, quanto aveva sofferto in casa, chiara fra le donne,
vedendo la folla odiosa dei pretendenti
sgozzare molto bestiame, vacche e pingui greggi,
305 per causa sua, e vino copioso era attinto dagli orci;
Odisseo divino, quanti lutti egli aveva inferto
agli uomini e quanti sofferto piangendo egli stesso,
tutto narrava. E lei gioiva a sentirlo, e non le cadeva
sulle palpebre il sonno, prima che ebbe narrato tutto.
310 Narrò come prima egli vinse i Ciconi, e dopo
arrivò nella terra ferace degli Uomini che mangiano il loto,
e quale misfatto il Ciclope compì e come gli fece pagare la pena
per i forti compagni, che senza pietà divorò;
e come da Eolo giunse, che benigno lo accolse
315 e lo congedò, ma non era destino che egli arrivasse
nella sua patria, ma una tempesta rapitolo
lo trascinò tra gravi gemiti nel mare pescoso;
e come arrivò a Telepilo presso i Lestrigoni,
319 che distrussero navi e compagni dai saldi schinieri.
321 E narrò l'inganno e le arti di Circe,
e come giunse nelle case ammuffite di Ade,
per chiedere all'anima del tebano Tiresia,
sulla nave fitta di scalmi, e vide tutti i compagni
325 e la madre, che lo generò e l'aveva nutrito da piccolo;
e come ascoltò la voce delle incessanti Sirene,
e come giunse alle rupi Erranti, all'orrenda Cariddi,
a Scilla, che giammai uomini sfuggirono illesi;
e come i compagni uccisero le vacche del Sole,
330 e Zeus tonante colpì con la fumida folgore
la nave veloce, i compagni valorosi perirono
tutti ugualmente ed egli evitò le maligne dee della morte;
come arrivò nell'isola Ogigia e presso la ninfa Calipso

ἥ δή μιν κατέρυκε, λιλαιομένη πόσιν εἶναι,
335 ἐν σπέεσι γλαφυροῖσι καὶ ἔτρεφεν ἠδὲ ἔφασκεν
θήσειν ἀθάνατον καὶ ἀγήραον ἤματα πάντα·
ἀλλὰ τοῦ οὔ ποτε θυμὸν ἐνὶ στήθεσσιν ἔπειθεν·
ἠδ' ὡς ἐς Φαίηκας ἀφίκετο πολλὰ μογήσας,
οἳ δή μιν περὶ κῆρι θεὸν ὣς τιμήσαντο
340 καὶ πέμψαν σὺν νηῒ φίλην ἐς πατρίδα γαῖαν,
χαλκόν τε χρυσόν τε ἅλις ἐσθῆτά τε δόντες.
τοῦτ' ἄρα δεύτατον εἶπεν ἔπος, ὅτε οἱ γλυκὺς ὕπνος
λυσιμελὴς ἐπόρουσε, λύων μελεδήματα θυμοῦ.

ἡ δ' αὖτ' ἄλλ' ἐνόησε θεὰ γλαυκῶπις Ἀθήνη·
345 ὁππότε δή ῥ' Ὀδυσῆα ἐέλπετο ὃν κατὰ θυμὸν
εὐνῆς ἧς ἀλόχου ταρπήμεναι ἠδὲ καὶ ὕπνου,
αὐτίκ' ἀπ' Ὠκεανοῦ χρυσόθρονον ἠριγένειαν
ὦρσεν, ἵν' ἀνθρώποισι φόως φέροι. ὦρτο δ' Ὀδυσσεὺς
εὐνῆς ἐκ μαλακῆς, ἀλόχῳ δ' ἐπὶ μῦθον ἔτελλεν·
350 «ὦ γύναι, ἤδη μὲν πολέων κεκορήμεθ' ἀέθλων
ἀμφοτέρω, σὺ μὲν ἐνθάδ' ἐμὸν πολυκηδέα νόστον
κλαίουσ'· αὐτὰρ ἐμὲ Ζεὺς ἄλγεσι καὶ θεοὶ ἄλλοι
ἱέμενον πεδάασκον ἐμῆς ἀπὸ πατρίδος αἴης.
νῦν δ' ἐπεὶ ἀμφοτέρω πολυήρατον ἱκόμεθ' εὐνήν,
355 κτήματα μέν, τά μοί ἐστι, κομιζέμεν ἐν μεγάροισι,
μῆλα δ', ἅ μοι μνηστῆρες ὑπερφίαλοι κατέκειραν,
πολλὰ μὲν αὐτὸς ἐγὼ ληΐσσομαι, ἄλλα δ' Ἀχαιοὶ
δώσουσ', εἰς ὅ κε πάντας ἐνιπλήσωσιν ἐπαύλους.
ἀλλ' ἤτοι μὲν ἐγὼ πολυδένδρεον ἀγρὸν ἄπειμι
360 ὀψόμενος πατέρ' ἐσθλόν, ὅ μοι πυκινῶς ἀκάχηται·
σοὶ δέ, γύναι, τόδ' ἐπιτέλλω πινυτῇ περ ἐούσῃ·
αὐτίκα γὰρ φάτις εἶσιν ἅμ' ἠελίῳ ἀνιόντι
ἀνδρῶν μνηστήρων, οὓς ἔκτανον ἐν μεγάροισιν·
εἰς ὑπερῷ' ἀναβᾶσα σὺν ἀμφιπόλοισι γυναιξὶν
365 ἧσθαι, μηδέ τινα προτιόσσεο μηδ' ἐρέεινε».

ἦ ῥα, καὶ ἀμφ' ὤμοισιν ἐδύσετο τεύχεα καλά,
ὦρσε δὲ Τηλέμαχον καὶ βουκόλον ἠδὲ συβώτην,

che lo trattenne, vogliosa d'averlo marito,
335 nelle cave spelonche, lo nutrì e pensava
di farlo immortale e per sempre senza vecchiaia:
ma nel petto non convinse mai il suo animo;
e come arrivò dai Feaci, dopo tanto soffrire,
i quali di cuore gli resero gli onori di un dio,
340 su una nave lo scortarono alla terra dei padri,
dopo avergli in copia donato bronzo, oro e vestiti.
Narrò per ultimo questo racconto, quando l'assalì il dolce sonno
che scioglie le membra, e scioglie gli affanni dell'animo.
Ed ecco pensò un'altra cosa la dea glaucopide Atena:
345 quando ritenne che Odisseo nell'animo suo
fosse sazio del letto della sua sposa e di sonno,
subito fece spuntare la dea mattutina dall'aureo trono
da Oceano, che agli uomini portasse la luce. Sorse Odisseo
dal morbido letto e alla moglie raccomandò:
350 « Donna, di molte pene ormai siamo sazi
entrambi, tu qui piangendo il mio affannoso ritorno,
e intanto Zeus e gli altri dei mi inceppavano con sofferenze
lontano, benché bramoso, dalla mia patria.
Ora che entrambi arrivammo al letto agognato,
355 abbi cura in casa dei beni che ancora posseggo:
delle greggi che i proci arroganti annientarono,
molte ne prederò io e altre me le daranno
gli Achei, fino a quando empiranno ogni stalla.
Io mi avvio per la campagna alberata,
360 per vedere il nobile padre, che è tanto in pena per me.
A te, donna, pur così saggia, ordino questo:
subito, col sole che sorge, si spargerà la notizia
dei proci che ho ucciso dentro le case.
Tu, salita di sopra con le donne tue ancelle,
365 réstavi, senza vedere nessuno e fare domande ».
Disse così e infilò sulle spalle la bella armatura,
svegliò Telemaco, il bovaro e il porcaro,

πάντας δ' ἔντε' ἄνωγεν ἀρήϊα χερσὶν ἑλέσθαι.
οἱ δέ οἱ οὐκ ἀπίθησαν, ἐθωρήσσοντο δὲ χαλκῷ,
370 ὤϊξαν δὲ θύρας, ἐκ δ' ἤϊον· ἦρχε δ' Ὀδυσσεύς.
ἤδη μὲν φάος ἦεν ἐπὶ χθόνα, τοὺς δ' ἄρ' Ἀθήνη
νυκτὶ κατακρύψασα θοῶς ἐξῆγε πόληος.

ordinò a tutti di prendere le armi di guerra.
Gli ubbidirono, indossarono le armi di bronzo,
370 aprirono le porte, uscirono: Odisseo li precedeva.
V'era luce già sulla terra, ma Atena,
nascostili dentro la notte, li guidò celermente fuori città.

Ω

Ἑρμῆς δὲ ψυχὰς Κυλλήνιος ἐξεκαλεῖτο
ἀνδρῶν μνηστήρων· ἔχε δὲ ῥάβδον μετὰ χερσὶ
καλὴν χρυσείην, τῇ τ' ἀνδρῶν ὄμματα θέλγει,
ὧν ἐθέλῃ, τοὺς δ' αὖτε καὶ ὑπνώοντας ἐγείρει·
5 τῇ ῥ' ἄγε κινήσας, ταὶ δὲ τρίζουσαι ἕποντο.
ὡς δ' ὅτε νυκτερίδες μυχῷ ἄντρου θεσπεσίοιο
τρίζουσαι ποτέονται, ἐπεί κέ τις ἀποπέσῃσιν
ὁρμαθοῦ ἐκ πέτρης, ἀνά τ' ἀλλήλῃσιν ἔχονται,
ὣς αἱ τετριγυῖαι ἅμ' ἤϊσαν· ἦρχε δ' ἄρα σφιν
10 Ἑρμείας ἀκάκητα κατ' εὐρώεντα κέλευθα.
πὰρ δ' ἴσαν Ὠκεανοῦ τε ῥοὰς καὶ Λευκάδα πέτρην,
ἠδὲ παρ' Ἠελίοιο πύλας καὶ δῆμον Ὀνείρων
ἤϊσαν· αἶψα δ' ἵκοντο κατ' ἀσφοδελὸν λειμῶνα,
ἔνθα τε ναίουσι ψυχαί, εἴδωλα καμόντων.
15 εὗρον δὲ ψυχὴν Πηληϊάδεω Ἀχιλῆος
καὶ Πατροκλῆος καὶ ἀμύμονος Ἀντιλόχοιο
Αἴαντός θ', ὃς ἄριστος ἔην εἶδός τε δέμας τε
τῶν ἄλλων Δαναῶν μετ' ἀμύμονα Πηλεΐωνα.
ὣς οἱ μὲν περὶ κεῖνον ὁμίλεον· ἀγχίμολον δὲ
20 ἤλυθ' ἔπι ψυχὴ Ἀγαμέμνονος Ἀτρεΐδαο
ἀχνυμένη· περὶ δ' ἄλλαι ἀγηγέραθ', ὅσσοι ἅμ' αὐτῷ
οἴκῳ ἐν Αἰγίσθοιο θάνον καὶ πότμον ἐπέσπον.
τὸν προτέρη ψυχὴ προσεφώνεε Πηλεΐωνος·
« Ἀτρεΐδη, περὶ μέν σε φάμεν Διὶ τερπικεραύνῳ
25 ἀνδρῶν ἡρώων φίλον ἔμμεναι ἤματα πάντα,
οὕνεκα πολλοῖσίν τε καὶ ἰφθίμοισιν ἄνασσες

LIBRO VENTIQUATTRESIMO

Ermete Cillenio chiamava le anime
dei pretendenti. In mano aveva la verga,
bella, d'oro: incanta con essa gli occhi degli uomini
che vuole e altri, dormienti, invece li sveglia.
5 Le guidava con essa, muovendole: e loro stridendo seguivano.
Come nel fondo d'un orrido antro stridendo svolazzano
i pipistrelli, se dalla roccia ne cade
qualcuno del gruppo (pendono stretti tra loro),
così stridendo andavano insieme: il benefico Ermete
10 le conduceva lungo i sentieri ammuffiti.
Superarono le correnti di Oceano e la Candida Rupe,
superarono le porte del Sole e il paese dei Sogni,
e subito giunsero al prato asfodelio:
dimorano in esso le anime, parvenze dei morti.
15 Trovarono l'anima del figlio di Peleo, Achille,
di Patroclo e del nobile Antiloco,
e di Aiace che spiccava per aspetto e beltà
sugli altri Danai, dopo il nobile figlio di Peleo.
Così intorno a lui si affollavano, e da loro
20 andò l'anima dell'Atride Agamennone,
triste: intorno s'eran raccolte le altre, di quanti con lui
morirono in casa di Egisto e il destino subirono.
Per prima l'anima del Pelide gli disse:
« Atride, noi pensavamo che a Zeus lieto del fulmine
25 tu fossi caro per sempre più d'ogni eroe,
perché comandavi su molti e forti guerrieri

δήμῳ ἔνι Τρώων, ὅθι πάσχομεν ἄλγε' Ἀχαιοί.
ἦ τ' ἄρα καὶ σοὶ πρωῒ παραστήσεσθαι ἔμελλε
μοῖρ' ὀλοή, τὴν οὔ τις ἀλεύεται, ὅς κε γένηται.
30 ὡς ὄφελες τιμῆς ἀπονήμενος, ἧς περ ἄνασσες,
δήμῳ ἔνι Τρώων θάνατον καὶ πότμον ἐπισπεῖν·
τῷ κέν τοι τύμβον μὲν ἐποίησαν Παναχαιοί,
ἠδέ κε καὶ σῷ παιδὶ μέγα κλέος ἤρα' ὀπίσσω·
νῦν δ' ἄρα σ' οἰκτίστῳ θανάτῳ εἵμαρτο ἁλῶναι ».
35 τὸν δ' αὖτε ψυχὴ προσεφώνεεν Ἀτρεΐδαο·
« ὄλβιε Πηλέος υἱέ, θεοῖσ' ἐπιείκελ' Ἀχιλλεῦ,
ὃς θάνες ἐν Τροίῃ ἑκὰς Ἄργεος· ἀμφὶ δέ σ' ἄλλοι
κτείνοντο Τρώων καὶ Ἀχαιῶν υἷες ἄριστοι,
μαρνάμενοι περὶ σεῖο· σὺ δ' ἐν στροφάλιγγι κονίης
40 κεῖσο μέγας μεγαλωστί, λελασμένος ἱπποσυνάων.
ἡμεῖς δὲ πρόπαν ἦμαρ ἐμαρνάμεθ'· οὐδέ κε πάμπαν
παυσάμεθα πτολέμου, εἰ μὴ Ζεὺς λαίλαπι παῦσεν.
αὐτὰρ ἐπεί σ' ἐπὶ νῆας ἐνείκαμεν ἐκ πολέμοιο,
κάτθεμεν ἐν λεχέεσσι, καθήραντες χρόα καλὸν
45 ὕδατί τε λιαρῷ καὶ ἀλείφατι· πολλὰ δέ σ' ἀμφὶ
δάκρυα θερμὰ χέον Δαναοὶ κείροντό τε χαίτας.
μήτηρ δ' ἐξ ἁλὸς ἦλθε σὺν ἀθανάτῃσ' ἁλίῃσιν
ἀγγελίης ἀΐουσα· βοὴ δ' ἐπὶ πόντον ὀρώρει
θεσπεσίη, ὑπὸ δὲ τρόμος ἤλυθε πάντας Ἀχαιούς.
50 καί νύ κ' ἀναΐξαντες ἔβαν κοίλας ἐπὶ νῆας,
εἰ μὴ ἀνὴρ κατέρυκε παλαιά τε πολλά τε εἰδώς,
Νέστωρ, οὗ καὶ πρόσθεν ἀρίστη φαίνετο βουλή·
ὅ σφιν ἐῢ φρονέων ἀγορήσατο καὶ μετέειπεν·
"ἴσχεσθ', Ἀργεῖοι, μὴ φεύγετε, κοῦροι Ἀχαιῶν.
55 μήτηρ ἐξ ἁλὸς ἥδε σὺν ἀθανάτῃσ' ἁλίῃσιν
ἔρχεται, οὗ παιδὸς τεθνηότος ἀντιόωσα".
ὣς ἔφαθ', οἱ δ' ἔσχοντο φόβου μεγάθυμοι Ἀχαιοί.
ἀμφὶ δέ σ' ἔστησαν κοῦραι ἁλίοιο γέροντος
οἴκτρ' ὀλοφυρόμεναι, περὶ δ' ἄμβροτα εἵματα ἕσσαν.
60 Μοῦσαι δ' ἐννέα πᾶσαι ἀμειβόμεναι ὀπὶ καλῇ

nel paese di Troia, dove noi Achei patimmo dolori.
Invece doveva accostarsi anzitempo anche al tuo fianco
la sorte funesta, alla quale non scampa chiunque sia nato.
30 Oh, se tu avessi subìto la morte e il destino
nel paese di Troia, godendo l'onore di cui eri signore.
Allora tutti gli Achei ti avrebbero fatto una tomba
e anche a tuo figlio avresti acquistato gran gloria per dopo:
ora ti tocca esser preda d'una morte pietosa ».
35 Allora l'anima dell'Atride gli disse:
« Felice figlio di Peleo, Achille simile ai numi,
che perdesti a Troia la vita, lontano da Argo: intorno a te
venivano uccisi altri nobili figli di Teucri e Achei,
lottando per te. Tu giacevi in un turbine pulverulento,
40 grande in un grande spazio, immemore della guida dei carri.
Tutto il giorno noi combattemmo, e dalla mischia
non avremmo cessato, se non la spegneva Zeus con una bufera.
Dopoché ti portarono via dalla mischia alle navi,
ti ponemmo sul letto, dopo averti deterso il bel corpo
45 con tiepida acqua ed unguento: su di te molte
lacrime, calde, i Danai piansero, e recisero i loro capelli.
Venne dal mare tua madre, con le ninfe marine, immortali,
udendo l'annunzio: un grido era corso sul mare,
divino, un tremito invase tutti gli Achei.
50 Si sarebbero allora slanciati alle navi incavate,
se un uomo non li fermava, che sa molte cose ed antiche,
Nestore, di cui, anche prima, il consiglio era parso il migliore.
Fra essi con mente saggia prese la parola e parlò:
"Fermatevi, Argivi! non fuggite, figli di Achei!
55 Ecco venire dal mare, insieme alle ninfe marine, immortali,
la madre, incontro al suo figlio defunto".
Disse così e si astennero i magnanimi Achei dalla fuga.
Intorno a te si disposero le figlie del Vecchio del mare,
pietosamente gemendo, e ti avvolsero in vesti immortali.
60 Le nove Muse cantavano tutte il lamento, intonandolo

θρήνεον· ἔνθα κεν οὔ τιν' ἀδάκρυτόν γ' ἐνόησας
'Αργείων· τοῖον γὰρ ὑπώρορε Μοῦσα λίγεια.
ἑπτὰ δὲ καὶ δέκα μέν σε ὁμῶς νύκτας τε καὶ ἦμαρ
κλαίομεν ἀθάνατοί τε θεοὶ θνητοί τ' ἄνθρωποι·
65 ὀκτωκαιδεκάτῃ δ' ἔδομεν πυρί· πολλὰ δ' ἐπ' αὐτῷ
μῆλα κατεκτάνομεν μάλα πίονα καὶ ἕλικας βοῦς.
καίεο δ' ἔν τ' ἐσθῆτι θεῶν καὶ ἀλείφατι πολλῷ
καὶ μέλιτι γλυκερῷ· πολλοὶ δ' ἥρωες 'Αχαιοὶ
τεύχεσιν ἐρρώσαντο πυρὴν πέρι καιομένοιο,
70 πεζοί θ' ἱππῆές τε· πολὺς δ' ὀρυμαγδὸς ὀρώρει.
αὐτὰρ ἐπεὶ δή σε φλὸξ ἤνυσεν 'Ηφαίστοιο,
ἠῶθεν δή τοι λέγομεν λεύκ' ὀστέ', 'Αχιλλεῦ,
οἴνῳ ἐν ἀκρήτῳ καὶ ἀλείφατι. δῶκε δὲ μήτηρ
χρύσεον ἀμφιφορῆα· Διωνύσοιο δὲ δῶρον
75 φάσκ' ἔμεναι, ἔργον δὲ περικλυτοῦ 'Ηφαίστοιο.
ἐν τῷ τοι κεῖται λεύκ' ὀστέα, φαίδιμ' 'Αχιλλεῦ,
μίγδα δὲ Πατρόκλοιο Μενοιτιάδαο θανόντος,
χωρὶς δ' 'Αντιλόχοιο, τὸν ἔξοχα τῖες ἁπάντων
τῶν ἄλλων ἑτάρων μετὰ Πάτροκλόν γε θανόντα.
80 ἀμφ' αὐτοῖσι δ' ἔπειτα μέγαν καὶ ἀμύμονα τύμβον
χεύαμεν 'Αργείων ἱερὸς στρατὸς αἰχμητάων
ἀκτῇ ἔπι προὐχούσῃ, ἐπὶ πλατεῖ 'Ελλησπόντῳ,
ὥς κεν τηλεφανὴς ἐκ ποντόφιν ἀνδράσιν εἴη
τοῖσ', οἳ νῦν γεγάασι καὶ οἳ μετόπισθεν ἔσονται.
85 μήτηρ δ' αἰτήσασα θεοὺς περικαλλέ' ἄεθλα
θῆκε μέσῳ ἐν ἀγῶνι ἀριστήεσσιν 'Αχαιῶν.
ἤδη μὲν πολέων τάφῳ ἀνδρῶν ἀντεβόλησα
ἡρώων, ὅτε κέν ποτ' ἀποφθιμένου βασιλῆος
ζώννυνταί τε νέοι καὶ ἐπεντύνωνται ἄεθλα·
90 ἀλλά κε κεῖνα μάλιστα ἰδὼν θηήσαο θυμῷ,
οἷ' ἐπὶ σοὶ κατέθηκε θεὰ περικαλλέ' ἄεθλα,
ἀργυρόπεζα Θέτις· μάλα γὰρ φίλος ἦσθα θεοῖσιν.
ὣς σὺ μὲν οὐδὲ θανὼν ὄνομ' ὤλεσας, ἀλλά τοι αἰεὶ
πάντας ἐπ' ἀνθρώπους κλέος ἔσσεται ἐσθλόν, 'Αχιλλεῦ·

con bella voce: senza lacrime non avresti veduto un Argivo
in quel punto, tanto la limpida Musa commosse.
Per diciassette notti e giorni ininterrottamente
noi, dei immortali ed uomini mortali, t'abbiamo pianto;
65 la diciottesima notte ti demmo al fuoco e uccidemmo per te
molte pecore grasse e buoi con le corna ricurve.
Fosti cremato nella veste dei numi, con unguento copioso
e con dolce miele: molti gli eroi Achei
che corsero in armi intorno alla pira, mentre bruciavi,
70 appiedati e sui carri; era sorto molto frastuono.
Quando la fiamma di Efesto ti sfece,
raccogliemmo, o Achille, le candide ossa, al mattino,
in vino purissimo e unguento. Tua madre diede
un'anfora d'oro: dono di Diòniso
75 diceva che fosse, un'opera del famosissimo Efesto.
Giacciono in essa le tue candide ossa, o illustre Achille,
mischiate a quelle del morto Meneziade Patroclo,
distinte da quelle di Antiloco, che più di tutti gli altri
compagni onoravi, dopo la morte di Patroclo.
80 Poi elevammo un grande e nobile tumulo
sopra di esse, noi forte schiera di Achei armati di lancia,
su un promontorio sporgente, sull'ampio Ellesponto,
perché da lontano fosse visibile agli uomini in mare,
a quanti vivono ora e a quanti vivranno in futuro.
85 Tua madre chiese agli dei bellissimi premi
e li pose in mezzo all'arena, per gli Achei più valenti.
Ho assistito di già alle esequie di tanti guerrieri
ed eroi, quando alla morte di un re
i giovani si armano in veste succinta per gareggiare:
90 ma molto di più avresti ammirato, vedendo
quali bellissimi premi pose per te la dea
Teti dal piede d'argento: perché molto eri caro agli dei.
Così tu, dopo morto, non hai perduto il tuo nome, ma avrai
sempre tra tutti gli uomini nobile gloria, o Achille:

95 αὐτὰρ ἐμοὶ τί τόδ' ἦδος, ἐπεὶ πόλεμον τολύπευσα;
ἐν νόστῳ γάρ μοι Ζεὺς μήσατο λυγρὸν ὄλεθρον
Αἰγίσθου ὑπὸ χερσὶ καὶ οὐλομένης ἀλόχοιο ».
ὣς οἱ μὲν τοιαῦτα πρὸς ἀλλήλους ἀγόρευον·
ἀγχίμολον δέ σφ' ἦλθε διάκτορος Ἀργεϊφόντης
100 ψυχὰς μνηστήρων κατάγων Ὀδυσῆϊ δαμέντων.
τὼ δ' ἄρα θαμβήσαντ' ἰθὺς κίον, ὡς ἐσιδέσθην.
ἔγνω δὲ ψυχὴ Ἀγαμέμνονος Ἀτρεΐδαο
παῖδα φίλον Μελανῆος, ἀγακλυτὸν Ἀμφιμέδοντα·
ξεῖνος γάρ οἱ ἔην Ἰθάκῃ ἔνι οἰκία ναίων.
105 τὸν προτέρη ψυχὴ προσεφώνεεν Ἀτρεΐδαο·
« Ἀμφίμεδον, τί παθόντες ἐρεμνὴν γαῖαν ἔδυτε
πάντες κεκριμένοι καὶ ὁμήλικες; οὐδέ κεν ἄλλως
κρινάμενος λέξαιτο κατὰ πτόλιν ἄνδρας ἀρίστους.
ἦ ὔμμ' ἐν νήεσσι Ποσειδάων ἐδάμασσεν
110 ὄρσας ἀργαλέους ἀνέμους καὶ κύματα μακρά,
ἦ που ἀνάρσιοι ἄνδρες ἐδηλήσαντ' ἐπὶ χέρσου
βοῦς περιταμνομένους ἠδ' οἰῶν πώεα καλά,
ἦε περὶ πτόλιος μαχεούμενοι ἠδὲ γυναικῶν;
εἰπέ μοι εἰρομένῳ· ξεῖνος δέ τοι εὔχομαι εἶναι.
115 ἦ οὐ μέμνῃ, ὅτε κεῖσε κατήλυθον ὑμέτερον δῶ
ὀτρυνέων Ὀδυσῆα σὺν ἀντιθέῳ Μενελάῳ
Ἴλιον εἰς ἅμ' ἕπεσθαι ἐϋσσέλμων ἐπὶ νηῶν;
μηνὶ δ' ἄρ' οὔλῳ πάντα περήσαμεν εὐρέα πόντον,
σπουδῇ παρπεπιθόντες Ὀδυσσῆα πτολίπορθον ».
120 τὸν δ' αὖτε ψυχὴ προσεφώνεεν Ἀμφιμέδοντος·
« Ἀτρεΐδη κύδιστε, ἄναξ ἀνδρῶν Ἀγάμεμνον,
μέμνημαι τάδε πάντα, διοτρεφές, ὡς ἀγορεύεις·
σοὶ δ' ἐγὼ εὖ μάλα πάντα καὶ ἀτρεκέως καταλέξω,
ἡμετέρου θανάτοιο κακὸν τέλος, οἷον ἐτύχθη.
125 μνώμεθ' Ὀδυσσῆος δὴν οἰχομένοιο δάμαρτα·
ἡ δ' οὔτ' ἠρνεῖτο στυγερὸν γάμον οὔτε τελεύτα,
ἡμῖν φραζομένη θάνατον καὶ κῆρα μέλαιναν,
ἀλλὰ δόλον τόνδ' ἄλλον ἐνὶ φρεσὶ μερμήριξε·

95 ma a me che gioia ne è venuta, d'aver dipanato la guerra?
Al ritorno Zeus mi ordì una fine luttuosa,
per mano d'Egisto e della consorte funesta ».
Essi dunque facevano questi discorsi tra loro:
e arrivò il messaggero Arghifonte,
100 guidando le ombre dei proci uccisi da Odisseo.
Entrambi gli mossero incontro stupiti, appena li scorsero.
E l'anima dell'Atride Agamennone riconobbe
il figlio caro di Melaneo, l'insigne Anfimedonte:
era stato suo ospite durante un soggiorno ad Itaca.
105 Per prima l'anima dell'Atride gli disse:
« Anfimedonte, per quale sventura scendeste nella terra oscura,
tutti nobili e coetanei? Un uomo, scegliendo,
non sceglierebbe altrimenti i più nobili in una città.
Vi vinse forse Posidone dentro le navi,
110 dopo aver suscitato aspri venti e grossi marosi?
Oppure vi uccisero a terra uomini ostili,
mentre buoi razziavate e greggi di pecore,
o lottavate per una città e le sue donne?
Di' a me che domando: mi dichiaro tuo ospite.
115 Non ricordi, quando venni laggiù a casa vostra,
con Menelao pari a un dio, per indurre Odisseo
a venire ad Ilio con noi sulle navi ben costruite?
Per un mese intero traversammo tutto il vasto mare
e convincemmo a stento il distruttore di città Odisseo ».
120 Allora l'anima di Anfimedonte gli disse:
« Gloriosissimo Atride, Agamennone signore di uomini,
ricordo tutto questo che dici, o allevato da Zeus.
E a te ogni cosa io dirò e con tutta franchezza,
la nostra misera morte come è avvenuta.
125 Facevamo la corte alla moglie di Odisseo partito da tempo,
e lei né rifiutava le nozze aborrite né le compiva,
meditando contro di noi la morte e la nera rovina;
ma quest'altro inganno aveva inventato nell'animo:

στησαμένη μέγαν ἱστὸν ἐνὶ μεγάροισιν ὕφαινε,
130 λεπτὸν καὶ περίμετρον· ἄφαρ δ' ἡμῖν μετέειπε·
"κοῦροι, ἐμοὶ μνηστῆρες, ἐπεὶ θάνε δῖος Ὀδυσσεύς,
μίμνετ' ἐπειγόμενοι τὸν ἐμὸν γάμον, εἰς ὅ κε φᾶρος
ἐκτελέσω, μή μοι μεταμώνια νήματ' ὄληται,
Λαέρτῃ ἥρωϊ ταφήϊον, εἰς ὅτε κέν μιν
135 μοῖρ' ὀλοὴ καθέλῃσι τανηλεγέος θανάτοιο,
μή τίς μοι κατὰ δῆμον Ἀχαιϊάδων νεμεσήσῃ,
αἴ κεν ἄτερ σπείρου κεῖται πολλὰ κτεατίσσας".
ὣς ἔφαθ', ἡμῖν δ' αὖτ' ἐπεπείθετο θυμὸς ἀγήνωρ.
ἔνθα καὶ ἠματίη μὲν ὑφαίνεσκεν μέγαν ἱστόν,
140 νύκτας δ' ἀλλύεσκεν, ἐπὴν δαΐδας παραθεῖτο.
ὣς τρίετες μὲν ἔληθε δόλῳ καὶ ἔπειθεν Ἀχαιούς·
ἀλλ' ὅτε τέτρατον ἦλθεν ἔτος καὶ ἐπήλυθον ὧραι,
[μηνῶν φθινόντων, περὶ δ' ἤματα πόλλ' ἐτελέσθη,]
καὶ τότε δή τις ἔειπε γυναικῶν, ἣ σάφα ᾔδη,
145 καὶ τήν γ' ἀλλύουσαν ἐφεύρομεν ἀγλαὸν ἱστόν.
ὣς τὸ μὲν ἐξετέλεσσε καὶ οὐκ ἐθέλουσ', ὑπ' ἀνάγκης.
εὖθ' ἡ φᾶρος ἔδειξεν, ὑφήνασα μέγαν ἱστόν,
πλύνασ', ἠελίῳ ἐναλίγκιον ἠὲ σελήνῃ,
καὶ τότε δή ῥ' Ὀδυσῆα κακός ποθεν ἤγαγε δαίμων
150 ἀγροῦ ἐπ' ἐσχατιήν, ὅθι δώματα ναῖε συβώτης.
ἔνθ' ἦλθεν φίλος υἱὸς Ὀδυσσῆος θείοιο,
ἐκ Πύλου ἠμαθόεντος ἰὼν σὺν νηῒ μελαίνῃ·
τὼ δὲ μνηστῆρσιν θάνατον κακὸν ἀρτύναντε
ἵκοντο προτὶ ἄστυ περικλυτόν, ἤτοι Ὀδυσσεὺς
155 ὕστερος, αὐτὰρ Τηλέμαχος πρόσθ' ἡγεμόνευε.
τὸν δὲ συβώτης ἦγε κακὰ χροῒ εἵματ' ἔχοντα,
πτωχῷ λευγαλέῳ ἐναλίγκιον ἠδὲ γέροντι,
[σκηπτόμενον· τὰ δὲ λυγρὰ περὶ χροῒ εἵματα ἕστο·]
οὐδέ τις ἡμείων δύνατο γνῶναι τὸν ἐόντα,
160 ἐξαπίνης προφανέντ', οὐδ' οἳ προγενέστεροι ἦσαν,
ἀλλ' ἔπεσίν τε κακοῖσιν ἐνίσσομεν ἠδὲ βολῇσιν.
αὐτὰρ ὁ τέως μὲν ἐτόλμα ἐνὶ μεγάροισιν ἑοῖσι

in una stanza aveva impostato e tesseva un gran telo,
130 sottile e assai ampio, e ci diceva senza esitare:
"Giovani, miei pretendenti, poiché il chiaro Odisseo è morto,
aspettate, pur bramando le nozze, che finisca
il lenzuolo – che i fili non mi si sperdano al vento –;
il sudario per l'eroe Laerte, per quando
135 lo coglie il funesto destino della morte spietata,
perché nessuna delle Achee tra la gente mi biasimi,
se giace senza un lenzuolo uno che tanto possiede".
Disse così e fu convinto il nostro animo altero.
Ma lei di giorno tesseva il gran telo
140 e di notte, con le fiaccole a lato, lo disfaceva.
Così per tre anni eluse, con l'astuzia, e convinse gli Achei:
ma quando giunse il quarto anno e tornò primavera,
[consumatisi i mesi e trascorsi molti giorni,]
allora una delle donne, che ben lo sapeva, parlò
145 e la cogliemmo a disfare lo splendido ordito.
Così lo finì, benché contro voglia, per forza.
Quando mostrò il lenzuolo, dopo aver tessuto
e lavato il gran telo simile al sole o alla luna,
ecco da un luogo un demone avverso condurre Odisseo
150 all'orlo del campo, nel quale abitava il porcaro.
Lì arrivò il caro figlio del divino Odisseo,
tornato da Pilo sabbiosa con la nera nave:
i due tramarono ai proci una orribile morte
e poi s'avviarono all'illustre città, Odisseo
155 dopo, mentre Telemaco lo precedeva.
Lo guidava il porcaro, con indosso misere vesti,
somigliante a un mendico miserabile e vecchio
[appoggiato a un bastone; vestiva quelle misere vesti].
Nessuno di noi poté riconoscere che quello era lui,
160 al suo apparire improvviso, neanche i più anziani,
ma l'investimmo con male parole e con lanci.
Sopportò alcun tempo, con cuore paziente,

βαλλόμενος καὶ ἐνισσόμενος τετληότι θυμῷ·
ἀλλ' ὅτε δή μιν ἔγειρε Διὸς νόος αἰγιόχοιο,
165 σὺν μὲν Τηλεμάχῳ περικαλλέα τεύχε' ἀείρας
ἐς θάλαμον κατέθηκε καὶ ἐκλήϊσεν ὀχῆας,
αὐτὰρ ὁ ἣν ἄλοχον πολυκερδείῃσιν ἄνωγε
τόξον μνηστήρεσσι θέμεν πολιόν τε σίδηρον,
ἡμῖν αἰνομόροισιν ἀέθλια καὶ φόνου ἀρχήν.
170 οὐδέ τις ἡμείων δύνατο κρατεροῖο βιοῖο
νευρὴν ἐντανύσαι, πολλὸν δ' ἐπιδευέες ἦμεν.
ἀλλ' ὅτε χεῖρας ἵκανεν Ὀδυσσῆος μέγα τόξον,
ἔνθ' ἡμεῖς μὲν πάντες ὁμοκλέομεν ἐπέεσσι
τόξον μὴ δόμεναι, μηδ' εἰ μάλα πόλλ' ἀγορεύοι,
175 Τηλέμαχος δέ μιν οἶος ἐποτρύνων ἐκέλευσεν.
αὐτὰρ ὁ δέξατο χειρὶ πολύτλας δῖος Ὀδυσσεύς,
ῥηϊδίως δ' ἐτάνυσσε βιόν, διὰ δ' ἧκε σιδήρου·
στῆ δ' ἄρ' ἐπ' οὐδὸν ἰών, ταχέας δ' ἐκχεύατ' ὀϊστοὺς
δεινὸν παπταίνων, βάλε δ' Ἀντίνοον βασιλῆα.
180 αὐτὰρ ἔπειτ' ἄλλοισ' ἐφίει βέλεα στονόεντα
ἄντα τιτυσκόμενος· τοὶ δ' ἀγχιστῖνοι ἔπιπτον.
γνωτὸν δ' ἦν, ὅ ῥά τίς σφι θεῶν ἐπιτάρροθος ἦεν·
αὐτίκα γὰρ κατὰ δώματ' ἐπισπόμενοι μένεϊ σφῷ
κτεῖνον ἐπιστροφάδην, τῶν δὲ στόνος ὤρνυτ' ἀεικὴς
185 κράτων τυπτομένων, δάπεδον δ' ἅπαν αἵματι θῦεν.
ὣς ἡμεῖς, Ἀγάμεμνον, ἀπωλόμεθ', ὧν ἔτι καὶ νῦν
σώματ' ἀκηδέα κεῖται ἐνὶ μεγάροισ' Ὀδυσῆος·
οὐ γάρ πω ἴσασι φίλοι κατὰ δώμαθ' ἑκάστου,
οἵ κ' ἀπονίψαντες μέλανα βρότον ἐξ ὠτειλέων
190 κατθέμενοι γοάοιεν· ὃ γὰρ γέρας ἐστὶ θανόντων ».

τὸν δ' αὖτε ψυχὴ προσεφώνεεν Ἀτρεΐδαο
« ὄλβιε Λαέρταο πάϊ, πολυμήχαν' Ὀδυσσεῦ,
ἦ ἄρα σὺν μεγάλῃ ἀρετῇ ἐκτήσω ἄκοιτιν·
ὡς ἀγαθαὶ φρένες ἦσαν ἀμύμονι Πηνελοπείῃ,
195 κούρῃ Ἰκαρίου, ὡς εὖ μέμνητ' Ὀδυσῆος,
ἀνδρὸς κουριδίου. τῶ οἱ κλέος οὔ ποτ' ὀλεῖται

d'esser colpito e ingiuriato nella sua casa:
ma quando la mente di Zeus egioco lo ridestò,
165 prese le bellissime armi, insieme a Telemaco,
le ripose nel talamo e chiuse i paletti:
e con molta scaltrezza indusse sua moglie
a proporre ai proci l'arco e il ferro canuto,
gara e inizio di strage per noi sventurati.
170 Nessuno di noi poté tendere il nervo
del fortissimo arco, eravamo molto inferiori.
Ma quando il grande arco arrivò nelle mani d'Odisseo,
allora noi tutti, minacciando, gridammo
di non consegnargli l'arco, per quanto insistesse;
175 solo Telemaco, incitandolo, glielo ordinò.
E così lui lo ebbe, il paziente chiaro Odisseo,
tese l'arco con facilità, traversò le scuri di ferro:
poi si piantò sulla soglia, saettò i dardi veloci
lanciando sguardi terribili, e colpì il principe Antinoo.
180 Scagliò poi dardi luttuosi sugli altri,
mirando dritto avanti, ed essi cadevano a mucchio.
Era chiaro che loro alleato era un dio:
subito infatti in casa, mossi dal loro furore,
si volsero a uccidere ovunque. Il loro lamento saliva orribile
185 dai capi colpiti, tutto il suolo fumava di sangue.
Così noi morimmo, o Agamennone. E ancora adesso
giacciono i nostri corpi insepolti in casa d'Odisseo:
in casa di ognuno i congiunti ancora non sanno,
sicché possano piangerci, dopo averci lavate le piaghe
190 del nero sangue e averci deposto: che è poi l'onore dei morti».
Allora l'anima dell'Atride gli disse:
«Felice figlio di Laerte, Odisseo pieno di astuzie,
veramente acquistasti una moglie di grande virtù:
un animo così valoroso ebbe Penelope, la nobile
195 figlia di Icario; si ricordò così bene di Odisseo,
del marito legittimo. La fama del suo valore non svanirà

ἧς ἀρετῆς, τεύξουσι δ' ἐπιχθονίοισιν ἀοιδὴν
ἀθάνατοι χαρίεσσαν ἐχέφρονι Πηνελοπείῃ,
οὐχ ὡς Τυνδαρέου κούρη κακὰ μήσατο ἔργα,
200 κουρίδιον κτείνασα πόσιν, στυγερὴ δέ τ' ἀοιδὴ
ἔσσετ' ἐπ' ἀνθρώπους, χαλεπὴν δέ τε φῆμιν ὀπάσσει
θηλυτέρῃσι γυναιξί, καὶ ἥ κ' εὐεργὸς ἔῃσιν ».
ὣς οἱ μὲν τοιαῦτα πρὸς ἀλλήλους ἀγόρευον,
ἑσταότ' εἰν 'Αΐδαο δόμοισ', ὑπὸ κεύθεσι γαίης·
205 οἱ δ' ἐπεὶ ἐκ πόλιος κατέβαν, τάχα δ' ἀγρὸν ἵκοντο
καλὸν Λαέρταο τετυγμένον, ὅν ῥά ποτ' αὐτὸς
Λαέρτης κτεάτισσεν, ἐπεὶ μάλα πολλὰ μόγησεν.
ἔνθα οἱ οἶκος ἔην, περὶ δὲ κλίσιον θέε πάντῃ,
ἐν τῷ σιτέσκοντο καὶ ἵζανον ἠδὲ ἴαυον
210 δμῶες ἀναγκαῖοι, τοί οἱ φίλα ἐργάζοντο.
ἐν δὲ γυνὴ Σικελὴ γρηῢς πέλεν, ἥ ῥα γέροντα
ἐνδυκέως κομέεσκεν ἐπ' ἀγροῦ νόσφι πόληος.
ἔνθ' 'Οδυσεὺς δμώεσσι καὶ υἱέϊ μῦθον ἔειπεν·
« ὑμεῖς μὲν νῦν ἔλθετ' ἐϋκτίμενον δόμον εἴσω,
215 δεῖπνον δ' αἶψα συῶν ἱερεύσατε ὅς τις ἄριστος·
αὐτὰρ ἐγὼ πατρὸς πειρήσομαι ἡμετέροιο,
αἴ κέ μ' ἐπιγνώῃ καὶ φράσσεται ὀφθαλμοῖσιν,
ἦέ κεν ἀγνοιῇσι πολὺν χρόνον ἀμφὶς ἐόντα ».
ὣς εἰπὼν δμώεσσιν ἀρήϊα τεύχε' ἔδωκεν.
220 οἱ μὲν ἔπειτα δόμονδε θοῶς κίον, αὐτὰρ 'Οδυσσεὺς
ἄσσον ἴεν πολυκάρπου ἀλωῆς πειρητίζων.
οὐδ' εὗρεν Δολίον, μέγαν ὄρχατον ἐσκαταβαίνων,
οὐδέ τινα δμώων οὐδ' υἱῶν· ἀλλ' ἄρα τοί γε
αἱμασιὰς λέξοντες ἀλωῆς ἔμμεναι ἕρκος
225 ᾤχοντ', αὐτὰρ ὁ τοῖσι γέρων ὁδὸν ἡγεμόνευε.
τὸν δ' οἶον πατέρ' εὗρεν ἐϋκτιμένῃ ἐν ἀλωῇ,
λιστρεύοντα φυτόν· ῥυπόωντα δὲ ἕστο χιτῶνα,
ῥαπτὸν ἀεικέλιον, περὶ δὲ κνήμῃσι βοείας
κνημῖδας ῥαπτὰς δέδετο, γραπτῦς ἀλεείνων,
230 χειρῖδάς τ' ἐπὶ χερσὶ βάτων ἕνεκ'· αὐτὰρ ὕπερθεν

mai per lei: gli immortali per la saggia Penelope comporranno
un canto gradito tra gli uomini in terra.
Non così meditò le sue gesta malvage la figlia di Tindaro,
200 uccidendo il marito legittimo, e un canto odioso
vi sarà tra gli uomini, e darà pessima fama
alle deboli donne, anche a colei che sia onesta ».

Essi dunque facevano questi discorsi tra loro,
stando nelle case di Ade, nei recessi sotterra.
205 Ma gli altri, usciti dalla città, arrivarono presto nel campo
ben lavorato, proprietà di Laerte, che lo stesso Laerte
aveva un tempo acquistato, spendendovi molta fatica.
Aveva lì la dimora: una tettoia correva all'intorno
e in essa mangiavano e solevano stare e dormire
210 i lavoranti obbligati, che a lui facevano i lavori voluti.
E c'era una donna sicula, anziana, che accudiva
il vecchio con cura in campagna, lontano dalla città.
In quel punto Odisseo parlò ai servi ed al figlio:

« Voi ora entrate nella casa ben costruita,
215 e per il pranzo uccidete subito un porco, il migliore:
ed io metterò nostro padre alla prova, per vedere
se mi ravvisa e mi nota cogli occhi,
o non mi ravvisa, per essere stato a lungo lontano ».

Disse così e ai servi affidò le armi da guerra.
220 Allora, rapidamente, essi andarono in casa, e Odisseo
si diresse al vigneto ricco di frutti, cercando.
Ma andando tra i grandi filari non trovò Dolio,
né alcuno dei servi o dei figli: costoro
erano andati a raccogliere pruni per un recinto
225 al vigneto e li guidava quel vecchio per via.
Nel vigneto ben coltivato trovò però il padre, solingo,
che zappava a una pianta: indossava una sudicia veste,
con toppe, obbrobriosa; alle gambe s'era legati
gambali cuciti di cuoio, per evitare gli sgraffi,
230 e alle mani guantoni contro le spine; sul capo

αἰγείην κυνέην κεφαλῇ ἔχε, πένθος ἀέξων.
τὸν δ' ὡς οὖν ἐνόησε πολύτλας δῖος Ὀδυσσεὺς
γήραϊ τειρόμενον, μέγα δὲ φρεσὶ πένθος ἔχοντα,
στὰς ἄρ' ὑπὸ βλωθρὴν ὄγχνην κατὰ δάκρυον εἶβε.
235 μερμήριξε δ' ἔπειτα κατὰ φρένα καὶ κατὰ θυμὸν
κύσσαι καὶ περιφῦναι ἑὸν πατέρ' ἠδὲ ἕκαστα
εἰπεῖν, ὡς ἔλθοι καὶ ἵκοιτ' ἐς πατρίδα γαῖαν,
[ἦ πρῶτ' ἐξερέοιτο ἕκαστά τε πειρήσαιτο.]
ὧδε δέ οἱ φρονέοντι δοάσσατο κέρδιον εἶναι,
240 πρῶτον κερτομίοισ' ἐπέεσσιν πειρηθῆναι.
τὰ φρονέων ἰθὺς κίεν αὐτοῦ δῖος Ὀδυσσεύς.
ἤτοι ὁ μὲν κατέχων κεφαλὴν φυτὸν ἀμφελάχαινε·
τὸν δὲ παριστάμενος προσεφώνεε φαίδιμος υἱός·
« ὦ γέρον, οὐκ ἀδαημονίη σ' ἔχει ἀμφιπολεύειν
245 ὄρχατον, ἀλλ' εὖ τοι κομιδὴ ἔχει, οὐδέ τι πάμπαν,
οὐ φυτόν, οὐ συκῆ, οὐκ ἄμπελος, οὐ μὲν ἐλαίη,
οὐκ ὄγχνη, οὐ πρασιή τοι ἄνευ κομιδῆς κατὰ κῆπον.
ἄλλο δέ τοι ἐρέω, σὺ δὲ μὴ χόλον ἔνθεο θυμῷ·
αὐτόν σ' οὐκ ἀγαθὴ κομιδὴ ἔχει, ἀλλ' ἅμα γῆρας
250 λυγρὸν ἔχεις αὐχμεῖς τε κακῶς καὶ ἀεικέα ἕσσαι.
οὐ μὲν ἀεργίης γε ἄναξ ἕνεκ' οὔ σε κομίζει,
οὐδέ τί τοι δούλειον ἐπιπρέπει εἰσοράασθαι
εἶδος καὶ μέγεθος· βασιλῆι γὰρ ἀνδρὶ ἔοικας.
τοιούτῳ δὲ ἔοικεν, ἐπεὶ λούσαιτο φάγοι τε,
255 εὑδέμεναι μαλακῶς· ἡ γὰρ δίκη ἐστὶ γερόντων.
ἀλλ' ἄγε μοι τόδε εἰπὲ καὶ ἀτρεκέως κατάλεξον·
τεῦ δμώς εἰς ἀνδρῶν; τεῦ δ' ὄρχατον ἀμφιπολεύεις;
καί μοι τοῦτ' ἀγόρευσον ἐτήτυμον, ὄφρ' ἐῢ εἰδῶ,
εἰ ἐτεόν γ' Ἰθάκην τήνδ' ἱκόμεθ', ὥς μοι ἔειπεν
260 οὗτος ἀνὴρ νῦν δὴ ξυμβλήμενος ἐνθάδ' ἰόντι,
οὔ τι μάλ' ἀρτίφρων, ἐπεὶ οὐ τόλμησεν ἕκαστα
εἰπεῖν ἠδ' ἐπακοῦσαι ἐμὸν ἔπος, ὡς ἐρέεινον
ἀμφὶ ξείνῳ ἐμῷ, ἤ που ζώει τε καὶ ἔστιν,
ἦ ἤδη τέθνηκε καὶ εἰν Ἀΐδαο δόμοισιν.

aveva un berretto di pelle di capra, e la sua pena accresceva.
Lo scorse così, il paziente chiaro Odisseo,
consunto dalla vecchiaia, con una gran pena nell'animo:
fermatosi sotto un altissimo pero, pianse.
235 Poi decise nella mente e nell'animo
di baciare e abbracciare suo padre e dirgli
ogni cosa, come era venuto e arrivato in patria
[o subito fargli domande e in ogni argomento provarlo].
Ma mentre pensava, gli parve meglio così:
240 di metterlo prima alla prova, con note pungenti.
Con questo pensiero, andò dritto da lui il chiaro Odisseo.
Quegli zappava a una pianta, col capo chino;
standogli accanto l'illustre figlio gli disse:
« Vecchio, non v'è imperizia in te nel curare
245 i filari, v'è anzi gran cura; e non v'è proprio nulla,
una pianta, un fico, una vite, un olivo,
un pero, un'aiuola, senza cura in giardino.
Però ti dirò anche questo, tu non metterti in collera:
è di te che non hai buona cura, ma hai insieme
250 una triste vecchiaia, sei molto sporco e hai squallide vesti.
Non per la tua pigrizia ti trascura il padrone,
né in te a vederti si nota alcun tratto servile,
nel volto e nella statura: anzi somigli ad un re.
Spetta ad uno così, dopo il bagno ed il pasto,
255 dormire morbidamente: è questo un diritto dei vecchi.
Ma dimmi una cosa e dilla con tutta franchezza:
sei servo di chi? ai campi di chi accudisci?
sinceramente dimmi anche questo, che io sappia bene,
se sono arrivato davvero qui ad Itaca, come mi ha detto
260 or ora incontrandomi, mentre venivo, quell'uomo
non certo gentile, poiché non si è data la pena di dirmi
ogni cosa e di ascoltarmi quando gli chiesi
di un ospite, se vive ed esiste,
oppure è già morto ed è nelle case di Ade.

265 ἐκ γάρ τοι ἐρέω, σὺ δὲ σύνθεο καί μευ ἄκουσον
ἄνδρα ποτ' ἐξείνισσα φίλῃ ἐν πατρίδι γαίῃ
ἡμέτερόνδ' ἐλθόντα, καὶ οὔ πώ τις βροτὸς ἄλλος
ξείνων τηλεδαπῶν φιλίων ἐμὸν ἵκετο δῶμα·
εὔχετο δ' ἐξ Ἰθάκης γένος ἔμμεναι, αὐτὰρ ἔφασκε
270 Λαέρτην Ἀρκεισιάδην πατέρ' ἔμμεναι αὐτῷ.
τὸν μὲν ἐγὼ πρὸς δώματ' ἄγων εὖ ἐξείνισσα,
ἐνδυκέως φιλέων, πολλῶν κατὰ οἶκον ἐόντων,
καί οἱ δῶρα πόρον ξεινήϊα, οἷα ἐῴκει.
χρυσοῦ μέν οἱ δῶκ' εὐεργέος ἑπτὰ τάλαντα,
275 δῶκα δέ οἱ κρητῆρα πανάργυρον ἀνθεμόεντα,
δώδεκα δ' ἁπλοΐδας χλαίνας, τόσσους δὲ τάπητας,
τόσσα δὲ φάρεα καλά, τόσους δ' ἐπὶ τοῖσι χιτῶνας,
χωρὶς δ' αὖτε γυναῖκας ἀμύμονα ἔργα ἰδυίας
τέσσαρας εἰδαλίμας, ἃς ἤθελεν αὐτὸς ἑλέσθαι ».
280 τὸν δ' ἠμείβετ' ἔπειτα πατὴρ κατὰ δάκρυον εἴβων·
« ξεῖν', ἤτοι μὲν γαῖαν ἱκάνεις, ἣν ἐρεείνεις,
ὑβρισταὶ δ' αὐτὴν καὶ ἀτάσθαλοι ἄνδρες ἔχουσι.
δῶρα δ' ἐτώσια ταῦτα χαρίζεο, μυρί' ὀπάζων·
εἰ γάρ μιν ζωόν γε κίχεις Ἰθάκης ἐνὶ δήμῳ,
285 τῶ κέν σ' εὖ δώροισιν ἀμειψάμενος ἀπέπεμψε
καὶ ξενίῃ ἀγαθῇ· ἡ γὰρ θέμις, ὅς τις ὑπάρξῃ.
ἀλλ' ἄγε μοι τόδε εἰπὲ καὶ ἀτρεκέως κατάλεξον·
πόστον δὴ ἔτος ἐστίν, ὅτε ξείνισσας ἐκεῖνον,
σὸν ξεῖνον δύστηνον, ἐμὸν παῖδ', εἴ ποτ' ἔην γε;
290 δύσμορον· ὅν που τῆλε φίλων καὶ πατρίδος αἴης
ἠέ που ἐν πόντῳ φάγον ἰχθύες, ἢ ἐπὶ χέρσου
θηρσὶ καὶ οἰωνοῖσιν ἕλωρ γένετ'· οὐδέ ἑ μήτηρ
κλαῦσε περιστείλασα πατήρ θ', οἵ μιν τεκόμεσθα·
οὐδ' ἄλοχος πολύδωρος, ἐχέφρων Πηνελόπεια,
295 κώκυσ' ἐν λεχέεσσιν ἑὸν πόσιν, ὡς ἐπεῴκει,
ὀφθαλμοὺς καθελοῦσα· τὸ γὰρ γέρας ἐστὶ θανόντων.
καί μοι τοῦτ' ἀγόρευσον ἐτήτυμον, ὄφρ' εὖ εἰδῶ·
τίς πόθεν εἰς ἀνδρῶν; πόθι τοι πόλις ἠδὲ τοκῆες;

265 Perché voglio dirtelo, e tu comprendi ed ascoltami:
un giorno in patria ospitai un uomo
venuto da noi, e mai nessun altro mortale
tra gli ospiti di terre lontane arrivò a casa mia più gradito:
affermava di essere, per stirpe, di Itaca e diceva
270 che suo padre era il figlio di Archisio, Laerte.
L'ospitai bene, conducendolo a casa,
gentilmente accogliendolo: c'era molto in casa,
e gli offrii i doni ospitali che è giusto.
Sette talenti d'oro ben lavorato gli diedi,
275 e gli diedi un cratere d'argento massiccio, adorno di fiori,
dodici manti semplici, altrettanti tappeti,
altrettanti bei drappi; oltre a questi, dodici tuniche
e a parte anche quattro donne leggiadre,
esperte di insigni lavori, che da sé volle scegliersi ».
280 Allora il padre piangendo gli disse:
« Straniero, sei arrivato davvero nella terra che cerchi,
ma uomini prepotenti l'opprimono, e scellerati.
Inutilmente desti quei doni, pur donandone molti.
Se lo avessi trovato nella terra di Itaca vivo,
285 ti congedava liberalmente, contraccambiando con doni
e con buona accoglienza: per chi comincia, è questa la norma.
Ma dimmi una cosa e dilla con tutta franchezza:
che anno corre, dacché ospitasti quell'uomo,
l'infelice tuo ospite, il figlio mio, se mai egli fu?
290 Sventurato! lontano dai suoi e dalla sua patria
lo divorarono i pesci nel mare, o sulla terra
divenne preda di fiere e di uccelli. Non lo pianse
sua madre, dopo averlo composto, o suo padre, noi genitori:
né la moglie ottenuta con molti regali, la saggia Penelope,
295 gridò per lo sposo sul letto il lamento, com'è doveroso,
né chiuse i suoi occhi: è questo l'onore dei morti.
Sinceramente dimmi anche questo, che io sappia bene:
chi sei, di che stirpe? dove hai città e genitori?

ποῦ δὲ νηῦς ἕστηκε θοή, ἥ σ' ἤγαγε δεῦρο
300 ἀντιθέους θ' ἑτάρους; ἦ ἔμπορος εἰλήλουθας
νηὸς ἐπ' ἀλλοτρίης, οἱ δ' ἐκβήσαντες ἔβησαν; ».
τὸν δ' ἀπαμειβόμενος προσέφη πολύμητις Ὀδυσσεύς·
« τοιγὰρ ἐγώ τοι πάντα μάλ' ἀτρεκέως καταλέξω.
εἰμὶ μὲν ἐξ Ἀλύβαντος, ὅθι κλυτὰ δώματα ναίω,
305 υἱὸς Ἀφείδαντος Πολυπημονίδαο ἄνακτος·
αὐτὰρ ἐμοί γ' ὄνομ' ἐστὶν Ἐπήριτος· ἀλλά με δαίμων
πλάγξ' ἀπὸ Σικανίης δεῦρ' ἐλθέμεν οὐκ ἐθέλοντα·
νηῦς δέ μοι ἥδ' ἕστηκεν ἐπ' ἀγροῦ νόσφι πόληος.
αὐτὰρ Ὀδυσσῆϊ τόδε δὴ πέμπτον ἔτος ἐστίν,
310 ἐξ οὗ κεῖθεν ἔβη καὶ ἐμῆς ἀπελήλυθε πάτρης,
δύσμορος· ἦ τέ οἱ ἐσθλοὶ ἔσαν ὄρνιθες ἰόντι,
δεξιοί, οἷς χαίρων μὲν ἐγὼν ἀπέπεμπον ἐκεῖνον,
χαῖρε δὲ κεῖνος ἰών· θυμὸς δ' ἔτι νῶϊν ἐώλπει
μείξεσθαι ξενίῃ ἠδ' ἀγλαὰ δῶρα διδώσειν ».
315 ὣς φάτο, τὸν δ' ἄχεος νεφέλη ἐκάλυψε μέλαινα·
ἀμφοτέρῃσι δὲ χερσὶν ἑλὼν κόνιν αἰθαλόεσσαν
χεύατο κὰκ κεφαλῆς πολιῆς, ἁδινὰ στεναχίζων.
τοῦ δ' ὠρίνετο θυμός, ἀνὰ ῥῖνας δέ οἱ ἤδη
δριμὺ μένος προὔτυψε φίλον πατέρ' εἰσορόωντι.
320 κύσσε δέ μιν περιφὺς ἐπιάλμενος ἠδὲ προσηύδα·
« κεῖνος μὲν δὴ ὅδ' αὐτὸς ἐγώ, πάτερ, ὃν σὺ μεταλλᾷς,
ἤλυθον εἰκοστῷ ἔτεϊ ἐς πατρίδα γαῖαν.
ἀλλ' ἴσχευ κλαυθμοῖο γόοιό τε δακρυόεντος.
ἐκ γάρ τοι ἐρέω – μάλα δὲ χρὴ σπευδέμεν ἔμπης –·
325 μνηστῆρας κατέπεφνον ἐν ἡμετέροισι δόμοισι
λώβην τεινύμενος θυμαλγέα καὶ κακὰ ἔργα ».
τὸν δ' αὖ Λαέρτης ἀπαμείβετο φώνησέν τε·
« εἰ μὲν δὴ Ὀδυσεύς γε, ἐμὸς πάϊς, εἰλήλουθας,
σῆμά τί μοι νῦν εἰπὲ ἀριφραδές, ὄφρα πεποίθω ».
330 τὸν δ' ἀπαμειβόμενος προσέφη πολύμητις Ὀδυσσεύς·
« οὐλὴν μὲν πρῶτον τήνδε φράσαι ὀφθαλμοῖσι,
τὴν ἐν Παρνησῷ μ' ἔλασεν σῦς λευκῷ ὀδόντι

Dove sta la nave veloce, che qui ti portò
300 coi compagni pari agli dei? o sei venuto da passeggero
sopra una nave straniera e ti sbarcarono e andarono via? ».
Rispondendo gli disse l'astuto Odisseo:
« Ma certo, ti dirò ogni cosa con tutta franchezza.
Di Alibante io sono, dove abito illustri dimore,
305 figlio del signore Afidante Polipemonide:
il mio nome è Eperito; dalla Sicania
un dio mi deviò finché giunsi qui, controvoglia:
la mia nave è questa alla fonda fuori città, verso i campi.
È già il quinto anno, questo, da quando
310 Odisseo partì e lasciò la mia patria,
infelice: ma gli uccelli per lui volavano fausti,
da destra; allietato da essi, lo congedai,
ed egli era lieto partendo: speravamo di cuore di unirci
ancora da ospiti e scambiarci splendidi doni ».
315 Disse così, e una nuvola nera d'angoscia avvolse Laerte,
con entrambe le mani raccolse la polvere fuligginosa
e la versò sul suo capo canuto, fittamente gemendo.
L'animo a lui si commosse, guardando suo padre,
e alle nari gli irruppe uno stimolo acre.
320 Lo baciò, con un balzo abbracciandolo, e disse:
« Padre, quello di cui tu domandi sono io:
sono giunto al ventesimo anno nella terra dei padri.
Ma cessa dai gemiti e dal tuo lacrimoso lamento.
Ti narrerò tutto – ma occorre fare assai presto:
325 i pretendenti nelle nostre case li ho uccisi,
vendicando l'oltraggio crudele e le azioni malvage ».
Laerte gli rispose e gli disse:
« Se sei veramente tornato, Odisseo mio figlio,
dimmi ora un segno chiarissimo, perché sia convinto ».
330 Rispondendo gli disse l'astuto Odisseo:
« Anzitutto ravvisa cogli occhi questa ferita,
che sul Parnaso mi inferse il cinghiale col bianco dente,

οἰχόμενον· σὺ δέ με προΐεις καὶ πότνια μήτηρ
ἐς πατέρ' Αὐτόλυκον μητρὸς φίλον, ὄφρ' ἂν ἑλοίμην
335 δῶρα, τὰ δεῦρο μολών μοι ὑπέσχετο καὶ κατένευσεν.
εἰ δ' ἄγε τοι καὶ δένδρε' ἐϋκτιμένην κατ' ἀλωὴν
εἴπω, ἅ μοί ποτ' ἔδωκας, ἐγὼ δ' ᾔτευν σε ἕκαστα
παιδνὸς ἐών, κατὰ κῆπον ἐπισπόμενος· διὰ δ' αὐτῶν
ἱκνεύμεσθα, σὺ δ' ὠνόμασας καὶ ἔειπες ἕκαστα.
340 ὄγχνας μοι δῶκας τρεισκαίδεκα καὶ δέκα μηλέας,
συκέας τεσσαράκοντ'· ὄρχους δέ μοι ὧδ' ὀνόμηνας
δώσειν πεντήκοντα, διατρύγιος δὲ ἕκαστος
ἤην· ἔνθα δ' ἀνὰ σταφυλαὶ παντοῖαι ἔασιν,
ὁππότε δὴ Διὸς ὧραι ἐπιβρίσειαν ὕπερθεν ».
345 ὣς φάτο, τοῦ δ' αὐτοῦ λύτο γούνατα καὶ φίλον ἦτορ,
σήματ' ἀναγνόντος, τά οἱ ἔμπεδα πέφραδ' Ὀδυσσεύς·
ἀμφὶ δὲ παιδὶ φίλῳ βάλε πήχεε· τὸν δὲ ποτὶ οἷ
εἷλεν ἀποψύχοντα πολύτλας δῖος Ὀδυσσεύς.
αὐτὰρ ἐπεί ῥ' ἄμπνυτο καὶ ἐς φρένα θυμὸς ἀγέρθη,
350 ἐξαῦτις μύθοισιν ἀμειβόμενος προσέειπε·
« Ζεῦ πάτερ, ἦ ῥ' ἔτι ἐστὲ θεοὶ κατὰ μακρὸν Ὄλυμπον,
εἰ ἐτεὸν μνηστῆρες ἀτάσθαλον ὕβριν ἔτεισαν.
νῦν δ' αἰνῶς δείδοικα κατὰ φρένα, μὴ τάχα πάντες
ἐνθάδ' ἐπέλθωσιν Ἰθακήσιοι, ἀγγελίας δὲ
355 πάντῃ ἐποτρύνωσι Κεφαλλήνων πολίεσσι ».
τὸν δ' ἀπαμειβόμενος προσέφη πολύμητις Ὀδυσσεύς·
« θάρσει· μή τοι ταῦτα μετὰ φρεσὶ σῇσι μελόντων.
ἀλλ' ἴομεν προτὶ οἶκον, ὃς ὀρχάτου ἐγγύθι κεῖται·
ἔνθα δὲ Τηλέμαχον καὶ βουκόλον ἠδὲ συβώτην
360 προὔπεμψ', ὡς ἂν δεῖπνον ἐφοπλίσσωσι τάχιστα ».
ὣς ἄρα φωνήσαντε βάτην πρὸς δώματα καλά.
οἱ δ' ὅτε δή ῥ' ἵκοντο δόμους εὖ ναιετάοντας,
εὗρον Τηλέμαχον καὶ βουκόλον ἠδὲ συβώτην
ταμνομένους κρέα πολλὰ κερῶντάς τ' αἴθοπα οἶνον.
365 τόφρα δὲ Λαέρτην μεγαλήτορα ᾧ ἐνὶ οἴκῳ
ἀμφίπολος Σικελὴ λοῦσεν καὶ χρῖσεν ἐλαίῳ,

quando vi andai: mi inviasti tu e la madre augusta
dal padre di mia madre, Autolico, a ricevere
335 i doni che egli mi offrì e promise quando qui venne.
E anche gli alberi del ben coltivato podere
ti voglio dire, che un giorno mi desti: io ti chiedevo di tutti,
bambino come ero, seguendoti per il frutteto: andavamo
tra essi e tu dicevi il nome di tutti.
340 Mi donasti tredici peri, dieci meli
e quaranta fichi; promettesti di darmi così
cinquanta filari, e maturava ciascuno dopo l'altro
i suoi grappoli – vi sono uve d'ogni genere ovunque –
quando le stagioni di Zeus dall'alto li caricano ».
345 Disse così e lì gli si sciolsero ginocchia e cuore,
nel riconoscere i segni che Odisseo gli rivelò, sicuri:
abbracciò il caro figlio, e il paziente chiaro Odisseo
lo sorresse mentre sveniva addosso a lui.
Ma quando rinvenne e l'animo si raccolse nel petto,
350 rispondendo di nuovo egli disse:
« Padre Zeus, ancora esistete voi dei sull'alto Olimpo,
se davvero i proci pagarono la loro insolente arroganza.
Adesso in petto ho un timore terribile, che gli Itacesi presto
arrivino qui tutti insieme e spediscano
355 nunzi dovunque nelle città cefallenie ».
Rispondendo gli disse l'astuto Odisseo:
« Coraggio, nel tuo animo non ti preoccupi questo.
Avviamoci verso la casa che sorge vicino al giardino.
Avanti ho mandato Telemaco, il bovaro e il porcaro,
360 laggiù, perché subito apparecchino il pranzo ».
Dopo aver detto così, andarono nelle belle dimore.
Quando giunsero nella casa ben situata,
trovarono Telemaco, il bovaro e il porcaro
che tagliavano molte carni e mischiavano il vino scuro.
365 L'ancella sicula intanto lavò e unse con olio
il prode Laerte nella sua casa,

ἀμφὶ δ' ἄρα χλαῖναν καλὴν βάλεν· αὐτὰρ Ἀθήνη
ἄγχι παρισταμένη μέλε' ἤλδανε ποιμένι λαῶν,
μείζονα δ' ἠὲ πάρος καὶ πάσσονα θῆκεν ἰδέσθαι.
370 ἐκ δ' ἀσαμίνθου βῆ· θαύμαζε δέ μιν φίλος υἱός,
ὡς ἴδεν ἀθανάτοισι θεοῖσ' ἐναλίγκιον ἄντην,
καί μιν φωνήσας ἔπεα πτερόεντα προσηύδα·
« ὦ πάτερ, ἦ μάλα τίς σε θεῶν αἰειγενετάων
εἶδός τε μέγεθός τε ἀμείνονα θῆκεν ἰδέσθαι ».
375 τὸν δ' αὖ Λαέρτης πεπνυμένος ἀντίον ηὔδα·
« αἲ γάρ, Ζεῦ τε πάτερ καὶ Ἀθηναίη καὶ Ἄπολλον,
οἷος Νήρικον εἷλον, ἐϋκτίμενον πτολίεθρον,
ἀκτὴν ἠπείροιο, Κεφαλλήνεσσιν ἀνάσσων,
τοῖος ἐών τοι χθιζὸς ἐν ἡμετέροισι δόμοισι
380 τεύχε' ἔχων ὤμοισιν ἐφεστάμεναι καὶ ἀμύνειν
ἄνδρας μνηστῆρας· τῶ κέ σφεων γούνατ' ἔλυσα
πολλῶν ἐν μεγάροισι, σὺ δὲ φρένας ἔνδον ἐγήθεις ».
ὣς οἱ μὲν τοιαῦτα πρὸς ἀλλήλους ἀγόρευον.
οἱ δ' ἐπεὶ οὖν παύσαντο πόνου τετύκοντό τε δαῖτα,
385 ἑξείης ἕζοντο κατὰ κλισμούς τε θρόνους τε.
ἔνθ' οἱ μὲν δείπνῳ ἐπεχείρεον· ἀγχίμολον δὲ
ἦλθ' ὁ γέρων Δολίος, σὺν δ' υἱεῖς τοῖο γέροντος,
ἐξ ἔργων μογέοντες, ἐπεὶ προμολοῦσα κάλεσσε
μήτηρ, γρηῢς Σικελή, ἥ σφεας τρέφε καί ῥα γέροντα
390 ἐνδυκέως κομέεσκεν, ἐπεὶ κατὰ γῆρας ἔμαρψεν.
οἱ δ' ὡς οὖν Ὀδυσῆα ἴδον φράσσαντό τε θυμῷ,
ἔσταν ἐνὶ μεγάροισι τεθηπότες· αὐτὰρ Ὀδυσσεὺς
μειλιχίοισ' ἐπέεσσι καθαπτόμενος προσέειπεν·
« ὦ γέρον, ἷζ' ἐπὶ δεῖπνον, ἀπεκλελάθεσθε δὲ θάμβευς·
395 δηρὸν γὰρ σίτῳ ἐπιχειρήσειν μεμαῶτες
μίμνομεν ἐν μεγάροισ', ὑμέας ποτιδέγμενοι αἰεί ».
ὣς ἄρ' ἔφη, Δολίος δ' ἰθὺς κίε χεῖρε πετάσσας
ἀμφοτέρας, Ὀδυσεῦς δὲ λαβὼν κύσε χεῖρ' ἐπὶ καρπῷ
καί μιν φωνήσας ἔπεα πτερόεντα προσηύδα·
400 « ὦ φίλ', ἐπεὶ νόστησας ἐελδομένοισι μάλ' ἡμῖν

gli gettò indosso un bel manto; e Atena,
standogli accanto, rinvigorì al pastore di genti le membra,
e lo fece più grande e robusto a vedersi.
370 Egli uscì dalla vasca: lo guardò con stupore suo figlio,
vedendolo somigliante agli dei nell'aspetto,
e parlando gli rivolse alate parole:
« Padre, certo qualcuno degli dei eterni
ti ha fatto più giovane in volto e statura a vederti ».
375 Gli rispose allora, giudiziosamente, Laerte:
« Magari, o padre Zeus e Atena e Apollo,
come quando Nerico presi, la ben costruita città,
sulla costa del continente, regnando sui Cefalleni,
essendo io ieri così, nelle nostre case,
380 con indosso le armi, fossi stato presente a combattere
i pretendenti! allora avrei sciolto a molti di essi
nelle case i ginocchi, e tu nel tuo animo avresti gioito ».
Essi, dunque, facevano questi discorsi tra loro.
Quando ebbero finito il lavoro e apprestato il pasto,
385 sedettero in ordine sulle sedie e sui troni.
Già cominciavano il pranzo, ed ecco arrivare
il vecchio Dolio e i figli del vecchio,
spossati dai campi: era andata la madre
a chiamarli, la vecchia sicula che li nutriva, e con premura
390 accudiva il vecchio, dacché la vecchiaia lo colse.
Come dunque essi videro Odisseo e lo riconobbero,
si arrestarono nella stanza stupiti; ma Odisseo
rivolgendosi ad essi con dolci parole gli disse:
« Siediti a pranzo, o vecchio, ogni stupore scordate:
395 aspettavamo in casa da tempo, desiderosi
di cominciare a mangiare, sempre aspettando voi ».
Disse così, e Dolio tendendo entrambe le braccia
corse diritto e presogli il polso baciò la mano di Odisseo,
e parlando gli rivolse alate parole:
400 « O caro, poiché tra noi sei tornato, tanto bramosi

οὐδ' ἔτ' ὀϊομένοισι, θεοὶ δέ σε ἤγαγον αὐτοί,
οὖλέ τε καὶ μέγα χαῖρε, θεοὶ δέ τοι ὄλβια δοῖεν.
καί μοι τοῦτ' ἀγόρευσον ἐτήτυμον, ὄφρ' ἐῢ εἰδῶ,
ἢ ἤδη σάφα οἶδε περίφρων Πηνελόπεια
405 νοστήσαντά σε δεῦρ', ἦ ἄγγελον ὀτρύνωμεν ».
τὸν δ' ἀπαμειβόμενος προσέφη πολύμητις Ὀδυσσεύς·
« ὦ γέρον, ἤδη οἶδε· τί σε χρὴ ταῦτα πένεσθαι; ».
ὣς φάθ', ὁ δ' αὖτις ἄρ' ἕζετ' ἐϋξέστου ἐπὶ δίφρου.
ὣς δ' αὔτως παῖδες Δολίου κλυτὸν ἀμφ' Ὀδυσῆα
410 δεικανόωντ' ἐπέεσσι καὶ ἐν χείρεσσι φύοντο,
ἑξείης δ' ἕζοντο παραὶ Δολίον, πατέρα σφόν.
ὣς οἱ μὲν περὶ δεῖπνον ἐνὶ μεγάροισι πένοντο·
ὄσσα δ' ἄρ' ἄγγελος ὦκα κατὰ πτόλιν ᾤχετο πάντῃ
μνηστήρων στυγερὸν θάνατον καὶ κῆρ' ἐνέπουσα.
415 οἱ δ' ἄρ' ὁμῶς ἀΐοντες ἐφοίτων ἄλλοθεν ἄλλος
μυχμῷ τε στοναχῇ τε δόμων προπάροιθ' Ὀδυσῆος,
ἐκ δὲ νέκυς οἴκων φόρεον καὶ θάπτον ἕκαστοι,
τοὺς δ' ἐξ ἀλλάων πολίων οἶκόνδε ἕκαστον
πέμπον ἄγειν ἁλιεῦσι θοῇσ' ἐπὶ νηυσὶ τιθέντες·
420 αὐτοὶ δ' εἰς ἀγορὴν κίον ἀθρόοι, ἀχνύμενοι κῆρ.
αὐτὰρ ἐπεί ῥ' ἤγερθεν ὁμηγερέες τ' ἐγένοντο,
τοῖσιν δ' Εὐπείθης ἀνά θ' ἵστατο καὶ μετέειπε·
παιδὸς γάρ οἱ ἄλαστον ἐνὶ φρεσὶ πένθος ἔκειτο,
Ἀντινόου, τὸν πρῶτον ἐνήρατο δῖος Ὀδυσσεύς·
425 τοῦ ὅ γε δάκρυ χέων ἀγορήσατο καὶ μετέειπεν·
« ὦ φίλοι, ἦ μέγα ἔργον ἀνὴρ ὅδε μήσατ' Ἀχαιούς·
τοὺς μὲν σὺν νήεσσιν ἄγων πολέας τε καὶ ἐσθλοὺς
ὤλεσε μὲν νῆας γλαφυράς, ἀπὸ δ' ὤλεσε λαούς,
τοὺς δ' ἐλθὼν ἔκτεινε Κεφαλλήνων ὄχ' ἀρίστους.
430 ἀλλ' ἄγετε, πρὶν τοῦτον ἢ ἐς Πύλον ὦκα ἱκέσθαι
ἢ καὶ ἐς Ἤλιδα δῖαν, ὅθι κρατέουσιν Ἐπειοί,
ἴομεν· ἦ καὶ ἔπειτα κατηφέες ἐσσόμεθ' αἰεί.
λώβη γὰρ τάδε γ' ἐστὶ καὶ ἐσσομένοισι πυθέσθαι,
εἰ δὴ μὴ παίδων τε κασιγνήτων τε φονῆας

e privi ormai di speranza, e t'hanno guidato gli dei:
salute a te e gran gioia, felicità ti diano gli dei!
E sinceramente dimmi anche questo, che io sappia bene,
se già sa la saggia Penelope
405 che sei ritornato, o dobbiamo inviarle un nunzio ».
Rispondendo gli disse l'astuto Odisseo:
« Vecchio, sa già: perché preoccuparti di questo? ».
Così disse, ed egli sedette di nuovo sul levigato sgabello.
Similmente i figli di Dolio, intorno all'illustre Odisseo,
410 gli diedero il benvenuto e strinsero la sua mano,
e accanto a Dolio sedettero in ordine, al loro padre.
Essi così s'occupavano nella casa del pranzo:
e dappertutto corse presto in città, messaggera, la voce
che annunziava l'orribile morte e il destino dei proci.
415 Quelli udendo insieme arrivarono, chi di qua chi di là,
con lamenti e con gemiti davanti alla casa di Odisseo;
dalle case portarono fuori, ciascuno, i cadaveri e li seppellirono;
quelli di altre città li affidarono a dei pescatori,
che portassero a casa ciascuno, imbarcandoli sulle navi veloci.
420 Tutti insieme andarono in piazza, col cuore angosciato.
E dopoché s'adunarono e furono uniti,
s'alzò tra essi Eupite e parlò:
sul suo cuore era steso il dolore incessante del figlio,
di Antinoo, che il chiaro Odisseo uccise per primo;
425 piangendo per lui prese la parola e parlò:
« Un gran danno quest'uomo ha inferto agli Achei:
con le navi condusse via gli uni, in gran numero e forti,
e perdette le navi ben cave e perdette le schiere;
al ritorno sterminò gli altri, i più nobili tra i Cefalleni.
430 Ma su, prima che rapidamente egli vada a Pilo
e nell'Elide chiara, dove hanno potere gli Epei,
muoviamoci: o saremo anche dopo infamati, per sempre.
A sentirlo parrebbe un obbrobrio anche ai posteri,
se non puniremo coloro che ci uccisero i figli

435 τεισόμεθ'· οὐκ ἂν ἐμοί γε μετὰ φρεσὶν ἡδὺ γένοιτο
ζωέμεν, ἀλλὰ τάχιστα θανὼν φθιμένοισι μετείην.
ἀλλ' ἴομεν, μὴ φθέωσι περαιωθέντες ἐκεῖνοι ».
ὣς φάτο δάκρυ χέων, οἶκτος δ' ἕλε πάντας Ἀχαιούς.
ἀγχίμολον δέ σφ' ἦλθε Μέδων καὶ θεῖος ἀοιδὸς
440 ἐκ μεγάρων Ὀδυσῆος, ἐπεί σφεας ὕπνος ἀνῆκεν,
ἔσταν δ' ἐν μέσσοισι· τάφος δ' ἕλεν ἄνδρα ἕκαστον.
τοῖσι δὲ καὶ μετέειπε Μέδων πεπνυμένα εἰδώς·
« κέκλυτε δὴ νῦν μευ, Ἰθακήσιοι· οὐ γὰρ Ὀδυσσεὺς
ἀθανάτων ἀέκητι θεῶν τάδε μήσατο ἔργα·
445 αὐτὸς ἐγὼν εἶδον θεὸν ἄμβροτον, ὅς ῥ' Ὀδυσῆϊ
ἐγγύθεν ἑστήκει καὶ Μέντορι πάντα ἐῴκει.
ἀθάνατος δὲ θεὸς τοτὲ μὲν προπάροιθ' Ὀδυσῆος
φαίνετο θαρσύνων, τοτὲ δὲ μνηστῆρας ὀρίνων
θῦνε κατὰ μέγαρον· τοὶ δ' ἀγχιστῖνοι ἔπιπτον ».
450 ὣς φάτο, τοὺς δ' ἄρα πάντας ὑπὸ χλωρὸν δέος ᾕρει.
τοῖσι δὲ καὶ μετέειπε γέρων ἥρως Ἁλιθέρσης
Μαστορίδης· ὁ γὰρ οἶος ὅρα πρόσσω καὶ ὀπίσσω·
ὅ σφιν ἐῢ φρονέων ἀγορήσατο καὶ μετέειπε·
« κέκλυτε δὴ νῦν μευ, Ἰθακήσιοι, ὅττι κεν εἴπω.
455 ὑμετέρῃ κακότητι, φίλοι, τάδε ἔργα γένοντο·
οὐ γὰρ ἐμοὶ πείθεσθ', οὐ Μέντορι ποιμένι λαῶν,
ὑμετέρους παῖδας καταπαυέμεν ἀφροσυνάων,
οἳ μέγα ἔργον ἔρεζον ἀτασθαλίῃσι κακῇσι,
κτήματα κείροντες καὶ ἀτιμάζοντες ἄκοιτιν
460 ἀνδρὸς ἀριστῆος· τὸν δ' οὐκέτι φάντο νέεσθαι.
καὶ νῦν ὧδε γένοιτο, πίθεσθέ μοι, ὡς ἀγορεύω·
μὴ ἴομεν, μή πού τις ἐπίσπαστον κακὸν εὕρῃ ».
ὣς ἔφαθ', οἱ δ' ἄρ' ἀνήϊξαν μεγάλῳ ἀλαλητῷ
ἡμίσεων πλείους – τοὶ δ' ἀθρόοι αὐτόθι μεῖναν –·
465 οὐ γάρ σφιν ἅδε μῦθος ἐνὶ φρεσίν, ἀλλ' Εὐπείθει
πείθοντ'· αἶψα δ' ἔπειτ' ἐπὶ τεύχεα ἐσσεύοντο.
αὐτὰρ ἐπεί ῥ' ἕσσαντο περὶ χροῒ νώροπα χαλκόν,
ἀθρόοι ἠγερέθοντο πρὸ ἄστεος εὐρυχόροιο.

435 e i fratelli; per me non sarebbe nell'animo dolce
la vita, ma possa al più presto trovarmi morto tra i morti.
Ma andiamo, che non ci prevengano, di là traghettando ».
Disse così, piangendo: pietà ne ebbero tutti gli Achei.
Tra loro venne Medonte e il divino cantore
440 dalla casa di Odisseo, quando il sonno li abbandonò,
e si fermarono in mezzo: stupore prese ogni uomo.
Disse tra loro Medonte, che aveva saggi pensieri:
« Itacesi, udite me ora: non senza il volere
dei numi immortali Odisseo ordì questa impresa.
445 Ho visto un dio immortale io stesso, che stava
a fianco di Odisseo e in tutto era simile a Mentore:
e il dio immortale talora appariva, infondendo coraggio,
davanti ad Odisseo; talaltra infuriava nella gran sala,
eccitando il terrore nei proci, ed essi cadevano a mucchio ».
450 Disse così e prese tutti una pallida angoscia.
Allora tra essi parlò il vecchio eroe Aliterse,
figlio di Mastore. Egli solo vedeva futuro e passato.
Tra essi con mente saggia prese la parola e parlò:
« Itacesi, udite me ora, quel che dirò.
455 O amici, questo è accaduto per vostra viltà:
non ascoltaste né me né Mentore, pastore di popoli,
per far cessare dalle follie i vostri figli,
che un grande misfatto, con maligna arroganza, compivano
falciando gli averi e oltraggiando la sposa
460 di un uomo eccellente, che dicevano non sarebbe tornato.
Ma ora si faccia così – ascoltatemi – come vi dico:
non andiamo, perché qualcuno non trovi il male cercato ».
Disse così, ed essi balzarono in piedi con grande clamore,
più di metà – gli altri rimasero uniti sul posto –
465 perché ad essi non era piaciuto il consiglio, ma davano retta
a Eupite: e subito corsero a impugnare le armi.
Quando sul corpo indossarono il bronzo lucente,
s'adunarono insieme davanti all'ampia città.

τοῖσιν δ' Εὐπείθης ἡγήσατο νηπιέῃσι·
470 φῆ δ' ὅ γε τείσεσθαι παιδὸς φόνον, οὐδ' ἄρ' ἔμελλεν
ἂψ ἀπονοστήσειν, ἀλλ' αὐτοῦ πότμον ἐφέψειν.
αὐτὰρ Ἀθηναίη Ζῆνα Κρονίωνα προσηύδα·
« ὦ πάτερ ἡμέτερε Κρονίδη, ὕπατε κρειόντων,
εἰπέ μοι εἰρομένῃ· τί νύ τοι νόος ἔνδοθι κεύθει;
475 ἢ προτέρω πόλεμόν τε κακὸν καὶ φύλοπιν αἰνὴν
τεύξεις, ἦ φιλότητα μετ' ἀμφοτέροισι τίθησθα; ».
τὴν δ' ἀπαμειβόμενος προσέφη νεφεληγερέτα Ζεύς·
« τέκνον ἐμόν, τί με ταῦτα διείρεαι ἠδὲ μεταλλᾷς;
οὐ γὰρ δὴ τοῦτον μὲν ἐβούλευσας νόον αὐτή,
480 ὡς ἤτοι κείνους Ὀδυσεὺς ἀποτείσεται ἐλθών;
ἔρξον ὅπως ἐθέλεις· ἐρέω δέ τοι ὡς ἐπέοικεν.
ἐπεὶ δὴ μνηστῆρας ἐτείσατο δῖος Ὀδυσσεύς,
ὅρκια πιστὰ ταμόντες ὁ μὲν βασιλευέτω αἰεί,
ἡμεῖς δ' αὖ παίδων τε κασιγνήτων τε φόνοιο
485 ἔκλησιν θέωμεν· τοὶ δ' ἀλλήλους φιλεόντων
ὡς τὸ πάρος, πλοῦτος δὲ καὶ εἰρήνη ἅλις ἔστω ».
ὣς εἰπὼν ὤτρυνε πάρος μεμαυῖαν Ἀθήνην,
βῆ δὲ κατ' Οὐλύμποιο καρήνων ἀΐξασα.
οἱ δ' ἐπεὶ οὖν σίτοιο μελίφρονος ἐξ ἔρον ἕντο,
490 τοῖσ' ἄρα μύθων ἦρχε πολύτλας δῖος Ὀδυσσεύς·
« ἐξελθών τις ἴδοι, μὴ δὴ σχεδὸν ὦσι κιόντες ».
ὣς ἔφατ'· ἐκ δ' υἱὸς Δολίου κίεν, ὡς ἐκέλευε,
στῆ δ' ἄρ' ἐπ' οὐδὸν ἰών, τοὺς δὲ σχεδὸν εἴσιδε πάντας.
αἶψα δ' Ὀδυσσῆα ἔπεα πτερόεντα προσηύδα·
495 « οἵδε δὴ ἐγγὺς ἔασ'· ἀλλ' ὁπλιζώμεθα θᾶσσον ».
ὣς ἔφαθ', οἱ δ' ὤρνυντο καὶ ἐν τεύχεσσιν ἔδυνον,
τέσσαρες ἀμφ' Ὀδυσῆ', ἓξ δ' υἱεῖς οἱ Δολίοιο·
ἐν δ' ἄρα Λαέρτης Δολίος τ' ἐς τεύχε' ἔδυνον,
καὶ πολιοί περ ἐόντες, ἀναγκαῖοι πολεμισταί.
500 αὐτὰρ ἐπεί ῥ' ἕσσαντο περὶ χροῒ νώροπα χαλκόν,
ᾤξάν ῥα θύρας, ἐκ δ' ἤϊον, ἦρχε δ' Ὀδυσσεύς.
τοῖσι δ' ἐπ' ἀγχίμολον θυγάτηρ Διὸς ἦλθεν Ἀθήνη,

Li guidava Eupite, nella sua insensatezza:
470 pensava che avrebbe punito l'uccisione del figlio, e invece
non doveva tornare, ma avrebbe subìto lì stesso il destino.
Atena intanto parlò a Zeus Cronide:
« Padre nostro Cronide, sommo tra i potenti,
di' a me che domando: la tua mente che cosa nasconde?
475 Protrarrai la guerra maligna e la mischia tremenda
più oltre, o tra i due gruppi vuoi mettere pace? ».
A sua volta Zeus che addensa le nubi le disse:
« Figlia mia, perché me lo chiedi e domandi?
Questo piano non l'hai progettato tu stessa,
480 che appena tornato Odisseo dovesse punirli?
Fa' come vuoi: ti dirò come è conveniente.
Ora che il chiaro Odisseo punì i pretendenti,
concludano patti leali ed egli regni per sempre,
mentre noi sulla strage di figli e fratelli
485 porremo l'oblio: essi vivano come in passato,
concordi, e vi sia ricchezza e pace in gran copia ».
Disse così ed incitò Atena, già prima impaziente:
ella scese dai picchi d'Olimpo d'un balzo.
Quando poi quelli scacciarono la voglia di dolce cibo,
490 fra essi iniziò a parlare il paziente chiaro Odisseo:
« Qualcuno esca a vedere, che non siano arrivati vicino ».
Disse così, ed uscì il figlio di Dolio, come ordinava,
e avviatosi si fermò sulla soglia, e li vide tutti vicino.
Subito disse ad Odisseo alate parole:
495 « Sono già qui vicino: armiamoci, presto ».
Disse così, ed essi balzarono in piedi e si misero in armi:
i quattro insieme ad Odisseo e i sei altri, i figli di Dolio;
tra essi si misero in armi Laerte e Dolio,
pur essendo canuti, combattenti per forza.
500 Quando sul corpo indossarono il bronzo lucente,
spalancate le porte, uscirono: Odisseo li precedeva.
E al loro fianco arrivò la figlia di Zeus, Atena,

Μέντορι εἰδομένη ἠμὲν δέμας ἠδὲ καὶ αὐδήν.
τὴν μὲν ἰδὼν γήθησε πολύτλας δῖος Ὀδυσσεύς,
505 αἶψα δὲ Τηλέμαχον προσεφώνεεν ὃν φίλον υἱόν·
« Τηλέμαχ', ἤδη μὲν τόδε γ' εἴσεαι αὐτὸς ἐπελθών,
ἀνδρῶν μαρναμένων ἵνα τε κρίνονται ἄριστοι,
μή τι καταισχύνειν πατέρων γένος, οἳ τὸ πάρος περ
ἀλκῇ τ' ἠνορέῃ τε κεκάσμεθα πᾶσαν ἐπ' αἶαν ».
510 τὸν δ' αὖ Τηλέμαχος πεπνυμένος ἀντίον ηὔδα·
« ὄψεαι, αἴ κ' ἐθέλησθα, πάτερ φίλε, τῷδ' ἐπὶ θυμῷ
οὔ τι καταισχύνοντα τεὸν γένος, ὡς ἀγορεύεις ».
ὣς φάτο, Λαέρτης δ' ἐχάρη καὶ μῦθον ἔειπε·
« τίς νύ μοι ἡμέρη ἥδε, θεοὶ φίλοι; ἦ μάλα χαίρω·
515 υἱός θ' υἱωνός τ' ἀρετῆς πέρι δῆριν ἔχουσι ».
τὸν δὲ παρισταμένη προσέφη γλαυκῶπις Ἀθήνη·
« ὦ Ἀρκεισιάδη, πάντων πολὺ φίλταθ' ἑταίρων,
εὐξάμενος κούρῃ γλαυκώπιδι καὶ Διὶ πατρί,
αἶψα μάλ' ἀμπεπαλὼν προΐει δολιχόσκιον ἔγχος ».
520 ὣς φάτο, καί ῥ' ἔμπνευσε μένος μέγα Παλλὰς Ἀθήνη.
εὐξάμενος δ' ἄρ' ἔπειτα Διὸς κούρῃ μεγάλοιο,
αἶψα μάλ' ἀμπεπαλὼν προΐει δολιχόσκιον ἔγχος
καὶ βάλεν Εὐπείθεα κόρυθος διὰ χαλκοπαρῄου.
ἡ δ' οὐκ ἔγκος ἔρυτο, διαπρὸ δὲ εἴσατο χαλκός·
525 δούπησεν δὲ πεσών, ἀράβησε δὲ τεύχε' ἐπ' αὐτῷ.
ἐν δ' ἔπεσον προμάχοισ' Ὀδυσεὺς καὶ φαίδιμος υἱός,
τύπτον δὲ ξίφεσίν τε καὶ ἔγχεσιν ἀμφιγύοισι.
καί νύ κε δὴ πάντας ὄλεσαν καὶ θῆκαν ἀνόστους,
εἰ μὴ Ἀθηναίη, κούρη Διὸς αἰγιόχοιο,
530 ἤϋσεν φωνῇ, κατὰ δ' ἔσχεθε λαὸν ἅπαντα·
« ἴσχεσθε πτολέμου, Ἰθακήσιοι, ἀργαλέοιο,
ὥς κεν ἀναιμωτεί γε διακρινθῆτε τάχιστα ».
ὣς φάτ' Ἀθηναίη, τοὺς δὲ χλωρὸν δέος εἷλε·
τῶν δ' ἄρα δεισάντων ἐκ χειρῶν ἔπτατο τεύχεα,
535 πάντα δ' ἐπὶ χθονὶ πῖπτε, θεᾶς ὄπα φωνησάσης·
πρὸς δὲ πόλιν τρωπῶντο λιλαιόμενοι βιότοιο.

simile a Mentore sia per l'aspetto e sia per la voce.
Gioì vedendola, il paziente chiaro Odisseo,
505 e subito disse al suo caro figlio Telemaco:
« Telemaco, lo saprai già da te, una volta venuto
ove i più valorosi in battaglia si affrontano,
di non infangare la stirpe dei padri, perché anche prima
ci siamo distinti su tutta la terra per forza e coraggio ».
510 Gli rispose allora, giudiziosamente, Telemaco:
« Vedrai, caro padre, se vuoi, che – come tu esorti –
con questo mio animo non infangherò la tua stirpe ».
Disse così e Laerte gioì ed esclamò:
« Quale giorno è questo per me, dèi cari? davvero gioisco.
515 Il figlio e il nipote fanno a gara in valore ».
Standogli accanto la glaucopide Atena gli disse:
« Figlio di Archisio, il più caro di tutti i compagni
invoca la vergine dea glaucopide e il padre Zeus
e tosto scaglia, vibrandola, la lancia dalla lunga ombra ».
520 Disse così e Pallade Atena gli infuse un grande vigore;
allora, invocata la figlia del grande Zeus,
tosto scagliò, vibrandola, la lancia dalla lunga ombra
e colpì Eupite nell'elmo dalle guance di bronzo:
ma esso non trattenne la lancia e la punta di bronzo lo traversò.
525 Con un tonfo egli cadde, su di lui risuonò l'armatura.
Odisseo e l'illustre figlio piombarono sui primi guerrieri:
colpivano con le spade e le aste a due tagli.
E li avrebbero tutti uccisi e resi senza ritorno,
se Atena, la figlia di Zeus egìoco,
530 non avesse gridato e fermato tutta la schiera:
« Smettetela con la guerra funesta, Itacesi,
perché subito, senz'altro sangue, vi separiate ».
Disse così Atena, e li prese una pallida angoscia.
Dalle mani di tutti, atterriti, le armi volarono
535 e caddero a terra, appena la dea gridò:
si volsero alla città, desiderosi di vivere.

σμερδαλέον δ' ἐβόησε πολύτλας δῖος Ὀδυσσεύς,
οἴμησεν δὲ ἀλεὶς ὥς τ' αἰετὸς ὑψιπετήεις.
καὶ τότε δὴ Κρονίδης ἀφίει ψολόεντα κεραυνόν,
540 κὰδ δ' ἔπεσε πρόσθε γλαυκώπιδος ὀβριμοπάτρης.
δὴ τότ' Ὀδυσσῆα προσέφη γλαυκῶπις Ἀθήνη·
« διογενὲς Λαερτιάδη, πολυμήχαν' Ὀδυσσεῦ,
ἴσχεο, παῦε δὲ νεῖκος ὁμοιΐου πτολέμοιο,
μή πώς τοι Κρονίδης κεχολώσεται εὐρύοπα Ζεύς ».
545 ὣς φάτ' Ἀθηναίη, ὁ δ' ἐπείθετο, χαῖρε δὲ θυμῷ.
ὅρκια δ' αὖ κατόπισθε μετ' ἀμφοτέροισιν ἔθηκε
Παλλὰς Ἀθηναίη, κούρη Διὸς αἰγιόχοιο,
Μέντορι εἰδομένη ἠμὲν δέμας ἠδὲ καὶ αὐδήν.

Urlò da fare spavento, il paziente chiaro Odisseo,
e piegandosi s'avventò come un'aquila dal volo sublime.
Allora il Cronide lanciò una fumida folgore:
540 cadde ai piedi della glaucopide di padre possente.
La glaucopide Atena parlò allora ad Odisseo:
« Divino figlio di Laerte, Odisseo pieno di astuzie,
férmati, arresta la mischia di guerra che tutti livella,
che non s'adiri con te il Cronide, Zeus dalla voce possente ».
545 Atena disse così, ed egli ubbidì e fu lieto nell'animo.
Tra le due parti poi strinse un patto giurato per l'avvenire
Pallade Atena, la figlia di Zeus egìoco,
simile a Mentore sia per l'aspetto e sia per la voce.

INDICI

a cura di Donato Loscalzo

INDICE DEI NOMI

tolemo, 478, 482, 486, 546, 557; XXIV 15 incontra nell'Ade le anime dei proci, 36-94 le esequie, 72, 76, 94 (v. Pelide)

Acroneo ('Ακρόνεως): giovane feace. VIII 111

Ade ('Αΐδης): figlio di Crono, dio dell'oltretomba; denota anche il regno dei morti. III 410; IV 834; VI 11; IX 524; X 175, 491, 502, 512, 534, 560, 564; XI 47, 65, 69, 150, 164, 211, 277, 425, 475, 571, 625, 627, 635; XII 17, 21, 383; XIV 156 le porte di Ade, 208; XV 350; XX 208; XXIII 252, 322; XXIV 204, 264

Adreste ('Αδρήστη): ancella di Elena. IV 123

Afidante ('Αφείδας): nome inventato da Odisseo a Laerte. XXIV 305

Afrodite ('Αφροδίτη): dea dell'amore. IV 14, 261; VIII 266-367 amata da Ares, 267, 308, 337, 342, 362; XVII 37; XIX 54; XX 68-9 nutre le figlie di Pandareo, 73-5 sale sull'Olimpo da Zeus a chiedere mariti per le figlie di Pandareo; XXII 444

Agamennone ('Αγαμέμνων): figlio di Atreo e fratello di Menelao, re di Argo; fu capo della spedizione dei Greci contro Troia. III 143-7 vuole placare Atena, 155-7 attende a Troia, 164, 193-8 ucciso da Egisto, 234, 248, 268; IV 512-37 muore per mano di Egisto, 584; VIII 77-82 gode della lite tra Odisseo e Achille; IX 263 famoso distruttore; XI 168, 387-94 incontra Odisseo nell'oltretomba, 397, 404-34 racconta ad Odisseo la sua fine, 440-61 predice ad Odisseo il ritorno; XIII 383; XIV 70, 117, 497; XXIV 19-21 incontra nell'Ade le anime dei pretendenti, 102-4 riconosce Anfimedonte di cui era stato ospite, 121, 186; di Agamennone ('Αγαμεμνονέη): Clitemestra, III 264; ('Αγαμεμνονίδης): Oreste, I 30 (v. Atride)

Agelao ('Αγέλαος/'Αγέλεως): uno dei pretendenti, figlio di Damastore. XX 321-37 invita Telemaco a convincere Penelope a sposarsi, 339; XXII 131-4 propone di dare l'allarme dall'*orsothure*, 136, 212-23 minaccia Mentore ed espone il suo piano di vendetta, 241 il migliore dei proci, 247-54 ordina ai compagni di colpire Odisseo, 327 (v. Damastoride)

Aiace (Αΐας): figlio di Telamone e re di Salamina. III 109 giace a Troia; IV 498-511 muore sulla rupe Girea, 509; XI 469-70 la sua anima incontra Odisseo, 543-7 in collera con Odisseo per l'attribuzione delle armi di Achille, 549-551 il più valente dopo Achille, 553, 563-4 rifiuta di parlare ad Odisseo; XXIV 17-8 incontra nell'Ade le anime dei proci

Aiete (Αἰήτης): fratello di Circe, re della Colchide. X 137; XII 70 da lui si recò Giasone

Aigai (Αἰγαί): località dell'Acaia. V 381

Alcandre ('Αλκάνδρη): moglie di Polibo e ancella di Elena. IV 126, 130-1 fa doni ad Elena

Alcimide ('Αλκιμίδης): patronimico di Mentore. XXII 235

Alcinoo ('Αλκίνοος): re dei Feaci. VI 12, 17, 66-73 concede un carro a Nausicaa, 139, 196, 213, 299, 302; VII 10, 23, 55, 63-8 sposò Arete, 66, 70, 82, 84-132 la reggia, 85, 93, 132, 141, 159, 167-71 fa sedere Odisseo sul trono di Laodamante, 178-81 ordina a Pontonoo di versare vino, 184-206 rinvia al giorno dopo gli aiuti per Odisseo, 208, 231, 298-301 accusa l'inospitalità della figlia, 308-28 offre in sposa sua figlia ad Odisseo, 332, 346-7 dorme accanto alla moglie; VIII 2, 4 indice l'assemblea, 8, 13, 24-45 e 59-62 dispone nell'assemblea i preparativi per la partenza di Odisseo e organizza una festa, 56, 93-104 indice i giochi, 118, 130, 132, 143, 235-56 invita i Feaci ad esibirsi nella corsa e nella danza, 370-1 ordina ai figli di danzare, 381, 382, 385-99 invita i Feaci a fare doni ad Odisseo e Eurialo a riconciliarsi con lui, 401, 418, 419, 421-2 guida i Feaci alla reggia, 423-32 ordina ad Arete di disporre per il bagno di Odisseo, 464, 469, 532-86 nota il pianto di Odisseo e gli chiede l'identità; IX 2; XI 346, 347-53 rinvia al giorno dopo la partenza di Odisseo, 355, 362-76 esorta Odisseo a continuare il suo racconto, 378; XIII 3-15 offre doni ad Odisseo, 16, 20-1 colloca i doni per Odisseo nella nave, 23, 24-5 sacrifica un bue a Zeus, 37, 38, 49-52 ordina all'araldo di mescere il vino, 62, 64-5 manda l'araldo insieme ad Odisseo, 171-83 ricorda una profezia di suo padre

Alcippe ('Αλκίππη): ancella di Elena. IV 124

Alcmaone ('Αλκμάων): figlio di Anfiarao e fratello di Anfiloco, condusse gli Epigoni contro Tebe. XV 248

Alcmena ('Αλκμήνη): sposa di Anfitrione, generò Eracle e Zeus. II 120; XI 266-8 incontra Odisseo nell'oltretomba

Alettore ('Αλέκτωρ): padre della moglie di Megapente. IV 10

Alfeo ('Αλφειός): fiume dell'Elide e padre di Ortiloco. III 489; XV 187

Alibante ('Αλύβας): nome di città inventato da Odisseo a Laerte. XXIV 304

Alio ("Αλιος): figlio di Alcinoo. VIII 119-20 partecipa alla gara della corsa, 370-80 danza

Aliterse ('Αλιθέρσης): vecchio eroe di Itaca, compagno di Odisseo. II 157-176 predice il ritorno di Odisseo, 253; XVII 68; XXIV 451-62 consiglia agli Itacesi di astenersi dalla vendetta

Aloeo ('Αλωεύς): marito di Ifimedea. XI 305

Ambidestro ('Αμφιγυήεις): epiteto di Efesto. VIII 300 invoca gli dei come testimoni del tradimento di Afrodite, 349 si rifiuta di liberare Ares, 357 accetta la promessa di Posidone

Amitaone ('Αμυθάων): figlio di Tiro e Posidone. XI 259

Amniso ('Αμνισός): porto di Creta. XIX 118

Anabesineo ('Αναβησίνεως): giovane feace. VIII 113

Anchialo ('Αγχίαλος): padre di Mente. I 180, 418

Anchialo ('Αγχίαλος): giovane feace. VIII 112

Andremone ('Ανδραίμων): padre di Toante. XIV 499

Anfialo ('Αμφίαλος): giovane feace. VIII 114, 128 vince la gara del salto

Anfiarao ('Αμφιάρηος): figlio di Oicle, protetto da Zeus e Apollo condusse la spedizione dei Sette a Tebe. XV 244-7 morì a Tebe per colpa di Erifile, 253

Anfiloco ('Αμφίλοχος): figlio di Anfiarao. XV 248

Anfimedonte ('Αμφιμέδων): XXII 242 il migliore dei proci, 277-8 ferisce Telemaco, 284 ucciso da Telemaco; XXIV 103, 106-7 ospite di Agamennone, 120-90 racconta ad Agamennone le fasi della vendetta di Odisseo

Anfinomo ('Αμφίνομος): uno dei pretendenti dulichiesi, figlio di Niso. XVI 351 avvista la nave dei proci, 394, 396-8 piace a Penelope perché è buono, 399-405 rifiuta la proposta di uccidere Telemaco, 406; XVIII 119-23 offre cibo ad Odisseo, 125, 155-7 destinato da Atena a morire per mano di Telemaco, 395, 412-21 invita gli altri pretendenti a tornare a casa e a lasciare che Telemaco si curi del mendicante, 424; XX 244-6 consiglia ai proci di desistere dal piano di uccidere Telemaco, 247; XXII 89-98 ucciso da Telemaco, 96

Anfione ('Αμφίων): figlio di Zeus e Antiope. XI 262-5 fondò Tebe

Anfione ('Αμφίων): figlio di Iaso. XI 283-4 re di Orcomeno Minio

Anfitea ('Αμφιθέη): nonna materna di Odisseo. XIX 416-7 accoglie Odisseo

Anfitrione ('Αμφιτρύων): marito di Alcmena e re di Tirinto. XI 266, 270

Anfitrite ('Αμφιτρίτη): una delle Nereidi, regina del Mare («Colei che circonda il mondo»). III 91; V 422; XII 60, 97

Anticlea ('Αντίκλεια): madre di Odisseo. XI 84-9 la sua anima incontra Odisseo, 152-224 conversa con Odisseo

Anticlo ("Αντικλος): eroe greco. IV 286 partecipa all'inganno del cavallo

Antifate ('Αντιφάτης): re dei Lestrigoni. X 106, 114-6 divora un compagno di Odisseo, 199

Antifate ('Ἀντιφάτης): figlio di Melampo. XV 242, 243 generò Oicle

Antifo ("Ἄντιφος): figlio di Egizio, compagno di Odisseo. II 17-20 ucciso dal Ciclope; XVII 68

Antiloco ('Ἀντίλοχος): figlio di Nestore. III 111-2 muore a Troia; IV 187 ucciso dall'Aurora, 199-202 le sue doti; XI 468 incontra Odisseo; XXIV 16 incontra nell'Ade le anime dei proci, 78 onorato da Achille dopo la morte di Patroclo

Antinoo ('Ἀντίνοος): uno dei pretendenti, figlio di Eupite. I 383-7 ironizza sulla successione al trono di Telemaco, 389; II 82-128 accusa Penelope, 130, 301-8 insulta Telemaco, 310, 321; IV 628, 631, 632, 641-7 si informa sul viaggio di Telemaco, 660-72 progetta un agguato a Telemaco, 773-9 esorta i compagni al viaggio; XVI 363 92 propone di uccidere Telemaco, 417, 418; XVII 374-9 rimprovera Eumeo, 381, 394, 396, 397, 405-10 rimprovera l'eccessiva elargizione fatta ad Odisseo, 414, 445-52 maltratta Odisseo, 458-63 scaglia uno sgabello contro Odisseo, 464, 473, 476, 477, 483, 500; XVIII 34-9 propone che Iro e Odisseo lottino, 42-9 propone un premio per il vincitore della lotta tra i due accattoni, 50, 65, 78-87 rimprovera Iro, 118-9 dà della carne ad Odisseo, 284, 290, 292; XX 270-4 invita i proci ad accettare la decisione di Telemaco, 275; XXI 84-95 rimprovera Eumeo e Filezio, 140, 143, 167-80 rimprovera Leode e ordina a Melanzio di accendere il fuoco, 186-7 il migliore dei pretendenti per valore, 256-68 rimanda la gara dell'arco al giorno dopo, 269, 277, 287-310 accusa di follia Odisseo che ha chiesto di provare a tirare con l'arco, 312; XXII 8-21 ucciso da Odisseo, 49; XXIV 179, 424

Antiope ('Ἀντιόπη): figlia di Asopo, ebbe da Zeus Anfione e Zeto. XI 260-5 la sua anima incontra Odisseo

Apira ('Ἀπείρη): località non identificabile. VII 9; di Apira ('Ἀπειραίη): VII 8

Apollo ('Ἀπόλλων): figlio di Zeus e Leto. III 278-283 uccise il nocchiero di Menelao; IV 341; VI 162; VII 64 uccise Rexenore, 311; VIII 79, 226-8 si vendica di Eurito, 323 giunge da Efesto, 334-6 chiede a Ermete se vuole giacere con Afrodite, 339, 488; IX 198, 201; XI 318-20 uccide Oto ed Efialte; XV 245 protegge Anfiarao, 252 rende veggente Polifido, 409-11 uccide gli uomini con i suoi dardi, 526; XVII 132, 251, 494; XVIII 235; XIX 86; XX 278; XXI 267, 338, 364; XXII 7; XXIV 376

Archesio ('Ἀρκείσιος): il padre di Laerte. XIV 182; XVI 118

Archisiade ('Ἀρκεισιάδης): patronimico di Laerte. IV 755; XXIV 270, 517

Ares ("Ἄρης): figlio di Zeus ed Era, dio della guerra, in particolare dell'assalto e della strage. VIII 115, 266-367 amante di Afrodite, 267, 276, 285, 309, 330, 345, 353, 355, 518; XI 537 impazza nella guerra; XIV 216; XVI 269; XX 50

Arete ('Αρήτη): regina dei Feaci. VII 53-5 e 65-74 nipote e moglie di Alcinoo, 141, 142, 146, 231, 233-9 chiede l'identità ad Odisseo, 335-9 dispone i letti per la notte, VIII 423, 433-6 prepara il bagno ad Odisseo, 438-445 regala ad Odisseo uno scrigno di doni; XI 335-41 esorta i Feaci a fare doni ad Odisseo; XIII 57, 66-9 invia tre ancelle con doni ad Odisseo

Aretiade ('Αρητιάδη): patronimico di Niso. XVI 395; XVIII 413

Areto ("Αρητος): figlio di Nestore. III 414, 440-2 partecipa al sacrificio

Aretusa ('Αρέθουσα): fonte di Itaca. XIII 408

Arghifonte ('Αργεϊφόντης): epiteto di Ermete. I 38, 84; V 43 ubbidisce a Zeus, 44-9 vola con la verga che dà il sonno, 75 ammira l'isola di Calipso, 94, 145-7 esorta Calipso a liberare Odisseo, 148 riparte da Ogigia; VII 137 a lui brindano per ultimo i Feaci; VIII 338; X 302-6 dà il *moly* ad Odisseo, 331; XXIV 99 (v. Ermete)

Argivi ('Αργεῖοι): nome complessivo dei Greci. I 61, 211; II 173; III 129, 132-3 incorrono in sventure per volere di Zeus, 309, 379; IV 172, 200, 258, 273, 279, 296; VIII 500-3 partono da Troia, 513, 578; X 15; XI 369, 485, 500, 518, 524, 555; XII 190; XV 240; XVII 118, 119; XVIII 253; XIX 126; XXIII 218; XXIV 54, 62 in lacrime per la morte di Achille, 80-4 erigono un tumulo per Achille

Argo ("Αργος): indica la città e la regione del Peloponneso, oltre che il Peloponneso in generale. I 344; III 180, 251, 263; IV 99, 174, 562, 726, 816; XV 80, 224, 239, 274; XVIII 246; XXI 108; XXIV 37

Argo ("Αργος): il cane di Odisseo. XVII 292, 300 giace nel letame, 326-7 muore alla vista del padrone

Argo ('Αργώ): nave che trasportò Giasone e altri eroi greci alla conquista del vello d'oro. XII 69-72 supera le rupi Erranti

Arianna ('Αριάδνη): figlia di Minosse. XI 321-5 uccisa da Artemide

Aribante ('Αρύβας): uomo fenicio. XV 426

Arneo ('Αρναῖος): vero nome di Iro. XVIII 5

Arpie ("Αρπυιαι): creature mostruose, personificazioni delle tempeste. I 241 secondo Telemaco hanno portato via Odisseo; XIV 371 secondo Eumeo hanno rapito Odisseo; XX 77-8 rapiscono le figlie di Pandareo e le danno come serve alle Erinni

Artachia ('Αρτακίη): fonte del paese dei Lestrigoni. X 108

Artemide (Ἄρτεμις): figlia di Zeus e Leto. IV 122; V 123-4 uccide Orione; VI 102, 151; XI 172, 324-5 uccide Arianna; XV 409-11 uccide gli uomini con i suoi dardi, 478 uccide la serva di Eumeo; XVII 37; XVIII 202 assegna una morte mite; XIX 54; XX 60, 61, 71 dona l'altezza alle figlie di Pandareo, 80

Asfalione (Ἀσφαλίων): scudiero di Menelao. IV 216-7

Asopo (Ἀσωπός): figlio di Oceano e Teti. XI 260

Asteride (Ἀστερίς): isola non identificabile nei pressi di Itaca. IV 846

Atena (Ἀθηναίη/Ἀθήνη): dea guerriera, figlia di Zeus, protettrice dei principi. I 44-95 intercede presso Zeus per il ritorno di Odisseo, 80-7 chiede a Zeus di mandare Ermete da Calipso, 88-95 decide di andare da Telemaco, 96-112 giunge ad Itaca nell'aspetto di Mente, 118 notata da Telemaco, 123-5 invitata da Telemaco, 126-43 pranza nella reggia di Odisseo, 156, 179-212 predice il ritorno di Odisseo, 224-9 chiede a Telemaco chi siano i pretendenti, 252-305 esorta Telemaco a cacciare di casa i pretendenti ed a recarsi a Sparta e a Pilo in cerca del padre, 314-322 riparte da Itaca, 327 infligge agli Achei un luttuoso ritorno, 363-4 fa addormentare Penelope; II 12 conferisce la grazia a Telemaco, 116-22 ispira astuzie a Penelope, 261, 267-95 promette aiuti a Telemaco, 296, 382-92 prepara la nave per il viaggio, 394-6 fa addormentare i pretendenti, 399-408 conduce Telemaco sulla spiaggia, 416-8 accanto a Telemaco sulla nave, 420-1 invia un vento propizio; III 12, 13-20 invia Telemaco da Nestore, 25, 29-30 va dai Pilî, 42, 52, 54-62 fa una preghiera a Posidone, 76-7 infonde coraggio a Telemaco, 133-5 ostacolò il ritorno dei Greci e mise discordia tra gli Atridi, 145, 218, 222, 229-38 dice che gli dei aiutano gli uomini, ma non possono nulla contro la morte, 329-37 interrompe Nestore, 343; 356-72 chiede a Nestore una scorta per Telemaco, 371-2 va via dalla casa di Nestore, 385 ascolta la preghiera di Nestore, 393, 419, 435-6 assiste al sacrificio, 445; IV 289 allontana Elena dal cavallo di legno, 341, 502, 752, 761, 767 ascolta le preghiere di Penelope, 795-801 invia un sogno a Penelope, 828; V 5-20 riferisce agli dei sulla condizione di Odisseo, 108, 382-7 protegge Odisseo, 426-7 e 436-7 dà consigli ad Odisseo, 491-3 addormenta Odisseo; VI 2-47 invia un sogno a Nausicaa, 110-4 combina l'incontro tra Nausicaa ed Odisseo, 139-40 infonde coraggio a Nausicaa, 229-35 rende bello Odisseo, 233, 291, 322, 328-31 ascolta la preghiera di Odisseo; VII 18-38 guida Odisseo alla reggia di Alcinoo, 40-1 nasconde Odisseo nella caligine, 46-81 racconta ad Odisseo le vicende della casa di Alcinoo e ritorna ad Atene, 110-1 concesse alle donne dei Feaci l'arte della tessitura, 140, 311; VIII 7-15 richiama i Feaci all'assemblea, 18-23 rende bello Odisseo, 193-8 protegge Odisseo nella gara del disco, 493 aiuta Epeo nella costruzione del cavallo, 519-20 aiuta Odisseo nella distruzione di Troia; IX 317; XI 547 assegna le armi di Achille ad Odisseo, 626 aiuta Eracle; XIII 121, 189-93 avvolge Odisseo in una nebbia, 221-5 si avvicina ad Odisseo nell'aspetto di un giovane, 236-49 dice ad Odisseo che il luogo in cui si trova è Itaca, 252, 287-310 offre il suo aiuto ad Odisseo, 300, 329-51 mostra Itaca ad Odisseo, 361-71 aiuta Odisseo a nascondere i doni dei Feaci, 371, 374-81 esorta Odisseo a liberare la casa dai proci, 392-415 invia Odisseo da Eumeo e decide di andare a Sparta a richiamare Telemaco, 420-8 tranquillizza Odisseo sulla sorte di Telemaco, 429-38 trasforma Odisseo in un vecchio mendicante, 440 va a Sparta; XIV 2, 216; XV 1-42 esorta Telemaco a ritornare da Sparta ad Itaca, 9, 222, 292-3 invia un vento propizio alla navigazione; XVI 155-71 ordina ad Odisseo di rivelarsi a Telemaco, 166-77 restituisce il vero aspetto ad Odisseo, 172, 207, 233, 260, 282, 298, 450-1 fa addormentare Penelope, 454-9 trasforma Odisseo in un mendicante; XVII 63-4 versa la grazia su Telemaco, 132, 360-4 spinge Odisseo a chiedere pane ai proci; XVIII 69-70 rinvigorisce Odisseo, 155, 158-62 ispira a Penelope di mostrarsi tra i proci, 187-97 rende bella Penelope, 235, 346-8 spinge i proci a commettere oltraggi; XIX 2, 33-4 fa luce con una lampada d'oro, 52, 479 distoglie Euriclea dall'annunciare a Penelope il riconoscimento di Odisseo, 603-4 versa il sonno sulle palpebre di Penelope; XX 30, 44-55 rassicura Odisseo, 72 dona l'abilità manuale alle figlie di Pandareo, 284-6 spinge i proci ad oltraggiare Odisseo, 345-9 stravolge la mente dei proci; XXI 1-4 ispira a Penelope di proporre ai proci la prova dell'arco, 357-8 fa addormentare Penelope; XXII 205-6 giunge da Odisseo nell'aspetto di Mentore, 210, 224-35 ingiuria Odisseo e si posa sulla trave della sala simile a una rondine, 256-9 rende vani i colpi dei proci, 273, 297-309 solleva l'egida e atterrisce i proci; XXIII 156-62 rende bello Odisseo, 160-1 ispiratrice delle arti, 240-6 impedisce ad Aurora di aggiogare i cavalli al suo carro, 344-8 fa sorgere l'Aurora, 371-2 avvolge in una nube Odisseo, Telemaco e i servi; XXIV 367-9 rinvigorisce Laerte, 376, 472-6 chiede a Zeus se ha intenzione di prolungare la guerra ad Itaca, 487-8 va ad Itaca sollecitata da Zeus, 502-3 giunge nell'aspetto di Mentore, 516-9 esorta Laerte a scagliare la lancia, 520 dà vigore a Laerte, 529-32 pone fine alla lotta tra Odisseo e gli Itacesi, 533, 541-6 in nome di Zeus ordina ad Odisseo di porre fine alla guerra, 545, 546-8 fa stringere un patto di pace tra Odisseo e il suo popolo (v. Pallade)

Atene ('Αθῆναι): capoluogo dell'Attica. III 278, 307; VII 80 ('Αθήνη); XI 323

Atlante (Ἄτλας): uno dei Titani figlio di Giapeto. I 52-4 regge le colonne che dividono terra e cielo; VII 245

Atreo (Ἀτρεύς): padre di Agamennone e Menelao, IV 462, 543; XI 436

Atride (Ἀτρεΐδης): discendente di Atreo, Agamennone e Menelao. III 134-152 in lite tra di loro; V 307; XVII 104; XIX 183
Agamennone: I 35, 40; III 156, 164, 193, 248, 268, 304; IV 536; IX 263; XI 387, 397, 463; XIII 383; XIV 497; XXIV 20, 24, 35-97 ricorda le esequie di Achille e paragona la sorte di quello alla sua sventura, 102, 105-19 chiede ad Anfimedonte perché tanti nobili Itacesi sono giunti nell'Ade e ricorda di essere stato suo ospite quando giunse ad Itaca per convincere Odisseo a prendere parte alla guerra, 121, 191-202 mette a confronto l'ignobile condotta di Clitemestra e la fedeltà di Penelope
Menelao: III 257, 277; IV 51, 156, 185, 190, 235, 291, 304, 316, 492, 594; XIII 424; XIV 470; XV 52, 64, 87, 102 regala una tazza a due anse a Telemaco, 121, 147; XVII 116, 147

Atritona (Ἀτρυτώνη): epiteto di Atena. IV 762; VI 324

Attoride (Ἀκτορίς): ancella di Penelope, ereditata dal padre. XXIII 225-9 unica estranea a conoscere il letto matrimoniale di Odisseo e Penelope

Aurora (Ἠώς): dea sposa di Titone, compare all'alba. II 1; III 404, 491; IV 188, 194, 306, 431, 576; V 1, 121-4 ama Orione, 228, 390; VI 48; VIII 1; IX 76, 151, 152, 170, 306, 307, 436, 437, 560; X 144, 187, 541; XII 3-4 la sua casa nell'isola di Eea, 7, 8, 142, 316; XIII 18, 94; XIV 502; XV 56, 189, 250, 495; XVI 368; XVII 1, 497; XVIII 318; XIX 50, 319, 342, 428; XX 91; XXIII 241-6 trattenuta da Atena, 246

Autolico (Αὐτόλυκος): padre di Anticlea, nonno di Odisseo. XI 85; XIX 394-8 abile nel furto e nello spergiuro, 399-412 sceglie il nome di Odisseo, 403, 405, 414-5 accoglie Odisseo, 418-9 ordina ai figli di preparare il pranzo, 430, 437, 455, 459, 466; XXI 220; XXIV 334

Autónoe (Αὐτονόη): ancella di Penelope. XVIII 182

Boètoo, figlio di – (Βοηθοΐδη): patronimico di Eteòneo. IV 31; XV 95, 140

Boote (Βοώτης): costellazione vicina all'Orsa. V 272

Borea (Βορέης): vento del nord. V 296 alimenta tempeste insieme agli altri venti, 328, 331, 385 spinge l'imbarcazione di Odisseo da Ogigia a Scheria; XIV 475-7 apporta neve e gelo

Cadmei (Καδμεῖοι): nome dei Tebani derivante dal fondatore della città, Cadmo. XI 276

Cadmo (Κάδμος): padre di Ino. V 333

Calcide (Χαλκίς): corso d'acqua dell'Elide. XV 295

Calipso (Καλυψώ): ninfa figlia di Atlante. I 13-5 trattiene Odisseo, 48-59 cerca di far dimenticare Itaca ad Odisseo; IV 557; V 14, 58-62 intenta al telaio, 76-94 ospita Ermete, 78, 85, 116-44 accusa gli dei di invidia, 149-70 invita Odisseo a partire, 180-91 promette ad Odisseo di non tramare inganni, 192-213 preannuncia le sventure future, 202, 229-43 indica ad Odisseo il materiale per la costruzione della zattera, 242, 246-8 e 258-9 aiuta Odisseo, 263-8 lascia partire Odisseo, 276, 321, 372; VII 245, 254, 260; VIII 452; IX 29-30 desidera avere come sposo Odisseo; XII 389-90 riferisce ad Odisseo sul colloquio del Sole con Zeus, 448; XVII 143; XXIII 333

Candida Rupe (Λευκάς): luogo immaginario di accesso all'Ade. XXIV 11

Cariddi (Χάρυβδις): mostro delle profondità marine, situato a breve distanza da Scilla. XII 101-5 tre volte al giorno risucchiava e altrettante vomitava l'acqua del mare, 104, 113, 231-43 si mostra ad Odisseo, 235, 260, 428, 430-1 risucchia l'acqua del mare, 436, 441; XXIII 327

Cariti (Χάριτες): figlie di Zeus, dee della grazia. VI 18; VIII 364-6 assistono Afrodite; XVIII 194

Cassandra (Κασσάνδρη): figlia di Priamo, fatta schiava da Agamennone. XI 421-2 uccisa da Clitemestra

Castore (Κάστωρ): figlio di Tindaro, eroe spartano. XI 300-4 vive a giorni alterni

Castore (Κάστωρ): personaggio inventato da Odisseo. XIV 204

Cauconi (Καύκωνες): identificati con il popolo abitante nel Peloponneso occidentale. III 366

Cefalleni (Κεφαλλῆνες): nome complessivo dei sudditi di Odisseo secondo l'*Iliade* (II 631-4). XX 210 nel loro territorio è custodito il bestiame di Odisseo; XXIV 355, 378, 429

Centauro (Κένταυρος): essere selvaggio della Grecia centrale, tradizionalmente rappresentato con il busto di uomo e la parte posteriore del corpo di cavallo. XXI 295, 303 in lotta con i Lapiti

Cetei (Κήτειοι): popolazione della Misia. XI 521 molti di loro furono uccisi da Neottolemo

Chio (Χίος): isola dell'Egeo. III 170, 172

Ciclope (Κύκλοψ): gigante dedito alla pastorizia che vive allo stato

Clitemestra (Κλυταιμήστρη): moglie di Agamennone. III 265-8 affidata ad un cantore da Agamennone; XI 422-6 uccide Cassandra e non chiude gli occhi e la bocca ad Agamennone morto, 439
Clitio (Κλυτίος): itacese, padre di Pireo. XVI 327; figlio di Clitio (Κλυτίδης): Pireo. XV 540
Clito (Κλεῖτος): figlio di Mantio. XV 249, 250-1 rapito da Aurora
Clitoneo (Κλυτόνηος): figlio di Alcinoo. VIII 118-25 vince la gara della corsa, 119, 123
Clori (Χλῶρις): figlia di Anfione e sposa di Neleo. XI 281-98 la sua anima incontra Odisseo
Cnosso (Κνωσός): città di Creta. XIX 178
Cocito (Κώκυτος): fiume infernale. X 514
Corvo (Κόραξ): nome di una roccia di Itaca. XIII 408
Crataide (Κράταιϊς): madre di Scilla. XII 124
Creonte (Κρείων): re di Tebe e padre di Megara. XI 269
Creta (Κρήτη/Κρῆται): isola del Mediterraneo. III 191, 291; XI 323; XIII 256, 260; XIV 199, 252, 300, 301; XVI 62; XVII 523; XIX 172, 186, 338
Creteo (Κρηθεύς): figlio di Eolo e marito di Tiro. XI 237, 258
Cretesi (Κρῆτες): abitanti di Creta. XIV 205, 234, 382
Cromio (Χρομίος): figlio di Neleo e Clori. XI 286
Cronide (Κρονίδης/Κρονίων): epiteto di Zeus. I 45, 81, 386; III 88 ignora la sorte di Odisseo, 119; IV 207, 699; VIII 289; IX 552; X 21-2 fece Eolo custode dei venti, 620; XI 620; XII 399, 405-6 desta sulla nave di Odisseo una nuvola nera; XIII 25; XIV 184, 303, 406; XV 477; XVI 117, 291; XVII 424; XVIII 376; XIX 80; XX 236, 273; XXI 102; XXII 51; XXIV 472, 473, 539-40 manda una folgore ai piedi di Atena, 544 (v. Zeus)
Crono (Κρόνος): figlio di Urano e Terra, padre di Zeus. XXI 415
Cruni (Κρουνοί): corso d'acqua dell'Elide. XV 295
Ctesio (Κτήσιος): padre di Eumeo. XV 414 re dell'isola Siria
Ctesippo (Κτήσιππος): uno dei pretendenti, abitante di Same. XX 287-302 scaglia senza esito una zampa di bue contro Odisseo, 303, 304; XXII 279-80 ferisce Eumeo, 285 ucciso da Filezio
Ctimene (Κτιμένη): sorella minore di Odisseo. XV 363-7 sposa a Same

Damastoride (Δαμαστορίδη): patronimico di Agelao. XX 321; XXII 212, 241, 293 ucciso da Odisseo

Danai (Δαναοί): i Greci in assetto militare. I 350; IV 278, 725, 815; V 306; VIII 82, 578; XI 470, 526, 551, 559; XXIV 18, 46 in lutto per Achille

Deifobo (Δηΐφοβος): figlio di Priamo. IV 276 segue Elena; VIII 517

Delo (Δῆλος): isola delle Cicladi, famosa per il culto di Apollo. VI 162

Demetra (Δημήτηρ): dea della fecondità, figlia di Cronos. V 125-8 il suo amore per Iasione fu contrastato da Zeus

Demodoco (Δημόδοκος): cantore cieco della corte di Alcinoo. VIII 44, 62-4 giunge nella reggia, 72-8 canta la lite tra Odisseo e Achille, 106, 254, 262, 266-367 canta gli amori di Ares ed Afrodite, 471-83 partecipa al banchetto, 472, 478, 483, 486, 487, 499-521 canta l'episodio del cavallo di Troia, 537; XIII 27-8 allieta il banchetto

Demottolemo (Δημοπτόλεμος): uno dei pretendenti. XXII 242 il migliore dei proci, 266 ucciso da Odisseo

Dette (Δέκτης): personaggio ignoto, forse un mendicante, di cui Odisseo prese le sembianze. IV 247-8

Deucalione (Δευκαλίων): figlio di Minosse e padre di Idomeneo. XIX 180 nel falso racconto fatto a Penelope, Odisseo si dichiara suo figlio, 181

Dia (Δία): isola a N di Creta. XI 325

Dimante (Δύμας): navigatore di Scheria. VI 22

Diocle (Διοκλεύς): figlio di Ortiloco, re di Fere. III 488 ospita Telemaco e Pisistrato; XV 186-7 ospita Telemaco di ritorno da Sparta

Diomede (Διομήδης): figlio di Tideo. III 167, 180-3 fugge da Tenedo e arriva ad Argo

Dioniso (Διόνυσος/Διώνυσος): figlio di Zeus e Semele, dio del vino e della vegetazione. XI 325 fa uccidere Arianna; XXIV 74 donò a Teti un'anfora d'oro in cui furono raccolte le ossa di Patroclo e Achille

Dmetore (Δμήτωρ): figlio di Iaso e re di Cipro. XVII 443 Odisseo inventa di essere stato suo schiavo

Dodona (Δωδώνη): località dell'Epiro, sede di un oracolo di Zeus, che rivelava la sua volontà con il fruscio di una quercia. XIV 327; XIX 296

Dolio (Δολίος): servo di Penelope ereditato dal padre. IV 735-7; XVII 212; XVIII 322; XXII 159; XXIV 222-5 raccoglie i pruni, 387-8 ritorna con i figli dalla campagna, 397-405 saluta Odisseo, 409, 411 pranza insieme ai figli e ai padroni, 492, 497, 498-9 si arma per difendere Odisseo

Doriesi (Δωριέες): popolazione indoeuropea, che verso la fine del II millennio a.C. si insediò nel Peloponneso e a Creta. XIX 177 tre loro tribù risiedono a Creta

Dulichiese (Δουλιχιεύς): abitante di Dulichio. XVIII 127, 395, 424

Dulichio (Δουλίχιον): isola del mar Ionio, forse una parte di Cefallenia. I 246; IX 24; XIV 335, 397; XVI 123, 247, 396; XIX 131, 292

Eacide (Αἰακίδης): appellativo di Achille derivante dal nome del nonno. XI 471-537 conversa con Odisseo, 538-40 passeggia lieto sul campo di asfodeli

Ebe (Ἥβη): figlia di Zeus ed Era, sposa di Eracle. XI 603

Ecalia, di – (Οἰχαλιεύς): nome di varie città, tra cui una in Messenia. VIII 224

Echefrone (Ἐχέφρων): figlio di Nestore. III 413, 439 partecipa al sacrificio

Echeneo (Ἐχένηος): vecchio feace. VI 155-66 invita Alcinoo ad ospitare Odisseo; XI 342-6 favorevole alla proposta di Arete

Echeto (Ἔχετος): re immaginario dell'Epiro, autore di atrocità. XVIII 85-7 Antinoo dice che sottoporrà a torture il mendicante Iro, 116; XXI 308

Edipo (Οἰδιπόδης): figlio e sposo di Epicasta. XI 271

Eea (Αἰαίη): isola abitata da Circe, all'estremo oriente dell'Oceano. X 135; XI 70; XII 3-4 sede di Aurora e del sorgere del Sole; abitante di Eea (Αἰαίη): Circe. IX 32; XII 268, 273

Eeta (Αἰήτης): figlio del Sole e di Perse e fratello di Circe, re della Colchide. X 137; XII 70 detentore del vello d'oro

Efesto (Ἥφαιστος): figlio di Zeus ed Era, dio del fuoco e della lavorazione dei metalli. IV 617; VI 233; VII 91-4 aveva foggiato i cani d'oro per la reggia di Alcinoo; VIII 268, 270-321 costruisce la trappola per Ares, 272, 286, 287, 293, 297, 327, 330, 344-59 libera Ares, 345, 355, 359; XV 117; XXIII 160-1 ispiratore delle arti; XXIV 71, 75

Efialte (Ἐφιάλτης): figlio di Ifimedea e Posidone. XI 305-20 ucciso da Apollo, perché osò sfidare gli dei

Efira (Ἐφύρη): città della Tesprozia. I 259; II 328

Egisto (Αἴγισθος): figlio di Tieste. I 29-30 ucciso da Oreste, 35-43 sposa Clitemestra e uccide Agamennone, 42, 300 ucciso da Oreste per giusta vendetta; III 193-8 il suo delitto e la sua punizione, 198, 235, 250, 256, 262-75 sedusse Clitemestra, 303-7 regnò sette anni

Epei ('Επειοί): popolazione dell'Elide, che prese il nome dal re Epeo, figlio di Endimione. XIII 275; XV 298; XXIV 431

Epeo ('Επειός): costruttore del cavallo di legno impiegato nella conquista di Troia. VIII 492-3; XI 523

Eperito ('Επήριτος): nome fittizio di Odisseo. XXIV 306

Epicasta ('Επικάστη): madre di Edipo, sposa, inconsapevole, il figlio e poi si impicca. XI 271-80 incontra Odisseo nell'oltretomba

Era ("Ηρη): dea moglie di Zeus. IV 513 salva Agamennone; VIII 465; XI 604; XII 72 dirotta la nave Argo dalle Rupi Erranti; XV 112, 180; XX 70-1 dona saggezza e bellezza alle figlie di Pandareo

Eracle ('Ηρακλῆς): figlio di Zeus ed Alcmena, vive insieme agli dei, sposo di Ebe. VIII 224; XI 267, 601-29 ad Odisseo racconta la sua discesa nell'Ade; XXI 26-30 uccide Ifito; di Eracle ('Ηρακληείη): XI 601

Erebo ("Ερεβος): spazio tenebroso al centro della Terra. X 528; XI 37, 564; XII 81; XX 356

Erembi ('Ερεμβοί): popolazione non localizzata. IV 84

Eretmeo ('Ερετμεύς): giovane feace. VIII 112

Eretteo ('Ερεχθεύς): mitico re di Atene. VII 81

Erifile ('Εριφύλη): sposa dell'indovino Anfiarao. XI 326-7 vendette il marito

Erimanto ('Ερύμανθον): monte dell'Arcadia. VI 103

Erinni ('Ερινύς): divinità violente, vendicatrici soprattutto dei delitti di sangue. XI 280 fanno soffrire Edipo; XV 234-5 puniscono Melampo; XVII 475; XX 78

Ermete ('Ερμείας/'Ερμῆς): figlio di Zeus e Maia. I 37-43 avverte Egisto della vendetta di Oreste, 38, 42, 84; V 28-41 inviato da Calipso, 29, 43-54 parte per l'isola di Calipso, 55-80 ad Ogigia, 85, 87, 95-115 ordina a Calipso di lasciare Odisseo, 145-8 riparte da Ogigia, 196; VIII 322-3 giunge da Efesto, 334, 335, 338-42 ride di Afrodite, X 275-308 dà ad Odisseo i rimedi contro i poteri di Circe, 277, 307; XI 626 aiuta Eracle; XII 390 riferì a Calipso l'argomento del colloquio tra il Sole e Zeus; XIV 435; XV 319-20 concede la gloria agli uomini; XIX 396-8 protegge Autolico; XXIV 1-14 guida nell'Ade le anime dei pretendenti, 10; di Ermete ('Ερμαῖος): XVI 471 (v. Arghifonte).

Ermione ('Ερμιόνη): unica figlia di Elena e Menelao. IV 14

Erranti (Πλαγκταί): rocce galleggianti, contro cui cozzano le navi. XII 61; XXIII 327

Esone (Αἴσων): figlio di Tiro e Creteo. XI 259

Eteocretesi (Ἐτεόκρητες): popolazione indigena di Creta («veri Cretesi») insediata nelle estremità orientali e occidentali dell'isola. XIX 176

Eteòneo (Ἐτεωνεύς): scudiero di Menelao. IV 20-9 annuncia l'arrivo di Telemaco, 31; XV 95-9 prepara il fuoco e la carne

Etiopi (Αἰθίοπες): razza mitica meridionale. I 22 ospitano Posidone, 23-4 sono distinti in orientali e occidentali; IV 84; V 282, 287

Etolo (Αἰτωλός): abitante dell'Etolia, regione della Grecia centro-settentrionale. XIV 379-85 racconta menzogne ad Eumeo

Etone (Αἴθων): nome inventato da Odisseo a Penelope («Luminoso», «Ardente»). XIX 183

Euante (Εὐάνθης): padre di Marone. IX 197

Eubea (Εὔβοια): isola prospiciente la costa orientale della Grecia. III 174; VII 321

Eumelo (Εὔμηλος): marito di Iftima. IV 798

Eumeo (Εὔμαιος): porcaro di Odisseo. XIII 404-6 Atena dice che è ancora fedele alla famiglia del suo padrone; XIV 3-4 cura i beni di Odisseo, 5-12 seduto davanti al recinto che egli stesso aveva costruito, 35-51 accoglie Odisseo, 55-71 lamenta la mancanza di un padrone che lo protegga, 71-108 dà da mangiare ad Odisseo e gli mostra le ricchezze del suo padrone, 121-47 crede che il suo padrone sia morto, 165-90 chiede all'ospite di presentarsi, 360-89 non crede ad una possibilità di ritorno di Odisseo, 410-38 uccide un maiale, 440, 442-4 sostiene che il dio può tutto, 462, 507-22 prepara un giaciglio per Odisseo, 532-3 dorme vicino al porcile; XV 301-2 cena con Odisseo, 307, 325-39 invita Odisseo a restare da lui, 341, 351-79 racconta ad Odisseo le vicende dei suoi genitori, 381, 389-484 racconta ad Odisseo la sua storia, 486; XVI 7, 8, 14-52 accoglie Telemaco, 60-7 presenta a Telemaco il falso mendicante, 69, 135, 156, 338-9 riferisce a Penelope il ritorno di Telemaco, 461, 464-75 dice a Telemaco di aver visto una nave rientrare; XVII 199-203 dà un bastone ad Odisseo e lo accompagna in città, 238-46 rimprovera Melanzio e fa una preghiera alle Ninfe, 264, 272, 305, 306, 311-23 parla ad Odisseo del cane Argo, 380, 508, 512, 543, 561, 576, 579; XX 169, 238-9 chiede agli dei il ritorno di Odisseo; XXI 80, 82 pone l'arco di fronte ai proci, 203, 234; XXII 157, 194-9 impicca Melanzio, 279-80 ferito da Ctesippo, 284 colpisce Polibo

Eupite (Εὐπείθης): padre di Antinoo. I 383; IV 641, 660; XVI 363; XVII 477; XVIII 42, 248; XX 270; XXI 140, 256; XXIV 422-37 esorta gli Itacesi a punire Odisseo, 465, 469-71 vuole vendicare la morte del figlio, 519-25 ucciso da Laerte, 523

Euriade (Εὐρυάδη): uno dei pretendenti. XXII 267 è ucciso da Telemaco

Eurialo (Εὐρύαλος): giovane feace. VIII 115, 126-7 vince la gara della lotta, 140-2 favorevole alla partecipazione di Odisseo ai giochi, 157-164 ingiuria Odisseo, 396, 400-16 si riconcilia con Odisseo

Euribate (Εὐρυβάτης): araldo di Odisseo. XIX 244-8 il più onorato da Odisseo

Euriclea (Εὐρύκλεια): figlia di Ope Pisenoride, serva di Laerte e nutrice di Odisseo. I 428-42 assiste Telemaco; II 347, 361-70 invita Telemaco a non partire; 377-80 nasconde la partenza di Telemaco; IV 742-58 svela a Penelope di sapere della partenza del figlio; XVII 31-3 accoglie Telemaco; XIX 15, 21, 357, 361-81 nota la somiglianza tra il mendicante ed Odisseo, 386-94 riconosce la cicatrice di Odisseo 401, 468-79 riconosce Odisseo, 491-8 promette il suo silenzio ad Odisseo; XX 128, 134, 147-56 ordina alle ancelle di fare i preparativi per la festa; XXI 380, 381, 386-7 chiude le porte della sala; XXII 391, 394, 419-29 accusa di tradimento 12 ancelle di Odisseo, 480, 485, 492-3 porta zolfo e fuoco ad Odisseo, 495-7 annuncia alle donne la vittoria di Odisseo; XXIII 1-31 informa Penelope del ritorno di Odisseo, 25, 39-57 racconta a Penelope la vendetta di Odisseo, 69-79 dice a Penelope di aver riconosciuto Odisseo dalla cicatrice, 177

Euridamante (Εὐρυδάμας): uno dei pretendenti. XVIII 297 ucciso da Odisseo; XXII 283

Euridice (Εὐριδίκη): figlia di Climeno e moglie di Nestore. III 451-2 partecipa al sacrificio

Euriloco (Εὐρύλοχος): compagno di Odisseo. X 205, 206-9 va in esplorazione dell'isola di Eea, 232 si rifiuta di entrare da Circe, 244-60 riferisce ad Odisseo l'incantesimo di Circe, 271, 428-37 non crede ad Odisseo, 447-8 segue Odisseo; XI 23 afferra gli animali per il sacrificio; XII 195-6 rafforza i legami di Odisseo nel passaggio vicino all'isola delle Sirene, 278-93 propone di trascorrere la notte a Trinachia, 294, 297, 339-351 esorta i compagni a sacrificare le vacche del Sole, 352

Eurimaco (Εὐρύμαχος): figlio di Polibo, capo dei pretendenti. I 399-411 chiede a Telemaco notizie dello straniero, 413; II 177-207 invita Telemaco a restituire Penelope a suo padre, 209; IV 628-9 gioca davanti alla casa di Odisseo; XV 17, 519; XVI 345-50 manda un messaggio agli altri proci, 434-47 promette a Penelope che difenderà Telemaco, 447 trama contro Telemaco; XVII 257; XVIII 65, 244-9 lusinga Penelope, 251, 295, 325, 349-64 accusa Odisseo di rifiutare il lavoro onesto, 366, 387-98 lancia uno sgabello contro

Odisseo, 396; XX 359-62 ordina di far allontanare Teoclimeno, 364; XXI 186-7 il migliore dei pretendenti per valore, 245-55 lamenta la propria incapacità nel tendere l'arco, 257, 277, 320-9 teme di essere disonorato dal mendicante nella gara dell'arco, 331; XXII 44-59 cerca di trattare con Odisseo, 61, 69-88 ucciso da Odisseo

Eurimedonte (Εὐρυμέδων): re dei Giganti. VII 58-9 manda in rovina il suo popolo e se stesso

Eurimedusa (Εὐρυμέδουσα): nutrice di Nausicaa. VII 7-13 accende il fuoco

Eurimide (Εὐρυμίδης): patronimico di Telemo. IX 509

Eurinome (Εὐρυνόμη): dispensiera della casa di Odisseo. XVII 495; XVIII 164, 169-76 esorta Penelope a lavarsi ed ungersi, 178; XIX 96, 97; XX 4 copre con un mantello Odisseo; XXIII 153-5 fa il bagno ad Odisseo, 289-90 prepara insieme alle ancelle il letto per Penelope e Odisseo, 293-4 guida con una fiaccola Penelope e Odisseo verso il talamo

Eurinomo (Εὐρύνομος): uno dei pretendenti, figlio di Egizio. II 22; XXII 242 il migliore dei proci

Euripilo (Εὐρύπυλος): eroe, figlio di Telefo e di Astioche. XI 519-20 fu ucciso a Troia da Neottolemo

Eurito (Εὔρυτος): signore di Ecalia, famoso tiratore con l'arco. VIII 224-8 fu ucciso da Apollo, 226; XXI 32
figlio di Eurito (Εὐρυτίδη): XXI 14, 37

Eurizione (Εὐρυτίων): uno dei Centauri. XXI 295-302 ubriaco in casa di Piritoo

Euro (Εὖρος): vento dell'est. V 295 alimenta tempeste insieme agli altri, 332; XIX 206 scioglie la neve

Evenoride (Εὐηνορίδης): patronimico di Leiocrito. II 242; XXII 294

Faetusa (Φαέθουσα): ninfa («Lucente») figlia di Neera e del Sole. XII 132 guardiana delle mandrie del Sole

Faro (Φάρος): isola situata di fronte all'Egitto. IV 355

Fea (Φεαί): località sulla costa dell'Elide. XV 297

Feaci (Φαίηκες): abitanti di Scheria. V 35, 280, 288, 345, 386; VI 3-12 provenivano da Iperea, 35, 55, 114, 195, 197, 202, 241, 257, 270, 284, 298, 302, 327; VII 11, 16, 39, 62, 98, 108-9 esperti di navigazione, 136, 156, 186, 316; VIII 5, 11, 21, 23, 26, 86, 91, 96, 97, 108, 117, 188, 191, 198, 201, 207, 231, 250, 368-9 gioiscono al canto di Demodoco, 386, 387, 428, 440, 535, 536, 557-63 hanno navi magiche, 567; XI 336, 343, 349; XIII 12, 36, 120, 130, 149, 160, 165-9 si meravigliano di vedere la loro nave trasformata in pietra, 175, 185-7 supplicano Posidone, 204, 210, 302, 304, 322, 369; XVI 227; XIX 279; XXIII 338

Febo (Φοίβος): «Splendente», epiteto di Apollo. III 279; VIII 79; IX 201

Fédimo (Φαίδιμος): re dei Sidonî. IV 617-9 dona un cratere a Menelao; XV 117

Fedra (Φαίδρη): figlia di Minosse e sposa di Teseo. XI 321

Femio (Φήμιος): aedo del palazzo di Odisseo. I 153-5 diletta i banchetti dei pretendenti, 325-7 canta il ritorno degli Achei; XVII 262-3 canta accompagnato dalla cetra; XXII 330-53 supplica Odisseo di risparmiarlo

Fenice (Φοῖνιξ, Φοίνισσα): abitante della Fenicia, popolo esperto di commercio e di pirateria. XIII 272; XIV 285-309 nel racconto inventato da Odisseo, un uomo fenicio l'avrebbe rapito; XV 415-6 commerciano, 417 una donna fenice era serva di Ctesio, 419 seducono una serva di Ctesio, 473

Fenicia (Φοινίκη): regione del Mediterraneo orientale. IV 83; XIV 291

Fere (Φεραί): città della Tessaglia. IV 798

Fere (Φηραί): città dell'Elide. III 488; XV 186

Ferete (Φέρης): figlio di Tiro e Creteo. XI 259

Festo (Φαιστός): città dell'isola di Creta. III 296

Fetonte (Φαέθων): cavallo che trascina il carro dell'Aurora. XXIII 246

Fidone (Φείδων): re dei Tesproti. XIV 316-20 ospite di Odisseo, 321; XIX 287

Filace (Φυλάκη): città della Tessaglia. XI 290; XV 236

Filaco (Φύλακος): padre di Ificlo. XV 231

Filatrici (Κλῶθες): divinità che rappresentano il Destino. VII 197

Filezio (Φιλοίτιος): bovaro custode delle mandrie di Odisseo. XX 185-225 deplora il regime instaurato ad Itaca dai pretendenti, 254-5 serve il pane ai proci; XXI 240, 388-93 chiude le porte dell'atrio; XXII 285-91 uccide Ctesippo, 359

Filò (Φυλώ): ancella di Elena. IV 125, 133-5 porta un cesto

Filomelide (Φιλομελεΐδης): re di Lesbo. Fu vinto da Odisseo. IV 343-4 vinto nella lotta da Odisseo; XVII 134

Filottete (Φιλοκτήτης): figlio di Peante e re di Tessaglia. III 190 è ritornato in patria; VIII 219-20 abile nel tiro dell'arco

Forco (Φόρκυς): dio del mare, padre della ninfa Toòsa. I 72; XIII 96 «vecchio del mare», 345
Fronio (Φρόνιος): padre di Noemone. II 386; IV 630, 648
Fronti (Φρόντις): figlio di Onetore, nocchiero di Menelao. III 278-85 fu ucciso da Apollo
Ftia (Φθίη): città della Tessaglia, regno di Peleo. XI 496
Fu-Iro (Ἄϊρος): nome burlesco di Iro. XVIII 73

Gerenio (Γερήνιος): attributo di Nestore. III 68, 102, 210, 253, 386, 397, 405, 411, 474; IV 161
Geresto (Γεραιστός): promontorio dell'Eubea. III 177
Giasone (Ἰήσων): figlio di Esone, re di Iolco, fu inviato alla conquista del vello d'oro dallo zio Pelia. XII 72
Giganti (Γίγαντες): popolo mitico scomparso insieme al suo re. VII 59, 206; X 120
Girea (Γυραίη): rupe. IV 507 vi morì Aiace
Giree (Γυραί): rupi non identificate. IV 500
Gorgone (Γοργείη): tre sorelle, di cui solo Medusa mortale, la testa di quest'ultima fu staccata da Perseo. XI 634 Odisseo teme che Persefone invii la sua testa
Gortina (Γόρτυν): città di Creta. III 294

Helios: v. Sole

Iardano (Ἰάρδανος): fiume di Creta. III 292
Iaside (Ἰασίδης): patronimico di Anfione. XI 283
Iaside (Ἰασίδης): patronimico di Dmetore. XVII 443
Iasione (Ἰασίων): amato da Demetra. V 125-8 fu ucciso da Zeus
Icario (Ἰκάριος): fratello di Tindaro e padre di Penelope. I 329; II 53, 133; IV 797, 840; XI 446; XVI 435; XVII 562; XVIII 159, 188, 245, 285; XIX 375, 546; XX 388; XXI 2, 321; XXIV 195
Icmalio (Ἰκμάλιος): fabbro di Itaca. XIX 57 fece il trono per Penelope
Idomeneo (Ἰδομενεύς): figlio di Deucalione e re di Creta. III 191-2 fece ritorno a Creta; XII 259; XIV 237, 382; XIX 181, 190-1 ospite e amico di Odisseo
Ificlo (Ἰφικλείη): figlio di Filaco. XI 290 tiene prigioniero un indovi-

no (Melampo?) che voleva rubargli le vacche, 296 libera l'indovino; di Ificlo ('Ιφικληείη): XI 290, 296

Ifimedea ('Ιφιμέδεια): moglie di Aloeo. XI 305-8 generò a Posidone Oto ed Efialte

Ifito ("Ιφιτος): figlio di Eurito. XXI 11-4 a Messene dona ad Odisseo l'arco e la faretra, 14, 22-4 a Messene in cerca delle cavalle, 25-30 ucciso da Eracle, 31-3 dona ad Odisseo l'arco ereditato dal padre, 37

Iftima ('Ιφθίμη): sorella di Penelope. IV 795-838 appare in sogno a Penelope

Ilacide ('Υλακίδης): patronimico inventato da Odisseo. XIV 204

Ilio ("Ιλιος): altro nome di Troia. II 18, 172; VIII 495, 578, 581; IX 39; X 15; XI 86, 169, 372; XIV 71, 238; XVII 104, 293; XVIII 252; XIX 125, 182, 193; XXIV 117

Ilizia (Εἰλείθυια): divinità che presiede al parto. XIX 188 ha un culto a Creta

Ilo ("Ιλος): figlio di Mermero. I 259-64 dà il veleno per le frecce ad Odisseo

Ino ('Ινώ): figlia di Cadmo, divinità secondaria del mare. V 333-53 dà un velo protettivo ad Odisseo, 461-2 riprende il suo velo

Iolco ('Ιαωλκός): città della Tessaglia. XI 256

Ionio ("Ιασον): discusso attributo di Argo, derivante o da Iaso, un suo re leggendario, oppure da un antico insediamento ionico ad Argo. XVIII 246

Ipera ('Υπερείη): località mitica abitata in passato dai Feaci. VI 4

Iperesia ('Υπερησίη): località dell'Acaia. XV 254

Iperione ('Υερίων): attributo del Sole («Che sta in alto»). I 8, 24; XII 133, 263, 346, 374

Iperionide ('Υεριονίδης): patronimico del Sole. XII 176

Ippodamìa ('Ιπποδάμεια): ancella di Penelope. XVIII 182

Ippotade ('Ιπποτάδης): patronimico di Eolo. X 2, 36

Iro ("Ιρος): mendicante di Itaca. XVIII 1-13 cerca di scacciare Odisseo dalla sua casa, 6, 25, 38, 56, 73, 75, 95-9 colpisce Odisseo, 233, 239, 333, 334, 393

Ismaro ("Ισμαρος): città della Tracia. IX 40-6 saccheggiata da Odisseo e compagni, 198

Itaca ('Ιθάκη): isola dello Ionio, patria di Odisseo. I 18, 57, 88, 103, 163, 172, 247, 386, 395, 401, 404; II 167, 256, 293; III 81; IV 175, 555, 601, 605, 607-8 poco adatta all'allevamento dei cavalli, 643, 671, 845; IX 21-7 isola montuosa vicina a Dulichio, Same e Zacinto, 505, 531; X 417, 420, 463, 522; XI 30, 111, 162, 361, 480; XII 138, 345; XIII 96-112 il porto, 135, 212, 248, 256, 325, 344; XIV 98, 126, 182, 189, 329, 344; XV 29, 36, 157, 267, 482, 510, 534; XVI 58, 124, 223, 230, 251, 322, 419; XVII 250; XVIII 2; XIX 132, 399, 462; XX 340; XXI 18, 109, 252, 346; XXII 30, 52, 223; XXIII 122, 176; XXIV 104, 259, 269, 284

Itacese (Ἰθακήσιος): nome degli abitanti di Itaca. II 25, 166, 229, 246; XV 520; XXII 45; XXIV 354, 415-9 rimuovono i cadaveri dalla casa di Odisseo, 443, 454, 463-71 guidati da Eupite iniziano la rivolta contro Odisseo, 531

Itaco (Ἴθακος): eroe eponimo dell'isola di Itaca. Figlio di Pterelao, emigrò da Cefalonia e fondò insieme ai suoi fratelli, Nerito e Polittore, la città di Itaca. XVII 207 costruì la fonte cui attingevano gli Itacesi

Itilo (Ἴτυλος): figlio di Edona (l'usignolo) e del tebano Zeto. XIX 522 ucciso dalla sua stessa madre, che credeva di uccidere un figlio di Niobe, sua cognata, invidiata per la prole numerosa.

Lacedemone (Λακεδαίμων): altro nome di Sparta. III 326; IV 1, 313, 702; V 20; XIII 414, 440; XV 1; XVII 121; XXI 13

Laerce (Λαέρκης): orefice di Pilo. III 425

Laerte (Λαέρτης): padre di Odisseo. I 187-93 vive, infermo, con una serva, 189, 430; II 99; IV 111, 555, 738; VIII 18; IX 505, 531; XI 187-96 vive nella miseria; XIV 9, 173, 451; XV 353, 483 compra Eumeo; XVI 118, 138-45 afflitto per la partenza di Telemaco, 302; XIX 144; XXII 185, 191, 336; XXIV 134, 192, 206, 206-7 aveva acquistato i suoi campi con molta fatica, 226-31 intento ai lavori dei campi, 270, 280-301 lamenta la sventura di Odisseo e chiede al falso ospite chi sia, 315-7 angosciato dai falsi racconti di Odisseo, 327-9 chiede ad Odisseo un segno di riconoscimento, 345-8 abbraccia Odisseo e sviene, 349-55 teme una vendetta degli Itacesi, 365-74 reso splendente dalla serva e da Atena, 375-82 ricorda il suo valore giovanile, 498-9 si arma per difendere Odisseo, 513-5 gioisce perché figlio e nipote gareggiano in valore, 521-4 uccide Eupite, v. Archesiade

Laertiade (Λαερτιάδης): patronimico di Odisseo. V 203; IX 19; X 401, 456, 488, 504; XI 60, 92, 405, 473, 617; XII 378; XIII 375; XIV 486; XVI 104, 167, 455; XVII 152, 361; XVIII 24, 348; XIX 165, 262, 336, 583; XX 286; XXI 262; XXII 164, 339; XXIV 542

Lamo (Λάμος): fondatore della città di Telèpilo. X 81

Lampetie (Λαμπετίη): ninfa («Radiante») figlia di Neera e del Sole.

XII 132 guardiana delle mandrie del Sole, 374-5 riferisce al Sole l'uccisione delle vacche

Lampo (Λάμπος): cavallo che trascina il carro dell'Aurora. XXIII 246

Laodamante (Λαοδάμας): figlio di Alcinoo. VII 170; VIII 117, 119-20 partecipa alla gara della corsa, 130 vince al pugilato, 131-9 propone di invitare Odisseo ai giochi, 132, 141, 143-51 invita Odisseo ai giochi, 153, 207, 370-80 danza

Lapiti (Λαπίθαι): popolazione tessala. XXI 297

Leda (Λήδη) moglie di Tindaro e madre di Castore e Polluce. XI 298-304 la sua anima incontra Odisseo

Leiocrito (Λειώκριτος): figlio di Evenore, uno dei pretendenti. II 242-57 rifiuta di dare una nave a Telemaco; XXII 294-6 ucciso da Telemaco

Lemno (Λῆμνος): isola vulcanica dell'Egeo associata ad Efesto. VIII 283, 294, 301

Leode (Λειώδης): uno dei pretendenti, pratico di aruspicina. XXI 144-66 tenta di tirare con l'arco, 168; XXII 310-9 chiede ad Odisseo di essere risparmiato, 326-9 ucciso da Odisseo

Lesbo (Λέσβος): isola del mare Egeo. III 169; IV 342; XVII 133

Lestrigoni (Λαιστρυγών): giganti antropofagi e lanciatori di macigni. X 106, 119, 199

Lestrigonia (Λαιστρυγονίη): attributo (o forse nome proprio) della città dei Lestrigoni. X 82; XXIII 318

Letò (Λητώ): madre di Apollo e Artemide. VI 106; XI 318, 580 violentata da Tizio

Leucotea (Λευκοθέη): epiteto di Ino. V 334

Libia (Λιβύη): parte dell'Africa settentrionale ad ovest dell'Egitto. IV 85; XIV 295

Lotofagi (Λωτοφάγοι): popolo favoloso di «mangiatori di loto». IX 84, 91, 92-7 danno da mangiare il frutto del loto ai compagni di Odisseo, 96; XXIII 311

Maia (Μαιάς): figlia di Atlante, generò Ermete da Zeus. XIV 435

Maira (Μαῖρα): figlia di Preto e Anteia. XI 326 la sua anima incontra Odisseo

Malea (Μάλεια): la punta S-E del Peloponneso, difficile da doppiare per i venti contrari. III 287 vi naufraga Menelao; IV 514 vi naufraga Agamennone; IX 80 vi naufraga Odisseo; XIX 187

Mal-ilio (Κακοΐλιος): peggiorativo di Ilio. XIX 260, 597; XXIII 19

Mantio (Μάντιος): figlio di Melampo. XV 242, 249 genera Polifido e Clito

Maratona (Μαραθών): località dell'Attica. VII 80

Marone (Μάρων): sacerdote di Apollo ad Ismaro. IX 196-211 ospita e dona del vino ad Odisseo

Mastoride (Μαστορίδης): patronimico di Aliterse. II 158; XXIV 452

Medonte (Μέδων): araldo della casa di Odisseo. IV 677-9 e 696-702 informa Penelope del piano dei pretendenti, 711-4 ignora le ragioni del viaggio di Telemaco; XVI 252, 412; XVII 172-6 manda a casa i pretendenti; XXII 357, 361-70 chiede a Telemaco di essere risparmiato; XXIV 439 giunge tra gli Itacesi in rivolta, 442-9 dice agli Itacesi che Odisseo è aiutato da un dio

Megapente (Μεγαπένθης): figlio di Menelao e di una schiava. IV 10-2 sposa la figlia di Alettore; XV 100, 103 porta un cratere per Telemaco, 122

Megara (Μεγάρη): figlia di Creonte e sposa di Eracle. XI 269-70 incontra Odisseo nell'oltretomba

Melampo (Μελάμπους): indovino tessalo. XV 225-42 condusse le mandrie di Filaco a Pilo, in seguito ad Argo generò Antifate e Mantio

Melaneo (Μελανεύς): padre di Anfimedonte. XXIV 103

Melantò (Μελανθώ): figlia di Dolio, ancella allevata da Penelope. XVIII 321, 324-5 amante di Eurimaco, 326-36 insulta Odisseo; XIX 65-9 ingiuria Odisseo

Melanzio (Μελανθεύς/Μελάντιος): capraro di Odisseo, non fedele al suo padrone. XVII 212-34 ingiuria Odisseo, 247-53 maledice Telemaco, 369; XX 173-9 porta capre per il pasto dei proci e offende Odisseo, 255 versa il vino ai pretendenti; XXI 175, 176, 181-3 accende il fuoco e porta il sego, 265; XXII 135-46 porta le armi ai proci, 142, 152, 159, 161-2 ritorna nel talamo a prendere le armi, 178-200 legato ad una colonna da Eumeo e Filezio assiste alla strage dei proci, 182, 195, 474-9 viene trucidato

Memnone (Μέμνων): figlio di Titono ed Eos. XI 522 famoso per la bellezza

Menelao (Μενέλαος): figlio di Atreo e re di Sparta. I 285; III 141-2 esorta gli Achei al ritorno, 168 parte da Tenedo, 249, 257, 279, 284-290 subisce un naufragio, 311-2 ritorna a casa, 317, 326; IV 2, 3-9 manda la figlia in sposa a Neottolemo, 16, 23, 30-6 fa entrare in casa sua Telemaco, 46, 51, 59-67 accoglie Telemaco in casa, 76-99 lamenta la sua infelicità, 100-12 compiange Odisseo, 116, 128, 138, 147, 156, 168-83 stima Odisseo, 185, 203-15 rinvia il colloquio

Naiadi (Νηϊάδες): ninfe delle fonti e dei corsi d'acqua. XIII 102-12 tessono drappi in un antro sacro di Itaca, 348, 356

Naubolide (Ναυβολίδης): patronimico di Eurialo. VIII 116

Nausicaa (Ναυσικάα): figlia di Alcinoo. VI 15-40 riceve in sogno Atena, 25, 48-65 chiede al padre un carro, 74-95 va al fiume con le ancelle a lavare le vesti, 96-109 gioca a palla con le ancelle, 101, 110-7 sveglia Odisseo, 186-97 spiega ad Odisseo di trovarsi a Scheria, 198-210 ordina alle ancelle di aiutare Odisseo, 213, 251-321 invita Odisseo a seguirla fino al bosco sacro, 276; VII 2-7 rientra al palazzo, 12; VIII 457-62 saluta Odisseo, 464

Nausitoo (Ναυσίθοος): figlio di Posidone e antico re dei Feaci che si insediò a Scheria. VI 7-11 fonda Scheria; VII 56-63 generò Rexenore e Alcinoo, 62, 63; VIII 564-571 profetizzò la distruzione di una nave dei Feaci

Nauteo (Ναυτεύς): giovane feace. VIII 112

Neera (Νέαιρα): ninfa. XII 132-3 generò al Sole Faetusa e Lampetie

Neio (Νήιον): monte di Itaca. I 186

Neleio (Νηλήϊος): attributo di Pilo, città fondata da Neleo. IV 639

Neleo (Νηλεύς): padre di Nestore e re di Pilo. III 4, 409; XI 254 figlio di Tiro e Posidone, 257 abitava a Pilo, 281-2 sposa Clori, 288-97 promise sua figlia a chi gli avesse portato le mandrie di Ificlo; XV 229, 233, 236-7 punito da Melampo; di Neleo (Νηληϊάδης): III 79, 202, 247, 465

Neottolemo (Νεοπτόλεμος): figlio di Achille. IV 5-9 riceve in sposa la figlia di Menelao; XI 505-37 si distinse per coraggio nella guerra di Troia e nell'episodio del cavallo di legno

Nerico (Νήριχος): città che secondo la tradizione sorgeva in Leucade, prima che diventasse un'isola. XXIV 377 conquistata da Laerte

Nerito (Νηριτον): monte di Itaca. IX 22; XIII 351

Nèrito (Νηριτος): fratello di Itaco. XVII 207 costruì la fontana di Itaca

Nessuno (Οὖτις): nome inventato che Odisseo dà a Polifemo. IX 366, 369, 408, 455, 460

Nestore (Νέστωρ): figlio di Neleo e re di Pilo. I 284; III 17, 31-3 partecipa all'adunanza dei Pilî, 57, 68-74 chiede l'identità a Telemaco, 79, 102-200 narra le vicene del ritorno da Troia, 202, 210, 244, 247, 253-312 racconta le vicende di Agamennone, 313-28 consiglia a Telemaco di andare a Sparta, 345-55 invita Telemaco a restare da lui, 373-84 riconosce in Mentore Atena, 386-94 fa libagioni in onore di Atena, 395-401 ospita Telemaco, 397, 404-16 convoca i figli, 405, 411, 417-29 impartisce ordini per il sacrificio ad Atena,

436-7 dà oro al fabbro per ornare le corna della giovenca, 444-6 inizia il sacrificio, 448, 452, 459-60 arrostisce le carni, 465, 469, 474-80 ordina ai figli di accompagnare Telemaco a Sparta; IV 21, 69, 161, 186, 191, 207-11 un uomo fortunato, secondo Menelao, 209, (303), 488, XI 286, 512; XV 4, 144, 151, 194; XVII 109; XXIV 51-6 spiega agli Achei che il rumore proveniente dal mare era causato da Teti, che veniva alla notizia della morte di Achille; di Nestore (Νεστορίδης): III 36, 482; IV 71, 155; XV 6, 44, 46, 48, 166, 195, 202

Ninfe (Νύμφαι): figlie i Zeus, abitano pascoli, cime di monti e sorgenti di fiumi. VI 105 giocano con Artemide, 123; IX 154-5 eccitano le capre; XII 318; XIII 104, 107, 348, 350, 355, 356; XIV 435; XVII 211, 240

Niso (Νῖσος): re di Dulichio e padre di Anfinomo. XVI 395; XVIII 127, valoroso e ricco secondo Odisseo, 413

Noemone (Νοήμων): figlio di Fronio. II 386-7 procura una nave ad Atena; IV 630-37 si informa del ritorno di Telemaco, 648-56 informa Antinoo sul viaggio di Telemaco

Noto (Νότος): vento del Sud. V 295 alimenta tempeste insieme agli altri, 331; XII 289-90 uno dei venti più violenti

Oceano ('Ωκεανός): figlio di Urano e Gea; è considerato come un grande fiume che circonda la Terra. IV 568; V 275; X 139, 508, 511; XI 13, 21, 158, 639; XII 1; XIX 434; XX 65; XXII 197; XXIII 244, 347; XXIV 11

Ochialo ('Ωκύαλος): giovane feace. VIII 111

Odisseo ('Οδύσσευς/'Οδύσευς): eroe figlio di Laerte e re di Itaca, protagonista del poema. I 1-5 vaga dopo la distruzione di Troia, 11-21 trattenuto da Calipso e odiato da Posidone, 48-59 desidera il ritorno, 60, 65, 74, 83, 87, 103, 129, 196, 207, 234-44 secondo Telemaco fu rapito dalle Arpie, 253, 259-264 andò a Efira, 265, 354, 363, 396, 398; II 2, 17, 27, 59, 71, 96, 163, 173, 182-4 Eurimaco sostiene che è morto, 225, 226-7 alla partenza affida la sua casa a Mentore 233, 238, 246, 259, 279, 333, 342, 352, 366, 415; III 64, 84, 98, 120-3 il più astuto a Troia secondo Nestore, 126-9 sempre concorde con Nestore, 162-4 riporta alcuni Greci da Tenedo a Troia, 219, 352, 398; IV 107, 143, 151, 240-58 entra a Troia nell'aspetto di Dette, 254, 267-73 l'inganno del cavallo, 328, 340, 344, 625, 674, 682, 689, 715, 741, 763, 799; V 5, 11, 24, 31, 39, 81-4 a Ogigia, 149, 151-7 prigioniero di Calipso, 171-9 teme un inganno di Calipso, 198, 203, 214-27 dichiara a Calipso il suo amore per Penelope e poi giace con lei, 228-62 costruisce una zattera, 269-81 navi-

conta un episodio di Troia, 470, 484, 486, 515, 520, 523-4 riposa, 526-7 gioisce per il fatto che Eumeo gli conservi la proprietà; XV 2, 59, 63, 157, 176, 267, 301-2 cena nella capanna di Eumeo, 304-24 mette alla prova Eumeo, 313, 337, 340-9 chiede al porcaro notizie dei suoi genitori, 347, 380-8 chiede ad Eumeo di raccontargli la sua vita, 485, 522, 554; XVI 1-3 prepara il pasto, 5-10 avvisa Eumeo di una visita, 34, 42, 48, 53, 90-111 chiede a Telemaco le cause dell'arroganza dei proci, 100, 104, 119, 139, 159, 162 riconosce Atena, 164, 167, 172-6 trasformato da Atena, 177-8 entra nella stalla, 186-91 si rivela a Telemaco, 194, 201-12 spiega a Telemaco le ragioni della sua metamorfosi, 204, 225-39 racconta a Telemaco il suo viaggio da Scheria, 258-62 assicura Telemaco dell'aiuto di Atena e Zeus, 266-307 progetta la vendetta sui proci, 289, 301, 328, 407, 430 protegge il padre di Antinoo, 442-4 benevolo verso Eurimaco, 450, 452-4 prepara la cena, 455; XVII 3, 16-25 accetta di farsi accompagnare in città, 34, 103, 114, 131, 136, 152, 156, 157, 167, 183, 192-6 chiede un bastone ad Eumeo, 216, 230, 235-8 sopporta l'oltraggio di Melanzio, 240, 253, 260-71 giunge vicino alla sua casa, 264, 280-9 fa entrare nella sua casa per primo Eumeo, 292, 299, 301, 304-5 si commuove alla vista di Argo, 314, 327, 336-8 entra nella sua casa, 353, 361, 365-6 chiede l'elemosina ai proci, 389, 402, 412-44 inventa la sua storia ad Antinoo, 453, 463-76 maledice Antinoo che lo ha colpito, 506, 510, 522, 525, 538, 539, 560-73 propone a Penelope di parlare con lei al tramonto; XVIII 8, 14, 24, 51-8 estorce un giuramento ai proci, 66, 90, 100-7 abbatte Iro e lo trascina nel cortile, 117, 124-50 espone la sua teoria sulla precarietà dell'uomo, 253, 281-3 si rallegra per la condotta di Penelope, 311, 312-9 avverte le ancelle che baderà lui stesso ai bracieri, mentre loro andranno da Penelope, 313, 326, 337, 348, 350, 356, 365-86 sfida Eurimaco nel lavoro dei campi e si vanta del proprio valore, 384, 394, 417, 420; XIX 1-13 suggerisce a Telemaco la scusa da dare ai pretendenti, 8, 31-46 rimuove le armi dalla sala, 41, 51-2 macchina con Atena la morte ai pretendenti, 65, 70-88 risponde alle ingiurie di Melantò, 84, 102, 106-22 elogia il buon governo di Penelope, 126, 136, 141, 164-202 dice a Penelope di essere cretese e di aver incontrato a Creta Odisseo, 165, 185, 209-12 commisera Penelope, 220-48 nell'aspetto di un mendicante descrive a Penelope l'abbigliamento di Odisseo, 225, 237, 239-40 amico di molti, 248, 250, 259, 261-307 preannuncia il ritorno ad Itaca, 262, 267, 270, 282, 286, 293, 304, 306, 313, 315, 335-48 chiede di essere lavato da una anziana serva, 336, 358, 381, 382-5 dice ad Euriclea che già molti hanno notato la somiglianza tra lui ed Odisseo, 388, 392-466 ferito durante la caccia al cinghiale, 405-12 l'origine del suo nome, 409, 413, 416, 430, 437, 447, 452,

456 473, 474, 479-90 impone il silenzio ad Euriclea, 499, 506, 554-8 interpreta il sogno di Penelope, 556, 571, 582-7 esorta Penelope a non rinviare la gara dell'arco, 583, 585, 596, 603; XX 1-4 dorme nel vestibolo di casa, 5-13 medita di vendicarsi delle ancelle, 17-24 apostrofa il suo cuore, 36-43 chiede ad Atena come vendicarsi dei proci, 80, 92-101 chiede un doppio presagio a Zeus, 104, 117, 120-1 gode per il presagio di Zeus, 122, 165, 168-71 lamenta con Eumeo la tracotanza dei proci, 177, 183, 205, 209-10 destina Filezio bambino alla guardia delle mandrie, 226-34 predice a Filezio la vendetta di Odisseo, 231, 232, 239, 248, 257, 265, 281, 283, 286, 290, 298, 300, 325, 329, 332, 369; XXI 4, 16-21 va a Messene per un debito, 20, 31, 34-5 dona una spada e un'asta ad Ifito, 38-41 conserva in casa l'arco di Ifito, 74, 94, 99, 129 trattiene Telemaco, 158, 189, 190-225 si fa riconoscere da Eumeo e Filezio, 195, 197, 204, 223, 225, 227-41 prende accordi con Eumeo e Filezio circa la strage dei proci, 244, 254, 262, 274-84 chiede ai proci di cimentarsi nel tiro con l'arco, 314, 357, 379, 393, 393-430 tende con facilità l'arco e fa passare la freccia tra le dodici scuri, 404, 409, 414, 432; XXII 1-21 uccide Antinoo, 15, 26, 34-43 si rivela ai proci atterriti, 45, 60-7 rifiuta la trattativa di Eurimaco, 81-8 uccide Eurimaco, 89, 105, 115, 116-25 esaurite le frecce, combatte con la lancia, 129-30 mette Filezio a custodia dell'*orsothyre*, 141, 143, 147-52 impaurito dai proci armati, 163, 164, 170-7 ordina di legare Melanzio, 191, 202, 207-10 chiede aiuto a Mentore-Atena, 213, 221, 225, 226, 238, 253, 261-4 ordina di colpire nel mucchio, 266, 281, 283 uccide Eridamante, 291, 292-3 colpisce Agelao, 310, 312, 320-9 uccide Leode, 336, 337, 339, 342, 344, 371-7 risparmia Medonte e Femio, 381-9 va in cerca di qualche pretendente nascosto, 390-2 manda a chiamare Euriclea, 401-6 imbrattato di sangue, 406, 409-18 vieta ad Euriclea di esultare sui morti e chiede quali siano le ancelle rimaste fedeli, 430-2 chiede ad Euriclea di vedere le ancelle infedeli, 435-45 ordina di uccidere le ancelle infedeli dopo che hanno rimosso i cadaveri dalla sala, 450, 479, 490, 493-4 purifica la sala con lo zolfo, 495, 498; XXIII 7, 18, 27, 45, 67, 89, 90-1 seduto presso una colonna attende di parlare con Penelope, 108, 111-22 assicura Telemaco del comportamento della madre e lo invita a riflettere sui provvedimenti da prendere dopo la strage dei proci, 129-40 ordina che si organizzi una festa per far credere agli Itacesi che in casa si sta celebrando un matrimonio e non trapeli la notizia della strage, 153, 163-72 rimprovera Penelope di essere ancora in dubbio verso il marito, 181-204 per farsi riconoscere descrive a Penelope la costruzione del letto coniugale, 206, 208, 209, 247-84 rivela a Penelope le profezie di Tiresia, 263, 306-43 racconta a Penelope le sue avventure, 320, 345, 348-65 ordina a Pe-

nelope di curarsi dei beni residui della casa, mentre lui si preoccuperà di riacquistare le greggi, 366-70 esce armato per recarsi dal padre, 370; XXIV 100, 116, 119, 125, 131, 149, 151, 154, 172, 176, 187, 192-3 felice, secondo Agamennone, per avere una moglie fedele, 195, 213-8 manda i servi e il figlio in casa di Laerte a preparare il pranzo, mentre lui va alla ricerca del padre, 220, 226-40 incontra suo padre nei campi e decide di metterlo alla prova, 232, 241-79 si presenta a Laerte come uno straniero che aveva ospitato Odisseo, 302-14 si presenta a Laerte come Eperito di Alibante, e dichiara di aver ospitato Odisseo cinque anni prima, 309, 320-6 si rivela a Laerte, 328, 330-44 dà a Laerte segni di riconoscimento, 346, 347-8 sorregge il padre svenuto, 356-66 va a casa del padre, 391, 392-6 invita a pranzo Dolio e i suoi figli, 398, 406, 409, 416, 424, 440, 443, 445, 447, 480, 482, 490-1 manda a vedere se gli Itacesi sono giunti al palazzo, 494-5 invita a prendere le armi, 497, 501, 504-9 riconosce Atena ed esorta Telemaco al coraggio, 526-7 lotta con gli Itacesi, 537, 541, 542, 545 ubbidisce ad Atena; di Odisseo ('Ὀδυσήϊος): XVIII 353

Ogigia ('Ὠγυγίη): l'isola di Calipso. I 85; VI 172; VII 244, 254; XII 448; XXIII 333.

Oicle ('Οϊκλήης): figlio di Antifate. XV 243, 244 padre di Anfiarao

Olimpio ('Ολύμπιος): relativo all'Olimpo, usato prevalentemente come epiteto di Zeus. I 27, 60; II 68; III 377 le dimore dell'Olimpo; IV 74, 173, 722; VI 188; XV 523; XX 79; XXIII 140, 167

Olimpo ("Ολυμπος/Οὔλυμπος): monte della Tessaglia, sede degli dei. I 102; VI 42-6 sede eternamente felice, 240; VIII 331; X 307; XI 313, 315; XII 337; XIV 394; XV 43; XVIII 180; XIX 43; XX 55, 73, 103; XXIV 351, 488

Onetoride ('Ονητορίδης): patronimico di Fronti. III 282

Ope ("Ωψ): padre di Euriclea. I 429; II 347; XX 148

Orcomeno ('Ορχόμενος): città della Beozia. XI 284, 459

Oreste ('Ορέστης): figlio di Agamennone e Clitemestra. I 29-30 uccide Egisto, 40-1 Ermes riferisce che vendicherà il padre, 298-300 l'uccisione del padre lo ha reso famoso; III 306-9 uccise l'assassino del padre; IV 546; XI 461

Orìone ('Ωρίων/'Ωαρίων): cacciatore amato da Aurora. V 121, 274 costellazione; XI 310, 572-5 a caccia di fiere negli Inferi

Ormenide ('Ορμενίδης): patronimico di Ctesio. XV 414

Orsa ("Αρκτος): costellazione «il Carro» (v. Geografia). V 273

Orsiloco ('Ορσίλοχος): figlio di Idomeneo, personaggio inventato da Odisseo. XIII 259-61 Odisseo racconta ad Atena di averlo ucciso a Creta

Ortigia (Ὀρτυγίη): isola variamente identificata, forse Delo. V 123; XV 404

Ortiloco (Ὀρτίλοχος): figlio di Alfeo e padre di Diocle. III 489; XV 187; XXI 16 ospita Odisseo

Ossa (Ὄσσα): monte della Tessaglia. XI 315

Oto (Ὦτος): figlio di Ifimedea e Posidone. XI 305-20 ucciso da Apollo perché osò sfidare gli dei, 308

Pafo (Πάφος): città dell'isola di Cipro. VIII 363 sede di un culto di Afrodite

Pallade (Παλλάς): epiteto rituale di Atena. I 125, 252, 327; II 405; III 29, 42, 222, 385; IV 289, 828; VI 233, 328; VII 37; VIII 7; XI 547; XIII 190, 252, 300, 371; XV 1; XVI 298; XIX 33; XX 345; XXIII 160; XXIV 520, 547

Pandareo (Πανδάρεος): figlio di Merope. Dopo la sua morte, le figlie furono educate ed allevate da Era, Artemide, Atena ed Afrodite, ma prima del matrimonio vennero rapite dalle Arpie. XIX 518; XX 66

Panopeo (Πανοπεύς): città della Focide. XI 581

Parnaso (Παρνησός): monte della Focide. XIX 394, 411, 432, 466; XXI 220; XXIV 332

Patrocolo (Πάτροκλος/Πατροκλῆς): figlio di Menezio, amico di Achille. III 110 giace a Troia; XI 468 la sua anima incontra Odisseo; XXIV 16 incontra nell'Ade le anime dei proci, 77, 79

Peante, di – (Ποιάντιος): padre di Filottete. III 190

Pelasgi (Πελασγοί): popolazione di Creta. XIX 177

Peleo (Πηλεύς): re di Ftia e padre di Achille. XI 478, 494, 505; XXIV 36

Pelia (Πελίης): figlio di Tiro e Posidone. XI 254, 256-7 abitava a Iolco.

Pelide (Πηλεΐδης/Πηλεΐων/Πηληϊάδης): patronimico di Achille. V 310; VIII 75; XI 467, 470, 551, 557; XXIV 15, 18, 23-34 commisera l'infelice destino di Agamennone

Pelio (Πήλιον): monte della Tessaglia. XI 316

Penelope (Πηνελόπεια): figlia di Icario e moglie di Odisseo. I 223, 328-44 ordina a Femio di cambiare la materia del suo canto, 329, 360-4 compiange Odisseo; II 87-110 inganna i proci, 118-122 una donna astuta secondo Antinoo, 274; IV 111, 675-710 viene a conoscenza del piano dei pretendenti, 679, 680, 716-41 si dispera per la partenza del figlio, 721, 758-67 chiede la protezione di Atena, 787-94 si addormenta preoccupata per il figlio, 795-841 preoccupata per Telemaco, 800, 804, 807-23 sogna Iftima, 830-4 chiede al fantasma di Iftima notizie del marito, 839-41 si sveglia, V 216; XI 446; XIII 406; XIV 172, 373-8 si informa dagli stranieri sulla sorte del marito; XV 41, 314; XVI 130, 303, 329, 338, 397, 409-33 esorta Antinoo a desistere dal progetto di uccidere Telemaco, 435, 449-51 compiange la sorte del marito, 458; XVII 36-44 saluta Telemaco, 100-6 chiede notizie a Telemaco sul ritorno di Odisseo, 162-5 a colloquio con Teoclimeno, 390, 492-504 maledice i proci che oltraggiano l'ospite, 498, 528-40 chiede ad Eumeo di farla parlare col mendicante, 542, 553, 562, 569, 575, 585; XVIII 159, 177, 206-25 rimprovera Telemaco per il cattivo trattamento riservato all'ospite, 244, 245, 250-90 dice che è giunto il momento di sposarsi, secondo la raccomandazione fattale da Odisseo, ma i pretendenti devono farle doni, più che rovinare il patrimonio della sua casa, 285, 290-303 riceve doni dai pretendenti, 322, 324; XIX 53-9 entra nella sala, 59, 89-99 redarguisce Melantò e ordina ad Eurinome di portare una sedia per Odisseo, 103-5 interroga il mendicante, 123-63 rivela all'ospite l'inganno della tela, 308-34 ritiene impossibile il ritorno di Odisseo e ordina alle ancelle di lavare il mendico e di preparargli un letto, 349-60 ordina ad Euriclea di lavare l'ospite, 375, 376, 476, 508-53 chiede al mendicante (Odisseo) l'interpretazione di un suo sogno, 559-81 non crede alla verità del suo sogno e medita di indire una gara dell'arco tra i proci, 588-604 interrompe la conversazione con l'ospite e va a dormire; XX 56-90 chiede la morte ad Artemide, 388; XXI 2, 42-56 preleva l'arco dalla stanza di Odisseo, 57-79 propone ai proci la prova dell'arco, 158, 311-9 rimprovera Antinoo per aver offeso l'ospite di Telemaco, 321, 330-42 promette vesti ed armi al mendico; XXII 425, 482; XXIII 5, 10-24 non crede alla notizia del ritorno del marito, 58-68 sostiene che qualche dio, non Odisseo, ha sterminato i proci, 80-95 scende nella sala e si siede incredula di fronte al marito, 104, 173-81 mette alla prova Odisseo, 205-30 riconosce Odisseo dal racconto della costruzione del letto coniugale, 256, 285, 300-5 racconta ad Odisseo le sue sofferenze; XXIV 194, 198, 294, 404 (v. Onomastica)

Peone (Παιήων): medico degli dei. IV 232

Peribea (Περίβοια): figlia di Eurimedonte e madre di Nausitoo. VII 57 superiore ad ogni donna per bellezza, 61-2 genera Nausitoo a Posidone

Periclimeno (Περικλίμενος): figlio di Neleo e Clori. XI 286

Perimede (Περιμήδης): compagno di Odisseo. XI 23 afferra gli ani-

Polibo (Πόλυβος): egiziano, marito di Acandre. IV 126-9 ospita Menelao, 129

Polibo (Πόλυβος): uomo feace. VIII 373

Polibo (Πόλυβος): uno dei pretendenti. XXII 243 il migliore dei proci, 284 colpito da Eumeo

Policasta (Πολυκάστη): figlia di Nestore. III 464-7 fa il bagno a Telemaco

Polidamna (Πολύδαμνα): donna egizia. IV 227-30 dà dei farmaci ad Elena

Polifemo (Πολύφημος): Ciclope figlio di Posidone e della ninfa Toòsa. I 69-73 accecato da Odisseo. II 19-20 uccide Antifo; IX 105-535 l'incontro con Odisseo, 403, 407-8 chiede aiuto ai Ciclopi, 446-60 parla con il montone

Polifido (Πολυφείδης): figlio di Mantio. XV 249, 252-3 reso indovino da Apollo, 254-5 emigra a Iperesia

Polineo (Πολύνηος): padre di Anfialo. VIII 114

Polipemonide (Πολυπημονίδης): patronimico inventato da Odisseo. XXIV 305

Polite (Πολίτης): compagno di Odisseo. X 224

Politerside (Πολυθερσεΐδης): patronimico di Ctesippo. XXII 287

Polìttore (Πολύκτωρ): fratello di Itaco. XVII 207 costruì la fontana di Itaca

Polittoride (Πολυκτορίδης): patronimico di Pisandro. XVIII 299; XXII 243

Polluce (Πολυδεύκης): figlio di Leda e Tindaro, eroe spartano. XI 300 vive a giorni alterni

Ponteo (Ποντεύς): giovane feace. VIII 113

Pontonoo (Ποντόνοος): araldo di Alcinoo. VII 179-183 versa vino, 182; VIII 62-70 accompagna Demodoco; XIII 50, 53-6 mesce vino

Posideio (Ποσιδήϊον): luogo sacro a Posidone nell'isola dei Feaci. VI 266

Posidone (Ποσειδάων): dio del mare, figlio di Cronos e di Rea, fratello di Zeus. I 20-1 ostacola il ritorno di Odisseo, 22-6 in visita presso gli Etiopi, 68-75 è adirato con Odisseo per l'accecamento di Polifemo, 71-3 generò Polifemo, 74, 77-9 deve cedere alle decisioni degli altri dei; III 5-8 a lui fanno sacrifici i Pilî, 43, 54, 55-61 invocato da Atena, 178, 333; IV 386, 500-7 punì Aiace, 505; V 282-96 suscita una tempesta contro Odisseo, 339, 366-70 suscita un'onda contro Odisseo, 375-381 si dirige ad Aigai, 446; VII 56-62 generò Nausitoo, 61, 271; VIII 322, 344-59 convince Efesto a liberare

Ares, 350, 354, 565 irato con i Feaci; IX 283, 412, 526, 528, 536-42 esaudisce la preghiera di Polifemo; XI 130, 241-53 si unisce a Tiro, 252, 305-8 si unì a Ifimedea, 399, 406; XIII 124-38 considera il ritorno felice di Odisseo un affronto al suo potere, 146-52 decide di distruggere la nave dei Feaci, 159-70 trasforma in pietra la nave dei Feaci, 173, 181, 185, 341; XXIII 234, 277; XXIV 109

Pramneo (Πράμνειος): vino di Pramno. X 235

Priamo (Πρίαμος): figlio di Laomedonte e re di Troia. III 107, 130; V 106; XI 421, 533; XIII 316; XIV 241; XXII 230

Primneo (Πρυμνεύς): giovane feace. VIII 112

Procri (Πρόκρις): figlia di Eretteo e moglie di Cefalo. XI 321

Proreo (Πρωρεύς): giovane feace. VIII 113

Proteo (Πρωτεύς): divinità del mare. IV 365, 384-93 è in grado di svelare il futuro, 385, 447-83 dà consigli a Menelao, 498-571 svela a Menelao la sorte di Aiace e di Agamennone e la prigionia di Odisseo presso Calipso, 561-9 fa predizioni a Menelao

Psiria (Ψυρίη): isola a N-O di Chio. III 171

Radamanto (Ῥαδάμανθυς): figlio di Zeus ed Europa. IV 564 vive nel Campo Elisio; VII 323-4 in visita da Tizio

Reitro (Ῥεῖθρον): porto di Itaca. I 186 Atena dice di esservi approdata

Rexenore (Ῥηξήνωρ): figlio di Nausitoo e padre di Arete. VII 63-6 fu ucciso da Apollo, 146

Salmoneo (Σαλμωνεύς): padre di Tiro. XI 236

Same (Σάμη/Σάμος): isola dello Ionio da identificare con la parte settentrionale di Cefallenia. I 246; IV 671, 845; IX 24; XV 29, 367; XVI 123, 249; XIX 131; XX 288

Scheria (Σχερίη): l'isola dei Feaci. V 34; VI 8-10 fu colonizzata da Nausitoo; VII 79; XIII 160

Scilla (Σκύλλη): mostro con dodici piedi e sei teste ciascuna con tre file di denti, si trovava all'interno di una rupe. XII 73-100, 85, 108, 124-6 figlia di Crataide, 223, 231, 235, 245-56 divora sei compagni di Odisseo, 261, 310, 430, 445; XXIII 328

Sciro (Σκύρος): isola dell'Egeo ad est dell'Eubea. XI 509 Odisseo vi preleva Neottolemo

Sicania (Σικανίη): antico nome della Sicilia, come è attestato anche in Erodoto (VII 170). XXIV 307

Siculo (Σικελός): popolazioni indigene della costa orientale della Sicilia. XX 383; XXIV 211-2 una donna sicula si prende cura di Laerte, 366, 389

Sidone (Σιδονίη/Σιδών): città della Fenicia. XIII 285; XV 425

Sidonî (Σιδόνιοι): popolazione fenicia. IV 84, 618; XV 118

Sinti (Σίντιες): popolazione primitiva di Lemno. VIII 294

Sirene (Σειρῆνες): due demoni identificati, successivamente ad Omero, con un corpo per metà di donna e per metà di uccello. XII 39 incantano gli uomini, 41-3 impediscono il ritorno ai naviganti, 44, 52, 158, 167 presso la loro isola c'è bonaccia, 183-91 cantano lodi ad Odisseo, 198; XXIII 326

Siria (Συρίη): isola favolosa, situata in oriente. XV 403

Sisifo (Σίσυφος): figlio di Eolo, re di Corinto. XI 593-600 punito nell'Ade a spingere eternamente un masso

Sole ('Ηέλιος/"Ηλιος): figlio di Iperione. I 6-9 punisce i compagni di Odisseo; III 1-3 sorge; VIII 270-1 riferisce ad Efesto il tradimento di Afrodite, 302; X 138 padre di Circe ed Aiete; XI 16, 109; XII 4 sorge ad Eea, 128, 133, 175-6 scioglie la cera, 263, 269, 274, 323 vede e sente tutto, 343, 346, 353, 374, 375-83 chiede a Zeus il permesso di vendicare l'oltraggio subito dai compagni di Odisseo, 385, 398; XIX 276, 433; XXIII 329; XXIV 12

Solimi (Σόλυμοι): popolazione della Licia. V 283

Sparta (Σπάρτη): città della Laconia nel Peloponneso. I 93, 285; II 214, 327, 359; IV 10; XI 460; XIII 412

Stige (Στύξ): fiume degli inferi. V 185; X 514

Stratio (Στράτιος): figlio di Nestore. III 413, 439 partecipa al sacrificio

Sunio (Σούνιος): promontorio a sud-est dell'Attica. III 278

Tafî (Τάφιοι): abitanti di Tafo. I 105, 181, 419; XIV 452; XV 427; XVI 426

Tafo (Τάφος): isola posta presso le coste dell'Acarnania. I 417

Taigeto (Τηΰγετον): monte della Laconia. VI 103

Tantalo (Τάνταλος): re di Frigia, padre di Pelope. XI 582-92 condannato all'eterna sete e all'eterna fame

Tebano (Θηβαῖος): abitante di Tebe. X 492, 565; XI 90, 165; XII 267; XXIII 323

Tebe (Θῆβαι): città dell'Egitto. IV 126

Tebe (Θήβη/Θῆβαι): città della Beozia. XI 262 fondata da Anfione e Zeto, 265, 275; XV 247
Tectonide (Τεκτονίδης): patronimico di Polineo. VIII 114
Telamone (Τελαμών): padre di Aiace. XI 553
Telamonide (Τελαμωνιάδης): patronimico di Aiace. XI 543
Telefide (Τηλεφίδης): patronimico di Euripilo. XI 519
Telemaco (Τηλέμαχος): figlio di Odisseo e Penelope. I 113-43 accoglie Atena in casa, 156-68 lamenta ad Atena la sorte della sua casa, 212-220 dice ad Atena di essere il figlio di Odisseo, 213, 230, 231-44 lamenta la sorte della casa e l'indecisione di Penelope, 245-51 spiega ad Atena chi siano i pretendenti, 306-13 invita Atena a restare, 322-3 riconosce in Mente un dio, 345-59 fa ritirare sua madre nelle stanze, 365-80 invita i pretendenti a lasciare la sua casa, 367, 382, 384, 388-98 replica ad Antinoo, 400, 412-419 spiega ad Eurimaco chi sia Mente, 420, 425-427 va a dormire, 443-4 progetta il viaggio alla ricerca del padre; II 1-14 convoca l'assemblea, 35-81 chiede aiuto agli Itacesi, 83, 85, 129-45 rifiuta la proposta di restituire Penelope a suo padre, 146, 185, 194, 200, 208-23 chiede all'assemblea di andare in cerca del padre, 260-4 invoca Atena, 270, 296-300 ritorna a casa, 297, 301, 303, 309-20 annuncia ad Antinoo il suo viaggio a Pilo, 325, 337-360 ordina ad Euriclea di preparare vino e farina per il viaggio, 348, 371-6 ordina ad Euriclea di non svelare la sua partenza a Penelope, 381, 383, 399, 402, 408-19 salpa verso Pilo, 409, 416, 418, 422; III 12 approda a Pilo, 14, 21, 26, 60, 63-4 liba e prega, 75-101 chiede a Nestore notizie del padre, 201-9 paragona la sua sventura a quella di Oreste, 225, 230, 239-52 chiede a Nestore la verità sulla morte di Agamennone, 343, 358, 364, 374, 398, 416, 423, 432, 464-9 siede a banchetto, 475, 481-97 a Fere da Diocle; IV 1-2 giunge con Pisistrato da Menelao, 20-3 viene visto da Eteòneo, 21, 37-56 accolto nella casa di Menelao, 68-75 ammira la casa di Menelao, 69, 112, 113-9 si commuove al ricordo del padre, 144, 166, 185 piange, 215, 290-295 interrompe il racconto di Menelao della presa di Troia, (303), 311, 312, 315-31 chiede a Menelao notizie del padre, 593-608 chiede doni per la partenza a Menelao, 633, 664, 687, 700, 843; V 25; XI 68, 184-7 sostituisce il padre nell'amministrazione, 185; XIII 413; XIV 173, 175; XV 4, 7-8 preoccupato per la sorte del padre, 10, 44 sveglia Pisistrato, 49, 59-66 comunica a Menelao la decisione di ritornare ad Itaca, 63, 68, 86-91 ritorna ad Itaca per difendere i suoi beni, 110, 111, 144 parte da Sparta, 154, 179, 194-201 si congeda da Pisistrato, 208, 217, 217-9 esorta i compagni a preparare la nave, 222 fa sacrifici ad Atena, 257-8 prega presso la nave, 265-70 si presenta a Teoclimeno, 279-88 accoglie Teoclimeno sulla sua na-

ve, 287, 496, 502-7 congeda i compagni di viaggio, 512-24 dice a Teoclimeno di farsi ospitare da Eurimaco, 528, 531, 535, 539-43 affida Teoclimeno a Pireo, 545, 550, 554; XVI 4-5 avanza verso casa di Eumeo, 23, 30-5 chiede notizie di sua madre, 43, 56-9 chiede ad Eumeo chi sia il suo ospite, 68-89 rifiuta di ospitare il mendicante, 112-34 racconta ad Odisseo la situazione della sua casa e manda Eumeo da Penelope, 146, 160 non percepisce la presenza di Atena, 179-85 stupito per la trasformazione di Odisseo, 192-200 dubita che il mendicante sia Odisseo, 202, 213-4 abbraccia il padre, 221-4 chiede ad Odisseo in che modo ha raggiunto Itaca, 240-57 riferisce ad Odisseo il numero dei proci, 262, 308-20 afferma che è meglio sondare la fedeltà delle serve, più che quella dei servi, 323, 330, 347, 369, 372, 401, 421, 438, 445, 460-3 chiede ad Eumeo notizie dei pretendenti, 476; XVII 3-15 ordina ad Eumeo di accompagnare Odisseo alla reggia, 26 ritorna alla reggia, 41, 45-56 ordina alla madre di fare ecatombi agli dei, 61-2 esce dalla sala, 73, 75 ordina a Pireo di conservare i doni di Menelao, 77, 101, 107-49 racconta a Penelope il suo viaggio a Pilo e Sparta, 161, 251, 328, 333, 342-8 offre ad Odisseo del cibo, 350, 354, 391, 392, 396-404 rimprovera Antinoo, 406, 489-91 soffre dell'offesa fatta al padre, 541 starnutisce, 554, 568, 591, 598; XVIII 60, 156, 214, 215, 226-42 augura ai proci una sorte simile a quella di Iro, 338, 405-9 accusa i proci di sregolatezza e li invita a tornare a casa, 411, 421; XIX 3, 4, 14-20 ordina ad Euriclea di trattenere le donne mentre rimuove le armi dalla sala, 26, 30-46 rimuove le armi dalla sala, 35, 47-50 va a dormire nella sua stanza, 87, 321; XX 124-33 destatosi, chiede ad Euriclea quale trattamento sia stato riservato all'ospite, 144-6 va al consiglio, 241, 246, 257-67 rivendica il diritto di proteggere l'ospite, 269, 272, 282-3 ordina ai servi di dare un'uguale porzione al mendicante, 295, 303-19 rimprovera il comportamento dei proci, 326, 338-44 replica ad Agelao, 345, 374, 376; XXI 101-17 loda Penelope e decide di partecipare alla gara dell'arco, 118-27 dispone le scuri e tenta la prova con scarso esito, 130-5 invita i pretendenti a tirare con l'arco, 216, 313, 343-53 ordina alla madre di interessarsi solo delle faccende femminili, 368, 378, 381, 423, 424, 432; XXII 89-98 uccide Anfinomo, 92, 95, 99-115 preleva le armi dal talamo, 108, 150, 151, 153-9 racconta di aver lasciata aperta la porta del talamo dove erano custodite le armi, 171, 267 uccide Euriade, 277-8 ferito da Anfimedonte, 284 uccide Anfimedonte, 294-6 uccide Leocrito, 350, 354-60 chiede al padre di risparmiare Femio e Medonte, 365, 390, 391, 393-7 va a chiamare Euriclea, 400, 426, 435, 454-6 ripulisce la sala, 461-73 impicca le ancelle; XXIII 29, 44, 96-103 rimprovera Penelope di aver accolto con freddezza Odisseo, 112, 113, 123, 297-9 va a dormire dopo aver danzato, 367-70 esce armato per recarsi da Laerte;

XXIV 155, 165, 175, 359, 363-4 prepara il pranzo insieme ai servi, 505, 506, 510-2 promette forza e coraggio ad Odisseo, 526-7 lotta con gli Itacesi

Telemo (Τήλεμος): indovino. IX 508-12 profetizzò l'accecamento a Polifemo

Telèpilo (Τηλέπυλος): città dei Lestrigoni. X 82; XXIII 318

Temesa (Τεμέση): località variamente identificata (v. Metallurgia). I 184 vi si reca Atena-Mente

Temi (Θέμις): dea che convoca e scioglie le assemblee. II 68-9

Tenedo (Τένεδος): isola di fronte a Troia. III 159

Teoclimeno (Θεοκλύμενος): indovino discendente di Melampo, in esilio per un delitto commesso ad Argo. XV 256-64 incontra Telemaco, 271-8 chiede a Telemaco di condurlo via da Pilo, 286, 508-11 chiede a Telemaco dove sarà ospitato, 529 interpreta un prodigio; XVII 151-61 sostiene che Odisseo è già giunto ad Itaca; XX 350-7 vede tra i proci segni funesti, 363-72 si allontana dalla casa di Odisseo

Terpìade (Τερπιάδης): aedo. XXII 330

Terra (Γαῖα); divinità primordiale da cui derivò una numerosa progenie. XI 576; figlio della – (Γαιήϊος): matronimico di Tizio, XI 324

Teseo (Θησεύς): eroe ateniese. XI 323-5 cerca di portare Arianna ad Atene, (631)

Tesproti (Θεσπρωτοί): abitanti di una regione costiera vicina ad Itaca, da identificare con l'Epiro meridionale. XIV 315, 316, 335-59 nel falso racconto di Odisseo, alcuni naviganti lo avrebbero condotto ad Itaca; XVI 65, 427; XVII 526, XIX 271, 287, 292

Teti (Θέτις): figlia di Urano e della Terra, sposa di Oceano e madre di Achille. XXIV 47-56 viene dal mare alla morte di Achille, 73-5 dà un'anfora d'oro, come contenitore delle ossa di Achille, 85-92 chiede agli dei premi per i giochi funebri, 92

Tideo (Τυδεύς): padre di Diomede. III 167

Tidide (Τυδεΐδης): patronimico di Diomede. III 181; IV 280

Tieste (Θυέστης): figlio di Pelope e padre di Egisto. IV 517; di Tieste (Θυεστιάδης): Egisto. IV 518

Tindaro (Τυνδάρεος): re di Sparta, padre di Castore e Polluce. XI 298, 299; XXIV 199

Tiresia (Τειρεσίης): indovino tebano. X 492-5 dopo la morte, conserva l'intelletto, 524, 537, 565; XI 32, 50, 89, 90-151 dà responsi ad Odisseo, 139, 151, 165, 479; XII 267, 272; XXIII 251, 323

Tiro (Τυρώ): figlia di Salmoneo e moglie di Creteo, generò a Posido-

ne Pelia e Neleo. II 120; XI 235-59 la sua anima incontra Odisseo

Titono (Τιθωνός): figlio di Laomedonte e sposo di Aurora. V 1

Tizio (Τιτυός): figlio della Terra torturato nell'Ade per aver aggredito Leto. VII 324; XI 576-81 due avvoltoi gli rodono il fegato

Toante (Θόας): comandante degli Etoli. XIV 499-501 porta un messaggio ad Agamennone

Tone (θῶν): uomo egizio. IV 228

Toonte (Θόων): giovane feace. VIII 113

Toòsa (Θόωσα): ninfa figlia di Forco e madre di Polifemo. I 71-2

Tracia (Θρῄκη): regione sacra ad Ares. VIII 361

Trasimède (Θρασυμήδης): figlio di Nestore. III 39, 414, 442, 442-3 partecipa al sacrificio, 448-50 colpisce la giovenca con l'ascia

Trinachia (Θρινακίη): isola del Sole. XI 107; XII 127-37 vi pascolano le mandrie eterne del Sole, 135; XIX 275

Tritogenia (Τριτογένεια): appellativo di Atena. III 378

Troia (Τροίη): città della Frigia, in Asia Minore. I 2 distrutta da Odisseo, 62, 210, 327, 355; III 257, 268, 276; IV 6, 99, 146, 488; V 39, 307; IX 38, 259; X 40, 332; XI 160, 499, 510, 513; XII 189; XIII 137, 248, 315, 388; XIV 229, 469; XV 153; XVI 289; XVII 314; XVIII 260, 266; XIX 8, 187; XXIV 37

Troiani (Τρῶες): abitanti di Troia. I 237; III 85, 86, 100, 220; IV 243, 249, 254, 257, 273, 275, 330; V 310; VIII 82, 220, 503, 504-13 accolgono il cavallo, 513; XI 169, 383, 532, 547 i loro figli aggiudicarono le armi di Achille ad Odisseo; XII 190; XIII 266, XIV 71, 367; XVII 119; XVIII 261; XXII 36, 228; XXIV 27, 31, 38; (Τρωϊάς): XIII 263; (Τρῳός): IV 259

Uranidi (Οὐρανίωνες): epiteto degli dei. VII 242; IX 15; XIII 41

Vecchio del mare (ἅλιος/ἁλίοιο γέρων): epiteto di alcune divinità marine come Proteo e Nereo. IV 349, 365, 384, 401, 450, 455, 460, 465, 485, 542; XVII 140; XXIV 58 (Nereo)

Violenza (Κραταιΐς): figura mitica. XI 597 respinge il masso di Sisifo

Zacinto (Ζάκυνθος): isola del mar Ionio. I 246; IX 24; XVI 123, 250; XIX 131

Zefiro (Ζέφυρος): vento dell'ovest. V 295 alimenta tempeste insieme agli altri, 332; VII 119 fa crescere e maturare i frutti; X 25; XII 289-90 uno dei venti più violenti; XIV 458 apportatore di pioggia; XIX 206 porta la neve

Zeto (Ζῆθος): figlio di Antiope e Zeus. XI 262-5 fondò Tebe; XIX 523

Zeus (Ζῆν/Ζεύς): figlio di Cronos e di Rea, il più potente degli dei. È dispensatore di tutti i fenomeni atmosferici e del destino individuale, oltre che protettore degli ospiti. I 10, 26-43 ricorda agli dei l'empietà degli uomini e di Egisto, 62, 63-79 promette ad Atena aiuti per Odisseo, 283, 348-49 assegna a suo arbitrio la sorte agli uomini, 379, 390; II 34, 68, 144, 146-56 invia due aquile nell'assemblea degli Itacesi, 217, 296, 433; III 42, 132-3 ha meditato un luttuoso ritorno ai Greci, 152, 160, 288, 337, 346, 378, 394; IV 27, 34, 74, 78, 173, 184, 219, 227, 237, 341, 472, 569, 668, 752, 762; V 3-4 al concilio degli dei, 7, 21-42 esorta Atena ad aiutare Odisseo e invia Ermete da Calipso, 99, 103-4 al suo potere non si può opporre nessun dio, 127-8 uccide Iasione, 131-2 colpisce la nave di Odisseo, 137, 146, 150, 176, 304, 382, 409; VI 105, 151, 188, 207-8 protegge mendicanti e stranieri, 229, 323, 324; VII 164, 180, 250 263, 311, 316, 331; VIII 82, 245, 306, 308, 334, 335, 432, 465, 488; IX 38 causa un infelice ritorno da Troia ad Odisseo, 52, 67-9 suscita borea contro le navi di Odisseo, 111, 154, 262, 270-1 protettore degli ospiti, 275, 277, 294, 358, 411, 479 punisce l'inospitalità di Polifemo, 550-5 rifiuta il sacrificio di Odisseo; XI 217, 255, 261, 268, 297, 302, 318, 436, 559-60 nemico dei Danai, 568, 580, 604, 620; XII 63, 215, 313-5 desta un uragano, 371, 377, 384-8 promette al Sole che si sarebbe vendicato dei compagni di Odisseo, 399 impone il settimo giorno, 415 scaglia un fulmine sulla nave di Odisseo, 416, 445-6 protegge Odisseo da Scilla; XIII 25 «signore di tutti», 51, 127, 128, 139-45 concede a Posidone di vendicarsi di Odisseo, 153-8 consiglia a Posidone di mutare in pietra la nave di Feaci, 190, 213, 252, 300, 318, 356, 359, 371; XIV 53, 57-8 ospiti e poveri sono sotto la sua protezione, 86, 93, 119, 158, 235, 243, 268, 273, 283, 300, 305 scaglia un fulmine sulla nave, 306, 310-5 salva Odisseo, 328, 389, 406 offeso da chi maltratta un ospite, 440, 457 fa piovere per tutta la notte; XV 112, 180, 245 protegge Anfiarao, 297, 341, 353, 475 manda il vento, 477, 488-9 ha assegnato felicità e dolore ad Eumeo, 523; XVI 260, 298, 320, 403, 422; XVII 51, 60, 132, 155, 240, 322, 354, 424, 437, 597; XVIII 112, 235, 273; XIX 80, 161, 179, 276, 297, 303, 363, 365; XX 42, 61, 75-6 conosce tutte le cose, 97, 98, 101, 102-4 invia un tuono come presagio, 112, 121, 201-3 il dio più funesto secondo Filezio, 230, 273, 339; XXI 25, 36, 102, 200, 413 manda un segno di buon auspicio ad Odisseo; XXII 205, 252, 334, 379; XXIII 218, 331, 352; XXIV 24, 42 pone fine alla battaglia con una bufera, 96 assegnò un funesto ritorno ad Agamennone, 164, 344, 351, 376, 472, 477-85 consiglia ad Atena di portare la pace a Itaca, 502, 518, 521, 529, 544, 547 v. Cronide

INDICE DELLE COSE NOTEVOLI

Abbigliamento: la tessitura e la confezione degli abiti erano attività femminili (VII 96-7, XV 105). La tessitura, in particolar modo, è un'attività archetipica delle donne (Penelope, Calipso, Circe, Arete e le donne dei Feaci). Le donne dei Feaci, che l'hanno appresa direttamente da Atena, sono le più esperte nel campo: filavano stando sedute e impiegavano una sostanza a base di olio candeggiante (VI 305-6, VII 105-7); la tessitura, invece, veniva fatta in piedi (V 62). Nell'*Odissea* il modo di vestire delle donne testimonia un'usanza certamente non micenea. Il loro indumento principale era il peplo – un peplo elegante era chiuso con spille d'oro (XVIII 292-4) – che consisteva in una lunga veste che veniva allacciata alla spalla. L'abbigliamento di Calipso e in particolar modo la sua cintura d'oro (V 230-2) testimonia, invece, un'usanza documentata nell'arte micenea. Gioielli di fattura orientale erano i monili preferiti dalle donne: una collana d'oro adorna di ambra (XV 460 e XVIII 295-6) e orecchini con perle (XVIII 298-9). Le fanciulle (VI 100) e le donne mature portavano uno scialle, che copriva parte del viso (I 334). Le donne micenee vestivano in maniera diversa: come veste comune esse indossavano un abito lungo ed aderente, mentre per le occasioni ufficiali indossavano una gonna ampia e un bolero. Gli uomini indossano una tunica (XIX 232-4) e un mantello doppio di lana, tenuto stretto da un fermaglio – quello di Odisseo, di alta oreficeria con doppia scanalatura raffigurante una scena di caccia (XIX 225-31), ricorda nel tema i motivi usuali dell'oreficeria micenea. Il chitone di lino è raro, in quanto fu importato in Grecia probabilmente alla fine dell'VIII sec.; è, comunque, la veste tipica dei servi (XIV 72) e dei mendicanti (XIII 434). La tunica dei mendicanti non era certamente aderente, come si evince dal fatto che Odisseo può sollevarla con facilità per mostrare ai proci la muscolatura delle sue gambe (XV 66-74).

Acqua: le fanciulle (VIII 20) e le ancelle attingevano l'acqua alle fontane pubbliche (XX 158): ben presto, infatti, il compito di attingere acqua dalle fontane fu solo degli uomini e delle serve, in quanto in questa circostanza la donna libera poteva essere aggredita dagli uomini (X 105-11). Una fontana pubblica è quella di Itaca costruita e consacrata da Itaco e i suoi fratelli. Questa fonte sgorgava giù dalla roccia, ed era circondata da un bosco di pioppi, al di sopra del quale c'era un altare per i sacrifici alle Ninfe (XVII 205-11).

Agricoltura: attività praticata anche dai grandi proprietari terrieri e dai nobili (XVIII 366-80: Odisseo sfida Antinoo in una gara di lavoro dei campi), oltre che dai servi (XXIV 220-31); costituiva l'elemento basilare della vita economica (v. Economia). L'aratura dei campi si svolgeva per l'intera giornata fino al tramonto, per mezzo di un aratro trainato da due buoi (XIII 31-4). Durante i lavori di coltivazione i contadini usavano gambali di cuoio e guanti per evitare i graffi (XXIV 226-31). Cf. W. Richter, *Die Landwirtschaft im homerischen Zeitalter*, Göttingen 1968.

Alimentazione: ingredienti frequenti di banchetto sono: carne di animali appena sgozzati arrostita allo spiedo e coperta da uno strato di farina, pane servito da un servo e vino somministrato da un araldo (XIV 74-8); la base dell'alimentazione comune era costituita invece da cereali (la farina «midollo degli uomini» II 290), da pane di frumento (XVII 343), dal latte di pecora o di capra (IV 88-9); la pesca non è molto rappresentata: vi si faceva ricorso solo quando le scorte erano esaurite (IV 368-9).

Allevamento: la pastorizia è considerata attività primitiva, anteriore all'agricoltura: infatti i Ciclopi che praticano la pastorizia non conoscono l'agricoltura (IX 108). A custodia degli animali c'erano dei recinti, all'interno dei quali stavano le femmine, al di fuori i maschi (IX 237-9): all'interno del recinto, poi, gli animali erano divisi in gruppi per età, i più vecchi i mezzani e i lattanti (IX 220-2); la mungitura veniva fatta di sera (IX 341-2). Eumeo, senza l'ordine dei suoi padroni, ne aveva costruito uno di pietre sostenute da pali di quercia: all'interno di esso aveva poi disposto dodici stalle, ciascuna delle quali conteneva 50 scrofe (600 in tutto), mentre all'aperto dormivano i maschi, in numero di 360, in rapporto di 3 a 5 (XIV 5-20). A volte le greggi venivano mandate al pascolo dalle isole al continente (XIV 100-1), mentre le capre pascolavano nella parte estrema dei possedimenti (XIV 103-4).

Ancelle: accompagnano la padrona in tutte le sue sortite in pubblico, perché essa si vergogna degli uomini (XVIII 182-4), e la assistono nei lavori femminili: preparazione del cibo, lavaggio, amministrazione del fuoco, della luce (XIX 25) ecc. In casa di Alcinoo ci sono 50 donne di cui qualcuna è intenta alla molitura, altre alla tessitura (VII 103-7), e altrettante sono quelle di Odisseo (XXII 421-2), di cui dodici macinano orzo e grano (XX 105-9). Le schiave inoltre sovrintendevano all'illuminazione e al riscaldamento della casa (XX 122-3). Le ancelle versano l'acqua dalla brocca in un bacile per i commensali (VII 172-4) e assistono il padrone quando fa il bagno, oltre a provvedere ad ungerlo con unguenti (XVIII 88-90); la dispensiera, invece, è addetta ad imbandire la tavola (p. es. I 139-40). Erano considerate parte integrante dell'*oikos*, per cui potevano essere ereditate (XXIII 228).

Animali: nell'*Iliade* leone ed eroe non sono solo sinonimi in un momento dell'azione, essi sono legati da identità fisica e psicologica, secondo un procedimento magico. Il confronto con gli animali sancisce la superiorità evidente dell'uomo sull'animale e sul piano spaziale dei campi coltivati sulla foresta: il ruolo della comparazione omerica è quello di inserire un comportamento eroico particolare nel ventaglio delle regole della comunità (XVII 126-30). Tuttavia nell'*Odissea* il confronto tra eroe e leone è soltanto un'eco di una tradizione passata, che ha perso ormai la sua funzione simbolica (A. Schnapp-Gurbeillon, *Lions héros, masques*, Paris 1981, pp. 59-63). I rapporti tra uomo e animale hanno poi un altro riscontro nell'occasione della caccia. L'*Odissea* descrive alcuni episodi di caccia che possono essere distinti in due gruppi: 1) scene di caccia di sussistenza, come quella di Odisseo nell'isola di Circe (X 156-86) e quella alle capre nell'isola prospiciente quella dei Ciclopi (IX 154-60), che a volte richiamano modelli eroici; 2) scene di caccia iniziatica, come quella di Odisseo presso Autolico (XIX 392-466) in cui il giovane principe si trovava a combattere col cinghiale: era questa un'occasione per affermarsi e per offrire alla collettività una prova del proprio coraggio.

Apostrofe del poeta: dal v. 55 del libro XIV in poi Omero apostrofa direttamente Eumeo, contravvenendo una regola dell'epos che impedisce l'intervento diretto del poeta. Forse tenta di accrescere l'interesse dell'uditorio nei confronti del personaggio.

Armi: l'*Odissea*, come del resto l'*Iliade*, conosce la panoplia oplitica, che consisteva in un'armatura di bronzo che proteggeva gran parte del corpo del guerriero. Un'eco di questo è nell'epiteto χαλκοχίτωνες, che è comunemente riferito agli Achei (I 286, IV 496): Ettore in *Il.* XIII 191-2 è descritto «tutto coperto di bronzo». L'elmo di bronzo di Odisseo (XVIII 378, XXII 102) aderente alle tempie e legato alle guance è una sopravvivenza micenea, mentre il balteo d'oro di Eracle che ha incise figure di animali (XI 609-11) ricorda l'arte orientalizzante, contemporanea al poeta (cf. Kl. Fittschen, *Der Schild des Achilleus*, «Archaeol. Hom.» N. Göttingen 1973, pp. 1-17). La spada di bronzo con l'elsa d'argento che Eurialo regala ad Odisseo (VIII 403-5) in una guaina d'avorio risulta essere un oggetto privo di paralleli archeologici. Nell'Età del bronzo l'elsa e la spada sono di un unico pezzo e solo l'elsa era decorata, soltanto nell'Età del Ferro elsa e spada sono di materiali distinti. L'asta aveva di bronzo soltanto la punta (XV 282). Lo scudo era fatto di strati di pelle (XXI 122): nell'*Iliade* (XV 479) si parla di quattro; ὀμφαλόεσσα che viene usato come epiteto dello scudo (XIX 32) può indicare sia il fatto che aveva un *omphalós* centrale, sia che era pieno di *omphaloi*, comunque ricorda la struttura degli scudi che hanno al centro una protuberanza o un disco, databili alla fine dell'età del Bronzo. Un uso insolito, attestato in I 259-64, è quello delle frecce avvelenate: in tutto l'epos questo non trova attestazione, si è supposto solo che l'episodio riferito dall'*Iliade* (IV 198-219) di Macaone che succhia il sangue da una ferita di Menelao possa essere una conferma dell'uso di tali armi, che comunque sono escluse anche dalla caccia. Il veleno per le armi si ricavava forse da una pianta proveniente da Efira (II 328-9): l'elleboro nero. L'arma usuale di Odisseo non è l'arco, ma la lancia e la spada. Odisseo stesso, tuttavia, si vanta presso i Feaci di essere un ottimo arciere, addirittura secondo dopo Filottete (VIII 215-22) e ne dà una prova concreta nella gara che si svolge nella sua casa contro i proci (XXI 404-23).

Arredamento: il re e la regina prendevano posto sul trono (θρόνος), che in genere era fornito di uno schienale dritto e di braccioli, riservato talvolta agli ospiti d'onore (I 130), in genere alto (se Medonte poté nascondersi sotto, XXII 362): quello di Penelope era un'opera pregiata in avorio e argento con un vello sopra (XIX 56-8); un altro tipo di seggio è il κλισμός, allo stesso modo lavorato, ma più comodo del precedente in quanto era provvisto di uno schienale inclinato (I 132); per gli altri usi sono attestati semplici sgabelli (δίφροι XXI 177, cf. Ateneo 192 e-f), molto numerosi in una casa (IV 717), che venivano predisposti per ospiti non importanti e coperti con pelli (XIX 100-1, XX 259). Gli abiti erano custoditi nell'armadio (I 439-42). Il letto era costituito da una lettiera fatta di assi di legno traforate: attraverso i fori venivano tese strisce di cuoio intrecciate a forma di rete (XXIII 195-201); come materassi venivano usati velli di pecora (XX 2-3) o «tappeti» di lana (X 12); i materassi venivano coperti da un *rhegos*, che era un drappo di lana colorato, mentre la coperta vera e propria, che copriva la persona, era costituita da una χλαῖνα (IV 297-9, cf. G.A. Privitera, *Il significato di ῥῆγος/ῥέγεα in Omero*, in «Filologia e forme letterarie. Studi offerti a Francesco Della Corte» I, Urbino 1987, p. 47 sgg.). Per i più poveri, come per il porcaro, il sedile veniva creato appositamente, con un mucchio di frasche ricoperte di pelli (XVI 46-8). Per quanto riguarda i mezzi di illuminazione e riscaldamento, il λαμπτήρ (XVIII 307, 347) era un braciere mobile, all'interno del quale c'era legna da ardere fatta a pezzi, mista a schegge di pino; veniva attizzato dalle ancelle, ed era impiegato anche come mezzo di illuminazione. La lampada d'oro usata da Atena ricorda le lampade micenee in bronzo (XIX 34): tuttavia già nell'antichità, Ateneo (XV 700 e) ed Eustazio (p. 1571, 22) facevano notare che gli antichi usavano fiaccole (VII 100-2) e non lampade. Le fonti archeologiche testimoniano che la produzione di lampade interessava l'età micenea e che riprende poi in epoca arcaica; questo non significa che nello spazio di tempo intermedio la lampada fosse del tutto sconosciuta ai Greci, essa è invece attestata per l'epoca geometrica in Arcadia e rimane come strumento di illuminazione in Siria, in Egitto e a Cipro. Le ipotesi che si possono fare sono due: 1) la Grecia dell'età oscura è interessata da una scarsa coltivazione di alberi da olivo, di conseguenza l'esigua produzione di olio rese la lampada un lusso; 2) le lampade di Creta e Micene furono mutuate dall'Egitto e alla caduta della civiltà palaziale decadde anche l'uso delle lampade, che continuarono ad essere usate in Siria. In epoca orientalizzante (VII sec.) furono riprese dall'Oriente, in particolar modo dalla Siria, dove l'uso era sopravvissuto (cf. S. Laser, *Hausrat*, «Archaeol. Hom.» P, Göttingen 1968).

Assemblea: istituzione comune agli dei (I 26 sgg.) e agli uomini (II 6-257), è l'unica forma di aggregazione popolare che denota un minimo potere politico, in realtà più consultivo che deliberativo. Essa poteva essere convocata da uno qualsiasi dei capi (II 60) attraverso l'invito portato dagli araldi (II 6-7), ma la coordinazione della discussione era affidata ad un gruppo di anziani (II 14). Le fasi della convocazione dell'assemblea sono così elencate: 1) gli araldi chiamano a raccolta il δῆμος; 2) il convocante proclama i suoi propositi e passa poi alla discussione: chi prende la parola ha in mano come simbolo uno scettro (II 35-8); 3) i convenuti discutono queste proposte, ma non hanno diritto di voto: la volontà del re, ad esempio, prescinde dal parere dell'assemblea; 4) alla fine i capi che hanno preso parte all'assemblea sono invitati ad una festa (VIII 24-45). In una società orale come quella omerica, le delibere dell'assemblea venivano proclamate pubblicamente alla presenza di testimoni, che erano i membri stessi dell'assemblea, e degli dei che si facevano garanti del giuramento dell'oratore.

Avventure: alla corte di Alcinoo, Odisseo racconta le sue avventure dal momento della partenza da Troia ordinandole in 10 tappe distinte: (1) presso i Ciconi – popolazione storica della Tracia come testimonia Erodoto VII 59, 108, 110 – espugna la città e ne devasta il territorio, il giorno dopo viene attaccato da loro e perde sei compagni per ogni nave (IX 39-61); dopo una tempesta a Capo Malea (IX 62-81) giunge (2) presso i Lotofagi, popolo mitico che si nutriva di un fiore, il loto; i compagni di Odisseo, dopo aver assaggiato la dolcezza del frutto, preferiscono nutrirsene per sempre piuttosto che ritornare in patria (IX 82-104): questo episodio rappresenta il primo ingresso di Odisseo in un mondo immaginario e irreale, la pianta del loto ne è il segnale; (3) terza tappa presso i Ciclopi: nell'antro di Polifemo Odisseo perde sei compagni (IX 105-566) divorati dallo stesso Ciclope che in questo modo contravviene alle regole dell'ospitalità; (4) giunge poi da Eolo, che si dimostra benevolo e molto ospitale nei suoi confronti; vi rimane pertanto un mese (X 1-79). Eolo affida ad Odisseo un otre contenente tutti i venti e lascia libero solo Zefiro che spinge la nave verso Itaca, ma quando giunge in vista dell'isola, i compagni squarciano l'otre dei venti e vengono rimandati da Eolo, il quale li scaccia; (5) Odisseo e i compagni giungono poi dai Lestrigoni: qui i suoi compagni vengono uccisi e Odisseo perde tutte le navi tranne la sua (X 80-132); (6) la sesta tappa è a Eea, da Circe dove rimane per un anno (X 133-540): Circe è ospitale, in un primo momento con l'inganno, trasformando i compagni di Odisseo in animali, ma poi quando scopre che Odisseo ha un antidoto, il *moly*, contro i suoi incantesimi, in modo leale; (7) c'è poi la visita all'Ade (XI 20-330, 378-640) e il ritorno da Circe, che gli insegna la rotta per Itaca (XII 1-141); (8) il giorno dopo riparte, costeggia l'isola delle Sirene che cercano di intrattenerlo con il loro canto, ma Odisseo si difende facendosi legare all'albero della nave (XII 165-220), (9) poi passa vicino a Scilla e Cariddi (XII 201-59); Scilla gli uccide sei compagni (XII 245-6), (10) rimane poi un mese in Trinachia; si tratta di una tappa positiva che però impone l'osservanza di una regola, cioè il rispetto delle vacche del Sole. I compagni di Odisseo, spinti dalla fame, uccidono le vacche e al momento della partenza vengono puniti da Zeus che li fa perire con una tempesta (XII 260-466). In totale, comunque, le tappe di Odisseo sono dodici: le rimanenti due, cioè quella di Ogigia – dove rimane sette anni (VII 241-77) – e di Scheria sono raccontate da Omero in terza persona. La struttura del racconto e le caratteristiche delle varie tappe hanno dato luogo a numerose interpretazioni: i racconti originariamente dovettero essere indipendenti, e organizzati e ordinati solo successivamente; irrilevante è l'unico collegamento tra i vari episodi costituito dal vino di Ismaro, che Odisseo usa per neutralizzare Polifemo (IX 193-215). Definire il tempo di durata dei viaggi di Odisseo è un tentativo disperato, anche perché il poema non menziona alcuni passaggi: non sappiamo, ad esempio, quanto dura il viaggio dai Lotofagi all'isola dei Ciclopi e poi dai Ciclopi ad Eolo: le indicazioni sommarie indicano che il tempo è puramente simbolico, distinto in breve durata (il giorno dopo) e lunga durata (da sei/sette giorni di viaggio all'intero anno di sosta, come succede presso Circe). Già nell'antichità Eratostene sottolineò il carattere essenzialmente fantastico dei luoghi e delle vicende narrate da Odisseo («Si troveranno i luoghi delle peregrinazioni di Odisseo quando si troverà il ciabattino che ha cucito l'otre dei venti», Strab. I 2, 15). In epoca ellenistica, attraverso Porfirio (III sec. d.C.), fino al XVIII sec. la tesi preminente era quella «allegorica» secondo cui la poesia omerica è prevalentemente metaforica, quindi non considera il dato reale, tanto meno si preoccupa di fornire dati geografici reali. Il Vico (*Scienza nuova*, II 3, p. 381) parlò di «geografia poetica»: Omero, cioè, avrebbe descritto luoghi lontani e sconosciuti basandosi sulla somiglianza dei luoghi a lui vicini. Dopo i successi delle campagne archeologiche dello Schliemann, si fece strada l'ipotesi che Omero avesse descritto luoghi reali, per cui le ricerche di identificazione dei posti visitati da Odisseo si fece febbrile: nella vasta produzione di dati e di interpretazioni merita una menzione l'opera dei fratelli Hans-Helmut e Arnim Wolf (*Die wirkliche Reise des Odysseus. Zur Rekonstruktion des Homerischen Weltbildes*, München-Wien 1990) i quali identificarono le varie tappe di Odisseo con alcuni luoghi del Mediterraneo e soprattutto dell'Italia meridionale. In questi ultimi anni, tuttavia, si è ritornati ad Eratostene, così G. Germain (*Genèse de l'Odyssée. Le fantastique e le sacré*, Paris 1954) prospetta l'ipotesi secondo cui Odisseo costruisca i suoi racconti alla corte di Alcinoo partendo da dati geografici reali (i Ciconi, Capo Malea), ma poi intessendoli sulla base di schemi geometrici (orizzontale, obliquo ecc.). G. Chiarini (*Nostos e labirinto. Mito e realtà nei viaggi di Odisseo*, «Quad. di Storia», XXI 1985, pp. 11-35) distingue tra tappe dispari (Ciclope, Lestrigoni, Ade, Scilla e Cariddi, Calipso) che sono caratterizzate «dall'elemento infero o occidentale», e tappe pari caratterizzate invece «dall'elemento solare o orientale», in uno schema simbolico di movimenti pendolari (Oriente-Occidente e viceversa), che ricorda la struttura del labirinto cretese. Secondo G.A. Privitera (*L'alterno ritmo di morte ed ospitalità nelle avventure di Odisseo*, «Giorn. It. di Filol.» XLIII, 1991, pp. 3 sgg.) le avventure sono state disposte secondo un ritmo alterno il cui fulcro tematico è costituito dall'ospitalità e dal suo contrario, cioè la morte: Odisseo distingue tra tappe ospitali o positive e tappe inospitali o negative, presso cui perde navi e compagni (Ciconi, Ciclopi, Lestrigoni, Ade, Scilla e Cariddi); la disposizione dei racconti è quindi simmetrica e segue criteri rigorosi: così Odisseo perde le navi presso i Lestrigoni, cioè nella tappa di mezzo. In questo modo è più facile spiegare alcune differenze che si riscontrano tra le prime cinque e le rimanenti tappe: nel primo caso Odisseo supera le prove con il solo contributo dell'astuzia e della sua intelligenza, mentre dalla 6ª tappa in poi ha bisogno dell'aiuto di una forza superiore (Ermete, Circe, Tiresia). Secondo P. Vidal-Naquet (*Le chasseur noir. Formes de pensée et formes de societé dans le mond grec*, 1981 = *Il cacciatore nero*, Roma 1988, p. 21) che riprende un'idea di W.B. Stanford (*The Ulysses Theme. A Study in the Adaptability of a Traditional Hero*, Oxford 1954, p. 50) i viaggi di Odisseo rappresentano un percorso verso la conquista e l'accettazione dell'umanità passando attraverso l'infraumano (Circe) che tenta di ricondurre l'uomo alla bestialità, e il sovrumano (Calipso) che tenta di conferirgli la divinità. Molto si discute sulla tradizione folklorica che è alla base di questi racconti: D. Page (*Folktales in Homer's Odyssey*, 1973 = *Racconti popolari nell'Odissea*, Napoli 1983) sostiene che il poeta dell'*Odissea* ha attinto da una serie numerosa di racconti folklorici, eliminando, però, tutti gli elementi irreali tradizionali per rendere più verisimile il suo racconto. E.A. Havelock (*The Greek Concept of Justice from Its Shadow in Homer to Its Substance in Plato*, 1978 = *Dike. La nascita della coscienza*, Roma-Bari 1981, p. 112) intende le avventure di Odisseo come parte del «bagaglio professionale dei narratori» perché sono facilmente memorizzabili e forniscono al cantore un facile contenitore di dati culturali. L'*Odissea*, comunque, non conclude il ciclo di racconti di avventure in questi quattro libri: altri racconti ricorrono nei dialoghi tra Odisseo nelle vesti di mendicante ed Eumeo (v.) e Penelope; altre avventure sono quelle di Menelao (v.) in Egitto, al punto che Italo Calvino (*Le Odissee nell'Odissea*, in AA.VV., *Risalire il Nilo*, Palermo 1983, pp. 33-8) parlava di varie «Odissee», il cui tema comune è quello del viaggio raccontato sia nel linguaggio del vissuto che in quello del mito, in considerazione del fatto che menzogna e verità non sono in opposizione.

Banchetto: sono indicati tre tipi di banchetti (XI 415): il pranzo nuziale (γάμος), quello comune nel quale ciascuno contribuisce (ἔρανος: Atena osserva che certamente non è un pranzo in comune quello che i proci consumano in casa di Odisseo: I 25-7) e il banchetto offerto da un solo ospite (εἰλαπίνη). Durante il pasto i convitati sedevano in circolo su troni posti lungo le pareti (VII 95-9), e vicino a ciascuno era apparecchiata una tavola (VII 174), mentre all'interno della sala l'aedo e i danzatori allietavano i partecipanti (VIII 65-71). Il banchetto era il luogo in cui si riproduceva, in maniera rituale, l'unità tra i vari componenti dell'*oikos* e tra uomini e dei (v. Sacrifici), era pertanto un momento solenne caratterizzato dalla letizia, dalla serenità, dal canto (che è ritenuto la cosa più bella in un convito, IX 2-11), in breve dall'equilibrio, che talvolta si rompeva per situazioni conflittuali e destabilizzanti (XX 390-5, XVIII 346-421, cf. E. Pellizer, «Della zuffa simpotica», in *Poesia e simposio nella Grecia antica*, a cura di M. Vetta, Roma-Bari 1983, pp. 36-7). Elemento centrale di questa forma di banchetto che si potrebbe definire «presimposiale» era quindi la grazia (χάρις), prodotto della concordia tra i convitati e il fascino del canto del poeta. La società omerica non conosce, quindi, il simposio, tuttavia la seconda parte del banchetto era destinata al vino e alla conversazione (I 339-40, XVIII 412-421). Il vino più famoso era quello di Ismaro che Odisseo trasportava in un otre di pelle di capra (IX 196-8) e che veniva bevuto mescolato con acqua in rapporto di uno a venti (IX 208-10). Sono descritti gli effetti del vino: eccitazione, euforia incontrollabile (canto, riso, desiderio di ballare) e spesso discorsi inopportuni (XIV 463-6). È usato anche come brindisi per le occasioni importanti, come una partenza (XV 147-9), e nei banchetti viene servito da destra (XXI 142).

Canto: il cantore è un professionista specializzato (XVII 382-5), di solito non esponente della classe aristocratica, anche se dotato di una certa funzione politica (a un aedo Agamennone affida sua moglie al momento della partenza, III 267-72). L'arte del canto deriva direttamente dalla Musa, oppure da Apollo (VIII 488), non si apprende artigianalmente, per cui il cantore può definirsi un autodidatta (XXII 347-9). L'aedo è contemporaneamente improvvisatore di testi e di musiche: si accompagna suonando la cetra (v. Strumenti musicali) e cerca di adeguare il suo canto alle esigenze del suo pubblico. È ricorrente nei banchetti dei notabili, i quali possono interromperlo e chiedere di cambiare il repertorio qualora non sia gradito (I 336-44). Per quanto riguarda i contenuti, l'attualità e la novità rendono più gradito il canto all'uditorio (I 351-2): su questo versante si devono collocare anche le parole delle Sirene (XII 188) le quali sostengono che il loro canto è in grado di arricchire la conoscenza dell'uditorio. Alla luce di questo si spiega anche la situazione del banchetto presso i Feaci, in cui Demodoco commuove Odisseo cantando due episodi attualissimi che avevano come protagonista Odisseo stesso: quello della lite tra Achille e Odisseo (VIII 72-92) e quello del cavallo di Troia (VIII 499-531), e il fatto che Odisseo, che racconta alla corte di Alcinoo le sue avventure, viene paragonato ad un aedo (XI 363-9) per la forma e per il contenuto dei suoi discorsi.

Casa: il plurale δώματα che designa l'abitazione denota una struttura complessa e articolata (p. es. II 259). Elemento centrale della casa è il *mégaron*, la sala con le colonne, in cui le donne tessono e gli uomini libano e si assiste alle *performances* degli aedi e dei danzatori (IV 15-9; VI 303-9). Il *mégaron* contiene anche le armature e le armi appese ai muri (XV 282-90). Prima di accedere alla sala si attraversa il cortile (αὐλή), oppure il portico (πρόθυρον, IV 20). Il *prothyron*, il limite di accesso alla sala e quindi alla casa vera e propria, è il luogo in cui gli ospiti attendono prima di essere ricevuti dal padrone, e dove risiedono i mendicanti (XVIII 10-3). Ma oltre a questa porta d'accesso al *mégaron*, l'*Odissea* ne menziona un'altra elevata (ὀρσοθύρη), che dava l'accesso a un corridoio di servizio (λαύρη) che corre a fianco del *mégaron* per giungere nell'atrio (XXII 126-38). Gli ospiti dormivano nell'atrio di casa (πρόδρομος), sotto il portico (αἰθούση) (IV 296-302 e XX 1-4). Nella parte più interna (μύχος, IV 304-5) c'era la camera da letto, il θάλαμος (VI 15, 310) luogo privato e personale di ciascun componente della famiglia, dove si deponevano anche gli abiti e gli oggetti personali (XIX 255-6); la stanza privata di Penelope era al piano di sopra, negli altri casi essa era una costruzione separata dal resto della casa. Il θάλαμος del capofamiglia, inoltre, viene descritto come il luogo perennemente protetto da una serva: esso custodiva il tesoro (II 337-47) ed era situato nella parte più remota della casa (XXI 8-9). Nella casa di Odisseo, comunque, i vari ambienti risultano connessi tra loro (XVII 266). Segno di magnificenza è la soglia di bronzo e l'alto soffitto (XIII 4-5). A differenza della reggia di Menelao (IV 45-6) e di quella di Alcinoo (VII 84-132), la casa di Odisseo risulta essere un maniero prossimo alla città. Davanti alla porta d'ingresso, infatti, vi è ammucchiato il letame che i servi rimuovevano solo al momento della concimazione del lotto di terra che era proprietà della casa (XVII 296-9), e inoltre nel portico c'erano le stalle di capre (XX 176-7) e di buoi (XX 189-90).

Città: Omero attesta l'esistenza embrionale della *polis*, con un centro di vita sociale e politico – non ancora commerciale – costituito dall'*agorà* (la piazza come luogo di convegno in cui c'erano dei seggi, XVI 361-2) in genere lastricata (VI 266-7) e mura di difesa con palizzata (VII 43-5): si tratta di un complesso urbano costruito spesso in prossimità del mare (I 185-6), con un entroterra agricolo (Laerte vive appartato, lontano dalla campagna, I 189-93), che Atena-Mente dice a Telemaco di aver attraversato dopo aver lasciato la nave nel porto di Itaca. L'*Odissea* parla già dell'acropoli (VIII 494, 504) che corrisponde alla parte alta della città, e di strade larghe (IV 246, XXII 230). La città omerica è anche ricettacolo di mendicanti e stranieri: Odisseo nell'aspetto di un mendico dice ad Eumeo che si sarebbe recato in città (πτόλις) per chiedere l'elemosina (XV 307-12, XVII 17-9); si tratta quindi di una vera e propria comunità strutturata, non di un villaggio, in cui il potere dei *basileis* si va consolidando.

Colonizzazione: il fenomeno investe anche la storia mitica dei Feaci, i quali erano fuggiti da Iperea per evitare le vessazioni dei Ciclopi, e si erano stabiliti a Scheria, sotto la guida di Nausitoo. Questi aveva costruito templi e aveva distribuito la terra ai suoi concittadini (VI 4-10). Questo episodio sembra riferirsi alla realtà micenea, in cui la colonizzazione si originava dalla ricerca di posti tranquilli da abitare. L'eco della colonizzazione storica, invece, si è voluto vedere nella descrizione delle fertili coste dell'Africa, che rievoca la fondazione di Cirene (IV 85-9), e nei continui riferimenti ai Siculi (v.); del resto l'intero poema può essere letto come una testimonianza di quei viaggi «precoloniali» dei marinai tra Oriente e Occidente, che aprirono le strade alla colonizzazione di epoca storica (cf. G. Pugliese Carratelli, «I micenei e il mondo mediterraneo», in *La civiltà micenea*, a cura di G. Maddoli, Roma-Bari 1981, pp. 254-84). Anche la descrizione dell'isola delle capre (XI 116-41) antistante la terra dei Ciclopi sembra essere la testimonianza di un racconto di fondazione coloniale: il riferimento che Odisseo fa alla possibilità di destinare l'isola alla coltivazione della vite e all'agricoltura, oltre alla considerazione del fatto che offriva porti naturali molto favorevoli, ricorda i criteri di scelta che guidavano i primi coloni. Essi, infatti, si stabilivano all'inizio in un'isola antistante la terra che doveva essere colonizzata per prendere contatto con gli indigeni e per studiare la natura del sito

Culto degli dei: gli dei vengono venerati all'aperto, dove la loro presenza si manifesta. È attestato un luogo di culto, il Posideio (v.) presso i Feaci. Il tempio (VI 10) e il τέμενος sono i luoghi in cui il dio veniva venerato (VI 10): il *témenos*, in particolare, conteneva l'altare per i sacrifici ed era la «residenza» del dio stesso (VIII 362-3). È attestato anche un culto privato, come quello di Zeus in casa di Odisseo (XXII 335-6 in questo caso l'altare di Zeus si trova fuori dalla sala). Luoghi di culto riconosciuti sono: Delo (VI 162-9) sede di un culto di Apollo, dove Odisseo vide la palma famosa che servì di appoggio a Leto quando partorì Artemide ed Apollo; Delfi (VIII 79-82, XI 580) sede dell'oracolo di Apollo dal quale Agamennone seppe che la guerra di Troia sarebbe finita quando i migliori degli Achei sarebbero venuti a contesa tra loro; e Dodona, dove c'era un antico culto di Zeus (XIV 327). Non è attestata una vera e propria casta di sacerdoti. Ne è citato solo uno: Marone (v.) tra i Ciconi. Il sacrificio era presieduto dal re, che indossava l'abito sacerdotale e pronunciava le invocazioni davanti all'altare (III 425); in genere è il capo dell'*oikos* a dirigere il rituale delle offerte agli dei, come Nestore (III 404-63) e Alcinoo (XIII 24-5). Sono attestate cerimonie religiose che avevano carattere comunitario (III 4-9, XX 276-8), anche se, come si è visto, gran parte del rituale festivo e del sacrificio era esercitato privatamente.

Culto dei morti: pratica conosciuta è la cremazione. I dati forniti dall'archeologia attestano che la cremazione fin dall'inizio del periodo Protogeometrico era l'unico rito praticato ad Atene e che continuò fino all'VIII secolo. La cremazione non era praticata durante l'età micenea: un solo caso d'eccezione è attestato nell'Argolide (cf. H.L. Lorimer, *Homer and the Monuments*, London 1950, pp. 103 sgg.). La morte è intesa come un processo naturale, quindi indolore, quando avviene fuori dai campi di battaglia: gli uomini erano uccisi dalle frecce di Apollo (III 279-80), le donne da quelle di Artemide (XI 198-9). Quando il soffio vitale (ψυχή) abbandona il corpo e comincia a vagare, un fuoco ardente brucia i nervi, che non reggono più la carne e le ossa (XI 218-22). L'*Odissea* attesta un rituale delle esequie piuttosto articolato, in particolar modo per la morte di un eroe: la salma di Achille viene detersa e sorvegliata per molti giorni; in seguito viene cremata dopo essere stata ricoperta di unguenti e miele (elemento garante di eternità nella tradizione greca), contemporaneamente si fanno dei sacrifici; le ossa vengono conservate nel vino e si indicono giochi funebri in onore del defunto (XXIV 43-92). In genere le ceneri venivano sepolte nello stesso luogo in cui erano state bruciate; per il morto viene di solito eretto un tumulo (XXIV 32 ecc.), ma spesso sotto uno stesso tumulo erano sepolti più cadaveri. Le ceneri del morto venivano conservate in un'anfora (d'oro era quella che conteneva eccezionalmente sia quelle di Achille che quelle di Patroclo, XXIV 73-9). Nel caso di Elpenore (XII 8-15) la salma viene arsa insieme alle armi, sulla riva del mare; sulle ceneri si erge un tumulo con sopra una stele: nel caso particolare funge da stele un remo, secondo la volontà del defunto. Gli individui banditi dalla comunità non avevano sepoltura, e il loro cadavere era lasciato in pasto agli avvoltoi (XXII 29-30). In segno di lutto i sopravvissuti tagliavano i capelli (XXIV 46).

Divinazione: l'oracolo si consulta prevalentemente per avere consigli in situazioni importanti: a Dodona, in Epiro, era possibile consultare il volere di Zeus, attraverso l'interpretazione dello stormire della quercia sacra al dio (XIV 327-30) e nel suo racconto falso, Odisseo dice che vi si era recato per chiedere a Zeus se doveva tornare ad Itaca allo scoperto o in segreto. Altre forme di divinazione sono quelle che derivano da esseri mitici dell'acqua (v. Proteo e Vecchio del mare) che hanno capacità mantiche, oppure la *nekyomanteia* che consisteva nell'evocazione delle anime dei morti per avere consigli: il rituale che accompagna questa pratica prevedeva lo scavo di una fossa dentro cui veniva versato latte, miele, vino, acqua e farina di orzo (XI 24-28), e poi il sangue delle vittime (XI 34-6).

Doni: le circostanze che segnano la transazione dei doni sono molteplici. Essi sono prevalentemente segno di riconoscenza per un favore ricevuto, premi, compensi per un lavoro svolto, di congedo di un ospite, oppure come segno di gratitudine verso chi ha profetizzato buone novità (XIX 310-1). Lo scambio dei doni era inteso come suggello di amicizia tra ospiti, come succede presso le società primitive (cf. *Il.* VI 212-36). L'etica aristocratica non prevede la pratica del dono disinteressato, esso determina comunque l'obbligo del contraccambio e della parità, non del profitto (XXIV 284-6): la stessa Atena, nell'aspetto di Mente, deve rifiutare i doni offerti da Telemaco, perché non potrà contraccambiarli subito (I 306-8). In genere i doni consistevano in oggetti d'oro e d'argento, capi di abbigliamento ed anche schiave (XXIV 274-9). All'interno della famiglia, il padre donava ai figli terreni e alberi da frutto (XXIV 340-4). Esiste, poi, un'occasione pubblica di scambio di doni. I nobili Feaci regalano ad Odisseo tripodi, lebeti e vesti, ma poi richiedono al popolo quello che hanno dato allo straniero (XIII 7-15): in questo caso il dono non avrà contraccambio, per cui il re è costretto a «tassare il suo popolo»; in questa idea di circolarità e di reciprocità, il popolo sembrerebbe rimasto privo di un'adeguata ricompensa, ma in realtà esso era costantemente debitore nei confronti del re, dal punto di vista della protezione e della difesa (M.I. Finley, *op. cit.*, 104 sg.).

Donne: la donna è considerata facile preda degli istinti sessuali e sottomessa ad essi: l'amore con un uomo facilmente travia la mente anche di una donna onesta (XV 420-2). La carnagione bianca era uno degli attributi più frequenti della bellezza femminile, oltre all'altezza e ad una corporatura robusta (XVIII 192-6). Quando compare in pubblico la donna libera è sempre accompagnata dalle ancelle e copre il suo viso con lo scialle (XVII 208-11): la sua bellezza è provocatrice di desiderio, in fondo Penelope è amata anche per la sua prestanza, non solo perché garantisce la successione al trono di Itaca (XVIII 212-3). M.B. Artur (*Early Greece: the Origins of the Western Attitude toward Women*, «Aretusa», 1973, p. 7 sgg.) ha messo in luce come il poeta dell'*Odissea* testimoni aspetti positivi della situazione della donna: esso sembra includere, più che escludere, la donna dai ruoli fondamentali del mondo della produzione e delle relazioni sociali. La condizione femminile, però, non rivela una condizione così ottimale per la donna: è vero che la concordia tra marito e moglie è vista come bene assoluto (VI 180-5), è vero anche che ci sono regine amate dal loro popolo nell'*Odissea*, come Arete (v.) e Penelope, ma qua e là emergono spunti di polemica misogina: Agamennone sostiene che «delle donne non c'è da fidarsi» (XI 456): oltre all'uccisione del marito, che una volta commesso da una di esse ha infamato tutto il genere, esse possono essere artefici di qualsiasi malvagità, meglio quindi non raccontare tutta la verità alla propria moglie (XI 427-30 e 441-3). Riguardo ai giudizi sulla personalità e sulla condotta di Elena, Telemaco osserva che le sofferenze dei Greci e dei Troiani sono ascrivibili ad Elena, ma anche alla volontà degli dei (XVII 118-9), e Penelope osserva che essa fu accecata da un dio quando compì quell'azione riprovevole: certamente non sapeva che sarebbe stata ricondotta in patria dai Greci, quando fece la sua scelta (XXIII 218-24).

Economia: la vita economica risulta essere prevalentemente agricola e autosufficiente, poco incline alle attività commerciali; in un caso addirittura la figura del mercante è considerata con disprezzo aristocratico (VIII 159-64): la parola che in epoca classica designerà il mercante (ἔμπορος, II 319, XXIV 300) indica in Omero il viaggiatore. Non è documentato l'uso della moneta (il talento d'oro di XXIV 274 è da intendere come misura di peso di oro artisticamente lavorato) e il commercio, che si basa sul baratto, non prevede il profitto, ma è soltanto un necessario scambio di beni (XV 387-8). Il valore dell'oggetto da acquistare viene proposto da chi compra (XV 461-3) e il mezzo di scambio più attestato sono i buoi (Laerte acquistò la sua serva per 20 buoi, I 430-1). L'*Odissea* sembra prospettare questa idea di progresso: 1) i popoli primitivi e incivili (Ciclopi, IX 105-111 e Lestrigoni, X 97-8) conoscono solo la pastorizia e un tipo di economia distruttiva; 2) segno di civiltà è l'agricoltura, che è alla base dell'economia di Itaca, Pilo, Sparta ed all'isola di Siria in cui si coltiva la vite e il grano (XV 406); 3) simbolo di una società evoluta, quasi utopica, come quella dei Feaci (v.), è la pratica di una navigazione avanzata e perfezionata: i Feaci dispongono addirittura di navi che viaggiano al buio, perché sono guidate dal pensiero. L'*Odissea*, comunque, distingue nettamente la navigazione dal commercio marittimo: i Feaci, infatti, non praticano il commercio, anzi rifiutano i contatti economici con gli altri popoli (VII 32-6), mentre i Fenici (XV 415-6) sono stigmatizzati per la pratica del commercio e della pirateria.

Famiglia: il nucleo familiare omerico si presenta come un conglomerato di individui collegati a vari livelli ad un capo, esso non si basa solo sui vincoli di parentela, ma comprende anche schiavi e servitori addetti alle attività relative alla vita dell'*oikos*. L'*oikos* in particolare rappresentava un'unità economica gestita da un capo (Menelao, Odisseo) prevalentemente autarchica, in cui cioè i bisogni materiali vengono tendenzialmente soddisfatti senza scambi con l'esterno: ovvio che non era in grado di procurarsi da sola metalli e schiavi, che venivano procacciati con il commercio o la pirateria (I 397-8). Comprende, inoltre, tutti i beni materiali (terre, case, bestiame, attrezzature) che sono indispensabili al suo mantenimento. La famiglia ideale è quella piccola, con un solo figlio (XVI 117-20), come si evince anche da Esiodo (*Op.* 376-80): il tentativo è quello di evitare la crisi sociale conseguente al frazionamento della proprietà. Infatti l'elemento centrale per l'eredità e per la perpetuazione della proprietà è il figlio maschio. Menelao, che aveva avuto da Elena solo una figlia femmina, ha da una schiava un figlio maschio, Megapente, che riconosce come legittimo (IV 10-4); in generale, comunque, un figlio nato dalla relazione con una *pallakis* schiava, aveva gli stessi trattamenti dei figli legittimi (γνήσιοι, XIV 202-4), e alla morte del padre poteva addirittura avere qualcosa in eredità, anche se in minore misura rispetto ai fratellastri legittimi e sposare una donna ricca (XIV 207-212). Alla morte del padre il figlio maschio diventava l'erede della casa e dei servi (I 397-8).

Fuoco: ha un ruolo solo utilitario e domestico (V 488-90), è di natura profana e non divina; nelle similitudini (XIX 397) è impiegato per indicare la preziosità di qualcosa e non come referente della potenza di un eroe, come era nell'*Iliade* (L. Graz, *Le feu dans l'Iliade et l'Odyssée*, Paris 1965, p. 348).

Geografia: la Terra è concepita come un disco piatto circondato da un fiume circolare, l'Oceano (XX 65) che lo delimita ad est (XXII 197-8), a sud (X 508), ad ovest (XI 158) e a nord (V 275). È ricoperta dal cielo come da una cupola ruotante, da cui derivava l'immagine delle stelle che si «tuffavano» nell'Oceano, tranne l'Orsa (V 270-5). Gli antichi naviganti avevano come punto di riferimento l'Orsa Maggiore. Le Pleiadi (v.) e Boote (v.), invece, erano stelle poste in posizione diametralmente opposta, e sorgevano e tramontavano in direzione Est-Nord-Est e Ovest-Nord-Ovest. Per quanto riguarda l'orientamento bisogna distinguere due casi: per mare i naviganti si servivano del corso delle stelle – Calipso ingiunge ad Odisseo di avere sempre a sinistra l'Orsa (V 276-7) – mentre per terra si faceva riferimento al tramonto e al sorgere del sole (X 190-3).

Giustizia: εὐδικία, è un valore assoluto, che procura la protezione degli dei (XIV 83-4): il re è famoso e rispettato dal suo popolo solo quando rivela alte doti di giustizia nell'amministrazione, e alla sua giustizia risponde anche la natura con l'abbondanza (XIX 107-14). Dal momento che il mondo omerico non ha una grande pratica della scrittura, non conosce un diritto positivo che regoli la vita associata, tuttavia l'essere giusti ha come garante la divinità che a volte addirittura si aggira in incognita tra gli uomini, per saggiare la loro condotta di vita (XVII 485-7). Non esiste la giurisdizione penale; in qualche caso sono testimoniate forme di faida, per cui un cittadino colpevole di omicidio era costretto all'esilio, per evitare la vendetta dei congiunti della vittima (XXIII 118-20).

Lavori: tra i lavoratori professionisti (δημιουργοί), che potevano essere chiamati da fuori città perché lavoratori specializzati, sono citati indovini, medici, falegnami e cantori (XVII 382-6), inoltre viene annoverato tra essi anche l'araldo (XIX 135). Oltre alla servitù, che è direttamente dipendente dal padrone, sono attestate anche forme di lavoratori esterni (XIV 102). Un'altra figura è quella del teta, il lavoratore salariato: Achille dice ad Odisseo che preferirebbe servire come bracciante (θητευέμεν) un padrone povero, piuttosto che essere tra i morti (XI 488-91); questo tipo di lavoro, che era ricompensato con una paga e con vestiario (XVIII 357-61), doveva essere di infima condizione, ancora più bassa di quella dello schiavo, in quanto privo di risorse e soprattutto di protezione da parte di un padrone, tuttavia si differenziava da quello per la natura contrattuale (XVIII 356-66) e quindi non obbligata della servitù. Oltre a quello del teta sono documentati altri lavori mercenari: il pastore nella terra dei Lestrigoni (X 84-5), oppure i mandriani che custodiscono le greggi di Odisseo sul continente (XIV 102 ξεῖνοι βώτορες), e il guardiano di stalle (XVII 223-5). Altre forme di attività erano quelle dell'araldo (κῆρυξ) e dello scudiero (θεράπων), individui liberi di nascita, che offrivano il loro servizio come subalterni ad un nobile, annoverati tuttavia tra i demiurghi (XIX 135). L'araldo era addetto alla somministrazione dei cibi e all'assistenza durante il pasto (I 146), a servire il vino (I 143, VII 163-4) e a portare messaggi dei membri della famiglia all'esterno (XVI 333-4, 336-7), i *therapontes* hanno invece mansioni diverse, in genere di assistenza ai lavori del signore. Una vera e propria suddivisione dei lavori, tuttavia, non è ancora attestata, il quadro offerto dal poema è quello di una struttura autarchica, in cui il contadino è anche artigiano: Odisseo, infatti, si costruisce un'imbarcazione (V 228-62), il letto nuziale (XXIII 189-201), ed è in grado di svolgere il lavoro dei campi (XVIII 366-75); il porcaro

Eumeo costruisce il recinto per i maiali (XIV 7-12) e confeziona sandali di pelle (XIV 23-4).

Matrimonio: fondamentale per la perpetuazione dell'*oikos* e per le alleanze tra un *oikos* e l'altro, come mostra Menelao che dà in sposa sua figlia al figlio di Achille e suo figlio a una nobile spartana (IV 5-11). Il matrimonio avveniva sulla base di un patto riconosciuto tra lo sposo e il padre della sposa (II 53-4), che non è possibile ricostruire esattamente dai pochi dati forniti. L'usanza più antica prevedeva che lo sposo offrisse doni alla sposa (I 277-8, VI 158-9, XIII 178 e XV 18); tuttavia è attestata anche la tradizione più recente, secondo cui il padre della sposa forniva alla figlia una dote (II 50-4 e 196-7): Telemaco sostiene che se dovesse restituire sua madre ad Icario, dovrebbe rendere anche la dote (II 132-3). La restituzione degli *hédna* da parte del padre della sposa allo sposo segna la fine del vincolo coniugale (VIII 318-9). Il matrimonio, quindi, è un vincolo di relazioni politiche tra famiglie aristocratiche, oltre che scambio di beni (gli *hédna*) che sancisce l'alleanza contratta tra le due famiglie. Questo scambio di beni, tuttavia, eccezionalmente può essere sostituito da una prestazione fisica (XI 287-91).

Medicina e magia: le malattie sono considerate punizione divina; esse derivano da Zeus (IX 410-2), come quella che assale Polifemo, ed è quindi inerente al normale corso dell'esistenza umana, oppure deriva da un demone ostile (V 394-7), ed allora si presenta come qualcosa di ineffabile e temibile, a cui solo gli dei possono porre rimedio. Sarà Esiodo (*Op.* 102-4) il primo a parlare di malattie che si originano «autonomamente» e non per influenza di un potere superiore all'uomo. Il dio che è depositario della terapia è Apollo, e in ambito apollineo si deve collocare la figura di Peone (v.), medico degli dei, come si evince dal nome stesso che risale appunto al Peana – canto sacro in onore di Apollo – che all'origine doveva servire come incantesimo (cf. S. Laser, *Medizin und Körperpflege*, «Archaeol. Hom.» S, Göttingen 1983). A differenza dell'*Iliade*, la magia in questo caso riveste un ruolo importante, spesso determinante per l'azione. Il mondo della magia, a cui rimanda la verga di Circe, l'antidoto che Ermete dà ad Odisseo, il velo di Ino, le vesti di Calipso che danno l'immortalità o il canto delle Sirene, sembra fare riferimento ad un mondo extra-olimpico, perennemente in agguato all'uomo. Tuttavia l'*Odissea* attesta anche l'usanza di farmaci che hanno potere narcotizzante, come quello che Circe offre ai suoi ospiti (X 225-6), e quello che Elena versa nel vino (IV 219-30) che è da mettere in relazione con la pianta dell'oppio, che proveniva dall'Egitto. In genere i farmaci erano costituiti da estratti vegetali, minerali e raramente animali; di uso esterno, avevano un potere battericida e terapeutico. Per la cura delle ferite, tuttavia, è attestata la pratica di legare la parte interessata e di usare incantesimi per l'arresto della perdita di sangue (XIX 455-8): non erano conosciuti, quindi, farmaci adeguati. Il bagno, inoltre, è frequentemente attestato, perché ha una funzione importante nell'ospitalità – all'ospite le serve fanno il bagno al momento dell'arrivo o della partenza – ma aveva anche una finalità igienica, come dimostra anche la pratica di ungersi con l'olio al termine (VIII 449-57). L'uso di lavarsi le mani prima dei pasti sembra essere un rituale sacro, più che una norma igienica (VII 172-4), perché a volte precede anche l'offerta del vino o la preghiera.

Metallurgia: armi e arnesi sono prevalentemente di bronzo, poco diffuso è il ferro, di cui si fa esplicita menzione a proposito del tesoro di Odisseo (XXI 11) e delle ricchezze da lui ammassate presso Fidone (XIV 324); per il resto esso compare prevalentemente nelle espressioni proverbiali (XV 329, XVI 294), che riflettono non il momento storico in cui sono ambientati i fatti narrati – l'Età del Bronzo –, ma il mondo contemporaneo del poeta. Il bronzo sembrerebbe quindi il metallo con cui si forgiavano gli strumenti militari e quelli di uso quotidiano, mentre il ferro fa la sua comparsa prevalentemente nelle espressioni metaforiche e nelle similitudini: l'espressione proverbiale «il ferro da solo attira un uomo» (XVI 294, XIX 13) non è da intendere quindi come interpolazione, ma come testimonianza della civiltà contemporanea al poeta dell'*Odissea*, d'altro canto la formula «il cielo di ferro» (XV 329, XVII 565) inteso dalla Lorimer (*op. cit.*, p. 118) come derivante da una conoscenza del ferro meteorite, in realtà sembrerebbe denotare la solidità e l'eternità della volta celeste (cf. Schol. A ad *Il.* XVII 424 a). Il ferro costituiva inoltre un articolo di importazione: Atena, nell'aspetto di Mente re dei Tafi, dice di recarsi a Temesa per avere ferro e dare in cambio bronzo (I 180-4): i Tafi erano forse una popolazione scomparsa in seguito alle migrazioni della fine dell'età del bronzo, mentre Temesa era identificata dagli antichi con Tamassos di Cipro (cf. Strab. VI 1, 5).

Musica e danza: gli aedi cantavano accompagnandosi con la cetra (φόρμιγξ, κίθαρις), che dopo l'uso veniva appesa ad un chiodo all'interno della sala (VIII 67-9). La cetra, che era detta «compagna del pasto» (XVII 271) perché allietava i banchetti, si componeva di un telaio orizzontale dove erano fissate le corde e di due bracci (πῆχυς). Le corde (χορδαί), fatte di minugia di pecora, venivano tese con un bischero (κόλλοψ, XXI 406-8). La danza era una vera e propria attività agonistica, come dimostra il fatto che nell'isola dei Feaci la gara si svolge in uno spiazzo detto ἀγών (VIII 260). Nelle gare di danza dei Feaci è attestata la figura dell'αἰσυμνήτης, cioè dell'organizzatore della competizione che aveva anche funzione di arbitro (VIII 258-60). Lo strumento musicale riconosciuto come accompagnamento della danza è la cetra, anche se è attestata l'usanza di battere i piedi o le mani (VII 261-4). Non è documentato l'uso dell'*aulós*.

Navigazione: la pratica della navigazione è considerata propria dei popoli civili (IX 125-9). Essa avviene preferibilmente di giorno, perché di notte ci sono venti contrari (XII 286-90), e allo sbarco l'equipaggio dormiva sulla spiaggia (IX 150-1, 168-9). Le navi di Omero hanno una struttura slanciata che consente loro una certa velocità, sono dette «concave» (I 211, III 287) in quanto prive di un ponte – anche se un ponte di vedetta doveva esserci a prua da dove il capitano guardava l'orizzonte (XII 229-307) e un altro a poppa (XII 411-4) –; dovevano essere inoltre particolarmente leggere, se Odisseo quando fuggì dai Ciclopi rimise la sua barca in mare con una spinta (IX 487-9); di profilo la prua e la poppa dovevano essere particolarmente rialzate e questo spiega il fatto che la nave viene detta «ricurva» (XIX 182); la prora era o azzurra (IX 482) o rossa (XI 124), spesso i due colori erano abbinati a scacchi. All'epoca di Omero sono attestati due tipi di imbarcazioni, da venti e da cinquanta remi: le prime, lunghe all'incirca 12 metri – considerato che ogni vogatore aveva bisogno di uno spazio di novanta centimetri –, erano per lo più destinate al trasporto, le altre (dette più tardi pentecontere) sembrano attestate dallo stesso Omero quando dice che Odisseo giunse nell'isola di Circe in nave con 46 compagni (X 203-9), e a proposito della nave dei Feaci che dovrebbe accompagnare Odisseo a Itaca (VIII 34-6). Provviste ed utensili venivano posti sotto i banchi dei rematori perché non fossero d'impiccio (XIII 20-2) e quando era possibile si viaggiava a vela invece che a remi (i membri dell'equipaggio servivano il capitano anche in guerra come soldati). Allo sbarco, l'albero veniva tolto (XV 496-7) e le navi erano tratte in secco sulla riva (XII 5, XV 553-4), forse per la mancanza di porti naturali. Porti naturali favorevoli ad un facile approdo sono invece quello dell'isola dei Ciclopi (IX 136-9), dei Feaci (VIII 50-5) e quello di Itaca (I 185-6, XIII 96-101). Le operazioni della partenza sono così indicate: 1) si scioglievano a poppa le gomene, 2) si rizzava l'albero dentro la mastra, 3) si issavano le vele con corde di cuoio, 4) i marinai prendevano posto agli scalmi e cominciavano a remare (XII 144-52 e XV 289-91). L'albero, sostenuto da due stralli, era posto sulla scassa, fissato con un cuneo (II 424-5, XII 409-10). Il Pilota (κυβερνήτης) regge la barra della nave (XII 218). Come ormeggio le navi disponevano di πείσματα «gomene», πρυμνήσια «cavi di poppa» e di εὐναί «ancore di pietra» (XI 136-7). Una nave micenea è così rappresentata nell'arte figurativa: c'è una grande vela quadra, lo scafo è lungo e basso e la prua si eleva direttamente dalla chiglia. La vela era di lino, non in un solo pezzo ma composta di ferzi cuciti insieme da strisce di pelle o da fibre ritorte di papiro (V 258-9). Quando non c'era vento, l'equipaggio doveva usare i remi; il remo era fissato allo scalmo con una cinghia di cuoio (IV 782, VIII 53), in questo modo si impediva che cadesse fuori bordo quando il rematore mollava la presa. Di solito i capitani seguivano la costa, viaggiando da un approdo a un altro (III 159-83). I viaggi erano limitati al periodo dell'anno in cui la stagione era più favorevole, cioè da primavera (inizi di aprile) fino a ottobre, quando giungeva l'autunno. Cf. L. Casson, *Ships and Seamanship in the Ancient World*, Princeton 1986², pp. 43-53.

Oltretomba: descritto da Circe in X 504-15. Odisseo, spinto da Borea verso S, percorre l'Oceano da E ad O fino a giungere alle coste di Persefone, basse e dense di pioppi e salici. Approdato in riva all'Oceano, si reca a piedi alle case «ammuffite» di Ade (X 512), attraversando l'Acheronte in cui sfociano il Piriflegetonte e il Cocito, che è una diramazione dello Stige. Nel centro della Terra si trova l'Erebo, dove sono ammassate le anime dei defunti (XI 36-7). L'Erebo è rivolto ad Occidente. Riguardo ad Ade (v.), si parla quasi sempre di «case» (IV 834 ecc.), in un caso (XIV 155) si parla di porte: ciò suggerirebbe l'idea di una città. Un'altra versione ricorre a proposito del percorso che la ψυχή compie, dopo la morte, per giungere nell'oltretomba: dopo aver superato l'Oceano e la Candida Rupe (Λευκὰς πέτρη), si dirige verso Occidente, dove sono situate le porte del Sole – luogo in cui il Sole dirige il suo carro al tramonto – e il paese dei Sogni, per giungere al prato di asfodeli, dove risiedono le anime dei morti (XXIV 11-4). Le anime dei prediletti degli dei – come Menelao che è genero di Zeus – finiscono nei Campi Elisi (IV 563-9), mentre i nemici degli dei (IX 576-600) sono condannati ad una dannazione eterna.

Onomastica: non è attestato ancora l'uso del nome «Elleni» per indicare genericamente i Greci, come già Tucidide (I 3) fece notare, ma una serie di nomi complessivi (v. Achei, Danai, Argivi): il nome di Elleni (v.) designa solo il popolo ristretto della Ftiotide; l'Ellade (v.) e Argo (v.) indicano rispettivamente la Grecia centrale e il Peloponneso. I nomi propri di persona impiegati spesso sono parlanti: così presso i Feaci i giovani (v. Primneo, Proreo) hanno nomi che ricordano le parti delle navi; tra i pretendenti, Anfinomo («Temporeggiatore») è quello ben disposto verso la famiglia di

Odisseo, mentre Antinoo («Intrattabile») mostra un carattere ostile. Espressivo è il nome del mendicante Arneo («Procacciatore»), che gli fu attribuito direttamente dalla madre, e quello di Dmetore («Soggiogatore»), signore di Cipro. Anche il nome di Penelope è stato inteso come nome parlante, derivante da πηνέλοψ, una specie di oca dal piumaggio rosso, che fa pensare ad un'antica divinità a forma di uccello, anche se quest'idea ha trovato autorevoli oppositori (cf. P. Chantrain, *Dictionnaire étimologique de la langue grecque*, Paris 1968, *s.v.*). Per Odisseo, invece, il poema stesso offre una paretimologia (XIX 406-9: Autolico, il nonno, dice di «venire *in odio* a molti» e dà questo nome all'erede, Odisseo, quindi, è «colui che odia»), anche se in altri luoghi Odisseo sembrerebbe oggetto, più che autore, dell'odio (I 62, V 340). Ci sono attestati due casi in cui il nome alle cose è dato direttamente dagli dei – il *moly* (X 305) e le rupi Erranti (XII 61) – che ha fatto pensare all'esistenza di una «lingua degli dei», ma nell'*Iliade* (cf. I 403-4) alcuni nomi impiegati dagli dei avevano dei corrispondenti diversi nel linguaggio umano.

Ospitalità: l'ospitalità è una pratica che rientra nella sfera religiosa, l'ospite è protetto da Zeus al pari dei poveri e mendicanti (XIV 57-8). Scene di ospitalità sono ricorrenti nel poema ed hanno una struttura ricorrente: in primo luogo l'ospite attende davanti alla porta d'ingresso fino a quando viene notato da qualcuno che lo fa entrare in casa (I 118-24, IV 20-43), una volta accolto tutti gli accorrono incontro, gli danno la mano e lo fanno sedere a tavola (III 34-41). La sua identità non è rilevante, ma gli viene chiesta solo dopo essere stato rifocillato (VII 226-39). Un trattato di galateo è nelle parole di Menelao a Telemaco (XV 67-85): verso l'ospite non bisogna mostrarsi eccessivamente premurosi e neppure troppo impazienti, è necessario accontentarlo nelle sue esigenze, accompagnarlo al momento della partenza, e fargli dei doni: questi doni sono in genere tripodi, lebeti di bronzo e d'oro, e indumenti. I diritti di ospitalità sono ereditari, e il fatto che due nemici possano annoverare tra i loro antenati vincoli di ospitalità può portare al superamento delle ostilità, come risulta dall'incontro di Glauco e Diomede (*Il.* VI 119-236), che addirittura, dopo il riconoscimento si scambiano le armi.

Pessimismo: l'umanità è vista in continuo degrado: è difficile che un figlio sia migliore del padre, spesso succede il contrario (II 276-7); questa visione di un continuo degrado dell'umanità trova una sua esplicazione nel mito esiodeo delle razze (*Op.* 106-201), secondo cui da una generazione «aurea» che viveva del solo raccolto di quello che la terra spontaneamente offriva, si giunge all'età «del ferro», in cui il padre non sarà simile al figlio e viceversa, saranno aboliti i diritti di ospitalità e di rispetto degli anziani. Inoltre la durata della vita umana è breve (XIX 328): secondo Odisseo, l'uomo è l'essere più debole (XVIII 130-7), che si illude di vivere senza mali, ma presto viene smentito. Egli inoltre è soggetto all'imprevedibile volere del dio che glielo assegna di giorno in giorno (XVIII 137-8), idea, questa, che ha avuto un largo seguito nella letteratura greca, a cominciare da Archiloco (fr. 131 W.), fino a Pindaro (*Nem.* XI 43 sgg., *Pyth.* XII 29 sgg. e fr. 157 M.) cf. H. Fränkel, *Wege und Formen frühgriechischen Denkens*, München 1960[2], pp. 23 sgg.).

Pirateria: attività diffusa e socialmente riconosciuta, spesso complementare a quella commerciale (riprovevole, comunque, secondo Eumeo XIV 85-8). I più esperti di questa attività erano i Fenici (XV 415-29, 454-6). Allo straniero si chiedeva abitualmente se fosse venuto in veste di commerciante o di predone (III 69-74 Nestore a Telemaco e IX 252-5 Polifemo ad Odisseo): questo per Tucidide (I 5, 2) è segno di quell'approvazione che tale attività ebbe presso gli antichi. Il bottino era costituito da merci e da donne e bambini che in seguito venivano venduti come schiavi (IX 39-42, XIV 259-65). Al momento della spartizione del bottino, prima il capo della spedizione prendeva a scelta quello che voleva, il rimanente veniva suddiviso tra gli altri, capo compreso (XIV 232-3).

Potere politico: difficile riconoscere nei due poemi le realtà stratificatesi nel tempo a partire dall'età micenea fino alla contemporaneità del poeta dell'*Odissea*. I documenti in Lineare B hanno consentito una ricostruzione del sistema politico miceneo, che risulta piramidale con a capo un *wanax* coadiuvato da un *lawagetas* che aveva mansioni militari; intermediari tra il potere centrale del palazzo e i *damoi* erano i *basileis*, magistrati attestati solo nelle realtà periferiche. Il quadro che emerge dai testi omerici è decisamente diverso. Innanzitutto la figura del *lawagetas* non è assolutamente attestata, e il corrispettivo di *wanax*, ἄναξ, sembra essere un titolo onorifico di dei (p. es. III 54, VIII 270) e uomini (p. es. XI 397, XIX 181), che sottende un referente generico di nobiltà e venerazione. Nell'*Iliade* il potere dei *basileis* è prevalentemente militare (III 179) e di coordinazione: esiste un re superiore agli altri, cioè Agamennone, che dirige le operazioni militari della coalizione greca costituita da vari popoli retti ciascuno da un *basileus*. Nell'*Odissea* il quadro fornito dalla realtà politica di Scheria apporta delle conferme: dodici re governano l'isola e Alcinoo è il tredicesimo, nelle funzioni di *primus inter pares* (VIII 390-1). Il potere di cui è investito il *basileus*, deriva direttamente da Zeus, è quindi sancito dalla divinità: l'attributo principale del suo potere è la ricchezza (nel caso di Odisseo superiore addirittura a quella di 20 uomini, XIV 96-4): nella condizione di Telemaco conservare l'amministrazione della terra e partecipare ai banchetti può essere una parvenza di potere, in una situazione anomala come quella di Itaca, che era ormai al suo ventesimo anno di anarchia (XI 184-6). Era consuetudine che il potere fosse ereditario (I 386-7), ma precario come era, doveva essere conservato facendo ricorso alle proprie risorse private. Così si spiega il piano di Antinoo di assumere il potere ad Itaca dopo aver eliminato Telemaco (XXII 49-53). La regina, o meglio la sposa del re ha anch'essa un ruolo importante nella successione al potere: il caso di Penelope è emblematico. In fondo la pretesa dei proci si origina dal fatto che sposandola uno di essi avrebbe acquisito il potere ad Itaca, per questo essi temono che Penelope ritorni da Icario (I 277-8). Tuttavia è impossibile concludere che il potere reale si erediti col matrimonio della regina. Telemaco non succede a suo padre per due ragioni: perché non è certo che Odisseo sia morto e perché questi ancora non aveva dato prove di essere in grado di governare. In realtà il diritto a governare è essenzialmente frutto di un potere personale, derivante dalle capacità fisiche e mentali. Presso i Feaci, la regina Arete ha presso il re solo diritto di intercessione (VI 310-2 e VII 73-4) e di proposta (XI 345-7), anche se gode di un discreto successo presso il suo popolo (VII 69-74) per la sua capacità di intervento in materia di diritto privato.

Preghiera: non richiede un luogo sacro ad essa adibito, né una particolare preparazione, si compone di due parti distinte, l'ἐπίκλησις (invocazione) e l'εὐχή (richiesta). L'orante solleva le mani, inizia ad elencare i suoi meriti verso la divinità e promette sacrifici per il futuro: in seguito fa la vera e propria richiesta (XIII 355-60). La rievocazione dei meriti e dei precedenti aiuti della divinità è un richiamo rituale, una richiesta che quanto è avvenuto in passato si realizzi anche nel presente: Odisseo chiede ad Atena di assisterlo nella cacciata dei proci, così come lo aveva aiutato nella conquista di Troia (XIII 382-91). La preghiera collettiva è fatta intorno all'altare (XIII 185-7).

Presagi: la scena di un'aquila che porta un'oca tra gli artigli è interpretata da Elena come segno del ritorno a casa di Odisseo (XV 160-78) e così, secondo Teoclimeno, deve essere interpretata quella di un falcone che trasporta un colombo: in particolare in questo caso è segno positivo il fatto che il falcone voli da destra (XV 525-34); anche il tuono di Zeus è un segno positivo (XXI 413-5). Un esempio di presagio negativo, che esprime una contraria volontà degli dei, invece, è costituito dallo strisciare delle pelli di vacche uccise e il muggire delle carni allo spiedo (XII 395-6), oppure da un'aquila che vola da sinistra portando negli artigli un colombo (XX 242-3). Un caso particolare di profezia è quello di Teoclimeno, originatosi da una spontanea ispirazione visionaria: il vate vede segni, che non sono reali – come la nube oscura, i muri della casa che versano sangue e il cortile della casa pieno di spettri – e li interpreta come profezia negativa (XX 350-7).

Pretendenti: stabiliti nella casa di Odisseo, approfittando della sua assenza, i proci consumano quanto viene prodotto dall'*oikos* e in questo modo rivelano una condotta ingiusta: se l'obiettivo è il matrimonio di Penelope, essi non dovrebbero accaparrarsi i doni, ma farne (XVIII 274-80). Le interpretazioni che si sono date sul comportamento dei proci si possono riassumere in due indirizzi prevalenti: 1) essi sono considerati esponenti di una nuova classe sociale interessata alla sovversione dello status politico, 2) semplicemente essi tentavano di assumere il potere ad Itaca sposando una regina presunta vedova, ma non di sovvertire il sistema monarchico preesistente (F. Codino, *Introduzione a Omero*, Torino 1965, pp. 114 sgg.). Essi hanno instaurato con la casa di Odisseo un rapporto di prevaricazione sostanzialmente basato sulla loro superiorità numerica: Telemaco da solo non può opporsi ad essi (II 58-68, XVI 240-57) e nemmeno lo stesso Odisseo (II 244-51).

Religione: Erodoto (II 53) sostiene che Omero ed Esiodo hanno formato la teogonia dei Greci, hanno stabilito nomi e sfere di competenza degli dei: in realtà la religione di cui sono portavoce aveva radici più antiche. Tuttavia è vero che i poemi omerici e la *Teogonia* costituiranno i testi fondamentali su cui andrà profilandosi la religione greca. Il rapporto che gli eroi omerici hanno con gli dei è frequente e immediato: gli dei proteggono l'uomo in ogni sfera della sua vita quotidiana, oltre che presiedere agli eventi importanti della sua esistenza (la nascita, l'iniziazione, il matrimonio, la morte, ecc.). L'eroe omerico, però, conosce un tabù degli dei, un timore ancestrale che lo porta ad esempio ad avvertire con timore la presenza del dio e a temere la sua potenza. Sotto questo aspetto si comprende, ad esempio, l'ordine impartito da Leucotea ad Odisseo di non voltarsi quando getta il velo in mare per non scorgere la presenza della dea (V 350), e l'ingiunzione di Circe ad Odisseo di voltare il capo durante il sacrificio funebre (X 528-9). Gli dei appaiono agli uomini nell'aspetto di un personaggio noto oppure in sogno (v. Atena), solo in un caso sotto forma di animale (XXII 239-40). Comunque, l'intervento del dio nell'*Odissea* è costante e manifesto e si rivela a tratti prodigioso: la struttura razionale della divinità iliadica fa posto alla mostruosità, al meraviglioso e all'imprevedibile nell'*Odissea*: c'è stato chi ha visto in questo una crisi della cultura aristocratico-geometrica, non più in grado di dominare il reale (A. Mele, *Società e lavoro nei poemi omerici*, Napoli 1968, pp. 116 sgg.). Gli dei, quindi, sono in grado di assegnare agli uomini gli eventi a loro arbitrio ma sono anche depositari di una giustizia: sono in grado di assicurare la giustizia e di intervenire in difesa di colui che vuole ristabilire un equilibrio infranto (XXIV 351-2). Odisseo sostiene che i pretendenti si sono comportati indegnamente senza temere il castigo divino (XXII 39-40), e la loro punizione, secondo Penelope, è opera di un dio (XXIII 63-4): del resto tutti hanno bisogno degli dei (III 48). Il potere di intervento degli dei nella vita umana, tuttavia, trova un ostacolo nel fato (μοῖρα), che agisce parallelamente agli dei. Ma la sfera di influenza della divinità nell'ambito umano rimane assoluta: nel momento in cui si svelerà a suo figlio, dopo l'ennesima trasformazione (v.) da mendicante ad eroe operata da Atena, Odisseo stesso dirà che gli dei possono portare in alto un uomo, oppure annientarlo, a loro arbitrio (XVI 211-2). La sorte umana è segnata dal destino imposto dagli dei (μοῖρα θεῶν) e anche dalla condotta personale: il malvagio veniva adeguatamente punito (XXII 413-5). Nell'*Odissea* gli dei che hanno maggiore spazio di intervento sono: 1) Atena (v.) che appare come divinità guerriera, protettrice delle arti e delle attività femminili, oltre che signora della Natura; 2) Zeus (v.) arbitro del destino degli uomini e dei fenomeni naturali, si presenta come padre di una famiglia patriarcale, quale è quella olimpica, è attestata, tuttavia, anche la visione di un «dio» astratto, inteso come principio divino depositario di un potere assoluto (XIV 444-5); 3) Posidone (v.) signore del mare, il cui potere si estende su tutto l'Oceano e le distese marine. Demetra e Dioniso (v.) compaiono poco nell'*Odissea*, ne sono quasi assenti: ciò si spiega col carattere e la materia dell'*epos*, più che con l'idea di un dio popolare e come tale inviso alla classe aristocratica (G.A. Privitera, *Dioniso in Omero e nella poesia greca arcaica*, Roma 1970, pp. 49 sgg.). Nelle invocazioni, frequente è la triade Zeus-Atena-Apollo (XVII 132).

Sacrifici: intorno alle vacche del Sole vengono elevate preghiere agli dei e si asperge dell'orzo, secondo il rituale (in questo caso è sostituito da foglie di quercia). Nella seconda fase le vittime vengono scannate e scuoiate, fatte a pezzi, queste parti sono ricoperte da due strati di grasso: in genere si aspergeva i visceri, mentre cuocevano, col vino, il resto si spezzettava e si infilzava sugli spiedi (XII 353-65). Alcinoo sacrifica un bue in onore di Zeus, e alla sua corte si mangiano i cosci arrostiti (XIII 24-7), a Posidone, invece, sacrifica 12 tori (XIII 181-3). L'uccisione di un maiale è un vero e proprio rito: si gettano nel fuoco alcuni peli dell'animale e si invocano gli dei, poi lo si colpisce con una scheggia di quercia; in seguito viene scannato e squartato, vengono deposti sul grasso i pezzi del maiale tagliati per primi: questi sono in seguito cosparsi di farina di orzo, cotti e distribuiti in parti uguali, tra i partecipanti e gli dei (XIV 413-38).

Schiavitù: le schiave sono dedite all'industria domestica (lavare, cucire, pulire, macinare il grano, servire) e se erano giovani anche all'intrattenimento dei padroni (I 430-3). Esistono anche schiavi di servi, come Mesaulio (v.). La donna schiava era dedita al lavatoio e alla fonte; nel caso la sua condotta fosse riprovevole, poteva essere incatenata e punita a morte dal padrone (XV 420, 440-4). Alle schiave, inoltre, era affidata la cura dei bambini (VII 7-9, XV 450-1). Una categoria a parte è rappresentata dai servi obbligati (δμῶες ἀναγκαῖοι, XXIV 210) che non sono dei veri e propri schiavi, ma forse cittadini liberi costretti per debito a prestare il loro servizio a privati. Esiste un'altra categoria di schiavi, privilegiata rispetto alla prima: il rapporto che esiste tra l'οἰκεύς e il suo padrone non è univoco, in quanto il padrone offre la sua protezione al servitore, dandogli una casa, un pezzo di terra e una moglie (XIV 61-8 e XXI 212-6). Quando Odisseo chiede la collaborazione di Eumeo e Filezio promette loro matrimoni, beni, case e diritti simili a quelli del figlio (XXI 214-6): tutto questo avrà come esito non il riscatto dalla servitù, ma un'ascesa all'interno dell'*oikos*. Il servo spesso era parte integrante dell'*oikos* e riceveva la stessa educazione dei figli del padrone (XV 363-5), e disponeva di una sua piccola proprietà (XIV 80). Il padrone mangiava con i servi quando sorvegliava il loro operato (XVI 140-1). Tra i servi c'è anche il δαιτρός, il distributore di cibo (XVII 331). Un servo poteva sposarsi e avere dei figli, ma necessariamente insieme al suo nucleo familiare restava membro della famiglia del padrone (XXIV 386-90).

Sogni: il sogno omerico è in un certo senso una convenzione letteraria (come avviene anche in Erodoto, VI 12): esso è inviato da un dio come fantasma (immagine di un essere vivente) che è da intendere non come una proiezione della mente, ma come qualcosa che proviene dall'esterno. L'immagine conversa con il dormiente e lo esorta a compiere determinate azioni quando sarà sveglio, oppure fornisce alcuni consigli: la funzione di questi sogni è letteraria anche perché spesso determina l'intervento di un dio; alla fine del sogno il fantasma – oppure il dio stesso – si dilegua (IV 795-841, VI 15-41). Una forma di sogno più vicino alla nostra attività onirica, in cui cioè il messaggio è in codice simbolico, è in XIX 540-53. In questo caso Penelope chiede ad Odisseo, che si è presentato a lei nell'aspetto di un mendicante, l'interpretazione di un sogno: le sue venti oche erano state assalite da un'aquila grande che aveva spezzato il collo a tutte, uccidendole; nel sogno Penelope piangeva e subito era consolata dalle altre donne perché aveva perso le sue oche. L'aquila stessa aveva dato una spiegazione a Penelope: le oche erano i proci e l'aquila era Odisseo che rivendicava i diritti nella sua casa. L'interpretazione psicanalitica del sogno rivela un aspetto importante della personalità di Penelope: quello cioè di una donna gratificata dal fatto di essere corteggiata dai pretendenti in quanto nel sogno «gode» di vedere le sue oche (537) e si dispera della loro eliminazione. E. Dodds (*The Greeks and Irrational*, 1951 = *I Greci e l'irrazionale*, Firenze 1959, pp. 126-7) parla della freudiana «inversione degli affetti», secondo la quale nei sogni spesso si verificano situazioni che in stato di veglia vengono rimosse perché sentite come aberranti. Secondo Penelope due sono le tipologie dei sogni: una – quella delle porte di avorio – è mendace, l'altra – dalle porte di corno – è veritiera (XIX 560-7).

Sport e giochi: sono intesi come forme espressive di un unico fenomeno: il bisogno di provocare un avversario, per dimostrare la propria forza e per misurare le proprie capacità fisiche, oltre che dal piacere di muoversi. In generale l'agonismo può essere inteso come un momento dell'allenamento militare oppure della ricerca della gloria. La messa in palio di premi ha una funzione importante, essi costituiscono l'incentivo per i partecipanti, ma allo stesso tempo sono, nel caso di agoni funebri, un segno distintivo di ricchezza per la famiglia del morto che li offre (XXIV 5-6 e *Il.* XXIII 257-70), e sono anche un motivo di stimolo per gli spettatori (XVIII 44-9). In genere i premi (si trattava per lo più di tripodi) venivano assegnati non solo sulla base del successo nella competizione, ma costituivano spesso anche un segno di riconoscimento per il valore di anziani che ormai non potevano gareggiare più, come succede per Nestore nel XXIII libro dell'*Iliade* (vv. 616-23). Le opportunità per l'esibizione erano molteplici. Innanzitutto il corteggiamento: spesso la selezione dello sposo avveniva sulla base di gare di atletismo e si trattava di solito di gare con l'arco (XXI 57-79) e con i carri. Le occasioni ufficiali invece sono costituite dai giochi funebri organizzati per la morte di un eroe ai quali partecipano i giovani (XXIV 87-9), oppure anche in occasione di feste in onore di qualche dio. Le forme di atletismo riconosciute dall'*Odissea* sono varie. Nell'isola dei Feaci la successione delle gare contempla il seguente ordine: la corsa, la lotta, il salto, il lancio del disco e il pugilato (VIII 97-233). Le gare funebri in onore di Patroclo, attestate nell'*Iliade*, invece contemplavano otto specialità: il confronto tra le due situazioni ha fatto pensare che le discipline più antiche siano il pugilato, e la corsa, che sono comuni ai due poemi. Il pugilato, di origine cretese, è uno sport diffuso e conosciuto già in epoca micenea, anche se veniva praticato con una sola mano: il fatto che Omero faccia riferimento ai vestiti (χιτών) indica che la nudità in questo sport fu acquisita solo posteriormente. Gli atleti prima di indossare il chitone si lavavano e si oliavano. Il disco era all'origine di pietra, poi veniva fatto di bronzo e mancava una forma e una dimensione canonica, quelli attestati, infatti, variano grandemente: nella gara, il disco veniva lanciato facendolo roteare e la vittoria veniva assegnata a quello che colpiva più lontano; un arbitro di gara stabiliva i termini dei vari concorrenti (VIII 186-99). Non è contemplata la corsa con i cavalli, perché non era praticata in epoca micenea. Esiste anche un agonoteta, che nel caso dei giochi funebri in onore di Patroclo è Achille. Egli ha la funzione di arbitro e sceglie gli osservatori di campo, i posti di partenza nel caso della corsa e assegna i premi (XXIII 257-86). Diverso è l'atteggiamento dell'*Iliade* nei confronti dello sport rispetto all'*Odissea*: nel primo caso esso è secondario rispetto all'attività militare, per cui ha il carattere dell'improvvisazione; mentre nell'*Odissea* compare la tipologia dell'atleta e il fatto che alcune specialità dello sport possono essere imparate, e quindi insegnate, preannuncia la nascita di istituzioni adeguate (cf. S. Laser, *Sport und Spiel*, «Archaeol. Hom.» T, Göttingen 1968). Tra i giochi, il più rappresentato nell'*Odissea* è quello con la palla, divertimento per Nausicaa e le sue compagne (VI 99-117), oltre che preludio alla danza per due danzatori feaci (VIII 371-97). La pittura dimostra che i palloni dovevano essere riccamente decorati. La bambola (γλήνη) compare nell'*Iliade* (VIII 164), e a differenza delle nostre bambole aveva l'aspetto di una sposa. Altro tipo di gioco attestato è quello con i dadi che aveva una doppia natura, poteva essere accompagnato da giochi di abilità o indovinelli, oppure dal gioco d'azzardo. I proci giocano con le pedine (I 106-8) e con dischi e giavellotti sullo spiazzo prospiciente la casa di Odisseo (XVII 167-9). In sintesi il gioco fornisce un'occasione importante per il conseguimento della gloria (VIII 147-8) e l'*Odissea* segna il passaggio di una civiltà eroica, in cui l'eroe poteva dimostrare le sue qualità nella guerra e nella caccia, ad una civiltà della *polis*, in cui invece l'agonismo si sostituisce a questi due momenti.

Struttura del poema: Aristotele (*Poetica*, 1459b 13-6), mettendo a confronto i due poemi omerici, sosteneva che l'*Iliade* ha una struttura semplice (ἁπλοῦν), mentre l'*Odissea* è più complessa (πεπλεγμένον) per la serie di riconoscimenti e per la descrizione del carattere di protagonista: il concetto di fondo dell'opera è semplice, quello che abbonda secondo Aristotele sono gli episodi (1455b 17-23). L'opera rivela una struttura rigorosamente speculare: innanzitutto è divisibile in due parti distinte di dodici libri ciascuna e ognuna di queste due parti, a sua volta, contiene tre sezioni di quattro libri: 1) i primi quattro costituiscono la *Telemachia*; 2) gli altri quattro la *Feacide*, raccontano cioè il soggiorno di Odisseo a Scheria; 3) la terza sezione (IX-XII) comprende gli *Apologoi*, i rac conti di avventure di Odisseo alla corte dei Feaci; 4) la quarta sezione, con la quale inizia la seconda parte del poema, racconta l'arrivo di Odisseo a Itaca e l'ospitalità di Eumeo; 5) nei libri XVII-XX Odisseo è mendicante ad Itaca e contemporaneamente prepara la cacciata dei pretendenti; 6) gli ultimi quattro libri hanno come sfondo la gara con l'arco, la vendetta di Odisseo e il recupero del suo potere (cf. G.A. Privitera, *art. cit.* alla voce Avventure). Ogni tentativo di stabilire il numero dei giorni di viaggio di Odisseo e degli altri personaggi del racconto si dimostra disperato e inutile perché il tempo ha nel poema una durata simbolica (v. Tempo): così ad esempio sarebbe inutile cercare di far rientrare nel numero di tre anni la durata dei viaggi di Odisseo e i suoi compagni da Troia ad Ogigia, sommando le indicazioni oscure che il poema stesso dà in relazione ad ogni tappa. Le azioni dei personaggi sono regolate dalla «legge dei tempi morti», secondo la quale, come ha osservato E. Delebecque (*Construction de l'«Odyssée»*, Paris 1980), due personaggi non possono agire simultaneamente in due luoghi differenti, ma solo nella stessa scena: nei giorni in cui Telemaco è a Sparta, Odisseo è inattivo, viceversa quando Odisseo viaggia da Ogigia ad Itaca, Telemaco è inattivo. Non è facile stabilire in quale mese dell'anno si svolgono questi fatti, si può supporre che si tratti dell'ultima parte dell'estate, quando le giornate cominciano ad accorciarsi. Riguardo al finale dell'*Odissea* le ipotesi erano contrastanti già nell'antichità: secondo gli *Scoli*, i grammatici alessandrini consideravano come finale dell'opera il v. 296 del libro XXIII, ma non è documentata tutta la serie di osservazioni di natura filologica, contenutistica e linguistica che doveva servire di supporto a questa affermazione.

Tempo: il tempo ha per lo più nell'*Odissea* un valore simbolico: non è interesse del poeta stabilire la durata precisa di un episodio, quanto piuttosto definire lunghe o brevi durate: in questo senso il numero nove designa una durata piuttosto lunga: in genere i viaggi per mare di Odisseo durano nove giorni, per compiersi al decimo (IX 82-4, X 28-9); del resto dopo la partenza da Troia, le peregrinazioni di Odisseo durano nove anni, solo al decimo egli può fare ritorno a casa. In generale, il computo del tempo è scandito dal ciclo lunare (XIV 162). Gli uomini non sono in grado di organizzare il proprio futuro ed hanno di esso una percezione confusa, in quanto esso viene determinato, di volta in volta, dagli dei (XVIII 136-7, v. Pessimismo): ἦμαρ indica la quotidianità. Ogni giorno, infatti, è segnato da un evento diverso che lo caratterizza, così esisterà νόστιμον ἦμαρ (I 9), «il giorno del ritorno», oppure il δούλιον ἦμαρ (XIV 340), «il giorno dell'asservimento».

Trasformazioni: i personaggi dell'*Odissea* sono sottoposti a continue metamorfosi del loro aspetto, grazie soprattutto all'opera di Atena, basti pensare alla trasformazione di Odisseo in mendicante, e al ringiovanimento di Laerte, oppure alle metamorfosi di Circe e di Proteo. Il quadro che emerge è quello di un mondo costantemente sottoposto a fattori irrazionali, inafferrabili: i valori che predominano sono quelli della μῆτις, in cui rientra anche il gioco della negazione della vera identità, per non offrire al nemico la possibilità di sopraffazione (Odisseo da Polifemo, Odisseo con Eumeo). La realtà si presenta continuamente minacciosa, piena di trappole, precaria proprio perché tutto quello che l'individuo ha può essergli sottratto: in questo contesto vince chi è continuamente all'erta, chi prima di agire sonda l'animo degli altri (come fa Odisseo anche con i suoi familiari).

Venti: ne sono considerati solo quattro: Borea (N), Euro (E), Noto (S), Zefiro (O); v. singoli nomi. I venti Noto ed Euro sono contrari alla navigazione, infatti trattengono Odisseo e compagni per un mese a Trinachia (XII 325-6).

INDICE GENERALE

«Odissea»
di Omero
Oscar classici greci latini
Arnoldo Mondadori Editore

Questo volume è stato stampato
presso ELCOGRAF S.p.A.
Stabilimento - Cles (TN)
Stampato in Italia. Printed in Italy